W9-CBV-753

Gabrielle Roy
Une vie

DU MÊME AUTEUR

Gabrielle Roy, essai, Fides, 1975. Épuisé.

Le Prince et la Ténèbre, conte accompagnant des tailles-douces de Lucie Lambert, Éditions Lucie Lambert, 1980.

L'Incroyable Odyssée, récit, Éditions du Sentier, 1981. Épuisé.

La Littérature contre elle-même, essais, Éditions du Boréal, 1985.

Le Québec depuis 1930, histoire (en collaboration avec Paul-André Linteau, René Durocher et Jean-Claude Robert), Éditions du Boréal, 1986.

La Génération lyrique, essai, Éditions du Boréal, 1992.

François Ricard

Gabrielle Roy
Une vie

biographie

Les Éditions du Boréal sont inscrites au Programme de subvention globale du Conseil des Arts du Canada et reçoivent l'appui de la SODEC.

Conception graphique : Gianni Caccia
Photographie de la couverture : Studio Zarov

Dépôt légal : 4e trimestre 1996
Bibliothèque nationale du Québec

Diffusion au Canada : Dimedia
Diffusion et distribution en Europe : Les Éditions du Seuil

Données de catalogage avant publication (Canada)

Ricard, François

Gabrielle Roy. Une vie
Comprend des réf. bibliogr. et un index
ISBN 2-89052-788-3 (br.) – ISBN 2-89052-796-4 (rel.)
1. Roy, Gabrielle, 1909-1983 – Biographie. 2. Écrivains canadiens-français – 20e siècle – Biographies. I. Titre.

PS8535.095Z882 1996 C843'. 54 C96-940899-4
PS9535.095Z882 1996
PQ3919.R74Z575 1996

À *Marcelle*.

Qui *est ou* qui *fut quelqu'un, nous ne le saurons qu'en connaissant l'histoire dont il est lui-même le héros — autrement dit sa biographie ; tout le reste de ce que nous savons de lui, y compris l'œuvre qu'il peut avoir laissée, nous dit seulement* ce qu'*il est ou* ce qu'*il était. C'est ainsi que, beaucoup moins renseignés sur Socrate, qui n'écrivit pas une ligne et ne laissa aucune œuvre, que sur Platon ou Aristote, nous savons bien mieux et de manière plus intime qui il fut, parce que nous connaissons son histoire, que nous ne savons qui était Aristote dont les thèses nous sont parfaitement connues.*

Hannah Arendt
Condition de l'homme moderne
(trad. G. Fradier)

Métaphore archiconnue : le romancier démolit la maison de sa vie pour, avec les pierres, construire la maison de son roman. Les biographes d'un romancier défont donc ce que le romancier a fait, refont ce qu'il a défait. Leur travail ne peut éclairer ni la valeur ni le sens d'un roman, à peine identifier quelques briques. Au moment où Kafka attire plus d'attention que Joseph K., le processus de la mort posthume de Kafka est amorcé.

Milan Kundera
L'Art du roman

… la femme […] leva vers moi le visage pour me suivre d'un long regard perplexe et suppliant que je n'ai cessé de revoir et qui n'a cessé, pendant des années, jusqu'à ce que j'obtempère, de me demander ce que tous nous demandons peut-être du fond de notre silence : Raconte ma vie.

GABRIELLE ROY
Un jardin au bout du monde

CHAPITRE I

Fille d'immigrants

Un Canadien errant • La saga des Landry • Les tribulations d'un chef de famille • Saint-Boniface, enfin

Les cloches de la cathédrale de Saint-Boniface n'ont pas sonné, dans l'après-midi du mardi 23 mars 1909, pour annoncer au monde le baptême de Marie Rose Emma Gabrielle Roy[1]. L'abbé Duplessis, un des vicaires de la paroisse, a été si lent dans ses prières et ses ablutions que la cérémonie ne s'est terminée qu'après l'heure de l'angélus, trop tard pour sonner le carillon. La mère, demeurée seule à la maison, a interprété ce silence comme un mauvais présage.

Il n'y avait pas de quoi s'inquiéter, pourtant, puisque l'enfant, née la veille — avec le printemps, pour ainsi dire —, venait au monde dans une famille sinon prospère, du moins fort bien établie et dont la condition faisait l'envie de plusieurs.

Un Canadien errant

Le père, certes, n'est plus jeune, il va sur la soixantaine. Mais c'est un homme qui, à ce moment-là de sa vie, peut se dire content de lui-même et de la situation où ils sont enfin parvenus, lui et les siens, depuis une douzaine d'années environ, c'est-à-dire depuis ce jour du printemps 1897 où il a emmené femme et enfants s'établir à Saint-Boniface. Ce jour-là a marqué une sorte de victoire. Après trente ans d'errances, de projets avortés, de batailles continuelles pour trouver un lieu et un métier où accomplir ce dont il se sentait capable, enfin le sort lui souriait et il pouvait considérer que sa vie était réussie.

Jusqu'alors, le parcours de Léon Roy avait été à bien des égards celui de l'orphelin type — bien qu'il ne fût pas orphelin à proprement parler, mais plutôt le fils exilé, ou révolté, qui a quitté père et mère pour se lancer seul à l'aventure et n'est plus jamais revenu dans son pays natal[2]. Ce pays était la rive sud du Saint-Laurent, en face de Québec, dans ce que l'on appelait alors le Canada-Est. Léon y était né le 1er juillet 1850, à Saint-Isidore-de-Dorchester[3]. Il était le huitième enfant de Charles Roy (1803-1900), cultivateur, et de sa seconde femme Marcellina Morin (1812-1888). Le jeune homme avait-il fui de lui-même ce milieu pauvre et dur ou avait-il été « banni de ses foyers », l'histoire ne le dit pas. Tout ce que l'on sait, c'est qu'à treize ans Léon quittait la ferme de son père, pour qui il « ne [ressentait] aucune tendresse[4] », et était recueilli par le curé de Beaumont, qui l'hébergerait pendant deux ans et lui ferait la classe en échange de menus travaux. Puis, après avoir passé quelques mois en pension dans un collège de Québec, le jeune homme était entré au service d'un marchand de la ville chez qui il avait connu le sort de l'apprenti maltraité et exploité mais avait pu au moins s'initier à la pratique du commerce[5]. Enfin, parvenu à l'âge adulte, il avait pris le chemin de l'exil, comme tant d'autres jeunes Canadiens français de l'époque à qui leur pays n'avait rien à offrir.

Comme eux, il était allé en Nouvelle-Angleterre où, pendant quelques années, il avait été guide et agent forestier dans les chantiers. Puis il s'était rendu à Lowell (Massachusetts), où se trouvait déjà son frère Majorique. À l'instar de plusieurs autres villes industrielles de la Nouvelle-Angleterre, Lowell comprenait alors bon nombre d'émigrés du Québec employés dans les filatures et les fabriques. Flairant la possibilité de se faire une clientèle, Léon avait ouvert, avec un ami, un petit restaurant qui faisait également débit de boissons. L'affaire, pendant un certain temps, n'avait pas mal marché. En bon tenancier, Léon se joignait volontiers aux libations de ses clients, ce qui mangeait le profit et risquait de lui donner de mauvaises habitudes. Si bien qu'au bout de quelques années, son associé étant mort et lui se sentant devenir alcoolique[6], mais aussi et surtout parce que le chômage croissant faisait languir le commerce, il avait décidé de laisser là son établissement et, une fois de plus, d'aller tenter sa chance ailleurs.

Les populations franco-américaines faisaient alors l'objet d'une grande sollicitude de la part d'un nombreux clergé venu du Québec pour veiller à la conservation de leur langue, de leurs traditions et de leur religion. Un des moyens d'y parvenir consistait à aménager des paroisses sur le modèle de celles du Québec — ce qui fut fait dans presque toutes les villes où vivaient un nombre suffisant d'émigrés. Mais un moyen encore plus efficace était de prêcher le « rapatriement », c'est-à-dire de persuader les frères exilés de rentrer dans leur pays. Ainsi, ils échapperaient encore plus sûrement à la menace d'assimilation que faisaient peser sur eux non seulement la culture américaine, laïque et matérialiste, mais aussi le fait de vivre en ville plutôt qu'à la campagne, territoire naturel du Canadien français. À cette fin, on proposait aux ouvriers de leur donner des terres au Canada pourvu qu'ils acceptent de se faire colons. C'est ainsi que, dans les dernières décennies du XIXe siècle, un petit nombre de familles prises en charge par des « sociétés de colonisation » qu'animaient de jeunes prêtres imbus de la « mission providentielle » du peuple canadien-français ont quitté les *Little Canada* de Lowell, Fall River, Worcester ou Central Falls pour revenir dans leur pays.

Au lieu de s'établir de nouveau au Québec, quelques-uns de ces « rapatriés » ont choisi l'Ouest du Canada, où les terres étaient beaucoup plus propices à l'agriculture et où le *Dominion Lands Act* de 1872 permettait de devenir propriétaire à très bon compte, sous certaines conditions minimales ayant trait à la culture et à la résidence. Créée en 1870 et considérablement agrandie en 1881, la province du Manitoba était alors officiellement bilingue et dotée d'un système d'éducation confessionnelle, comme le Québec, ce qui incitait les autorités religieuses à tenter d'y accroître aussi rapidement et aussi intensément que possible la présence française et catholique, déjà implantée depuis le début du XIXe siècle grâce à l'intervention de Mgr Provencher, au zèle des pères Oblats et des sœurs Grises et à la fidélité des Métis. On rêvait de recréer, en quelque sorte, un autre Québec à l'ouest de l'Ontario anglais et protestant et d'équilibrer ainsi, ou du moins de faire pencher en faveur de notre « race », la balance démographique et politique du nouveau Canada né en 1867.

C'est ainsi que Léon Roy avait eu l'idée de vendre son restaurant et de partir pour le Manitoba, entraînant avec lui Majorique et un autre de ses frères, Édouard. Célibataire dans la force de l'âge, libre de toute nostalgie et de toute attache, tout entier tourné vers l'avenir, Léon était le genre d'homme dont le pays neuf avait besoin.

Depuis la fin des années 1870, un bon contingent de Canadiens français avaient commencé à s'établir dans la région dite de la Montagne Pembina, à une centaine de milles au sud-ouest de Winnipeg, où Mgr Alexandre-Antonin Taché, le deuxième évêque de Saint-Boniface, avait obtenu que deux cantons leur soient réservés[7]. C'est là, dans les limites de la toute nouvelle paroisse de Saint-Alphonse[8], que Léon, le 25 mars 1883, avait « pris *homestead* », c'est-à-dire choisi de faire sien un lot inoccupé qui correspondait, dans le cadastre officiel, au « *North east quarter of section Four of the 5th Township in the 12th Range West of Principal Meridian in the Province of Manitoba*[9] ». Ce lot, ce « quart de section[10] », il avait mis ensuite près d'un an à le préparer et à y construire une habitation rudimentaire, avant de venir s'y installer le 15 février 1884.

Était-ce la fin de l'errance ? L'orphelin volontaire allait-il enfin s'ancrer quelque part et commencer à vivre une vie normale ? C'est du moins ce que Léon a cru alors, et c'est dans cet esprit qu'il a décidé d'agir. En peu de temps, il a fignolé son installation, acheté des animaux, mis une bonne partie de sa terre en culture et appris à se faire connaître et respecter de la communauté — respect plus aisément acquis du fait qu'il savait lire et écrire et maîtrisait l'anglais. Ainsi, dès 1885, il faisait circuler une pétition relative à l'emplacement du bureau de poste local. L'année suivante, ses voisins de Saint-Alphonse, pour la plupart des Canadiens français venus comme lui des États-Unis, l'élisaient au conseil de la municipalité rurale de Lorne (qui englobait Saint-Alphonse[11]), tandis que le gouvernement lui confiait le poste officiel de juge de paix[12]. Mais la tâche la plus importante, sans laquelle aucune réussite matérielle ou sociale n'aurait eu de sens, était de trouver la femme avec qui réaliser le but de toute existence digne de ce nom : fonder une famille.

Cette femme, Léon Roy l'a découverte non loin de chez lui, dans une maison de la paroisse voisine de Saint-Léon. Elle s'appelait Mélina Landry.

La saga des Landry

Dans l'imaginaire familial de Gabrielle Roy, le contraste entre l'univers du père et celui de la mère sera toujours très marqué. À l'égard des Roy, sans doute parce que son père lui-même a rompu pratiquement tout lien avec eux, elle se sentira à jamais étrangère. Cette famille, qu'elle n'aura pour ainsi dire pas connue[13], lui apparaîtra comme un monde obscur, sans amour et sans joie, empreint d'une religiosité farouche, un monde symbolisé par la figure effrayante du grand-père « Savonarole, le brûleur de livres[14] », l'ennemi de l'instruction, et par celle de sa triste épouse Marcellina, personnage qui annonce, dirait-on, ces femmes rigides, comme mortes intérieurement, de certains récits d'Anne Hébert et de Marie-Claire Blais. « Nous n'avions jamais connu ces deux êtres, lit-on dans *La Détresse et l'Enchantement*, que par leur portrait terrible et quelques confidences échappées à mon père. Je ressentais à leur endroit un tel éloignement que je refusais de me reconnaître en eux[15]. »

Et Gabrielle Roy poursuit : « Je m'imaginais issue des Landry seulement, cette race plus légère, rieuse, rêveuse, comme un peu aérienne, aimante, tendre et passionnée. » Autant le monde des Roy lui paraîtra immobile et inhospitalier, autant celui des Landry l'exaltera et fascinera son imagination. Ce monde, pour elle, sera celui de la lumière, de la liberté, d'un bonheur sans mélange, un monde qu'elle ne finira jamais de se raconter à elle-même, en s'inspirant d'abord des récits de sa mère puis en puisant dans ses propres souvenirs. Tout au long de sa vie, elle ne cessera d'y ajouter des couleurs, des voix, des significations nouvelles ; de le magnifier et de l'embellir au point d'en faire un véritable mythe : le mythe fondateur de son identité et de la conscience qu'elle aura de son propre destin.

L'histoire des Landry, racontée dans un chapitre de *La Détresse et l'Enchantement*[16], a beau commencer loin dans le passé, en Acadie d'abord, puis dans le Connecticut à la suite de la Déportation de 1755, c'est au Québec qu'elle prend véritablement forme et devient celle de Gabrielle Roy. Comme le montre le vaste roman inachevé qu'elle lui consacrera plus tard[17], le vrai début de « cette saga précieusement conservée dans notre mémoire[18] », c'est-à-dire le lieu de ses propres origines, Gabrielle Roy le situe dans les collines de Saint-Alphonse-de-Rodriguez, au nord-ouest de Joliette, une trentaine d'années avant sa naissance. Là se met en branle, pour elle, le mouvement de sa propre vie.

Plus précisément, c'est en 1881 que tout commence. Les paroisses du nord de Montréal reçoivent elles aussi, à cette époque, la visite de prêtres recruteurs que Mgr Taché dépêche au Québec avec mission d'y trouver des colons pour le Manitoba. L'un des plus célèbres est le père Albert Lacombe, Oblat, alors curé de Sainte-Marie de Winnipeg et missionnaire auprès des nations amérindiennes de l'Ouest. Pendant la messe dominicale, ces envoyés de l'évêque de Saint-Boniface font miroiter aux cultivateurs québécois l'immensité et la fertilité des terres manitobaines, dans l'espoir qu'ils accepteront d'y venir travailler à la réalisation du grand projet de colonisation canadienne-française et catholique des plaines occidentales du Canada. Ce projet, pour l'épiscopat et les élites politiques de l'époque, est le meilleur remède au terrible fléau de l'émigration vers les États-Unis, qui décime les campagnes québécoises et menace la survie de la nation.

> Les États-Unis, écrit un propagandiste, c'est la terre étrangère, c'est l'exil ; c'est, a dit le vaillant curé Labelle, « le cimetière de notre race ». Le Manitoba, [...] c'est la patrie ; c'est une terre sur laquelle

notre race, au lieu de s'étioler, de s'amoindrir, grandira, vigoureuse, forte, saine, vaillante, imbue des idées religieuses, sociales, patriotiques et traditionnelles, qui ont créé la nationalité canadienne-française[19].

Élie Landry, né quarante-six ans plus tôt dans la paroisse voisine de Saint-Jacques-de-l'Achigan, a connu la vie du draveur et du bûcheron avant de s'établir sur une terre de Saint-Alphonse-de-Rodriguez. Il est au nombre des paroissiens qui se laissent tenter, par le rêve patriotique peut-être, mais surtout par la perspective d'une vie plus facile, d'un travail moins ingrat et d'un pays assez vaste et fertile pour que leurs enfants puissent s'y établir et y prospérer, au lieu d'être coincés sur des terres étriquées, rocailleuses, où ils sont promis à la pauvreté ou à la dispersion. Là-bas, au contraire, le sol est « planche », il n'y a ni arbres à abattre ni souches à brûler, les gelées sont tardives, l'eau facile à trouver, et l'espace ne manque pas. Cela dit, il fallait quand même, à ces paysans illettrés, une bonne dose d'audace — et d'ambition — pour se lancer ainsi à l'aventure, c'est-à-dire abandonner leurs maisons, leurs voisins, leur parenté, pour aller recommencer leur vie à deux mille cinq cents kilomètres de chez eux, autant dire à l'autre bout du monde. On oublie trop souvent, quand on évoque l'immobilisme et le conservatisme de la société rurale du Québec de cette époque, l'élan et l'esprit d'initiative qui animaient ces émigrants et que la nécessité seule ne saurait expliquer.

La femme d'Élie, Émilie Jeansonne, née elle aussi à Saint-Jacques, est venue, adolescente, à Saint-Alphonse-de-Rodriguez où elle a épousé Élie le 9 juillet 1861. Elle a cinquante ans. On comprend qu'elle se fasse un peu tirer l'oreille et que la perspective de devoir tout reprendre à zéro dans un pays inconnu ne la soulève pas d'enthousiasme. Sans compter que le couple a sept enfants. Certes, les deux aînés, Calixte, dix-huit ans, et Moïse, dix-sept, ne tarderont pas à se débrouiller seuls. Mais il y a aussi Joseph, qui n'a que douze ans, Zénon, qui en a à peine dix, et le petit dernier, Excide, l'enfant chéri, qui va sur ses six ans. Et il y a les deux filles, Rosalie et Émélie. La première a tout juste atteint l'âge de raison, tandis que la seconde, que l'on appelle familièrement Mélina, vient d'avoir quatorze ans[20] et devrait, en cas de départ, abandonner ses études à l'école du rang, où elle montre pourtant de belles dispositions.

Mais les raisons qui poussent Élie à partir sont plus fortes que celles qui retiennent Émilie. Le voyage, comme presque toujours, se déroulera au printemps ; on peut ainsi, une fois sur les lieux, profiter du beau temps pour « se placer, se mettre à la culture de suite, et obtenir à l'été la vie de sa famille, quelquefois même un surplus », comme dit un prospectus de l'époque[21]. Après avoir tout liquidé, sauf les biens essentiels qui peuvent se transporter aisément, Élie et les siens, avec quelques autres familles de la paroisse, se dirigent d'abord vers Montréal, où ils prennent le train pour l'Ouest. De tronçon en tronçon — la construction du transcontinental n'est pas encore tout à fait achevée —, ils arrivent à Winnipeg, où le groupe est accueilli à la gare par Mgr Taché et le père Lacombe en personne.

S'ils avaient plus d'argent, les nouveaux arrivants pourraient acheter une terre le long de la rivière Rouge ou de l'Assiniboine, mais ce n'est pas le cas. Aussi leur faut-il aller plus loin, vers les zones de colonisation où des *homesteads* sont encore disponibles. On les dirige donc vers Saint-Norbert, au sud de Winnipeg, où ils doivent attendre le rassemblement d'un convoi à destination de la Montagne Pembina. Puis commence la dernière étape du voyage, la plus pittoresque, celle que Gabrielle Roy ne se lassera pas d'évoquer. Assis sur leurs affaires entassées dans des chariots recouverts d'une bâche et tirés par des chevaux, comme dans un western, les immigrants se mettent en route vers l'Ouest, en un lent cortège s'étirant le long de la *trail* qui doit les mener au terme de leur voyage. Le paysage, autour d'eux, les émerveille et les inquiète tout à la fois : le ciel immense, la plaine, une ligne de collines au loin, qu'il faudra franchir pour découvrir encore d'autres merveilles, d'autres espaces, un autre pan d'horizon. Ils campent tantôt à la belle étoile, tantôt dans une ferme isolée où des colons leur offrent la soupe et un peu de réconfort.

C'est ainsi du moins que Gabrielle Roy, dans plusieurs de ses écrits, prendra plaisir à reconstituer l'arrivée de ses grands-parents Landry au Manitoba. Le personnage central de cette évocation, celui à travers lequel tout l'épisode sera imaginé et comme rehaussé en poésie, est bien sûr la petite Mélina, sa propre mère alors adolescente. Aux yeux de la jeune fille, dira la romancière, ce voyage a la valeur d'une expérience initiatique. Mélina y fait non seulement l'apprentissage d'un nouveau pays, d'une nouvelle existence, mais de son être même, de son besoin de liberté, de sa propension au rêve et même de sa condition de femme, puisqu'elle est à l'âge de la puberté.

> [Ma mère] ne revint jamais de l'émotion de ce voyage et en fit le récit toute sa vie. Si bien que mon enfance à son tour en fut envoûtée, ma

> mère reprenant pour moi la vieille histoire, tout en me berçant sur ses genoux, dans la grande berceuse de la cuisine, et j'imaginais le tangage du chariot et je croyais voir, de même que du pont d'un navire en pleine mer, monter et s'abaisser légèrement la ligne d'horizon[22].

Au bout de trois semaines — le 14 juin 1881 exactement —, les voyageurs arrivent enfin à destination. Au sommet d'une pente douce, à proximité d'un petit bois, Élie prend possession du lieu où ils vont recommencer leur vie : le quart sud-ouest de la section 16 dans le 9e alignement du 5e canton[23]. L'endroit se trouve à environ deux milles au nord-ouest du village nouvellement fondé de Saint-Léon, chef-lieu de la paroisse qui s'étend alors sur toute la région et où sont déjà établis bon nombre de Canadiens français ; ils s'appellent Rondeau, Moreau, Major, Lafrenière, Girouard, Toutant, Labossière. Le curé est un Belge, l'abbé Théobald Bitsche. Pendant trois ans, Élie et les siens débroussaillent, « cassent[24] », mettent en culture quarante acres de terre et remplacent leur première cabane de rondins par une belle « maison à deux corps de logis, haut et bas-côtés, comme [leur] maison de Saint-Alphonse-de-Rodriguez[25] ». Bientôt, les fils aînés, Calixte et Moïse, se lancent dans les affaires ; ils acquièrent des terres[26], travaillent à la construction du nouveau chemin de fer. Ils profitent, en somme, du développement rapide de la région où, à l'ouest et au nord de Saint-Léon, les paroisses ne cessent de surgir et de se peupler.

Dans une de ces paroisses, Saint-Alphonse, habite Léon Roy, un homme instruit et dynamique. Quoique passablement plus âgé que les fils Landry, Léon se met bientôt à fréquenter la maison d'Élie, chez qui le curé de Saint-Alphonse lui a fait remarquer la présence de Mélina, un fort beau parti, comme on dit. « C'était une fille brune, de moyenne grandeur, saine et robuste[27] ». Peu de temps auparavant, à l'âge de seize ans, elle a voulu entrer chez les sœurs Grises et passé quelques mois dans leur couvent de Saint-Boniface, mais elle a eu tôt fait de s'ennuyer et, laissant là ses études, est rentrée à la maison. Depuis, elle aide tranquillement sa mère et se prépare à la vie qui l'attend[28].

La période des « conversations sur la galerie[29] » et des billets doux copiés dans le *Secrétaire des amoureux* dure à peine un été. Puis, le 23 novembre 1886, après la saison des récoltes, et malgré les réticences d'Élie, le mariage a lieu à l'église de Saint-Léon[30]. Lui a trente-six ans, elle, dix-neuf.

Pour Gabrielle Roy, le fait d'avoir eu pour parents des immigrants, c'est-à-dire des personnes qui ont quitté leur pays natal pour aller recommencer leur vie en territoire inconnu, revêtira avec le temps une signification de plus en plus décisive. Elle en viendra à voir dans son appartenance à cette lignée de « chercheurs d'horizons[31] » une des clés de son caractère et de son destin. Convaincue de continuer dans sa propre vie celle de ses parents et de ses grands-parents, elle en appellera sans cesse, pour comprendre ses nostalgies, ses désirs et le sens de ses actes, de même que pour rendre compte de sa vocation d'écrivain et expliquer ses choix politiques, à ce « sang d'errants[32] » qui coule dans ses veines, à cette fascination pour l'« horizon sans cesse appelant, sans cesse se dérobant[33] » qu'ont éprouvée avant elle ceux et celles dont elle est issue — à ce besoin de changement et de découverte qui, elle en est sûre, était inscrit en elle à sa naissance.

Les tribulations d'un chef de famille

Après la noce, Léon Roy emmène son épouse sur sa terre de Saint-Alphonse. La jeune femme n'aime guère la maison — une cabane en rondins —, non plus que les habitudes de célibataire de son mari. De plus, Léon est un homme très occupé. Sa double fonction de conseiller municipal et de juge de paix l'oblige à s'absenter souvent. Mélina profite de la moindre occasion pour rendre visite à ses parents, chez qui elle fait parfois de longs séjours, avant et après la naissance de ses enfants.

Le premier enfant, un garçon, vient au monde neuf mois après le mariage, le 28 août 1887[34]. Il s'appellera Joseph. Puis c'est Anna qui voit le jour à Saint-Léon, chez les Landry, le 25 septembre 1888[35].

Un nouveau virage se produit alors dans la vie de Léon, et donc dans celle de Mélina. Bien que se sentant peu de goût — et peu de talent, peut-être — pour l'agriculture, le nouveau père de famille a quand même déposé la demande de « patente » qui le rendra propriétaire de sa terre. Le document est daté du 2 octobre 1887, et les titres officiels lui seront accordés peu de temps après, au début de l'année 1888. Mais voilà que le développement de la région offre à Léon l'occasion de moins dépendre de la terre et de renouer avec ses vieilles amours : le commerce. Grâce à l'arrivée de la nouvelle ligne du Northern Pacific and Manitoba Railway, Saint-Alphonse-Sud, la partie de la paroisse où se trouve son quart de section, est en train de devenir un petit village auquel on donnera bientôt le nom de Mariapolis.

Misant sur la clientèle présente et surtout future, Léon, en association avec son beau-frère Calixte Landry qui a, lui aussi, abandonné l'agriculture, ouvre un magasin général au mois de décembre 1889.

Peu après, il fait signer des pétitions en faveur de la création d'un bureau de poste à Mariapolis. Ces pétitions portent fruit et lui permettent de devenir, au mois de décembre 1891, le premier *postmaster* du village[36]. En plus du statut que lui confère ce titre et de l'avantage que procure à un commerçant le fait d'avoir la poste chez lui, cette nomination assure à Léon un certain revenu, puisqu'il est également payé pour le transport du courrier de la gare à son magasin. Il conservera cette charge jusqu'à son départ de Mariapolis, à l'automne 1893[37].

Car les affaires ne vont pas très bien et Léon connaît de sérieuses difficultés financières[38]. Une combine permet à Moïse Landry, l'autre frère de Mélina — que la chronique présente comme un homme à tout faire, horloger, photographe, crieur aux enchères, oculiste et arracheur de dents —, de s'emparer du magasin de Calixte et de Léon, ce qui oblige ce dernier à aller chercher fortune ailleurs. La petite famille part donc pour Somerset, un village des environs favorisé depuis peu par le tracé du chemin de fer. Léon y ouvre d'abord une épicerie dans le « bloc Garneau », puis il fait construire un grand magasin général, à l'étage duquel il loge sa famille. Il semble qu'il ait également construit un hôtel juste en face de la gare[39]. Somerset faisant alors partie de la paroisse de Saint-Léon et se trouvant à moins de deux milles de la ferme d'Élie Landry, Mélina a le plaisir de se rapprocher ainsi de ses parents, à qui elle continue de rendre visite régulièrement.

Quatre autres enfants naîtront pendant ces années-là, un deuxième garçon, d'abord, qui meurt à l'âge de trois mois[40], puis trois filles : Agnès, qui vient au monde le 17 novembre 1891[41], Adèle, née le 30 janvier 1893 dans la maison de ses grands-parents Landry à Saint-Léon[42], et Clémence, qui voit le jour à Somerset le 16 octobre 1895[43]. C'est également à cette époque que Léon se lance dans une autre carrière, qui se marie parfaitement à ses activités de commerçant : la politique.

La politique, c'est-à-dire, dans le contexte de l'époque, l'agitation partisane. Léon devient-il militant par conviction personnelle ? Par atavisme familial ? Le devient-il après son arrivée au Manitoba ou durant son séjour en Nouvelle-Angleterre ? Son père l'était-il avant lui ? On ne le sait pas ; mais une chose est sûre : Léon Roy est un libéral convaincu et très actif.

Or l'appartenance au Parti libéral, pour un Canadien français du Manitoba, ne va pas sans ambiguïté. C'est le cabinet libéral de Thomas Greenway qui a entrepris, depuis son arrivée au pouvoir en 1888, de réviser les pratiques du gouvernement provincial à l'égard des Canadiens français, révision qui aboutit, en mars 1890, à la promulgation par le parlement de Winnipeg des « lois spoliatrices » abolissant l'usage du français dans l'appareil administratif et judiciaire et interdisant le financement public des écoles catholiques, au mépris de ce que stipulait le *Manitoba Act* de 1870[44]. Ces événements ont de grandes répercussions politiques et judiciaires tout au long des années 1890. Au Québec, ils soulèvent l'indignation et sèment le doute sur l'avenir même de la Confédération. Mais chez ceux que l'on appellera plus tard les Franco-Manitobains, l'impact est encore plus dur. C'est tout le rêve d'un Manitoba bilingue, où se serait prolongée la vieille civilisation française et catholique de la vallée du Saint-Laurent, qui se voit brusquement anéanti, transformant en assiégés les conquérants de naguère, en étrangers ceux qui croyaient avoir une patrie.

Libéral sur la scène provinciale, Léon Roy l'est aussi en politique fédérale. Il lutte ainsi contre les « pendards » du Parti conservateur, qui ont permis l'exécution de Louis Riel en 1885, et appuie le nouveau chef de l'opposition, Wilfrid Laurier, un Canadien français, grâce à qui les libéraux viennent d'obtenir pour la première fois au Québec une majorité de sièges aux élections fédérales de 1891. Laurier, à qui Léon voue une admiration sans bornes depuis qu'il a eu l'occasion de lui serrer la main à Mariapolis un jour d'octobre 1894, réparera, c'est certain, le tort fait par Greenway aux Franco-Manitobains.

Assez rapidement, toutefois, l'ambiguïté se dissipe et Laurier, à mesure qu'approchent les élections, se montre de moins en moins disposé à voler au secours des catholiques du Manitoba. Le chef de l'opposition ne veut pas s'aliéner l'électorat protestant déjà inquiet à la pensée de voir un Canadien français occuper le poste de premier ministre du pays. C'est en partie pour cela que l'opposition libérale, à Ottawa, s'acharne contre les projets de « loi réparatrice » et d'« acte remédiateur » au moyen desquels le cabinet conservateur prétend frapper la législation manitobaine du désaveu fédéral autorisé par la constitution. Le calcul, certes, est bon, puisque le parti de Laurier prendra le pouvoir le 23 juin 1896, mettant ainsi fin à trois décennies de domination conservatrice quasi ininterrompue. Mais pour l'organisateur libéral Léon Roy, isolé dans son petit canton du Manitoba, les choses vont beaucoup moins bien. Aux yeux des élites canadiennes-françaises locales, et notamment du clergé et de l'épiscopat catholiques qui voient dans l'élection de Laurier la fin des espoirs suscités par le projet de désaveu des conservateurs, le marchand général de Somerset fait figure de paria. À Mgr Langevin qui lui demande des explications sur la défaite du candidat conservateur aux dernières élections provinciales, le curé de Saint-Alphonse, l'abbé Noël Perquis, écrit le 2 février 1896 :

> Celui qui a fait perdre l'élection de O'Malley est, sans contredit, Léon Roy de Somerset. [...] Léon Roy s'est démasqué comme il faut en cette circonstance et tout le monde ici le regarde comme un traître et une espèce d'apostat. Il le mérite. On a voulu le brûler en effigie à Somerset. Decosse, peut-être trop charitable, a empêché cette exécution[45].

Le traître, dit-on, aurait même touché 500 dollars des libéraux pour convaincre ses compatriotes de voter en leur faveur. Et quand arrivent les élections fédérales, le zèle anticonservateur de Léon ne se dément pas[46].

En choisissant de se mettre ainsi à dos ses coreligionnaires et leurs pasteurs, Léon Roy n'a plus aucun avenir comme commerçant à Somerset, non plus qu'en quelque autre village de la région. Dès lors qu'il a osé se « démasquer » et a failli à la solidarité, il doit être mis au ban de la communauté.

Léon savait-il d'avance ce qui allait lui arriver ? En tout cas, il ne tarde pas à retomber sur ses pieds et à tourner ses malheurs à son avantage. Comme on le sait, un parti nouvellement arrivé au pouvoir n'avait alors rien de plus pressé que de congédier les fonctionnaires nommés par l'ancien gouvernement et de les remplacer par ses propres organisateurs et amis. Aussi, une semaine à peine après les élections, avant même que le cabinet soit formé, Léon prend sa plus belle plume pour écrire une longue lettre au nouveau premier ministre Wilfrid Laurier :

> La part active que j'aie prie pour le partie libéral dans la division électoral de Lisgar sont cause pour laquelle on me fait beaucoup d'ennuie [...]
>
> Comme messieurs les curés était fortement auposé au succès du partie libéral on nous a envoyez des gros messieurs [...] & Monseigneur Larcheveque Langevin qui est venue faire sa visite pastoral et ces messieurs se sont tous trouvés scandalisés de voir que nous avions tan de confiance à M Wilfrid Laurier et ont fait peur a beaucoup de nos gens et mon dit simplement que je mangerais de lerbe.
>
> Aujourd'hui on est en train de ruiner mon commerce pour la raison je doit men confesser d'être la cause que notre partie a gangné les élections pour le local & fédéral [...].

Ayant ainsi exposé ses « compétences » et mis l'accent sur ses déboires, Léon suggère aussitôt une solution possible :

> Comme vous allez être au pouvoir et vous trouverez peut être nécessaire de demissioner quelques uns de ces messieurs les officiers des terres de la Couronne et Inspecteur de Homestead [,] sy ce nest pas trop vous demander je serais très reconnaissant d'avoir une de ces places[47].

Six mois plus tard, aucun courrier n'est encore arrivé d'Ottawa et la position de Léon à Somerset devient de plus en plus intenable. Le récent compromis survenu entre Greenway et Laurier au sujet des écoles catholiques, qui, tout en se donnant l'air d'en adoucir les effets, consacre en fait la législation de 1890, rend les libéraux encore plus suspects aux yeux du clergé et des notables canadiens-français. Léon revient donc à la charge auprès de Laurier. Mais il écrit également à Clifford Sifton, qui vient d'être nommé ministre de l'Intérieur et est donc responsable de l'immigration :

> *I was the only French person that did take an active part for our cause in Lisgar and all agree that without my assistance we would have lost the county.*
>
> *I wish I was in a position to say give this appointment to other of our friends and not to embarass you with this appeal but the part I have taken for the liberal cause has thrown upon myself the serious displeasure of lots of people in this district and I find my business pratically ruined*[48].

Les deux députés libéraux de la région, Macdonell et Richardson, à qui le militantisme électoral de Léon a profité, s'activent eux aussi auprès de Sifton qui, étant le bras droit de Laurier dans l'Ouest, règne en maître sur le patronage local. Les choses dès lors ne traînent pas. Après diverses tractations entre les officines libérales d'Ottawa et de Winnipeg[49], au cours desquelles on songe à le nommer tantôt *homestead inspector*, tantôt *timber inspector*, tantôt *forest ranger*, Léon obtient finalement un des deux postes que Sifton destine à des *Frenchmen* : celui de *French interpreter* à l'Immigration Hall de Winnipeg. Sa nomination est datée du 1er avril 1897 et entre en vigueur le 14 du même mois[50].

Saint-Boniface, enfin

Pour la deuxième fois depuis leur mariage, Léon et Mélina doivent donc déménager. Plus ou moins rejeté par ses concitoyens, Léon quitte Somerset un peu comme un fuyard, tandis que Mélina s'éloigne à regret de sa famille. Mais en même temps, les voici libérés des aléas de l'agriculture et du commerce : Léon jouit maintenant d'un emploi bien rémunéré, prestigieux, intéressant, sur lequel il pourra compter aussi longtemps que son parti restera au pouvoir.

La gare et les bureaux de l'Immigration se trouvent à Winnipeg, mais c'est à Saint-Boniface, sur la rive droite de la Rouge, que le couple choisit de s'installer. Bien que la petite ville compte alors moins de deux mille habitants, c'est une des agglomérations importantes du Manitoba, avec son allure de ghetto et de petite métropole[51]. Ghetto, dans la mesure où elle constitue, à côté de l'écrasante Winnipeg, une sorte de quartier « ethnique » marginal où les francophones occupent une position, sinon majoritaire, du moins dominante, et en tout cas beaucoup plus importante que leur poids dans l'ensemble du Manitoba[52], mais aussi métropole, puisque Saint-Boniface joue un rôle central dans la vie française et catholique de tout l'Ouest canadien, rôle qui s'affirme de plus en plus au tournant du siècle avec l'agrandissement et la modernisation de la ville. Siège d'un archevêché depuis 1871, desservie par de nombreuses communautés religieuses qui y dirigent un hôpital et plusieurs écoles, Saint-Boniface possède quelques journaux, des commerces, des agences, de petites industries et des services de toutes sortes et abrite l'élite francophone. Elle offre l'image d'une société tranquille, ordonnée et agréable.

Venant des régions de colonisation, Léon et Mélina se sentent à la fois rassurés et excités par leur nouveau milieu. Au plaisir de se trouver parmi des gens qui parlent leur langue et partagent leurs convictions religieuses s'ajoutent les avantages d'une vie sociale plus intense, d'un confort accru et de meilleures conditions, peut-être, pour l'instruction et l'établissement de leurs enfants. À leur arrivée, au printemps 1897, ils louent une maison peinte en rouge, à l'angle des rues La Vérendrye et du Collège (aujourd'hui rue Langevin), dans le quartier nord de la ville que l'on appelle « la Pointe », où vit une population de petits ouvriers et de Métis[53]. C'est là que vient au monde, le 15 septembre suivant, Bernadette, le sixième enfant des Roy[54]. Elle sera bientôt suivie de deux garçons : Rodolphe, qui voit le jour le 15 juillet 1899[55], et Germain, né à Saint-Léon le 9 mai 1902[56].

Le père, cependant, doit souvent s'absenter de Saint-Boniface pour son travail. Même s'il porte officiellement le titre d'« interprète », ses responsabilités sont beaucoup plus larges[57]. Il est en fait une sorte d'émissaire du gouvernement auprès des colons dont on lui confie la charge. Il les accueille à leur descente du train, les pilote à travers les bureaux de l'administration, les renseigne, les réconforte, leur trouve un logement provisoire, et les accompagne souvent jusqu'à leur canton, qu'il a lui-même repéré et inspecté au préalable. Après les avoir aidés à choisir une terre, il continue de les conseiller au cours des différentes étapes de leur installation. Quoique sa clientèle principale soit constituée d'immigrants de langue française — Québécois, Franco-Américains, Belges, Suisses et Français —, il s'occupe aussi de colons d'autres origines. Ces derniers groupes comprennent notamment les Doukhobors, venus de Russie durant les dernières années du siècle, en partie grâce à l'appui du romancier Léon Tolstoï, et les Galiciens, terme générique par lequel on désigne alors « les Ruthènes, les Galiciens proprement dits, les Buckowiniens, les Polonais, les Russes et les Slaves[58] ». Ainsi, vers 1898, Léon participe activement à l'installation de familles ukrainiennes[59]. Quelques années plus tard, quand les manifestations des Doukhobors donnent du fil à retordre aux autorités, il est de ceux qui contribuent à les apaiser[60].

L'« interprète français » a aussi pour rôle de visiter et d'inspecter les colonies existantes et de faire rapport à ses supérieurs du Bureau de l'immigration de Winnipeg. Son territoire couvre l'ensemble des cantons francophones. Au début, ceux-ci restent concentrés principalement au Manitoba, mais il s'en crée bientôt de nouveaux dans les « Territoires », c'est-à-dire en Saskatchewan et en Alberta (qui deviendront des provinces en 1905), où Léon doit dès lors se rendre régulièrement. À l'occasion, il est même dépêché dans les États voisins du Dakota-du-Nord, du Minnesota et du Michigan pour faire du recrutement auprès des Canadiens français vivant dans ces régions ou pour prendre en charge dès leur départ certains groupes de colons[61].

Ces années, on le sait, sont marquées par le déferlement d'un très grand nombre d'immigrants dans l'Ouest canadien, provenant surtout du Canada oriental, des États-Unis et de l'Europe[62]. Profitant de la conjoncture économique favorable, le gouvernement libéral, avec Laurier et Sifton en tête, ainsi que les compagnies ferroviaires propriétaires de vastes étendues de territoire font du peuplement des Prairies une de leurs priorités. À cette entreprise gigantesque qui se poursuivra sans discontinuer jusqu'à la Première Guerre mondiale, on peut dire que Léon Roy apporte efficacement sa modeste contribution. En témoigne cette lettre adressée au commissaire de l'immigration de Winnipeg par le représentant d'un groupe de Hollandais venus explorer un coin de la Saskatchewan en vue d'une immigration prochaine :

> Poussé par un sentiment de reconnaissance, je considère de mon devoir d'exprimer nos remerciements […] pour les services magnifiques que nous rend M. Léon Roy.
>
> Nous apprécions grandement sa connaissance du pays, ses avis toujours justes et impartiaux, ses compétences comme guide, l'énergie dont il fait montre au nom du Gouvernement et nous félicitons votre ministère d'avoir à son service des hommes comme l'officier Roy[63].

Si le métier de Léon l'oblige à de continuels déplacements et à de longues heures d'étude et de travail, il lui apporte aussi, de même qu'à sa famille, des gratifications de tous ordres. Le salaire est bon : de 75 dollars par mois en 1897, il est porté à 1 200 dollars par an en 1903. Cette augmentation est due à la qualité des services rendus par Léon et au fait que « le type a été toute sa vie un bon libéral qui s'est battu pour le parti depuis des années et a été persécuté par le clergé à cause de cela[64] ». Léon dispose également d'un laissez-passer pour lui et sa famille sur les lignes de chemin de fer de l'Ouest.

Mais les profits matériels ne sont pas tout, il y a aussi le bénéfice moral que procure un métier grâce auquel Léon a le sentiment de se réaliser pleinement. Lui dont la réussite comme cultivateur puis comme commerçant a été pour le moins douteuse, lui qui, semble-t-il, n'a que peu de goût pour la vie stable et monotone et aime au contraire l'action, le mouvement et les contacts avec autrui, le voici enfin en position de donner sa mesure. À la fois animateur social, géographe, agronome, administrateur — et sans doute organisateur politique —, l'« officier Roy » mène une existence fébrile, aux tâches multiples et toujours changeantes, chaque train qui arrive en gare de Winnipeg lui offrant de nouveaux êtres à connaître, de nouveaux défis, de nouveaux voyages. Les immigrants le considèrent comme un homme important, investi de pouvoir et d'autorité, et ils n'hésitent pas à remettre entre ses mains leur sort et celui de leurs enfants. « Qui saura jamais, demande la narratrice de *Rue Deschambault*, ce que, parmi ses [colons], papa ressentait d'aise, de certitude[65] ». À ce sentiment de puissance s'ajoute la satisfaction de travailler pour le bien des gens, de participer à la construction d'un pays et d'un monde meilleurs. Bref, quand il est « sur le terrain », comme on dit aujourd'hui, c'est-à-dire dans son bureau de Winnipeg et surtout en mission chez les immigrants, où les difficultés, les fatigues et les déceptions ne manquent pourtant pas, il faut imaginer Léon Roy heureux.

Pour la famille, enfin, le métier du père comporte aussi de nombreux avantages d'ordre social aussi bien qu'économique. L'employé du gouvernement, l'ami du parti au pouvoir qui a ses entrées chez l'archevêque et auprès des élites locales jouit à Saint-Boniface d'un statut enviable, qui n'est pas sans rejaillir sur Mélina et les enfants. Cela se voit à plusieurs signes. Ainsi cette photo de 1901 ou 1902 qui montre la petite famille sous son plus beau jour, élégante et d'une distinction tout à fait bourgeoise. Ainsi encore cet entrefilet publié dans le journal *Le Manitoba* du mois d'octobre 1902 :

> Samedi dernier avait lieu chez M. Léon Roy une charmante fête à l'occasion du 14e anniversaire de la naissance de Mlle Anna Roy. Un magnifique souper fut servi aux invitées ; étaient présentes [suivent une quinzaine de noms de la plus belle eau libérale][66].

Mélina travaille dur, certes, pour prendre soin des enfants, dont deux sont encore en bas âge, et pour faire tourner la maison, comme on dit ; les repas, le ménage lui prennent le plus clair de son temps, et les travaux de couture la font souvent veiller jusque tard dans la nuit. Mais sa vie ne manque pas de douceurs. Malgré les réticences de Léon, qui n'estime pas souhaitable que les filles s'instruisent, elle place ses aînées, Anna et Agnès, puis Adèle, Clémence et bientôt Bernadette, en pension chez les religieuses, ce qui a comme résultat d'alléger ses tâches quotidiennes. Elle trouve aussi le moyen de sortir assez régulièrement, tantôt pour magasiner, tantôt pour aller veiller chez des amies du voisinage. En 1904, à l'instar des dames de la meilleure société bonifacienne, Mélina s'offre même un séjour au Québec, le premier depuis qu'elle a quitté Saint-Alphonse-de-Rodriguez vingt-trois ans plus tôt. Elle y accomplit le pèlerinage de Sainte-Anne-de-Beaupré, y retrouve son amie d'enfance, Priscilla Gaudet, devenue sœur Octavie de la congrégation des sœurs de Sainte-Anne, et en profite pour rendre visite aux sœurs de son mari, dans le comté de Lotbinière, et à des membres de sa propre parenté habitant à Montréal[67]. C'est également au cours de cette époque heureuse que se situe la soirée chez le lieutenant-gouverneur du Manitoba à laquelle Léon, en sa qualité de fonctionnaire, est invité avec sa femme. Cet épisode, qui a pourtant lieu avant la naissance de Gabrielle Roy, deviendra un des moments forts de son passé familial, au point de dominer de sa magie toute la première partie de *La Détresse et l'Enchantement*[68].

Mais l'indice le plus sûr du bien-être dans lequel vit alors la famille est la décision que prend Léon, au printemps 1904, de quitter la « maison rouge » de la rue La Vérendrye, dont il est le locataire depuis sept ans, et de se bâtir une maison à lui. Flairant encore une fois la bonne affaire, il acquiert un vaste terrain à l'angle de la rue Deschambault et de la rue Desmeurons[69], dans un secteur de Saint-Boniface qui est alors à peine habité mais dont il va organiser lui-même le développement. Grâce à ses relations et à son habileté dans les affaires publiques, il obtient rapidement de la ville le terrassement et le nivellement de la rue Deschambault, travaux parachevés bientôt par la construction de trottoirs de bois et l'aménagement d'égouts[70]. (Peu de temps après, le nom de Léon Roy apparaîtra dans une liste de citoyens soutenant la candidature à la mairie du fonctionnaire municipal responsable des travaux publics[71]…) Après avoir soigneusement préparé les plans et choisi les matériaux, et sans recourir aux services d'un entrepreneur, Léon veille à la construction d'une belle et grande demeure conforme aux besoins de la famille et aux désirs de Mélina. C'est le frère de celle-ci, Zénon Landry, qui est chargé d'exécuter les travaux. L'emménagement au n° 15 de la rue Deschambault a lieu le 22 août 1905[72].

La « maison du père », comme l'appellera Adèle[73], est superbe[74]. Elle comprend, au rez-de-chaussée, outre la cuisine principale et une « cuisine d'été » qui sert aussi de garde-manger, un « office » pour Léon et un grand salon au plancher recouvert de tapis, où trône le piano droit. À l'étage se trouvent cinq chambres et l'escalier conduisant au grenier. On y jouit de tout le confort moderne, eau courante, électricité, salle de bains et murs de plâtre. L'extérieur, peint en jaune, a fière allure, avec ses trois lucarnes, sa galerie courant sur deux côtés et ses huit colonnettes à chapiteaux. Très vite, Léon l'entourera d'arbres et de fleurs afin de la rendre plus jolie et plus accueillante.

> Dans l'espace libre devant la maison il planta six ormes […]. À l'ouest de la galerie croissaient en pleine lumière un pommier et des rosiers et, plus bas, des frênes et des érables. […] Dans son parterre fleurissaient des dahlias pourpres, des chrysanthèmes blancs, des œillets incarnats au parfum pénétrant, des pensées aux teintes variées, et, le

long de la galerie, des pois de senteur multicolores et des glaïeuls. Mais ses fleurs de prédilection étaient les roses[75].

Peut-on imaginer demeure plus amène et signe de prospérité plus évident ? La maison, qui a coûté plus de 3 000 dollars, est libre de toute hypothèque. Considérant le chemin qu'il a parcouru depuis son arrivée au Manitoba, sinon depuis son départ de Saint-Isidore, Léon, qui vient d'avoir cinquante-cinq ans, peut à bon droit se sentir fier de sa réussite. Et Mélina peut l'être aussi, quand elle songe aux années écoulées. Ses rapports avec son mari ont beau être souvent tendus, et l'amour entre eux avoir été affaire de devoir plutôt que de joie véritable, cette bonne épouse et cette bonne mère peut se dire que leur bien-être présent lui a été donné comme une récompense.

Le bonheur, toutefois, n'est pas sans ombre. Six mois à peine après l'installation rue Deschambault, le 19 février 1906, Agnès, la deuxième des filles, la préférée du père, celle qui ne le quitte pas d'un pas chaque fois qu'il se trouve à la maison et qu'il appelle tendrement « Agnèze[76] », est emportée par une méningite à l'âge de quatorze ans[77]. Léon est inconsolable. Il achète un lot au cimetière, juste au pied de la cathédrale, où la fillette est la première à être enterrée. Le souvenir de la morte va se graver dans l'esprit de ses parents et de ses sœurs comme celui d'une innocence et d'une douceur à jamais perdues. Mais la mort n'arrête pas la vie. Deux semaines après les funérailles d'Agnès, Mélina met au monde une autre petite fille. Le baptême a lieu à la cathédrale le 4 mars 1906, avec Joseph et Anna comme parrain et marraine ; l'enfant reçoit le prénom de Marie-Agnès[78].

Cette année 1906 est importante à un autre titre pour Léon et sa famille, car c'est l'époque où ils font l'acquisition de « leurs » terres en Saskatchewan. Au cours de ses tournées d'inspection, l'agent Roy a pu repérer, au sud-ouest de Regina, dans le voisinage des Cypress Hills, une région particulièrement prometteuse où il projette de fonder une colonie canadienne-française. Il s'y réserve pour lui-même et sa famille un certain nombre de bonnes terres[79]. Agit-il dans un but de spéculation, ou songe-t-il à venir s'y installer un jour avec les siens, on ne le sait pas. Chose certaine, Léon accorde à cette colonie un soin particulier. Il la nomme « Villeroy », nom qui sera remplacé plus tard par celui de Dollard, et il en parle à Mélina et aux enfants comme d'une sorte de paradis. Longtemps, dans la famille, ces terres lointaines apparaîtront comme un bien précieux, représentant à la fois une chance de vie meilleure et une protection contre les mauvais coups du sort.

Les enfants ne tardent d'ailleurs pas à s'y rendre ou à s'y installer. Dès la fondation de Villeroy, le fils aîné, Joseph, qui n'a pas encore vingt ans, quitte Saint-Boniface pour s'y établir. Anna, au début de son mariage, ira vivre à Dollard pendant quelque temps. Adèle, Clémence, Rodolphe, Germain y séjourneront, et Gabrielle, beaucoup plus tard, y fera à son tour un voyage décisif. Dollard représentera, en somme, pour les enfants de Mélina, l'appel de l'Ouest, le rêve de la liberté et de la prospérité, mais ce sera aussi un des instruments de leur dispersion.

Pour l'instant, cependant, tout semble aller pour le mieux dans la « maison du père ». En 1908, l'homme de lettres Pierre Lardon, dit « le poète de Saint-Boniface », adresse au « Bien cher monsieur Roy » une supplique pour le prier d'intervenir en sa faveur auprès de l'Office des Terres : « *Je sais que vous avez les bras longs*, écrit-il, et que de plus vous êtes très obligeant[80] ». Au point de vue matériel, ce n'est pas la richesse, sans doute, mais c'est loin d'être la pauvreté ; on ne manque de rien chez les Roy, on est même plus aisé que la plupart des voisins et des connaissances. Ainsi, Léon peut se permettre en 1906 d'offrir une contribution de 25 dollars — somme considérable à l'époque — pour l'édification de la nouvelle cathédrale de Saint-Boniface[81], et 25 dollars l'année suivante pour l'offrande d'un « cadeau souvenir à l'occasion des noces sacerdotales de Sa Grandeur Monseigneur A. Langevin, archevêque[82] ». Quant aux enfants, ils sont nombreux, beaux et en bonne santé. Le présent et l'avenir semblent donc assurés.

Aussi, à l'été 1908, et bien qu'elle se découvre enceinte pour la onzième fois à l'âge de quarante et un ans, Mélina a-t-elle toutes les raisons d'être contente de son sort et de celui de la famille. Une famille d'immigrants, certes, mais d'immigrants qui ont réussi.

Alors pourquoi, le jour du baptême de Gabrielle, le silence des cloches de la cathédrale lui paraît-il de mauvais augure ? Est-ce l'avenir de la petite qui l'inquiète ? Ou la mère pressent-elle que quelque chose, bientôt, va prendre fin ?

CHAPITRE II

Une enfance à part

L'enfant unique • À l'abri des tempêtes familiales • Le gynécée • « Ma rue qui m'était l'univers »

L'enfance d'un être ne se raconte pas. Seul se prête au récit ce qui l'a environnée — conditions, circonstances, faits et gestes de l'entourage —, sans que l'on sache jamais si cet environnement l'a vraiment marquée, et de quelle manière. Pour le reste, qui est sans doute l'essentiel, il faut s'en remettre au travail que le temps accomplit en chaque être, dans le secret de sa conscience et de son souvenir, à partir des images, des expériences, des bribes de paroles et des visages qui se sont imprimés en lui et que le hasard ou quelque force obscure fait resurgir plus tard, quand l'individu s'est défini et que son enfance est depuis longtemps disparue. Si bien qu'il est toujours difficile, devant ces réminiscences, de démêler le vrai de l'imaginé, ce qui a réellement eu lieu autrefois de ce que la mémoire invente dans le présent.

Sa propre recherche du « temps perdu[1] », c'est assez tard que Gabrielle Roy l'entreprendra, du moins dans ses écrits. Les premiers textes qu'elle consacre à son passé n'apparaissent guère avant le milieu des années cinquante, c'est-à-dire avant l'âge de sa maturité. Il s'agit, bien sûr, de certains récits de *Rue Deschambault* (1955) et de *La Route d'Altamont* (1966), mais aussi de divers textes autobiographiques, comme « Souvenirs du Manitoba » (1954), « Le Manitoba » (1962), « Mon héritage du Manitoba » (1970) et enfin de quelques inédits précédant ou accompagnant la rédaction de *La Détresse et l'Enchantement*[2].

Dans ces textes tardifs, l'image que Gabrielle Roy se fait de sa propre enfance présente deux traits qui méritent d'être soulignés. D'abord, son côté incomplet et fragmentaire. Quand on lit dans une perspective biographique les textes que la romancière a consacrés à ses premières années, on se rend compte qu'il y est assez peu question de l'enfance proprement dite, c'est-à-dire de la période qui va jusqu'à la dixième ou la douzième année. Même dans un ouvrage aux ambitions aussi vastes que *La Détresse et l'Enchantement*, l'« action » ne débute à vrai dire qu'aux alentours de 1920 ou 1922, alors que l'héroïne entre dans l'adolescence. Pour ce qui est des années précédentes, la mémoire fonctionne plutôt par images brèves et détachées, restituant moins une histoire linéaire qu'un collage d'« instants », d'aperçus, de morceaux de vie dont la position sur l'axe du temps garde toujours une large mesure d'imprécision, comme si le récit suivi était impraticable. Si bien que l'enfance de la narratrice apparaît moins comme une suite d'événements définis que comme un climat, une ambiance, un paysage psychologique et affectif se situant en marge du temps, ou dans un temps purement subjectif qui a peu à voir avec celui de l'histoire.

L'autre trait, encore plus remarquable et sans doute lié au précédent, est le caractère d'idéalisation qui s'attache aux souvenirs que la romancière garde de ses toutes premières années, ou du moins à ceux qu'elle confie à ses lecteurs. Une fois que l'oubli apparent qui la recouvrait a commencé à se dissiper, cette partie de sa vie — époque sans événements marquants, donc sans traumatismes majeurs — lui apparaît en effet, dans la suite de ses fragments, comme un pur moment de grâce, une époque de bonheur et d'enchantement sans mélange, toute baignée de lumière, d'innocence et de joie. « Les images les plus sincères de mes pages les plus vraies, dira-t-elle en 1970, me viennent toutes, j'imagine, de ce temps-là[3]. » C'est-à-dire du temps d'avant les batailles et les blessures, d'avant les fautes et la culpabilité. Le temps, en somme, où s'exprime et se forme son être le plus profond, le plus authentique et le plus beau.

L'enfant unique

Ce côté merveilleux que la romancière attribue à sa propre enfance peut bien, pour le biographe, être le fruit d'une recréation ultérieure, il n'en correspond pas moins en bonne partie à la réalité — si tant est qu'une telle réalité puisse être reconstituée. En raison du contexte dans lequel elle s'est déroulée, du rôle qu'y ont joué la mère et les autres membres de la famille et du sentiment que la fillette a pu y éprouver de sa singularité et de sa valeur, on peut dire que l'enfance de Gabrielle Roy a été privilégiée.

D'abord, nous l'avons vu, elle naît dans une famille relativement à l'aise et bien vue de son entourage. Mais le plus important, c'est que cette famille est nombreuse et que Gabrielle y naît la dernière. L'écart d'âge qui la sépare de ses frères et sœurs fait d'elle un être à part, qui n'appartient pas tout à fait au monde commun et qui peut donc découvrir très tôt sa propre différence et sa propre marginalité, sinon le caractère d'élection qui s'attache à sa personne.

Certes, lorsque Gabrielle vient au monde, l'enfant qui la précède immédiatement, Marie-Agnès, a tout juste trois ans. Mais dès l'année suivante, un événement horrible se produit :

> [Marie-Agnès] est morte, tragiquement, à l'âge de quatre ans, ayant allumé un petit feu derrière la maison, qui a pris à sa robe amidonnée, et en un rien de temps l'enfant a été toute couverte de flammes. Mon père était au loin parmi ses immigrants. La nouvelle envoyée par ma mère, par télégramme et tout, ne lui est jamais parvenue. Quand il est rentré à la maison plusieurs semaines plus tard, il n'avait aucune idée que l'enfant était morte et enterrée[4].

Comme celui de la première Agnès, cet enterrement a lieu dans le cimetière de la cathédrale, au mois de juin 1910. Plus tard, Clémence se souviendra qu'il y avait sur la tombe des roses sauvages déposées par une enfant du quartier.

Gabrielle est trop jeune à ce moment-là pour comprendre ce qui se passe. « Plus tard, dit-elle, l'histoire de la mort de la deuxième Agnès m'a été contée et recontée maintes et maintes fois, et je pleurais sans fin la compagnie de la petite sœur que je n'avais pas connue[5]. » Mais l'épisode n'en marque pas moins ses premières années, ne serait-ce qu'en accentuant la différence d'âge entre elle et les autres enfants. Parmi ceux-ci, le plus jeune est Germain, qui la précède de sept ans. Puis vient Rodolphe, son parrain, de dix ans son aîné. Mais ce sont des garçons. Du côté des filles, c'est Bernadette qui la précède, et elle a déjà onze ans et demi à la naissance de Gabrielle, tandis que Clémence en a quatorze et Adèle, seize. Quant à Anna, elle est déjà mariée et ne vit plus à la maison.

« Le dernier enfant d'une famille est seul, confiera Gabrielle Roy à sa première biographe, Joan Hind-Smith, et, en un sens, c'est un enfant unique. Je n'avais personne avec qui jouer, car mes frères et sœurs étaient tellement plus âgés. J'étais souvent très seule[6]. » Cette solitude colore fortement les impressions que la romancière garde de son enfance. Dans *Rue Deschambault* et *La Route d'Altamont*, par exemple, les récits ayant trait aux premières années de la vie de Christine la présentent invariablement comme une enfant solitaire, ou comme la seule de son âge au milieu d'un monde d'adultes. Il en va de même dans le texte autobiographique intitulé « Ma petite rue qui m'a menée autour du monde », où aucun autre enfant que la petite Gabrielle ne semble peupler la rue Deschambault et ses environs. Certes, la fillette a des amis dans le voisinage, mais il ne s'en trouve aucun dans sa famille même, ce qui, pour l'époque et le milieu où elle grandit, ne laisse pas de rendre sa situation assez singulière.

Rien ne permet toutefois de penser que cette solitude pèse à la petite Gabrielle ou qu'elle en souffre de quelque manière que ce soit. Au contraire, sa position — un peu paradoxale — d'« enfant unique » au milieu d'une famille nombreuse serait plutôt un avantage. « Elle devint, dit encore Adèle, *notre petite* à nous tous : le père, la mère, ses sœurs et ses frères. Et tous nous l'avons aimée, choyée, dorlotée[7]. » Souvenir que confirme une lettre de Clémence à Gabrielle :

> Tu étais notre petite sœur chérie, tu sais, nous t'aimions bien, étant la dernière née de la famille. Maman te gatais un peu, cette pauvre petite est chétive et maladive, laissez la donc tranquille[8].

À cet égard, la mort de Marie-Agnès, si triste qu'elle soit sur le coup, ne fait que renforcer le caractère d'enfant unique qui s'attache à la petite Gabrielle. En devenant pour ainsi dire la « remplaçante » de l'enfant disparue, qui elle-même remplaçait la « première Agnès » décédée peu avant sa naissance, Gabrielle apparaît encore plus précieuse, encore plus digne de soins et d'attachement aux yeux des membres de la famille.

D'où probablement cette aura de fragilité qui s'attache à elle dès le début et qui l'accompagnera tout au long de son enfance, sinon plus tard encore dans sa vie. « La petite avait la plus mignonne tête, un joli nez, des yeux bleu foncé et des cheveux d'un châtain roux », se rappelle Adèle, qui ajoute : « Bien qu'elle ne fût pas malade, elle paraissait aussi frêle qu'un tendre bouton de rose » ; c'est pourquoi la mère, un jour de 1910, s'empresse de la faire photographier, car « elle pourrait mourir comme Marie-Agnès[9] ». Mais l'illustration la plus frappante de cette protection toute spéciale dont bénéficie l'enfant reste le surnom que sa famille lui a donné :

> Mon père, parce que j'étais frêle de santé, ou que lui-même alors âgé et malade avait trop de pitié pour la vie, mon père peu après que je vins au monde me baptisa : Petite Misère[10].

Ce passage, bien sûr, concerne le personnage fictif de Christine, mais il correspond bel et bien à un épisode de l'enfance de Gabrielle Roy, ainsi que le confirment les souvenirs d'Adèle, de Clémence et de Germain, de même que d'autres écrits de la romancière. Il n'est pas sûr toutefois qu'il ait eu lieu « peu après » la naissance de Gabrielle. Nous y reviendrons.

Le surnom, en tout cas, ne saurait s'expliquer entièrement par la faiblesse physique de l'enfant. Certes, elle est petite et frêle ; certes, elle a le souffle court et ses indispositions paraissent fréquentes, mais elle est loin d'avoir une mauvaise santé. Les maladies qu'elle attrape en bas âge ne sont ni plus terribles ni plus fréquentes que celles de la plupart des enfants, à cette époque où l'asepsie systématique et les vaccins n'existent pas encore, et elle survit à ces maladies sans séquelles majeures. Elle est même plus fortunée à cet égard que plusieurs de ses frères et sœurs, comme la première Agnès, bien sûr, mais aussi comme Clémence, Rodolphe ou Germain, frappés dans leur jeunesse par des affections beaucoup plus graves : méningites, typhoïdes, mastoïdites. En fait, la photo de 1910, prise en compagnie de Bernadette, montre un bébé de dix-huit mois aux cheveux un peu bouclés, au visage encore rond et au regard vif, qui n'a rien d'un petit être sur le point de mourir.

Et pourtant, « Misère » apparaît aux siens (et plus tard à elle-même) comme une enfant délicate, un peu chétive, sur qui pèse constamment la menace de toutes sortes de malheurs. Mais cette « faiblesse » reflète moins des problèmes de santé qu'elle n'exprime et ne justifie la dévotion que porte à la petite Gabrielle cette famille dans laquelle elle occupe une place toute spéciale, à la fois séparée des autres et au centre de toutes les attentions et de tous les regards.

Son frère Germain se souviendra, une quarantaine d'années plus tard :

> À ses frères et sœurs qui étaient plus ou moins des canards boiteux, elle semblait d'un monde différent, d'une essence différente : une fée ou quelque chose du genre, avec son air éthéré, son teint transparent, ses énormes yeux bleu-vert — et leur double rangée de longs cils foncés qui faisaient un cadre d'ombre autour de ces profondes fontaines d'une teinte si étrange — et ses cheveux, qui étaient bouclés et d'une riche couleur d'or roux. Elle était la « beauté » et l'unique « beauté de la famille »[11].

À l'abri des tempêtes familiales

Cette qualité de dernière-née se traduit encore, durant l'enfance de Gabrielle Roy, par l'expérience toute particulière qu'elle fait de la vie de famille, expérience qui diffère beaucoup de celle de ses frères et sœurs plus âgés. Même si le foyer familial a apporté à ces derniers la sécurité et une aisance relative, c'était aussi un milieu où étaient loin de régner la tendresse et la joie de vivre.

Certes, les bons moments, les fêtes ne manquaient pas, en particulier ces Noëls traditionnels qu'évoqueront plus tard Anna et Adèle[12] : la table abondante préparée par la mère, les blagues de Rodolphe, les airs à la mode qu'Anna interprétait au piano, les vieilles chansons françaises entonnées par le père, de sa « belle voix émouvante[13] » de baryton. Mais les plus mémorables de ces réjouissances remontaient à l'époque précédant la naissance de Gabrielle et elles ne devaient plus guère se répéter après 1910, la famille ayant commencé à se disperser. En outre, ces moments de grâce n'empêchaient pas le climat de tous les jours d'être le plus souvent tendu, âcre, sans grande affection entre les membres de la famille. Clémence, dans une de ses lettres à Gabrielle, parle même du « manque d'amour » régnant à cette époque dans la « maison du père » :

> Manque d'amour. [...] L'on ne savais pas se confier. Le Père Léon qui haissais tant les dettes que la maman Mélina fesais sans l'avertir. [...] À la cuisine donc cela étais la scène, toi tu étais la plus jeune, tu ne peux te rappeler tous cela. Moi je crois que c'étais pour cela qu'on étaits tous nerveux. L'on craignais trop notre père Léon[14].

C'est vrai que Léon, qui aimait son métier et se sentait heureux au milieu de « ses » colons, revenait souvent chez lui fatigué, maussade, et se laissait emporter par des colères qui terrorisaient ses enfants, en particulier ses fils, envers qui il se montrait d'une sévérité et d'une intransigeance qui semblent les avoir profondément marqués, les rendant craintifs, portés à la fuite et plus ou moins rancuniers à son égard.

Quant à Mélina, qui devait s'occuper pratiquement seule de sa famille nombreuse et de la conduite de la maison, elle avait aussi ses impatiences et ses sautes d'humeur. Elle se sentait constamment surveillée par son mari, empêchée de mener la vie à laquelle elle aspirait. Tout cela parce qu'il avait peur de manquer d'argent, parce qu'il avait un besoin excessif d'ordre et de tranquillité, parce que ce côté dévot qu'il avait acquis dans l'enfance le rendait méfiant à l'égard de toutes les « folies », si anodines fussent-elles. Les années qui passaient accusaient non seulement la différence d'âge entre les époux, mais aussi les différences de tempérament et de désir. « Les prises de bec, les discussions, les bourrasques[15] » étaient monnaie courante, nourries par les lassitudes et les impatiences du père, les cachotteries et les insatisfactions de la mère et l'autorité souvent pointilleuse qu'ils exerçaient l'un et l'autre sur les enfants — les aînés du moins —, comme c'était la coutume dans les familles de ce milieu et de ce temps-là. L'entente ne régnait pas toujours entre les enfants non plus ; les mauvais coups, les jalousies, les frustrations les dressaient souvent les uns contre les autres et créaient parfois des rancunes durables.

Gabrielle Roy, dans ses écrits futurs, aura tendance à atténuer beaucoup cette atmosphère de discorde, sinon à la gommer purement et simplement : « C'est vrai, répond-elle à Clémence, que notre pauvre père [...] et maman se heurtaient souvent l'un l'autre. Et c'est en partie vrai que ce passé nous a rendus nerveux. Mais regarde ailleurs, en d'autres familles, et tu verras que c'est la même chose à peu près partout. Il n'y a pas beaucoup de familles parfaitement unies[16]. » Adèle, de son côté, se montrera beaucoup moins discrète et évoquera volontiers les tiraillements et les chicanes familiales. Il est vrai qu'Adèle, en raison de son âge et de sa condition d'aînée, a été témoin de la mésentente de ses parents et des tensions qui déchiraient la famille, tandis qu'à la petite Gabrielle une telle expérience, pour l'essentiel, a été épargnée. Comme le lui dit Clémence, « toi tu étais la plus jeune, tu ne peux te rappeler tous cela ». En sa qualité de dernière-née et d'« enfant unique », la fillette est tenue à l'écart non seulement des tempêtes parentales, mais aussi des rivalités fraternelles. Tous s'entendent au contraire pour la cajoler et lui montrer leur affection, compensant ainsi, sans doute, le « manque d'amour » dont ils souffrent.

De plus, au moment où Gabrielle atteindra l'âge de raison, le climat familial se sera beaucoup transformé, comme nous le verrons au chapitre suivant. Non seulement la plupart des fils et des filles auront quitté la maison, emportant avec eux leurs insatisfactions et leurs querelles, mais les relations entre le père et la mère se seront détendues, l'agressivité de naguère ayant été remplacée, petit à petit, non par le bonheur, loin de là, mais par une forme de résignation et d'apaisement. Moins exigeants avec la cadette qu'ils l'ont été à l'égard de leurs autres enfants, moins désireux — ou moins à même — de contrôler strictement son éducation, ils lui laisseront plus qu'aux autres le droit de leur échapper, de se développer par elle-même et de cultiver son propre monde à l'écart du leur.

Le gynécée

Adèle, Anna, et même Rodolphe, beaucoup plus tard, reprocheront à Gabrielle d'avoir été une enfant gâtée, qui n'en faisait qu'à sa tête et imposait ses quatre volontés à sa mère et au reste de la famille. De telles accusations, qui expriment surtout le dépit et la jalousie, ne semblent pas pour autant invraisemblables ni entièrement dénuées de fondement.

Gâtée, la petite l'est d'abord par ses sœurs, du moins aussi longtemps que celles-ci restent à la maison. Adèle, qui est la marraine de Gabrielle, est la première à couvrir sa filleule de câlineries et de cadeaux. Mais les « moyennes[17] » ne sont pas en reste non plus, c'est-à-dire Bernadette et surtout Clémence qui, après avoir quitté l'école, devient un peu la « seconde maman[18] » de la fillette, jouant avec elle, l'emmenant en pique-nique dans les champs voisins et veillant sur elle en l'absence de Mélina.

Aux trois jeunes filles s'ajoute la sœur cadette de la mère, tante Rosalie, qui se montre aussi éprise que les autres de la petite Gabrielle. Rosalie, en 1909, est une femme de trente-cinq ans qui a derrière elle une vie amoureuse tourmentée. Toute jeune, alors qu'elle vivait encore chez ses parents, à Saint-Léon, elle s'est prise de passion pour un Écossais du nom d'Edward McEachran, chef de gare à Somerset. Le type étant plutôt mécréant et porté sur la boisson, Élie, le père, s'est interposé et a interdit à sa fille de revoir son amoureux. Mais Rosalie, n'écoutant que son cœur et résolue à « convertir » son Écossais, a déserté la maison paternelle pour épouser Edward. Elle est rentrée au bercail au bout d'une dizaine d'années, toutefois, prouvant ainsi qu'Élie ne s'était pas trompé. Edward, devenu alcoolique, s'était mis à battre la pauvre Rosalie, qui n'avait plus eu d'autre choix que de se séparer de lui. Il était parti seul pour les États-Unis. Cependant, la passion n'était pas morte et la jeune femme, quelque temps plus tard, partait rejoindre son mari dans l'espoir d'une réconciliation. Mais les choses n'ont fait qu'empirer, si bien qu'elle a finalement quitté Edward pour de bon et s'en est revenue au Manitoba avec ses deux filles, Imelda et Blanche.

Établie à Saint-Boniface, Rosalie se débrouille seule, elle fait des ménages et de la couture pour élever ses enfants et essaie de faire oublier le scandale de son mariage malheureux. Elle passe beaucoup de temps chez sa grande sœur, surtout lorsque Léon est absent. C'est elle qui s'est occupée de Mélina avant et après la naissance de Gabrielle, et qui a été « porteuse » le jour du baptême. Depuis, elle continue de venir souvent chez les Roy, où les filles adorent leur « tantouche » au grand cœur[19].

Pendant les premières années de sa vie, Gabrielle grandit dans une maison remplie de femmes et de jeunes filles, où la présence des hommes se fait de plus en plus rare et effacée. L'aîné des frères s'est retiré dans son coin perdu de Dollard, tandis que les deux autres sont pensionnaires au collège. Quant au père, il est souvent absent, d'abord physiquement, à cause de son travail, puis psychologiquement, à partir de 1915, lorsqu'il est mis à la retraite. La fillette ne comprend pas la situation dans laquelle se trouve Léon, qui lui paraît vieux, accablé de tristesse et inaccessible. Elle a si peu de contact avec lui que le moindre geste d'affection, quand d'aventure il s'y abandonne, l'étonne plus qu'il ne la ravit.

De toutes les femmes qui entourent la petite Gabrielle, c'est la mère, bien sûr, qui importe le plus à ses yeux, elle dont la présence emplit à ce point l'univers de la fillette que son existence semble se confondre avec la sienne. Déjà très forte dans les toutes premières années de la vie de Gabrielle, cette symbiose ne fait que se renforcer après le départ des enfants et la retraite de Léon, lorsque la maison — où le père et Clémence, chacun à leur manière, se referment de plus en plus sur eux-mêmes — semble ne plus abriter que la mère et sa petite fille, devenues l'une pour l'autre la seule interlocutrice et la seule compagne.

Mélina a quarante-cinq ans. Déchargée de sa marmaille, elle a plus que jamais le temps de s'occuper de Gabrielle, maintenant son unique enfant, et moins que jamais l'envie et la force de résister à ses demandes, même si, à l'instar des femmes de ce temps-là, proches encore des habitudes et de la sensibilité paysannes, elle ne fait pas étalage de ses sentiments et n'apparaît pas comme une mère particulièrement affectueuse. Mais elle est toujours présente, un peu couveuse même, et elle accorde beaucoup de place à la fillette dans sa vie. Comme Elsa le fait pour son fils Jimmy dans *La Rivière sans repos*, elle entoure la petite de soins constants, lui offre des gâteries et, avant même que l'enfant soit en âge d'aller à l'école, passe de longs moments à lui apprendre les prières, la lecture et l'écriture. Mélina ne se sépare pour ainsi dire jamais de sa fille, ni pour le magasinage, ni pour les visites chez les voisines, ni pour la messe des matins de semaine à la cathédrale. Chaque été, la mère et la fille vont passer quelques semaines à la Montagne Pembina, et Mélina emmène Gabrielle avec elle dans les rares voyages qu'elle se permet, que ce soit au sanctuaire de Sainte-Anne-des-Chênes ou à Dollard, en Saskatchewan, où elle se rend au cours de l'automne 1914.

C'est ainsi, du seul fait qu'elles sont toujours ensemble et la plupart du temps seules, que se crée entre Gabrielle et sa mère un lien beaucoup plus étroit que celui qui a pu attacher cette dernière à ses autres enfants. Un lien, d'ailleurs, dont ne profite pas seulement « la titite à maman », comme dira Clémence[20], mais aussi Mélina elle-même, qui se console ainsi des chagrins que lui causent ses aînés et de la solitude croissante dans laquelle elle vit. Que la mère, dans ces conditions, ait tendance à gâter la fille, qu'elle lui passe ses caprices et se garde de la réprimander, n'a rien d'étonnant. En un sens, Gabrielle aussi « gâte » Mélina, beaucoup plus que ne l'ont fait ses frères et sœurs plus âgés, puisqu'elle la comble de sa présence et de sa jeunesse.

De cette intimité complice qui s'installe dès l'enfance, Gabrielle Roy retiendra de nombreuses images. Se détachent notamment les courses dans les grands magasins de Winnipeg, les promenades dans les parcs, les messes matinales et quelques excursions dans les environs de Saint-Boniface, du côté de St. Andrews, de Bird's Hill ou même jusqu'à Gimli, sur le lac Winnipeg — voyages au cours desquels la fillette entrevoit pour la première fois ces visages d'immigrants qui la fascineront tant plus tard. Mais par-dessus tout, la fille de Mélina restera marquée par les innombrables récits dont sa mère ne cesse d'abreuver son imagination d'enfant et qui formeront bientôt une vaste matière orale où Gabrielle, une fois devenue romancière, puisera abondamment pour nourrir ses propres histoires.

Ses récits, Mélina les construit presque toujours à partir des souvenirs de sa jeunesse au Québec et de ses premières années au Manitoba. Elle est habile à imiter les gestes et les intonations. D'un soir à l'autre, à l'instar de Schéhérazade, « elle dévidait, enchaînait les uns aux autres ses contes comme les chapitres d'un roman-fleuve[21] ». De sa mère, Christine, la narratrice de *Rue Deschambault*, dira : « C'était [...] sa faute si j'aimais mieux la fiction que les jours quotidiens. Elle m'avait enseigné le pouvoir des images, la merveille d'une chose révélée par un mot juste et tout l'amour que peut contenir une simple et belle phrase[22]. » Dans le récit intitulé *De quoi t'ennuies-tu, Éveline ?*, Gabrielle Roy prêtera à son héroïne ce don de la narration vivante et cette aptitude à captiver ses auditeurs par la résurrection émouvante du passé.

Mais les contes de Mélina ne sont pas les seuls que l'on entende dans la grande cuisine. Léon, le père, possède lui aussi un vaste répertoire de souvenirs qu'il relate avec beaucoup de talent et de vivacité. Son style diffère toutefois de celui de Mélina. Tandis que celle-ci embellit volontiers ses narrations, au risque de friser l'invraisemblance, et qu'elle en fait varier chaque fois les couleurs selon ce que lui suggèrent sa propension au rêve et l'inspiration du moment, Léon est un réaliste, il n'aime rien tant que l'exactitude et le respect scrupuleux des faits. Ses récits sont plus brefs, plus circonstanciés que ceux de sa femme, et souvent plus tristes ou plus désenchantés : les événements y apparaissent sans ornement, sous un jour parfois cru. Entre ces deux modèles stylistiques, la préférence de Gabrielle va bien sûr à celui de sa mère, plus libre, plus poétique et subjectif, plus « fictif », en somme, que le prosaïsme de Léon. C'est plutôt Adèle qui suivra les traces de son père, elle qui se fera une conception avant tout documentaire de la littérature et n'aura que mépris pour les inventions et les exagérations dont Gabrielle, à ses yeux, farcit ses livres[23].

« Ma rue qui m'était l'univers »[24]

Outre la présence de sa mère et l'immense matière orale qu'elle lui transmet, les choses de l'enfance qui s'imprimeront avec le plus de force dans le souvenir de Gabrielle Roy seront moins des personnes ou des faits que les lieux et les paysages où se sont déroulées ses premières années. À force d'être décrits, médités et sans cesse reparcourus par l'imagination, ces lieux et ces paysages formeront avec le temps une sorte de géographie intérieure dont la romancière ne finira jamais d'explorer les significations.

Pour les lecteurs de *Rue Deschambault*, de *La Route d'Altamont* et de *La Détresse et l'Enchantement*, cette géographie tout empreinte de nostalgie est plus mythique que réelle, sans doute. Comme le dit Gabrielle Roy lorsqu'elle évoque la rue Deschambault de son enfance, « est-ce elle qui m'a faite à son image ou moi qui l'ai faite à la mienne[25] ? » Le vécu et le rêvé, ici, sont indiscernables.

Au centre, bien sûr, se dresse la maison construite par le père en 1905 et qui ne change guère pendant toute l'enfance de Gabrielle. Chez les Roy comme dans les autres familles canadiennes-françaises, presque toute la vie commune se déroule dans la grande cuisine, ornée d'un portrait du pape Benoît XV et d'une image de la Sainte Famille suspendue au-dessus de la machine à coudre. À l'étage, Gabrielle occupe la chambre donnant sur la rue, mais elle prend très tôt l'habitude de passer de longs moments au grenier où, toute petite encore, raconte Adèle, « elle s'entretenait avec des personnages issus de son imagination[26] ». Un peu plus tard, le grenier, avec sa lucarne, deviendra le repaire des rêveries et des lectures de l'écolière ; elle s'y plongera dans les vieux manuels de classe de ses sœurs rangés là par sa mère ou dans les livres de la bibliothèque paroissiale que, dira-t-elle plus tard avec un peu d'exagération, elle aura « tous [lus] à douze ans[27] ». Une autre partie importante de la maison est la grande galerie couverte qui court le long de la façade et du flanc ouest, et au pied de laquelle poussent des arbustes à fleurs. Là, dans les chaises berçantes alignées face à la rue, se passent les longues soirées d'été, à regarder le soleil couchant et à interpeller les voisins.

Ceux-ci, pendant longtemps, resteront peu nombreux, le quartier se développant lentement. En 1911, selon le *Henderson's Winnipeg Directory*, il n'y a encore que cinq maisons le long de la rue Deschambault, dont quatre sont bâties du côté nord, comme celle des Roy, si bien qu'en face s'étendent des champs non cultivés d'où monte le soir la voix des grenouilles. On y a l'impression de se trouver « au bord de la vaste plaine ancienne[28] ». C'est là que l'enfant découvre ces ciels immenses du Manitoba qu'elle évoquera avec tant de lyrisme dans ses œuvres futures.

> Mes amours d'enfance, c'est le ciel silencieux de la plaine s'ajustant à la douce terre rase aussi parfaitement que le couvercle sur le plat entier, ciel qui pourrait enfermer, mais qui, au contraire, par la hauteur du dôme, invite à s'élancer, à se délivrer[29].

Si elle prend très tôt l'habitude des grands paysages de plaine et de ciel, contemplés au large de Saint-Boniface ou dans le pays de ses grands-parents maternels, ce n'est pas là toutefois que la petite Gabrielle préfère se retrouver. Sa prédilection va plutôt à deux lieux plus proches, qui composent l'univers familier de sa vie quotidienne et de ses jeux.

Le premier est la cour de la maison. Entourée d'une palissade et plantée de pommiers, cette cour devient bientôt « son minuscule royaume qu'elle peupla de fées, de nains, de géants, de princes et de princesses[30] ». La fillette y passe de longues heures, l'été, à rêvasser et à s'amuser. Une fois écolière, elle y organisera avec ses amis des spectacles costumés de son invention, à la manière des séances qui se donnent au couvent.

L'autre lieu, plus fascinant encore aux yeux de l'enfant, est un petit bois qui se trouve au bout de la rue Deschambault, du côté est, au-delà de la ligne du Canadian Northern. Un ruisseau affluent de la Rouge, que l'on appelle la rivière Seine, coule au milieu du bois. Cet endroit, distant de la maison d'une centaine de mètres, est le but de fréquentes excursions, qu'elle fait tantôt avec des écoliers du voisinage, tantôt en compagnie de Clémence. Elle peut, une fois là, se prendre à son gré pour La Vérendrye, Tom Sawyer ou Robinson dans son île, et l'illusion, dira-t-elle plus tard, peut durer « pendant des semaines d'affilée[31] ». Mais les promenades les plus agréables sont celles qu'elle fait en solitaire et qui lui procurent le plaisir — l'extase — de se retrouver dans un monde qui lui appartient entièrement :

> Il y avait [...] un groupe de vieux petits chênes amis. Tout rabougris, ils me paraissaient assemblés en un cercle amical, tels de bons vieillards, pour causer entre eux de choses plus anciennes encore. Je finissais par m'asseoir dans leur cercle. Et cette parcelle de campagne mieux que rien au monde après m'offrit les purs délices de la solitude : quand l'oiseau chante en sa cachette ou que s'écartent les feuilles lobées pour laisser entrevoir un pan de ciel clair, et que cela semble exprès pour l'enfant qui écoute et regarde[32].

Ce bosquet de chênes est un des hauts lieux de la géographie personnelle de Gabrielle Roy, comme en témoignent les nombreuses évocations qu'elle en fera tout au long de son œuvre, non seulement dans *Rue Deschambault* et *La Route d'Altamont*[33], mais, dès 1940, dans une de ses toutes premières nouvelles de la *Revue moderne*[34], et jusque dans les écrits autobiographiques de la fin de sa vie. Deux ans avant de mourir, dans une lettre à Clémence, elle parlera encore de cette « petite Seine que j'aimais tant, enfant, et vers laquelle nous allions alors nous promener, toi et moi, la main dans la main[35] ».

Cette fascination pour le petit bois de son enfance renvoie à une donnée importante de l'imaginaire et de la psychologie de Gabrielle Roy. Situé à la fois dans la nature presque sauvage et tout à côté de la maison de sa mère, offrant tout ensemble l'évasion et le refuge, cet endroit — tout comme le grenier de la maison paternelle ou le banc-lit de sa grand-mère dans lequel elle aime passer la nuit — procure à la fillette ce qui constitue pour elle le bien-être total : un mélange harmonieux de liberté et de sécurité, d'une liberté sans danger et d'une sécurité sans entraves.

La maison, la cour, les bords de la petite Seine : le microcosme où grandit la fillette est un monde tranquille et protégé. D'autant plus tranquille que la société qui l'entoure se caractérise elle aussi, aux yeux de l'enfant du moins, par l'absence de conflits et une sorte d'aménité générale. La rue Deschambault et les rues avoisinantes (Desautels, Desmeurons) sont presque entièrement peuplées de Canadiens français catholiques, dont l'histoire et les mœurs ne se distinguent guère de celles de la famille Roy. En 1919, par exemple, la rue Deschambault compte onze maisons : l'une est habitée par des Belges, une autre par des anglophones, et une troisième, nouvellement construite à côté de celle des Roy, le sera brièvement par une dame italienne[36] ; les huit autres sont occupées par des familles aux noms aussi familiers que Bourgeault, Rémillard, Verville, Lavallée, Laflamme ou Bernier, tandis que dans les rues voisines vivent des Prudhomme, des Doucet, des Pelletier, des Couture, des Brunet et des Ferland[37]. Tout ce monde se connaît, se fréquente, les uns « vont au mort » chez les autres, et chacun sait à peu près ce qui se passe dans la maison de ses voisins. À l'angle de la rue Desmeurons, c'est-à-dire juste à côté de chez les Roy, du côté ouest, habitent les « Gauthier monument », ainsi surnommés parce que le père, Joseph, fabrique des stèles funéraires. Les enfants, Louis-Philippe, Claire, Raymond et Thérèse, sont les meilleurs amis de la petite Gabrielle, qui est plus âgée qu'eux et dirige leurs jeux communs.

Au-delà de la rue Deschambault, cette homogénéité culturelle et sociale s'étend pratiquement à l'ensemble de Saint-Boniface, ou du moins à la partie nord de la ville, groupée autour de la cathédrale, de l'hôpital des sœurs Grises, des institutions d'enseignement et des nombreuses maisons occupées par les congrégations religieuses. La vie y est calme et ordonnée, « très semblable à celle d'une petite ville du Québec » de la même époque[38]. Saint-Boniface continue d'être une sorte de ghetto et les Franco-Manitobains font toujours l'objet d'une discrimination qui, à partir de l'année 1916, ira en s'accentuant. Mais pour l'enfant qui vit entourée de la bienveillance des adultes et ne sort de son milieu immédiat que pour se rendre chez ses grands-parents maternels qui vivent dans un milieu encore plus tranquille que Saint-Boniface, l'hostilité du monde extérieur reste lointaine et comme irréelle. Rien ne parvient à rompre cette « impression de sécurité » qui est, dira Gabrielle Roy, « ce que je me rappelle le mieux des premières années de ma vie à Saint-Boniface, [...] cette sécurité que donne à la vie un passé entretenu par des récits, des souvenirs, par un ordre social et moral éprouvé ».

> Je me rappelle : on entendait presque toujours dans un coin ou l'autre de la ville tinter la cloche d'un couvent ou d'une chapelle. [...] Toujours, par les trottoirs de notre ville, il me semble que l'on voyait passer des enfants menés deux par deux à la promenade par des religieuses dont on entendait les chapelets cliqueter. Au-dessus de la rivière Rouge aux eaux brunâtres et lourdes s'envolait l'appel des cloches de la cathédrale, cependant que les mouettes [...] volaient presque parmi les tombes du cimetière qui s'avançaient tout près des berges. [...] J'aimais bien [...] qu'elles viennent jusqu'au milieu d'un continent nous environner d'un sentiment du large, d'une espèce d'angoisse des îles. Car nous étions bien comme dans une île, nous de Saint-Boniface, assez seuls dans l'océan de la plaine et de toutes parts entourés d'inconnu[39].

Le choc avec l'inconnu finira par avoir lieu, et Saint-Boniface par apparaître telle qu'elle est : un faubourg de Winnipeg, où vit une minorité humiliée qui s'est repliée sur elle-même pour tenter d'échapper à la disparition qui la menace. Mais ces découvertes et les tiraillements qui en découlent ne viendront que plus tard. Pour l'instant, la fillette se sent à l'abri parmi les siens, protégée par la langue et la religion qu'elle a reçues de ses parents et qui sont celles de toute sa communauté. L'insularité, le sentiment d'habiter « comme une petite île d'indigènes égarée en mer lointaine[40] », est une autre manifestation de cette paix et de cette sécurité qui baignent l'enfance de Petite Misère et fondent ses premières expériences d'« enfant unique ».

À mesure que l'âge l'en éloignera, l'univers de la rue Deschambault apparaîtra à Gabrielle Roy comme une sorte d'idéal, le modèle même du paradis. Toujours, dans la suite de sa vie, elle cherchera à reconstituer autour d'elle un cadre plus ou moins semblable à celui-là, alliant la ruralité à l'urbanité, en marge de la société sans en être coupé tout à fait, où elle aura la possibilité de se sentir pleinement libre et seule tout en profitant de la proximité et de l'amitié des autres. Tels seront en tout cas ses séjours d'élection : la forêt d'Epping en banlieue de Londres, le village de Rawdon non loin de Montréal, Saint-Germain-en-Laye près de Paris, les abords de Petite-Rivière-Saint-François en Charlevoix. À la fois ville et campagne, isolés du monde et en communication avec lui, tous les lieux où, adulte, elle aura le sentiment de la plénitude et du bonheur répéteront, d'une certaine manière, la petite rue de son enfance.

CHAPITRE III

La dernière photo de famille

Les trois fils • Anna • Adèle • Clémence, Bernadette • Les deuils de Mélina • La première mort du père

Janvier 1912. Une belle photo en pied, un peu solennelle, prise pour marquer le vingt-cinquième anniversaire du mariage de Léon et de Mélina, montre la famille Roy sous son meilleur jour. Au centre et à l'avant-plan, comme il se doit, apparaît Gabrielle, qui va alors sur ses trois ans. Sa bouche est légèrement ouverte, elle semble étonnée par les gestes du photographe. Vêtue d'une petite robe empesée et chaussée de bottines noires, elle a les joues rebondies, les bras potelés ; ses yeux grands ouverts sont fixés sur l'objectif.

À sa droite se trouve le père. C'est un homme mince, au visage osseux et aux yeux clairs. Il fait bien son âge (soixante et un ans), avec sa redingote sévère, son crâne dégarni, sa moustache en brosse et son regard lointain, comme soucieux. Sa tête légèrement inclinée et ses bras relevés par les accoudoirs le font paraître un peu voûté et faible.

À la gauche de Gabrielle, la mère, âgée de quarante-quatre ans, crève littéralement l'image. Elle est belle. Grande et forte de taille, le port bien droit, la chevelure abondante séparée par une raie au milieu et nouée en chignon, elle porte une robe sombre à rayures, finement ouvragée au col et à la taille, qui met en valeur son buste de femme mûre et ses mains blanches, effilées, qu'elle tient gentiment croisées sur ses cuisses. Son regard est légèrement voilé par ses paupières, ce qui accentue l'ovale des yeux. Elle offre l'image d'une femme résolue et sûre d'elle-même, qui tient bien en main sa propre vie et celle des autres personnages de la photo.

Ces trois-là figurent au premier rang et sont assis, Léon dans un grand fauteuil capitonné, Mélina sur une chaise droite et Gabrielle sur un petit tabouret qu'on ne voit pas. Derrière eux, debout, se tiennent les autres enfants, rangés selon leur âge. Tirés à quatre épingles, coiffés avec soin, ils ont tous un air sage et doux. Ainsi rassemblé, le groupe a toutes les apparences de la belle grande famille typique : bien portante, prospère, soumise à la tutelle bienveillante des parents, heureuse, en somme, et parfaitement unie.

Mais la réalité est tout autre. Derrière cette image idéale et conventionnelle, le malheur, les déchirements, les inquiétudes sont déjà à l'œuvre et ne feront que se multiplier au cours des années qui viennent. Les visages ont l'air serein, et pourtant chacun des personnages porte déjà, ou portera bientôt, sa part de douleur, de révolte ou de dépit ; chacun — ou presque — sera cause de larmes, de colère ou de déception pour les parents, dont la belle famille deviendra bientôt un véritable champ de ruines morales et affectives, une sorte de désert.

Les années qui viennent, en effet, sont celles de la grande dispersion. Dispersion normale, sans doute, compte tenu de l'âge des enfants, mais dispersion qui se fera dans l'amertume, les frustrations, les difficultés de toutes sortes et qui prendra souvent des couleurs d'échec. Dispersion, en somme, qui ressemblera plus à une désagrégation de la famille qu'à cet élargissement, cette ouverture de l'espace familial qu'entraîne, dans *La Petite Poule d'Eau*, le départ des enfants de Luzina.

Les trois fils

Déjà, la photo révèle une absence : celle du fils aîné, Joseph, qui ne s'est pas donné la peine de se déplacer pour l'occasion. À vrai dire, Jos, comme on l'appelle, a cessé depuis longtemps de venir à Saint-Boniface, et même de donner signe de vie. Installé pour de bon à Dollard, il y épousera bientôt (en 1914) Julia Marquis. Le père le croise parfois au cours de ses tournées, mais c'est pour lui faire la morale, lui recommander de boire avec plus de modération et lui avancer de l'argent, dont il attend ensuite en vain le remboursement. Quelques années plus tard, Jos abandonnera sa terre et se mettra « en route pour voir du nouveau, gaspillant des centaines de piastres à trinquer avec des amis d'occasion » et négligeant ses devoirs d'époux et de chef de famille[1]. Vers 1920, il dénichera un emploi d'acheteur de grain, qu'il conservera quelque temps avant de se remettre à errer à travers le Canada et les États-Unis comme un « hobo » sans feu ni lieu. Depuis 1906, année de son installation en Saskatchewan, le fils aîné est devenu de plus en plus étranger aux siens. Il a disparu de l'univers familial.

Restent les deux autres fils, Rodolphe et Germain, qui apparaissent l'un et l'autre sur la photo. Le premier, à l'extrême droite, s'appuie des deux mains au dossier de la chaise de Mélina, comme pour marquer qu'il est — et restera toujours — « le fiston préféré de la mère[2] », celui de ses enfants qui lui ressemble le plus et qui sait la séduire par sa gaieté, ses délicatesses et ses cajoleries. En 1912, « Rado » va sur ses quatorze ans. Après avoir été pensionnaire quelque temps au Juniorat de la Sainte-Famille tenu par les Oblats, il va bientôt entrer au Collège de Saint-Boniface, dirigé par les Jésuites. Mais il n'y restera que quelques mois et, dès 1913, abandonnera les études pour de bon, au grand dam de Léon qui, ayant échoué à faire instruire Joseph, croyait avoir plus de succès avec son deuxième fils. Après un séjour à Dollard, où il trouve maintes « occasions de péché », comme dit Adèle[3], Rodolphe rentre au Manitoba et mène jusqu'au milieu de la vingtaine une vie de petit employé et de mauvais garnement qui préfigure son instabilité et sa déchéance futures. Même s'il donne volontiers de l'argent à ses parents et à Gabrielle, sa filleule, même s'il leur rend visite assez régulièrement et se montre empressé à aider à l'entretien de la maison, c'est un être imprévisible, léger, sur qui l'on ne saurait véritablement compter.

Germain, quant à lui, est encore trop jeune pour donner vraiment du souci. Lui aussi fréquentera le juniorat puis le collège classique, mais il fera une fugue à l'âge de dix-sept ans, et chipera çà et là de l'argent au père. Sa première année de philosophie terminée, il partira en 1923 pour la Saskatchewan, où il obtiendra un brevet d'enseignement et deviendra instituteur à Dollard, puis à South Fork. Bien que donnant peu d'inquiétudes à Mélina et à Léon, Germain restera toujours pour eux — et pour les autres membres de la famille — un être distant et secret. Il s'éloignera de plus en plus des siens, comme Joseph.

Les trois garçons de la famille, en somme, auront en commun — outre des problèmes d'alcool — leur effacement, leur désertion, pour ainsi dire, de l'orbe familial. Joseph déjà, puis Rodolphe et Germain n'ont rien de plus pressé que de fuir la maison pour aller se perdre au loin. À des degrés divers, tous trois apparaissent comme des êtres faibles, incapables de remplacer leur père ou de se mesurer à lui.

C'est du côté des filles qu'il faut chercher la volonté et l'énergie. En particulier chez les deux aînées, Anna et Adèle, dont l'intelligence, la détermination et la force de caractère s'affirment dès cette époque, heurtant vivement les attentes et les convictions des parents.

Anna

Sur la photo de 1912, Anna a l'air d'une jeune fille, avec sa coiffure à la George Sand et sa robe toute simple qui lui dégage largement le cou.

Pourtant, elle est mariée depuis bientôt quatre ans et vient de donner naissance à son troisième fils. Mais on perçoit dans son regard et dans le pli de sa bouche quelque chose de mélancolique, comme une blessure, ou une résignation, qui assombrit son visage et le fait paraître un peu triste. C'est parce qu'elle sent, peut-être, que sa jeunesse est irrémédiablement perdue.

L'histoire d'Anna ne laisse pas de paraître assez cruelle. Adolescente, elle passe pour une jeune fille imaginative et sensible, une pianiste douée ayant le goût des jolies choses et de la vie agréable. Une sorte de feu intérieur l'anime, un besoin de bonheur et de grandeur qui fait penser à la jeune Emma Bovary. Au couvent, elle fait figure de rebelle, mais sa détermination commande autant le respect de ses camarades que celui des religieuses qui tentent de l'amadouer. Une chose déjà lui paraît certaine : elle n'aura pas le destin des autres femmes ; sa vie sera libre, épanouie, heureuse, et elle mènera l'existence douce et confortable à laquelle elle est sûre d'avoir droit.

Après avoir obtenu son diplôme d'institutrice, Anna part enseigner quelque temps dans des écoles rurales, à Fannystelle et à Dunrea, mais cette vie est trop austère à son goût. Ne lui reste alors qu'une solution : trouver un homme prêt à l'aimer et à lui offrir une vie agréable, et se marier sans tarder. L'heureux élu s'appelle Albert Painchaud. Malgré les hauts cris de son père, malgré les avertissements de sa mère et de ses amies, Anna l'épouse le 18 août 1908, à l'âge de dix-neuf ans. Ni Léon ni Mélina n'assistent au mariage de leur fille aînée, qui a lieu un mardi matin, à la cathédrale, dans l'intimité la plus stricte[4].

> Anna, écrira plus tard Adèle, s'imaginait que le mariage lui assurerait une vie plus facile et plus agréable. Elle deviendrait libre, débarrassée de la tutelle de ses parents, des contraintes gênantes et des sottes conventions. Elle posséderait une maison bien à elle, un chez-soi bien chaud, joli, pourvu de tout le confort moderne, de beaux meubles en chêne doré, et le reste à l'avenant[5].

Mais les désillusions ne vont pas tarder. Bien qu'elle ait déclaré à sa sœur Adèle qu'elle ferait « en sorte de ne pas avoir [d'enfants][6] » afin de rester libre de voyager et de se divertir à sa guise, la jeune épouse se retrouve enceinte dès le lendemain de ses noces, et son premier fils, Fernand, vient au monde le 2 juin 1909, moins de trois mois après la naissance de sa tante Gabrielle. Albert Painchaud décide alors de s'établir en Saskatchewan, où Anna le rejoint bientôt. Elle y mène pendant quelques années l'existence rude des colons, bien loin des aménités et de la vie mondaine qu'elle avait rêvées. En 1910 et 1911, deux autres enfants naissent, Paul et Gilles, après quoi Anna, alors âgée de vingt-trois ans, renonce définitivement à la maternité.

Car son mariage n'est pas du tout à la hauteur de ses espérances. Comme l'Azarius de *Bonheur d'occasion*, Albert est menuisier-charpentier de métier, mais les circonstances l'obligent à se livrer à toutes sortes d'occupations et le poussent dans un tas d'aventures, ce qui rend la vie familiale instable et souvent précaire. Homme bon et entièrement dévoué à sa femme, il n'a ni l'ambition, ni la sensibilité, ni les moyens nécessaires pour répondre aux désirs d'Anna, femme trop forte, trop exigeante et trop passionnée pour lui. Insatisfaite, elle déserte de plus en plus souvent le foyer conjugal pour venir séjourner dans le lieu qu'elle a tant voulu fuir, la maison de sa mère. Elle s'y trouve en janvier 1917, avec ses trois enfants, pendant qu'Albert, qui a vendu sa terre de Dollard et tente sa chance dans le commerce du bois, se charge de leur déménagement, vers Montmartre, cette fois, en Saskatchewan. Souhaitant toujours changer sa vie, Anna profite de son séjour à Saint-Boniface pour suivre des cours de sténo-dactylo. Elle déniche ensuite un petit emploi qu'elle occupe jusqu'à l'été suivant. Puis elle rejoint son mari. Mais la voilà repartie à l'automne 1921, pour Montréal, cette fois, où elle fait un séjour chez Adèle. Pendant ce temps, et sans doute dans l'espoir de la garder près de lui, Albert lui construit enfin la maison dont elle rêve, qui sera la plus grande et la plus belle du village de Montmartre. Et tout le monde de se demander comment Anna et son mari peuvent s'offrir un tel luxe. La réponse est donnée une nuit de l'année 1926, quand la maison des Painchaud brûle et que ces derniers viennent s'installer à Saint-Boniface avec, disent les mauvaises langues, l'argent de l'assurance dans les poches.

Anna, Albert et leurs enfants habitent alors dans la maison de la rue Deschambault, où ont lieu de mémorables querelles avec Léon. Puis Albert part pour la Californie, d'où il ne reviendra que dix-huit mois plus tard. Anna vieillit et découvre peu à peu que le bonheur tant convoité ne lui sera pas donné. Ses fugues se font de plus en plus rares, elle se cantonne dans la modeste existence qui est la sienne et qui, elle le sait maintenant, le sera jusqu'à la fin de ses jours. La jeune fille résolue de naguère devient une femme amère et désenchantée, dont le caractère révélera de plus en plus ses côtés négatifs et destructeurs. À trente-cinq ans, Anna apparaît déjà comme cet être blessé dont Gabrielle dira plus tard, en songeant aux *Trois Sœurs* de Tchekhov :

« Je la revois souvent, debout, immobile à une fenêtre de la maison, regardant au dehors sans rien voir, un être qui sait qu'il a manqué son destin et que celui-ci ne repassera plus[7]. »

Adèle

Il y a beaucoup de points communs entre le caractère d'Anna et celui d'Adèle, devenue depuis la mort d'Agnès la deuxième fille de la famille. Leurs histoires se ressemblent par leur côté tourmenté et assez pathétique. Mais une différence majeure sépare les deux femmes : Adèle, elle, ne se résignera jamais[8].

« Je n'ai jamais aimé mon visage, confiera-t-elle plus tard. Quand j'étais petite, on m'appelait la *Gadelle* à cause de ma face ronde et rougeaude et de mon gros nez[9]. » Dans la photo de janvier 1912, pourtant, Adèle est une grande jeune fille plutôt jolie, qui ne manque ni de finesse ni de prestance. Elle aura dix-neuf ans dans quelques jours et s'apprête à entreprendre son dernier semestre d'études avant de devenir institutrice. On discerne dans son regard et dans son attitude une fierté, une détermination, un besoin de défier qui vont bientôt se traduire en gestes concrets et lancer Adèle dans une aventure qui durera toute sa vie.

Tout a commencé à l'adolescence, semble-t-il, lorsque la jeune fille, découvrant de quoi était faite l'existence de sa mère et de la plupart des femmes de son milieu, a décidé, comme l'avait fait naguère Anna, que cette existence n'était pas pour elle. Ainsi, la jeune Domitilde, alter ego d'Adèle dans son livre intitulé *Le Pain de chez nous*, répond à sa mère qui se déclare heureuse :

> Je ne comprends pas, moi, qu'une femme mariée puisse l'être : elle a un maître devant qui elle doit plier et dont elle doit endurer la mauvaise humeur. Vous, pauvre moudra, vous avez eu une nombreuse famille, vous tirez le diable par la queue à longueur d'année, et vous êtes en butte aux fréquentes colères du père. [...] La femme est l'esclave de son mari et elle se fait mourir à enfanter[10].

Aussi longtemps qu'elle a dépendu de ses parents, Adèle n'a guère pu réaliser ses désirs d'affranchissement. Et même une fois obtenu son diplôme d'institutrice, elle continuera encore, pendant deux ans, malgré des prises de bec occasionnelles et quelques manifestations de « conduite délurée[11] », à se comporter comme une jeune fille sage, conformément aux vœux de ses parents. Il est vrai que, même loin de Saint-Boniface, elle demeure alors dans l'aire d'influence familiale, puisqu'elle enseigne d'abord à Saint-Alphonse — où son père s'est établi en arrivant au Manitoba —, dans le couvent-école dirigé par les chanoinesses régulières des Cinq Plaies, puis, l'année suivante, dans son propre village natal, à l'école Théobald de Saint-Léon. Par l'intermédiaire du curé local et de la famille Landry — Adèle loge un temps chez l'oncle Zénon puis chez l'oncle Excide —, Léon et Mélina peuvent exercer une surveillance constante sur la vie et les mœurs de leur fille.

Tout change cependant en 1914, lorsque se produit un premier tournant dans la vie d'Adèle. Comme elle vient d'avoir vingt et un ans, elle peut désormais rejeter ouvertement la tutelle de ses parents et, comme on dit, se prendre en main. Contre l'avis de Léon, elle s'inscrit à des cours par correspondance en vue d'obtenir, comme les hommes, son baccalauréat ès arts. À force de patience et « en dépit des railleries du profane vulgaire, des contrariétés et des obstacles semés sur [sa] route[12] », elle finira par le décrocher vingt ans plus tard, en 1934.

Mais en attendant, l'année 1914 marque le moment où Adèle décide de rompre avec son milieu pour voler enfin de ses propres ailes. Elle part pour l'Ouest, elle part pour la liberté.

L'Ouest et la liberté s'appellent Dollard. Elle y retrouve Joseph et Anna et obtient aussitôt un poste à l'école du village. Elle est bien résolue à vivre comme elle l'entend et à réaliser ses ambitions, en particulier culturelles. Mais « le village, nouvellement bâti, était en pleine effervescence. La population, composée d'immigrants venus de France, des États-Unis et du Québec, formait une agglomération bizarre, disparate et assoiffée de plaisirs[13]. » Loin de résister aux tentations, la jeune femme, ainsi que le font à la même époque Anna et Rodolphe, profite de l'éloignement de ses parents pour découvrir avec ferveur ce qu'offre à sa jeunesse ce milieu si nouveau pour elle : la danse, l'alcool, les occasions de dissipation de toutes sortes, et l'amour. Comme elle le dira pudiquement beaucoup plus tard, « mes résolutions s'en allèrent au fil de l'eau et je me laissai aller à la dérive. Oui, je commis des imprudences, des folies[14]. »

Ces mots, extraits de l'un de ses manuscrits inédits, sont la seule allusion, dans l'immense production autobiographique d'Adèle, à ce qui a certainement été l'une des grandes « folies » de sa vie, en tout cas la plus secrète : son mariage, célébré justement cet hiver-là, à Dollard[15]. De l'époux, on ne sait rien, sauf qu'il s'appelle Edward Marrin, vit à Regina et serait le fils d'une importante famille de commerçants de Winnipeg. On sait également que la décision d'Adèle fait le désespoir de ses parents qui, aussitôt la nouvelle connue, mettent tout en branle pour empêcher le mariage. L'intervention de Léon n'ayant rien donné, Mélina elle-même prend le train et se rend à Dollard afin de dissuader sa fille. Elle emmène avec elle la petite Gabrielle, alors âgée de cinq ans. L'enfant gardera longtemps le souvenir de ce voyage précipité à travers la plaine et les mystères de l'amour[16].

Folie brève, cependant : il semble que l'union ne dure que quelques semaines. La légende familiale, qui met l'accent sur le caractère difficile d'Adèle, veut que le pauvre Marrin ait pris la fuite en sautant par la fenêtre et soit disparu sans demander son reste[17]. Il est certain qu'Adèle n'était pas femme à se soumettre docilement à un mari et à se contenter des horizons étroits de la vie conjugale. Sa passion a dû s'éteindre très vite et elle s'est rendu compte que le mariage — et l'homme choisi — ne correspondait pas du tout à ses goûts et à son idéal de culture, de raffinement et de liberté. Quoi qu'il en soit, l'affaire, sur le coup, cause tout un scandale. Adèle voit même son permis d'enseigner résilié par les autorités et doit quitter Dollard précipitamment. Elle se rend alors à Regina, où elle réussit à se faire engager comme apprentie infirmière par les sœurs Grises, dans l'espoir, une fois son entraînement accompli, d'être dépêchée dans l'Europe en guerre. Car l'Europe, pour Adèle, est la patrie de l'intelligence et de la civilisation, elle en rêve depuis longtemps et ne cessera d'en rêver tout au long de sa vie.

Mais son espoir ne se concrétise pas et la jeune femme, de nouveau seule, doit reprendre du service dans l'enseignement. Au début de l'année 1916, elle quitte la Saskatchewan pour l'Alberta, où elle a obtenu un permis d'enseigner. Commencent alors des années de déplacements incessants, qui la conduiront dans des villages de plus en plus isolés de l'Ouest canadien. Ces « villages de misère d'Adèle[18] », comme on dit dans la famille, s'appelleront tantôt Taber, tantôt Legal, tantôt Morinville, et ils auront tous pour caractéristique d'être à l'opposé du monde civilisé et de la vie distinguée dans laquelle Adèle aspire à se faire une place. En 1919, lasse de ne pouvoir vivre « dans un milieu favorable à [ses] aspirations[19] », elle décide, à l'âge de vingt-six ans, de renoncer à l'enseignement et d'aller tenter sa chance dans l'Est. Elle part donc pour Montréal, où elle devient employée de bureau. Pendant ses temps libres, elle poursuit sa propre éducation, fréquentant la bibliothèque Saint-Sulpice, assistant à des cours au Monument national, lisant, allant au théâtre, se vouant en somme à la culture et aux choses de l'esprit.

Mais cette période est de courte durée. Au bout de trois ans à peine, voici que s'abat sur elle la dernière chose à laquelle elle s'attendait : l'ennui. Sa mère a beau venir la voir dans le courant de l'été 1921, puis Anna au mois d'octobre, Adèle se sent de plus en plus seule à Montréal, où elle est incapable de se faire des amis ; elle déteste de plus en plus son travail et demeure irrémédiablement étrangère à une ville dans laquelle elle a le sentiment de ne pouvoir échapper à sa condition d'immigrante. Elle rentre donc à Saint-Boniface en juillet 1922, mais c'est pour reprendre aussitôt le chemin de l'Alberta et son errance à travers des bourgades perdues. Ses postes, au cours des cinq années suivantes, se nommeront Villeneuve, Beaumont, Bordeaux, Thérien, Foisy, Duvernay, autant de séjours aussi brefs les uns que les autres, aussi durs, aussi ingrats. Les hommes qu'elle rencontre et prend quelquefois pour amants la déçoivent immanquablement ; un prêtre lui offre même de partager sa vie : « Vous vous confessez à moi, propose-t-il, je me confesse à Dieu, ça peut durer toute la vie[20]. » Les enfants à qui elle enseigne lui paraissent aussi fourbes, paresseux et mal élevés les uns que les autres. Et c'est chaque fois la même histoire : ou bien elle se querelle avec ses voisins ou avec les autorités scolaires et est congédiée, ou bien le milieu lui déplaît et elle décide d'aller ailleurs, dans un autre village qui s'avère bientôt tout aussi hostile ou décevant que le précédent.

Étrange personnage, constamment en train de se déplacer, de se rebeller, de rompre avec son entourage, incapable de trouver la paix. Dans *La Détresse et l'Enchantement*, Gabrielle interprète le destin d'Adèle comme une longue recherche de l'amour, toujours déçue, toujours recommencée.

> Pauvre sœur ! Elle éprouvait, je le sais maintenant, une faim dévorante d'être aimée, comprise, acceptée, et elle faisait tout pour rebuter l'affection. À propos d'êtres comme elle, je me suis souvent demandé si c'est le manque d'amour dans leur vie qui les a rendus incapables d'aller au-devant des autres, ou si c'est l'incapacité d'aller vers les autres qui a éloigné d'eux l'amour[21].

« On eût dit, ajoute Gabrielle, que jamais elle ne se punirait assez de s'être égarée en amour à l'âge de sa tendre jeunesse vulnérable[22]. » Mais il y a aussi, dans l'aventure d'Adèle, comme dans celle d'Anna d'ailleurs, une autre dimension peut-être plus importante encore : le refus des limites imposées par le sexe et le milieu d'origine, le besoin de s'élever, d'améliorer son sort, de connaître une vie meilleure que celle à laquelle on est destiné par l'éducation et la société. Le sentiment de mériter et de valoir mieux que ce que leur offre leur condition pousse Anna et Adèle à se dresser, chacune à leur manière, par leurs actes sinon par leurs pensées, contre le modèle qu'elles ont sous les yeux, c'est-à-dire, en fin de compte, contre tout ce que représentent leur famille et la mère qui les a élevées : la petite vie docile et rangée, la frugalité, la grisaille quotidienne, la soumission, l'humiliation, même, et tous les désirs inassouvis. Adèle et Anna, en ce sens, sont des filles révoltées.

Au fond, elles préfigurent directement la vie de leur sœur cadette. Gabrielle, elle aussi, suivra le même parcours. On retrouvera chez elle, dès qu'elle sera en âge de les exprimer, la même insatisfaction, la même aspiration à la liberté et à l'élévation, le même refus du monde maternel, le même besoin furieux de rompre avec les siens et de s'affirmer. Mais ce parallélisme qui unit le tempérament et le destin des trois sœurs ne fera que révéler encore plus crûment le côté pathétique de la vie d'Anna et d'Adèle, car là où leur cadette triomphera au-delà de toute espérance, elles n'auront connu, elles, que le sentiment amer de l'échec.

Clémence, Bernadette

Revenons au portrait de famille du mois de janvier 1912. Il nous reste encore deux autres personnages à évoquer, qui occupent la partie gauche de la photo et dont les visages se ressemblent étrangement. Mais l'impression de ressemblance est surtout due à la coiffure et au costume, car dans la réalité on ne saurait imaginer deux êtres plus différents.

D'abord, Clémence, semblable au portrait que tracera d'elle, plus tard, sa sœur Adèle : lourdes tresses couleur d'ébène, yeux noirs profonds, petit nez pointu. Depuis quelques années déjà, on s'aperçoit que « Coumence », comme on l'appelle familièrement, n'est pas une enfant comme les autres. Elle a l'esprit moins vif, le tempérament plus indolent, et ses conduites sont souvent étranges, incompréhensibles, comme ses accès de pudeur excessive, ses terreurs ou ses larmes soudaines, ou encore les crises dans lesquelles il lui arrive de tomber, tantôt provoquées par la surexcitation, tantôt par l'entêtement ou la mélan-

En haut : Charles Roy et Marcellina Morin, les grands-parents paternels. *En bas* : Élie Landry et Émilie Jeansonne, les grands-parents maternels (BNC NL-19162).

Les noces d'or des grands-parents Landry, l'été 1911 (BNC NL-19164).

La maison de la rue Deschambault, vers 1910 (BNC NL-18232).

Photo de famille, vers 1901. *De gauche à droite* : Clémence, Anna, la mère, Adèle, Agnès, Joseph. À *l'avant* : Bernadette (BNC NL-19156).

Gabrielle, 18 mois, et Bernadette, 12 ans (ANC PA-186952).

Adèle, 21 ans, Gabrielle, 5 ans, et Bernadette, 16 ans (BNC NL-19146).

La dernière photo de famille, en janvier 1912. À *l'avant, de gauche à droite* : le père, Gabrielle, Germain, la mère. À *l'arrière* : Bernadette, Clémence, Adèle, Anna, Rodolphe (ANC PA-186947).

Trois générations : Émilie, la grand-mère, Mélina, la mère, et Anna, la fille, en 1916 (ANC PA-186949).

Gabrielle, vers 1920, avec son père et une parente, devant la maison de la rue Deschambault (BNC NL-19166).

La mère, Sœur-Léon-de-la-Croix (Bernadette) et Gabrielle, vers 1925 (ANC PA-186957).

Gabrielle au milieu des finissantes de l'Académie Saint-Joseph, en 1928 (ANC PA-186958).

Gabrielle à 20 ans (ANC PA-186955).

Gabrielle et sa classe de « débutants » à l'Institut Provencher, en 1931 (frères Marianistes, Saint-Boniface).

La distribution des *Sœurs Guédonec* jouées par le Cercle Molière, en 1936. À *l'avant, de gauche à droite* : Pauline Boutal, les enfants Sourisseau et Deniset, Gabrielle Roy. À *l'arrière* : Arthur Boutal, Élisa Houde, Joseph Plante (Archives du Cercle Molière).

Paula Sumner et son premier enfant (BNC NL-19149).

Gabrielle en vacances, vers 1935 (BNC NL-19144).

colie. Parfois, certaines de ses paroles et certains de ses gestes paraissent trop justes, trop lucides, comme si quelqu'un d'autre parlait ou agissait à travers elle[23]. D'où provient son mal, personne ne le sait exactement. Peut-être de la forte fièvre qu'elle a attrapée étant toute jeune[24], peut-être du traumatisme que lui auraient laissé les avances d'un confesseur[25] ; les hypothèses, les explications ne sont jamais claires, et la médecine du temps ne connaît pas de remède à son état. Une chose est sûre pourtant, qui brise le cœur de Mélina : Clémence ne peut pas, ne pourra sans doute jamais se débrouiller seule dans la vie.

Déjà, à l'école, elle redoublait ses années. Elle s'est d'ailleurs retrouvée dans la même classe que Bernadette, pourtant plus jeune qu'elle de deux ans. Puis les religieuses n'ont plus voulu d'elle, et elle a quitté le couvent à quinze ans, sans même finir sa sixième année. C'est environ un an et demi après cet événement qu'a été prise la photo du mois de janvier 1912.

Clémence, à cette époque, ne sort presque plus de la maison, où Mélina lui fait faire des travaux ménagers. Elle s'occupe également des plus jeunes enfants. Mais ce rôle de « cendrillone », comme elle dira plus tard[26], ne réussit qu'à la rendre encore plus malheureuse et imprévisible. Une nuit de 1914, elle fait une première fugue, qui oblige ses parents à alerter la police. On la retrouve au petit matin, prostrée au milieu d'un parc de la ville, et il faut faire appel à un médecin pour la ramener à la maison. Clémence est alors placée chez des parents de Somerset pendant quatre mois, après quoi Adèle l'emmène avec elle à Dollard, d'où elle rentre quelques semaines plus tard. En 1917, elle part de nouveau avec Adèle, cette fois pour Morinville, au nord d'Edmonton ; mais les deux sœurs ont peine à s'entendre, et Clémence revient à Saint-Boniface au bout de quelques mois, pour y retrouver ses tâches ménagères et son ennui. Les années qui suivent sont particulièrement difficiles : une autre crise grave survient en 1919, suivie d'un internement dans une maison de santé, puis d'une fugue de quatre jours en octobre 1922, quatre jours pendant lesquels, écrit Mélina, « nous avons souffert [...] tout ce qui peut se souffrir sur la terre[27] ».

Par la suite, il semble que l'état de Clémence se stabilise, ou que ses proches finissent par l'accepter et s'y habituer comme à une chose à laquelle ni elle ni eux ne peuvent rien. Elle demeure auprès de ses parents, à la fois comme une éternelle enfant et comme une bonne à tout faire, suscitant tantôt la sollicitude, tantôt l'impatience et des manifestations à peine voilées de mépris. Jusqu'à la fin, elle sera la croix de Mélina et, en même temps, la plus attachée et la plus fidèle de ses filles.

« Moi j'étais très brune, écrira Clémence à Gabrielle. Autant que la petite Bernadette était blonde[28]. » À côté de Clémence, et même à côté d'Anna et d'Adèle, Bernadette occupe dans la famille une position tout à fait particulière. Autant ses sœurs apportent de soucis et de chagrins à leur mère, autant « Dédette », comme l'appelle Gabrielle, ou « Bédette », comme dit Adèle, fait la joie et l'honneur de ses parents. C'est une jeune fille modèle, pieuse, jolie, brillante à l'école, musicienne accomplie, qui n'aime rien tant que l'élégance et la délicatesse en toutes choses, qu'il s'agisse de travaux de couture, de diction ou de bonnes manières. Elle est, parmi les membres de la famille, « comme une princesse[29] », un être à qui la vie ne semble réserver que le meilleur.

Au moment de la photo, Bernadette vient d'avoir quatorze ans. Elle étudie à l'Académie Saint-Joseph, qu'elle est maintenant la seule fille de la famille à fréquenter depuis le renvoi de Clémence et le départ d'Adèle pour l'École normale. Elle y restera encore trois ans, jusqu'au moment où la petite Gabrielle entrera elle-même à l'académie. Puis, après un stage d'une année à l'École normale, Bernadette, comme Adèle et Anna avant elle, se retrouvera à son tour institutrice et, comme ses deux sœurs, occupera son premier emploi dans le pays de la Montagne Pembina, à Somerset. Mais plus chanceuse que ne l'ont été Anna et Adèle, elle obtient dès l'année suivante, à la rentrée de 1917, un poste à Saint-Boniface même, parmi le personnel de l'Institut Provencher.

Mélina se félicite d'avoir enfin auprès d'elle au moins un de ses enfants en âge de gagner sa vie, tous les autres l'ayant quittée pour aller s'établir au loin. La présence de Bernadette et la pension qu'elle verse à ses parents ne sauraient mieux tomber, en ces temps difficiles qui suivent la mise à la retraite de Léon. Hélas, ce bonheur ne dure que deux ans. N'ayant « pas d'inclination pour les jeunes gens[30] » ni pour le monde en général, peu portée sur la vie domestique, Bernadette découvre qu'elle a la vocation religieuse, de même que trois de ses amies les plus chères. Au cours de l'été 1919, elle annonce sa décision d'entrer chez les sœurs des Saints Noms de Jésus et de Marie, qui l'envoient à leur noviciat d'Hochelaga, à Montréal. Elle en ressort deux ans plus tard, après sa profession temporaire à laquelle assistent Adèle, qui se trouve alors à Montréal, et Mélina, venue dans l'Est pour l'occasion. Dédette porte désormais le nom de sœur Léon-de-la-Croix, choisi en l'honneur de son père[31].

Sa première obédience la ramène heureusement à Saint-Boniface comme sœur enseignante du niveau primaire. Elle restera six ans à l'Académie Saint-Joseph, jusqu'en 1927, avant de disparaître à son tour vers des lieux lointains, dans le nord sauvage de l'Ontario. Mais même pendant ces six années où elle vit tout près de la maison de ses parents, Bernadette n'est plus la « belle Dédette » de naguère, ainsi que l'appelait Mélina. Elle est devenue sœur Léon, une personne sacrée, à qui il faut témoigner le respect dû à son costume et à son état. Car elle n'appartient plus à sa famille mais à sa communauté, dont la règle stricte fait d'elle, pratiquement, une étrangère.

C'est ainsi que Léon et Mélina perdent une autre de leurs filles. Non pour un homme, cette fois, mais pour Dieu, ce qui, pour être méritoire, n'en est pas moins douloureux. Au lieu de s'en affliger, il leur faut, en bons chrétiens, y voir un motif de joie et remercier humblement le ciel.

Les deuils de Mélina

Sur la photo du mois de janvier 1912, il manquait Joseph. Si l'on avait voulu refaire une photo de famille, disons, en janvier 1920 ou 1921, les absents, cette fois, auraient été beaucoup plus nombreux. Ne seraient restés, pour entourer les parents, que deux visages : celui de Clémence, plus éteint, plus fermé sans doute, et celui de Gabrielle. À cette époque, tous les autres auraient quitté la maison et feraient cavalier seul, soit dans un village voisin (Rodolphe), soit aux quatre coins du pays, de la Saskatchewan (Joseph, Anna et Germain) à Montréal (Adèle et Bernadette). Et de tous — sauf peut-être de Germain —, l'on aurait pu dire non seulement que leur caractère était fixé, mais que leur destin se trouvait définitivement scellé. Il ne leur arrivera à peu près rien dans l'avenir qui ne soit déjà annoncé par ce qu'ils ont déjà vécu et révélé d'eux-mêmes à cette époque, rien qui n'en soit de quelque manière le prolongement ou la simple répétition.

Ainsi, en moins de dix ans, qui correspondent en gros aux dix premières années de la vie de Gabrielle, la belle grande famille de la rue Deschambault se sera défaite comme un château de cartes. Au milieu de la cinquantaine, Mélina aura vu s'en aller ses enfants les uns après les autres, son rôle de mère lui échappant, pour l'essentiel du moins, avec les joies, les devoirs et l'autorité qui y étaient attachés. La voici parvenue à la vieillesse, à l'âge de la solitude et du repli.

Solitude que rendra encore plus cruelle la perte de ses propres parents, Élie et Émilie, qui mourront tous les deux au cours de ces mêmes années.

Depuis son départ de la Montagne Pembina et son arrivée à Saint-

Boniface en 1897, Mélina est toujours restée très attachée à sa famille et aux lieux de son adolescence. Chaque été, pendant que Léon se trouve en mission dans ses colonies, elle et les enfants vont passer les vacances scolaires à la ferme des grands-parents Landry, là où elle a grandi. Ils y retournent aussi au jour de l'An et souvent même à Pâques, malgré les quatre heures de train qui séparent Winnipeg de Somerset. Ces « villégiatures », comme dira Adèle, durent parfois plusieurs semaines et sont pour les enfants un moment merveilleux ; ils jouent avec leurs cousins et cousines, font des excursions dans la nature et des goûters délicieux. Quant à Mélina, outre le repos que lui apportent ces ruptures avec la routine et les petits tracas de la ville, elle retrouve dans la maison de ses parents une liberté et une sécurité qui lui font revivre le temps heureux d'avant son mariage : « quelque chose comme son ancienne joie de jeune fille[32] » — ainsi que le ressentira la Rose-Anna de *Bonheur d'occasion* quand elle pensera à sa région natale des bords de la rivière Richelieu.

La Montagne Pembina, c'est aussi le retour au bon vieux Québec rural, dont les us et coutumes, les mets, les dévotions, le mobilier, l'architecture et jusqu'au langage semblent préservés ici de toute atteinte. Chez ces immigrants de la toute première génération, l'assimilation n'a pas encore commencé son œuvre, et l'on vit, dans la maison d'Élie Landry et de sa femme, comme si l'on était toujours à Saint-Alphonse-de-Rodriguez, au beau milieu des Laurentides. Si bien que Gabrielle, plus tard, pourra s'inspirer de ces séjours à la campagne pour évoquer, à l'intention du public parisien, le charme typique des vieux « Noëls canadiens-français » :

> Je me souviens de Noëls charmants, alors que, petite fille, j'allais les passer chez ma grand'mère, dans un petit village de la montagne Pembina […]. S'il est vrai que les Canadiens français font bonne chère en toute occasion où leur hospitalité trouve à s'exercer, que dire de ces réveillons de Noël où tout ce que la ménagère avait entassé au gel depuis des semaines trouvait subitement le chemin de la table : grillades de lard salé, dorées, croustillantes, oies, poulets farcis, rôtis de porc, de bœuf, d'agneau, tartes, gâteaux, sucre et sirop d'érable […]. Ainsi célébrait-on [Noël] avant 1763. Ainsi le célèbre-t-on en cette année[33].

Mais Gabrielle est née trop tard pour avoir une connaissance directe du monde de ses grands-parents Landry, dont elle devra se faire une idée à travers les récits de sa mère et de ses sœurs. Car ce monde prend fin alors qu'elle est toute jeune. Élie est le premier à mourir, le 6 août 1912, à l'âge de soixante-dix-sept ans. Une photo de l'été précédent, prise à l'occasion de ses noces d'or, le montre en vieillard vénérable à la barbe et aux cheveux blancs, tenant de sa main droite, tel un sceptre de patriarche, une fine canne à pommeau. Mais c'est une canne d'aveugle, en réalité, car depuis des années Élie a perdu la vue, ce qui l'expose à toutes sortes de mésaventures et d'accidents. Un jour, il tombe dans un lac et manque de se noyer. Il s'égare parfois entre le village et la maison, et il faut envoyer des gens à sa recherche. À ses survivants, il laisse, outre un beau domaine et une « petite somme [...] assez respectable[34] », le souvenir d'un homme bon, affectueux, un incurable rêveur.

À côté de lui, Émilie incarne le sens pratique et la rigueur. C'est une vieille femme accueillante et généreuse, certes, mais plutôt revêche. « Disputeuse[35]», autoritaire et dévote, elle a horreur du désordre et de l'indiscipline. Elle n'a jamais vraiment accepté l'humeur aventureuse de son mari ni l'exil où il l'a entraînée, si loin du Québec, dans ce qu'elle appelait un « pays barbare » peuplé d'« étrangers[36] ». Elle ressemble, par bien des côtés, à la Mme Laplante de *Bonheur d'occasion*[37], et Mélina doit souvent se sentir auprès d'elle comme Rose-Anna auprès de sa mère : inférieure, pitoyable, couverte de faveurs et cependant privée de tendresse.

Mais ce qui ressort le plus fortement de la personnalité d'Émilie, c'est son inlassable activité et la compétence extrême avec laquelle cette maîtresse femme, comme on disait alors, gère et ordonne le réel. Elle cuit le meilleur pain, prépare les confitures les plus savoureuses, coud comme une fée ; tout ce qu'elle touche se transforme comme par enchantement en ordre et en beauté. Le monde, dirait-on, lui appartient.

> De nos jours, préoccupés de l'épanouissement féminin, écrit Gabrielle Roy dans un texte de 1970, ma grand-mère serait probablement directrice de quelque société à capitaux ou à la tête d'une quelconque enquête royale sur le statut de la femme au Canada. En son temps, ses talents trouvèrent à s'exercer du matin au soir à la fabrication de savon, d'étoffes, de chaussures. Elle inventa aussi : des remèdes à partir d'herbes, des colorants pour ses teintures, de magnifiques dessins pour ses tapis[38].

C'est en s'inspirant de cette « grand-mère toute-puissante » que la romancière fera dire à la petite Christine de *La Route d'Altamont*, lorsqu'elle s'adresse à la vieille femme qui vient de lui confectionner une poupée de chiffon : « Tu es Dieu le père. Tu es Dieu le Père. Toi aussi, tu sais faire tout de rien[39]. »

Car si elle n'a pas eu le temps de connaître le vieil Élie, Gabrielle se rappelle par contre très bien la figure, les gestes et les paroles de son « altière aïeule », dont « la fière silhouette [...] domine mes premiers souvenirs d'aussi haut que les silos de l'Ouest[40] ». D'abord, c'est à Somerset, où l'air est bon et la nourriture abondante, que Mélina envoie la petite Gabrielle se refaire une santé pendant l'été 1915. La grand-mère, devenue veuve, habite alors au village, non loin de l'église, dans une maisonnette construite exprès pour elle sur le modèle des maisons du Québec. Puis, en octobre 1916, c'est au tour de la vieille femme de venir vivre près de sa petite-fille, dans la maison de la rue Deschambault. Ou plutôt de venir y mourir. Car elle ne fait qu'y passer le tout dernier hiver, malade, incapable de s'occuper d'elle-même et n'acceptant qu'à contrecœur les soins qu'on lui prodigue[41]. Émilie achève son « règne » le 7 mars 1917. Son corps est exposé dans le salon de la maison, à Saint-Boniface, puis inhumé au cimetière de Somerset, à côté de celui d'Élie. Elle avait quatre-vingt-six ans. Gabrielle, qui en aura bientôt huit, connaît son premier deuil.

Mais la peine est surtout pour Mélina, qui se retrouve ainsi orpheline et comme sans recours contre l'effritement des choses et la terrible progression du temps. Le départ des enfants, la dérive qui les emporte, l'accident de Marie-Agnès, la maladie de Clémence, la mort de sa mère, tout, autour d'elle, semble-t-il, n'est que désillusion et chagrin.

La première mort du père

Ces malheurs, toutefois, ne sont rien à côté de celui qui s'abat sur la maison à l'automne 1915. C'est l'événement le plus marquant de toutes ces années, la catastrophe centrale : Léon est congédié.

Depuis qu'il travaille au gouvernement fédéral, Léon s'est toujours acquitté consciencieusement de ses tâches. Certes, il n'a pas eu d'augmentation de salaire depuis 1903, mais ses supérieurs sont contents de lui, de son application, du dévouement dont il fait preuve auprès des colons et sans doute aussi de son zèle électoral. C'est pourquoi, au début de l'année 1912, le commissaire à l'immigration de Winnipeg, Bruce Walker, adresse à Ottawa cet éloge vibrant du travail et de la personnalité de l'« officier Roy » :

> Je ne pense pas qu'il y ait dans tout le Ministère un seul homme à qui autant de crédit soit dû pour l'établissement de colons dans les colonies de l'Ouest qu'à l'Officier Roy. Depuis qu'il occupe son poste, il s'est engagé personnellement dans l'établissement de tous les groupes importants qui ont pris des terres dans l'Ouest, et je le considère aujourd'hui comme l'un de mes officiers les plus efficaces et les plus fiables, et je n'ai vraiment aucune hésitation, lorsque se présentent des circonstances critiques, à faire appel à lui pour m'aider dans une tâche difficile, et je suis heureux de dire que toujours non seulement il sait rendre service avec enthousiasme, mais ses efforts sont couronnés de succès.

« J'ai donc le plaisir, conclut le patron de Léon, de recommander fortement qu'une augmentation substantielle soit accordée à l'Officier Roy »[42].

On peut supposer toutefois que le but de cette lettre n'est pas seulement d'obtenir une hausse de salaire pour un employé modèle, mais de protéger Léon contre la possible, sinon probable destitution qui le guette — comme elle guette tous les fonctionnaires fédéraux nommés par le Parti libéral. Les élections de l'automne précédent, en effet, ont mis fin à quinze ans de gouvernement Laurier et porté au pouvoir les conservateurs de Robert Borden. Dès lors, tous ceux qui ont obtenu leur poste grâce au « patronage » libéral se trouvent menacés. On imagine aisément l'énervement de Léon et les démarches qu'il a dû entreprendre pour tenter de sauver son gagne-pain. Cela explique peut-être l'air soucieux qu'on lui voit sur la photographie de janvier 1912, prise au moment où le commissaire Walker, lui-même libéral bon teint, s'apprêtait à rédiger sa lettre pour vanter ses mérites à leurs supérieurs d'Ottawa.

L'augmentation de salaire n'est pas accordée. Le nouveau ministre de l'Intérieur fait répondre laconiquement que « *no action would be taken*[43] ». Mais au moins l'« interprète Roy » conserve son emploi. Ses jours sont comptés, cependant, il le sait parfaitement, lui qui connaît d'autant mieux les règles du favoritisme politique qu'il en a directement profité quinze ans auparavant. Il sait que les partisans conservateurs de Saint-Boniface et d'autres villages du Manitoba, dont plusieurs n'ont pas oublié sa « trahison » de 1896, s'emploient activement à prendre leur revanche en adressant à leurs organisateurs et députés des requêtes semblables à celles que lui-même, naguère, a adressées à Laurier et à Sifton. Ils demandent que le libéral Roy soit démis sans tarder de ses fonctions et remplacé par quelqu'un de plus « sûr » et de plus « méritant ».

Le couperet tombe à l'automne 1915. Le 7 octobre, à Ottawa, une note de service signée par le sous-ministre de l'Intérieur arrive au bureau de W. D. Scott, directeur de l'Immigration :

> *Kindly issue instructions that the services of Leon Roy, Interpreter of the Immigration Department, Winnipeg, are to be discontinued*[44].

Transmise à Winnipeg, la nouvelle est annoncée officiellement à Léon une semaine plus tard par le commissaire Walker. Sur le coup, Léon tente de répliquer en écrivant (ou faisant écrire) une lettre de protestation que le même Walker s'empresse de transmettre à Ottawa :

> Quand un serviteur fidèle a été employé depuis dix-huit ans et n'a pas seulement donné entière satisfaction mais a consacré les meilleures années de sa vie à donner aux autres qui sont venus dans notre pays les moyens de s'établir, vous ne serez pas surpris si je dis non seulement que je suis surpris mais que je ne peux comprendre ce geste de la part du Ministre.
>
> J'ai été nommé par ordre du conseil en 1897 au poste que j'ai occupé, et si c'est pour le bien du Canada que je sois congédié je n'ai rien à dire, mais je pense qu'en toute justice on aurait dû m'accorder un délai plus long ou que mon salaire aurait dû être payé pendant six mois. Je suis un homme pauvre, avancé en âge et qui a une famille sur les bras[45].

Malgré son accent pathétique, la supplique ne reçoit pas de réponse. Alors Léon tente d'ameuter la presse : il adresse au journal *La Liberté* une longue lettre où il dénonce « ceux qui entravent l'œuvre de la colonisation par esprit de parti [en faisant] décharger des hommes, sans raison donnée, après 15 à 20 ans de service[46] ». Un peu plus tard, Wilfrid Laurier, devenu chef de l'opposition, soulève lui-même la question aux Communes et tente de faire renverser la décision du ministère[47]. Mais la démarche, là encore, demeure sans suite, et le vieux fonctionnaire doit se rendre à l'évidence : on ne veut plus de lui, rien ni personne ne pourra lui rendre la place qu'il a perdue.

Le congédiement de Léon Roy, bien sûr, a quelque chose d'odieux. D'abord, par l'absence de motif clairement avoué — ce qui empêche Léon de recourir à quelque appel que ce soit. Ensuite, par la brusquerie du geste et le refus d'accorder une quelconque compensation. Selon Adèle et Gabrielle, enfin, ce renvoi serait survenu à un moment où le gouvernement fédéral s'apprêtait à offrir à ses employés un régime de retraite auquel Léon, normalement, aurait eu droit ; mais il n'a pas été possible de confirmer ce fait[48].

Cela dit, des considérations purement administratives ont dû jouer aussi. Il ne faut pas oublier que Léon venait d'atteindre ses soixante-cinq ans et que son âge ne lui permettait plus de se dépenser autant qu'avant pour ses colons. D'autre part, le tarissement de l'immigration provoqué par le début de la Première Guerre mondiale rendait de moins en moins nécessaires les services d'interprètes et d'agents tels que lui. Mais il faut surtout tenir compte, pour apprécier un cas comme celui-ci, des mœurs politiques de l'époque. Embauché parce qu'il était un ami du parti au pouvoir, il était normal que Léon perde son poste une fois ce parti écarté du pouvoir. L'étonnant n'est pas qu'il ait été congédié, mais qu'il l'ait été si tard. Depuis 1911, en effet, les conservateurs dominent doublement le « patronage » manitobain, puisqu'ils sont au pouvoir et à Ottawa et à Winnipeg (où ils gouvernent depuis 1900). Le sursis de quatre ans dont bénéficie Léon lui vient peut-être des appuis qu'il possède en haut lieu, auprès de Mgr Adélard Langevin, l'archevêque de Saint-Boniface, à qui il a eu l'occasion de rendre service naguère pour l'établissement de colons catholiques venus du Québec ou d'Europe[49] et qui est lui-même un intime du premier ministre provincial R. P. Roblin. Or, à l'automne 1915, Mgr Langevin vient de mourir, tandis que Roblin, qui a dû démissionner en mai, vient de voir son parti battu par les libéraux de T. C. Norris aux élections provinciales du 6 août. Il se peut donc que, désireux de se venger, les partisans conservateurs aient décidé de régler son compte à ce vieux libéral de Léon Roy.

Quoi qu'il en soit, c'est la catastrophe. Du jour au lendemain, tout ce que Léon a édifié depuis vingt ans s'écroule. Non seulement lui sont ravis le prestige et la sécurité que lui procurait son statut de fonctionnaire, mais c'est tout son engagement personnel qui se trouve brusquement réduit à néant. Certes, il n'entreprenait plus depuis quelques années ces longs voyages dans l'Ouest et ces visites aux colonies qui le rendaient si heureux naguère, mais au moins, lorsqu'il allait à son bureau de Winnipeg ou qu'il se retirait le soir dans son « office » pour étudier ses cartes, préparer ses listes et rédiger ses rapports, il pouvait encore avoir le sentiment de participer, si modestement que ce fût, à la construction du pays. Or tout cela est fini maintenant, et le revoici soudain aussi démuni, aussi inutile, aussi orphelin, somme toute, qu'au moment de son départ de Saint-Isidore. Sauf qu'il est maintenant devenu un vieil homme et que l'avenir ne peut plus le sauver.

C'est cet être « tombé de haut, abandonné de l'espoir » et dont « l'air de malheur [la] plongeait dans l'effroi[50] » que la petite Gabrielle, qui a six ans lors du congédiement de Léon, aura finalement pour père.

> Moi seule de ses enfants n'avais pas connu l'homme des grands projets, des belles réalisations, du rêve profond animant ses clairs yeux bleus. Ou du moins j'étais si jeune, quand il fut encore ainsi quelque temps après ma naissance, que je ne pouvais en avoir de souvenirs que ténus à l'extrême, vraiment insaisissables[51].

Un peu comme le père de Christine dans *Rue Deschambault*, le Léon qu'elle connaît est un homme brisé, prostré dans la rumination de son sentiment d'échec, et comme mort intérieurement. « Car, dès cette lettre [de congédiement], non seulement il n'eut plus confiance en ce qu'il était, en ce qu'il pouvait, mais il perdit jusqu'au sentiment d'avoir jamais été utile. Toutes les belles choses accomplies lui furent en quelque sorte enlevées par cette lettre, et il continua à vivre en portant chaque jour sur ses épaules la croix de cette défaite[52]. » Aux yeux de sa fille comme aux siens sans doute, Léon n'est plus que l'ombre de celui qu'il a été, un être du passé et de la nuit, une sorte de fantôme.

CHAPITRE IV

« Cette inconnue de moi-même… »

L'écolière • Petite Misère • Dénouement d'une crise • La lauréate • L'éducation d'une jeune fille rangée • À la Montagne Pembina • La seconde naissance de Gabrielle • Une princesse étrangère • La voix des étangs

Les toutes premières années de l'existence de Gabrielle Roy échappaient d'une certaine manière au temps de l'histoire. Quoique influencées par les circonstances familiales et sociales où elles se sont déroulées, ces années constituent moins une période définie de sa biographie qu'une sorte d'espace mythique antérieur à la vie proprement dite et que seule la conscience adulte, revenant plus tard sur ses propres origines et « redécouvrant » les premières impressions qui l'ont marquée, chargera de signification et fera apparaître comme l'âge de l'innocence et de l'authenticité la plus pure. Évoquer cette « enfance à part » était donc une manière de saisir certaines images fondamentales de l'identité de Gabrielle Roy et de son imaginaire personnel.

On peut dire que cette phase édénique se termine dans la seconde moitié des années dix, quand la fillette atteint l'âge de raison et que sa vie va s'organiser désormais en « événements » plus ou moins significatifs, susceptibles de lui conférer la forme d'un « destin ». La période qui commence alors et qui va s'étendre jusqu'en 1928 — période correspondant à la fin de l'enfance puis aux années de l'adolescence — est à cet égard une période cruciale : le caractère se précise, les relations avec l'entourage deviennent plus intenses et plus complexes, tandis que la jeune fille, à force de s'interroger sur elle-même et sur le monde qui l'entoure, prend une conscience plus aiguë de sa condition, de ses désirs, de ses rêves, et aussi de ses refus. Certes, l'adolescente n'est pas encore à même d'agir à sa guise et de faire ses propres choix, puisque sa formation n'est pas achevée et qu'elle se trouve toujours sous la dépendance de ses parents et de ses éducatrices. Mais déjà, lorsqu'on observe ses attitudes et les transformations qui se produisent en elle, on peut reconnaître dans la Gabrielle Roy de cette époque quelques-uns des traits les plus caractéristiques de celle qu'elle deviendra plus tard, une fois la maturité venue ; déjà, le contour de sa personnalité et de sa vie futures commence à se dessiner.

L'écolière

En septembre 1915, c'est-à-dire un mois avant le congédiement de Léon, la petite Gabrielle entreprend sa première année d'école à l'Académie Saint-Joseph, où ses sœurs ont toutes fait au moins une partie de leurs études, souvent comme pensionnaires. Gabrielle, elle, y sera externe pendant douze ans.

Fondée en 1898 par les sœurs des Saints Noms de Jésus et de Marie, à qui elle sert aussi de couvent, l'académie occupe alors un édifice tout neuf. Inauguré en 1912, il se trouve à l'angle de l'avenue de la Cathédrale et de la rue Desmeurons, c'est-à-dire tout près de la maison des Roy. Une trentaine de religieuses y enseignent, et l'école reçoit environ huit cents élèves — uniquement des filles — réparties en une vingtaine de classes allant de la première à la douzième année.

Au moment où elle y fait son entrée, Gabrielle a six ans et demi, un âge assez précoce si l'on considère celui des autres enfants que reçoit sœur Albert de Messine (Marie-Rose Gariépy) dans sa classe de « grade » I : beaucoup de petites filles ont sept ans, quelques-unes huit, neuf ou même dix ans accomplis[1]. La plupart ont des noms français, car l'académie, à l'automne 1915, est encore une école française et catholique, de fait sinon de droit.

Pour ce qui est de la religion, le régime introduit par le règlement Laurier-Greenway de 1896 permet, ou plutôt tolère, l'enseignement religieux dans les écoles publiques du Manitoba pourvu que le nombre d'élèves soit suffisamment élevé — condition que remplit facilement l'Académie Saint-Joseph — et pourvu que le temps consacré à cet enseignement soit strictement limité. Or cette seconde condition est loin d'être respectée. Un peu comme cela se passe à la même époque dans les écoles du Québec, la religion, ici, occupe pratiquement toute la place : non seulement on enseigne abondamment le catéchisme et l'histoire sainte, mais les matières profanes — histoire, géographie, lecture et écriture, de même que les activités que l'on appelle aujourd'hui parascolaires — sont elles aussi fortement imprégnées de références et de contenus religieux. Le gouvernement conservateur, dont le chef, Rodmond P. Roblin, est un proche de l'archevêque, ferme volontiers les yeux sur cette « désobéissance civile », quand il ne l'encourage pas secrètement.

En ce qui concerne la langue, le règlement de 1896 prévoit également que « dans les écoles fréquentées par dix enfants parlant le français ou une autre langue que l'anglais, l'enseignement pourra être donné en anglais et dans la langue maternelle, d'après le système bilingue[2] », ce qui, évidemment, s'applique à l'académie, officiellement considérée en 1915 comme une de ces écoles bilingues. Dans les faits, toutefois, le français y est la langue dominante, sinon exclusive, grâce, là aussi, à la tolérance du gouvernement. C'est ce qui explique que les sœurs aînées de Gabrielle ont pu poursuivre pratiquement toutes leurs études en français, à peu près comme elles l'auraient fait si elles avaient fréquenté un couvent de Québec ou de Trois-Rivières.

Tel ne sera pas tout à fait le cas pour la petite Gabrielle. L'année 1915-1916, qui est sa première année d'école, est marquée par un changement majeur dans les politiques scolaires du gouvernement manitobain, avec le retour au pouvoir des libéraux dirigés par Tobias C. Norris. Estimant la langue anglaise menacée par l'envahissement des langues « étrangères » et se méfiant en particulier des minorités canadienne-française et allemande soupçonnées de n'éprouver qu'une loyauté chancelante à l'égard de l'Empire britannique en guerre, le cabinet Norris décide de mettre fin au système de l'enseignement bilingue. Il interdit donc, par la législation Thornton adoptée au printemps 1916, l'enseignement de toute autre langue que l'anglais dans les écoles publiques de la province, si ce n'est pendant une petite heure en début ou en fin de journée. Ce nouveau régime, dont Gabrielle est l'une des premières à « profiter », demeurera officiellement en vigueur au Manitoba pendant un demi-siècle.

La nouvelle offensive des ennemis de la « race » provoque une tempête dans les milieux canadiens-français, où les élites religieuses et civiles se mobilisent pour organiser la résistance. Celle-ci se traduit par la mise sur pied, dès juin 1916, de l'Association d'éducation des Canadiens français du Manitoba dont l'action, une fois qu'elle aura pris sa forme définitive, sera extrêmement bien organisée et efficace.

À l'Académie Saint-Joseph, les sœurs n'ont d'autre choix que de se conformer de leur mieux à la nouvelle réglementation. Elles changent donc officiellement la langue de leur enseignement, accordent plus de place à la grammaire et à la littérature anglaises, mais ne cessent pas pour autant d'enseigner le français à leurs élèves francophones, ajoutant à l'heure permise d'autres heures de cours non rémunérées et se permettant, dans les périodes d'enseignement régulier, d'enfreindre allégrement la loi, convaincues qu'elles sont de lutter contre le « fanatisme » et d'avoir la bénédiction du nouvel archevêque de Saint-Boniface, Mgr Arthur Béliveau[3].

Malgré cela, on conçoit aisément les difficultés que crée une telle situation durant les premières années qui suivent l'adoption de la loi antifrançaise, en particulier pour les petits francophones qui, comme Gabrielle, font alors leurs débuts dans un système scolaire en pleine mutation. Une bonne mesure de confusion règne dans les classes, et la pédagogie s'en ressent. De plus, l'école devenue anglaise apparaît aux enfants, élevés jusqu'alors dans un environnement familial presque entièrement français, comme un univers sinon hostile, du moins largement étranger, ce qui rend leur adaptation à l'école encore plus difficile. Dès lors, l'essentiel de leurs efforts, pendant leurs premières années de scolarité, doit aller à l'apprentissage de la langue anglaise, indispensable pour poursuivre le programme officiel du Department of Education et réussir aux divers examens, qui se font tous en anglais.

On peut comprendre, dans ces circonstances, qu'une enfant aussi brillante et douée que la petite Gabrielle — les années à venir le prouveront abondamment — soit jusqu'en sixième ou en septième année une élève plutôt indolente. Certes, elle ne redouble aucune année, mais elle ne montre guère de goût pour l'étude, manque assez souvent la classe et se satisfait de notes très moyennes. L'école, en un mot, est loin de représenter pour elle ce milieu où, adolescente, elle va si fortement s'affirmer et se distinguer.

Petite Misère

Mais le contexte politique et scolaire n'explique pas tout. L'indolence de l'écolière tient aussi à des facteurs qui la concernent de beaucoup plus près, liés aux expériences d'ordre intime ou familial qu'elle fait à ce moment-là, c'est-à-dire entre 1917 et 1922 environ.

Cette époque semble en effet si difficile pour la fillette que l'on pourrait en parler comme d'une véritable période de crise. Outre ce que l'on sait de son comportement scolaire, maints indices permettent de penser que la petite Gabrielle, à compter de huit ou neuf ans, a cessé d'être une enfant heureuse et que sa première découverte du monde et d'elle-même ne s'est pas faite sans mal.

Cette crise se manifeste d'abord par des troubles physiques. Adèle, qui venait alors à Saint-Boniface assez régulièrement, se souvient de sa visite du mois de juillet 1917 :

> [Gabrielle] atteignait sa huitième année, lorsque sa santé s'altéra. Elle perdit l'appétit, se mit à se ronger les ongles, à grincer des dents en dormant. Elle se plaignait de maux de tête et de douleurs au ventre.

> La mère l'amena chez le médecin qui, après examen, déclara que la pauvrette avait des vers. Il prescrivit des remèdes propres à les détruire[4].

Loin d'être passagers, ces malaises ne sont que les premiers d'une série qui s'échelonne sur quatre ou cinq ans, au cours desquels les symptômes ne cessent de s'accumuler et de se diversifier : aux « vers » succèdent les « rougeole, amygdalite, mal d'oreilles, rhumes de poitrine et de cerveau qui [affaiblissent] son organisme et [ébranlent] son système nerveux[5] ». La fillette contracte même une jaunisse qui nécessite un court séjour à l'hôpital. Quand elle ne souffre pas d'un mal de gorge, d'une toux incontrôlable ou d'un accès de tachycardie, c'est une extrême fatigue qui s'empare d'elle et l'oblige à rester étendue des journées entières, tantôt sur le divan du salon, tantôt, si c'est l'été, dans le hamac que son père a acheté pour elle et suspendu entre deux colonnettes de la galerie. C'est d'ailleurs en se souvenant de cette période de son enfance que Gabrielle Roy, plus tard, écrira le récit intitulé « Ma coqueluche » : « Ils disaient, se rappelle la narratrice, que je ne pesais pas plus à huit ans qu'autrefois, quand j'en avais quatre[6]. » « Ils », c'est-à-dire les autres membres de la famille, dont Adèle, qui note à propos de sa visite de 1917 :

> [Gabrielle] n'avait plus la force ni le désir de jouer avec ses compagnons. Elle éprouvait un impérieux besoin de calme et de repos. Dans mon souvenir, je la vois couchée sur le divan, dans le cabinet attenant à la salle à manger : la tête au creux d'un bras replié, ses bas rabattus sur ses jambes maigres, et gémissant ainsi qu'un petit animal blessé. Le père entrait parfois dans la pièce et la regardait en hochant la tête[7].

Tout se passe comme si la fillette était constamment malade et n'arrivait jamais à reprendre le dessus. Mais cet état de faiblesse chronique, joint à la diversité des symptômes et au caractère insaisissable de la maladie dont elle souffre, laisse croire à la présence d'un malaise plus général, qui ne relève pas seulement d'une carence physique, mais dénote aussi certains problèmes psychologiques ou affectifs, de l'ordre de la dépression.

D'ailleurs, Adèle elle-même, en plus de noter que la petite a toujours « mauvaise mine, avec ses yeux cernés, sa taille mince et ses jambes grêles[8] », insiste sur ses sautes d'humeur, ses pleurs, ses récriminations incessantes et la tristesse dans laquelle elle semble s'enfermer.

« La *Misère*, écrit-elle, éprouvait un morbide besoin d'affection. [...] Elle se croyait malheureuse et semblait implorer la pitié d'autrui sur elle-même[9]. »

Aux yeux d'Adèle, ces conduites ne sont que l'expression du mauvais caractère de sa sœur cadette, qui ne ferait déjà à cette époque, comme elle le fera plus tard, que feindre le malheur et s'apitoyer sur elle-même afin d'attirer l'attention et le dévouement d'autrui. Mais on peut tout aussi bien voir dans les plaintes, les bouderies et les dispositions moroses de la fillette, comme dans ses maladies récurrentes, les signes d'une détresse psychologique réelle, ou du moins d'une crise intérieure difficile à surmonter.

Quoiqu'il faille sans doute renoncer à connaître exactement la nature et les causes de cette crise infantile, on peut s'en faire une idée en évoquant deux « petits faits vrais » qui se produisent à ce moment-là et qui éclairent le comportement et les attitudes de l'enfant. Le premier est l'attribution du surnom de « Petite Misère », que Gabrielle Roy, dans une confidence faite en 1973, fera remonter à cette époque précise de son enfance, contredisant ainsi à la fois les propos d'Adèle et le récit fictif de *Rue Deschambault*, qui situent cet événement beaucoup plus tôt. Mais le document de 1973 paraît d'autant plus fiable qu'il est, sur ce sujet, le seul à être franchement autobiographique. Certes, il se peut qu'Adèle ait raison et que le père ait inventé le sobriquet à la naissance de Gabrielle, mais le récit qui suit montre que cette dernière n'en a pas vraiment pris conscience avant l'âge de huit ou neuf ans. Joan Hind-Smith, qui a recueilli ce récit de la bouche de Gabrielle Roy, le rapporte en ces termes :

> Un après-midi, comme son père entrait dans l'allée conduisant à sa maison, il trouva [Gabrielle, alors âgée d'environ huit ans,] pleurant et se débattant avec une vieille planche abandonnée là par les ouvriers qui démantelaient le trottoir de bois de la rue Deschambault pour le remplacer par du ciment. Les autres enfants du voisinage s'étaient emparés du reste des planches et avaient couru chez eux pour s'en faire des cabanes. Léon Roy, à la vue de sa frêle et pitoyable Gabrielle, la surnomma immédiatement « Petite Misère ». Elle pleurait parce qu'il ne restait qu'une seule planche pour elle, et pour compenser il lui construisit lui-même une cabane dans la cour. Toutefois, le surnom de « Petite Misère » resta, et il la mettait secrètement en colère. Elle n'avait pas l'intention d'être misérable — comme lui[10].

« Tu n'aimais pas bien cela, ce surnom », lui rappellera Clémence en 1981[11]. Expression de la pitié affectueuse du père, ces mots de « Petite Misère » n'en sont pas moins perçus par l'enfant comme une condamnation ; ils la désignent comme un fardeau et la vouent au malheur. Identifiée à ce qui est le contraire de la joie, « La Misère », ou « Misère », comme on l'appelait aussi, ne peut voir dans ce surnom qu'une sorte de rejet, qu'une façon de l'isoler et de lui dénier toute valeur[12]. Ce sentiment aurait d'ailleurs été renforcé, au cours de ces mêmes années, par l'entrée en religion de sa sœur aînée, Bernadette. L'événement, qui comble les parents de fierté et de joie et fait de Dédette, pendant plusieurs mois, le centre d'attraction et l'enfant chérie de la famille, apparaît aux yeux de la petite Gabrielle comme une nouvelle preuve de sa propre insignifiance et de l'exclusion dont elle se sent menacée.

Mais rien n'éclaire mieux l'état d'esprit de la fillette et la signification attribuée par elle à son surnom de « Petite Misère » qu'un second fait auquel il convient de s'arrêter. Il s'agit de la « découverte » qu'elle fait des circonstances particulières qui ont entouré sa naissance. Vers ces mêmes années, en effet, sa sœur Anna, qui dit tenir le renseignement de Rodolphe, le parrain de Gabrielle, lui révèle un jour que le père, lors de sa naissance, est entré dans une grande colère et a maudit le ciel de lui avoir infligé, à lui si vieux et si démuni, une enfant de plus à nourrir et à élever. En d'autres mots, la fillette apprend tout à coup que sa venue au monde a été un malheur pour les siens et que, loin d'avoir été accueillie dans la joie et l'amour, elle n'a été que « l'enfant du devoir », comme la petite Christine de *Rue Deschambault*, qui se dit : « Mon père n'a pas voulu de moi. Personne n'a voulu de moi. Je n'aurais pas dû venir au monde[13]. »

Ce récit de sa propre naissance, entendu alors qu'elle avait huit ou neuf ans, Gabrielle Roy continuera d'y croire une grande partie de sa vie. C'est seulement vers 1970 que Rodolphe — alors sur le point de mourir — rétablira les faits : quand Gabrielle est née, Léon n'était pas à la maison, mais en Saskatchewan, chez les Doukhobors, d'où il n'est rentré que six semaines plus tard. La scène mélodramatique de l'ire paternelle n'aurait donc été qu'une invention malveillante d'Anna. Adèle, qui obtiendra ces précisions de Rodolphe, l'incitera à écrire lui-même à sa filleule pour mettre fin à la légende. Et Gabrielle confiera alors à Adèle :

> La lettre de Rodolphe, rétablissant la vérité au sujet de ma naissance, m'a soulagée d'un poids qui pesait sur mon cœur depuis des années.

> Dieu fasse qu'il dise la vérité cette fois-ci et je te remercie cent mille fois d'avoir obtenu cette lettre qui ne me fait pas aimer davantage notre père — je l'ai toujours aimé quoique craint peut-être dans ma jeunesse — mais qui embellit un peu les souvenirs que j'ai de lui[14].

Sur le coup, cependant, c'est-à-dire à l'époque où Gabrielle est encore une enfant et que son sens d'elle-même commence à peine à se fixer, la « révélation » d'Anna lui cause un choc et la plonge dans un abattement mêlé de désarroi. Lors de sa visite de l'été 1917, Adèle trouve Gabrielle en pleine langueur physique et morale. Cette dernière se plaint « que sa naissance, non désirée, [a] été malvenue et qu'elle [est] de trop dans la famille[15] ». Les mêmes récriminations se répètent trois ans plus tard quand Gabrielle évoque devant Adèle sa condition de « fille maladive, non désirée et délaissée, vivant entre deux vieillards qui se [chamaillent] tout le temps[16] ».

Qu'il y ait une part de délectation morose dans cette attitude, comme le pense Adèle, n'est pas impossible. Mais la fillette n'en a pas moins des raisons de souffrir. Être vue par les autres comme une chose pitoyable et frêle surnommée dérisoirement « Petite Misère », se faire dire qu'on n'a pas été désirée et qu'on est « de trop » dans le monde, est loin d'être rassurant. Ces expériences ne peuvent que créer ou confirmer chez l'enfant, dans un premier temps du moins, le sentiment de sa propre fragilité, sinon de son indignité, et lui donner le désir à la fois de s'effacer et de se replier sur elle-même, dans la solitude, le rêve ou le chagrin. L'« enfant unique », après avoir joui de l'attention et des caresses de tous, se voit tout à coup comme une enfant seule, superflue, en quelque sorte, et privée d'amour.

Ce drame enfantin permet de comprendre un aspect important de l'enfance et de l'adolescence de Gabrielle Roy : sa relation extrêmement difficile avec son père. Dans l'affaire de « Petite Misère » comme dans celle de la naissance « malvenue », il est le principal protagoniste. Et c'est contre lui, avant tout, que se manifeste l'humeur chagrine de la fillette. Léon, à ce moment-là, est un homme que ses déboires récents ont brisé et rendu aussi ombrageux qu'amer. Tantôt retiré dans son « office », tantôt fumant sa pipe au coin du feu en ruminant ses rancœurs, il ne parle presque plus à personne et semble avoir cessé de vivre. Et s'il parle, c'est pour se plaindre du manque d'argent, de la dureté de l'époque et de l'ingratitude de ses enfants. Mélina et lui sont devenus plus que jamais des étrangers l'un à l'autre ; seules leurs querelles constantes les lient encore. Ayant « désappris l'art des caresses », prostré « dans une douloureuse solitude d'esprit », ainsi que le dira Adèle[17], Léon apparaît à Gabrielle comme un vieillard lointain, rébarbatif, incapable d'amour et ennemi de toute forme de bonheur.

Plus tard dans sa vie, Gabrielle Roy reviendra sur cette image négative du père retenue de son enfance. Ou plutôt, elle la complétera et l'atténuera par d'autres images plus attendrissantes, comme celles de la « tarte à la rhubarbe » et de la « chanson de verre » dans *Rue Deschambault*, celle de la visite à l'hôpital dans *La Détresse et l'Enchantement* ou celle du jardinier veillant amoureusement sur ses plantes. Ainsi, à l'une des premières « lettres d'été » de Bernadette, Gabrielle répondra en 1960, évoquant « le père [...], qui aimait tant les roses » :

> Pauvre vieux, à présent, quand je le revois en mon souvenir, c'est presque toujours en son petit jardin, à soigner ses rosiers ; ou bien il bêche une plate-bande en arrière de la maison, il découvre un ver de terre et le tend vers un rouge-gorge qui le suit à petite distance[18].

Si douces que soient ces réminiscences, elles ne changeront rien au fait que les plus anciennes images que Gabrielle aura gardées de son père, les souvenirs les plus durables et les plus lourdement chargés d'émotion, seront toujours ceux d'un homme distant, taciturne et comme absent de la vie intime de sa fille. En 1942, elle déclarera à Adèle : « Non, non ! [...] l'enfance n'a pas été pour moi l'âge du bonheur », et elle en imputera la faute à son père, dont l'évocation éveille toujours chez elle « une antipathie irraisonnée, voire une sourde et tenace rancune[19] ». Elle aura beau, dans ses écrits, superposer à ces souvenirs amers d'autres évocations plus touchantes ou plus amènes, ce ne seront jamais que des recréations tardives, fruits d'une réconciliation intérieure que seuls le passage des années et la mort de Léon auront apportée. Durant la seconde partie de son enfance et tout au long de son adolescence, c'est-à-dire dans le temps même où elle vit avec lui, l'attitude de Gabrielle à l'égard du père demeure tendue, sinon hostile. Elle se sent jugée et rejetée par lui, qui en retour se plaint de sa mauvaise conduite.

Sur le plan affectif, la maison de la rue Deschambault se divise en deux camps. D'un côté, il y a Léon, solitaire et ténébreux, mais qui peut compter sur le soutien des plus vieux de ses enfants restés un peu proches de la famille : Adèle, Anna et, dans une moindre mesure, Rodolphe, qui éprouvent de la pitié pour leur père et partagent, ou comprennent, ses vues sur le monde et la vie, son fatalisme, son besoin de frugalité, ses inquiétudes ; de l'autre, Gabrielle et sa mère. Adèle, Anna et Rodolphe jugent durement les agissements de Petite Misère, qu'ils voient comme une enfant « trop choyée, [...] capricieuse, exigeante sans bon sens[20] », profitant indûment des faiblesses de sa mère.

Entre la mère et la fille, en effet, le lien de dépendance et de quasi-symbiose qui s'est créé au cours de la prime enfance de Gabrielle reste plus fort que jamais. Est-ce pour compenser sa propre solitude de mère et d'épouse plus ou moins abandonnée, est-ce parce qu'elle a l'impression que la petite manque réellement d'affection, Mélina devient la complice de sa fille et presque sa victime consentante. Contre l'avis de Léon et d'Adèle, elle « comprend » les malaises et les sautes d'humeur de « Misère » et tente de les apaiser. Constamment, elle essaie de lui faire plaisir et de lui rendre la vie plus douce. Il lui arrive même, pour répondre à une demande de Gabrielle, de se lancer dans des dépenses vraiment folles, compte tenu du budget serré sur lequel vit alors la famille. « La fillette, écrit Adèle, [...] quand elle voulait quelque chose, multipliait pour l'avoir les cajoleries. Si la mère refusait, elle parvenait toujours à fléchir sa volonté flottante par des soupirs et des larmes. Alors [la mère] hochait la tête en murmurant : Que veux-tu ? Elle est malade[21] ! »

Seule avec sa mère contre tous, l'enfant se voit plus ou moins comme une paria au sein de sa famille. D'où sans doute sa tristesse, ses caprices, ses malaises constants et son indolence à l'école. D'où aussi, d'où surtout le sentiment — ou le fantasme — qui prend forme chez elle au cours de cette période tourmentée et qui lui dit que, puisque son père et les siens n'ont pas voulu d'elle et la traitent de « Petite Misère », elle ne leur appartient pas tout à fait et doit donc faire sa vie sans eux, sinon contre eux et contre ce qu'ils représentent. La révolte et cette espèce de refus de solidarité à l'égard des siens qui vont bientôt caractériser la jeunesse de Gabrielle Roy trouvent ici, peut-être, une de leurs sources psychologiques fondamentales.

Dénouement d'une crise

La crise qui a débuté lorsque Gabrielle avait environ huit ans paraît se prolonger au moins jusqu'à sa douzième ou treizième année. Les événements qui y mettent fin, comme cela arrive souvent, en marquent en même temps le point culminant.

L'état de santé de « Misère », qui ne cesse de se détériorer depuis 1917, s'aggrave bientôt au point de compromettre sérieusement ses études. En 1920-1921, les registres de l'administration scolaire indiquent qu'elle manque seize jours d'école sur quatre-vingts au premier semestre, cinquante-quatre sur cent vingt au second. Ces absences sont dues à une appendicite qui se déclare à l'automne 1920. L'écolière sera opérée au printemps suivant[22], ce qui ne l'empêchera pas d'être promue à la fin du grade VI. Mais l'année suivante, elle ne fréquente pas du tout l'école, si bien que l'année scolaire est perdue[23]. Il lui faudra attendre le mois de septembre 1922 avant de retourner à l'académie, où elle sera en grade VII, un an derrière ses compagnes de naguère. Si l'on tient compte du fait que l'école a été fermée pendant presque tout l'automne 1918 à cause de la grippe espagnole[24], le retard scolaire accumulé par la fillette est assez important.

Mais pourquoi Gabrielle ne met-elle pas les pieds à l'école pendant l'année scolaire 1921-1922 ? On découvre, dans *La Détresse et l'Enchantement*, cette allusion laconique (ou pudique) : « une autre maladie me retint [...] plusieurs mois à la maison, me faisant perdre une année scolaire[25] ». En quoi consiste cette « autre maladie », comment et pourquoi se déclare-t-elle, impossible de le savoir. Il peut s'agir d'une réaction dépressive à l'absence prolongée de la mère, partie au Québec pour assister à la profession religieuse de Bernadette, comme il peut s'agir de perturbations et de malaises causés par une entrée difficile dans l'adolescence (Gabrielle va alors sur ses treize ans).

Cette seconde hypothèse serait conforme en tout cas à ce que certains inédits de Gabrielle Roy laissent deviner de son expérience de la puberté. Sur ce sujet, la romancière ne s'est jamais confiée ouvertement, non plus que sur la plupart des sujets semblables. Mais certaines pages de la « saga » qu'elle se mettra à écrire beaucoup plus tard en s'inspirant de la vie de sa mère porteront précisément sur la découverte que fait « Éveline » adolescente des contraintes physiques liées à sa condition de femme. Or Éveline vit ses premières règles et la transformation de son corps comme un désenchantement et une humiliation :

> Maintenant, de temps à autre, des élancements de douleur traversaient son petit corps doux. Et les pensées aussi, comme une douleur, traversaient sa tête. Pourquoi son corps de jadis, libre, mince et lisse, qui ne connaissait pas de contrainte, lui avait-il été ravi ? [...] Elle apercevait [...] partout des barrières à ses jeux d'enfant, et son âme qui avait vécu au grand jour, libre, franche comme l'oiseau, se révolta.
>
> Ah, si c'était ça être femme, eh bien, elle ne le voulait pas. À ce compte-là, jamais, vous entendez, elle ne le voudrait[26].

Éveline découvre qu'« être femme, ce devait être prendre second rang dans la vie[27] » et se trouver condamnée à la faiblesse et à la souffrance. Il est impossible de savoir dans quelle mesure l'épisode fictif est fondé sur les récits de Mélina qui, comme les femmes de sa génération et de son milieu, était d'une grande discrétion sur le chapitre de la sexualité. Il peut s'agir plutôt d'une transposition de l'expérience vécue par Gabrielle elle-même, ainsi que le laisse entendre ce bref passage de *La Détresse et l'Enchantement* :

> Maman, comme j'étais devenue « grande fille » selon son expression, avait choisi de m'éclairer sur les réalités — mais ne disait-elle pas plutôt, ce qui était bien plus approprié : les mystères de la vie. Elle s'y était en tout cas si mal prise que je n'avais presque rien compris à ce qu'elle tentait de m'expliquer, sinon que d'être femme était humiliant à vouloir en mourir[28].

Quelle qu'en soit la cause profonde, ces deux années de léthargie — celle de l'appendicectomie et celle de l'« autre maladie » — marquent de toute évidence un tournant, ou mieux : un passage décisif dans la vie de la jeune Gabrielle et dans sa découverte d'elle-même. Passage, c'est-à-dire fin d'un temps et début d'un autre : rupture, mutation. D'un côté, l'hospitalisation et la maladie relèvent encore du syndrome dépressif des années précédentes, dont elles sont le prolongement et l'aggravation, mais de l'autre, ces événements marquent une délivrance : la sortie définitive de l'enfance et la venue au jour d'un être nouveau, c'est-à-dire d'un corps nouveau, certes, mais aussi d'une identité et d'une volonté nouvelles, que la jeune fille ne reçoit plus de sa famille mais s'assigne à elle-même comme si sa vie désormais ne dépendait plus de personne.

Ce n'est pas exagérer que d'accorder autant de signification à ce début de l'adolescence qui, dira Gabrielle Roy, « a laissé sur ma vie une marque ineffaçable[29] ». *La Détresse et l'Enchantement*, le vaste ouvrage dans lequel la romancière relate la totalité de ce qu'elle a vécu et été, débute justement à cette époque de son existence où, âgée de douze ou treize ans, elle s'ouvre au monde qui l'entoure et devient en quelque sorte responsable d'elle-même et de l'orientation de sa vie. Comme si se trouvaient là, dans le climat et les événements de cet âge, l'origine véritable de son destin et le tout premier visage dans lequel elle se reconnaît pleinement.

Chose certaine, le changement s'avère radical. Entre la fillette des années précédentes, maladive, boudeuse, repliée sur elle-même, et l'adolescente active et résolue qui entreprend la seconde moitié de ses études après une absence de près de deux ans, le contraste ne saurait être plus tranché. Certes, elle continue de redouter son père, de lui en vouloir et de se plaindre de lui ; certes, elle connaît encore des périodes de mélancolie et de grande nervosité, au point de devoir se faire traiter par un médecin. En un mot, elle ne devient pas du jour au lendemain une jeune fille épanouie et heureuse. Mais ce n'est plus, à coup sûr, la « Petite Misère » de naguère. Au contraire, la voici pleine d'énergie et de détermination ; il y a en elle un désir de réussite et d'expression de soi si intense qu'elle en paraît complètement transformée. Tout se passe, en somme, comme si la relation problématique avec son père et la sensation d'être de trop, endurées passivement jusque-là, comme une malédiction, se changeaient subitement en un besoin fébrile d'affirmation et d'autonomie que la découverte de sa propre puissance alimente et confirme tout à la fois.

La lauréate

Le premier signe de cette transformation, le signe le plus éclatant à vrai dire, c'est le rendement scolaire de Gabrielle au cours des années qui suivent son retour à l'académie. « Ce dut être vers l'âge de quatorze ans, se souvient la narratrice de *La Détresse et l'Enchantement*, que j'entrai en étude comme on entre au cloître. [...] Cette année-là, j'arrivai à la tête de ma classe à la fin d'année pour la première fois de ma vie[30]. » L'exploit, survenu en 1923-1924, alors que Gabrielle est en grade VIII, se répétera ensuite chaque année — excepté une — jusqu'à la fin de ses études à l'Académie Saint-Joseph en juin 1928.

Les dossiers scolaires conservés aux Archives provinciales du Manitoba fournissent les notes obtenues par Gabrielle Roy lors des examens provinciaux de neuvième (1924-1925) et de onzième (1926-1927) année[31]. Dans le premier cas, ces notes s'élèvent à 60 p. 100 en dessin, 74 p. 100 et 86 p. 100 en « science générale » et 94 p. 100 en histoire, ce qui équivaut à la deuxième meilleure note pour tout le Manitoba (où il y a environ 2 700 écoliers) ; à la fin de cette année-là, d'ailleurs, Gabrielle est la seule de sa classe à être promue « avec honneurs[32] ». Pour le grade XI, au terme duquel elle obtient le « prix de succès général », doté d'une bourse de cinq dollars, « don de M. l'avocat Joseph Bernier[33] », ses résultats se lisent comme suit : 77 p. 100 en histoire, 72 p. 100 en algèbre, 58 p. 100 en géométrie et 89 p. 100 en physique ;

pour ce qui est de la littérature, de la composition et de l'orthographe anglaises, ils sont respectivement de 84 p. 100, 52 p. 100 et 100 p. 100. Il faut, pour bien apprécier ces chiffres, se rappeler que dans toutes ces matières les examens — de même que la majeure partie des cours — se donnent en anglais. Seul fait exception l'enseignement de la littérature et de la composition françaises, que la loi autorise dans les classes de niveau secondaire (le français étant considéré comme une « langue seconde »). Pour ces matières, Gabrielle obtient en onzième année une note de 88 p. 100. Au regard du Department of Education, elle présente donc un excellent dossier, qui lui vaut d'ailleurs, à la fin de sa douzième année, l'une des vingt-huit médailles du lieutenant-gouverneur du Manitoba décernées aux meilleurs élèves de la province[34].

L'Académie Saint-Joseph, qui relève officiellement du Department of Education, appartient à un autre réseau tout aussi important pour elle, sinon plus : celui de l'Association d'éducation des Canadiens français du Manitoba. Au début des années vingt, c'est-à-dire au moment où Gabrielle entreprend ses études de niveau secondaire, l'Association est devenue une organisation bien structurée et puissante bénéficiant d'un très large appui dans toutes les couches de la population franco-manitobaine, qui la soutient bénévolement en participant à ses activités et en contribuant à ses campagnes de financement. Le père de Gabrielle y va volontiers de son dollar annuel et est même à quelques reprises l'un des délégués de Saint-Boniface au congrès de l'Association[35].

Ayant pour but ultime d'assurer la « survivance » française au Manitoba, l'AECFM se préoccupe de tout ce qui concerne la « défense nationale » des Canadiens français ; son rôle à cet égard rappelle celui que joue dans le Québec de la même époque la Société Saint-Jean-Baptiste, qui lui sert d'ailleurs de modèle et est son alliée. Mais la lutte de l'AECFM, comme son nom l'indique, est plus ciblée que celle de la SSJB, puisqu'elle se déroule principalement, sinon exclusivement, sur le terrain de l'école, où il s'agit de contrecarrer les effets de la législation Thornton. À cette fin, ses dirigeants mettent au point diverses stratégies d'encadrement et de soutien qui font bientôt de l'Association un véritable ministère de l'éducation parallèle exerçant son influence sur l'ensemble des écoles françaises et catholiques du Manitoba, grâce à la mobilisation des élites locales, du clergé et des enseignants.

Parmi ces stratégies, l'une des premières — et des plus efficaces — consiste à créer, en marge du programme scolaire anglais imposé par l'État, un programme officieux de français couvrant toute la durée des études. Calqué sur les programmes en usage au Québec et utilisant les mêmes manuels, cet enseignement se présente officiellement comme une activité « facultative » dont les enseignants se chargent bénévolement en dehors de leurs heures normales de travail. En pratique, toutefois, l'enseignement du français et de la religion continue d'occuper une place centrale dans la vie des élèves et des professeurs francophones, si bien que le programme de l'AECFM apparaît effectivement comme un programme obligatoire et que de nombreuses heures « régulières » lui sont consacrées.

Cette pratique, à proprement parler, est illégale et doit donc rester clandestine. De temps à autre, le Department of Education, qui est tout à fait au courant de la situation, se met en devoir de lutter contre l'influence de l'AECFM et tente de réprimer les activités qui en découlent dans les écoles, soit parce que des électeurs « fanatiques » se sont plaints, soit parce qu'un de ses inspecteurs veut se montrer plus strict ou plus zélé que les autres. Ainsi, durant l'année 1923-1924, l'annaliste de l'Académie Saint-Joseph note que les tracasseries se multiplient et que la prudence est de mise : alors que l'école fait l'objet d'une enquête de la part de quelques commissaires anglais, l'archevêque demande aux religieuses de renoncer provisoirement à la prière avant et après la classe[36]. Dans ses propres souvenirs, Gabrielle Roy se plaît d'ailleurs à rappeler l'atmosphère de transgression qui entoure l'enseignement du français et la ruse déployée par les enseignantes pour tromper la vigilance des inspecteurs.

> Fêtions-nous au couvent quelque dignitaire ecclésiastique, alors la grande salle de réception se couvrait de tapis rouges, des fougères étaient posées sur des socles, et les portraits des archevêques de l'Ouest, placés bien en évidence sur les murs, nous entouraient. Tout le jour, nous parlions le langage de la survivance, de la cause canadienne-française. Mais, quelque temps plus tard, une autre fête nous amenait la visite des messieurs du Board of Education du Manitoba. Alors la mère directrice faisait descendre les portraits des archevêques ; les Pères de la Confédération prenaient leur place ; nous avions appris pour l'occasion des compliments très seyants, des chants appropriés ; tout ce jour-là, il n'était question que d'allégeance britannique, de loyauté à notre souverain et d'un Canada s'étendant d'un océan à un autre océan. Ces messieurs du Board of Education partaient enchantés ; ils saluaient très bas notre mère directrice en l'appelant : Madame[37].

Faites sur le ton de l'humour plutôt que sur celui de l'indignation, ces évocations laissent entendre que la « persécution », en réalité, n'est pas si terrible que cela. En fait, la police scolaire de l'État reste généralement discrète et les « raids » antifrançais sont l'exception, du moins dans les écoles de Saint-Boniface, où l'enseignement français et catholique non seulement se déroule dans une harmonie relative, mais bénéficie même d'un surcroît de ferveur en raison de l'interdiction officielle qui le frappe.

Il faut dire que les religieuses, à l'académie, évitent de se livrer au prosélytisme. Leurs élèves catholiques de langue anglaise, de plus en plus nombreuses après 1916, font toutes leurs études dans cette langue ; ne sont soumises au programme de l'AECFM que celles qui proviennent de familles canadiennes-françaises, dont, bien sûr, la jeune Gabrielle Roy qui, à cet égard, fera plus qu'aucune autre la fierté de l'école et le bonheur de ses institutrices.

Pour sanctionner son programme et « stimuler l'amour et l'étude de notre langue[38] », l'Association organise, à partir de 1923, un grand concours annuel de français à l'échelle de tout le Manitoba. Pour les élèves des petites classes, l'épreuve consiste en une interrogation sur les matières scolaires enseignées en français ; pour ceux des grades plus avancés, en une composition française sur un sujet imposé[39]. Le concours a lieu un samedi du mois de mai, et les résultats sont annoncés quelques semaines plus tard dans les colonnes de l'hebdomadaire *La Liberté*, principal organe d'information de la communauté franco-manitobaine. Chaque été, donc, la page consacrée au concours constitue un peu le tableau d'honneur du Manitoba français. Et chaque été, entre 1924 et 1928, le nom de Gabrielle Roy y apparaît en tête de liste, accompagné de la note qu'elle a obtenue et de la mention du prix que lui vaut sa première place parmi tous les élèves francophones de la province.

Ce prix, jusqu'au niveau de la dixième année, est une médaille. La toute première médaille de Gabrielle, offerte par le surintendant de l'Instruction publique de la province de Québec, lui est décernée à l'âge de quinze ans, pour le concours de grade VIII qu'elle réussit avec une note de 92 p. 100, contre le maigre 71 p. 100 de sa plus proche rivale. L'année suivante, c'est la médaille d'or de la Fédération des femmes canadiennes-françaises réservée à la meilleure élève de grade IX qu'elle reçoit, grâce à une note de 98 p. 100[40]. Puis, en juin 1926, une note de 93 p. 100 lui permet de décrocher la « Médaille d'or de France » remise par le gouvernement français à la lauréate de grade X[41].

Aux deux concours suivants, ceux de onzième et de douzième

année, elle se classe de nouveau au premier rang pour l'ensemble du Manitoba, ce qui lui demande plus d'efforts encore puisque les rares élèves qui poursuivent leurs études jusque-là sont parmi les plus travailleuses et les plus douées. Les notes de Gabrielle frisent donc la perfection : 97 p. 100 en 1927 et 99 p. 100 en 1928[42]. À ces niveaux, la récompense accordée par l'Association est moins symbolique. Au lieu d'une médaille, elle consiste en une somme d'argent assez rondelette pour l'époque : 50 dollars au grade XI, don de la SSJB de Montréal, et 100 dollars au grade XII, versés par l'Association.

Outre le concours annuel de français de l'AECFM, les élèves ne manquent pas d'occasions de se mesurer les unes aux autres et de se distinguer. Et là encore, les triomphes de Gabrielle s'accumulent. Ainsi, au printemps 1927, elle remporte la palme pour son école lors de la joute oratoire organisée par l'Association et le *Winnipeg Free Press*, dont le sujet est « ce que le Canada a accompli au cours de soixante ans de Confédération[43] ». À l'académie, les distinctions les plus prestigieuses sont celles qui récompensent l'enseignement de la religion. Chaque année, pendant le mois de mai qui est le « mois de Marie », une grande cérémonie a lieu dans la salle de l'école au cours de laquelle les lauréates de chaque grade, vêtues d'un costume bleu pâle et portant des fleurs dans les cheveux, défilent devant les parents et un abondant clergé rassemblés à l'occasion du couronnement de la « reine de mai ». Ce titre est décerné à l'élève de grade XII qui a obtenu la meilleure note en catéchisme et en histoire sainte ; les lauréates des grades IX, X et XI lui servent de « dames d'honneur ». Ce jour-là, Gabrielle reçoit généralement les distinctions[44], et, en mai 1928, on lui confère le statut suprême de « reine de mai », assorti d'une médaille d'or offerte par l'archevêque[45].

Chaque fois qu'une distribution de prix a lieu à l'académie, le nom de Gabrielle Roy est parmi les premiers. Mais ces succès qui la font aimer de ses institutrices et envier de ses consœurs, la « première de classe » ne les obtient qu'au prix d'un travail acharné. « À quinze ans, écrira-t-elle plus tard, j'étais une petite vieille toujours fourrée dans mes livres[46] ».

Cette obstination et cette soif d'honneurs, l'auteur de *La Détresse et l'Enchantement* les attribuera au désir qu'elle avait en ce temps-là de plaire à sa mère, de « la soutenir à ma manière[47] » et de la consoler de sa vie difficile. « Le sentiment me vint que pour dédommager maman des sacrifices sans fin qu'elle s'était imposés pour moi, il ne fallait pas moins qu'une éclatante réussite de ma part » ; « je devrais [...] être la première toujours, en français, en anglais, dans toutes les matières, gagner les médailles, les prix, ne cesser de lui apporter des trophées[48] ».

Ces motivations altruistes que Gabrielle Roy se prête à rebours ont pu jouer, c'est certain. Mais elles ne sont sûrement pas les seules. « C'était [...] enivrant d'être la première[49] », dit-elle. Il y a aussi, dans la détermination de l'élève et dans les tâches qu'elle s'impose, une ambition farouche, une volonté de s'affirmer et de forcer la reconnaissance et l'admiration d'autrui, c'est-à-dire celle de ses maîtresses et de ses consœurs, mais aussi, et peut-être surtout, celle de son père et du reste de sa famille. En d'autres mots, au lieu de s'exprimer par l'opposition et la désobéissance, la révolte de l'adolescence se traduit chez elle par une obsession de la réussite qui lui permet de prouver hors de tout doute, aux autres comme à elle-même, qu'elle occupe une place unique dans le monde et qu'elle n'est pas née en vain.

Dans la lauréate de l'AECFM, dans la « reine de mai », c'est « Petite Misère », en somme, qui prend sa revanche.

L'éducation d'une jeune fille rangée

Outre les premières occasions de faire sa marque et d'être reconnue, le passage de Gabrielle à l'Académie Saint-Joseph lui apporte une éducation dont la qualité représente ce que l'époque et le milieu pouvaient offrir de mieux à des adolescentes. Considérée par le Department of Education comme une des meilleures écoles de jeunes filles de tout le Manitoba, l'académie est dirigée, à partir de 1925, par sœur Luc d'Antioche, née Delphine Beuglet, qui va en faire un établissement de premier rang, auquel sera accordé en 1929 le titre d'« Institut collégial », assorti en 1936 d'une affiliation officielle à l'Université du Manitoba lui donnant le droit de décerner le diplôme de bachelière ès arts.

Dans cette école publique ouverte en principe aux enfants de toutes les catégories sociales, les sœurs des Saints Noms de Jésus et Marie pratiquent le même type d'enseignement et d'encadrement que celui dont profitent les jeunes bourgeoises de leur couvent d'Outremont, à Montréal, fondé en 1905. Certes, l'instruction morale et religieuse y est la grande priorité, avec son cortège de prières, de retraites, de sacrements obligatoires et de célébrations dévotes ; certes, le patriotisme y est de rigueur, patriotisme farouchement traditionaliste, fait surtout de méfiance — parfois même d'intolérance — à l'égard de tout ce qui n'est pas canadien-français et catholique « pure laine ». Au printemps 1919, par exemple, lors des grandes manifestations ouvrières qui secouent la capitale du Manitoba, on trouve cette brève mention dans les annales de l'académie : « Faisant allusion à la déplorable grève qui sévit à Winnipeg, Mgr [Béliveau] dit que la cause en est simplement au manque d'esprit chrétien[50]. »

Les religieuses qui préparent les jeunes filles au rôle de mère et d'épouse ont la conviction d'éduquer des femmes destinées à faire partie de l'élite de la société. Aussi accordent-elles beaucoup d'importance à la formation culturelle et artistique de leurs élèves, à la fois dans leur enseignement et dans ce que l'on désigne aujourd'hui sous la rubrique « activités parascolaires ». Ainsi, toutes les fillettes font de la musique. Gabrielle, comme ses sœurs, apprend le piano. Lorsqu'elle atteint le grade VII, elle se présente à un examen tenu « sous le contrôle du Conservatoire national de musique affilié à l'Université de Montréal », examen qu'elle réussit « de manière satisfaisante[51] ». Elle entre ensuite dans la chorale de l'école et poursuit ses leçons de piano jusqu'à la fin de ses études, malgré des aptitudes plutôt médiocres. Par la suite, jamais Gabrielle Roy ne perdra le goût ni l'habitude de jouer du piano quand l'occasion se présentera.

Plus que la musique, cependant, c'est le théâtre et l'élocution qui la passionnent, peut-être parce que ces activités relèvent en partie de sœur Léon-de-la-Croix, c'est-à-dire Bernadette, qui, faisant partie du personnel de l'académie jusqu'en 1927, a pour tâche d'inculquer aux jeunes filles l'art de la diction juste, de la bonne pose de la voix, de l'expression corporelle et de la mémorisation. Pour les élèves talentueuses, les occasions de se produire ne manquent pas, l'année scolaire étant ponctuée de cérémonies et de fêtes qui donnent lieu à des spectacles fort courus par tout ce que Saint-Boniface compte d'ecclésiastiques, de notables et de « bienfaiteurs » en vue. Gabrielle, déjà, est connue pour la vivacité de ses déclamations, qui font d'elle une interprète admirée. Ainsi, peu avant Noël 1925, le rédacteur de *La Liberté* rend compte de la fête donnée en l'honneur de l'archevêque : « Il fait toujours plaisir, écrit-il, d'aller à l'académie. Les enfants y sont si bien dressés et tout y respire si bien la paix et le calme qu'il est toujours reposant de pénétrer dans cette maison. » Après la lecture d'une adresse, les élèves jouent une pièce pieuse intitulée *L'Âme de Thérèse* ; au premier entracte, une jeune fille donne un bref récital de piano, tandis qu'au second, « Mlle Roy [déclame] à la grande joie de l'assistance un morceau comique[52]. » Deux ans plus tard, lors d'une autre fête semblable, c'est en récitant « d'une manière charmante » *Le Tisonnier de ma mère* du père Zacharie Lacasse, missionnaire au Manitoba, que Gabrielle soulève les applaudissements de l'auditoire[53]. Jolie de figure et dotée d'une excellente mémoire, elle a le sens de l'intonation et du geste expressif ; elle passe, parmi ses condisciples, pour une comédienne au talent prometteur.

En ce qui concerne les matières scolaires proprement dites, l'éducation que reçoit Gabrielle Roy à l'Académie Saint-Joseph a beau contenir, comme partout ailleurs, un « fatras d'inutiles connaissances[54] » et bien des préceptes qu'elle jugera durement plus tard, il n'en reste pas moins qu'elle se distingue fortement sur un point : le bilinguisme. « Nous étions en quelque sorte anglaises dans l'algèbre, la géométrie, les sciences, dans l'histoire du Canada, mais françaises en histoire du Québec, en littérature de France et, encore plus, en histoire sainte[55]. » Ce bilinguisme, qui oblige l'élève à acquérir une grande maîtrise des langues anglaise et française, aura sur l'initiation littéraire de la future romancière une incidence qu'elle soulignera elle-même dans ses écrits autobiographiques.

> De la littérature française, nos manuels ne nous faisaient connaître à peu près que Louis Veuillot et Montalembert — des pages et des pages de ces deux-là, mais rien pour ainsi dire de Zola, Flaubert, Maupassant, Balzac même. [...] La littérature anglaise, portes grandes ouvertes, nous livrait alors accès à ses plus hauts génies. J'avais lu Thomas Hardy, George Eliot, les sœurs Brontë, Jane Austen. Je connaissais Keats, Shelley, Byron, les poètes lakistes que j'aimais infiniment[56].

C'est pourquoi, dira-t-elle encore, « j'ai longtemps cru la littérature française bien pâle à côté de l'anglaise[57] ». Une exception, cependant : Alphonse Daudet, pour qui la jeune fille se prend d'une telle passion qu'elle apprend par cœur *Les Lettres de mon moulin*. Cette découverte qui marquera ses débuts littéraires et dramatiques, elle la doit à l'une de ses maîtresses de douzième année, sœur Marie-Diomède (Georgina Laberge), de qui elle écrira plus tard : « Elle m'a peut-être plus que toute autre, durant mes années de couvent, initiée au beau et entraînée, par des encouragements précieux, à ma carrière[58] ».

Mais dans l'ensemble, les auteurs français ne lui inspirent qu'indifférence. Il est vrai que l'enseignement de la littérature française, du fait qu'il relève des religieuses et de l'AECFM, est fortement imprégné de conservatisme et marqué par la censure cléricale. Écrivains bien-pensants, textes expurgés, ignorance presque totale des œuvres modernes, vision plus ou moins apologétique de la pensée et de l'écriture littéraires sont de rigueur. Tandis qu'en littérature anglaise le programme de l'État, sans être follement moderniste, est tout de même plus libéral.

Sa connaissance et son amour des auteurs anglais, Gabrielle les tient surtout d'une autre de ses maîtresses de douzième année, sœur Maxima (M.-A. Bellemare), qui « a toujours été pour moi d'une grande douceur ». « Son affection du beau allait d'instinct à l'un des plus purs poètes anglais, Keats, et elle le lisait d'une voix attachante, émue, qui en faisait ressortir la mélancolie musicale[59]. » C'est à Shakespeare pourtant que vont les préférences de la jeune fille, Shakespeare qu'elle étudie depuis la huitième année et qu'elle lit dans le texte. Un passage célèbre de *La Détresse et l'Enchantement* rappelle l'émerveillement éprouvé lors d'une représentation du *Marchand de Venise* au théâtre Walker de Winnipeg :

> Du balcon le plus élevé, penchée par-dessus la rampe vers les acteurs qui, de cette hauteur, paraissaient tout petits, je saisissais à peine les paroles déjà en elles-mêmes pour moi presque obscures, et pourtant j'étais dans le ravissement[60].

Dans ses souvenirs, Gabrielle Roy situe cet événement à l'époque de ses études à l'Académie Saint-Joseph. Mais en fait, c'est seulement à l'automne 1928, le mercredi 24 octobre précisément, en matinée, qu'a eu lieu l'unique représentation du *Marchand de Venise* au théâtre Walker, par la Stratford-upon-Avon Festival Company alors en tournée nord-américaine[61]. Gabrielle, à ce moment-là, a quitté l'académie et commencé ses études à l'École normale.

Quelle que soit sa date exacte, ce choc est capital pour elle. Sur le coup, il l'incite à lire et à mémoriser les autres grandes pièces de Shakespeare ; et tout au long de sa vie elle continuera à relire et à citer *Macbeth, Hamlet, Le Roi Lear* ou *La Tempête*. C'est que cette révélation, au fond, ne concernait pas seulement cette œuvre et cet auteur particuliers, si grands fussent-ils, mais bien le pouvoir même de l'art et de la littérature. « Il ne s'agissait plus enfin de français, d'anglais, de langue proscrite, de langue imposée. Il s'agissait d'une langue au-delà des langues, comme celle de la musique, par exemple[62]. » Dans *La Montagne secrète*, Pierre Cadorai connaîtra, en lisant Shakespeare, le même éblouissement : « Le monde de l'art — mais il aurait fallu un autre mot — était vaste, embrassait l'homme tout entier : son ennui, sa pensée, ses rêves, sa souffrance, des joies douloureuses, des sommets, des abîmes[63]... »

Il n'est pas indifférent, pour un écrivain, d'avoir lu dans sa jeunesse Shakespeare plutôt que Racine, Keats plutôt que François Coppée. Bien qu'elle se soit peu exprimée sur les influences livresques qu'elle a subies et que plusieurs de ses lectures les plus décisives aient eu lieu plus tard dans sa vie, il est certain que Gabrielle Roy a retiré de ses années d'études une culture littéraire, des modèles et des références assez différents de ceux de la plupart des écrivains canadiens-français de sa génération, presque tous passés par le moule du vieux cours classique. Si bien que dans le milieu littéraire où elle fera son entrée dix ou quinze ans plus tard, ce bagage hérité de sa formation scolaire bilingue fera d'elle, en partie du moins, une marginale.

Pour le moment, toutefois, c'est-à-dire lorsqu'elle se trouve à l'Académie Saint-Joseph, adolescente de quinze, seize, bientôt dix-neuf ans, Gabrielle a tout de l'élève modèle. En témoignent non seulement ses succès scolaires, mais tout son comportement de jeune fille rangée, consciencieuse, polie avec ses maîtresses et prompte à combler leurs moindres attentes.

À ses condisciples, elle apparaît comme une élève douée, certes, mais surtout très appliquée, sérieuse, constamment plongée dans ses livres et se mêlant peu aux activités de groupe. Quelques-unes lui sont plus proches que les autres, comme Denise Rocan, Thérèse Goulet, Rita Guilbert ou Kathleen O'Neil. Mais une véritable amie comme en ont souvent les jeunes filles de cet âge, une compagne de chaque instant avec qui l'on échange secrets et confidences et à qui l'on est liée par une connivence passionnée, quasi amoureuse, il semble qu'elle n'en ait pas eu. Fière, sûre d'elle-même, souvent espiègle en public et non dépourvue d'« un petit côté cabotin[64] », Gabrielle cultive la solitude et garde le plus souvent ses distances.

De sa vie sentimentale de cette époque, on ne sait pas grand-chose. Deux ou trois récits de *Rue Deschambault* montrent Christine adolescente s'éveillant peu à peu aux choses de l'amour : son goût vite réprimé pour les parures et le maquillage, sa première conquête masculine, le baiser que lui vole un cousin au milieu de la tempête. Rien que de très banal, en somme. Selon Adèle, pourtant, l'adolescente ne manque pas de soupirants, qui la comblent de cadeaux, l'invitent sans cesse à sortir et se montrent si empressés qu'ils la font passer auprès de ses sœurs pour « une enjôleuse, avec [ses] yeux bleu-vert et [son] sourire mielleux[65] ».

Il est vrai que Gabrielle est une jeune fille superbe. Avec son regard perçant, sa peau un peu sombre, ses cheveux auburn coupés court et à la dernière mode, ses robes avenantes et le petit chapeau sur lequel sont brodés les noms de ses auteurs favoris, elle a tout pour séduire les garçons des deux écoles voisines, ceux de l'Institut Provencher et, mieux encore, ceux du prestigieux Collège de Saint-Boniface. Il semble qu'il y ait, dans sa vie de cette époque, beaucoup de flirts, de coquetteries, de frissons, de cavaliers d'un soir ou d'une semaine, mais on ne lui connaît ni amoureux ni « ami de cœur » un peu sérieux. Là encore, elle garde ses distances, et tout se passe comme s'il existait déjà en elle une sorte de réserve à l'égard de l'amour, résistance ou méfiance qui, loin de s'atténuer avec le temps, ne cessera au contraire de grandir. Cette attitude, au cours de l'adolescence, lui vient sans doute en partie de l'exemple de ses sœurs aînées, Anna et Adèle, chez qui elle voit la passion et le mariage se transformer rapidement en souffrances et en désillusions. Mais il y a autre chose dans cette crainte de l'amour : le désir de se garder libre et disponible, non pas pour l'« homme de sa vie », mais pour sa vie tout court, c'est-à-dire pour le moment où elle pourra enfin prendre son envol.

À la Montagne Pembina

Car s'il est une chose qui domine alors l'existence de Gabrielle — comme elle domine celle de tant d'adolescents —, c'est le souci de sa propre personne et de son propre destin, le besoin non tant de se connaître que de se forger de soi-même une image qui à la fois la singularise, la rassure et l'exalte. Ainsi, dans *Rue Deschambault*, Christine adolescente passe de longues heures dans le grenier, assise par terre « devant un bouddha où je me brûlais à moi-même de l'encens » ; seule au milieu d'un décor que sa mère appelle son « abracadabra », elle se mire dans ses pensées et cherche passionnément le visage de « cette inconnue de moi-même que je [serai] un jour[66] ».

Rien n'est plus propice à cette recherche, cette contemplation de soi et de « la route de [son] avenir[67] », que les vacances à la campagne, dans la famille de sa mère. Excide, le plus jeune frère de Mélina, possède une ferme dans la région de la Montagne Pembina, entre Cardinal et Saint-Léon. Depuis la mort des grands-parents Landry, c'est là que Mélina passe le congé de Noël et une partie de l'été, d'abord avec ses enfants, puis, à partir de 1920 environ, avec Gabrielle seule. Léon reste à Saint-Boniface pour s'occuper de ses petites affaires et ruminer ses regrets, tandis que Clémence lui tient compagnie, quand elle ne se réfugie pas auprès d'Adèle ou d'Anna.

Pour Mélina, ces séjours chez Excide, comme naguère à la maison de ses parents, sont des périodes de répit. Loin de son mari, loin des tracas de leur vie quotidienne, elle retrouve ses souvenirs et les paysages dans lesquels elle a été heureuse autrefois. Sise sur une petite éminence dominant un ancien lac asséché, entourée de bosquets à travers lesquels on aperçoit la grande plaine, la maison d'Excide est accueillante et confortable, avec ses deux étages, sa grande galerie et le joli balcon au-dessus. Ici, tout parle à Mélina un langage familier. Zénon, son autre frère, habite dans le voisinage avec sa seconde femme, Anna Fortier, épousée après le décès de la première, Virginie Rocheleau. La tombe de ses parents est tout près, dans le petit cimetière de Somerset. Elle connaît les gens, les lieux, les habitudes, elle est chez elle. Mais à la différence de ce qui se passait quand elle venait en visite chez sa mère, ce n'est plus pour se reposer que Mélina débarque chaque été chez Excide, c'est pour travailler, et pour travailler dur. Car Excide a besoin d'elle, surtout à partir de 1922, année de la mort de sa femme Luzina, que remplacent du mieux qu'elles le peuvent Éliane, puis Léa, les filles aînées promues maîtresses de maison alors qu'elles n'ont pas encore vingt ans. Mélina aide aux tâches ménagères et aux travaux des champs. En retour, elle reçoit le gîte et le couvert pour elle-même et pour sa fille. Elle est, en somme, une « engagée ».

Pour Gabrielle, cependant, ces vacances d'été sont un pur délice, comme elle le racontera plus tard dans un chapitre de *La Détresse et l'Enchantement*. Il y a d'abord les gens : deux femmes, sa tante, « cette douce et si tendre Luzina[68] », et sa cousine Éliane — « ma chère, ma très chère amie », lui écrit Gabrielle, « je t'aime comme je chéris ceux qui savent m'aimer[69] » — qui, dans son esprit, sont l'une et l'autre l'incarnation de la bonté ; son oncle, sur qui elle reporte l'admiration et l'affection qu'elle se sent incapable d'éprouver pour son père ; et surtout Philippe, Cléophas et Léa, cousins dont elle se sent beaucoup plus proche que de ses propres frères et sœurs. Sa vraie famille, au fond, c'est ici qu'elle la trouve, une famille aimante, paisible, dans laquelle elle se sent parfaitement intégrée, ne serait-ce que parce que les enfants y ont le même âge qu'elle et que leur père a vingt-cinq ans de moins que le sien[70].

Le bonheur de ces vacances, la jeune fille le trouve aussi dans les paysages qui l'entourent : un petit bouquet d'arbres où le vent se joue, une colline inattendue, un chemin de terre qui poudroie, et l'espace de la plaine à perte de vue. Ces lieux pleins de l'histoire de sa famille, elle ne se lasse pas de les explorer, de les contempler sous tous les angles, d'entendre leur musique, de poursuivre les mille songeries qu'ils éveillent en elle. Pour la future romancière, ce pays de la Montagne Pembina sera un peu comme l'Illiers-Combray de Proust : l'objet d'une fascination inépuisable, un réservoir de souvenirs, d'images et de personnages auxquels elle ne cessera de revenir dans ses écrits.

Mais il est une autre raison, peut-être la plus importante, qui fait de ces étés à la campagne un moment privilégié dans la vie de l'adolescente. C'est qu'elle y est libre comme jamais elle ne peut l'être à Saint-Boniface. Libérée de tout souci scolaire, bien sûr, mais libérée aussi de sa famille, de son père, de ses sœurs, des tiraillements et de la gêne qui sont devenus le lot commun des habitants de la maison de la rue Deschambault. Cette liberté, rien ne la symbolise mieux, dans *La Détresse et l'Enchantement*, que l'image de la jeune cavalière, cheveux au vent, quittant la ferme de son oncle et parcourant seule, jusqu'au coucher du soleil, les champs et les villages des alentours.

À la Montagne Pembina, Gabrielle est surtout libre de ses pensées et de ses rêves, libre de les consacrer à ce qui la fascine le plus : elle-même, ses désirs, ses projets, la félicité et la gloire qui l'attendent. Car c'est à ces interrogations sans fin sur sa vie et son être futurs que la conduisent invariablement ses chevauchées. Tantôt elle va au village de Saint-Léon, chez la vieille mère de sa tante Luzina, pour demander : « Lisez mon avenir dans les cartes, dites-moi ce qui va m'arriver, mémère Major[71] » ; tantôt elle dirige sa monture vers une petite éminence d'où l'on découvre « une immensité de ciel et de terre qui me donnait l'impression que le monde était à moi » et elle se dit : « je [trouverai] un jour le bonheur[72] ». La narratrice de *Ces enfants de ma vie* se rappellera ces méditations exaltées devant le paysage de Pembina :

> Comme tout espace grand et libre, ce qu'il nous inspirait devait être une confiance rêveuse et pourtant inébranlable envers la vie, ce que nous deviendrions, le visage que nous acquerrions avec le temps[73].

Tout au long de ces étés chez Excide, la jeune fille poursuit, en somme, la quête commencée dans son grenier de Saint-Boniface où, pendant de longs après-midi, perdue « dans une ivresse confiante en l'avenir[74] », elle se demande, comme la Christine de *Rue Deschambault* : « Que [serai]-je plus tard ?... Que [ferai]-je de ma vie[75] ? » La question, que Gabrielle continuera à se poser encore longtemps, contient déjà sa propre réponse. Elle sera *quelqu'un*. Elle aura la vie qu'elle se donnera elle-même, et cette vie sera grande et belle, incomparablement plus grande et plus belle que ce à quoi elle serait normalement destinée.

Très tôt, en effet, une idée, un désir s'impose à elle, qui sera une constante de toute sa jeunesse, sinon de sa vie entière : le besoin de s'élever, de se dégager, d'accéder à une existence et à un destin uniques, exemplaires, remplis de noblesse et de beauté. Certes, l'ambition est le propre de l'adolescence, et tout jeune homme, toute jeune fille, avant de rencontrer le monde tel qu'il va, se promet des merveilles. Chez Gabrielle Roy, cependant, ce désir acquiert tant de force au cours de ses jeunes années qu'il devient une véritable obsession et l'unique règle de sa conduite et de ses pensées. Tout en elle est projection vers cette image idéale qui l'appelle et cependant lui échappe, une image qui est à la fois elle-même et une autre, un autre moi dont elle ne sait rien encore sinon qu'il est meilleur, plus heureux et infiniment digne d'admiration. C'est ce qu'Adèle, méchamment, appellera les « chimères » de Gabrielle.

Ce désir d'élévation s'exerce de deux manières différentes, à la fois opposées et complémentaires. D'un côté, il lui inspire de l'assurance et nourrit son besoin de réussite. Si elle se voue si entièrement à l'étude et a un tel besoin d'être la première en tout, c'est justement au nom de cette « inconnue » là-bas qui l'appelle et qu'elle ne pourra devenir sans un effort constant pour se distinguer, se hausser au-dessus d'elle-même et des autres. Les prix, les médailles, les honneurs sans nombre, la jeune lauréate les accumule moins comme des gages de sa valeur présente que comme les signes annonciateurs de cette destinée unique vers laquelle elle tend de tout son être.

Mais d'un autre côté, ce désir est aussi un refus. À travers lui, c'est « Petite Misère » qui se dresse pour rejeter non seulement la pitié de son père, mais le monde dans lequel elle est née, un monde que domine cette fois la figure sacrée par excellence : celle de la mère.

La seconde naissance de Gabrielle

Pour Gabrielle adolescente, l'univers qui l'entoure se ramène essentiellement à deux choses : son milieu social immédiat, c'est-à-dire le Saint-Boniface canadien-français et catholique, et sa famille, représentée, résumée en fait par la présence de Mélina, qui va bientôt atteindre la soixantaine. Aux yeux de la jeune fille, le rapport symbolique entre sa mère et la société franco-manitobaine est très étroit, au point qu'elles se fondent pratiquement l'une dans l'autre. C'est Mélina, par ses récits, qui a initié Gabrielle à l'histoire du Manitoba français et, par-delà, à tout son passé de Canadienne française. Et c'est grâce à cette double présence autour d'elle, celle de la mère et celle de la communauté bonifacienne, que l'enfant a pu éprouver jusque-là le sentiment de vivre à l'abri, comme au milieu d'une île de douceur et de sécurité qui la protège de toutes les menaces.

Prendre conscience de son appartenance sociale consistera, pour l'adolescente, à découvrir en même temps sa propre mère, c'est-à-dire à jeter sur elle un nouveau regard et à se situer elle-même, à situer l'image qu'elle commence à se faire d'elle-même par rapport à ce qu'est et à ce que représente Mélina. C'est dans ce sens qu'il faut lire les deux premiers chapitres de *La Détresse et l'Enchantement*, dont l'action se déroule justement au moment de l'adolescence de Gabrielle et qui racontent ce que l'on pourrait appeler sa seconde naissance, c'est-à-dire sa naissance véritable en tant que sujet individuel et autonome. Ils s'ouvrent par cette question capitale : « Quand donc ai-je *pris conscience* pour la première fois... »

> Quand donc ai-je pris conscience pour la première fois que j'étais, dans mon pays, d'une espèce destinée à être traitée en inférieure[76] ?

Lors de leur publication posthume en 1984, on a d'abord vu dans ces chapitres — non sans en être surpris étant donné ce que l'on savait des opinions politiques de la romancière — une prise de position tardive en faveur des revendications du nationalisme canadien-français. Ce qu'on a moins remarqué, et qui est pourtant tout aussi frappant, c'est que ces pages « politiques » sont habitées par la présence de la mère. C'est sous la conduite de Mélina qu'a lieu l'expédition humiliante au magasin Eaton de Winnipeg, et c'est de la bouche de Mélina, dans le deuxième chapitre, que Gabrielle apprend l'interminable suite de malheurs et l'absence de patrie dont les siens ont souffert avant sa venue au monde. Autrement dit, la jeune fille ne découvre pas seulement à cette époque précise de sa vie que « le malheur d'être Canadien français [est] irrémédiable[77] » et que les Franco-Manitobains forment une communauté de seconde zone, minoritaire et bafouée ; elle prend surtout conscience, pourrait-on dire, de l'humiliation et de la misère de sa propre mère et de sa propre famille, qui cessent dès lors de lui apparaître comme ce cocon protecteur qu'elles ont été tout au long de son enfance pour devenir un ferment de malheur, un empêchement, une menace à son propre bonheur.

Tout cela ressort clairement du récit que fait Gabrielle Roy d'une autre scène de son adolescence, un peu plus tardive que celles évoquées au début de *La Détresse et l'Enchantement* mais qui porte la même signification. L'événement, cette fois, se déroule au cours de l'été de ses quinze ou seize ans, c'est-à-dire en 1924 ou 1925. Un jour où Mélina est partie faire ses courses à Winnipeg, Gabrielle, demeurée seule à la maison, se met tout à coup à s'inquiéter. « Il me vint le curieux sentiment que je l'avais comme perdue de vue et que peut-être, au fond, je ne la connaissais pas bien. Ce devait être la première fois de ma vie où je pensai à elle, non pas uniquement comme à ma mère, mais comme à un être humain — par nature toujours quelque peu indéchiffrable — ayant sa vie propre, mystérieuse, peut-être pleine de secrets et d'inconnu. » Au coin de la rue, où elle est allée attendre sa mère, Gabrielle la voit enfin descendre du tram et en éprouve un choc inoubliable :

> Elle revenait les mains vides. Mais bien plus que ses mains vides, c'est son visage, comme mon regard y montait, qui me pétrifia de surprise. [...] Triste, absent, abattu, il était l'aveu que l'on se fait parfois, à soi-même, lorsqu'on se croit bien seul, qu'on n'en peut plus de tant de luttes, de tant de souffrances, de tant d'incompréhension. [...]
>
> Je m'avançais vers elle qui ne me voyait pas, en souriant encore malgré tout, comme si je pouvais l'arracher à sa vie tel qu'à un mauvais rêve. Et je voyais de mieux en mieux sur le fin tissu du visage, la fragile matière qui enregistre pourtant tout de l'existence, la trace des calculs sans fin pour nous faire avec peu d'argent une vie gracieuse, une vieille nostalgie perdue à travers les chiffres pour une autre vie, un autre monde, et jusqu'à l'humiliation, je crois bien, toute fraîche encore, de s'être fait rabrouer une fois de plus à Winnipeg pour avoir demandé à se faire servir en français, pour ne pas savoir l'anglais, ou simplement pour être ce qu'elle était, une vieille Canadienne française têtue qui dérangeait. Et je ne sais quoi encore de las, de découragé, qui m'ôta à moi-même tout ce que je pouvais avoir de courage, habituée que j'étais à prendre le mien au sien. N'en pouvant supporter plus, je m'élançai vers elle, en l'appelant au secours plutôt que joyeusement comme je l'avais projeté. [...]
>
> Nous n'avons jamais parlé, elle et moi, de cette rencontre peut-être la plus signifiante de notre vie. Elle a peut-être suffi à me lancer, longtemps avant que j'en sois avertie, dans la voie de l'écriture[78].

Il n'est pas sûr que cette scène ait réellement eu lieu, non plus d'ailleurs que celle du deuxième chapitre de *La Détresse et l'Enchantement*. Mais cela importe peu. Ce qui compte, c'est l'expérience intérieure qu'elles révèlent, une expérience que Gabrielle Roy, en romancière aguerrie, condense dans des « événements » ponctuels et datés mais qui a très bien pu se dérouler plus lentement, plus confusément, comme une transformation progressive s'étendant sur toute l'adolescence. Si on voulait en dégager les données essentielles, cette expérience serait celle d'une sorte de sevrage grâce auquel l'enfant, dont toute la vie et l'identité se confondaient jusque-là avec celles de sa mère, se détache d'elle et peut ainsi la *voir*, elle et toute la communauté qu'elle représente. Voir leur souffrance, certes, mais aussi leur écrasement et l'infériorité qui s'attache à elles, irrémédiablement.

Cette prise de conscience et l'émotion qu'en éprouve la jeune fille marquent pour elle la sortie de l'univers maternel, le moment où, « pour la première fois », elle se considère et s'assume comme un être à part, séparé et distinct. En découvrant « pour la première fois » le vrai visage de sa mère et la vraie nature de son milieu d'origine, Gabrielle découvre non seulement qui elle est et d'où elle vient, mais surtout qui elle veut être et où elle veut aller. Et une chose lui paraît dès lors certaine : elle ne sera pas comme sa mère, elle ne sera pas de cette « espèce inférieure » à quoi la destine sa condition de Franco-Manitobaine. Coûte que coûte, elle échappera à ce destin maudit.

La résolution — proprement inavouable — de ne pas accepter pour elle-même le sort de sa mère et de sa communauté, et donc de se préparer à les trahir, en quelque sorte, Gabrielle Roy ne la présente pas d'une manière aussi abrupte dans ses écrits autobiographiques. Elle s'en souvient plutôt comme d'un sentiment qui, loin de l'inciter à renier les siens, l'aurait poussée au contraire à prendre sur elle leur humiliation et à agir pour y mettre fin. Ainsi, dans le deuxième chapitre de *La Détresse et l'Enchantement*, après avoir rapporté le long récit — la longue complainte — de sa mère, la narratrice ajoute : « Et c'est alors, il me semble bien me rappeler, que j'ai formé au fond de mon âme la résolution de la venger. »

> Maman [...] se faisait des reproches de m'avoir tellement parlé [...]. À bout de forces, je n'en poursuivais pas moins ma petite idée qu'un jour je la vengerais. Je vengerais aussi mon père et ceux de Beaumont, et ceux de Saint-Jacques-l'Achigan et, avant, ceux du Connecticut. Je m'en allais loin dans le passé chercher la misère

> dont j'étais issue, et je m'en faisais une volonté qui parvenait à me faire avancer[79].

Il ne fait aucun doute que la connaissance de la « misère dont j'étais issue » ait provoqué une réaction de révolte dans l'esprit de l'adolescente et fouetté son désir d'« avancer », de s'élever. Ce qui est moins certain, c'est le but désintéressé que la femme âgée, a posteriori, assigne à cette révolte : sauver les siens, se donner pour mission de les venger. Si l'on se replace dans le contexte de ces années, le type de conscience sociale ou nationale que se prête la narratrice de *La Détresse et l'Enchantement*, et qui aurait été à l'origine de son dévouement filial et ethnique, paraît peu vraisemblable, ou pour le moins anachronique. Cette perception « tragique », ou en tout cas douloureuse, de la condition canadienne-française, qui deviendra monnaie courante dans le Québec de la Révolution tranquille, a fort peu à voir avec l'idéologie nationaliste qui inspirait les discours et l'enseignement à l'époque où Gabrielle Roy faisait ses études. Cette idéologie, empreinte de l'héroïsme du peuple canadien-français et de la « mission providentielle » dont il était investi, exaltait au contraire la supériorité de la « race élue » ; elle visait non pas la « vengeance », c'est-à-dire la rupture avec un long passé d'humiliation et de misère, mais bien la « survivance » de ce qui avait toujours été, c'est-à-dire une épopée de gloire et de grandeur. Le propre frère de Gabrielle, Germain, écrit ainsi, à peu près à la même époque, dans une dissertation que le journal *La Liberté* juge digne de figurer dans ses pages :

> Une légitime fierté nous vient, d'être Canadiens-français, d'être les descendants de ce peuple généreux, prompt à l'enthousiasme, épris d'idéal, de ce peuple qui a toujours été le soldat du droit, qui a sans cesse pris en mains la cause du faible et de l'opprimé, qui a constamment songé à défendre les grands intérêts du Christ et de l'humanité.
>
> L'étude de notre histoire excite en nous une vive reconnaissance pour nos ancêtres, [...] qui ont lutté pour nous assurer plus de liberté, plus d'égalité, plus de justice. Ils nous ont laissé un pays prospère et un riche trésor d'exemples, « saint héritage » que nous devons avoir à cœur de conserver intact[80].

Il serait étonnant que Gabrielle, élève modèle des religieuses de l'Académie Saint-Joseph, n'ait pas été imprégnée elle aussi, à un certain degré, des mêmes convictions patriotiques, elle qui recevait à l'âge de dix-sept ans une « mention honorable » pour sa participation au concours littéraire de *La Liberté*, sur le thème : « Aimeriez-vous faire le voyage de la survivance française[81] ? »

Il y a lieu de douter que le contenu de la prise de conscience « politique » vécue par l'adolescente soit tout à fait celui que prétendront reconstituer les textes autobiographiques plus tardifs, dont le propos ne sera pas seulement de raconter la jeunesse de la narratrice, mais de justifier cette jeunesse, de la racheter en lui prêtant après coup un sens qu'elle n'avait peut-être pas sur le moment. Ce qui paraît plus vraisemblable dans le contexte d'alors, c'est que la jeune fille, loin de s'assigner la tâche de venger les siens et de travailler à leur « libération », comme on dit aujourd'hui, découvre plutôt à quel point son appartenance lui est un poids et combien il est urgent, si elle veut devenir l'être idéal dont elle rêve, de s'affranchir du devoir familial et patriotique et de se débarrasser de « la misère dont j'étais issue », de ne plus lui appartenir.

Autrement dit, ce n'est pas uniquement ou avant tout la souffrance de sa mère et l'infériorité politique des Franco-Manitobains qui indignent la jeune Gabrielle ; ce n'est pas contre cela qu'elle prend la décision de lutter. Elle veut se battre plutôt contre l'infériorité qui en découle pour elle-même et contre les obstacles que cette appartenance oppose à son propre épanouissement. Elle découvre moins, en somme, la solidarité qui la lie à sa famille et à sa communauté d'origine que la nécessité où elle se trouve de rejeter cette solidarité pour pouvoir se réaliser. Venger sa mère, certes, mais surtout ne pas ressembler à sa mère ni aux siens, voire se venger d'eux : telle est la « résolution » plus ou moins consciente qui se forme dans l'esprit de l'adolescente, résolution qui, en un sens, va gouverner les quinze ou vingt prochaines années de sa vie.

Aux dernières pages du « Bal chez le gouverneur », première partie de *La Détresse et l'enchantement*, Gabrielle Roy reconnaît d'ailleurs la présence de ce sentiment en elle lorsque, âgée de vingt-huit ans, elle quittera le Manitoba. Évoquant le regard que lui adresse sa mère sur le quai de la gare, elle écrit :

> J'y saisis, tout au fond, que je ne partais pas pour la venger, comme j'avais tellement aimé le croire, mais, mon Dieu, n'était-ce pas plutôt pour la perdre enfin de vue ? Elle et nos malheurs pressés autour d'elle, sous sa garde ! [...]
>
> Puis, au bout du quai, surgie cette fois du passé, une petite foule

> en noir me parut se dessiner. C'étaient les grands-parents Landry, les Roy aussi, les exilés au Connecticut, leurs ancêtres déportés d'Acadie, les rapatriés à Saint-Jacques-l'Achigan, les gens de Saint-Alphonse-de-Rodriguez, ceux de Beaumont et jusqu'au grand-père Savonarole que j'eus le temps de reconnaître, à côté de Marcelline, tel qu'en son portrait, avec ses yeux de braise sombre… le terrible exode dans lequel ma mère un jour m'avait fait entrer…
>
> Est-ce que je n'ai pas lu alors dans mon cœur le désir que j'avais peut-être toujours eu de m'échapper, de rompre enfin avec la chaîne, avec mon pauvre peuple dépossédé[82] ?

La narratrice situe cette prise de conscience à la toute fin de sa jeunesse au Manitoba ; c'est comme un éclair subit qui aurait alors traversé involontairement sa pensée. Mais le besoin de « me sauver moi-même[83] » et, pour cela, de « rompre la chaîne », de « perdre de vue » sa mère et son milieu, a pris forme en elle beaucoup plus tôt, dès le début de l'adolescence, en fait, et il n'a cessé à partir de là de la hanter, la poussant de diverses manières à refuser sa condition et à affirmer sa liberté. La rupture qui surviendra en 1937 aura été longuement préparée, dans les actes, les attitudes et les désirs de Gabrielle.

On peut lire, dans *Bonheur d'occasion*, une scène qui en dit peut-être long à ce sujet. Un jour, Rose-Anna s'arrête au *Quinze-Cents* où travaille Florentine, et celle-ci a tout à coup l'impression de découvrir sa mère comme elle ne l'a jamais vue jusque-là :

> Rose-Anna n'avait peut-être qu'à paraître dans cette lumière abondante du bazar, dans ses vêtements de ville, elle n'avait peut-être qu'à sortir de la pénombre où elle s'était retranchée depuis tant d'années, pour que Florentine la vît enfin, elle et son pauvre sourire qui avait l'air, dès l'abord, de chercher à égarer l'attention, du moins à la détourner d'elle-même. Florentine en était atterrée. […] Elle apercevait la vie de sa mère comme un long voyage gris, terne, que jamais, elle, Florentine, n'accomplirait ; et c'était comme si, aujourd'hui, elles eussent en quelque sorte à se faire des adieux[84].

Se séparer de sa mère et de ceux de Saint-Henri, refuser pour elle-même leur pauvre destin, tel est le désir profond qui gouverne toute la jeunesse de Florentine, comme il gouverne celle d'Elsa, l'héroïne de *La Rivière sans repos*, hantée elle aussi par la volonté de ne pas répéter dans sa vie la vie étroite de Winnie, sa mère, ni celle des gens de son peuple.

Il y a certes, dans ce besoin de se désolidariser, une part d'ingratitude et d'illusion. Plus tard, Anna et Adèle reprocheront vivement ce comportement à Gabrielle, l'accusant de s'être élevée au détriment de sa propre famille. Mais s'éloigner des êtres peut aussi être le vrai moyen de découvrir tout ce qui nous attache à eux. Florentine, voyant soudain la vie misérable de Rose-Anna et comprenant que cette vie jamais ne serait la sienne, « s'aperçut au même moment qu'elle aimait sa mère[85] ».

Une princesse étrangère

Dans les faits, Gabrielle s'éloigne relativement peu, à cette époque, de sa famille et de son milieu. Certes, elle apprend l'anglais, comme sont forcés de le faire tous les écoliers franco-manitobains, elle l'apprend même avec plus de conviction et de sérieux que la plupart des jeunes de son âge, et cela, déjà, la sépare de sa mère qui, en vingt-cinq années passées à Saint-Boniface, n'a jamais réussi à maîtriser la langue dominante. Dans le contexte du Manitoba français de ces années-là, l'anglais n'est pas seulement la langue de l'étranger, du protestant, du « camp adverse », représentant ainsi une sorte d'interdit, c'est aussi — et par là même — la langue de l'ouverture, de la libération, de l'avenir, la langue du réel, en un mot, par opposition au français qui symbolise la protection, certes, mais aussi l'immobilité à l'intérieur de la « forteresse[86] ».

Apprendre volontairement l'anglais, tenir à le parler et à l'écrire le mieux possible, c'est donc, pour l'adolescente, une manière de s'éloigner, de se dégager des solidarités qui la sollicitent. Mais pour le reste, elle continue généralement d'ignorer le monde extérieur à sa communauté, une communauté que sa marginalisation croissante rend de plus en plus frileuse et repliée sur elle-même[87]. La fréquentation des jeunes immigrants, la lecture des auteurs slaves et américains, l'attrait de l'Est, le goût du raffinement, tout cela est encore à venir. Pour l'instant, rien n'est changé en apparence dans le mode de vie de la jeune fille : elle poursuit ses études avec assiduité, fréquente l'église et obéit à ses parents.

Intérieurement, toutefois, elle n'est plus la même, et cela transparaît dans son attitude envers les siens, attitude marquée par ce qu'elle appellera elle-même, beaucoup plus tard, « une sorte d'égoïsme[88] ». Elle est, dans la maison de ses parents, une étrangère et une princesse. Continuant de se sentir rejetée par son père maintenant septuagénaire, elle ne se reconnaît guère dans le climat de la famille, où les disputes, les tracasseries, les frustrations et une sorte de morosité semblent s'être établies à demeure. Retirée au grenier ou absorbée dans ses lectures, elle fait le plus souvent comme si ce monde ne la concernait pas.

Il faut dire que la vie est loin d'être rose dans la maison de la rue Deschambault depuis que Léon a perdu son emploi. Hormis les rares « permissions » de Bernadette et les visites en coup de vent de Rodolphe — Rodolphe qui, « quand il était sobre, était brillant, charmeur, plein d'esprit et très drôle[89] » —, c'est toujours la même routine, grise et triste, le même ennui doublé maintenant de cette angoisse perpétuelle : l'argent.

À la relative aisance de naguère ont succédé en effet l'insécurité matérielle et l'obsession de la frugalité. Pour joindre les deux bouts, on multiplie les économies et on recourt à toutes sortes d'expédients. Ainsi, Léon tâche de mettre à profit ses connaissances en agronomie. Sur un terrain municipal en bordure de la Seine, il cultive un potager dont il vend les produits au marché. Un temps, il s'essaie même à la culture des champignons dans la cave de la maison. La famille possède en outre quelques poules et une vache, que l'on garde dans une remise au fond de la cour et que l'on mène paître dans les champs voisins[90]. Renouant avec le temps de Mariapolis et de Somerset, Léon se lance aussi dans le commerce. En 1924, il ouvre une petite épicerie, mais l'affaire tourne mal et il doit vendre presque aussitôt, à perte. Quant à Mélina, elle fait largement sa part : en plus de s'occuper de la maison, elle fait des travaux de couture, fabrique des courtepointes qu'elle vend dans le voisinage, garde des bébés chez elle, blanchit et reprise le linge des Oblats en échange de la pension de Germain au juniorat. Sans cesse, elle s'efforce de réduire les dépenses, et obtient de ses frères cultivateurs qu'ils lui expédient, de la Montagne Pembina, des paniers de viande et de légumes.

Comme les parents n'ont plus que deux de leurs enfants avec eux, Clémence et Gabrielle, la maison est trop grande et entraîne des dépenses jugées inutiles. On décide de la rentabiliser. En 1918, Léon vend une de ses terres de Saskatchewan pour pouvoir faire installer le chauffage central à l'eau chaude, ce qui permet de prendre en pension des nièces de la campagne ou des chambreurs de passage, tantôt sympathiques, tantôt bien encombrants.

Cela dit, les conditions dans lesquelles vit la famille ne sont pas si dramatiques. Elles sont difficiles, sans doute, mais restent très éloignées de la misère. Démunis, les Roy ne le sont pas vraiment, contrairement à ce qu'écriront plus tard Gabrielle et même Adèle. En tout cas, ils ne le sont pas plus que leurs voisins ou que la grande majorité des ménages de Saint-Boniface. La pauvreté véritable, c'est plus tard qu'elle frappera, après la mort de Léon et durant la crise économique, quand Mélina se retrouvera pratiquement dépouillée de tout. Pour l'instant, c'est-à-dire pendant l'adolescence de Gabrielle, la famille ne manque pas de ressources, loin de là.

Bien que Léon ne touche plus de salaire, il a sa maison, qu'il hypothèque vers 1920, ainsi qu'un peu d'argent mis de côté lors de la vente de ses terres à Dollard et des lopins avoisinant sa maison de la rue Deschambault[91] ; ce « vieux gagné », comme on dit, lui permet de réaliser çà et là de petites transactions et de demeurer actif malgré tout. Car même s'il n'a plus de situation stable, Léon continue de brasser des affaires et tente de conserver un certain statut dans la communauté bonifacienne. C'est ainsi qu'à l'automne 1916, un an après son congédiement, il fait partie, avec un groupe de citoyens désireux de trouver un endroit où « former une paroisse canadienne », d'une expédition de repérage dans la région de Fisher Branch, entre les lacs Winnipeg et Manitoba[92]. C'est ainsi également qu'en 1917 le bottin *Henderson's*, qui le présentait jusque-là comme un *French interpreter*, l'identifie comme un *grain buyer*, occupation que remplaceront en 1924 celle de *rancher* puis, l'année suivante, celle de *grocer*. Ce n'est qu'en 1927 que le nom de Léon Roy — alors âgé de soixante-dix-sept ans — sera suivi de la mention *retired*.

Chose certaine, Léon n'est pas si démuni qu'il ne puisse se permettre de faire, en 1923, un don de dix dollars pour la reconstruction du Collège de Saint-Boniface récemment incendié, ce qui fait de lui, parmi le commun des souscripteurs, l'un des plus généreux[93]. Quant aux rentrées d'argent, sans être considérables, elles ne font pas défaut non plus. Outre les sommes perçues des pensionnaires, il y a celles qu'Adèle envoie régulièrement à la maison, auxquelles s'ajoutent les dollars de Rodolphe, abondants quoique souvent incertains. Et puis, on réussit à garder les enfants aux études : Germain fréquente le collège classique jusqu'en première année de Philosophie, tandis que Gabrielle reste à l'Académie Saint-Joseph jusqu'à l'âge de dix-neuf ans. Un tel privilège n'est accordé qu'à très peu de jeunes filles de son voisinage qui, la plupart du temps, doivent quitter l'école vers la sixième ou la septième année pour devenir serveuses, domestiques ou vendeuses dans les *Quinze-Cents* de Winnipeg.

La pauvreté de la famille, en un mot, est une pauvreté relative, ce qui ne la rend pas moins réelle ni moins difficile à vivre, sans doute, mais en atténue certainement la gravité. Ce qui la caractérise n'est pas tant le manque d'argent que la peur et surtout le sentiment d'en manquer. Léon et Mélina, longtemps habitués à un certain confort financier, ou du moins à la sécurité que leur procuraient l'emploi stable de Léon et l'accroissement régulier de leurs biens, se sentent maintenant déclassés. Plutôt que la gêne financière, c'est la menace de la déchéance matérielle, jointe à l'inquiétude de se voir vieillir, qui les rend si économes et si craintifs, voire pusillanimes. À ce sujet, Gabrielle Roy confiera d'ailleurs à Joan Hind-Smith : « Nous étions des pauvres distingués. [...] C'est peut-être pour les gens de classe moyenne que la pauvreté est la plus dure, eux qui doivent se débattre contre elle pour garder un certain rang[94]. » C'est moins la pauvreté, en somme, qui explique le caractère soucieux du père et crée un climat maussade à la maison que le regret du temps passé et le sentiment d'avoir beaucoup perdu.

L'argent est une véritable obsession chez les Roy. On le compte interminablement, on se le prête entre frères et sœurs, on se l'envie et on se querelle sans cesse à son propos. Or Gabrielle, au milieu de tout cela, se comporte comme si elle était une princesse qu'aucun souci matériel n'effleure, toute à ses études, toute à sa recherche d'elle-même, toute à sa volonté d'obtenir le meilleur de la vie et à la conviction qu'elle y a droit. Costume d'équitation, jolies robes, chapeaux et souliers fins, elle persuade sa mère de tout lui offrir[95], au grand dam de ses sœurs que ces folies scandalisent. La première rupture entre Adèle et Gabrielle survient d'ailleurs à cette époque. Du village éloigné où elle enseigne, Adèle écrit de temps à autre à sa filleule, qui lui répond par « de petites lettres où [perce] déjà son talent de conteuse[96] ». Un jour, Adèle glisse un peu d'argent dans l'enveloppe en disant à Gabrielle de s'en servir pour acheter des cadeaux aux autres membres de la famille, et notamment des pantoufles neuves au père. Mais Léon découvre bientôt, en lisant la lettre d'Adèle à Gabrielle — une pratique assez courante de sa part, semble-t-il —, que celle-ci a gardé l'argent pour elle. Avertie, Adèle est outrée et met fin sur-le-champ à sa correspondance avec Gabrielle. Comme les lettres de cette époque se sont perdues, il est impossible de confirmer la véracité de ces faits, mais l'épisode ne paraît pas invraisemblable, compte tenu de l'attitude de Gabrielle au sein de sa famille et de la position qu'elle y occupe à ce moment-là.

C'est, encore et toujours, une position à part, celle de l'enfant

« unique » et chérie en qui la mère met toutes ses complaisances. Tandis que la pauvre Clémence est l'objet d'une inquiétude constante mêlée d'impatience et de reproches, Gabrielle apparaît à Mélina comme la consolation de tous ses maux, parce qu'elle est la plus jeune, certes, mais aussi parce que son intelligence, sa beauté, ses ambitions, ses exigences mêmes exercent sur elle une séduction proche de la fascination. Clémence est traitée plus ou moins en domestique, elle fait la cuisine et les travaux de ménage; pendant ce temps, Gabrielle peut vaquer librement à ses occupations d'éléve douée et de jeune fille distinguée, revoir ses leçons, se brosser les cheveux, mettre un col frais à son uniforme de couvent... On ne lui demande même pas de faire son lit ni de ranger ses effets, la mère ou Clémence s'en chargent; on lui demande encore moins de coudre, de faire la lessive et le grand ménage ou de préparer les repas, toutes choses que les adolescentes d'alors apprenaient presque obligatoirement et dont Gabrielle Roy, pour sa part, ne voudra jamais entendre parler, n'y voyant aucun intérêt et considérant que ces tâches seraient pour elle une perte de temps. Le métier de femme d'intérieur ne lui dit rien, pas plus que le mariage et la maternité auxquels se préparent plus ou moins fébrilement la plupart de ses compagnes. D'autres rêves la requièrent, d'autres ambitions, un autre idéal.

La voix des étangs

C'est dans ce contexte et vers la même époque qu'apparaît pour la première fois chez la jeune Gabrielle le désir d'écrire.

D'après ce que la romancière confiera plus tard en entrevue, ce désir aurait pris naissance lorsqu'elle avait dix ou douze ans, c'est-à-dire à peu près au moment où elle prenait la résolution de devenir une élève appliquée et brillante. Dès cet âge précoce, elle aurait composé une pièce de théâtre « contenant un vilain, un héros et un meurtre », pièce qu'elle et ses amis auraient jouée plusieurs étés de suite dans la cour de la maison, avec un gros arbre en guise de décor. Quant à ses débuts de romancière, voici ce qu'elle racontera peu de temps avant sa mort :

> Un jour, je me souviens, j'avais à peu près douze ans, j'ai acheté un cahier. Dedans, en grosses lettres, sur la première page, j'ai écrit « Un roman de Gabrielle Roy en 12 chapitres ». Ma mère l'a trouvé, et quand elle a lu ce que j'avais écrit, elle l'a jeté dans le feu. [C'est que] j'avais décrit mes oncles de la campagne avec leurs grandes

moustaches. Ma mère pensait que je manquais de respect. Elle ne s'est pas rendu compte comme je l'ai fait à un âge très tendre que les œuvres artistiques peuvent naître d'événements ordinaires de la vie de gens ordinaires[97].

Ces essais précoces ont-ils vraiment eu lieu, ou leur évocation fait-elle partie de cette légende que chaque artiste, voire chaque individu entretient sur ses propres commencements ? Il est impossible de s'en assurer, mais il n'y a pas de raison non plus de les mettre en doute. Ont-ils été suivis par d'autres tentatives semblables ? Là encore, on ne peut que supputer, mais il semble bien que vers l'âge de seize ans Gabrielle éprouve déjà le désir de devenir écrivain.

Ses succès scolaires en rédaction française ont tout pour la convaincre qu'elle n'est pas dépourvue de talent. Non seulement ses textes lui valent les meilleures notes, mais ils sont considérés comme de véritables petits chefs-d'œuvre, que les religieuses de l'académie lisent à voix haute en classe et offrent en exemple aux autres élèves. Sa plume apporte en outre à Gabrielle des reconnaissances publiques. Ainsi, outre les prix de composition qu'elle reçoit, année après année, de l'AECFM, elle décroche une deuxième place lors du grand concours littéraire organisé en 1923 par *Le Devoir* de Montréal. Et lors du même concours tenu l'année suivante, celle de ses seize ans, son nom figure de nouveau au « Tableau d'honneur[98] ».

Si de tels succès ne peuvent qu'encourager son penchant pour les lettres, il n'est pas sûr du tout que sa « vocation » d'écrivain se soit vraiment déclarée à ce moment-là. Certes, Christine, la narratrice de *Rue Deschambault*, a seize ans lorsqu'elle décide que sa vie sera consacrée à l'écriture. Mais dans ses écrits explicitement autobiographiques, Gabrielle Roy situe généralement sa décision à elle — dans la mesure où il peut s'agir d'un événement daté et précis — beaucoup plus tard, vers la toute fin de la vingtaine, si ce n'est un peu plus tard encore. Jusque-là, l'écriture est présente, sans doute, mais comme une inclination, un désir parmi tous ceux qui l'animent et qui, tous, expriment plus ou moins confusément cette seule et unique aspiration fondamentale, sans forme ni objet précis encore : se dépasser, atteindre, de quelque manière que ce soit, le but le plus élevé, la réalisation la plus complète d'elle-même. Ainsi, elle sera aimée et admirée comme elle a le sentiment de ne l'avoir jamais été. Cette réussite lui sera-t-elle apportée par le théâtre ? par la littérature ? par ses succès scolaires ? par autre chose encore ? La jeune fille aux « grands yeux troublés [regardant] très loin au-devant d'elle dans cet immense inconnu de la vie[99] » ne le sait pas encore. Tout ce qu'elle sait, et elle le sait à coup sûr, c'est que cela se fera, non par les voies habituelles que s'apprêtent à emprunter ses compagnes, ces voies par lesquelles sa mère et ses sœurs sont passées avant elle et par où elles voudraient la voir passer à son tour, mais par ses voies à elle.

« Je voulais écrire, dit Christine, comme on sent le besoin d'aimer, d'être aimé[100] ». Dans cette phrase, c'est la comparaison, sans doute, qui exprime l'essentiel. Le besoin d'écrire, chez Gabrielle adolescente, ne vient qu'en second lieu, comme un moyen plutôt que comme un but véritable, qui est loin d'être aussi précis, ainsi qu'en témoigneront son existence au cours des dix années suivantes et toute la première partie de *La Détresse et l'Enchantement*. L'adolescence, l'époque de ses seize ans, c'est le moment où elle se met en branle, où sa pensée et ses énergies, rompant avec la condition et le milieu qui sont les siens, se tournent vers l'avenir, vers « cette autre moi-même[101] » qui la hante mais dont elle ignore encore et le visage et l'état. Le moment, en somme, où apparaissent en elle, non pas l'écriture, au sens exigeant qu'elle donnera plus tard à ce terme, mais l'ambition et les dispositions qui la conduiront à l'écriture.

Cela ne veut pas dire que le désir qui se fait jour chez la jeune fille attentive aux appels que lui adresse la « voix des étangs » est une pure chimère, loin de là, mais on aurait tort de vouloir trouver chez elle, à cette époque, un programme arrêté et précis. Gabrielle Roy, à cet égard, n'a rien de l'enfant prodige ou de la petite fille poète de sept ans. L'écriture la préoccupe et l'attire dès sa jeunesse, c'est certain, mais ce désir reste un désir adolescent, encore vague et enfoui parmi d'autres désirs plus pressants. Sa vraie « vocation » d'écrivain, c'est plus tard qu'elle la choisira, de plein gré et en connaissance de cause.

CHAPITRE V

La vraie vie est ailleurs

La mort d'un pionnier • Gagner ma vie • Cardinal • L'Institut Provencher • Premières publications • L'ivresse du théâtre • L'émancipation d'une jeune provinciale • Une famille pendant la crise • Fuir ! là-bas fuir !

« Je suis arrivée à ma jeunesse tard », peut-on lire dans *La Détresse et l'Enchantement*[1]. À la jeunesse, c'est-à-dire à l'âge de la fébrilité, de l'extériorisation, où l'on se dépense sans compter ; l'âge des premières vraies ruptures et des choix de quelque conséquence.

Cet âge, Gabrielle Roy y entre en fait au cours de la vingtaine, lorsqu'elle devient plus libre de ses actes et que la presse davantage, dès lors, le besoin d'atteindre le but encore imprécis qu'elle s'est fixé. Le sentiment de non-appartenance et le rêve d'élévation qui se sont fait jour en elle pendant son adolescence, c'est alors qu'elle peut les traduire en actes, en projets, en décisions, inspirée par une impatience qui la pousse à rejeter les contraintes de son milieu et à rechercher une autre façon de vivre, une autre façon d'être, mieux accordées avec ses désirs et avec cette immense ambition qui s'est emparée d'elle et ne cesse de grandir.

Les dix années qui suivent ses études chez les religieuses forment ainsi une période extrêmement active, pour ne pas dire fiévreuse, tout au long de laquelle, en même temps que son émancipation progressive, se mettent en place les conditions psychologiques et matérielles qui rendront possible l'événement décisif qui en sera à la fois la conclusion et le couronnement : le départ définitif du Manitoba à l'automne 1937.

La mort d'un pionnier

« *Pioneer dies* ». C'est par ces mots que le *Manitoba Free Press* du 22 février 1929 annonce le décès de Léon Roy, survenu deux jours plus tôt[2]. Par une coïncidence qui n'est peut-être pas seulement symbolique, cette nouvelle période dans la vie de Gabrielle s'ouvre donc avec le deuil de son père. Hospitalisé quelque temps plus tôt, le vieillard a tenu à revenir dans sa maison pour y mourir entouré des siens, comme le veulent la coutume et les convenances. À son chevet se trouvent Mélina,

Clémence, Gabrielle, ainsi que tante Rosalie et Yvonne, la fille aînée de Joseph, qui habite alors dans la maison de la rue Deschambault.

Cette mort publique, « à l'ancienne », fait l'objet de l'un des plus beaux passages de *La Détresse et l'Enchantement*, ne serait-ce que par le regret poignant qui traverse tout le récit. « Je n'avais pas cru aimer si profondément mon père », écrit la narratrice. Mais à présent il était trop tard : « Je n'apercevais nulle part de réparation possible. Telle que la mort nous séparait, je resterais envers mon père. Il n'y aurait jamais rien à ajouter, à retrancher, à corriger, à effacer. [...] L'occasion [était] manquée[3] ».

Cette émotion rétrospective de l'écrivain correspond-elle à ce que la jeune fille de dix-neuf ans a éprouvé réellement en présence de la dépouille de son père ? Le regret devant les relations tendues qu'elle avait eues avec le défunt, devant le peu d'affection qu'elle lui avait témoigné lui est-il venu alors, ou seulement plus tard, voire pendant les dernières années de sa vie, quand elle s'est mise à écrire ses souvenirs ? Chose certaine, il aura fallu que Léon meure et qu'elle soit libérée de sa présence, en quelque sorte, pour ressentir et ce regret et la piété filiale qui s'exprime dans l'autobiographie.

Car au moment même, son comportement paraît moins édifiant. Pas une fois, alors qu'elle le sait à l'agonie, Gabrielle ne va rendre visite à son père à l'hôpital ; elle a trop de travail, expliquera-t-elle dans le même passage de *La Détresse et l'Enchantement*. Mais Adèle, accourue tout de suite de sa lointaine Alberta, présentera dans ses souvenirs une version plus cynique des événements :

> Avant de quitter la maison pour me rendre à la gare, je demandai à Clem [Clémence] :
>
> — Que fait donc la Misère ? Le père voudrait tant qu'elle aille le voir à l'hôpital.
>
> — Elle patine avec ses amis sur la patinoire du collège. Tu sais bien qu'elle ne se soucie guère du père[4].

Gabrielle peut bien pleurer fort sur la tombe de son père et afficher publiquement son deuil, comme le relate le récit de *La Détresse et l'Enchantement*, il ne semble pas qu'elle soit affectée outre mesure par la disparition de celui qui a inventé jadis le surnom de « Petite Misère », ce père dont la présence ombrageuse n'a cessé, dans son esprit d'adolescente, de lui reprocher sa naissance et de s'opposer à son bonheur. Au fond, la mort de Léon est surtout une libération, et bien des années devront passer avant qu'elle se réconcilie intérieurement avec celui qui lui a donné le jour, tant le sentiment d'étrangeté qu'elle éprouve à son égard lui semble insurmontable.

Elle ne sait pas encore combien son propre destin, pourtant, ressemblera bientôt à celui de son père, elle qui, huit ans plus tard, désertera son pays natal et, oublieuse de sa famille et de ses amis, ira tenter sa chance à l'autre bout du monde. Cet exil volontaire ne répétera-t-il pas, d'une certaine manière, celui par lequel a commencé, un demi-siècle plus tôt, l'existence de son père ? À mesure qu'elle vieillira, Gabrielle Roy accordera une valeur de plus en plus grande, nous l'avons vu, à sa condition de fille d'immigrants. Le plus souvent, c'est sur le côté maternel de son héritage qu'elle mettra l'accent. Or l'histoire des Landry, celle qui transparaît en tout cas dans les récits de Mélina, illustre uniquement le côté lumineux de la migration, vue comme une entreprise inspirée par le rêve, l'audace et le désir de liberté, c'est-à-dire comme une progression, une ouverture, un élargissement de l'être et du monde. À côté de cette image positive, sinon idyllique, l'histoire de Léon reflète un tout autre aspect de l'expérience et de la psychologie migrantes ; l'émigration y apparaît comme un destin foncièrement solitaire, une rupture avec le groupe, comme l'éloignement, l'abandon et l'oubli du pays natal. Gabrielle a beau se sentir infiniment plus proche de sa mère, elle aura beau, plus tard, se voir avant tout comme une des « enfants de Mélina[5] », il n'en reste pas moins que par ses actes et par l'orientation qu'elle donnera à sa vie, elle est tout autant, sinon plus, la fille de Léon Roy.

Les funérailles ont lieu à la cathédrale de Saint-Boniface, puis le père est enterré dans le cimetière à côté de Marie-Agnès, son enfant chérie. Ni Joseph ni Rodolphe ne sont là ; ils errent l'un et l'autre au fond de l'Alberta. Au grand étonnement de tous, seul Germain, qui n'a pas mis les pieds à la maison depuis des années, a pris la peine de venir de South Fork en Saskatchewan, où il est maître d'école. Quant aux filles, elles y sont toutes, sauf Adèle qui a dû repartir pour Duvernay ; sœur Léon, alors en poste à Kenora dans le nord de l'Ontario, est arrivée la veille des obsèques ; elle n'a pas eu la permission de venir plus tôt pour assister aux derniers instants de son père.

Gagner ma vie

À la mort de Léon, Gabrielle étudie à l'École normale de Winnipeg depuis le mois de septembre précédent. Si elle a décidé, au sortir de l'Académie Saint-Joseph, d'embrasser la carrière d'institutrice, c'est parce que tout la poussait dans cette direction et qu'elle n'avait guère le choix.

Institutrices, toutes ses sœurs l'ont été avant elle, conformément au vœu de leurs parents et en particulier de Mélina, qui voit dans cette « profession noble, distinguée et hautement respectable[6] » la meilleure situation à laquelle une jeune fille bien élevée et peu fortunée peut aspirer. Ce qui est vrai. Parmi les rares occupations qui s'offrent aux jeunes filles d'alors, l'enseignement représente sans contredit l'une des plus avantageuses. Réservée aux plus instruites, elle confère un prestige social indéniable et permet une certaine vie intellectuelle. De plus, les conditions de travail n'y sont pas du tout à dédaigner, en particulier si on les compare à celles que doivent subir les ouvrières, les aides-ménagères et les employées de bureau et de commerce. Car il ne faut pas oublier que nous sommes au Manitoba. Si, dans le Québec de cette époque, le sort des institutrices confine à l'exploitation pure et simple, il n'en est pas de même dans une province où le système d'éducation est laïque et relève directement de l'État. Certes, l'enseignement primaire demeure ce que l'on appelle un ghetto d'emploi féminin, mais au moins l'embauche des institutrices n'est pas complètement arbitraire et leur salaire, sans être élevé, est tout de même décent.

Une autre circonstance peut aussi expliquer la décision de Gabrielle. En juin 1928, on s'en souvient, elle a reçu cent dollars pour sa première place au concours provincial de l'Association d'éducation. Or le règlement stipule que la gagnante ne peut toucher cette somme qu'à la condition de devenir institutrice et de s'engager ainsi à servir la cause de l'enseignement français au Manitoba. Afin d'éviter tout détournement, le chèque n'est pas établi au nom de la lauréate, mais à l'ordre du Department of Education ; la somme couvre ses frais d'inscription à l'École normale de Winnipeg[7].

Parler d'une « vocation » d'enseignante chez Gabrielle Roy serait donc exagéré. Pour la jeune fille qui se dirige, un matin de septembre 1928, vers l'imposant immeuble de l'avenue William[8], au centre de Winnipeg, décrocher le brevet d'institutrice n'est que la façon la plus commode de gagner sa vie, c'est-à-dire son indépendance financière et, partant, sa liberté.

Depuis que la législation Thornton de 1916 a entraîné la fermeture de la vieille École normale de Saint-Boniface, où Anna, Adèle et Bernadette ont obtenu leur brevet, la fréquentation de la Provincial Normal School de Winnipeg est le passage obligé pour toute jeune fille qui veut devenir institutrice au Manitoba. C'est un établissement farouchement anglophone et non confessionnel ; les rares étudiantes canadiennes-françaises qui osent s'y aventurer ne s'y adaptent qu'à grand-peine et ont l'impression d'y être considérées comme des étrangères ou des inférieures[9]. Non seulement l'enseignement se donne entièrement en anglais, mais bon nombre de professeurs, dont le directeur de l'établissement, sont des Écossais (McIntosh, McKim, McLeod, McIntyre), connus chez les Franco-Manitobains pour leur « fanatisme » antifrançais. De plus, les élèves doivent faire deux stages dans des écoles primaires de la ville, où toutes les classes sont anglaises ; on ne les affecte presque jamais à une école de Saint-Boniface ou d'un village français. Nul ne s'étonnera, dans de telles conditions, que les candidates francophones soient rares à l'école et aient de la difficulté à réussir. Ainsi, pendant l'année 1928-1929, sur quelque cent vingt élèves qui terminent leur scolarité de « *First class* », cinq seulement ont un nom français. Parmi celles-ci, Gabrielle est la seule dont la promotion sera recommandée « sans condition » par les autorités de l'école ; trois de ses compagnes se retrouveront parmi les vingt-deux diplômées « conditionnelles », et l'autre, parmi les six refusées[10].

C'est dire que Gabrielle se débrouille plutôt bien. Sans réussir à briller autant qu'elle l'a fait à l'Académie Saint-Joseph, elle obtient néanmoins des notes appréciables, notamment des « B+ » en « *Reading* », « *Speaking* », « *School management* » et « *Physical education* », et même des « A » en « *Writing* », « *Seatwork* » et « *Pedagogy* », ce dernier cours étant donné par le directeur de l'école, le docteur W. A. McIntyre, à qui la narratrice de *La Détresse et l'Enchantement* rendra plus tard un hommage reconnaissant[11]. Au total, elle finit l'année avec un score de 24 points, ce qui la situe au treizième rang de sa classe.

Ce succès, elle le doit évidemment à son talent, à sa puissance de travail et aussi à sa connaissance de l'anglais, qu'elle s'applique encore à parfaire et qui lui permet de s'intégrer beaucoup plus facilement que les autres élèves francophones dans ce milieu si différent de celui d'où elle vient. Loin de rester sur la défensive, elle se mêle volontiers à ses condisciples de langue anglaise et sait si bien se faire apprécier d'elles que ces dernières en oublient bientôt sa différence et la considèrent comme une des leurs, voyant en elle « *a curly-haired little spit-fire — a dreamer — and the poet among us, with a weakness for the Unattainable*[12] ». On discernera ici un autre signe de cette ambition et de cette volonté de réussir qui animent Gabrielle depuis qu'elle a entrevu « le chemin difficile et solitaire[13] » par où passe son salut. Pour s'élever, pour être en mesure de réaliser ses rêves, il lui faut à tout prix vaincre ce premier obstacle extérieur, triompher sur le terrain même de « l'adversaire[14] » et, pour cela, éviter de se laisser enfermer dans les limites que lui imposent sa condition et la fidélité à son milieu. « Je ne m'occupais [...] que d'obtenir de bonnes notes », dira-t-elle plus tard, et, « [travaillant] surtout mon accent anglais, [...] j'en venais à perdre de vue l'image de mon père souffrant[15] ».

Le 27 juin 1929, trois mois après son vingtième anniversaire, Gabrielle Roy reçoit donc officiellement du ministère de l'Éducation son brevet d'institutrice de première classe, qui lui donne le droit d'enseigner au niveau élémentaire[16].

À ce moment-là, elle fait déjà la classe depuis un mois. L'école du village métis de Marchand s'étant trouvée sans titulaire, elle a obtenu, vu ses bons résultats à l'École normale, d'y être envoyée comme suppléante pour les dernières semaines de l'année scolaire. Et c'est ainsi, dira-t-elle plus tard, que « mes études terminées, [...] je retournai aussitôt à l'école[17] ». Situé à quelque quatre-vingts kilomètres au sud-est de Winnipeg, Marchand est un petit village désolé et pauvre. Gabrielle y prend en charge sa toute première école, fréquentée, comme toutes les écoles rurales, par des enfants dont le niveau s'échelonne de la première à la huitième année.

C'est là que se produit, lors de son premier jour de classe, un épisode dont le souvenir resurgira près d'un demi-siècle plus tard, lorsque la romancière écrira *Cet été qui chantait*[18]. Une fillette du nom de Yolande Chartrand manque à l'appel. Gabrielle apprend qu'elle vient de succomber à la tuberculose. Aussitôt la classe terminée, elle entraîne ses élèves chez la petite morte ; ne trouvant personne auprès de la dépouille, les enfants et l'institutrice entreprennent de la recouvrir de pétales de roses. Cette image de « L'enfant morte », l'une des plus fortes de toute l'œuvre de Gabrielle Roy, prend une signification particulière du fait qu'elle est rattachée à ce moment précis de sa vie. Séparée pour la première fois de sa mère et lancée dans un monde qui la laisse « saisie d'effroi », au milieu d'un « décor comme abandonné », « un des paysages les plus morts que j'aie jamais vus dans ma vie[19] », la jeune institutrice meurt elle aussi, en quelque sorte, à l'enfant qu'elle a été.

Cardinal

La vraie coupure, cependant, c'est au cours de l'année suivante qu'elle a lieu. Après avoir passé l'été à Saint-Boniface, Gabrielle arrive à la mi-août 1929 au village de Cardinal. Elle ne reverra sa famille que dix mois plus tard. Là, écrit-elle dans *La Détresse et l'Enchantement*, « je passai [...] une des années les plus marquantes de ma vie[20] ». Ailleurs, elle confie : « Expérience aussi riche, profonde et touchante, je n'en ai pas connu d'autre. Même ma vie d'écrivain me paraît quelquefois pâle auprès de ces jours[21]. »

Jours d'exaltation et de liberté, jours de paix intérieure et de pleine possession de soi. Pour la première fois peut-être depuis le début de son adolescence, Gabrielle se sent allégée, délivrée de cette tension qui la pousse à toujours vouloir plus, à toujours se hisser au-dessus d'elle-même et de ceux qui l'entourent. Loin de Saint-Boniface, loin des combats incessants pour se faire reconnaître et admirer, la voici comme en vacances d'elle-même, ou plutôt de cette « inconnue » qui la hante et ne cesse de la projeter vers l'avenir. Pour un temps, sa vie présente lui suffit et elle éprouve, comme cela ne lui est pas encore arrivé et comme cela ne lui arrivera que rarement par la suite, le sentiment d'être à sa place et d'accomplir tranquillement ce pour quoi elle est faite.

Aujourd'hui abandonné, Cardinal regroupe alors une trentaine de maisons réparties de part et d'autre de la gare. C'est dans ce « village rouge » que Christine, l'héroïne de *Rue Deschambault*, ira gagner sa vie[22]. Et c'est de ce même décor de « western » que Gabrielle Roy, près d'un demi-siècle après y avoir séjourné, s'inspirera pour situer les deux derniers récits de *Ces enfants de ma vie* :

> Je voyais [...], des fenêtres de l'école, la gare ennuyeuse comme on les faisait dans ce temps-là, les silos à blé, une *caboose* posée sur le sol depuis des années, le tout peint de cette affreuse couleur sang de bœuf sans vie ni éclat [...]. Je voyais [...] cette grand-rue trop large, sans arbres, presque toujours livrée au vent seulement, cette morne grand-rue de terre, plaintive et poudreuse comme celle de presque tous les villages de l'Ouest canadien dans cette première année de la Grande Dépression[23].

Certes, la jeune femme éprouvera parfois de l'ennui dans ce coin perdu qui n'a guère de distractions à offrir et où il n'arrive jamais rien. Mais au moins, elle est en territoire connu. Sis entre Notre-Dame-de-Lourdes et Somerset, dans la région dite de la Montagne Pembina, Cardinal, c'est la région de ses vacances d'enfant et d'adolescente ; elle y retrouve les paysages qu'elle affectionne et le voisinage de ses oncles maternels, Zénon, Calixte et surtout Excide, chez qui elle se rend presque tous les week-ends et où on la reçoit comme une reine. Ses cousins Philippe et Cléophas lui font une cour à peine voilée ; Léa, qui a remplacé Éliane comme maîtresse de maison et que Gabrielle, pour cette raison, appelle « ma châtelaine[24] », l'adore et échange avec elle les épanchements propres aux jeunes femmes de leur âge. Ensemble, ils courent les veillées et jouissent bruyamment de leur jeunesse.

Mais Gabrielle a d'autres raisons d'être heureuse. D'abord, à la différence de son engagement temporaire à Marchand, elle occupe cette fois un vrai poste d'institutrice, avec un salaire à l'avenant : 1 100 dollars pour l'année. Ce poste, elle l'a vraisemblablement obtenu comme presque toutes les institutrices canadiennes-françaises catholiques obtiennent le leur à cette époque, c'est-à-dire grâce à ce qu'il faut bien appeler un favoritisme de bon aloi. La loi manitobaine, tout en prévoyant des programmes d'enseignement uniformes dont la surveillance relève d'inspecteurs nommés par l'État et en régissant strictement l'habilitation des enseignants, laisse par contre aux commissions scolaires locales le soin de choisir elles-mêmes le personnel de leurs écoles. C'est par ce moyen, entre autres, que l'Association d'éducation, pourtant dépourvue de tout statut officiel, peut exercer son influence sur l'enseignement linguistique et religieux en milieu canadien-français. Il lui suffit, dans les municipalités à majorité francophone, de noyauter le conseil scolaire pour infléchir toute la vie pédagogique et assurer le recrutement d'enseignants capables de bien servir la « cause ». Cette influence va si loin qu'une institutrice nouvellement diplômée qui veut obtenir un emploi s'adresse non pas aux commissions scolaires mais bien à l'Association, qui gère ainsi pratiquement l'affectation de tout le personnel enseignant francophone de la province.

Cela dit, d'autres considérations peuvent également intervenir. Dans le district scolaire de Saint-Louis, où se trouve Cardinal, les fils du grand-père Élie Landry sont des hommes en vue, respectés de leurs concitoyens, et leur poids dans la vie économique et politique locale n'est pas négligeable. Il n'est donc pas surprenant que, une quinzaine d'années plus tôt, les filles aînées de Mélina aient pu obtenir leur premier poste dans cette région : Adèle a entrepris sa carrière à Saint-Alphonse et à Saint-Léon, tout comme Bernadette qui, avant d'entrer chez les sœurs, a passé sa première année d'enseignement à l'école de Somerset. Maintenant, c'est au tour de Gabrielle de profiter de la protection de ses oncles et de décrocher un poste dans la région de sa famille maternelle.

Ce poste est encore plus intéressant que ceux qu'ont occupés naguère Adèle et Bernadette. Tandis que celles-ci enseignaient dans de

« gros » villages, dont les écoles étaient assez importantes pour être dirigées par des religieuses, Cardinal ne possède qu'une petite école rurale, où l'institutrice est seule et jouit par conséquent d'une bonne marge de liberté dans l'organisation de son travail et la conduite de sa vie.

À son arrivée, Gabrielle prend pension dans une famille du village. Comme cette dernière déménage au bout de quelques semaines, la jeune femme se retrouve bientôt seule dans la maison. Elle demande alors à des garçonnets de sa classe de venir dormir chez elle pour la protéger et s'occuper du feu. Trouvant cette situation peu convenable, le père d'une élève demande à Mme Château, la propriétaire du magasin général, dont la fille Aline fréquente l'école, de louer une chambre à l'institutrice. Cette chambre se trouve au-dessus de la boutique. C'est là que les enfants, le printemps venu, vont chercher Gabrielle chaque matin pour la conduire à sa classe[25].

Dans tout le village peint en rouge, dit le texte de *Rue Deschambault*, « il n'y avait que l'école qui eût de l'individualité, toute blanche[26] ». Cette école, dénommée « Saint-Louis A », est une petite bâtisse en bois construite juste à côté de l'église. Quarante élèves la fréquentent, vingt filles et vingt garçons, dont l'âge varie de cinq à quatorze ans. Certains enfants habitent au village même, mais la plupart viennent des quarts de section des alentours, où se trouvent les fermes de leurs parents. Le registre de la classe de Gabrielle conservé aux Archives du Manitoba mentionne certains des noms que l'on retrouve dans *Ces enfants de ma vie* : il y a trois enfants Badiou, Marcel, Lucienne et Aimé ; deux Du Pasquier, Aurèle et Robert ; une petite Lachapelle ; trois Toutant ; quatre Cenerini[27] ; mais aucun élève qui réponde au prénom de Médéric ni au nom d'Eymard, le héros de « De la truite dans l'eau glacée[28] ».

À ses élèves encore vivants, Gabrielle Roy a laissé un souvenir inoubliable, bien sûr, qu'a dû encore embellir la lecture de *Ces enfants de ma vie*. La jeune institutrice met en pratique les préceptes de pédagogie moderne que lui a inculqués le docteur McIntyre : légèreté de la discipline, relations affectueuses avec les enfants, grande place faite aux jeux, aux pique-niques, aux contes et aux leçons de choses. Ainsi, un jour que le petit Aimé Badiou a été dissipé, la maîtresse le fait venir chez elle après la classe et, en guise de punition, le gave de bonbons achetés chez Mme Château. En classe, elle est comme un « papillon », se rappelle Marcel Lancelot, pleine de gaieté et de douceur, toujours prête à s'occuper de chacun, à caresser la joue de celui-ci, les cheveux de celle-là, et à s'efforcer de retenir l'attention de tous par des paroles simples et toutes sortes de gentillesses. Ces enfants, pour qui l'école est synonyme d'ennui et d'interdictions, n'en reviennent pas.

Il est vrai que leur nouvelle maîtresse n'a que vingt ans, qu'elle est jolie et pleine d'enthousiasme. Elle fait du ski, de l'équitation, de longues promenades dans la campagne. Elle accepte volontiers les invitations à dîner chez leurs parents et s'intéresse à leur vie en dehors de l'école. Mais surtout, Mlle Roy n'est pas encore aigrie par la routine et les déceptions, et l'enseignement conserve à ses yeux toute la beauté et la richesse de l'expérience première. Nouvelle venue dans la carrière, elle voit son métier comme l'instauration, en marge du monde, d'un espace à la fois protégé et ouvert, où l'institutrice et les enfants communient dans la même innocence, dans le même bonheur fait de sécurité, d'émerveillement et d'une sorte de séduction réciproque les unissant « en vertu de la plus mystérieuse force de possession qui existe et qui dépasse parfois le lien du sang[29] ». « Nous formions, dira beaucoup plus tard Gabrielle Roy, comme une petite coopérative d'entraide, de charité et d'amour[30] », sensation à laquelle fait écho, dans *Rue Deschambault*, celle qu'éprouve Christine devant ses élèves :

> Je ne le savais pas tout à fait encore — nos joies mettent du temps parfois à nous rattraper — mais j'éprouvais un des bonheurs les plus rares de ma vie. Est-ce que le monde n'était pas un enfant ? Est-ce que nous n'étions pas au matin[31] ?...

Sur le plan littéraire, cette année, ou plutôt le souvenir de cette année à Cardinal aura une grande importance pour Gabrielle Roy. On sait en effet la place qu'occuperont le thème de l'école et le personnage de l'institutrice dans ses écrits, thème et personnage que leur traitement haussera pratiquement au niveau du mythe, notamment dans la deuxième partie de *La Petite Poule d'Eau* et dans les récits de *Ces enfants de ma vie*. Dans l'imagination de la romancière, l'école n'est pas d'abord la grande institution urbaine semblable à celle où elle a fait ses études et passé l'essentiel de sa carrière d'enseignante ; c'est au contraire la petite école rurale ou villageoise, isolée, perdue dans un vaste espace sauvage, où le miracle de l'éducation peut se produire avec le plus de poésie et de pureté. Le modèle, l'idéal de toute école, en d'autres mots, ce sera toujours, pour Gabrielle Roy, cette école de Cardinal où elle a été, si peu de temps que ce fût, cette héroïne, cette figure humaniste par excellence : une institutrice au milieu du désert.

Cependant, la pédagogie décontractée que pratique la jeune

femme n'a pas l'heur de plaire à tout le monde. Dans un de ses rapports périodiques au secrétariat central de l'Association d'éducation, le représentant paroissial de Notre-Dame-de-Lourdes dont une des missions est de surveiller l'institutrice « se plaint que Mlle Roy à l'école de Cardinal n'enseigne pas assez de français et que les enfants n'ont pas de leçons à apporter à la maison[32] ». Quelle que soit la portée réelle de cette note, elle laisse tout de même supposer que Gabrielle, dès cette époque, ne ressemble guère à la militante enflammée que l'Association voudrait trouver en chacune des institutrices qu'elle a sous sa « juridiction ». Le zèle linguistique et religieux, les actions audacieuses en faveur de la « cause », très peu pour elle. Que ce soit à cette époque ou dans les années qui suivront, jamais elle ne se sentira vraiment préoccupée par ces combats.

Il faut dire que dans le milieu où elle se trouve, la lutte patriotique paraît moins urgente et se pose en des termes assez différents. À Notre-Dame-de-Lourdes et à Cardinal, en effet, les Canadiens français de souche, c'est-à-dire nés au Québec ou descendants de Québécois, ne sont pas les seuls à former la population francophone. Celle-ci comprend également une assez forte proportion de Français, de Belges et de Suisses romands[33]. Ainsi, parmi les élèves de Gabrielle, beaucoup viennent de familles dont les parents ou les grands-parents sont nés en Europe et n'ont immigré que récemment au Manitoba. C'est le cas, par exemple, des Badiou, Lancelot, Vigier ou Du Pasquier. Or ces familles, dont certaines sont issues de la bourgeoisie et même de l'aristocratie françaises que l'avènement de la Troisième République a déclassées, éprouvent beaucoup moins que les familles canadiennes-françaises la peur de l'assimilation et le sentiment du devoir patriotique. Elles se distinguent également de celles-ci par leurs usages, leur sensibilité et, bien sûr, leur manière de parler. Si bien que les deux communautés ne se mêlent guère et qu'il existe même entre elles une certaine animosité.

Gabrielle, à cet égard, fait un peu figure de transfuge. Car rien ne la ravit autant que de côtoyer des Français de France et de se retrouver, pour ainsi dire, dans « une petite Europe en raccourci[34] ». Elle a l'impression, en se rapprochant de ces gens, en soignant son langage pour le rendre l'égal du leur, d'être plus proche de cette vie meilleure, plus belle, plus libre, qui est son aspiration la plus chère. Souvent, elle va veiller à la ferme des Badiou ou des Lancelot, où l'on ne parle la soirée durant que d'une chose : la France, ses paysages, son histoire, ses artistes, sa splendeur à nulle autre pareille. Combien lui paraissent loin alors Saint-Boniface, la maison de sa mère et le petit monde dans lequel elle est née.

Chez les Lancelot, habite celui qui devient son premier ami de cœur. Il s'appelle Jean Coulpier. Il est français, lui aussi. On dit même que c'est un fils de famille, ex-banquier de son état, qui serait venu au Canada pour voir du nouveau, comme son compatriote Louis Hémon. Jean est très épris de Gabrielle. On les voit souvent ensemble au village, bras dessus bras dessous, ou en train de se promener le long des petites routes de section. À peine cinq ou six ans plus tard, dans une de ses toutes premières nouvelles publiées[35], Gabrielle Roy imaginera une jeune citadine du nom de Noëlla, évoquant avec nostalgie le temps qu'elle a passé comme institutrice dans la « région Pembina qui a quelque chose d'abrupt, de tourmenté et pourtant d'infiniment séducteur ». Noëlla a un cavalier, Jean, qui est « un incorrigible rêveur » et veut la garder à jamais auprès de lui. Mais la jeune femme, incapable de se satisfaire de « cette campagne désolante », n'a qu'un désir : repartir pour la ville.

> « Fouettez un peu votre jument, dit-elle à Jean qui la raccompagne à la gare, [...] moi j'ai l'impatience de prendre mon train, de retourner à la ville animée, intense, de gagner le courant rapide et fort. Ah ! voilà la vie, la bonne vie. »

Même si Gabrielle aime ses élèves et son métier, même si le séjour à Cardinal lui apporte un contentement qu'elle n'a jamais connu jusqu'alors, ces « vacances », ce relâchement du désir ne sauraient durer. Bientôt, l'« inconnue » se rappelle à elle et la tire de nouveau hors du présent, hors de ce lieu pourtant si heureux ; de nouveau, écrira-t-elle plus tard, « j'essayais de percer devant moi l'obscure étendue de l'avenir et d'entrevoir ce qu'allait être ma vie[36] ». Dans une des rares lettres qui restent de cette année-là, et où se profile déjà le thème de la détresse et de l'enchantement indissolublement mêlés, la jeune femme confie à sa cousine Léa :

> C'est vrai que je suis bien Bohème. Quelque bon matin, je déplore ma condition, et me répands en lamentations continuelles sur l'humanité tout entière, et puis, peut-être au soir de ce même jour, je trouverai tout bon et beau ce qui m'entoure. Lumière et ténèbre, gaieté et mélancolie, sourire et larmes, je suis l'un ou l'autre, mais toujours au fond préoccupée d'un beau grand rêve sans trêve[37].

Un rêve qui lui interdit de s'immobiliser et lui donne au contraire le besoin de l'aventure et du mouvement. « Je voyagerais, dit la narratrice de *Ces enfants de ma vie*, je voyagerais beaucoup [...]. Je visiterais des pays, des villes, des sites incomparables. Je me voyais atteindre un avenir élevé d'où je me retournais avec une certaine commisération vers la gauche petite institutrice de campagne que j'avais été[38] ».

L'Institut Provencher

Mais avant de se lancer dans les grands voyages, la première étape à franchir est de quitter Cardinal pour regagner Saint-Boniface. En fait, Gabrielle n'a jamais souhaité enseigner à la campagne. Dès juin 1929, de sa petite école de Marchand, elle soumettait officiellement sa candidature à la Commission scolaire de Saint-Boniface dans l'espoir d'y obtenir un poste. Refusée, elle revient à la charge à deux reprises pendant son année à Cardinal. Les arguments qu'elle fait valoir auprès de « Messieurs les Commissaires » sont chaque fois les mêmes : elle est une ancienne élève de l'Académie Saint-Joseph, ses succès aux concours de l'AECFM « attestent du travail que j'ai accompli », elle a reçu un « excellent rapport » à sa sortie de l'École normale, et surtout : « Ma mère est veuve et propriétaire à Saint-Boniface, ayant payé taxes au-delà de vingt ans[39]. »

La dernière de ces lettres date du 14 mai 1930. Le 20 juin suivant, le secrétaire de la Commission scolaire de Saint-Boniface, Louis Bétournay, lui répond : « Il y aura place pour une autre institutrice, à l'école Provencher, en septembre prochain et notre commission scolaire est prête à vous engager à cette époque aux conditions de service et de salaire pourvues par ses règlements[40]. »

On imagine la joie de Gabrielle. Aussitôt, à l'instar de Noëlla, elle laisse là son école de Cardinal, ses cousins et l'amour de Jean, pour monter à Saint-Boniface et plonger enfin dans « la vie, la bonne vie » qui l'attend.

Il faut bien comprendre la chance que représente, à ce moment-là, l'obtention d'un poste à l'« Institut collégial Provencher », où Gabrielle enseignera de 1930 à 1937. Depuis le début de la crise économique, le budget des commissions scolaires subit des compressions si draconiennes que les instituteurs et les institutrices se retrouvent en surnombre et ont souvent toutes les peines du monde à être embauchés et payés. Dans la propre famille de Gabrielle, c'est la situation à laquelle font face non seulement Adèle, mais aussi Germain et sa nouvelle épouse, Antonia Houde, qui sont pourtant des enseignants expérimentés. Pour une institutrice aussi jeune que Gabrielle, le simple fait de décrocher un emploi est donc, déjà, une sorte de privilège.

En outre, décrocher cet emploi à Provencher tient quasiment du miracle. Cette école est alors la seule école francophone de Saint-Boniface qui accepte des institutrices laïques. Il va sans dire que ces institutrices — moins d'une vingtaine en tout — sont triées sur le volet. Pour être embauchée à Provencher, le brevet du Department of Education n'est pas, et de loin, la seule condition. La candidate doit être parfaitement bilingue, célibataire, avoir son domicile à Saint-Boniface et être une ancienne élève de l'Académie Saint-Joseph. Mais ces qualités ne garantissent rien, car il faut aussi, il faut surtout être agréée personnellement par le frère Joseph Fink, le directeur de l'école, à qui revient le dernier mot dans le choix de « ses » institutrices[41].

Or Gabrielle remplit toutes ces exigences et on garde d'elle, dans le milieu enseignant de Saint-Boniface, le souvenir d'une jeune fille extrêmement studieuse et brillante, l'une des meilleures élèves que l'Académie Saint-Joseph ait jamais eues. Le frère Fink, moins de deux ans auparavant, a d'ailleurs remis lui-même à la finissante, lors d'une cérémonie organisée par les religieuses, la médaille du lieutenant-gouverneur que ses excellentes notes lui avaient value. Être accueillie à Provencher n'est ainsi, pour l'élève lauréate et « reine de mai », qu'une récompense de plus ajoutée à toutes celles que lui ont apportées jusque-là sa détermination, sa puissance de travail et son talent.

La voici donc, à la rentrée de 1930, dans une situation que bien d'autres enseignants lui envient. Pour elle, qui n'a que vingt et un ans, c'est presque le sommet de la carrière. Comparé à Cardinal, Provencher est une sorte de paradis. Certes, le salaire annuel est plus bas, à cause de la crise économique : de 1 000 dollars en 1931-1932, il passe à 922 dollars l'année suivante et se maintiendra à ce niveau jusqu'en 1937, salaire qui reste malgré tout beaucoup plus élevé que celui des institutrices québécoises[42]. Gabrielle va conserver ce poste et ce salaire pendant toutes les années de la Grande Dépression, alors que le chômage sévit très durement dans les provinces de l'Ouest, plus durement encore que dans les autres parties du Canada. Dans un tel contexte de sous-emploi et de chute des prix, un revenu assuré, même réduit, est une chance inestimable.

Mais le fait de travailler à Provencher comporte d'autres avantages non moins précieux. D'abord, Gabrielle peut habiter chez sa mère, dans la maison de la rue Deschambault. L'école, sise à l'angle de l'avenue de la Cathédrale et de la rue Saint-Jean-Baptiste, n'est qu'à quelques minutes de marche. Rue Deschambault, elle jouit pour ainsi dire d'une maison à elle, grande, confortable, familière, où la table est toujours mise, où l'on s'occupe de son linge et où elle peut agir à sa guise, tantôt sortir tard dans la nuit, tantôt recevoir des amis, tantôt se retirer en toute quiétude dans sa chambre si le cœur lui en dit.

Elle trouverait difficilement ailleurs un milieu semblable à celui de Provencher. Ses collègues sont, comme elle, plutôt jeunes, célibataires, instruites, sinon cultivées, et elle les connaît depuis l'enfance ou l'adolescence, quand elles fréquentaient ensemble l'Académie Saint-Joseph. Elles se nomment Renée Deniset, Valentine Couture, Marie-Rose Beaulieu, Antoinette Baril, Gratia Fortin, Berthe et Anna Marion, Gertrude Kelly, Denise Rocan[43]. Avec elles, Gabrielle partage ses expériences, ses idées et une bonne partie de ses loisirs.

Elle se sent très proche de Léonie Guyot, qui enseigne en troisième année. Quoiqu'elle ait le même âge que Gabrielle, Léonie est « plus vieille d'expérience[44] ». Née à Fannystelle d'un père savoyard et d'une mère canadienne-française, elle a commencé à enseigner à dix-sept ans, d'abord dans des écoles rurales, puis à Provencher, où elle est entrée en septembre 1931, un an après Gabrielle. C'est une femme aussi belle qu'intelligente. En plus de ses qualités de pédagogue, elle possède une grande distinction de manières et de langage, un penchant pour la musique et le théâtre et une culture littéraire étendue[45]. Elle et Gabrielle deviennent très vite amies. Elles se tiennent compagnie pendant les récréations, se rendent mutuellement visite et participent à diverses activités professionnelles et mondaines. Au printemps 1933, par exemple, lors d'une soirée organisée par le « Cercle d'études Marie-Rose » de l'Académie Saint-Joseph, dont Gabrielle est alors la secrétaire, elles lisent chacune un discours sur le thème : « La vie rurale est-elle préférable à la vie urbaine ? » Léonie défend la ville et Gabrielle, la campagne[46] ; « la façon enjouée et spirituelle [qu'eurent les oratrices] de traiter cette grave question, écrit le rédacteur de *La Liberté*, excita à maintes reprises l'hilarité générale[47] ». Quelques jours plus tard, Léonie prononce une conférence devant les membres du cercle local de l'Association d'éducation, et c'est Gabrielle qui la présente, tout comme elle présidera l'année suivante un colloque d'institutrices au cours duquel son amie parlera de la « *social education*[48] ». Bien qu'elles soient unies d'abord par leur métier, la relation entre les deux jeunes femmes repose surtout sur une admiration et une affection réciproques. Ainsi, lorsque Léonie perd sa mère en avril 1937, Gabrielle lui écrit un mot plein de sollicitude où s'annonce déjà tout cet art de la lettre de consolation dont on trouvera tant d'exemples dans la correspondance future de la romancière :

> Mon petit,
>
> Hier soir je suis allée tard devant ta maison. Elle était plongée dans l'obscurité et le vent pleurait tout alentour. Je n'ai jamais osé frapper à ta porte. Et pourtant j'aurais tant voulu te voir et pleurer toute seule avec toi, dans un petit coin sombre du grand salon vide.
>
> [...] Ta mère sera toujours près de toi, t'aidant. Tu verras. Ce sera moins cruel que tu le penses maintenant, car elle ne sera jamais loin et son esprit ne te quittera pas. Bien souvent les êtres qu'on a aimés sont plus près de nous dans la mort que dans la vie, surtout des êtres nobles comme ta mère[49].

Sur le plan professionnel, enfin, l'Institut Provencher est une des meilleures écoles dans lesquelles un enseignant franco-manitobain de l'époque peut souhaiter travailler. Fondé en 1907, il accueille environ mille élèves, tous des garçons, répartis de la première à la douzième année. Aux institutrices sont confiées les « petites » classes de niveau élémentaire et primaire, tandis que les « grandes » classes du niveau secondaire demeurent l'apanage des frères marianistes qui dirigent l'établissement. À leur tête, le frère Joseph Fink, éducateur de grande renommée dont Gabrielle Roy trace un portrait flatteur dans *La Détresse et l'Enchantement*[50], s'acquitte de ses tâches de main de maître ; à compter de 1935, date de son décès, c'est le frère Joseph H. Bruns qui le remplace. En tant qu'école publique, Provencher ne jouit certes pas du même prestige que les deux institutions voisines, le Collège de Saint-Boniface, établissement secondaire classique pour garçons dirigé par les Jésuites, et l'Académie Saint-Joseph, réservée aux filles, mais dans la mesure où à peu près tous les enfants mâles de Saint-Boniface passent par l'Institut Provencher, ne serait-ce que pour leurs études primaires, l'école et son personnel occupent une place importante dans la vie culturelle et sociale de la ville. L'institut est également très bien vu des inspecteurs ministériels, qui le considèrent comme une excellente école, où les enseignants sont compétents et bien encadrés, où le programme est respecté et où le Union Jack, comme il se doit, est « *up and in good condition*[51] ».

La clientèle de Provencher se compose à la fois de petits Canadiens français et d'enfants d'autres origines. En principe, tous sont assujettis au même régime pédagogique. Mais dans les faits, on regroupe les francophones, qui sont suffisamment nombreux, dans des classes homogènes afin de leur offrir un enseignement qui, bien qu'officiellement anglais, est en réalité bilingue et dans lequel le programme français, tout illégal qu'il soit, occupe une bonne place. Cette sorte de ségrégation se pratique surtout dans les premières années. Ainsi, il existe, en grade I, au moins deux « *receiving classes* » : l'une où les enfants canadiens-français se retrouvent entre eux, l'autre qui rassemble les élèves d'autres provenances ethniques et linguistiques.

Tandis que Valentine Couture s'occupe du premier groupe, c'est Gabrielle qui a la charge des élèves non francophones, ce qui veut dire qu'elle enseigne uniquement en anglais, conformément à la loi. De sa classe, qui comprend habituellement une bonne quarantaine de garçonnets dont l'âge varie de cinq à neuf ans, Gabrielle Roy dira plus tard qu'elle « [représente] presque toutes les nations de la terre » et que « la majorité des enfants ne [connaît] pas plus l'anglais que le français[52] ». En fait, les listes montrent qu'au moins les deux tiers des élèves ont des noms ou des prénoms anglais et irlandais ; les garçonnets d'origine italienne, allemande, slave ou flamande, parmi lesquels se glissent quelques Canadiens français, y sont nombreux, certes, mais nettement minoritaires. Là encore, on relève certains noms familiers au lecteur de *Ces enfants de ma vie* : Vincento [Rinella], Clare [Atkins], William Demetrioff, Walter Demetrioff, Tony Tascona, Nikolaï [Susick][53].

Certes, enseigner devant une classe aussi nombreuse et le faire entièrement en anglais constitue un défi de taille pour la jeune institutrice. Mais la tâche est moins ardue qu'elle ne l'était à Marchand ou à Cardinal. Au lieu de faire face à des élèves de plusieurs niveaux, Gabrielle a une classe entièrement composée de « débutants[54] », classe qu'elle conserve d'ailleurs d'une année à l'autre, ce qui lui évite d'avoir à préparer chaque année un programme nouveau et lui laisse ainsi plus de temps libre.

Le frère Fink aura tout lieu de se féliciter de son choix. Même si Gabrielle a peu d'expérience, elle se montre une institutrice consciencieuse, sensible, qui a le don d'intéresser les bambins. Comme à Cardinal, sa méthode repose sur la douceur et l'ouverture, et elle sait imposer son autorité sans rudesse ni hauts cris, contrairement à certaines de ses collègues. « Elle était très belle et très généreuse », se rappelle le peintre Tony Tascona qui a été son élève en 1932 et 1933. « Elle faisait tout son possible pour aider les enfants pauvres de l'école. Elle a dû dépenser la moitié de son salaire à les aider[55] ». L'ancien écolier, qui relate les faits à près de soixante ans de distance, exagère, bien sûr, influencé lui aussi par ce qu'il a pu lire dans *Ces enfants de ma vie*. Cela dit, il est vrai que l'Institut Provencher reçoit beaucoup d'enfants de milieux défavorisés ou de familles que la crise a réduites à des conditions de vie souvent difficiles, ce qui incite les enseignants à exprimer leur compassion de différentes manières. Ainsi, il arrive à Gabrielle d'emmener un de ses élèves à la maison pour que Mélina lui reprise un vêtement ou lui donne une collation.

Les photographies de la classe de Gabrielle, prises fidèlement chaque année devant l'entrée principale de l'école[56], montrent une troupe bigarrée de bambins rassemblés aux côtés d'une jeune femme au regard à la fois doux et absent, un demi-sourire aux lèvres. Elle a l'air de veiller sur eux comme s'ils étaient ses propres enfants. Mais en même temps, quelque chose en elle ne leur appartient pas, sa pensée — ou son cœur — n'est pas tout à fait avec eux. L'expérience que vit Gabrielle à Provencher n'a rien de comparable, en effet, à ce qu'elle a connu pendant son année à Cardinal. Ses conditions de travail et de vie ont beau être meilleures, l'intensité de son engagement n'est plus la même. Ce sentiment de communion, cette sorte de mystique que lui inspirait son rôle d'institutrice rurale a fait place à une vision plus prosaïque, plus utilitaire de son métier. Elle enseigne du mieux qu'elle le peut, elle s'acquitte de sa tâche avec une conscience professionnelle irréprochable, mais elle ne vibre plus. L'enseignement est devenu son gagne-pain. Sa vraie vocation, ses vrais intérêts sont ailleurs.

Premières publications

Parmi les avantages que le poste à l'Institut Provencher procure à Gabrielle, l'un des plus précieux est celui qui lui permet de faire tout autre chose qu'enseigner. Elle sort, se distrait, se lance dans toutes sortes d'activités, profite en somme du fait qu'elle habite la ville, qu'elle est jeune, belle, vive, débordante d'énergie et parfaitement indépendante.

Les années de sa jeunesse à Saint-Boniface sont par bien des aspects des années de grande fébrilité. Mais ce sont aussi des années de tension et de labeur. Car si Gabrielle se dépense « sans écouter le bon sens » et « brûle la chandelle par les deux bouts », comme le lui reproche sa mère[57], elle ne le fait pas uniquement pour s'amuser et jouir de sa jeunesse, comme on dit, mais parce que le besoin d'accéder à ce bonheur supérieur dont le rêve ne cesse de la tourmenter depuis l'adolescence est plus fort que jamais. Jusqu'ici, ce rêve a fait d'elle une élève puis une institutrice modèle, mais maintenant que la voici à même de prendre en main sa vie d'adulte, son impatience et son ambition ne font que redoubler. Il n'est pas question qu'elle se satisfasse de ce que lui offre sa situation d'institutrice : un métier, un salaire, une case pour la vie. À ses yeux, le poste qu'elle occupe à Provencher n'est qu'un tremplin, une base provisoire d'où elle s'élancera vers son but véritable, qui se trouve ailleurs et beaucoup plus haut. Il n'y a pas un instant à perdre. Le temps n'est plus à la contemplation passive de l'avenir. Il faut agir, travailler, s'appliquer dès maintenant à faire naître d'elle l'« inconnue » qu'elle doit devenir.

Il faudra un certain temps avant que cette passion cristallise autour de la littérature à l'exclusion de tout le reste. Pour l'instant, c'est-à-dire pendant toutes ses années à Provencher — et même un peu au-delà —, Gabrielle reste fidèle à ses deux amours d'adolescence, devenus pour elle de véritables voies de salut : l'écriture, certes, mais aussi le théâtre. Des deux, cependant, c'est le théâtre, dont il sera question plus loin, qui la retient surtout ; il la conduira, se dit-elle, au but qu'elle veut atteindre.

Ce qui ne veut pas dire qu'elle néglige l'écriture et ne lui consacre pas une part importante de son énergie. Certes, la littérature ne représente pas encore cette occupation centrale, unique, à laquelle la jeune femme choisira de se vouer corps et âme vers le début de la trentaine, mais elle est déjà beaucoup plus que ce vague idéal, cette exaltation juvénile et sans grande conséquence qu'avait fait naître chez l'adolescente l'étrange appel de la « voix des étangs ». Sans faire encore l'objet d'une véritable décision, le désir d'écrire, de devenir écrivain, prend chez elle la forme de ce que l'on peut appeler un projet ; projet parmi d'autres, sans doute, mais projet assez sérieux pour exiger des actes, des comportements et un style de vie où la littérature occupe de plus en plus de place.

On peut s'en faire une idée en lisant un souvenir de Thérèse Goulet. Elle a connu Gabrielle à l'Académie Saint-Joseph, et son frère Maurice a loué le deuxième étage de la maison des Roy pour y loger sa petite famille. De temps à autre, Thérèse vient garder les enfants de son frère, et Gabrielle passe la soirée avec elle. Les deux jeunes femmes en profitent pour fureter dans la bibliothèque de Maurice et pour se raconter leurs rêves d'avenir. « On finissait ordinairement la soirée par une petite collation dont le dessert était invariablement suivi d'une lecture à haute voix : poésie, fragment de pièce, etc. » Puis Gabrielle lit à Thérèse une de ses « petites compositions » en cours.

> Je me souviens tout particulièrement du brouillon d'un essai vigoureux intitulé « Grand Vent du Nord ». Mon amie avait voulu attendre le moment idéal pour me le présenter. En effet, elle choisit une de ces rudes soirées d'hiver où le vent sifflait et soufflait en même temps. [...] Elle me demanda de la critiquer. Chose impossible. Je trouvais le tout parfait[58].

Alors Gabrielle parle de son grand projet : « J'écrirai », déclare-t-elle. Pour cela, elle se dit prête à travailler d'arrache-pied, à profiter de chaque expérience qui « fait toucher la vie de près » et à affronter « la rude montée d'une carrière ingrate et difficile ».

Cette résolution se traduit d'abord par une grande abondance de lectures. Depuis l'enfance, Gabrielle a toujours été une dévoreuse de livres. Mais à présent qu'elle a les coudées franches et que la littérature lui apparaît comme une de ses vies possibles, ses lectures deviennent à la fois plus ferventes et plus libres, c'est-à-dire plus variées et plus modernes. C'est du moins ce que l'on peut déduire des témoignages de ses proches et des indices plus ou moins précis que l'on trouve çà et là dans ses premiers écrits et dans ses lettres. Car Gabrielle Roy, sur ce sujet, restera toujours d'une grande discrétion. « Romancière de la parole », comme dira André Belleau[59], elle n'est pas de ces écrivains qui attachent une grande importance à leur formation livresque et l'évoquent volontiers dans leurs écrits. Reconstituer la liste de ses lectures à cette époque est donc une opération délicate et forcément incertaine.

Une chose paraît évidente, cependant : ces lectures se font principalement en anglais. Certes, elle fréquente toujours Alphonse Daudet, adore le *Pêcheur d'Islande* de Loti et se plonge, semble-t-il, dans les romans de Balzac ; sans doute lit-elle également, comme tout le monde, les nombreux feuilletons et autres récits hauts en couleur qui paraissent dans les journaux et les magazines de l'époque. Mais sa prédilection, comme l'essentiel de ses découvertes, passe par la langue de Shakespeare, ce qui est assez normal vu le contexte culturel dans lequel elle vit. Dépourvu de bibliothèque publique, Saint-Boniface ne possède alors qu'une petite bibliothèque paroissiale qui regorge d'ouvrages de piété mais n'offre, en matière de littérature, que quelques ouvrages canadiens du XIXe siècle et de petits romans sentimentaux et bien-pensants importés de France[60]. Comme « librairie » française, il n'y a que L'Étienne, réplique avant la lettre de la boutique du *Libraire* de Gérard Bessette, Hervé Jodoin et « capharnaüm » en moins[61]. À

Winnipeg, en revanche, le marché du livre littéraire de langue anglaise, qu'il s'agisse de textes originaux ou de traductions, est beaucoup plus ouvert sur la production moderne.

C'est ainsi que Gabrielle, tout en continuant de lire les classiques anglais et d'apprendre Shakespeare par cœur, aborde de nouveaux auteurs dont on ne lui a guère parlé à l'école, d'Edgar Poe à Lewis Carroll, de Stevenson et Elizabeth Browning à Somerset Maugham, Edgar Wallace et Agatha Christie. En même temps, elle découvre la littérature américaine, et en particulier les romanciers du nouveau réalisme social alors à son zénith, Hemingway, Steinbeck, Erskine Caldwell.

Sa grande découverte, cependant, c'est la littérature du Nord de l'Europe, à laquelle l'initient ses amis immigrants, en particulier ukrainiens, et qu'elle lit en traduction anglaise. Rien ne permet d'affirmer que c'est au cours de ces années et non pas plus tard dans sa carrière qu'elle a lu pour la première fois les auteurs slaves et scandinaves auxquels elle restera attachée toute sa vie et pour lesquels elle éprouvera toujours un sentiment de fraternité esthétique et morale — Gogol, Tourgueniev, Tolstoï, Ibsen, Pär Lagerkvist, Sigrid Undset et quelques autres. Ce qui est néanmoins certain, c'est que son attirance pour l'espace littéraire nordique remonte à cette époque. Tout comme il est certain que cet espace et cette sensibilité lui sont révélés à travers un texte qui restera à jamais pour elle une œuvre phare, une référence absolue : *La Steppe* de Tchekhov, lue au cours de ces années-là, sinon un peu plus tôt, dans un véritable éblouissement[62].

L'influence de ces lectures sur le style et l'inspiration de Gabrielle Roy ne se fera sentir que beaucoup plus tard. Pour l'instant, elles servent surtout à conforter la jeune femme dans son projet et à lui représenter l'univers dans lequel elle veut entrer. Tout au long de ces années, elle s'essaie à l'écriture avec une passion redoublée : « Je griffonnais des pages, racontera-t-elle dans *La Détresse et l'Enchantement*. Il me venait en tête comme des espèces de contes. [...] Je me lançais de tous côtés, dans l'humoristique, dans le drame à la Edgar Allan Poe, dans le portrait réaliste[63]. »

Une part de son salaire y passe : elle se procure une machine à écrire portative et s'inscrit aux cours de composition littéraire qu'offre, à Winnipeg, Mme Lillian Beynon Thomas. Cette journaliste et femme de lettres, qui a joué un grand rôle dans le mouvement féministe et social manitobain d'avant-guerre, profite de sa retraite pour donner des leçons de *creative writing* axées surtout sur la nouvelle et sur l'écriture dramatique, genres dans lesquels elle jouit elle-même d'une réputation enviable[64]. De son apprentissage auprès de Mme Thomas, qui se fait uniquement en anglais, Gabrielle Roy dira plus tard qu'elle a retiré une meilleure maîtrise de « l'art de caractériser les personnages[65] ».

Autre indice du sérieux avec lequel la jeune femme se consacre maintenant à la littérature : son besoin de publier, qui la porte, si l'on en croit sa sœur Anna, à adresser un grand nombre de manuscrits à divers journaux et périodiques[66]. Le grand jour arrive enfin. Au grand émerveillement de ses proches, un premier texte de Gabrielle Roy, accompagné de sa photo, paraît au début de l'année 1934 dans les colonnes du *Free Press*, l'un des deux quotidiens anglais de Winnipeg. Ce journal organise depuis quelques mois un concours de *short short stories*, c'est-à-dire de petites nouvelles ne dépassant pas quelques feuillets. C'est comme « *prize-winning [...] story* » que paraît, le 11 janvier 1934, « The Jarvis Murder Case », récit policier dans lequel le meurtrier avoue lui-même son crime au narrateur-enquêteur contre la somme de dix dollars.

Gabrielle Roy a vingt-quatre ans lorsqu'elle fait ainsi son entrée « officielle » en littérature[67]. Son premier texte publié, cependant, n'a rien à voir avec ce que sera sa manière future de romancière et de nouvelliste ; c'est un récit habile et joliment écrit, mais qui aurait pu être signé par n'importe qui, dans la page de divertissement littéraire de n'importe quel journal de province. Cela dit, « The Jarvis Murder Case » possède au moins un trait annonciateur : c'est un texte primé, qui préfigure cette longue distribution de prix que sera la carrière de Gabrielle Roy.

Que ce premier texte soit écrit en anglais n'a rien d'étonnant. Comme on vient de le voir, c'est la langue dans laquelle Gabrielle fait alors la plupart de ses lectures et suit les leçons de Mme Thomas. Tout au long des années trente, d'ailleurs, elle va continuer à écrire en anglais, et publier au moins un autre texte dans cette langue, en décembre 1936, dans le *Toronto Star Weekly*. Il s'agit d'une assez longue nouvelle humoristique intitulée « Jean-Baptiste Takes a Wife », qui évoque la petite société canadienne-française de la Montagne Pembina et dont l'écriture fait largement appel aux procédés dramatiques.

Peu de temps auparavant, deux autres nouvelles d'elle ont été publiées, en français cette fois, dans le magazine montréalais *Le Samedi* : « La grotte de la mort », légende ou pseudo-légende amérindienne racontant le triste sort d'une jeune Ojibway amoureuse d'un Blanc, et « Cent pour cent d'amour ». C'est dire que l'anglais, non plus que le français, n'apparaît alors à la jeune femme comme sa seule langue d'expression littéraire. Elle n'est encore qu'une artiste qui se cherche, qui hésite et qui, en attendant d'avoir trouvé sa voie, fait flèche de tout bois, ce qu'elle continuera d'ailleurs de faire pendant plusieurs années. De même que, sur le plan du genre et de l'inspiration, elle s'essaie tantôt au conte policier, tantôt à la caricature sociale, tantôt au récit d'amour et même, si l'on en juge par le titre du morceau qu'elle récite à Thérèse Goulet, à la poésie descriptive, de même elle va librement, sur le plan linguistique, de l'anglais au français sans pouvoir encore se fixer. L'important à ce moment-là n'est pas tant ce qu'elle écrit que le simple fait d'écrire, de terminer des textes, de les voir publiés, c'est-à-dire d'échapper à sa petite vie d'institutrice anonyme et de réaliser ce dont elle se sait capable.

Mais la littérature n'est encore pour elle qu'un chemin parmi d'autres. Et il n'est ni le plus sûr ni le plus rapide, comparé à cet autre chemin qui s'ouvre alors à elle et où le succès paraît plus tangible et plus immédiat : le théâtre.

L'ivresse du théâtre

« Notre ville, écrira plus tard Gabrielle Roy, aimait d'une grande ferveur la musique, les pageants, les spectacles[68]. » Et il est vrai qu'à parcourir les chroniques de cette époque, on est étonné de constater à quel point Saint-Boniface, malgré sa population réduite et son atmosphère très provinciale, est alors un milieu « culturel » vivant, en particulier l'hiver. En dépit — ou à cause — de la crise économique, il ne se passe pas une semaine sans qu'y ait lieu un récital de chant, une soirée récréative, une représentation dramatique, un concert de la fanfare ou une « partie de cartes » agrémentée de poésies et de pièces musicales. Ces événements se déroulent tantôt dans l'une des écoles de la ville, tantôt, lorsqu'il s'agit d'une production de plus grande envergure comme il s'en organise au moins une chaque année, opéra ou pièce de théâtre, dans une des salles de Winnipeg. Le Walker est vaste et bien équipé, c'est « le [théâtre] le plus anglais de Winnipeg » ; le Dominion, lui, est « plus petit, plus intime[69] ». La critique, toujours dithyrambique, qualifie la moindre manifestation d'événement mémorable ou d'illustration exemplaire du génie national. Et le public, semble-t-il, ne se fait pas faute de venir applaudir les acteurs, musiciens, orateurs et autres artistes, tous amateurs, certes, mais animés d'une ardeur qui embellit le talent des uns et compense la maladresse des autres.

Un bel exemple de cette ferveur est le grand débat estudiantin organisé à l'automne 1933 sur un thème particulièrement chaud à ce moment-là : « Le vote des femmes est-il oui ou non acceptable ? » Pour défendre le « non », deux représentants de l'Université de Montréal se sont déplacés jusqu'au Manitoba : Paul Dumas, étudiant en médecine, et Gérard Cournoyer, étudiant en droit. Leur font face, du côté du « oui », deux des plus brillants élèves du Collège de Saint-Boniface, Georges Ramaekers et Marcel Carbotte. Après avoir bénéficié d'un énorme battage et fait la une de *La Liberté*, l'événement a lieu en grande pompe le mardi 21 novembre dans la salle des fêtes de l'Institut Provencher, où se presse un public aussi nombreux que distingué. Une semaine plus tard, nouveau reportage à la une. On apprend que les juges n'ont pu se résoudre à choisir un camp vainqueur et ont donc déclaré la partie nulle. Mais cette soirée, écrit le journaliste, « comptera parmi les meilleures jouissances intellectuelles et artistiques dont le souvenir nous restera[70] ».

Une ville aussi friande de spectacles et de divertissements est pour Gabrielle un terrain particulièrement propice. Depuis ses années à l'Académie Saint-Joseph, sinon depuis plus longtemps encore, elle a le goût du théâtre et n'a jamais cessé de parfaire son talent. Il faut dire qu'elle n'est pas dépourvue d'aptitudes : si la voix manque de volume, le ton et le rythme y sont, ainsi que le sens de la mimique et du geste expressif. Son physique de jeune première la sert également ; elle est délicate, nerveuse, douée d'un charme et d'une vivacité auxquels le regard, si pénétrant, ajoute comme une flamme. Mais le plus étonnant, c'est sa mémoire, qu'elle semble tenir de sa mère et qu'elle exerce depuis des années, si bien qu'elle peut retenir sans effort des pages et des pages de texte, en anglais comme en français. Et puis, elle a le feu sacré. Se produire en public, tirer d'un auditoire le rire ou l'émotion, procurer à des gens que l'on ne connaît pas le plaisir d'aimer ou de haïr, à travers soi, des êtres de l'imagination, et se faire admirer d'eux pour ce quart d'heure d'illusion et de beauté, voilà qui lui semble une des choses les plus précieuses auxquelles elle puisse aspirer.

Déjà, pendant son année à Cardinal — un soir d'avril où il y avait partie de cartes et projection du film *Rin-tin-tin* à la salle paroissiale de Notre-Dame-de-Lourdes —, elle s'est offerte pour « débiter *Les trois messes basses*, nouvelle d'Alphonse Daudet, qui eut un franc succès[71] ». Mais c'est à Saint-Boniface que sa « carrière » va prendre son essor. Pendant un certain temps, elle fait cavalier seul et s'adonne principalement à la « déclamation » de petits morceaux, qui sont parfois de son cru. Ainsi, le 6 janvier 1931, lors d'un concert de la chorale dirigée par

Marius Benoist, elle meuble l'entracte en disant un conte intitulé « Le marchand de sable a passé[72] ». Deux mois plus tard, c'est au cours d'une fête de la commission scolaire qu'elle se produit de nouveau en solo, pour réciter « La chanteuse ». Cette année-là et les deux suivantes, son nom figure régulièrement au programme récréatif de diverses réunions, soirées-bénéfice, bridges et thés musicaux tenus sous le patronage de diverses organisations comme le Cercle ouvrier, les anciennes de l'Académie Saint-Joseph, la Fédération des femmes canadiennes-françaises du Manitoba et d'autres encore[73]. Si l'on en juge par le grand nombre d'invitations qui lui sont adressées, ou du moins par la fréquence de ses prestations, les « déclamations » de Mlle Roy sont fort appréciées du public bonifacien.

Mais l'art dramatique se pratique difficilement seul. Gabrielle se joint à des troupes. La plupart de celles qui se forment alors ne sont que des rassemblements de circonstance, organisés en vue d'une seule production et qui se dispersent aussitôt après. C'est le cas, entre autres, des troupes qui se spécialisent dans les tournées à travers les villages du Manitoba français, le plus souvent grâce à l'appui d'un organisme local comme l'Association d'éducation, le Collège de Saint-Boniface ou le journal *La Liberté*, qui en profitent pour répandre la « cause » dans les coins les plus reculés et pour recruter zélateurs, bienfaiteurs ou abonnés parmi les bonnes gens attirés par les représentations. Ces tournées, qui ont lieu l'été, regroupent des jeunes gens aux talents divers, comédiens, musiciens, clowns et autres *entertainers*, qui partent chaque soir de Saint-Boniface, chargés de leur attirail, pour se rendre dans un village où l'on a dressé pour eux des tréteaux improvisés. Dans *La Détresse et l'Enchantement*, Gabrielle Roy évoquera l'une de ces tournées à laquelle elle a participé, en 1934 ou 1935, en compagnie de Fernand Tellier, Gilles Guyot, Marc Meunier et quelques autres[74]. Son emploi est celui de « *stand-up comic* » ou de « monologuiste », comme on dit de nos jours, un emploi qui demande de la verve, de l'humour, le sens de l'effet narratif et beaucoup de mémoire.

Si joyeuse et décontractée qu'elle soit, cette façon de faire du théâtre — un théâtre populaire, spontané, proche du burlesque et du spectacle forain — n'est pour Gabrielle qu'un délassement estival. Cette activité l'amuse, certes, et lui permet de continuer à jouer quand la vie artistique de Saint-Boniface fait relâche, mais cela ne correspond pas vraiment à ce qu'elle attend de l'expérience théâtrale, qui pour elle doit être quelque chose de plus sérieux, de plus raffiné, une expérience qui l'arrache à la vie et au langage communs et l'élève vers un monde de beauté et de plénitude auquel seul l'art véritable peut donner accès. Or cette conception « noble » du théâtre est précisément ce qui inspire la troupe du Cercle Molière, dont elle devient membre aussitôt après son retour à Saint-Boniface et son entrée à l'Institut Provencher, à la fin de 1930 ou au tout début de 1931.

Fondé en 1925 par Louis-Philippe Gagnon, libraire, Raymond Bernier, fonctionnaire, et André Castelain de la Lande, professeur de français d'origine belge qui devait en être le directeur artistique jusqu'en 1928, le Cercle est dirigé par Arthur Boutal, journaliste et imprimeur de son métier, et sa femme Pauline, née LeGoff, artiste peintre et dessinatrice de mode. Au cours des années trente, c'est-à-dire à l'époque même où Gabrielle Roy en fait partie, ils en font une troupe de premier plan, bien organisée et dynamique. Le Cercle est cher au cœur des Franco-Manitobains et connu à travers tout le Canada[75]. Il s'agit certes d'une troupe amateur, mais le théâtre que l'on y pratique se veut extrêmement soigné et rigoureux. Les pièces présentées ne sont pas toujours des chefs-d'œuvre ; à côté de *L'Arlésienne* d'Alphonse Daudet, qui connaît un vif succès en 1928, il y a bien des pièces de boulevard du genre : *Chut ! voilà la bonne* d'Albert Acremant (1926), *Popaul et Virginie* d'Alfred Machard (1929) ou *Le Train fantôme* d'H. D'Erlanger (1932). Mais ces pièces, écrites par les auteurs les plus prisés du public parisien, incarnent le meilleur goût français de l'heure. Et les productions sont impeccables, car Arthur Boutal ne laisse rien au hasard : sélection méthodique des acteurs, longues répétitions, souci des éléments visuels, des maquillages, des décors, etc. Il exige de ses comédiens une diction et un maintien parfaits et leur inculque le respect scrupuleux du texte et de la mise en scène. On est très loin, en somme, de l'improvisation et de la nonchalance des troupes ambulantes, comme le note Armand LaFlèche, qui a été au cœur de la vie théâtrale manitobaine de ces années : le Cercle Molière, écrit-il, offrait un « genre de théâtre et [des] techniques plus modernes, [une] connaissance plus fouillée des coutumes de France, une ambiance scénique, une couleur, une stylisation à peine connues jusque-là, enfin une diction et un esprit plus français que canadiens, il est vrai, mais stimulants et indispensables[76] ». À sa manière, le Cercle joue dans le mouvement théâtral de l'époque un rôle analogue à celui que joueront bientôt au Québec d'autres troupes amateurs, comme les Compagnons de Saint-Laurent (fondé en 1937) ou les Paraboliers du roi (1939), sans partager toutefois l'orientation religieuse qui caractérise ces dernières. En bref, il fournit à une génération de jeunes artistes l'occasion de s'initier à un art dramatique plus raffiné et de bénéficier d'une formation de niveau quasi professionnel.

La participation aux activités du Cercle demande beaucoup de temps. Les répétitions en vue du spectacle annuel se tiennent trois fois la semaine, en divers endroits de la ville (dans un entrepôt désaffecté, au sous-sol de la cathédrale ou même, comme en 1935-1936, dans la salle de classe de Gabrielle à l'Institut Provencher). Elles commencent dès l'automne et se poursuivent jusqu'à la fin de l'hiver, au cours duquel a lieu l'unique représentation de la pièce choisie (parfois deux), généralement dans une salle de Winnipeg. En outre, les membres sont convoqués à des assemblées mensuelles afin de débattre de la vie du Cercle et de présenter à tour de rôle des numéros de leur cru. Sans parler des autres rencontres moins formelles, soirées, réceptions, repas de groupe, etc. Appartenir au Cercle Molière, en un mot, c'est passer la plus grande partie de ses loisirs dans le monde merveilleux du théâtre et de la littérature, un monde, dira plus tard Gabrielle Roy, où « tout se déroulait dans l'ivresse[77] ».

Aussi la jeune femme prend-elle sa participation très au sérieux. Même si, au début, elle n'a pas de rôle dans la pièce annuelle, sa présence aux réunions est très active. Dès le mois de janvier 1931, elle présente deux déclamations aux membres réunis[78]. L'année suivante, au mois de mai, elle est élue « organisatrice » de la saison 1932-1933. Cette fonction consiste, selon les règlements du Cercle, à « s'occuper de la préparation d'un programme littéraire, dramatique et musical pour être donné à toutes les assemblées mensuelles », tâche dont elle s'acquittera fort bien, si l'on en juge d'après les procès-verbaux conservés aux Archives de la Société historique de Saint-Boniface[79]. Enfin, on retrouve son nom lors de la séance du 20 octobre 1934, dont elle anime la partie récréative en présentant deux numéros comiques ; le second de ces numéros, joué en compagnie de Fabiola Gosselin et des sœurs Renée et Thérèse Deniset, est une parodie des représentations de couventines auxquelles elle a elle-même participé à l'époque de ses études chez les religieuses de l'Académie Saint-Joseph. L'auditoire rit à gorge déployée.

À ce moment-là, Gabrielle a franchi le pas décisif : elle est montée sur les planches. Mieux encore, elle a goûté au succès. Non pas le succès personnel, certes, mais celui de la troupe tout entière, qui va bientôt connaître son premier vrai triomphe avec une pièce dans laquelle Gabrielle fait ses débuts : *Blanchette* d'Eugène Brieux. Ce mélodrame breton en trois actes raconte l'éternelle histoire d'une petite paysanne que ses parents ont fait instruire et qui, séduite par les attraits de la ville, commence à faire des châteaux en Espagne et quitte sa famille pour Paris, où elle ne trouve que déboires et désillusions. La pauvrette revient donc au pays, pour implorer le pardon de son père et épouser le fils du voisin.

Le Cercle Molière a choisi cette pièce pour sa saison 1933-1934. La mise en scène est d'Arthur Boutal et les décors, de sa femme Pauline. La distribution met en vedette Suzanne Hubicki (née LeGoff et sœur de Pauline Boutal) dans le rôle-titre, ainsi qu'Arthur Boutal et Élisa Houde, qui interprètent le père et la mère de Blanchette. Les autres rôles sont épisodiques. Gabrielle joue Lucie Galoux, une fille d'aristocrates. La représentation a lieu le jeudi 30 novembre 1933, au Théâtre Dominion, et reçoit comme toujours un accueil enthousiaste, avec « une mention spéciale pour Mlle Gabrielle Roy, très à l'aise et très gentille[80] ».

Si le Cercle Molière a décidé, contrairement à la pratique habituelle, de présenter sa pièce à l'automne plutôt qu'au printemps, c'est qu'il a l'intention de participer au tout nouveau Dominion Drama Festival qui vient d'être mis sur pied à Ottawa, sous le haut patronage de Lord Bessborough, gouverneur général du Canada. Après la première, les répétitions se poursuivent donc tout l'hiver, en vue de la sélection régionale, qui a lieu à Winnipeg en mars 1934. La troupe joue le deuxième acte de *Blanchette* et se classe au deuxième rang, derrière une troupe anglophone de Selkirk[81]. Mais comme le concours national est bilingue, cette place permet au Cercle Molière d'être sélectionné pour l'épreuve finale, qui doit se tenir dans la capitale fédérale à la fin du mois d'avril.

Les comédiens ne se sentent plus de joie. Il leur faut cependant s'activer afin d'amasser les fonds nécessaires au voyage. Une campagne de souscription est lancée. Gabrielle, comme les autres membres de la troupe, se mobilise. Elle assiste à une partie de cartes convoquée par des dames anglophones de Winnipeg à l'hôtel Corona et reprend son rôle de Lucie Galoux lors d'une représentation spéciale de *Blanchette* à l'Institut Provencher[82]. Finalement, le grand jour arrive. Gabrielle obtient une semaine de congé de la commission scolaire[83], et toute la troupe prend le train pour Ottawa.

Quelques jours plus tard, la nouvelle s'étale en première page de *La Liberté* : « Le Cercle Molière gagne le trophée pour les pièces françaises ! » Les comédiens de Saint-Boniface ont remporté le concours haut la main, pour la section francophone, devant trois troupes de l'Est du pays, La Rampe (Ottawa), le Cercle dramatique des étudiants de

Laval (Québec) et la section française du Montreal Repertory Theatre. Même si Jean Béraud, le critique dramatique de *La Presse* de Montréal, n'est pas impressionné outre mesure par la performance de la troupe manitobaine — sauf par le jeu d'Arthur Boutal, qui lui semble excellent —, à Saint-Boniface c'est le délire. Tandis que la société distinguée de la ville multiplie les réceptions en l'honneur des lauréats, l'éditorialiste de *La Liberté*, Donatien Frémont, homme généralement peu porté sur les frivolités, y va d'un article vibrant pour saluer « le triomphe d'Ottawa », dont la gloire profite à « tout l'élément français du Manitoba[84] ».

Si le triomphe de *Blanchette* rejaillit sur Gabrielle, sa part personnelle n'y est pas bien grande. Mais ce succès fouette son ardeur et l'encourage à travailler encore davantage pour se tailler une meilleure place dans la troupe. L'année suivante, le Cercle monte une pièce d'Émile Augier et Jules Sandeau, *Le Gendre de M. Poirier*, dans une mise en scène de Denys Goulet. Gabrielle obtient cette fois un rôle plus important, celui d'Antoinette, marquise de Presles, dans lequel Louis-Philippe Gagnon, l'un des fondateurs du Cercle Molière promu critique dramatique, la juge « agréable, primesautière, beaucoup plus marquise que fille de M. Poirier, très naturelle dans ses mouvements (qui étaient variés à souhait) et dans le dialogue ». Mlle Roy a réussi là, ajoute-t-il, « un très bel effort d'interprétation et nous ne lui connaissions pas encore cette assurance et cette souplesse[85] ». Mais la pièce fait long feu au festival national — elle ne franchit même pas l'étape de la sélection régionale, qui a lieu au Théâtre Dominion le 2 février 1935.

Il est vrai que *Le Gendre* a été préparé trop vite et n'a pas été suffisamment répété. La troupe se représente au concours suivant, celui de 1936, avec une autre pièce bretonne, *Les Sœurs Guédonec* de Jean-Jacques Bernard, « comédie dramatique où deux paysannes — vieilles filles et avaricieuses — en face d'orphelins espiègles, se découvrent un amour maternel profond[86] ». C'est Arthur Boutal qui signe la mise en scène. Gabrielle, cette fois, joue le rôle-titre, celui de Maryvonne, l'une des deux sœurs ; l'autre, Marie-Jeanne, est interprétée par Élisa Houde[87]. Et, comme deux ans plus tôt, le miracle va se produire, mais l'ivresse de Gabrielle est encore plus grande que la première fois.

La pièce remporte d'abord le premier prix à Winnipeg, où elle est représentée le 22 février 1936. Et la critique locale d'entonner le dithyrambe : « Mme Houde et Mlle Gabrielle Roy, dans les premiers rôles, écrit Denys Goulet, ont joué avec un naturel et une sobriété qui consacrent définitivement leurs talents d'interprètes intelligentes, toujours sensibles et extrêmement appliquées[88]. » Le rituel recommence : fébrilité à l'approche du grand jour, collecte de fonds, représentation supplémentaire à Provencher et départ de la troupe pour Ottawa[89], où les comédiens logeront chez des sympathisants.

La soirée de gala a lieu le samedi 25 avril 1936. Le tout-Ottawa politique et diplomatique y assiste, y compris le premier ministre Mackenzie King qui, après avoir piétiné le bord de la robe de soirée de la petite comédienne aux yeux pers tout excitée de se trouver en un tel lieu, s'excuse gentiment auprès d'elle. Le « bal chez le gouverneur » que Mélina a raté autrefois, Gabrielle, ce soir-là, en goûte tout l'enivrement.

Du côté français, outre le troisième acte des *Sœurs Guédonec*, trois autres pièces sont en lice : *Topaze* de Marcel Pagnol, dont le Conservatoire national de musique de Québec présente le premier acte, *Il était une bergère* d'André Rivoire, jouée par le Théâtre-École de Montréal, et une création canadienne interprétée par les élèves de l'École de musique et de déclamation de l'Université d'Ottawa, *L'Indienne* de Laurette Larocque-Auger, dont le nom (ou les pseudonymes : Claire Richard, Jean Desprez) va croiser souvent celui de Gabrielle Roy au cours des années qui suivront. Pour le moment, c'est cette dernière qui triomphe : le trophée de la meilleure pièce française, une fois encore, va à la troupe de Saint-Boniface, au grand déplaisir de quelques Québécois qui trouvent qu'Arthur Boutal, un « Parisien », ne devrait pas avoir le droit de diriger des pièces inscrites au concours[90]. Au Cercle Molière revient également le prix de la meilleure comédienne de langue française, décerné non pas à Gabrielle Roy, ni à Élisa Houde, mais bien à Pauline Boutal, pour sa prestation dans le rôle de Mme LeCahu.

Pour Gabrielle, qui vient d'avoir vingt-sept ans, ce triomphe est sans conteste le moment le plus fort de sa carrière d'actrice. Non seulement il lui procure le sentiment d'accomplissement auquel elle rêve depuis plusieurs années et pour lequel elle a travaillé sans relâche, mais il contribue à l'ancrer dans la conviction que le théâtre est une voie qui lui convient, que son talent est réel et qu'elle peut bel et bien atteindre par ce moyen le but élevé auquel elle tend.

Pourtant, elle n'est pas la comédienne la plus douée de la troupe, et sûrement pas « l'étoile du Cercle Molière », ainsi que la présentera une dizaine d'années plus tard un chroniqueur parisien[91]. Sa beauté attire l'attention, sans doute, et fait d'elle une ingénue attachante ; l'assiduité et l'enthousiasme ne lui manquent pas non plus. Mais elle n'a pas cette présence sur scène, ni ce naturel, ni surtout cette diction irréprochable qui distinguent d'autres comédiennes de la troupe, comme Pauline Boutal, Suzanne LeGoff ou Élisa Houde, toutes trois plus âgées qu'elle et plus expérimentées. Cela dit, Gabrielle a pour elle la jeunesse et une grande confiance en son propre talent. Elle sait qu'avec de la constance et une formation appropriée, elle aura raison de ses limites et pourra devenir une très bonne actrice.

De plus, elle détient cet avantage sur ses camarades du Cercle Molière d'être la seule à faire aussi du théâtre en anglais. Dès le début des années trente, elle a suivi des cours de diction anglaise à la Jean Campbell School of Speech and Dramatic Arts de Winnipeg. Ainsi, le 11 mars 1932, son nom figurait au programme d'un récital donné en l'église galloise de Winnipeg par les élèves de Mme Campbell, au cours duquel, seule francophone parmi une vingtaine de jeunes exécutants accompagnés au piano par « *Digby Tomlinson, Blind Pianist* », elle présentait une *story* intitulée « *Angels*[92] ». Et quelques mois plus tard, lors d'une soirée de la Fédération des femmes canadiennes-françaises, l'une de ses deux « déclamations » avait pour titre « *Impersonation*, en anglais[93] ».

Par la suite, elle pousse plus avant son engagement dans le théâtre de langue anglaise. En 1935, elle fait partie de la troupe amateur du Winnipeg Little Theatre, qui est un peu le pendant en langue anglaise du Cercle Molière. Fondé en 1921 sur le modèle du Hart House Theatre de Toronto, qui devait faire naître dans tout le Canada ce qu'on a appelé le « *Little Theatre Movement* », cette compagnie jouit de la protection active de Lady Margaret Tupper, nièce du lieutenant-gouverneur du Manitoba et elle-même actrice. Sous la direction de John Craig, animateur aussi dynamique que l'est Arthur Boutal dans la troupe de Saint-Boniface, on y joue le meilleur répertoire classique et moderne, de Shakespeare à Bernard Shaw, d'Oscar Wilde à Coward et Galsworthy, ainsi que des pièces américaines (O'Neill) et des traductions d'œuvres étrangères (Rostand, Maeterlinck, Ibsen, Pirandello[94]).

Gabrielle tient des seconds rôles dans deux des productions, en avril 1935 et en janvier 1937. Dans la première, elle incarne Elizabeth Rimplegar dans *Three-Cornered Moon* de Gertrude Tonkonogy, comédie new-yorkaise en trois actes que le cinéma a déjà popularisée. À cette occasion, Arthur Boutal, lors d'une assemblée du Cercle Molière, « encourage les membres [...] à aller entendre Mlle Gabrielle Roy [...] qui a fait ses débuts dans "The Little Theatre" au Dominion[95] ». En 1937, par contre, il semble que Gabrielle ne soit plus membre du Molière, comme si elle avait décidé, après le succès des *Sœurs Guédonec*, de se consacrer uniquement à sa carrière anglaise[96]. Les 29 et 30 janvier de cette année-là, elle fait partie de la distribution d'une autre comédie en trois actes, *The Man with a Load of Mischief* d'Ashley Dukes, dont les représentations ont lieu à l'Orpheum de Winnipeg[97]. Dans les deux cas, la prestation de la jeune comédienne canadienne-française, que ses succès au Cercle Molière ont déjà fait connaître, reçoit des louanges sympathiques de la part des critiques[98].

Gabrielle, pour sa part, a le sentiment de très bien se tirer d'affaire, puisque son passage au Little Theatre, tout comme son expérience au Cercle Molière, joue un rôle décisif dans l'orientation qu'elle s'apprête à donner à sa vie. Ayant obtenu « un certain succès comme actrice locale », ainsi qu'elle l'écrira plus tard à un ami, « je me suis crue douée de grandes possibilités pour le théâtre[99] », ce qui contribue directement à lui faire prendre la grande décision sur laquelle s'achèveront pour elle ces années : quitter l'enseignement et tenter sa chance dans la carrière de comédienne.

Dans un texte de la fin de sa vie, Gabrielle Roy évoquera avec beaucoup de gratitude l'expérience vécue au sein de ce « petit groupe d'amateurs passionnés » que formait le Cercle Molière. Le théâtre nous donnait l'occasion, dit-elle, « d'outrepasser nos bornes et d'entrer dans la magie où il nous est permis de changer de vie et de destin[100] ».

Outrepasser ses bornes, changer de vie et de destin. Voilà bien, au cours de ces années-là, la grande préoccupation de la jeune institutrice et la principale raison, sans doute, de son attachement au monde du théâtre. Car la possibilité de sortir d'elle-même et d'échapper à sa vie, le théâtre ne la lui offre pas seulement par le jeu de l'illusion dramatique, il la lui offre aussi de manière concrète, immédiate, en lui permettant de vivre dans un milieu riche et stimulant où elle a le sentiment de trouver la culture, l'élégance, le raffinement dont elle rêve, ainsi que l'occasion de développer ses talents et de se préparer à l'avenir qui l'attend. Comment, dès lors, n'aimerait-elle pas le théâtre ? Comment ne souhaiterait-elle pas que le théâtre, qui est le meilleur de son existence, devienne son existence même ?

L'émancipation d'une jeune provinciale

Un peu comme Blanchette dans la pièce de Brieux, la Gabrielle de cette époque ne saurait se satisfaire de ce que lui apportent — et lui imposent — son métier d'institutrice et son appartenance à une modeste famille de la banlieue de Winnipeg, famille qui a pu jouir jadis d'une certaine notoriété mais qui, depuis la mort de Léon, a perdu son statut et est vite retombée dans l'obscurité commune. La jeune femme n'a dès lors qu'un désir, qu'une stratégie : échapper aux limites de sa condition et connaître dès maintenant cette vie libre et épanouie à laquelle elle se sent appelée.

Sur le plan social, cela veut dire se hausser au-dessus de sa classe d'origine et se tailler une place dans les meilleurs milieux de la ville. Quoique Saint-Boniface ne soit qu'une société minuscule, marginale et plutôt repliée sur elle-même, il s'y trouve comme partout ailleurs des élites, en particulier une petite élite laïque composée de gens instruits, riches ou moins riches, dont les manières de vivre et de penser se veulent non seulement plus raffinées et plus élégantes, mais plus « modernes », plus « ouvertes », plus « audacieuses » que celles du commun. Ces gens forment ce que certains désignent comme la « classe intellectuelle » de Saint-Boniface, le milieu restreint et distingué des artistes, des liseurs de livres, des amateurs de culture, de bon goût et de beauté. Ils voyagent ou ont voyagé, ils connaissent le monde, ils suivent la mode, ils se targuent d'appartenir à l'avant-garde et se sentent tout à fait de leur temps. À l'égard du peuple ordinaire, ils n'éprouvent pas nécessairement du mépris, simplement, ils se savent supérieurs ; soit ils se penchent sur lui, l'éduquent, s'efforcent de l'élever jusqu'à eux, soit ils s'en désintéressent et se moquent du qu'en-dira-t-on. Ils sont à part, ils sont affranchis, ils sont heureux.

À l'époque, le Cercle Molière occupe une position centrale au sein de cette petite élite locale, qui se reconnaît en lui, soutient ses activités et est la première à se féliciter de ses succès. Les époux Boutal jouissent d'un immense prestige et le fait de se rapprocher d'eux ne représente pas seulement pour Gabrielle un moyen de perfectionner son art de comédienne, c'est aussi, et surtout, un moyen d'entreprendre son ascension sociale et personnelle. Le mode de vie des Boutal, leur culture, leur esprit délicat et ouvert, leur langage si pur, tout chez eux répond à son besoin de distinction et de beauté. De temps à autre, comme elle le racontera plus tard, il lui est donné d'assister à « un de ces petits soupers fins comme on n'en pouvait se régaler qu'à la "péninsule" ».

> Ainsi avais-je dénommé ce curieux petit coin de terre des Boutal aux trois quarts cerné par notre sinueuse rivière Seine et, de surcroît, défendu des regards par des buissons enchevêtrés et de folles herbes

comme à la campagne. Autour de ce couple s'établissaient un bon goût sûr, une manière de vivre raffinée, une ferveur dans le travail[101]...

Toutes qualités qui tranchent avec la petitesse commune et avec la vie ordinaire de Gabrielle, à Provencher comme dans la maison de la rue Deschambault, et qui lui font oublier le « malheur irrémédiable » d'appartenir à « une espèce destinée à être traitée en inférieure[102] ».

Arthur et Pauline Boutal sont français. Lui est né à Seyches, dans le Lot-et-Garonne, et a grandi à Angoulême ; elle est bretonne. En cela aussi, ils sont très représentatifs du petit milieu bonifacien dans lequel ils évoluent, et dont l'un des traits les plus frappants est justement le cosmopolitisme. Les immigrés récents sont particulièrement nombreux et actifs dans cette « classe intellectuelle », où l'on cherche moins à s'identifier comme Français, Belge, Ukrainien ou Italien qu'à conserver ou recréer, dans le pays d'accueil, des formes de sociabilité « à l'européenne », axées sur l'art, la culture et le partage d'un certain savoir-vivre. Cette attitude crée au sein de ce groupe un climat d'ouverture, de tolérance, voire de solidarité « interculturelle », comme on dit aujourd'hui, qui n'est peut-être pas parfait mais qui contraste avec l'homogénéité et une certaine méfiance à l'égard des « étrangers » qui caractérisent alors le milieu canadien-français de Saint-Boniface.

Cela dit, ceux qui dominent parmi ce groupe sont les gens nés et élevés en France (ou en Belgique), comme les Boutal, ou issus de parents qui y sont eux-mêmes nés et y ont grandi avant d'immigrer au Manitoba. Passablement nombreux à Saint-Boniface, ces immigrants, comme à Cardinal ou à Notre-Dame-de-Lourdes, sont — et se sentent — différents des Franco-Manitobains d'ascendance québécoise, dont ils se distinguent par l'accent, certes, mais aussi par le niveau général d'éducation, le mode de vie et l'intérêt pour la chose artistique[103]. Rien d'étonnant qu'au Cercle Molière, outre les Boutal, se retrouvent tant de Français : Élisa Houde, née Charlet[104], Henri Pinvidic, Marius Maire, Gilles Guyot, les enfants Sourisseau, Jean de la Vignette, Antoine LeGoff, frère de Pauline Boutal, et leurs sœurs, Christiane et Suzanne. Il en va d'ailleurs de même dans plusieurs autres organisations culturelles de la ville : Joseph Vermander, d'origine belge, s'occupe de la Fanfare La Vérendrye ; Donatien Frémont, le directeur de *La Liberté*, est un Breton venu de Saskatchewan en 1923 ; quant à Marius Benoist, qui règne sur la vie musicale de Saint-Boniface, dont il dirige à la fois l'orchestre et la chorale, il n'est pas français mais sa belle-famille l'est, tout comme plusieurs de ses musiciens.

Gabrielle, dans ce milieu, se sent comme un poisson dans l'eau. À Cardinal, les Français qu'elle fréquentait avaient beau être souvent d'anciens bourgeois ou même des descendants d'aristocrates, ils n'étaient pas moins devenus des paysans. Ici, en ville, les Français qu'elle a le bonheur de côtoyer sont policés, cultivés ; leurs manières, leur sensibilité, leurs façons d'être et de penser restent imprégnées de l'éducation européenne qu'ils ont reçue et à laquelle ils restent attachés. Aussi ne demande-t-elle pas mieux, elle qui appartient à une communauté si provinciale et mal dégrossie, que de partager leur penchant pour le théâtre, la littérature et la vie mondaine. Il n'est donc pas étonnant que ses meilleures amies soient françaises. C'est le cas de Léonie Guyot, certes, mais également d'une autre jeune femme dont elle se sent alors très proche, Renée Deniset.

Celle-ci appartient à l'une des familles les plus en vue de Saint-Boniface. Venu de Besançon avec une fortune appréciable investie dans l'immobilier, François Deniset, le père, a épousé Hélène Bernier, une Canadienne française fille de sénateur et sœur de député. Ils habitent, avenue Provencher, une maison somptueuse et très bien fréquentée, où les jeunes gens se pressent auprès de leurs trois filles. L'aînée, Thérèse, entreprend alors une carrière de cantatrice qui la conduira bientôt en Europe ; déjà, en avril 1935, elle triomphe à Winnipeg dans le rôle-titre de *Mireille* de Gounod, que Marius Benoist monte au Dominion (Gabrielle et Renée y prennent part comme maquilleuses sous la direction de Pauline Boutal[105]). Jacqueline, la plus jeune, possède elle aussi une fort jolie voix et s'apprête à partir pour Montréal où elle épousera Jean Benoist, le frère de Marius. Renée, enfin, moins douée que ses sœurs pour la musique, enseigne à l'Institut Provencher[106].

Mais l'amitié entre Renée et Gabrielle n'a que peu à voir avec leur métier commun. C'est en dehors de l'école qu'elles se rencontrent, notamment aux réunions du Cercle Molière, dont Renée fait partie, mais aussi chaque fois qu'une occasion d'être ensemble et de s'amuser se présente. Et les occasions ne manquent pas. L'hiver, ce sont les soirées de patinage ou les randonnées à ski ; à la belle saison, il y a le tennis, la bicyclette ou les vacances au frais, comme à l'été 1935, quand *La Liberté* annonce : « Mlles Renée Deniset et Gabrielle Roy passent la semaine aux Chutes des Sept Sœurs[107] ». Mais ce sont les mondanités qu'elles préfèrent. Pendant le congé de Noël 1935, par exemple, elles assistent à un dîner offert à l'hôtel Saint-Charles par Jeanne Galliot, fille d'un médecin français de Lourdes en visite à Saint-Boniface[108].

Elles se retrouvent lors de déjeuners, de soirées de fiançailles, de goûters et d'autres réjouissances, se mêlant chaque fois à la joyeuse compagnie des Bonifaciens distingués.

Les plus belles fêtes, cependant, sont celles qu'elles organisent elles-mêmes. Car Renée sait recevoir et ne manque pas de le faire savoir aux lectrices de la chronique mondaine de *La Liberté*. Ainsi, en décembre 1934, ces dernières apprennent que Renée a donné « une soirée impromptue en l'honneur de Mme Pierre de Saint-Denis » et, au mois d'août suivant, qu'elle a gentiment invité chez elle un petit groupe d'amis parmi lesquels se trouve la fine fleur de la jeunesse bonifacienne[109]. Souvent, Gabrielle met la main à la pâte. Avec Renée, elle rédige les invitations et prépare le programme de la soirée, où la musique et la danse sont à l'honneur. Le jour venu, elle apporte des plats préparés par sa mère et par Clémence, tandis que Renée apprête la maison de ses parents. Ensemble, elles accueillent les invités à leur descente d'auto et animent la soirée avec des manières dignes des meilleures hôtesses. Parmi les jeunes femmes en robe longue accompagnées de cavaliers en smoking, Gabrielle attire les regards. Non seulement elle est l'une des plus jolies de l'assemblée, avec sa robe d'un goût parfait qui met en valeur le brun cuivré de ses cheveux, ses yeux gris-vert que rehausse un maquillage discret, et ce sourire à la fois engageant et comme lointain qui éclaire son visage, mais elle est également la plus vive et la plus enjouée de toutes les filles présentes. Tandis qu'elle va d'un groupe à l'autre, elle fait tantôt l'espiègle, tantôt la sérieuse ; elle a toujours le goût de rire, de chanter, de discuter, et elle ne se lasse jamais de danser. Les hommes l'adorent, les femmes la trouvent drôle et gentille, sauf lorsqu'elle leur prend leur cavalier. La sœur de Renée, Thérèse, à qui elle vole le sien, lui en gardera rancune pendant longtemps.

À ces soirées assiste une autre amie intime de Gabrielle qui, sans être française, appartient elle aussi à une grande famille bourgeoise de Saint-Boniface. Elle s'appelle Paula Sumner. C'est la petite-fille de Louis-Arthur Prudhomme, ancien député, ancien juge, ancien président de l'Association d'éducation, historien, membre de la Société royale du Canada, bref, un personnage considérable. Paula, qui a cinq ans de moins que Gabrielle, assume pleinement son appartenance à une caste. Comme elle est à l'abri du besoin, elle n'exerce aucun métier et mène une existence que les mondanités, les voyages, les activités philanthropiques et culturelles suffisent à occuper. Grande, très belle, elle passe pour une femme « racée », comme on dit, un peu excentrique, voire snob, c'est-à-dire différente des autres, à cause sans doute de ses manières, de son langage soigné, de sa mise toujours impeccable et, bien sûr, de la famille à laquelle elle appartient.

Paula fréquente le Cercle Molière, et c'est là, semble-t-il, qu'elle noue une relation d'amitié avec Gabrielle. Cette relation est si intense que, parmi toutes ses amies de cette époque, Paula sera l'une des seules avec qui Gabrielle Roy restera en contact longtemps après son départ de Saint-Boniface. En 1955, elle dira encore de Paula : « Son amitié est une des plus précieuses choses que j'ai eues dans ma vie[110]. »

Sur quoi reposait cette amitié, il est difficile de le dire, faute de témoignages de la part des proches de Paula et parce qu'il semble que la correspondance entre les deux femmes n'ait pas été conservée. Tout ce qu'on peut imaginer, c'est que cette jeune femme de la « haute » société bonifacienne, intelligente, cultivée, libre de toute attache et à qui la vie paraissait avoir tout donné, représentait pour Gabrielle à la fois un idéal et une sorte d'alter ego. Sans doute leurs manières de voir, leurs attitudes, leurs goûts devaient-ils les rapprocher; sans doute partageaient-elles la même incapacité de s'identifier au milieu ambiant et rêvaient-elles de la même élévation, des mêmes merveilles, du même ailleurs où était pour elles la vraie vie.

Dans le cas de Paula, en tout cas, les choses ne vont pas traîner. À l'été 1937, la France envoie pour la première fois un consul à Winnipeg[111]. Il se nomme Henri Bougearel. Dans tout Saint-Boniface, et plus encore dans le petit milieu où évoluent Gabrielle et ses amies, l'événement a un retentissement considérable. Non seulement le diplomate incarne la France, c'est-à-dire la distinction même, mais il a la réputation d'être un homme de grande culture. D'abord, il a été attaché culturel au consulat de Montréal pendant quatre ans, mais ce n'est pas tout : il est élégant comme un dieu, il a quarante ans et il est célibataire. Or le grand triomphe de Paula, ce sera, justement, ce M. Henri Bougearel, qu'elle épousera quelques années plus tard. Devenir l'épouse d'un consul, peut-être un jour celle d'un ambassadeur, entrer par là dans le monde prestigieux de la diplomatie et, qui plus est, de la diplomatie française, quelle réussite plus éclatante une jeune femme peut-elle rêver ?

Le mariage de Paula aura lieu à Montréal en 1943, presque en même temps que celui de Renée Deniset qui, venue travailler à Ottawa pendant la guerre, y épousera un Irlandais. Pendant les années où elles sont encore à Saint-Boniface, les trois amies — car Renée est également proche de Paula — ne font que vivre leur jeunesse et songer à leur avenir. Gabrielle, en tout cas, y songe constamment, et avec plus de détermination encore qu'à l'époque de son adolescence. Elle a beau dépasser largement la vingtaine, elle a beau être bien établie dans son métier, il n'est pas du tout question qu'elle se range, qu'elle se fixe, qu'elle renonce à devenir celle qu'elle a toujours voulu être et dont elle ne sait toujours rien, sauf que ce « moi non encore né[112] » n'aura rien à voir avec son moi présent et le dépassera infiniment.

C'est dire que pour elle, l'avenir ne passe pas par le mariage. Se marier, ce ne serait pas seulement se lier à un homme et à une famille — autant dire s'immobiliser et se soumettre —, ce serait aussi quitter son poste à l'Institut Provencher et perdre ainsi toute indépendance, donc toute chance de réaliser ses ambitions. Aussi, comme l'héroïne de l'une de ses toutes premières nouvelles, « [aspire-t-elle] au célibat avec autant de ténacité que d'autres au mariage[113] ».

Ce qui ne veut pas dire qu'elle manque de soupirants, loin de là. Comme elle est non seulement attirante, ainsi que le prouvent les photos de l'époque, mais brillante, spirituelle et audacieuse, les hommes se bousculent à ses pieds. Il n'en est aucun, cependant, qui réussisse à la retenir. Ceux qui ont le moins de chance sont les jeunes Canadiens français, qu'elle trouve plutôt vulgaires et de peu d'envergure. Quant à ceux qui parviennent à l'approcher, ils sont tous — comme ses amies — d'un autre milieu que le sien et tous, à quelque degré, intéressés par la vie théâtrale et artistique.

C'est le cas, par exemple, de Bohdan Hubicki, dont le frère Taras, époux de Suzanne LeGoff et donc beau-frère de Pauline Boutal, est un professeur de musique fort apprécié du petit milieu bonifacien. Ukrainien d'origine, Bohdan est un jeune homme blond, au physique délicat, qui n'a qu'une passion, le violon, dont il joue en virtuose, notamment au cours des soirées du Cercle Molière. Gabrielle et lui, se rappelle Léonie Guyot, « avaient quelque chose en commun. Étant tous les deux de tempérament artiste, ils avaient les mêmes goûts[114] » et les mêmes rêves. Mais Bohdan est encore plus impatient que Gabrielle : lui qui n'a pas le sou, il s'embarque bientôt pour l'Angleterre où il compte poursuivre sa formation musicale et faire carrière.

Outre Bohdan, il y a Clelio Ritagliati, un fils d'immigrants italiens également violoniste et qui, lui aussi, part pour l'Angleterre en 1936. Mais ni Bohdan ni Clelio, semble-t-il, n'ont été pour Gabrielle de véritables « *steady boyfriends* », même si l'un comme l'autre n'auraient sans doute pas demandé mieux. Elle les voit plutôt comme des amis un peu plus intimes que les autres, eux dont la sensibilité, les préoccupations et les ambitions s'accordent avec les siennes. En outre, ce sont des jeunes gens raffinés, polis, qui la trouvent charmante et qui, surtout, croient en son talent et l'encouragent à s'y donner tout entière.

Avec d'autres de ses cavaliers, par contre, Gabrielle n'éprouve pas nécessairement les mêmes affinités. Ainsi, elle fréquente pendant quelque temps un certain Brooke, de Winnipeg, qui est très beau garçon — du genre « *matinée idol* », selon Léonie —, mais un peu prétentieux. Le flirt cesse après un ou deux rendez-vous[115]. Avec Guy Chauvière, en revanche, la relation qui se noue dans le courant de 1935 dure un peu plus longtemps. Il faut dire que Guy est français. Il a un an de plus que Gabrielle, enseigne au secondaire et sa mère, Éva Chauvière, est très active au Cercle Molière. C'est un jeune homme de haute taille, à l'allure de gentleman, qui souffre d'une légère claudication de la jambe droite, ce qui le porte à une certaine timidité. Mais il est cultivé, s'exprime avec beaucoup d'élégance et de correction et, ayant hérité des belles manières de ses parents, se montre d'une parfaite courtoisie avec Gabrielle. Non seulement c'est lui qui l'accompagne dans les réceptions mondaines, mais ils se téléphonent souvent, vont au théâtre et au cinéma ensemble, quand ils ne passent pas tout bonnement la soirée chez les parents de Guy, où Gabrielle est ravie de retrouver la distinction et le bon goût français.

Guy, cependant, ne se fait pas d'illusions. Il voit bien que Gabrielle n'est pas pour lui. C'est une jeune femme trop exigeante, trop entière dans son désir de réussite et d'un caractère trop entêté pour qu'il ait quelque chance de l'épouser. « Elle voulait tout posséder », se rappelle-t-il, et il ajoute : « Je ne sais pas de quelle façon, elle n'était pas heureuse vraiment. Ça se sentait. Ma mère le savait, tout le monde le savait. Elle n'était pas heureuse[116] ».

Pas heureuse, c'est-à-dire constamment insatisfaite, fébrile, hantée par son besoin d'une autre vie, d'un autre monde. C'est pourquoi ses amours ne durent jamais bien longtemps, si tant est qu'on puisse parler d'amours pour désigner ces relations où son cœur ne paraît jamais engagé. Certes, elle aime séduire et se laisse fréquenter par beaucoup de jeunes gens. Mais à aucun d'eux elle ne se lie de manière un peu sérieuse ni ne promet quoi que ce soit. Il ne semble pas non plus que l'un d'eux ait été son amant. Gabrielle, sur ce plan, se comporte comme toute jeune femme bien élevée de cette époque : elle est réservée, pudique, et s'interdit tous rapports sexuels avant le mariage. Cette chasteté ne lui pèse guère, sans doute, puisqu'elle est à la fois le prix et le gage de sa liberté présente, de son épanouissement futur.

Son attitude volage n'est pas sans hérisser Adèle et Anna qui ne manquent pas, par dépit peut-être, d'y voir une autre preuve de l'égoïsme de leur sœur. « Jolie et dans l'épanouissement de sa jeunesse, écrira Adèle dans une de ses charges contre Gabrielle, elle plaisait aux jeunes gens de son âge. Câline et enjôleuse, dès qu'un ami la fréquentait, elle se frôlait doucement contre lui et, le visage souriant, minaudait. [...] Plus d'un ami, pauvre et sérieux, après une ou deux cajoleries de la belle, s'éloignait sagement d'elle, estimant qu'il n'avait pas les moyens de satisfaire les goûts exigeants d'une *gold-digger*[117] ».

En fait, si quelques-uns des soupirants de Gabrielle prennent peur devant son ambition et ses « goûts exigeants », la plupart du temps c'est elle qui se désintéresse d'eux et cesse de les fréquenter au bout de quelques semaines ou de quelques mois. Si bien que, couverte d'hommages masculins, elle demeure en même temps inaccessible, vierge et libre de toute attache. Moi qui, « en amour, l'[inspirais] alors comme je respirais, écrira-t-elle plus tard, [je] ne m'y laissais pas prendre encore[118] ».

La hargne d'Adèle devant les agissements de sa jeune sœur peut se comprendre. Elle reflète l'opinion que partagent alors plusieurs des proches de Gabrielle, qui la voient leur échapper et se détourner de plus en plus de leur monde à eux, de leurs valeurs, de leurs usages, de leur morale commune, et en particulier de leur conception de ce que doit être une jeune femme de son âge et de sa condition.

Ainsi, pour Adèle, les gens que fréquente « Cad » (pour « cadette », le surnom de Gabrielle) exercent sur elle une influence « plus ou moins désirable », notamment le couple Boutal. « Ces émigrants, écrit Adèle, montraient une certaine pitié pour les Canadiens français qui faisaient de nombreux enfants sans se soucier de leur instruction. Au contact de ces "intellectuels" qui vantaient leur culture, Gabrielle éprouva une certaine gêne en pensant à ses parents[119] » et se mit à regretter, sinon à mépriser, le milieu dans lequel elle était née.

Et il est vrai que beaucoup de choses, dans la vie que mène Gabrielle au cours de ces années, l'éloignent de sa famille et de son milieu d'origine. Non seulement elle vit une bonne partie de sa vie en anglais, écrit et fait du théâtre en anglais, mais elle passe beaucoup de temps à Winnipeg, fréquente des immigrants et déserte le voisinage de la rue Deschambault. Non seulement elle n'a que des cavaliers français ou « étrangers », mais elle refuse le mariage et ne songe qu'à son plaisir. Quant à ses amies, non seulement elle les choisit parmi les filles de la « haute », mais elle se livre avec elles à des activités normalement réservées aux riches, sport, villégiatures, théâtre et autres frivolités dont les petites gens n'ont que faire, surtout en cette période de crise économique et de difficultés de toutes sortes.

Mais ce que ne sait pas Adèle, c'est que l'émancipation — ou la révolte — de Gabrielle est beaucoup plus profonde que ne le laissent voir ces manifestations extérieures de non-conformisme. Au cours de cette période, en effet, on peut dire que la jeune femme ne cesse de s'éloigner du monde d'où elle vient, un monde qui lui semble petit, arriéré, étouffant. Elle ne s'y reconnaît plus, ne s'y sent plus chez elle et ne cherche plus, au fond, qu'à s'en dégager pour affirmer sa propre personnalité.

Cela se voit, par exemple, dans le peu d'enthousiasme qu'elle montre à l'égard de la solidarité nationale et religieuse. Comme enseignante, comme ancienne lauréate de l'AECFM, elle devrait en principe donner l'exemple et se dévouer généreusement à la « cause ». Or tout cela la laisse froide. Certes, elle assiste aux congrès annuels de l'Association d'éducation et aux réunions de la Fédération des institutrices catholiques — ne pas le faire risquerait de lui attirer de graves ennuis professionnels —, mais sa participation reste purement passive, et les discours enflammés sur l'urgence qu'il y a pour les « Manitobains de race française », comme le proclame alors Lionel Groulx, de « se serrer autour de leurs clochers », de « se cramponner au sol[120] » et de se défier de toutes les menaces du monde moderne, ces discours non seulement ne la touchent plus, mais lui paraîtront bientôt l'expression même de cet esprit étroit qu'elle veut fuir.

Sur le coup, elle se garde bien d'afficher sa dissidence, car elle tient à sa réputation, c'est-à-dire à son poste. Mais en privé, avec ses amis du Cercle Molière ou en compagnie de Renée et de Paula, elle se moque allégrement des prêches patriotiques et de la peur des étrangers. Et plus tard, quand elle sera libre de parler, elle reviendra volontiers sur cette atmosphère de haine et d'intolérance dans laquelle elle déclarera avoir été élevée. On nous apprenait, confiera-t-elle à un correspondant en 1946, « que même si les Anglais et les protestants pouvaient aller au ciel par quelque voie indirecte, il n'était pas bon pour nous de les fréquenter[121] ». « Notre vie, écrira de même la narratrice de *La Détresse et l'Enchantement*, en était une de repliement sur soi, menant presque inévitablement à une sorte d'assèchement. [...] On eût dit parfois que nous vivions dans quelque enceinte du temps des guerres religieuses, quelque Albi assiégée ou autre cité malheureuse protégée de tous côtés par des défenses, des barbacanes, des interdits[122]. »

Comme d'autres jeunes artistes et intellectuels le font à la même époque au Québec, où fleurit alors *La Relève*, elle se désolidarise du vieux nationalisme conservateur et plus ou moins xénophobe qui domine autant à ce moment-là, sinon plus, dans les institutions sociales, religieuses et scolaires du Manitoba canadien-français que dans celles du Québec. Elle le fait certainement par conviction, parce que cette xénophobie lui paraît contraire à l'idéal de fraternité et d'entente qui prend forme chez elle au contact de ses élèves et de ses amis anglophones, ukrainiens et français — idéal qui s'exprimera, on le sait, dans ses œuvres futures. Mais elle le fait aussi, et peut-être surtout, par besoin de liberté personnelle, pour s'opposer au contrôle que prétend exercer sur elle, comme sur chaque individu qui en fait partie, et singulièrement sur les femmes, la petite société frileuse à laquelle elle appartient et dont il lui faut sortir à tout prix pour réaliser ce qu'elle croit être son destin.

Cette indifférence, voire ce dédain que lui inspire la « survivance », caractérise aussi, et de plus en plus, son attitude envers la religion. Il est évident que le contexte, la bienséance et sa dépendance à l'égard des autorités scolaires de Saint-Boniface lui interdisent de se montrer ouvertement agnostique ou non pratiquante ; elle est tenue d'enseigner la religion aux enfants catholiques de sa classe, chaque jour entre 15 h 30 et 16 h 00, bénévolement, comme le font toutes ses collègues de l'Institut Provencher, et tout cela, se rappelle Léonie Guyot, lui paraît « insignifiant, pour ne pas dire abrutissant[123] ». Sans en rien dire à personne, elle délaisse assez tôt la foi de son enfance, « rebutée, comme elle le confiera bientôt à Adèle, par la conception que la plupart des gens, bien souvent les gens d'Église, se font de Dieu ». Personne, ajoute-t-elle, n'a « réussi à me donner de Dieu une image qui s'élevât au-dessus du médiocre » ; tout ce qu'on lui a inculqué, dit-elle encore, c'est la « terreur de Dieu, ou si tu veux, un manque de foi dans la certitude que Dieu m'aime, moi[124] ». Comment ne se sentirait-elle pas « en révolte », comme elle le dira dans *La Détresse et l'Enchantement*, « contre un esprit qui voyait le mal partout, réclamait pour lui seul la possession de la vérité et nous eût tenus à l'écart, s'il l'avait pu, de tout échange avec la généreuse disparité humaine[125] » ? Plus proches de son cœur lui semblent les idées d'un Jean-Jacques Rousseau, qu'elle lit en cachette et dont elle partage l'esprit de tolérance et le mysticisme axé sur le sentiment de la nature et l'amour des hommes — lecture qui la fait passer, même parmi ses amis, pour une « libre-penseuse ».

Au point de vue idéologique, Gabrielle nourrit donc, sans oser toujours les avouer publiquement, des pensées plutôt avancées pour son époque et pour son milieu. Selon un chroniqueur, elle compterait même parmi ses amies Grace Woodsworth, la fille du fondateur du nouveau parti travailliste CCF, parti dont elle partagerait pour l'essentiel les opinions socialisantes[126]. Bien qu'incertain, ce fait ne paraît pas du tout impossible, compte tenu du climat général de ces années et du caractère de la jeune Gabrielle, volontiers portée sur les conceptions audacieuses et « modernes ». Les idées de gauche, qui suscitent la méfiance dans le petit monde traditionaliste d'où elle vient, sont à Winnipeg et dans les milieux où elle fraye des idées très largement répandues en cette période de crise économique et de *New Deal*. Le propre neveu de Gabrielle, Paul Painchaud, n'ira-t-il pas jusqu'à se déclarer ouvertement communiste ? Ce qui n'améliorera guère la réputation de mauvais garnement qu'il partage avec ses deux frères.

Mais si la politique et les questions sociales la touchent, elles ne semblent pas être, pour la Gabrielle Roy de cette époque, une préoccupation vraiment importante. Ce qui compte d'abord pour elle, ce qui oriente ses comportements, ses pensées, ses désirs, c'est bien plutôt sa libération personnelle et son propre salut.

Une famille pendant la crise

Avant de mourir en février 1929, Léon Roy n'a pas fait de testament, puisqu'il ne possédait pratiquement plus rien, sauf une assurance-vie de 825 dollars que Mélina a touchée. La maison — dont il s'était départi quelques années plus tôt en faveur de sa femme — restait grevée d'une hypothèque de 1 200 dollars. L'argent de l'assurance ainsi qu'un don de quelque 500 dollars d'Adèle ont servi au règlement de ladite hypothèque, si bien que Mélina, devenue veuve, s'est retrouvée à la fois propriétaire et sans le sou[127], avec à sa charge la pauvre Clémence, incapable de gagner sa vie.

Au début, elle arrive à se débrouiller. La maison étant devenue trop grande, elle obtient d'Albert Painchaud, le mari d'Anna, qu'il transforme l'étage supérieur en un appartement séparé qu'elle pourra louer. En fait, l'idée vient surtout d'Anna et d'Albert, qui en profitent pour s'installer dans le nouveau logis fraîchement aménagé. Ils y habiteront jusqu'en 1934, en accaparant parfois, quand leurs fils seront à la maison, une partie du rez-de-chaussée. Par la suite, si l'on s'en rapporte au bottin *Henderson's*, les locataires s'appelleront Defoort, Gillespie, DeCrane, à moins qu'il ne s'agisse de simples pensionnaires que

Mélina héberge pour arrondir ses fins de mois. Elle continue aussi de faire des lessives ou des travaux de couture ; Rodolphe et Adèle lui envoient de temps à autre un peu d'argent. Enfin, il y a Gabrielle qui, depuis qu'elle enseigne à Provencher, lui verse pour son gîte et son couvert 25 des quelque 100 dollars qu'elle gagne chaque mois.

Mais l'argent que lui donne Gabrielle, Mélina n'en voit pas vraiment la couleur et n'en profite guère pour elle-même, non plus que Clémence. Car Gabrielle est une pensionnaire exigeante. En échange de ses dollars, elle veut que la maison soit digne du milieu qu'elle fréquente. C'est Mélina qui paie l'abonnement au téléphone, rénove le mobilier, garde la maison propre et avenante afin que Gabrielle puisse recevoir convenablement ses invités et ses soupirants. En décembre 1933, par exemple, on peut lire dans *La Liberté* :

> M. et Mme Arthur Boutal ont donné une charmante réception samedi soir, au domicile de Mlle Gabrielle Roy, 375, rue Deschambault, en l'honneur des artistes qui ont pris part à la représentation de « Blanchette ». Un succulent souper fut servi[128].

On imagine sans peine quels rôles sont assignés à Mélina et à Clémence pendant cette « charmante réception » et ce « succulent souper », elles qui n'ont jamais mis les pieds à une représentation du Cercle Molière et doivent se sentir bien intimidées par les amis distingués de Gabrielle.

En fait, celle-ci n'a guère, comme on dit, le cœur sur la main. Bien sûr, elle paie scrupuleusement son dû, mais il ne faut pas lui demander davantage. Durant les mois d'été, par exemple, comme elle ne touche pas de salaire, elle ne donne rien, si bien que Mélina doit condamner la maison jusqu'à l'automne et s'en aller travailler à la ferme d'Excide avec Clémence. C'est que Gabrielle a beaucoup de dépenses. Outre ses robes, un manteau de fourrure, ses articles de sport et toutes ses sorties, elle s'offre des vacances, tantôt au bord d'un lac, comme en 1935 avec Renée Deniset, tantôt au Québec, où elle se rend au moins à deux reprises au cours de ces années-là.

Le premier voyage a lieu à l'été 1932[129]. Partie vers la mi-juillet avec des cousins, elle franchit en auto les quelque deux mille cinq cents kilomètres qui la séparent de la région natale de sa mère, où elle découvre enfin les paysages dont celle-ci n'a cessé de l'entretenir depuis son enfance. De ce premier contact avec le Québec et les Québécois, elle dira dans *La Détresse et l'Enchantement* qu'il l'a laissée déçue et un peu amère[130]; elle rentre au bout de deux mois, déclarant à *La Liberté* qu'elle a profité de son passage à Montréal « pour prendre des leçons d'élocution[131] ». Quant au second voyage, il a lieu deux ans plus tard, au printemps 1934, lorsque, à la suite du triomphe de *Blanchette* au festival d'Ottawa, « Mlle Gabrielle Roy et M. Henri Pinvidic prolongent leur séjour dans l'Est pour visiter des parents et des amis[132] ».

Gabrielle, en somme, a trop de besoins pour accepter de « jeter [son] argent dans un gouffre[133] ». Sans compter qu'à partir du moment où elle forme le projet de quitter le Manitoba, il lui faut, chaque mois, économiser à cette fin une petite partie de son salaire. Tout cela, bien sûr, la fait passer auprès des siens pour peu généreuse. Ainsi, à Antonia, la femme de Germain, qui lui fait part de son intention de choisir Gabrielle comme marraine de son premier enfant, Mélina répond : « Tu sais, Gabrielle est pas *donneuse*. Tu ferais mieux de prendre Anna. »

Mélina, pourtant, ne se plaint pas. Gabrielle a beau ne pas être prodigue avec elle et avec Clémence, elle a beau se montrer exigeante et parfois même maussade ou capricieuse, du moins elle reste auprès d'elle et l'aide à supporter sa solitude. Entre la mère et la fille, les relations ne sont pas toujours faciles ; Mélina reproche souvent à Gabrielle sa vie exténuante, son désordre, ses idées et ses comportements si peu conformes à ceux d'une jeune femme bien. Gabrielle réplique sans aménité, récriminant à son tour, ainsi que le faisait naguère Léon, contre les cachotteries et les manies de la vieille femme. Mais rien de tout cela n'empêche Mélina de continuer à se sentir plus proche de Gabrielle que d'aucune autre de ses filles. La beauté, l'exubérance, l'ambition même de sa plus jeune fille la fascinent, comme si elle retrouvait en elle sa propre jeunesse, comme si elle prenait, à travers la vie de Gabrielle, une revanche sur sa propre vie. Il n'y a personne, parmi ses enfants et ses proches — que ce soit Anna, sa bru Antonia, Léontine, la femme de son petit-fils Fernand, ou sa sœur Rosalie à qui elle rend visite régulièrement —, qui sache la distraire autant que Gabrielle, qui la fait rire à gorge déployée et l'entraîne dans toutes sortes de conversations, de rêves et de folies qui ne sont plus de son âge. Il arrive encore à Gabrielle de venir s'asseoir sur les genoux de sa mère pour la taquiner et se faire câliner comme une enfant. De tels comportements, une telle complicité entre la mère et la fille ne peuvent que scandaliser Adèle, bien sûr, pour qui Mélina est une sexagénaire vénérable à qui l'on doit dévotion et respect.

> Mes sœurs aînées m'en voulaient un peu à cause de cela, écrit la narratrice de *La Détresse et l'Enchantement*. « La mère lui passe tout, disaient-elles. Elle a un faible pour elle. » Ce n'était pourtant pas tout à fait ainsi. La vérité c'est que, ma mère étant âgée et moi, jeune, j'étais devenue comme le soleil de sa vieillesse[134].

Que Mélina ait tendance à tout « passer » à sa fille, qu'elle se sente incapable de la rabrouer et d'imposer son autorité, cela se comprend. Gabrielle n'est plus une enfant, elle gagne sa vie, elle paie sa pension ; comment, au nom de quoi Mélina aurait-elle encore un quelconque pouvoir sur elle ? Et d'ailleurs, en a-t-elle jamais eu ? Depuis toujours, Gabrielle est sa petite chérie, son enfant pas comme les autres, sa joie et sa fierté. Lorsqu'ils avaient l'âge de Gabrielle, ses autres enfants étaient déjà partis, tandis que celle-ci demeure à ses côtés. N'est-ce pas plutôt elle, Mélina, qui devrait exprimer sa gratitude et sa soumission ?

À partir du moment où elle revient vivre dans la maison de sa mère, Gabrielle retrouve la position qui a été la sienne dès l'adolescence, celle d'étrangère et de princesse, position que la disparition du père rend plus évidente et plus incontestée que jamais. Étrangère, elle l'est parce qu'elle n'appartient plus à sa famille ; ses occupations, ses amitiés, ses rêves, sa façon de vivre et de penser, tout l'éloigne de la rue Deschambault, où elle ne vient plus que pour manger, dormir et se retirer dans sa chambre ; si elle le veut, elle peut y vivre sans s'occuper de personne, comme une simple pensionnaire. Mais cette pensionnaire est aussi la princesse de la maison. Fille majeure et pourvoyeuse, elle n'a aucun compte à rendre, ne dépend de personne, alors que les autres, c'est-à-dire la mère et Clémence, vivent pour ainsi dire sous son emprise, sinon à son service. C'est elle qui prend les décisions, c'est en fonction de ses besoins que s'organisent les activités domestiques, et Mélina comme Clémence n'ont d'autre choix que de se plier à ses volontés, à ses projets, voire à ses humeurs et à ses caprices. Pauvre princesse, toutefois, que celle qui règne sur une maison « sombre et triste », entre une quadragénaire qui bougonne et une vieille femme qui passe ses journées à se bercer dans la cuisine.

À mesure que la crise économique se prolonge et que ses effets se font sentir de manière plus immédiate dans la maison de la rue Deschambault, la position de Gabrielle devient plus difficile. Il faut peu d'années, en effet, pour que sa mère se trouve privée des maigres ressources financières dont elle disposait jusque-là. À cause du chômage, pensionnaires et locataires se font rares, et ceux qui restent ont toutes les peines du monde à s'acquitter de leur dû ; Anna elle-même, dont le mari et les fils ne travaillent pas, espace ses versements. Aux prises eux aussi avec les difficultés de l'époque, Rodolphe et Adèle n'envoient presque plus rien à la maison. Le premier perd la place de chef de gare qu'il avait fini par décrocher et rentre à Saint-Boniface, où il devient une sorte de clochard, vivant d'expédients et brûlant le peu qu'il gagne dans l'alcool et le jeu. Adèle, pour sa part, poursuit toujours son errance, mais se trouve de plus en plus souvent à court d'argent. Après la mort du père, elle a tenté sa chance une deuxième fois à Montréal, comme employée de bureau, mais les débuts de la crise l'ont obligée à rentrer presque aussitôt dans l'Ouest et à reprendre son métier d'institutrice dans des villages perdus d'Alberta : Durlingville, Saint-Paul-des-Métis, Beaumont, Charron et enfin Tangent, village minuscule de la vallée de la Rivière-la-Paix où elle se fixe en 1935. Certes, elle a un emploi, mais les conditions de travail des enseignantes rurales se détériorent d'année en année. Adèle, qui est pourtant bachelière, gagne à peine de quoi vivre, et elle n'est pas la seule frappée ; Germain et sa femme Antonia le sont aussi, qui doivent accepter de travailler dans des écoles du bout du monde et se contenter de salaires de famine, quand on ne leur offre pas uniquement le gîte et le couvert en échange de leurs services. Quant aux deux autres enfants, ce n'est même pas la peine d'en parler. Bernadette, que sa communauté a exilée depuis 1927 à Kenora, dans le nord de l'Ontario, est mutée en 1935 à Keewatin, où on la nomme supérieure du couvent ; elle n'a pratiquement plus de « permissions » pour venir à la maison et, de toute façon, ne possède rien. Joseph, enfin, est toujours aussi absent ; on entend dire qu'il a tout perdu et s'est joint aux hordes de chômeurs ambulants qui parcourent le pays, resquillent dans les convois du CPR et terrorisent les édiles.

Mélina, en somme, ne peut plus compter sur personne. Sa situation devient quasiment désespérée. Elle n'arrive plus à payer les taxes sur la maison et se voit forcée d'accueillir chez elle des gens sur le *relief* (secours direct) afin d'acquitter une partie de ce qu'elle doit à la municipalité. Plus que jamais, elle se met à rogner sur chaque dépense, à chercher la moindre occasion de gagner quelques sous, à inventer des moyens de « *boucher des trous*, d'emprunter ici pour payer celui-là, de courir au plus pressé, de colmater partout », n'ayant en tête que l'argent, « les dettes, les taxes, les intérêts composés, ce cercle infernal, peut-on lire dans *La Détresse et l'Enchantement*, qui nous tenait de plus en plus étroitement enfermées[135] ».

Pour Gabrielle, cette situation a quelque chose d'intenable. Sans doute, les difficultés matérielles dans lesquelles se débat sa mère l'affligent, ne serait-ce que parce qu'elles empoisonnent l'atmosphère de la maison, mais le pire n'est pas là : il est dans le fait que ces difficultés la menacent directement, elle, Gabrielle, non pas de pauvreté (puisqu'elle conserve son emploi et son salaire), mais de responsabilité, pourrait-on dire, c'est-à-dire de l'obligation de prendre sur elle l'entretien de sa mère et les dépenses de la maison. Son salaire, qui se maintient à près de cent dollars par mois durant toutes ces années, suffirait à les faire vivre, elle, sa mère et Clémence, et à couvrir le coût des taxes, du chauffage et des réparations à faire dans la maison. Mais il faudrait pour cela que Gabrielle accepte de doubler ou de tripler le montant de sa pension mensuelle et qu'elle cesse par conséquent d'économiser. Qu'elle renonce, en somme, à son indépendance, à sa jeunesse sans contrainte et, par-dessus tout, à ce qui lui tient le plus à cœur : ses projets, son avenir, la vraie vie qui l'attend, là-bas, ailleurs.

Or, à ce sacrifice, à cette négation d'elle-même et de ses rêves, jamais elle ne pourra se résoudre. C'est pourquoi l'accablement que lui causent les problèmes financiers de Mélina, loin de lui faire remettre en cause ses projets, a pour effet de les raffermir, au contraire, et d'en souligner toute l'urgence. « C'est au cours de ces dures années […], dira-t-elle, que je ne songeais plus, moi, qu'à prendre mon envol[136] ». Tout se passe, en d'autres mots, comme s'il y avait un lien entre la misère où s'enfonce Mélina et le désir d'évasion de Gabrielle, qui devient alors plus fort, plus irrésistible que jamais. Comme s'il ne s'agissait plus seulement pour elle de s'accomplir, mais de fuir en même temps les devoirs que risquent de lui imposer la vieillesse et la pauvreté de sa mère.

Aussi ne lui reste-t-il plus qu'à trancher les derniers liens et à se libérer définitivement. Sa décision est prise : elle partira pour l'Europe.

Avant de relater les faits et gestes par lesquels cette décision va se traduire, arrêtons-nous un moment à cette situation pour le moins unique : une jeune femme ayant tout pour elle — éducation, métier, salaire — refuse à sa vieille mère dans le besoin le soutien qu'elle est la seule à pouvoir lui apporter. Tout Gabrielle Roy, en un sens, se joue dans ce refus, dans cet acte de rupture aussi courageux que terrible. Car sans cela, sans cette infidélité filiale, que serait-il advenu d'elle ? Aurait-elle pu être la femme et la romancière qu'elle est devenue ? « Un écrivain, déclarera-t-elle quelques années plus tard, doit être prêt à sacrifier tout ce qui se met en travers de son apprentissage, de son travail, de sa pensée et de son imagination[137]. »

Mais d'un autre côté, ce geste, cet arrachement par lequel elle se choisit elle-même, jamais la femme ni la romancière ne s'en remettra. Sur le coup, la jeune femme ne songe qu'à se délivrer et à naître pleinement à elle-même. Mais sa mère, le souvenir de sa mère abandonnée se mettra un jour à la tourmenter au point d'envahir non seulement sa vie, sa pensée et la conscience qu'elle a d'elle-même, mais jusqu'à son écriture, qui deviendra dès lors une longue entreprise de rachat, de réparation du passé, autant dire une entreprise interminable, car le passé, bien sûr, ne saurait être réparé, mais il ne saurait non plus être laissé sans réparation.

Fuir ! là-bas fuir !

Le besoin de quitter Saint-Boniface est en Gabrielle depuis très longtemps. C'est même, pourrait-on dire, la grande constante de toutes ses années de jeunesse. Dès l'adolescence, quand elle prend conscience des conditions de vie de sa mère et, plus largement, de son « pauvre peuple dépossédé[138] », ce besoin, sans qu'elle le sache, s'insinue en elle et commence à la pousser ; vouloir venger les siens, ou vouloir leur échapper, c'est déjà, en fait, vouloir les quitter. Puis, lorsqu'elle atteint l'âge adulte et se met à gagner sa vie, l'idée, tout en demeurant lointaine et comme improbable d'abord, se précise, devient projet, résolution, véritable obsession : « j'étais comme possédée, dira-t-elle, par la folie de m'arracher au sol[139] ».

Partir, s'arracher, certes, mais pour aller où ? Cette question, Gabrielle ne se la pose même pas, pas plus que tout jeune Canadien français de l'époque attiré par l'art et par la pensée. Ce sera l'Europe, bien sûr, ce sera la France, le pays de la culture et de la beauté, le pays du théâtre et de la littérature, du beau langage et de l'art de vivre — le pays des Boutal et de tous ses amis distingués de Saint-Boniface. C'est ce que Gabrielle Roy expliquera quelques années plus tard à Rex Desmarchais, en évoquant « la situation particulière dans laquelle nous nous trouvions, quelques-uns de mes compagnons et compagnes ainsi que moi-même », dans le Manitoba des années trente :

> L'enseignement et le théâtre, en particulier, nous ouvraient des horizons sur la culture et tout spécialement sur la littérature. Par contre, nous nous rendions clairement compte que les pauvres milieux culturels qui existaient dans l'Ouest canadien étaient absolument insuffisants pour nous permettre le plein développement de nos facultés,

de nos possibilités intellectuelles, littéraires, artistiques. Nous soupirions ardemment vers les eaux vives et abondantes qui jaillissaient aux sources mêmes, en Europe, en France. Un voyage, un séjour de l'autre côté de l'Atlantique, c'était pour nous plus qu'un rêve : une hantise[140] !

Très tôt, Gabrielle a su que le séjour en Europe était une condition indispensable à son apprentissage d'artiste, de comédienne ou d'écrivain, et très tôt elle a pris la résolution d'y aller. Dès sa première année d'enseignement, elle commence à mettre un peu d'argent de côté, « sou par sou[141] », en vue de ce voyage dont la pensée ne la quitte pas. Tout en elle est tension, attente de la grande aventure à venir. Faire du théâtre, écrire, fréquenter le petit milieu artistique de la ville, ne pas se laisser prendre à l'amour sont autant de manières de rendre son départ pour l'Europe à la fois possible et nécessaire. Car ce départ, auquel elle songe comme à l'accomplissement du « curieux rêve qui me poussait depuis des années à atteindre quelque chose que je ne connaissais pas et qui me ferait moi-même[142] », ce départ est son espoir, c'est l'échappée vers cette autre existence, vers cette autre elle-même, vers les « mille possibilités du destin » qui sont « toutes en avant, presque toutes intactes encore[143] » et lui adressent, comme à la Christine de « La route d'Altamont », un appel auquel elle devra répondre sous peine de rater sa vie.

Pendant des années, la jeune femme se contente d'entendre cet appel sans pouvoir y donner suite. Mais plus le temps passe et plus son impatience s'accroît, en même temps que le dégoût de sa vie présente et la peur d'y être emprisonnée à jamais. Ainsi, comme à la narratrice de *Ces enfants de ma vie*, la perspective de « devoir rester toute [sa] vie enchaînée à [sa] tâche d'institutrice » lui inspire bientôt une sorte d'« effroi[144] ».

> L'avenir s'en vint se jeter sur moi pour me peindre mes années à venir toutes pareilles à aujourd'hui. Je me voyais dans vingt ans, dans trente ans, à la même place toujours, usée par la tâche, l'image même de mes compagnes les plus « vieilles » que je trouvais tellement à plaindre[145].

Plus largement, c'est toute sa vie à Saint-Boniface qui se met à lui peser, à se détacher d'elle, en quelque sorte, et à lui paraître stagnante et dépourvue de sens. Une trentaine d'années plus tard, dans un très beau passage de « La route d'Altamont », récit où elle dit avoir transposé « l'essentielle vérité » de cette époque de sa vie[146], la romancière recréera sur le mode fictif le sentiment qui s'empare alors de son esprit et lui fait désirer plus ardemment que jamais le moment où elle pourra enfin partir. Christine, la narratrice, entend une voix en elle qui lui dit : « Qu'attends-tu donc pour partir ? Tôt ou tard, tu devras le faire… »

> J'étais tentée de demander : « Qu'es-tu, toi qui me poursuis ainsi ?… » mais je n'osais pas, apercevant que cet être étranger en moi, insensible s'il le fallait à la peine qu'il me ferait et ferait à d'autres, c'était aussi moi-même. […]
>
> Je marchais dans notre petite ville, et elle était devenue à mes yeux inconsistante et pâle comme une ville de cinéma : les maisons de chaque côté des rues étaient de carton-pâte, les rues elles-mêmes vides, car les passants qui me frôlaient, c'est à peine si je les entendais venir, si je leur voyais un visage ; la neige, c'est à peine si je comprenais qu'elle tombait sur moi ; moi-même, au reste, j'étais occupée par une sorte d'absence, si l'on peut dire…
>
> Parfois une très singulière question montait de moi comme du fond d'un puits : « Que fais-tu ici ? » Alors, je jetais les yeux autour de moi, je tâchais de me retenir à quelque chose, hier familier pourtant, en ce monde qui se dérobait.
>
> […] Tout le long du jour m'accompagnait sans désemparer cette petite phrase en apparence insignifiante mais si bouleversante : « C'est fini, ce n'est plus ici chez toi. Tu es ici à l'étranger maintenant[147]. »

Sa décision définitive, Gabrielle la prend, semble-t-il, vers le début de l'année 1936, c'est-à-dire un peu avant son vingt-septième anniversaire. Elle ne connaît pas encore la date exacte de son départ, mais une chose désormais est sûre : elle ira en Europe, et son départ aura lieu dès que possible.

Dès que possible, c'est-à-dire dès qu'elle aura amassé suffisamment d'argent, pris les dispositions nécessaires et réglé du mieux qu'elle le peut le sort de sa mère et de Clémence, de manière que les deux femmes ne dépendent plus d'elle et puissent malgré tout se débrouiller en son absence.

La première chose à faire, c'est de se débarrasser de la vieille maison de la rue Deschambault, qui, dira plus tard la narratrice de *La Détresse et l'Enchantement*, « nous suçait vivants[148] », car elle coûte cher et ne rapporte plus rien. Mélina hésite ; cette maison, après tout, renferme tous ses souvenirs et représente le seul port d'attache où reviennent de temps à autre ses enfants dispersés aux quatre coins du pays. Mais elle n'a bientôt plus le choix. Le montant des taxes impayées est si élevé que la municipalité ordonne, à l'été 1935, la vente de la maison, qui sera conclue le 29 avril 1936, au moment même où Gabrielle rentre d'Ottawa, la tête encore pleine du triomphe des *Sœurs Guédonec*. La transaction s'élève à 2 842 dollars ; de ce montant, plus de 1 000 dollars vont directement à la municipalité, si bien que l'acheteur, Frédéric Saint-Germain, ne paie à Mélina que 1 800 dollars, soit 150 dollars comptant et 200 dollars par an, portant intérêt à un taux de 5 p. 100, ce qui équivaut à un peu moins de 18 dollars par mois pendant huit ans. La transaction prévoit également que Mélina pourra habiter l'étage de la maison, contre un loyer mensuel de 20 dollars[149].

Le déménagement a lieu au début du mois de mai. Mélina doit brader une partie de ses meubles, qui n'auraient pas leur place dans le logis de trois pièces. Anna, qui habite maintenant Winnipeg, en profite pour s'emparer du piano ; elle le paie 50 dollars, à raison de quatre dollars par mois. Pour Gabrielle, ces arrangements sont plutôt satisfaisants. Certes, Mélina perd sa grande maison, sa galerie, sa cour, ses fleurs et se voit obligée, à soixante-neuf ans, pour aller à la messe ou se rendre chez Anna ou Rosalie, de descendre et de remonter chaque jour l'escalier étroit qui mène à l'étage. Mais au moins, elle n'a plus de dettes et pourra compter sur de petites rentrées mensuelles qui devraient lui suffire.

L'été venu, Gabrielle suspend comme d'habitude le versement de sa pension. Tandis que la mère et Clémence partent pour la Montagne Pembina où elles demeureront jusqu'à la fin du mois d'octobre, le temps des récoltes et du battage étant celui où il y a le plus de travail à la ferme, Gabrielle décide de se rendre à Camperville, village isolé des bords du lac Winnipegosis où habite sa cousine Éliane, la fille aînée de l'oncle Excide. Mariée à Laurent Jubinville depuis 1925, Éliane a six enfants ; Gabrielle fait la classe aux quatre aînés en échange du gîte et du couvert. Pendant ses temps libres, elle parcourt les environs ou écrit de petits contes inspirés de légendes amérindiennes, ainsi qu'elle a commencé à le faire depuis quelque temps. Deux des textes de cette époque qui nous sont parvenus appartiennent à cette veine : le premier est « La grotte de la mort », publié en mai 1936 ; l'autre, resté inédit, s'intitule « La légende du cerf ancien » : Gabrielle Roy y travaillera durant son séjour en Europe, mais l'idée et les premières moutures remontent vraisemblablement à cet été de Camperville, village sis dans une région à forte présence métisse et amérindienne[150].

C'est toutefois dans *La Petite Poule d'Eau*, une douzaine d'années plus tard, que resurgira avec le plus de force le souvenir de ces quelques semaines de calme au sein de la grande nature, illuminées par l'amitié d'Éliane et de ses enfants. « Je passai là, peut-on lire dans *La Détresse et l'Enchantement*, un doux été rêveur, en paix avec moi-même, oublieuse pour l'instant de mes projets d'avenir, contente tout simplement de l'instant présent[151] ».

Mais à l'instar de sa première année d'enseignement à Cardinal, lorsqu'elle se trouvait également auprès d'Éliane, de Léa et de ses autres cousins Landry, le moment de grâce de Camperville est de courte durée. Dès septembre, Gabrielle rentre à Saint-Boniface, retrouve son travail à l'Institut Provencher et se remet aussitôt à préparer fébrilement son départ pour l'Europe. Afin d'arrondir son pécule, elle économise davantage, réduit ses dépenses, vend quelques effets personnels et recrute des élèves à qui elle donne des leçons particulières d'élocution[152].

En novembre, cependant, c'est la catastrophe : Mélina, à son retour d'une visite à tante Rosalie, fait une mauvaise chute et se fracture la hanche. Cet accident risque de remettre le voyage de Gabrielle en question. Combien coûteront l'hôpital, l'opération, les médicaments, les soins ? Mélina restera-t-elle invalide ? Faudra-t-il payer quelqu'un pour s'occuper d'elle pendant le reste de sa vie ? Heureusement, rien de tel ne se produit. Plaidant sa cause auprès du docteur Andrew Mackinnon, l'orthopédiste qui traite Mélina, Gabrielle obtient l'autorisation de différer le règlement des honoraires au moins jusqu'au moment où elle rentrera d'Europe. Cette dette sera bel et bien acquittée, mais en 1942, soit six ans plus tard[153]. Par ailleurs, l'état de santé de Mélina s'améliore rapidement ; rentrée de l'hôpital de la Miséricorde vers le 15 novembre[154], elle est libérée de son corset de plâtre peu avant la Noël, qu'elle passe tranquillement dans le petit logis de la rue Deschambault. Gabrielle et Clémence lui tiennent compagnie, ainsi qu'Anna et Léontine, la femme de Fernand, venues en visite. « Ça ressemblait un peu, écrit la convalescente, aux autres années passées où nous étions tous réunis » ; la vie, à présent, semble bien dure et bien morose ; mais, ajoute-t-elle, « il ne sert [qu'à] nous attrister et raviver les plaies que de parler de ses chers souvenirs qui sont ensevelis pour toujours, sous les neiges du passé[155] ».

Au moment où elle rédige cette lettre à Adèle, la vieille femme recommence déjà à marcher seule. Quelques semaines encore et elle sera complètement rétablie. Gabrielle soupire de soulagement : son départ n'est pas compromis.

Les frais occasionnés par l'accident n'en ont pas moins entamé considérablement le petit capital que Mélina avait retiré de la vente de sa maison. Par chance, elle aura bientôt soixante-dix ans et deviendra admissible à la pension de vieillesse de l'État. Rappelons qu'à l'époque cette pension n'est pas accordée automatiquement dès que l'on atteint l'âge réglementaire ; il faut également, pour y avoir droit, prouver que l'on en a vraiment besoin, c'est-à-dire que l'on ne possède ni ressources ni biens personnels et que l'on n'a personne sur qui compter dans sa famille.

On peut consulter, aux Archives provinciales du Manitoba, la déclaration datée du 11 janvier 1937 par laquelle Mélina — qui signe « Emelie » Roy — décrit, pour se conformer à la loi, l'état de dénuement dans lequel elle se trouve à ce moment-là[156]. Au total, la valeur de ses possessions s'élève à 184 dollars, soit 150 dollars de meubles, 25 dollars déposés à la Banque Canadienne Nationale de Saint-Boniface et neuf dollars en billets et petite monnaie dans son portefeuille. La somme qu'elle reçoit mensuellement de Fred Saint-Germain sert à payer le loyer. Quant à l'aide de ses enfants, elle est négligeable, pour ne pas dire inexistante. Hormis Gabrielle, qui est « *school teacher and elocution teacher* » et verse à sa mère 25 dollars par mois pendant dix mois, aucun d'entre eux n'est en mesure de donner quoi que ce soit, comme le démontre l'énumération de leurs infortunes. Jos : « *on relief, no income* ». Anna : « *no income, 3 children, husband not working* ». Adèle : « *married, teacher, earning barely enough to live* ». Bernadette : « *nun, rules of congregation not permitting to contribute* ». Rodolphe : « *address unknown, single, unemployed, no income* ». Germain : « *married, one child, address unknown, teacher, income not deemed sufficient to contribute* ».

À partir du 9 février 1937, jour de ses soixante-dix ans, Mélina touche donc du gouvernement une mensualité de 10,44 dollars[157]. Cela n'est pas suffisant, bien sûr, et si l'on ne trouve pas un moyen de réduire encore les dépenses, Gabrielle devra continuer à lui verser une pension. Il faut donc sacrifier l'appartement de la rue Deschambault, qui va de toute façon devenir trop grand lorsque Gabrielle partira pour l'Europe ; ensuite, dénicher un logement moins cher pour Clémence et Mélina. Cette dernière annonce à M. Saint-Germain qu'elle quittera pour de bon le 375 de la rue Deschambault au mois de juin. Ces dispositions prises, Gabrielle peut enfin présenter sa demande officielle de congé sans solde à la commission scolaire :

> Messieurs :
>
> Afin de réaliser le projet que j'ai formé d'aller passer une année en Europe pour y poursuivre des études d'art dramatique et de diction française, je vous prie de bien vouloir m'accorder une année d'absence.
>
> Je vous soumets ce projet [...] avec l'assurance que vous y verrez non seulement le souci que j'ai de me développer personnellement, mais aussi l'espoir d'acquérir des connaissances qui pourraient servir au développement de l'art dramatique dans notre école.
>
> [...] Je vous prie cependant de considérer [...] que je ne pourrais mettre ce plan à exécution sans l'assurance de retrouver ma position à mon retour avec les avantages actuels qu'elle comporte. En m'accordant ce privilège, vous me donneriez une très précieuse marque d'appréciation dont je vous serais bien reconnaissante et dont je m'efforcerai de rester toujours digne[158].

La réponse arrive dix jours plus tard : Mlle Roy peut partir en paix, son poste l'attendra en septembre 1938, « tout comme si vous ne vous étiez pas absentée[159] ».

Aux vacances, Mélina vend le peu de meubles qui lui restent à un brocanteur et part chez son frère Excide pour y reprendre ses fonctions d'« engagée ». Elle y restera tout l'été. En octobre, à leur retour à Saint-Boniface, elle et Clémence emménageront chez Mme Agnès Jacques, au 335, rue Langevin, dans deux petites pièces où Mélina finira ses jours.

L'été 1937 est donc le dernier que Gabrielle passe au Manitoba avant son départ pour la France, prévu pour le mois d'août. Voulant profiter des quelques semaines qui lui restent pour arrondir ses économies, elle obtient du Department of Education que lui soit confiée une école d'été dans une région éloignée. Le salaire est bon : cinq dollars par jour, plus la pension gratuite. L'école se trouve non loin du village de Meadow Portage (Portage-des-Prés), dans la région scolaire appelée Waterhen District, à quelque cinq cents kilomètres au nord de Winnipeg, entre les lacs Manitoba et Winnipegosis.

Sans rien savoir du coin perdu où elle va passer l'été, elle prend le train au début du mois de juillet pour Rorketon, où elle a rendez-vous avec son ami Joseph Vermander, qui occupe la fonction d'inspecteur des postes. De Rorketon, celui-ci la conduit en voiture jusqu'à proximité de son école, sise au milieu d'une île sauvage nommée « ranch-à-Jeannotte », dans « un étrange pays mi-terre, mi-eau, [...] une basse plaine de joncs, de lacs, de rivières, survolée d'innombrables oiseaux, que je baptiserais moi-même, je pense, le pays de la Petite-Poule-d'Eau[160] ».

Joseph Jeannotte, le propriétaire de l'île, y fait paître des animaux que soigne son oncle, M. Côté, qui habite là depuis 1931 avec sa femme et leurs sept enfants, dont la dernière, Alice, a deux ans. Gabrielle est la troisième institutrice à venir y enseigner pendant l'été[161]. Sept élèves fréquentent l'école : quatre enfants Côté et trois Métis habitant dans les environs. Ce séjour — dont Gabrielle Roy fera maintes fois le récit plus tard — se passe un peu comme celui de l'été précédent à Camperville : elle fait la classe, se baigne, se promène le long de la rivière et « écrivaille[162] ». Ses hôtes, cependant, sont moins sympathiques et attentionnés que ne l'étaient Éliane et sa famille, si bien que la jeune femme, durant les cinq ou six semaines qu'elle passe en leur compagnie, se repose et refait ses forces, certes, mais traverse souvent des jours de « cafard » et d'« ennui[163] ».

Il faut dire que son esprit est tout occupé par le grand voyage qui approche. Rentrée vers la mi-août à Saint-Boniface, elle loge chez des demoiselles Muller, parentes de Joseph Vermander, et s'active aux derniers préparatifs de son départ. Le total de ses économies s'élève à quelque 1 000 dollars, dont elle consacre une partie au paiement de son billet de train et de bateau, qu'elle a réservé avant de partir pour Meadow Portage. Elle n'a acheté qu'un aller simple afin de garder suffisamment d'argent pour vivre en Europe pendant environ un an. En attendant de recevoir son passeport (qui lui sera délivré à Montréal le 31 août 1937[164]), elle cherche partout des personnes susceptibles de la renseigner sur la meilleure manière de se débrouiller à Paris et à Londres ; l'une d'elles, le professeur Jones du département de français de l'Université du Manitoba, lui donne le nom de l'une de ses étudiantes, avec qui Gabrielle entre aussitôt en contact épistolaire. Il y a aussi la « malle garde-robe » qu'il faut acheter et remplir de vêtements, de livres, de quelques-uns de ses textes sans doute, sans oublier les médailles remportées à l'Académie Saint-Joseph, qu'elle pourra toujours vendre en cas de besoin.

Mais ces préoccupations ne sont rien à côté des tracasseries que son entourage lui fait subir durant les dernières semaines précédant son départ. Personne n'y comprend rien, à ce départ ; on parle d'idée saugrenue, de folie de jeunesse, tantôt de trahison pure et simple. Gabrielle a beau dire qu'elle va en Europe pour étudier, pour perfectionner cet art de la comédie qui lui a déjà valu de nombreux éloges ici même, à Saint-Boniface et à Winnipeg, et qu'elle a la ferme intention de revenir pour faire carrière au théâtre et à la radio, les langues vont bon train. Que diable va-t-elle faire là-bas, demandent les uns, et d'où lui vient son argent ? On n'a pas idée, en ces temps de chômage, de quitter un poste stable et bien payé pour se lancer ainsi à l'aventure, surtout lorsqu'on est une jeune femme seule, sans compagne de voyage ni mari. Pour qui se prend-elle, disent les autres ; croit-elle si facile de réussir là où tant d'autres ont échoué ? Quel orgueil, quelle ingratitude ; comment peut-elle ainsi délaisser sa pauvre mère âgée et malade !

C'est de la part de sa propre famille qu'elle essuie les attaques les plus dures, ainsi qu'elle le rappellera plus tard dans *La Détresse et l'Enchantement*[165]. « Tu nous abandonnes », lui lance Clémence, tandis qu'Anna se moque de ses prétentions et la met en garde contre les désillusions qui ne manqueront pas. Quant à Adèle, qui séjourne cet été-là au Manitoba, elle se montre la plus enragée de toutes ; elle accuse Gabrielle, comme elle continuera de le faire plus tard, de faillir à ses devoirs de fille cadette en se laissant attirer « par le mirage d'une brillante carrière d'artiste qui [fera] pleuvoir dans ses mains avides des centaines de milliers de dollars[166] ».

Bernadette, alors de passage à l'Académie Saint-Joseph, est la seule à réconforter sa jeune sœur et à l'encourager dans ses projets, ce dont Gabrielle continuera de la remercier six ans plus tard : « Tu as été encore cela, la grande sœur, au moment où j'étais si seule, si désemparée, que la vie ne semblait plus avoir aucun sens pour moi et aucun but[167] ».

Quant à Mélina, elle ne comprend pas pourquoi Gabrielle tient tant à aller en Europe. Mais après avoir protesté et lutté « d'arrache-pied[168] » pour la retenir, elle finit par se résigner et, peut-être, par accepter son départ. Elle quitte même Somerset — où Adèle lui a rendu visite et a tenté de la monter contre Gabrielle — pour venir passer à Saint-Boniface la nuit qui précède le départ de sa fille. Le lendemain, elle l'accompagne à la gare. Gabrielle Roy, dans une belle scène de *La Détresse et l'Enchantement* (scène qu'Adèle juge inventée de toutes pièces[169]), évoquera cette nuit que sa mère et elle ont passée ensemble, dans le même lit, pour leur ultime réconciliation.

Le soir du 29 août 1937[170], une petite troupe d'amis du Cercle Molière, du Little Theatre et de l'Institut Provencher sont rassemblés à la gare pour faire leurs adieux à la voyageuse. À ce moment-là, ni eux, ni Mélina, ni Gabrielle elle-même ne savent qu'elle part pour de bon.

La semaine suivante, dans *La Liberté*, paraît cet entrefilet :

> Mlle Gabrielle Roy, de Saint-Boniface, est partie lundi soir pour Paris, où elle va étudier l'art dramatique au théâtre de l'Atelier, sous la direction de Charles Dullin. Mlle Roy s'est acquis déjà une enviable réputation sur nos scènes locales. Elle faisait partie du Cercle Molière et est allée deux fois à Ottawa concourir pour le festival national. Nous lui souhaitons bon voyage et bon succès dans ses études[171].

CHAPITRE VI

L'aventure

Étudiante à l'étranger • De l'amour à la littérature • Le chemin du retour • Premières armes à Montréal • Une heureuse rencontre • Le micro et les planches • Des vacances au bord de la mer • Découvrir une ville • Les pérégrinations d'une journaliste • Autour d'une dépouille • Un amour contrarié • « Profession : authoress »

On a pu dire que le départ de Gabrielle Roy pour l'Europe, à l'âge de vingt-huit ans, marquait l'acte inaugural de sa vie d'écrivain, que cet événement devait décider de toute sa carrière et que, en un sens, elle ne s'en remettrait jamais. En fait, quand on replace les choses dans une perspective plus large, on constate que ce départ constituait moins une rupture en lui-même qu'il n'était le prolongement, la consommation d'une rupture qui, sur le plan psychologique, s'était déjà accomplie beaucoup plus tôt. Quitter le nid familial, s'éloigner de Saint-Boniface, entreprendre le voyage en Europe, c'était poursuivre la quête de cette « vie agrandie[1] », de cette pleine réalisation d'elle-même qui la hantait depuis l'adolescence et qui, en tout cas, avait été la grande préoccupation de ses dernières années d'enseignement et de théâtre à Saint-Boniface.

Car le voyage en Europe, pour tout jeune Canadien ou Américain de l'époque ayant quelque velléité artistique ou intellectuelle, est une étape obligée dans l'apprentissage du monde et de la culture. Nul ne peut prétendre à la qualité de peintre, d'écrivain, de comédien ou d'intellectuel, nul ne peut se dire « cultivé » s'il n'a traversé l'Atlantique et découvert les « vieux pays ». Pour les jeunes Canadiens français, en particulier, cette initiation est cruciale ; seule l'Europe peut vraiment les délivrer des contraintes et du provincialisme de leur milieu natal, seule l'Europe peut leur donner un accès direct aux idées, aux formes et aux œuvres de la culture moderne la plus avancée ; seule l'Europe peut leur offrir, sur le plan intellectuel, moral ou même sexuel, leur première véritable expérience de la liberté.

Gabrielle Roy ne fait pas exception à la règle. Au même moment qu'elle, ou à peu près, des jeunes gens de son âge suivent eux aussi le chemin obligé et font leurs classes en Europe, qu'ils se nomment Jean Desprez, André Laurendeau ou Alfred Pellan. L'itinéraire que la jeune

Manitobaine suit là-bas n'a rien de bien original : Londres, Paris, la Provence — trajet rituel auquel se conforment tous les voyageurs venus d'Amérique, qu'ils soient touristes, apprentis écrivains ou nouveaux mariés fortunés.

Cela dit, son séjour en Europe jouera un rôle crucial dans l'évolution personnelle de Gabrielle Roy. Séparée non seulement de sa famille mais aussi de son métier et du milieu qui l'a encadrée jusque-là, obligée de ne compter que sur ses seuls moyens, elle doit enfin se définir et décider concrètement de la voie qui sera la sienne.

Mais tout cela, elle l'ignore encore en cette fin d'été 1937 lorsque, après que le train l'a déposée à Montréal[2], elle découvre la petite cabine de troisième classe dans laquelle elle va faire la traversée. Elle a beau être animée, comme elle le dira quelques années plus tard à Rex Desmarchais, d'« une confiance invincible en la vie, [du] désir ardent de voir les merveilles de l'Europe et de boire largement à la source même du savoir et de la beauté[3] », elle ne sait pas ce qui l'attend. Partie en Europe avec l'intention de parfaire sa formation de comédienne, elle en reviendra écrivain. Partie de Saint-Boniface pour une année, il lui en faudra huit pour réaliser ses rêves. Huit années de déplacements constants et de travail acharné, huit années à chercher la moindre occasion d'avancer et à combattre tout ce qui pourrait la retenir. Huit années d'aventure, en somme, qui seront comme une longue conquête, à la fois de sa propre identité et de la reconnaissance d'autrui.

Aussi cette période, qui commence avec le départ pour l'Europe et se terminera avec la publication de *Bonheur d'occasion*, apparaît-elle comme la plus fébrile peut-être de toute la vie de Gabrielle Roy. C'est une période d'activité inlassable, où se révèle comme jamais la volonté farouche qui l'anime, celle de s'élever, de se tailler une place et d'obtenir le succès coûte que coûte. Volonté, ambition, certes, mais aussi courage, détermination, audace, refus des demi-mesures et, par-dessus tout, besoin de liberté et d'accomplissement, tels sont quelques-uns des traits que font ressortir fortement les années européennes et montréalaises de Gabrielle Roy, années qui, pour cette raison peut-être, lui apparaîtront avec le temps comme les plus intenses et les plus exaltantes de sa vie.

Étudiante à l'étranger

Le séjour européen de Gabrielle dure en tout une vingtaine de mois, de l'automne 1937 au printemps 1939. Nous en connaissons assez bien les principaux événements grâce à la deuxième partie de *La Détresse et l'Enchantement,* intitulée « Un oiseau tombé sur le seuil », qui y est entièrement consacrée. Aussi les pages qui suivent se borneront-elles à en rappeler le déroulement d'ensemble, tout en mettant à profit les quelques traces qu'on peut en trouver dans d'autres textes ou documents de l'époque.

Partie de Montréal, c'est à Londres que la voyageuse débarque. Mais elle n'y reste que quelques jours, avant de filer aussitôt à Paris. Car son intention, ainsi qu'elle le déclarait à *La Liberté* peu avant son départ de Saint-Boniface, est de suivre les cours d'art dramatique de Charles Dullin, le directeur du Théâtre de l'Atelier. Or les cours de l'École nouvelle du comédien (nom officiel de l'école de l'Atelier) commencent cet automne-là le 15 octobre.

Dans la capitale française, Gabrielle est accueillie par l'élève du professeur Jones qu'elle a jointe pendant l'été. Le nom de cette jeune femme, que la narratrice de *La Détresse et l'Enchantement* n'arrive pas à se rappeler, demeure inconnu. Avant l'arrivée de Gabrielle à Paris, cette « payse » s'est occupée de lui dénicher une pension, dont l'adresse, là encore, échappe à la mémoire de l'autobiographe. Il s'agit du 13, square Port-Royal, dans le XIIIe arrondissement. Ce « square » est en fait une petite impasse ouvrant par une grille sur la rue de la Santé et entourée d'une série d'immeubles semblables de huit étages ; le 13 se trouve au fond, et l'appartement de Mme Andrée Jouve[4], chez qui loge Gabrielle, est au sixième. C'est un appartement assez cossu, avec eau chaude et ascenseur, sis dans un quartier tout à fait respectable et tranquille qu'habitent de nombreux médecins et employés des hôpitaux voisins (Cochin, Val-de-Grâce, Sainte-Anne) ; Saint-Germain-des-Prés et le quartier des théâtres en sont un peu éloignés, peut-être, mais il y a le boulevard Montparnasse et le jardin du Luxembourg tout à côté. Gabrielle, en somme, n'a rien à redire à sa « pension-tout-ce-qu'il-y-a-de-mieux[5] ».

Quelques jours après son arrivée a lieu le vol d'une partie de ses effets personnels laissés à la cave. Le procès-verbal de la police parisienne montre que les cambrioleurs, trois adolescents, ont été appréhendés presque aussitôt, et que Gabrielle n'est pas la seule victime de l'effraction ; il y a au moins six ou sept plaignants, qui habitent tous le 11 ou le 13 du square Port-Royal. Mme Jouve ne fait pas partie du groupe[6]. Le procès-verbal fait état de la disparition d'un « manteau de fourrure », mais il ne dit mot des médailles de Gabrielle.

Entre-temps, celle-ci s'est lancée dans son programme personnel d'études, mais avec peu de succès. Comme prévu, elle s'est présentée d'abord chez Dullin, qui joue alors *Volpone* de l'Anglais Ben Jonson, dans une adaptation française, par Jules Romains, de l'adaptation allemande de Stefan Zweig[7]. Cette démarche, comme on le sait, finit en queue de poisson, puisqu'elle prend la fuite avant de savoir si le maître acceptera ou non de la prendre pour élève. Pour compenser, elle voit autant de pièces qu'il lui est possible, au Théâtre de l'Athénée où elle admire Louis Jouvet dans l'*Électre* de Giraudoux, à la Comédie-Française où on joue *Cyrano*, et ailleurs encore. Au bout de quelques semaines, dans une nouvelle tentative pour étudier sérieusement, elle se rend au Théâtre des Mathurins, qui est la salle de Georges et de Ludmila Pitoëff. Dans *La Détresse et l'Enchantement*, Gabrielle Roy raconte que cette visite fait suite à une représentation de *La Mouette* de Tchekhov qui l'a particulièrement émue. Mais cela est impossible, puisque *La Mouette* n'était pas à l'affiche à ce moment-là ; elle le sera seulement à l'hiver 1939, et Gabrielle n'y assistera que lorsqu'elle repassera brièvement par Paris à son retour de Provence. À l'automne 1937, les Pitoëff répètent bel et bien *La Sauvage* de Jean Anouilh, comme le dit le texte de *La Détresse et l'Enchantement*, mais la pièce à l'affiche du Théâtre des Mathurins est alors *Celui qui reçoit des gifles* de Léonide Andreieff, que remplacera à la mi-novembre *L'Échange* de Paul Claudel[8].

Là encore, et malgré l'admiration qu'elle éprouve pour Ludmila, Gabrielle renonce bientôt à ses « leçons » d'art dramatique. Non qu'elle soit devenue tout à coup indifférente au théâtre ; c'est Paris, plutôt, qui ne lui réussit guère. Certes, elle admire les beautés de la ville et la parcourt en touriste émerveillée, mais rien ne la retient ici. Rien ni personne. Paris a beau être, en ces années du Front populaire, au sommet de sa vitalité et de son rayonnement, il a beau rassembler les artistes et les écrivains les plus en vue, vibrer de débats et de manifestations de toutes sortes, constituer en somme le centre intellectuel de l'univers, comme l'a raconté H. R. Lottman[9], elle s'y sent étrangère, seule et, ainsi qu'elle le dira plus tard, « trop effrayée par la ville[10]» pour pouvoir en profiter et tenter de s'y intégrer. Elle décide de repartir presque aussitôt. Son premier séjour à Paris, dont elle a tant rêvé, aura duré moins de deux mois.

Il faut dire que Londres, en comparaison, a de quoi l'attirer. Non tant la ville elle-même que le fait qu'elle y a des amis qui ne demandent qu'à l'accueillir et à s'occuper d'elle. Bohdan Hubicki, l'ami violoniste de Winnipeg établi en Angleterre pour y étudier et y faire carrière, ne cesse de lui écrire depuis le mois de septembre pour la presser de venir le rejoindre. À Londres se trouvent aussi d'autres connaissances, comme les comédiens Margot Syme et son mari Robert Christie, qui ont joué à Winnipeg avant de venir en Angleterre, et Clelio Ritagliati, l'autre jeune violoniste que Gabrielle a connu au Manitoba. Et la jeune femme ne tardera pas à s'y faire de nouveaux amis. Il faut dire aussi que son éducation et sa jeunesse manitobaines, de même que sa connaissance de la langue et de la culture anglaises, lui rendent la vie et le milieu londoniens plus « naturels », plus accessibles que ne l'ont été la France et Paris. Si bien qu'elle se sent à peine dépaysée, presque chez elle dans cette ville qui, jusqu'à il y a peu, c'est-à-dire jusqu'au Statut de Westminster (1931), était encore la vraie capitale du Canada et reste toujours, dans le milieu d'où vient Gabrielle, le pôle culturel le plus puissant.

Et puis, Londres n'est-elle pas, autant que Paris, un haut lieu du théâtre, où l'étudiante pourra poursuivre sa formation mieux encore, peut-être, que dans la capitale française ? Dès son arrivée en novembre, elle s'attelle à la tâche. Guidée par Bohdan, elle entre dans une grande école de théâtre, la très officielle et très célèbre Guildhall School of Music and Drama, dont les locaux sont situés dans John Carpenter Street, près de Blackfriars Bridge. Sa fiche d'inscription indique qu'elle y suit trois cours : art dramatique (avec Mme Rorke), élocution (avec M. Ridley) et maquillage de scène[11]. Elle joue aussi dans une des pièces que préparent cette année-là les élèves de l'école[12]. L'enseignement à la Guildhall, écrit-elle bientôt à son amie Léonie, est « d'un style très académique, très traditionnel. [...] Mais cela n'empêche pas que c'est un endroit merveilleux pour étudier la musique ou la technique du théâtre. C'est la meilleure académie de ce genre, je crois sincèrement, non seulement à Londres mais dans toute l'Europe[13] ». Parallèlement, elle prend des leçons privées auprès de Mme Alice Gachet, « une dame française de grande expérience » établie à Londres et dont les talents pédagogiques sont appréciés des meilleurs comédiens de l'heure, comme Charles Laughton et Vivian Leigh ; avec elle, Gabrielle travaille en français[14].

Ainsi, l'ex-institutrice se consacre très sérieusement à son apprentissage de comédienne. C'est que le théâtre, plus que jamais, lui apparaît comme sa vraie vocation. Ce métier lui apportera-t-il la gloire, la conduira-t-il vers cette vie grandiose dont elle rêve, elle ne le sait pas encore. Mais elle est sûre d'une chose : c'est de théâtre, désormais, qu'elle vivra. En février, elle écrit même à la Commission scolaire de

Saint-Boniface, dont elle est toujours une employée en congé, pour demander la création, à son intention, d'un poste d'enseignement de « la phonétique, diction et cours pratique d'art dramatique » dans les écoles de sa ville natale, proposition que les commissaires rejettent aussitôt, sans doute avec un haussement de sourcils[15].

L'étudiante s'est établie à Fulham, quartier de l'ouest londonien légèrement en retrait du centre, où le prix des pensions est raisonnable et d'où elle peut se rendre facilement à Piccadilly Circus, à Trafalgar Square et dans le quartier des théâtres. Il lui arrive d'ailleurs souvent, pour aller à l'école, de descendre du métro à Charing Cross et de faire le reste du trajet à pied, le long des quais. Sa première chambre, dénichée par Bohdan, se trouve au 71 Winchendon Road[16]. Comme elle s'y ennuie à mourir, elle déménage peu de temps après, avec l'aide du même Bohdan, pour s'installer non loin de là, mais dans un secteur plus animé, au 106 Lilley Road[17]. Sa logeuse, Gladys Pryce, et son mari Geoffrey se prennent aussitôt d'affection pour elle et lui font « la vie très agréable[18] », la traitant pratiquement comme un membre de la famille.

Comme elle l'a fait à Paris, Gabrielle, dès son installation à Londres, entreprend de visiter systématiquement la ville et les environs, munie de son petit kodak. L'attirent en particulier les bords de la Tamise et les paysages où survit un peu de campagne : la cabane de Gladys en face de Hampton Court, Greenwich, le vieux moulin de Wimbledon[19].

Mais très vite, elle cesse de n'être qu'une touriste et mène une véritable vie d'étudiante, indépendante, joyeuse, pleine de rencontres, de sorties et d'activités sociales de toutes sortes. À l'école, elle se lie avec une condisciple du nom de Phyllis, qui l'emmène dans sa famille. Ensemble, elles fréquentent assidûment les théâtres. Gabrielle prend aussi l'habitude, peu de temps après son arrivée à Londres, de se rendre à la Canada House, dans Trafalgar Square, alors dirigée par le haut-commissaire Vincent Massey ; là, les étudiants canadiens font connaissance, profitent de divers services mis à leur disposition et échangent les bonnes adresses[20]. C'est ainsi que, entraînée par Clelio, Gabrielle se met à fréquenter le logis de Mrs. Ellis, une dame de Hampstead qui reçoit les étudiants canadiens en stage à Londres, et leur sert de la tarte aux pommes afin qu'ils se sentent « *more at home* ». Mais bientôt, c'est dans un autre salon, de South Kensington, cette fois, qu'elle aura ses habitudes : celui de Lady Frances Ryder, où elle est introduite par l'ami Bohdan. Le *flat* de Lady Frances se trouve dans Sloane Square, près de

Cadogan Gardens. Là, tous les jours sauf le samedi, les étudiants d'outre-mer sujets de Sa Majesté sont invités à prendre le thé ; ils peuvent jouer au ping-pong ou au badminton, converser, manger à leur guise, pendant que des *ladies* toutes aussi charmantes et distinguées les unes que les autres s'occupent d'eux, les cajolent, leur offrent des billets de théâtre ou de concert et font tout pour qu'ils se sentent chez eux en Angleterre.

> Il faut avoir vécu seul à Londres, écrit alors Gabrielle Roy, par un de ces hivers maussades et déprimants, dans ces humbles petites chambres de pension qu'en argot on appelle si justement *digs*, pour apprécier la bienfaisante influence d'un *home* où, qui que vous soyez, riche, pauvre, jeune, vieux, de la Nouvelle-Zélande, de l'Afrique-Sud, du Canada, vous êtes chaudement accueilli, reçu dans la grande famille de l'Empire, traité non pas en visiteur de passage, mais en cousin ou cousine très rapproché et longuement attendu[21].

Le privilège le plus recherché que procure la fréquentation de Sloane Square, ce sont les invitations que l'on y reçoit parfois pour des week-ends ou même des séjours plus prolongés à la campagne, chez des aristocrates entichés des étudiants étrangers. Gabrielle, sur ce chapitre, fait l'objet de faveurs particulières de la part de Lady Frances, « ma bienfaitrice et sainte de prédilection », comme elle le dit à Léonie[22]. Dans son autobiographie, elle évoquera les séjours campagnards dont Lady Frances la fait bénéficier, d'abord chez une Lady Curre, à Itton Court, dans le Monmouthshire (pays de Galles), puis chez une Miss Shaw, à Bridport[23], dans le Dorset, au bord de la Manche. Selon *La Détresse et l'Enchantement*, c'est en novembre 1938 que ce voyage se serait déroulé ; mais Gabrielle parle déjà de sa visite chez Miss Shaw dans deux articles publiés en juillet et octobre de cette même année 1938, ce qui laisse supposer que sa promenade dans la campagne anglaise, d'un palace à l'autre, d'une protectrice à l'autre, a plutôt eu lieu au printemps précédent, pendant les vacances de Pâques, donc au cours de sa première année en Europe[24].

Toute cette première année est pour elle une période relativement heureuse. Certes, il lui arrive de traverser des phases d'ennui, de morosité, en particulier durant le congé de Noël, mais ces épisodes sont passagers et son humeur, dans l'ensemble, est celle d'une jeune femme active, débordante d'énergie et contente de l'expérience qu'elle est en train de vivre. Elle se remplit les yeux, voit du pays[25], profite de chaque occasion de découverte et, surtout, elle jouit pleinement de ce que ces expériences lui offrent de plus précieux : la liberté.

Une liberté totale, sans aucune entrave ni surveillance, sans comptes à rendre ni permission à demander à qui que ce soit, une liberté comme elle n'en a pas connu jusque-là et qui lui permet enfin, pendant cette année 1937-1938, d'achever son émancipation personnelle, de se délivrer de tout ce qui faisait encore d'elle une petite provinciale rangée, docile, marquée par le milieu étriqué de Saint-Boniface.

D'abord, elle cesse d'aller à l'église et de pratiquer une religion qui n'était déjà plus, pendant ses années à Provencher, qu'une servitude imposée par le conformisme ambiant. À cet égard, elle se comporte comme beaucoup d'autres Canadiens français de l'époque, à qui l'Europe fournit l'occasion de rompre avec les obligations religieuses de leur société d'origine. Les bons prêtres du Canada français ont bien raison de voir dans les voyages en Europe une menace à la foi de leurs jeunes ouailles.

À leur foi, mais aussi à leur chasteté. Car l'Europe est également, l'Europe est surtout le lieu de la perdition morale suprême : le péché de la chair. Là encore, Gabrielle Roy ne fait pas exception. C'est en Angleterre, à l'âge de vingt-huit ans, qu'elle connaît sa première expérience sexuelle.

De l'amour à la littérature

Séduisante, séductrice même, Gabrielle l'a toujours été, et les soupirants ne lui ont jamais manqué, qu'elle a toujours pris soin cependant de tenir à distance. Le pauvre Bohdan en sait quelque chose, lui qui voue à Gabrielle un véritable culte où la passion prend la forme d'une amitié d'autant plus entière, d'autant plus protectrice qu'elle n'ose s'avouer, comme si le jeune homme comprenait d'instinct que la seule façon de s'attacher Gabrielle est de ne jamais la toucher et de ne rien lui proposer d'autre qu'un dévouement total. Mais Bohdan, au cours de ces années-là, n'est probablement pas le seul dans son cas. À la Guildhall School, dans le salon de Sloane Square, dans la rue même, bien des hommes se laissent fasciner par elle, comme ce baryton gallois qui l'invite à une grande soirée mondaine ; comme David, le jeune Néo-Zélandais avec qui elle fait en voiture un voyage d'une semaine dans le sud-ouest de l'Angleterre, jusqu'à Land's End[26] ; comme, plus tard, le jeune Parisien avec lequel elle assistera à la représentation de

La Mouette de Tchekhov ; et comme tous les soupirants éconduits qui joncheront, en Provence, le « *trail of the broken hearts*[27] ». Mais des cœurs brisés, Gabrielle en fait aussi chez les femmes ; Phyllis, Gladys, Lady Frances, Miss Shaw, plus tard Esther et Ruby ont pour elle une sorte de vénération, et pourtant aucune n'arrive à la garder toute pour elle plus de quelques mois. Ce charme qu'elle exerce sur les êtres, ce pouvoir qu'elle a d'attirer tantôt leur amitié, tantôt leur amour, et de s'en faire presque toujours des protecteurs dévoués, est une des grandes « lois » de la vie de Gabrielle Roy. On l'a vue à l'œuvre dans son enfance et sa jeunesse, auprès de sa mère, de ses éducateurs et de ses amis ; on la voit de nouveau à l'œuvre en Europe, et il en sera de même jusque dans ses dernières années.

Avant son arrivée en Angleterre, cependant, Gabrielle n'a jamais éprouvé la passion ni connu l'amour physique. Son charme fait des ravages sur les hommes de son entourage, mais jamais l'un d'eux n'a obtenu son cœur et son corps. Pruderie, refoulement, frigidité, comment savoir ? Gabrielle n'est guère différente sur ce plan de la plupart des jeunes femmes de son milieu, qui demeuraient vierges jusqu'à leur mariage, sous peine de scandale et de remords sans fin. Aussi sa liaison avec Stephen, son « premier compagnon d'amour[28] », marque-t-elle un des moments forts de son séjour en Europe. C'est le signe par excellence de sa libération.

Il n'est pas nécessaire de revenir en détail sur cet épisode, puisque *La Détresse et l'Enchantement*, qui constitue d'ailleurs le seul témoignage dont nous disposions, en relate longuement les péripéties. Rappelons seulement que la rencontre a lieu au printemps 1938 chez Lady Frances[29], que Gabrielle et Stephen deviennent amants presque aussitôt et que leur relation ne dure tout au plus que quelques semaines, jusqu'au milieu de l'été environ. Par certains côtés, l'histoire ressemble à un « invraisemblable roman[30] ». Canadien d'origine ukrainienne comme Bohdan Hubicki, Stephen — dont le nom de famille reste un mystère — est un agent secret au service d'une organisation qui lutte contre la domination soviétique en Ukraine, ce qui veut dire, dans le contexte international de ces années d'avant le pacte germano-soviétique, qu'il est un allié des nazis. Or cette situation l'oblige à mener une double vie peu propice à l'amour : absences fréquentes, attitude réservée, impossibilité de s'engager totalement. Ces comportements ne tardent pas à provoquer l'insatisfaction de Gabrielle, qui ne veut rien de moins qu'« un amour exclusif et sans partage[31] ».

Telles sont du moins les raisons que donnera une quarantaine d'années plus tard la narratrice de *La Détresse et l'Enchantement* pour expliquer sa rupture avec Stephen. Mais il y a plus que cela, sans doute. Ainsi, des raisons politiques ont pu jouer. Il semble en effet que Gabrielle, à ce moment-là, ait plutôt des opinions de gauche ; à sa sœur Adèle, elle avouera quatre ans plus tard la sympathie qu'elle a conçue au cours de son séjour à Londres pour les idées de Hewlett Johnson, le *Red Dean*, pasteur britannique marxiste et antifasciste[32], et ces idées ne s'accordent guère avec l'engagement antisoviétique de Stephen. Mais la mésentente idéologique ne suffit sûrement pas à refroidir une passion aussi vive, aussi sensuelle que celle qui unit les deux amants. Leur rupture, en fait, est peut-être due à la violence même de cette passion, à cette « foudroyante attirance[33] » qui les jette l'un vers l'autre et à laquelle ni l'un ni l'autre n'est prêt à consentir entièrement ni définitivement.

Stephen, certes, refuse de s'engager, et il n'a pas à l'égard de Gabrielle l'attitude protectrice et soumise d'un Bohdan. Mais Gabrielle non plus ne se donne pas vraiment. D'après ce qu'elle révèle dans son autobiographie, elle vit cette aventure à la fois comme une découverte exaltante et comme un terrible débat intérieur, partagée, déchirée qu'elle est entre une passion qui comble ses sens et le sentiment d'une perte de soi, d'un « asservissement[34] » qu'elle ne veut ni ne peut accepter. Se livrer à Stephen, s'abandonner à cet amour, ce serait perdre non seulement son indépendance mais surtout le contrôle de sa vie ; ce serait risquer de voir lui échapper tout ce qu'elle poursuit depuis si longtemps, ses projets de carrière, son besoin d'accomplissement personnel, sa réussite et sa gloire futures ; ce serait trahir, en somme, cette « inconnue » en elle qui demande toujours à naître et à triompher.

Autant dire que l'amour, dans ces conditions, était frappé pour elle d'une sorte d'interdit, tout comme il l'était pour Stephen, et que leur coup de foudre mutuel ne pouvait que faire long feu. Beaucoup plus tard, Gabrielle Roy dira de cette liaison qu'elle en a retiré « pour longtemps, peut-être pour toujours, de l'effroi envers ce que l'on appelle l'amour[35] ». Mais cet effroi ne lui est venu que par la suite. Nous verrons qu'au moment de la rupture avec Stephen, son expérience de l'amour n'est pas encore achevée.

Pour l'instant, ce qui retient surtout l'attention, c'est la coïncidence entre la fin de l'aventure avec Stephen et le moment où Gabrielle décide de devenir écrivain. D'après le récit de *La Détresse et l'Enchantement*, en effet, tout se passe comme si elle se détachait de

Stephen pour pouvoir commencer à écrire, ou comme si la rupture avec son amant était ce qui l'amenait à se tourner vers la littérature. Ainsi, renoncement à l'amour et investissement dans l'écriture vont de pair, semble-t-il, comme s'il s'agissait des deux faces d'un seul et même événement, d'une seule et même révélation.

Si l'on se fie à *La Détresse et l'Enchantement*, on peut assigner une date précise à cet événement : l'été 1938, et le situer avec non moins de précision : à Upshire, dans le comté d'Essex, en banlieue nord-est de Londres, à l'orée de la forêt d'Epping. C'est dans ce village que se trouve la maison d'Esther Perfect et de son père, que Gabrielle découvre par hasard au cours d'une randonnée en autobus. La maison, qui se dresse à l'entrée du village, fait partie des Century Cottages, l'équivalent pour nous d'une série de « maisons en rangée » ; c'est une habitation « semi-détachée », modeste, flanquée d'un jardinet ouvrant sur un vaste paysage de terres vallonnées assez semblable à celui de la Montagne Pembina[36]. Là, dira Gabrielle Roy, « tout était selon le désir le plus parfait du cœur[37] » : un espace retiré et cependant proche de la ville, où elle se sent apaisée, délivrée du quotidien et capable de se passer de Stephen. Elle est accueillie par des êtres sans prétention, doux et pieux, qui l'entourent de leur affection et de leurs soins ; c'est un peu comme la ferme de l'oncle Excide quand elle était à Cardinal, comme la maison de sa cousine Éliane à Camperville ou comme le décor enchanteur de la Petite-Poule-d'Eau. Century Cottages lui apparaît comme un territoire hors du monde, une oasis de félicité et de paix où elle peut s'abandonner tranquillement à ses désirs les plus chers, sans avoir à se battre ni à prouver quoi que ce soit, tout entière à l'écoute et à la jouissance de soi-même, comme dirait Jean-Jacques Rousseau.

Les semaines qu'elle passe chez Esther sont pour Gabrielle parmi les plus heureuses de tout son séjour en Angleterre. C'est comme si, subitement, elle revenait à son enfance protégée, choyée, pure de tout conflit. À la jeune femme venue se réfugier chez elle, Esther offre tout ce qu'une mère peut offrir ; elle la nourrit, la soigne, la décharge de toutes les tâches domestiques, tout en lui apportant consolation et amour. Mais Esther a une supériorité sur Mélina : elle ne s'oppose nullement à Gabrielle, ne lui fait aucune remontrance et surtout n'attend rien en retour de ses soins. Gabrielle n'a pas à se sentir coupable vis-à-vis d'elle, ni responsable d'elle, ni obligée de répondre à ses attentes. De plus, Esther la virginale, Esther l'angélique est la déesse d'un monde d'où les hommes, la dureté et l'exigence des hommes ont disparu. Car le père, William Perfect, le jardinier septuagénaire, le veuf à barbe blanche, n'élève jamais la voix ; il est effacé, ne maugrée jamais, se distinguant à peine des fleurs et des oiseaux parmi lesquels il passe sa vie. Son rôle, dirait-on, est simplement de tenir compagnie à Esther et de refléter son inépuisable, sa maternelle bonté.

Le portrait d'Esther Perfect et de son père, dans *La Détresse et l'Enchantement*, ne correspond sans doute pas à toute la réalité. Il n'est pas sûr que Gabrielle Roy, en l'écrivant, s'appuie uniquement sur ses souvenirs de l'été 1938. Interviennent aussi, très certainement, des éléments inspirés par ses séjours ultérieurs à Upshire, en 1949 et en 1963, séjours dont témoigne une abondante correspondance où le personnage d'Esther, tel qu'il apparaîtra dans *La Détresse et l'Enchantement*, se trouve déjà en bonne partie esquissé. Par exemple, l'anecdote de l'herbier que Gabrielle aurait commencé à rassembler lors de sa première visite chez les Perfect n'aura lieu en fait qu'en 1949. Mais qu'importent ces anachronismes. L'essentiel, c'est que l'autobiographe choisisse de placer sous le signe et dans le rayonnement d'Esther le récit de l'événement fondateur : sa décision de devenir écrivain.

C'est dans l'atmosphère idyllique de la maison d'Upshire, si l'on en croit *La Détresse et l'Enchantement*, que Gabrielle découvre enfin sa vocation d'écrire et décide qu'elle y consacrera désormais sa vie. Ce moment marque donc un tournant pour elle. D'ailleurs, la conscience d'écrivain de Gabrielle Roy gardera toujours le souvenir, sinon la nostalgie, de cette époque idéale, comme si elle y voyait une représentation exemplaire de ce qu'est l'écriture : un abri contre le monde, et de ce que l'écriture demande : le silence des passions, une disponibilité totale et l'oubli de toute préoccupation matérielle, conditions que seule la présence auprès de soi d'une figure bienveillante et tutélaire, à la fois discrète et entièrement dévouée, peut rendre possibles. Intérieurement, pour Gabrielle Roy, l'écriture sera toujours, exigera toujours la réactualisation de cette scène initiale, un retour au moins symbolique à l'univers protégé et magique d'Esther.

Mais cette conversion à l'écriture tient aussi à une autre circonstance dont le rôle n'est pas à négliger : des textes de Gabrielle sont acceptés par un journal parisien. Comme nous l'avons vu, il y a déjà plusieurs années qu'elle s'essaie à écrire, et au moins quatre de ses textes ont été publiés, avant son arrivée en Europe, dans des périodiques canadiens. Mais ces publications n'étaient pas assez importantes à ses yeux pour la persuader de ses dons et lui faire croire qu'elle devait se consacrer à la littérature plutôt qu'au théâtre. Écrire restait pour elle une voie secondaire, une sorte de hobby. Il en va tout autrement lorsque, au cours de cet été 1938, la reconnaissance lui vient non plus de Montréal, Toronto ou Winnipeg, mais bien de Paris, c'est-à-dire, pour tout Canadien français de l'époque (sinon d'aujourd'hui), de la capitale même de la Littérature. Si un éditeur français, qui ne sait rien d'elle et reçoit des manuscrits de partout, juge que ses textes méritent d'être imprimés puis d'être lus par le public le plus exigeant et le plus cultivé du monde, c'est donc que son talent est réel et qu'elle peut s'adonner à l'écriture avec toutes les chances de réussir.

Le journal en question s'appelle *Je suis partout*[38]. Fondé en 1930, ce « grand hebdomadaire de la vie mondiale », comme il se dénomme, est l'un des périodiques parisiens les plus connus, dont le tirage atteint une cinquantaine de milliers d'exemplaires. La narratrice de *La Détresse et l'Enchantement*, qui ne cite pas le nom du journal, dit qu'elle le connaissait « seulement pour en avoir acheté un exemplaire à Londres, à l'occasion[39] ». Politiquement, c'est un journal de droite, et même d'extrême droite, qui est vu comme la « filiale jeune » de l'*Action française* de Charles Maurras et dont la ligne éditoriale exprime les opinions ultranationalistes de ses principaux animateurs, Robert Brasillach et Lucien Rebatet. *Je suis partout* est violemment profranquiste et anticommuniste ; c'est même l'une des tribunes les plus éloquentes du radicalisme fasciste dans la France de l'entre-deux-guerres.

On s'est étonné que Gabrielle Roy collabore à une telle publication. Mais l'on oublie trop souvent que *Je suis partout*, au moment précis où elle y envoie ses articles, n'est pas encore le journal ouvertement antisémite, collaborateur et même délateur qu'il deviendra sous l'Occupation (ce qui entraînera d'ailleurs sa fermeture à la Libération, en août 1944). Certes, il s'agit d'un journal engagé, ouvertement réactionnaire, mais aux yeux des lecteurs de l'époque, l'hebdomadaire ne se définit pas entièrement par ses prises de position idéologiques. C'est aussi, et tout autant, un journal d'intérêt général, dans lequel une grande place est faite à la littérature et même, sous l'influence de Brasillach, à l'« avant-garde littéraire », et où se retrouvent certaines des meilleures plumes du temps, André Bellesort, Pierre Drieu La Rochelle, Marcel Jouhandeau, Jean de La Varende, Thierry Maulnier, Henry de Montherlant, Claude Roy, Henri Troyat et bien d'autres. Pour un jeune auteur tel que Gabrielle Roy, complètement inconnu et qui n'appartient à aucun « réseau », être publié dans un tel lieu tient presque du miracle, et il est difficile d'imaginer encouragement plus puissant, confirmation plus éclatante de ses possibilités.

Le miracle n'est pas si grand pourtant. En fait, *Je suis partout* s'intéresse depuis quelques années au Canada français, « peuple prolifique et fidèle » au sujet duquel le journal a publié en novembre 1937 un article de Robert de Roquebrune. Cet intérêt, soutenu par le profit idéologique que Brasillach et ses amis comptent en tirer, se traduit par l'inauguration en janvier 1938 d'une page « Canada », parce que, écrit la rédaction, « cet admirable pays où la tradition française s'est conservée d'une façon si fière et si pure doit être mieux connu des Français... » La confection de cette page, dont la parution restera très épisodique, est confiée au Québécois Dostaler O'Leary, alors journaliste à *La Patrie* de Montréal et théoricien d'un indépendantisme canadien-français conservateur et antidémocratique.

C'est pour cette « page canadienne » que trois articles de Gabrielle Roy sont retenus. Ils paraîtront dans les livraisons de *Je suis partout* du 21 octobre 1938, du 30 décembre de la même année et du 18 août 1939. Le premier, intitulé « Les derniers nomades », est un portrait — peu flatteur — des Saulteux de l'Ouest canadien ; le deuxième est une évocation des « Noëls canadiens-français » dans le Manitoba d'autrefois ; et le dernier explique aux lecteurs français « Comment nous sommes restés français au Manitoba ». Ces textes n'ont en eux-mêmes rien de remarquable, si ce n'est leur style plutôt maladroit et une certaine naïveté idéologique. Ils sont importants, néanmoins, en raison du rôle qu'ils ont joué, en cet été 1938, dans l'orientation de Gabrielle Roy vers la carrière d'écrivain.

Dans les pages de son autobiographie qui ont trait à sa décision d'écrire, celle-ci insiste sur le choix qu'elle fait alors du français comme langue d'expression :

> Pour moi qui avais parfois pensé que j'aurais intérêt à écrire en anglais, qui m'y étais essayée avec un certain succès, qui avais tergiversé, tout à coup il n'y avait plus d'hésitation possible : les mots qui me venaient aux lèvres, au bout de ma plume, étaient de ma lignée, de ma solidarité ancestrale. Ils me remontaient à l'âme comme une eau pure qui trouve son chemin entre des épaisseurs de roc et d'obscurs écueils[40].

Le fait peut surprendre. Non seulement Gabrielle vit à Londres depuis plusieurs mois, mais elle a reçu toute son éducation en anglais et l'essentiel de ses lectures littéraires continue à ce moment-là de se faire dans cette langue. Et pourtant, elle choisit le français. Plus tard, elle reconnaîtra que le français, étant sa langue maternelle, était plus

À Paris, en 1937 (BNC NL-19178).

À Kew Gardens (Londres), en 1938 (BNC NL-19167).

Esther et William Perfect dans leur jardin d'Upshire (photo prise par Gabrielle Roy; BNC NL-19171).

À Prats-de-Mollo, en 1939 (BNC NL-19151).

Mlle GABRIELLE ROY

Plusieurs lecteurs et lectrices nous ont écrit pour s'enquérir de la biographie de Mlle Gabrielle Roy dont nous avons publié, dans la livraison d'août de *La Revue Populaire*, un excellent article sur la *Maison du Canada*, à Londres. Mlle Gabrielle Roy, Canadienne française, est née à Saint-Boniface, Manitoba. Elle collabora d'abord au *Toronto Star Weekly*, au *Winnipeg Free Press* et au *North West Review*, l'organe catholique de Winnipeg, ainsi qu'à *La Liberté*, que dirige M. Donatien Frémont. Le grand hebdomadaire parisien, *Je Suis Partout*, passa également quelques-uns de ses articles sur le Canada... Artiste dramatique aussi bien que journaliste, Mlle Roy a joué au Festival dramatique d'Ottawa avec le Cercle Molière de Winnipeg. Après avoir étudié l'art dramatique en Angleterre et en France avec Mme Alice Gachet, Mlle Roy revint au Canada en avril 1939. Elle collabore depuis lors à divers journaux et revues de Montréal. A la radio, elle interprète le rôle de *Colette d'Avril* dans *Vie de Famille*, émission quotidienne de Radio-Canada, et joue également dans *Miss Trent's Children*.

(Là Photographie La Rose, Montréal)

Revue populaire, en octobre 1939 (photo Larose).

À Port-Daniel,
sur la *Marie-Louise*,
en 1940 (BNC NL-17532).

En reportage chez les Montagnais de Sept-Îles, en 1941 (BNC NL-19172).

Réunion de famille à la « Villa Antoinette », Tangent (Alberta), l'été 1941. À *l'avant, de gauche à droite* : Anna et Clémence. À *l'arrière* : la mère et Adèle (BNC NL-19174).

La mère en Californie, en mai 1939 (coll. F. Ricard).

Chez Adèle, à Tangent (Alberta), en 1942 (BNC NL-17530).

À Saint-Boniface, après la mort de la mère, l'été 1943. À *l'avant* : Clémence, Anna et Gabrielle. À *l'arrière* : tante Rosalie et Adèle (photo prise par Blanche, la fille de Rosalie ; BNC NL-19173).

Henri Girard (coll. F. Ricard).

À Rawdon, l'hiver 1943 ou 1944 (BNC NL-18616).

Henri Girard à Rawdon, vers 1944 (coll. F. Ricard).

Au cours d'une réception à Frelighsburg chez le premier ministre Adélard Godbout, en 1942 (BNC NL-19152).

Henri Girard et Gabrielle au cours d'une réception à Frelighsburg chez le premier ministre Adélard Godbout, en 1942 (BNC NL-19153).

En reportage chez
les draveurs, en 1945
(BNC NL-19148).

Avec des enfants de Saint-Henri, en 1945 (photo Conrad Poirier ; BNC NL-19150).

facile à manier que l'anglais, et que pour devenir un écrivain anglais il lui aurait fallu « travailler très, très fort[41] ». Ailleurs encore, dans l'une des dernières entrevues qu'elle donnera avant sa mort, une autre explication se fera jour :

> J'ai découvert de bonne heure qu'on ne pouvait écrire dans deux langues à la fois. Je n'étais pas la même personne en anglais et en français. Quand j'écrivais en anglais, j'étais moins sérieuse. L'anglais me donnait un ton frivole. À Saint-Boniface, nous avions un accent quand nous parlions anglais et nous avions une légère difficulté à nous exprimer. Alors on s'attendait à ce que nous soyons « *funny* ». D'un autre côté, le français est la langue de mon cœur. En français, j'étais capable d'exprimer mes pensées et mes sentiments les plus profonds[42].

Cela dit, elle ne renonce pas entièrement, dès ce moment-là, à l'écriture en anglais, comme en témoigne au moins un de ses manuscrits inédits qui remonte peut-être à cette époque ou aux années qui suivent de peu son retour au Canada[43]. Mais c'est en français qu'elle élaborera toute son œuvre à venir.

Pour l'instant, l'écriture ne répond pas seulement à des besoins intérieurs. Il s'agit d'en vivre, ou du moins d'en tirer un peu d'argent, car son pécule, au bout de dix mois d'Europe, commence à diminuer sérieusement. Forte de l'acceptation de ses textes par *Je suis partout*, elle se met donc à en adresser d'autres à des périodiques canadiens, dans l'espoir qu'ils lui apporteront un petit revenu. Et les choses ne vont pas trop mal. Le journal *La Liberté* de Saint-Boniface accepte quatre « Lettres de Londres », qui paraissent entre le 27 juillet et le 21 décembre 1938, tandis que *Le Devoir* de Montréal et *The Northwest Review* de Winnipeg publient chacun un article. Dans tous les cas, il s'agit de courts reportages ou d'évocations fondées sur ses expériences en Angleterre. Leur valeur littéraire est fort limitée.

Ces publications ont pour effet de renforcer la jeune femme dans son intention et de la convaincre qu'il lui serait possible, si elle le voulait, de vivre de sa plume. En tout cas, c'est à ce moment-là que, désireuse de tenter sa chance, elle prend la décision de prolonger son séjour en Europe d'une autre année, ainsi qu'elle l'annonce aux autorités scolaires de Saint-Boniface dans une lettre du 23 juillet 1938. Bien que sa demande arrive avec un peu de retard, la commission scolaire lui accorde aussitôt le renouvellement de son congé[44].

Mais écrire, ce n'est pas seulement rédiger des articles d'intérêt touristique et alimentaire. Plus que tout, Gabrielle veut faire ses preuves comme conteuse et comme auteur de fiction. Elle renoue donc avec sa veine des années précédentes en se lançant dans la rédaction de nouvelles et de récits. La plupart iront au panier ou resteront inédits, mais on peut penser qu'un certain nombre des contes qu'elle publiera après son installation à Montréal ont été rédigés ou du moins commencés ici, à Upshire, dans la petite chambre donnant sur les *downs*, où Gabrielle écrit de longues heures, enfoncée dans ses oreillers, sa machine portative sur les genoux, tandis qu'Esther, en bas, s'efforce de faire le moins de bruit possible en lavant la vaisselle du *breakfast*[45].

Le chemin du retour

Ayant abandonné sa chambre de Lilley Road, Gabrielle demeure à Century Cottages jusqu'à la fin du mois d'août. Puis, après un voyage d'un jour au festival d'art dramatique de Malvern, dans le Worcestershire, où elle assiste à la représentation de *Sainte Jeanne* de George Bernard Shaw, elle rentre à Londres, où elle s'installe dans une nouvelle pension encore plus éloignée du centre-ville. La maison est située à Sutton Lane, n° 4, dans Chiswick, chez des logeurs du nom de Norton. Privée — ou délivrée — de Stephen, Gabrielle reprend ses activités de l'hiver précédent : sorties avec Phyllis, Bohdan ou David, rencontres de compatriotes à la Maison du Canada, *afternoon teas* chez Lady Frances et, peut-être, d'autres week-ends dans les résidences de la *gentry* campagnarde. Sa vie sociale est bien remplie, et elle ne manque pas de cavaliers : « Je m'en fais deux ou trois par semaine », écrit-elle à Léonie, « je voudrais bien que tu y sois. Ce que tu rigolerais des centaines de petites manies drôles des Anglais[46] ». Dans ses moments libres, elle retrouve avec plaisir ses promenades favorites le long de la Tamise, dans Strand-on-the-Green et au jardin botanique de Kew Gardens, qui se trouve juste en face de chez elle, sur l'autre rive du fleuve.

Pourtant, elle n'éprouve plus la même exaltation que l'année précédente. D'abord, il y a l'actualité internationale ; les menaces d'une guerre imminente créent beaucoup d'incertitude, en particulier chez les ressortissants étrangers. L'atmosphère est tendue. Par ailleurs, Gabrielle sent que son séjour en Angleterre a moins de raison d'être maintenant qu'elle s'est tournée vers la littérature. Ses études d'art dramatique la tentent moins. Au début de l'automne, elle s'inscrit à des ateliers dans un petit théâtre expérimental, mais cesse d'y aller presque aussitôt, sans retourner à la Guildhall School ni aux leçons particulières de Mme Gachet. En fait, les arts de la scène ne l'intéressent plus guère, et elle croit de moins en moins à son avenir de comédienne. Dans *La Détresse et l'Enchantement*, Gabrielle Roy raconte que c'est à ce moment-là, c'est-à-dire vers la fin de 1938 ou au tout début de 1939, qu'elle prend la décision de rompre avec le théâtre. Ou plutôt, que cette rupture lui est imposée par des raisons de santé : un médecin, dit-elle, lui annonce qu'elle n'a ni la constitution physique ni la puissance respiratoire nécessaires pour embrasser la carrière d'actrice. Par contre, selon Adèle qui rapporte des propos que sa sœur lui aurait tenus en 1942, la décision de Gabrielle est due au fait que sa voix a été jugée peu radiophonique et sa diction, trop défectueuse[47].

Quoi qu'il en soit, tout indique que Gabrielle renonce alors à ce qui a été l'une de ses ambitions les plus chères jusque-là. L'ivresse du théâtre qu'elle a connue au Cercle Molière et au Little Theatre, l'espoir qu'elle en a conçu de devenir une grande comédienne, de gagner par là la fortune et la célébrité, tout cela, subitement, s'éteint, ou du moins passe au second rang, laissant toute la place à ce qui lui semble maintenant sa véritable vocation : écrire.

Dès lors, à quoi bon rester à Londres, où la vie est si chère ? Les réserves pécuniaires de l'étudiante fondent à vue d'œil. Retourner à Upshire pour écrire en paix et couler d'autres jours heureux sous l'aile d'Esther ? Elle y songe, mais les Perfect ne peuvent pas l'héberger. Alors, elle se résout à rentrer au Canada pour Noël. C'est du moins ce qu'elle annonce à ses proches de Saint-Boniface, si l'on en croit un entrefilet du journal *La Liberté* : « Mlle Gabrielle Roy après avoir étudié pendant un an et demi l'art dramatique et l'élocution française à Londres et à Paris doit revenir bientôt à Saint-Boniface[48]. »

À la dernière minute, cependant, elle change d'idée, ou plutôt elle décide, avant le grand retour, de s'offrir d'ultimes vacances. À la fois parce qu'elle a besoin de soleil et de chaleur pour soigner ses problèmes pulmonaires et parce que, depuis la lecture de Daudet, cette région l'attire comme « le grand rêve de [sa] jeunesse[49] », elle choisit d'aller là où les Anglais fortunés ont leurs habitudes : le Midi de la France. À ce voyage, elle consacrera presque tout l'argent qui lui reste, augmenté du montant de quelques emprunts, notamment auprès de Bohdan, d'une amie londonienne, Connie Smith, et peut-être de Lady Frances.

Elle part pour Nice au début du mois de janvier 1939. Dès l'arrivée, c'est l'éblouissement : « La lumière inondait le monde[50]. » Et la Provence tient amplement ses promesses. Pendant trois mois, la voyageuse vit dans un état d'exaltation continue, qu'alimentent à la fois l'aménité du paysage, l'amabilité des gens et le sentiment d'une liberté, d'une légèreté totale, comme si tout en elle se relâchait, comme si elle n'avait plus ni mémoire ni inquiétude, comme si, après dix-huit mois de lutte contre elle-même, rien soudain n'existait plus, hormis le plaisir d'être là, sous le soleil, et de se fondre dans la beauté des lieux. Elle écrira, une quarantaine d'années plus tard :

> Je ne sais pas si j'ai jamais été aussi heureuse qu'en ces trois mois où je vagabondai, sac au dos, de Saint-Tropez à Ramatuelle, de Ramatuelle à Agay ou à Mouans-Sartoux, de la petite chaîne des Maures aux calanques et aux anses marines, grisée par les odeurs, la lumière, la chaleur, la gaieté humaine, l'âpreté aussi parfois [...]. Pendant ces quelques mois j'ai dû être comme sans souci, sans avenir, sans attaches, peut-être sans patrie autre que celle vers laquelle tend innocemment notre cœur, dans la seule pure et rayonnante clarté du ciel[51].

Les quatre ou cinq premières semaines, elle les passe avec Ruby Cronk, une Torontoise rencontrée au cours de la traversée de la Manche. Ensemble, elles parcourent le pays, Côte d'Azur, Bouches-du-Rhône, Camargue, Languedoc. Elles n'ont pas d'itinéraire, si ce n'est celui que composent au jour le jour leurs caprices du moment et le hasard des rencontres. Elles vont tantôt à pied, tantôt à bicyclette, parfois montent dans une micheline ou un car, parfois attendent au bord de la route qu'un bon Samaritain les prenne à son bord. Le soir, elles font halte dans une petite auberge de village, où elles passeront peut-être quelques jours si l'accueil leur semble bon et le paysage, prometteur[52].

Mais Ruby finit par s'en retourner. Alors Gabrielle va s'établir à Castries, entre Nîmes et Montpellier, dans une pension de famille où les deux voyageuses ont passé quelques jours le mois précédent. La maison est tenue par deux vieilles dames seules, Mme Paulet-Cassan et sa sœur Thérèse[53]. Là, Gabrielle retrouve l'ambiance de Century Cottages : un lieu à la fois rural et point trop isolé, l'absence de tout souci, la possibilité, si elle le désire, de se promener dans les environs ou de se replier dans une solitude où des femmes soumises à son charme l'entourent d'affection et de cajoleries, tout ce qu'il lui faut, en somme, pour reprendre sa petite machine à écrire et se replonger tranquillement dans l'écriture de nouvelles, de contes ou d'articles qu'elle range dans ses valises en prévision de son retour au Canada[54].

Retour qu'elle ne peut plus repousser davantage. Fin mars, après avoir fêté son trentième anniversaire, Gabrielle quitte Castries et fait un crochet par Perpignan, d'où elle se rend à Prats-de-Mollo-la-Preste, bourg des Pyrénées-Orientales qui se trouve à cinq kilomètres de la frontière espagnole. Après les trois mois idylliques qu'elle vient de vivre, c'est le choc du réel. En Espagne, le général Franco, dont les armées ont pris Barcelone en janvier, vient d'entrer dans Madrid et la guerre civile touche à sa fin ; les partisans républicains sont en pleine déroute et fuient les représailles en cherchant refuge dans les villages français. À Prats-de-Mollo, l'horreur est à son comble, et Gabrielle, pendant quelques jours, participe aux secours du mieux qu'elle le peut. Mais elle est aussi là comme journaliste en herbe, pour voir la guerre de près et la dénoncer. Elle fait des photos, se renseigne sur la situation des réfugiés et écrit un article sympathique aux républicains, qu'elle envoie à *La Presse* de Montréal, où il ne paraîtra jamais[55].

Arrive le temps de partir. Avant de s'embarquer pour le Canada, elle entreprend sa tournée d'adieux. En route pour l'Angleterre, elle s'arrête quelques jours à Paris pour revoir Mme Jouve et aller au théâtre (c'est à ce moment-là qu'elle assiste à *La Mouette* de Tchekhov chez les Pitoëff). Une fois à Londres, elle écrit un mot à Stephen, qui ne répond pas. Peut-être sort-elle une dernière fois avec l'ami Bohdan, qu'elle ne reverra plus jamais puisqu'il mourra l'année suivante, victime d'un bombardement allemand, après avoir épousé une musicienne anglaise. C'est à Upshire, enfin, auprès d'Esther, que Gabrielle va passer ses tout derniers jours en Europe. Elle prend le bateau à Liverpool au début du mois d'avril 1939. Cinq mois plus tard, les blindés d'Hitler entreront à Varsovie.

« Sur tous les plans, écrit la narratrice de *La Détresse et l'Enchantement*, je sentais que j'avais échoué : en amour, dans l'écriture, en art dramatique, en toutes choses vraiment[56]. » Certes, au moment de retrouver son pays natal, la jeune femme n'a pas encore touché le but qu'elle s'efforce d'atteindre depuis si longtemps. Ni la gloire ni la fortune ne sont à portée de sa main, et elle ne sait pas ce qu'il va advenir d'elle. Pourtant, deux choses au moins ont changé. D'abord, elle a réussi à vivre seule pendant près de deux ans ; son émancipation, sa jeunesse sont bel et bien terminées. Ensuite, elle a commencé d'entrevoir quelle sera sa voie ; non pas le théâtre, comme elle a pu le penser, mais bien l'écriture. Certes, ses succès ne sont pas encore grand-chose, mais il y a là une ouverture, peut-être.

Les dernières pages de *La Détresse et l'Enchantement* relatent l'arrivée de Gabrielle à Montréal et le dilemme auquel elle doit faire face. Va-t-elle rentrer à Saint-Boniface et reprendre son poste à l'Institut Provencher, comme le voudraient la raison et les obligations filiales ? Ou ne doit-elle pas plutôt continuer sur sa lancée, garder le cap sur ses rêves et, pour cela, tenter sa chance à Montréal ? D'un côté, il y a les appels répétés de Mélina, qui aspire au retour de sa fille et la voudrait auprès d'elle pour alléger ses vieux jours. Mais de l'autre, il y a ce besoin irrépressible, encore inassouvi, d'échapper à son petit destin et de connaître enfin cette « vie agrandie » qui tarde tant à venir et à laquelle elle est incapable de renoncer.

Après quelque réflexion, sa décision est prise ; au fond, elle l'a toujours été, depuis ce jour lointain où la jeune fille a résolu de refuser la vie que sa mère et les siens lui préparaient. Elle ne retournera pas à Provencher, elle restera à Montréal, afin de se donner encore un an ou deux, comme elle l'écrit alors à Mélina[57]. Ainsi, elle choisit de nouveau, contre le devoir de fidélité, de poursuivre sa propre aventure.

> Je voyais tout à coup que je ne saurais plus à présent vivre, respirer, encore moins écrire, dans l'atmosphère raréfiée de vie française de ma province natale. [...] Sans rien deviner pour l'heure du lien si fort qui allait me lier à cette ville, je restai. Et je me jetai dans l'écriture exactement comme l'on se jette à l'eau sans savoir encore nager[58].

On pense ici à ce qu'écrit Marthe Robert du « reniement » de Robinson qui, contre la volonté de ses parents, décide de «*s'élever par entreprise* [...], sans autre bagage que sa foi en lui-même et son obstination à *arriver* » : « ayant formé le vœu de n'être le fils de personne, il devient effectivement l'orphelin absolu, le solitaire absolu, qui s'engendre lui-même en toute pureté au royaume du désert parfait[59] ».

Premières armes à Montréal

Si Montréal est une île, elle a peu à voir avec celle du héros de Defoe. Aussi est-ce plutôt du côté de Rastignac, autre orphelin volontaire, — ou du Jean Lévesque de *Bonheur d'occasion*, orphelin véritable celui-là — qu'il faut chercher le modèle de la Gabrielle Roy des années qui commencent. Cette fois, elle est bel et bien dans l'arène, il n'y a plus d'issue, et elle aura besoin de toute son énergie et de toute sa détermination pour se faire connaître, s'imposer, trouver les appuis nécessaires afin de gagner sa vie, d'abord, mais aussi de se faire une place, si possible la première, dans un milieu où personne ne la connaît et où chacun veut aussi sa part du gâteau. De ses années montréalaises, Gabrielle Roy dira à la fin de sa vie qu'elles ont été particulièrement dures : « L'ennui, la solitude, presque l'indigence étaient mes seuls compagnons[60] » ; mais ces mêmes années, elle les dépeindra aussi comme « extraordinairement exaltantes, [...] les plus belles années de ma vie[61] ».

Lorsque le train la dépose à la gare Windsor au printemps 1939[62], elle est pratiquement sans le sou. Juste en face de la gare et du terminus d'autobus, rue Stanley, au sud de Dorchester (aujourd'hui boulevard René-Lévesque), elle déniche, pour trois dollars par semaine, une chambre minuscule et grise, « la plus misérable petite chambre qui se puisse trouver en dehors des prisons[63] ». Heureusement, elle reçoit bientôt des autorités scolaires du Manitoba, en réponse à sa lettre de démission, le fonds de retraite accumulé au cours de ses années d'enseignement. La somme s'élève peut-être à une centaine de dollars ; c'est peu, mais cela suffit pour assurer au moins l'avenir immédiat et louer une chambre plus convenable. Celle qu'elle trouve alors, grâce à Pat Cossak, un ami employé à la gare Windsor, est sise plus à l'ouest, rue Dorchester, sur le côté sud, dans un secteur de Westmount qui est comme la campagne à la ville, ainsi que l'écrit la nouvelle arrivante dans un petit texte de cette époque :

> C'est à croire que vous venez d'entrer au cœur désuet d'une petite ville de province. Tout est placide et serein. Les arbres séculaires qui noient d'ombre ce coin de Montréal s'enchaînent à qui mieux mieux, et forment une avenue paisible où s'abritent des maisons à façades recueillies. [...] Mais ce qu'il y a de mieux dans cette paisible rue Dorchester, c'est une grande maison à pignons et corniches superposés, et qui alignent, tout en haut, face à la rue, trois petites fenêtres jumelles ; trois petites fenêtres ravissantes qui ont l'air d'avoir été faites tout exprès pour encadrer un visage jeune et pensif[64]...

Toutes ses années à Montréal, Gabrielle les passera dans cette même partie de la ville, où la vie se déroule entièrement en anglais et où elle se retrouve un peu dans la même atmosphère qu'elle a connue et aimée à Londres. Mais sa nouvelle chambre, pourtant moins misérable que la précédente, a l'inconvénient, étant située au dernier étage, de devenir pendant l'été « un vrai four, sous son toit chauffé à blanc[65] ».

C'est peu après son installation, semble-t-il, qu'elle fait la connaissance de George Wilkinson, un ex-pasteur de l'Église unie devenu leader syndical à Terre-Neuve pendant la crise et établi depuis quelques années à Montréal, où il continue de militer dans les milieux de gauche[66]. C'est un homme de quarante-quatre ans, qui a étudié dans les meilleures universités mais que ses expériences avec la police terre-neuvienne ont laissé angoissé, sinon déséquilibré. Selon Ben-Z. Shek, qui s'appuie sur le témoignage d'un ami de Wilkinson aujourd'hui décédé, Gabrielle et lui auraient été amants, voire « fiancés », et ils auraient « vécu ensemble » pendant quelque temps. La chose n'est pas impossible, bien sûr, mais elle paraît peu vraisemblable quand on songe à ce que pouvait être à cette époque une pension comme celle où logeait Gabrielle. « Vivre ensemble » peut simplement vouloir dire que Wilkinson et elle étaient pensionnaires dans la même maison, sans plus. Quoi qu'il en soit, il est à peu près certain que Gabrielle a effectivement connu Wilkinson[67] et que, si elle a été sa maîtresse, leur liaison n'a guère duré au-delà de l'été ou de l'automne 1939 puisque, comme on le verra, elle se fera alors un nouvel ami — ou amant — qui prendra beaucoup de place dans sa vie.

Pour l'instant, c'est-à-dire au cours de ces premiers mois à Montréal, une chose importe plus que tout pour elle : placer ses textes, se faire connaître dans le milieu littéraire et journalistique, entreprendre sans tarder son ascension dans la carrière d'écrivain. Mais comme elle a besoin d'argent et ne bénéficie d'aucune aide pécuniaire, contrairement aux fils de famille, aux anciens élèves de collèges classiques ou aux prêtres, une seule voie s'offre à elle : le statut de « pauvre gribouilleur[68] », comme elle dit, c'est-à-dire le journalisme à la pige et les petits cachets.

Dès son arrivée, elle se met en campagne. Munie de ses articles publiés dans *Je suis partout* et dans quelques périodiques canadiens, elle fait le tour des rédactions[69]. À l'hebdomadaire *Le Jour*, fondé un an et demi plus tôt par Jean-Charles Harvey, l'auteur à scandale des *Demi-civilisés* (1934), Émile-Charles Hamel, le secrétaire de rédaction, lui propose d'écrire des billets pour la page féminine, ce que Gabrielle accepte avec empressement malgré un cachet plus que modeste : trois dollars par « papier » de quatre ou cinq feuillets chacun.

Ainsi paraît, dans *Le Jour* du samedi 6 mai 1939, en page 7, un article signé Gabrielle Roy et intitulé « Amusante hospitalité ». Il dépeint, sur un mode léger, la vie quotidienne dans une maison chic de la campagne anglaise telle que la voit un étudiant canadien de passage. Ce texte, comme un certain nombre de ceux qui suivront, a vraisemblablement été écrit en Europe, au moment où Gabrielle accumulait des matériaux en vue de son retour au pays. Sa parution inaugure la carrière journalistique de Gabrielle Roy à Montréal, une carrière qui va s'étendre sur six ans et connaître assez vite un succès appréciable. Certes, il y a d'abord une période d'apprentissage et de tâtonnements au cours de laquelle, pratiquement inconnue, elle doit vendre ses textes un peu partout et imposer peu à peu son nom. Mais cela ne durera guère plus d'un an ou deux. Dès la fin de l'année 1941, elle sera devenue, parmi le peuple des polygraphes montréalais, une journaliste et une nouvelliste relativement connue, dont la manière plaît au grand public et aux rédacteurs de revues, si bien que ses textes sont dès lors publiés sans difficulté, que ses cachets augmentent et qu'elle peut vivre de son travail.

Mais elle n'en est pas là pour le moment. Durant tout l'été 1939, alors que le milieu tourne au ralenti à cause des vacances, elle n'a d'autre choix que de porter chaque semaine son billet au *Jour*, rue Sainte-Catherine, non loin de la rue Saint-Denis. Du 20 mai au 19 août, elle ne manque pas un seul numéro du journal[70]. Par la suite, sa collaboration devient un peu moins régulière, mais elle se prolongera tout de même jusqu'en mars 1940. Au total, Gabrielle Roy aura donné plus de trente textes à l'hebdomadaire de Jean-Charles Harvey[71].

Le Jour, on le sait, passe pour un des journaux les plus avancés de l'époque[72]. Sur le plan politique et idéologique, le libéralisme et l'antinationalisme farouches de son directeur, voire le socialisme de quelques-uns de ses rédacteurs, tranchent fortement avec les programmes généralement très conservateurs, sinon réactionnaires, qui ont alors la faveur d'une majorité d'intellectuels francophones. Il en va d'ailleurs de même dans le domaine de l'art et de la littérature, où les collaborateurs du *Jour*, sans aller jusqu'à l'avant-gardisme, refusent néanmoins le conformisme et le traditionalisme ambiants et prônent ce que l'on pourrait appeler un modernisme de bon aloi. Quant aux collaborateurs, ils se distinguent à la fois par la qualité de leur écriture, leur indépendance d'esprit et même leur marginalité relative dans le milieu littéraire de l'époque, qu'ils soient de la nouvelle génération, comme Jean-Paul Lemieux (né en 1904), Jean-Jules Richard (1911), Émile-Charles Hamel (1914), Yves Thériault (1915), Réal Benoît (1916), Paul Toupin (1918), Gilles Hénault (1920), ou auteurs déjà consacrés comme Alfred DesRochers, Jovette Bernier, Jean Narrache, Jean-Aubert Loranger ou Louis Dantin, le critique littéraire attitré du journal. Sans être une publication à grand tirage (environ dix mille exemplaires), *Le Jour*, à la différence d'une revue comme *La Relève*, appartient d'emblée au monde du journalisme, un journalisme de combat plutôt que d'information, sans doute, mais où la pression n'est pas moins constante : il faut écrire vite, savoir flairer l'esprit du temps, avoir du style et intéresser un large public. Pour une journaliste débutante, c'est une excellente école.

Cela dit, la position de Gabrielle Roy au *Jour* reste plutôt périphérique. Certes, elle a de la sympathie pour les idées que défendent Harvey et son équipe. Mais sa collaboration au journal n'est pas du tout celle d'une militante ou d'une pamphlétaire. Confinés dans la page féminine, ses articles n'ont d'autre prétention que de divertir les lectrices d'une façon qui soit à la fois amusante et originale. Pour cela, tous les sujets sont bons, pourvu qu'ils présentent un certain degré de cocasserie. La billettiste se sert tantôt de ses souvenirs de voyage en France et en Angleterre, tantôt de petits faits de la vie montréalaise, tantôt encore de petites histoires de son invention[73] ; dans tous les cas, la seule chose qui compte est d'être drôle, d'étonner, de ne jamais quitter le ton de la conversation légère ni verser dans le sérieux. Aussi paraît-il exagéré de tirer de ces écrits de circonstance, rédigés à la hâte et dont la fonction est purement alimentaire — « des banalités[74] », dira plus tard Gabrielle Roy —, une quelconque vision du monde ou l'amorce d'une pensée politique articulée. En fait, leur seul intérêt, s'ils en ont, est d'ordre artisanal ou professionnel — initiation à un certain style, à un certain humour que l'on retrouvera, épuré et mieux maîtrisé, dans des nouvelles ou même dans quelques livres de la romancière.

Quant aux relations que Gabrielle entretient avec le groupe de journalistes, d'écrivains et d'intellectuels qui gravitent autour de Jean-Charles Harvey, on n'en sait à peu près rien. Seul Gilles Hénault se rappellera, beaucoup plus tard, avoir côtoyé Gabrielle Roy à ce moment-là. Elle fréquente bien sûr George Wilkinson, qui signe des articles dans *Le Jour*. Pour le reste, sa vie sociale ressemble à celle de toute immigrante fraîchement arrivée dans un milieu inconnu et qui n'a d'autre choix, au début, que de se rapprocher des seules personnes qu'elle connaisse : ses compatriotes manitobains.

Il existe en effet, dans le Montréal de cette époque, une petite communauté franco-manitobaine assez active, formée surtout de jeunes gens de l'âge de Gabrielle qui ont quitté leur province à cause de la crise et sont venus chercher du travail au Québec, où ils essaient de rester en contact les uns avec les autres, se voient régulièrement et s'entraident du mieux qu'ils le peuvent. Un de leurs lieux de rencontre est la pension des sœurs Benoist, rue Jeanne-Mance, où Gabrielle prend l'habitude d'aller manger en compagnie d'autres Franco-Manitobains transplantés comme elle à Montréal. Elle y retrouve notamment la jeune sœur de Renée Deniset, Jacqueline, qui a quitté Saint-Boniface en 1937 pour devenir la secrétaire d'Émile Couture, lui-même ami d'enfance de Gabrielle et maintenant directeur du service de la colonisation au Canadien National. Bientôt, elle retrouvera aussi Louis Gauthier, le petit voisin de la rue Deschambault. Ce dernier, devenu architecte après des études à l'Université Columbia, s'est établi à Montréal où il est employé du gouvernement fédéral. Financièrement plus à l'aise que Gabrielle, Louis invite de temps à autre son amie au cinéma, au restaurant ou à un concert sur la montagne. Bien qu'elle ne soit guère assidue aux rassemblements de Franco-Manitobains, la jeune femme y fait parfois acte de présence. Ainsi, on la voit aux fêtes qu'Émile Couture organise chez lui, à Saint-Lambert, pour la Noël. En janvier 1942, elle assiste même à une réception officielle de l'Association des Anciens du Manitoba lors de la visite à Montréal du prélat de Saint-Boniface, Mgr W. L. Jubinville.

Certes, un tel milieu, familier et rassurant, peut servir de refuge les jours de solitude et d'ennui ; au besoin, on peut y demander de l'aide, un tuyau, un prêt de quelques dollars. Mais il n'est pas question pour Gabrielle de s'y enfermer et d'accorder ainsi trop d'importance à son appartenance franco-manitobaine. Elle n'est pas à Montréal pour cela, mais pour se dégager de son passé, échapper à ses origines, s'engendrer elle-même, en quelque sorte, en misant sur ses seules ressources et sur une confiance inébranlable en sa bonne étoile.

Une heureuse rencontre

Outre sa chronique au *Jour*, la journaliste a réussi, au cours des quelques mois qui suivent son retour au pays, à vendre des textes ici et là, l'un à la *Revue populaire*, l'autre à *Paysana*. Mais rien de tout cela ne prête vraiment à conséquence ni ne rapporte suffisamment d'argent pour lui permettre de subvenir à ses besoins. La situation va changer lorsque, vers le milieu de l'été, ses démarches la conduisent rue Notre-Dame Est, aux bureaux de la *Revue moderne*[75].

Fondé en 1919 par Madeleine (pseudonyme d'Anne-Marie Gleason-Huguenin), ce mensuel s'est imposé avec les années comme un des magazines canadiens-français les plus populaires et les plus rentables, jusqu'à ce qu'une crise interne le conduise à une quasi-disparition en 1938. Au moment où Gabrielle s'y présente, la revue vient d'être rachetée par Roland Beaudry, un jeune homme dynamique, qui a entrepris une vaste opération de relance du mensuel : couverture plus attrayante, nouvelle équipe et surtout, sur le plan rédactionnel, renforcement de ce qui a toujours été l'épine dorsale de la revue, le contenu littéraire. Par là, il faut entendre une littérature essentiellement populaire, s'adressant à un public aussi large que possible et composé très majoritairement de lectrices. Or ce que veut ce public, ce ne sont pas des prouesses stylistiques, mais de l'évasion, de l'analyse psychologique et du frisson amoureux. À cet égard, le plat de résistance de toutes les livraisons de la *Revue moderne* est le « roman complet », signé par un auteur français à la mode et dont l'idéal s'incarne dans les œuvres ineffables de Delly et de Magali : tribulations sentimentales d'une jeune fille pure et romantique en proie aux adversités de toutes sortes, lutte entre l'homme pervers et le prince charmant, baisers au soleil couchant sur un bord de mer, dialogues pleins d'« intensité », décor exotique (Europe et Afrique du Nord), et triomphe final de l'amour, de la fortune et de la morale.

En continuant de publier des « romans complets », le nouveau propriétaire de la *Revue moderne* s'en tient à une recette éprouvée. Plus audacieuse est la décision d'inclure dans la revue un certain nombre de nouvelles d'auteurs canadiens. Afin d'attirer ces derniers et de marquer sa relance, la revue annonce même, en mai 1939, la tenue d'un grand concours : un prix de 500 dollars — somme rondelette pour l'époque et le milieu — sera remis à la meilleure nouvelle publiée dans les pages de la revue au cours de l'année suivante.

Les efforts pour « revamper » la *Revue moderne* porteront leurs fruits : le tirage, qui est de 31 000 exemplaires en 1940, s'élèvera rapidement par la suite, pour atteindre les 70 000 en 1943, chiffre qui pourrait être facilement dépassé, selon la direction, si ce n'était des restrictions gouvernementales sur le papier. Mais Roland Beaudry n'est pas seul responsable de ce succès. Tout aussi important, sinon davantage, est le rôle du directeur littéraire : Henri Girard.

Personnage fascinant que ce Girard. Et passablement mystérieux. Peu de gens, en effet, se souviennent de lui aujourd'hui, et l'on n'a guère écrit à son sujet. Pourtant, il s'agit d'un homme remarquable, grand intellectuel, esprit fin, cultivé, ouvert aux idées et aux courants artistiques les plus avancés de son époque. C'est un libre penseur, ce qui explique peut-être en partie l'oubli où son nom est tombé, avec ceux de tant d'autres dont la vie et les pensées cadraient mal avec le conformisme intellectuel du Québec d'avant-guerre. Aussi ne disposons-nous à son sujet que de renseignements très fragmentaires, mais suffisants pour donner une idée de sa personnalité et du rôle considérable qu'il a joué dans la carrière et l'évolution personnelle de Gabrielle Roy.

Girard est né à Québec aux alentours de 1900. Il commence à publier des articles de critique d'art à la fin des années vingt dans la *Revue moderne*, alors dirigée par Robert Choquette, puis par Jean Bruchési. Familier des samedis d'Albert Pelletier, le directeur de la revue *Les Idées*, il devient ensuite journaliste au quotidien *Le Canada*, où il côtoie Olivar Asselin. Sur le plan idéologique, Girard est ce que l'on pourrait appeler un libéral avancé : sans être membre d'un parti de gauche, il sympathise avec le socialisme et l'antifascisme ; en 1937, lui et Edmond Turcotte, le directeur du *Canada*, sont parmi les rares Montréalais francophones à assister à la conférence d'André Malraux en faveur des républicains espagnols ; ils participent également aux assemblées de protestation contre la loi dite du « cadenas », adoptée par le gouvernement de Maurice Duplessis pour museler l'opposition, et s'attirent ainsi les foudres de la droite bien-pensante.

Mais c'est d'abord à l'art et à la littérature que s'intéresse Girard. Au *Canada*, il signe des articles sur la peinture, l'architecture, le théâtre et la poésie, se faisant chaque fois le partisan du renouveau et de la modernisation. Entre autres, il célèbre les *Regards et Jeux dans l'espace* de Saint-Denys Garneau lors de leur parution en 1937[76]. Comme critique d'art, il est proche des Gérard Morrisset, John Lyman, Robert Ayre, qui, dès les années trente, suivent avec sympathie les transformations de la peinture montréalaise et préparent le terrain à l'acceptation des grandes ruptures modernistes qui surviendront à la faveur de la guerre et de l'immédiat après-guerre ; Paul-Émile Borduas cite Henri Girard, aux côtés de Maurice Gagnon et de Marcel Parizeau, comme un de ses alliés dans les démêlés qui l'opposent à l'École du meuble ; et Girard, en 1948, sera parmi les rares commentateurs qui défendront *Refus global*[77]. Ses positions en matière d'esthétique et de littérature se caractérisent par un éclectisme de bon aloi : ennemi de l'académisme, attentif aux nouvelles tendances et bien disposé à leur égard, il se méfie néanmoins des audaces trop absolues et reste attaché à ce qu'il considère comme les grandes valeurs éternelles de l'art et de la littérature : harmonie, équilibre, beauté, valeurs tout à fait conciliables à ses yeux avec l'innovation et la modernité[78].

Henri Girard n'a pas écrit de livre. Mais ses articles témoignent d'une grande maîtrise stylistique. Comme son ami Gérard Dagenais (que nous rencontrerons un peu plus loin), il connaît parfaitement sa langue et passe pour un « linguiste » averti. La *Revue moderne* ne pouvait donc recruter meilleur directeur littéraire. Il occupe ce poste de mai 1939 à juin 1942. À ce titre, il est responsable de la qualité des textes et, notamment, du choix des nouvelles à paraître dans chaque livraison. Ses idées à ce sujet sont claires : il faut donner aux lecteurs « toute la littérature possible et, surtout, toute la littérature *canadienne* possible[79] ». Or cette dernière a généralement mauvaise réputation auprès du public de la revue. « Notre littérature, écrit par exemple un chroniqueur, n'est pas folichonne. Nos écrivains, en général, sont graves et sévères, on dirait qu'ils portent toujours sur leurs épaules le sort du monde. Ils aiment aligner des paragraphes prétentieux et qui suintent l'ennui[80]. » L'un des buts de Girard est de briser cette association entre littérature canadienne et platitude. Pour ce faire, il incite les auteurs à abandonner les vieux poncifs, à secouer la vieille raideur et à se montrer plus « modernes ». Il écrit, en 1940 :

> Il y a littérature et littérature. Nous ne blâmons pas, cela va de soi, les favorisés du sort ou de la fortune qui peuvent ne contempler que les sommets de la chose littéraire, mais nous avons cru et nous croyons que les gens de goûts plus modestes, comme vous et nous, ont bien le droit de lire des ouvrages qui les intéressent et leur font passer des heures agréables[81].

Cette littérature « intéressante », selon Girard, n'est pas nécessairement de la littérature facile ; il pense plutôt à des œuvres « qui savent montrer en action des personnages vrais et vivants » et « décrire exactement la société canadienne d'aujourd'hui ». Il ne prône nullement une révolution littéraire ; du reste, la *Revue moderne*, publication commerciale s'il en est, n'a rien d'une revue d'avant-garde, bien qu'elle illustre et encourage, à sa manière, la diffusion au Canada français d'un goût nouveau, plus actuel, plus populaire, plus urbain, en somme, et mieux accordé aux attentes du public de l'époque, qui raffole de cinéma, de chansonnettes et de « fridolinades ». C'est dans cet esprit, en tout cas, que la *Revue moderne*, sous la direction de Girard, publie par livraison quatre ou cinq nouvelles d'auteurs aussi en vue que Robert Choquette, Ringuet ou Alain Grandbois, mais aussi de jeunes écrivains encore inconnus qui s'appellent Adrienne Choquette, Germaine Guèvremont, Claire Richard ou Gabrielle Roy.

Lorsqu'elle se présente devant Henri Girard, Gabrielle tombe à pic. La revue a besoin de manuscrits, et ceux que soumet la nouvelle venue plaisent aussitôt au directeur littéraire, qui s'empresse d'annoncer à ses lecteurs, dans la livraison d'août 1939, la publication, « le mois prochain », d'une première nouvelle de Mlle Gabrielle Roy. Le mois suivant, « La conversion des O'Connor » reçoit un traitement de faveur : signalée sur la couverture, commentée en page inaugurale, elle figure en tête du bloc de cinq nouvelles que contient le numéro.

Ce n'est pourtant pas un bien grand texte : chez les O'Connor, on s'inquiète de l'absence de Lizzie, la mère ; mais celle-ci n'a fait qu'une petite fugue de magasinage pour marquer sa révolte passagère contre sa condition de femme à tout faire. D'ailleurs, le remords la tenaille bientôt et elle rentre au bercail, où mari et enfants ont pris conscience de tout ce qu'ils lui doivent. Ce qui a séduit Girard dans cette nouvelle, c'est sans doute la légèreté du ton, la vivacité du récit, le mélange habile d'humour et d'émotion : tout ce qui caractérise en somme la littérature de grande consommation, agréable, spirituelle, que souhaite la direction de la *Revue moderne*.

Mais Henri Girard n'est pas seulement conquis par les textes de Gabrielle. Il l'est autant, sinon davantage, par la beauté, la vivacité, l'assurance, toute la personne de cette jeune femme aux « yeux d'un ton gris vert [qui] se posent carrément sur les vôtres », dira-t-il, « [exprimant] à la fois une intense curiosité et la calme solidité de l'intelligence[82] ». En un mot, il est épris. Et Gabrielle ne le repousse pas.

Entre la belle inconnue et le grave directeur littéraire naît en effet une relation privilégiée qui va durer sept ans. Tout les pousse l'un vers l'autre, à commencer par leur besoin d'affection. Henri est marié, mais malheureux ; sa femme — une acariâtre, se plaint-il — le déteste et lui rend la vie impossible. Quant à Gabrielle, elle est comme un oiseau perdu, toute seule à Montréal et sans personne sur qui se reposer. Ils se confient l'un à l'autre, découvrent que la même sensibilité les rapproche, le même goût pour le raffinement, l'art, les beautés de la nature. Ils partagent le même idéalisme et ont des opinions communes en matière de politique, de justice sociale et de morale.

Gabrielle a plusieurs raisons d'être séduite. Il y a d'abord la personnalité d'Henri, homme doux et tendre ; il n'est pas très beau, un peu rondelet, mais il a un cœur d'or, n'élève jamais la voix et respire une bonté infinie. Il y a ensuite son immense culture, sa maîtrise de la langue et sa connaissance de la littérature contemporaine. Et il y a enfin son expérience : plus âgé qu'elle d'une dizaine d'années, familier des cercles journalistico-intellectuels de Montréal où il fraie depuis plus de dix ans, Henri connaît tout le monde, journalistes, éditeurs, artistes, politiciens ; il possède des amis ou des relations partout, sait toujours à quelle porte frapper et manie parfaitement les règles tacites qui gouvernent le milieu. Bref, c'est un homme puissant, ou qui sait se faire entendre des puissants, ce qui, aux yeux d'une débutante comme Gabrielle, ne peut qu'ajouter à son charme.

En retour, existe-t-il pupille plus attendrissante et plus prometteuse que Gabrielle ? Henri l'a vu au premier coup d'œil : cette jeune femme a tout pour réussir, le talent, la beauté, la détermination. Au lien affectif qui les unit se mêle inextricablement un lien non moins fort de dépendance et de protection : Henri sera le mentor de Gabrielle, il prendra en main sa carrière, il lui servira de conseiller littéraire et d'ami.

Pour commencer, il fait de l'auteur de « La conversion des O'Connor » une collaboratrice régulière de la *Revue moderne* ; un texte de Gabrielle Roy paraîtra dans tous les numéros de l'année 1939-1940, sauf deux. En octobre, c'est « Le monde à l'envers », nouvelle qui met en scène une jeune femme amoureuse et son galant de mari. En novembre, Girard réimprime, en l'ornant de photos prises par l'auteur, l'article intitulé « Londres à Land's End » que Gabrielle a donné un an plus tôt au journal manitobain *La Liberté*. Puis on revient aux nouvelles : « Cendrillon '40 » paraît en février 1940, suivi d'« Une histoire d'amour » (en mars) puis du « Roi de cœur » (en avril). Ces textes sont tous de la même veine touchante, souvent sentimentale ; le dialogue y est abondant, les situations colorées et, curieusement, les personnages ne sont jamais des Canadiens français, même lorsque l'action se déroule à Montréal ou dans les environs. Dans l'ensemble, c'est de la littérature superficielle et bien ficelée. Cela dit, deux nouvelles se singularisent quelque peu : « Gérard le pirate » (mai 1940), où Gabrielle utilise visiblement des souvenirs de son enfance à Saint-Boniface, et « Bonne à marier » (juin), qui est la version française de « Jean-Baptiste Takes a Wife », farce rurale parue en anglais dans le *Toronto Star Weekly* trois ans et demi plus tôt[83].

Pour chaque article publié, Gabrielle touche une douzaine de dollars, ce qui lui permet de doubler le revenu mensuel qu'elle tire alors de sa collaboration au *Jour*. La générosité de Girard se manifestera de manière encore plus significative lorsque « La conversion des O'Connor » remportera le grand concours de nouvelles de la *Revue moderne*. Légère déception, cependant : il y a deux gagnantes, et Gabrielle doit partager le prix de 500 dollars avec une autre habituée de la revue, Claire Richard, alias Jean Desprez, de son vrai nom Laurette Larocque-Auger, qui a signé « Le cœur de Nadine » dans la livraison de janvier 1940. Bien sûr, les textes ont été évalués en bonne et due forme par un jury prestigieux, impartial… et bien conseillé.

Mais la *Revue moderne* n'est pas tout, et Gabrielle ne pourrait pas aller très loin avec les petites sommes et le petit prestige qu'elle lui procure. Il faut faire plus, il faut faire mieux et, pour cela, élargir son plan de campagne. Avec l'aide de son nouvel ami, elle entreprend de diversifier ses activités et de se lancer à la conquête d'autres lieux susceptibles d'augmenter ses rentrées et de permettre à son talent d'être plus largement reconnu.

Le micro et les planches

Comme pour signaler publiquement son entrée en scène, Gabrielle se fait photographier chez Larose, un des studios les plus cotés de Montréal. La photo paraît dans la *Revue populaire* du mois d'octobre 1939, en grand format ; elle montre une jolie jeune femme à l'expression timide et distinguée, dont le regard clair, la coiffure légère et le large sourire semblent adresser à la vie un message de confiance et de bonheur. Sous la photo, un texte résume les qualités de la belle débutante : naissance à Saint-Boniface, appartenance au Cercle Molière, études en Europe, publications dans *Je suis partout*.

Il y est également précisé que Mlle Gabrielle Roy est artiste à la radio. Même si elle a découvert, au terme de ses études en Europe, qu'elle n'était pas faite pour le théâtre, Gabrielle s'efforce, une fois installée à Montréal, de mettre à profit son expérience en art dramatique, ne serait-ce que pour arrondir ses fins de mois. Or la première source d'emploi, pour un comédien de cette époque, c'est la radio, qui vient alors d'accéder au statut de mass media et entre dans son premier âge d'or : celui des feuilletons. C'est ainsi que Gabrielle, peut-être grâce à l'intervention d'Henri Girard qui a beaucoup d'amis à Radio-Canada et participe lui-même à des émissions d'affaires publiques, obtient à la rentrée de 1939 un rôle épisodique dans le radioroman d'Henry Deyglun, *Vie de famille*[84]. Commandité par Proctor & Gamble, ce feuilleton quotidien en est à sa deuxième saison et connaît un tel succès populaire que le journal *Radiomonde* en entreprend la publication dans ses pages en décembre 1939. Le personnage que joue Gabrielle, et qu'elle continuera de jouer jusqu'à la fin de la saison, est celui d'une jeune fille sensible appelée « Colette d'Avril ». Parmi les autres comédiens, on trouve les noms de Marthe Thierry, Nicole Germain, Guy Mauffette, Mimi d'Estée (la femme de Deyglun), Jacques Auger (le mari de Jean Desprez) et Marthe Nadeau, avec qui Gabrielle se lie d'amitié.

Au cours de cette saison 1939-1940, l'ancienne élève de la Guildhall School of Music and Drama participe également aux activités du Montreal Repertory Theatre[85]. Cette troupe de langue anglaise, fondée en 1929 par Martha Allan, s'est dotée rapidement d'une « section française » dont le dynamisme et le rayonnement, sous la direction de Mario Duliani, sont alors à leur sommet, pour le grand plaisir des amateurs et des critiques, au premier rang desquels figurent l'hebdomadaire *Le Jour* et la *Revue moderne* d'Henri Girard. À la rentrée de 1939, le MRTF, rebaptisé « Mont-Royal Théâtre français », annonce son installation à la salle Saint-Sulpice, rue Saint-Denis, et l'arrivée de nouveaux membres, dont les comédiens bien connus Fred Barry, Albert Duquesne, Marthe Thierry et une nouvelle venue : Gabrielle Roy[86]. Celle-ci, en faisant son entrée dans le monde théâtral montréalais, retrouve donc un milieu et des gens qu'elle a connus quelques années plus tôt, lors de ses séjours à Ottawa à l'occasion du Dominion Drama Festival.

Le nom de Gabrielle Roy, toutefois, n'apparaît dans la distribution d'aucune pièce. Sa participation se fait à un autre niveau : l'écriture. L'une des missions du MRT a toujours été de contribuer à l'essor de la dramaturgie locale, qui en a bien besoin. Aussi, à l'automne 1939, afin de stimuler la création et de recruter de nouveaux auteurs, annonce-t-on la tenue d'un grand concours de pièces canadiennes en un acte. Dans le courant de l'année 1940, quatre « galas » présenteront chacun quatre pièces, dont la meilleure sera jouée lors d'une finale. Le jury qui décidera du grand vainqueur est composé du docteur Roméo Boucher, du journaliste Louis Francœur et du romancier Philippe Panneton ; des bourses en argent seront remises aux concurrents à la fin de chaque gala et le grand gagnant recevra en outre une somme de 200 dollars.

Gabrielle, depuis l'époque de l'Académie Saint-Joseph, a l'habitude des concours. Elle soumet une pièce en un acte et trois scènes intitulée *La Femme de Patrick*[87]. Il s'agit d'une adaptation scénique de sa première nouvelle publiée à la *Revue moderne,* « La conversion des O'Connor », nouvelle qui a connu « un gros succès[88] ». La pièce est jouée à la salle Saint-Sulpice le dimanche 2 juin 1940, lors du deuxième « gala de pièces canadiennes-françaises inédites » ; Mario Duliani signe la mise en scène ; deux des comédiens sont Paul Guèvremont et Pierre Dagenais[89]. Les pièces concurrentes sont toutes signées de pseudonymes, comme le veut alors le chic artistique ; ce sont *Comédienne* de Pierre Dutaut, *Lacets, crayons* de Pierre Andray et Carl Robert et *Toto* de Jean Desprez, qui obtient le premier prix de la soirée. Gabrielle est troisième, ce qui lui vaut un prix de consolation de 15 dollars. Malgré cela, *La Femme de Patrick* reçoit une presse plutôt favorable ; « une spirituelle comédie », écrit le chroniqueur du *Jour* ; « c'est vraiment du théâtre, renchérit celui du *Canada*, avec une forte note d'originalité et une grande personnalité » ; quant à la billettiste de *Radiomonde*, Jean Desprez elle-même, elle trouve que « l'auteur ne s'est pas assez dégagé de la formule *nouvelle* » et impute l'insuccès de la pièce de Gabrielle Roy à l'impréparation de quelques-uns des comédiens[90]. Cela dit, la soirée est une telle réussite que les quatre pièces font l'objet d'une seconde représentation quelques jours plus tard ; enfin, *La Femme de Patrick* est radiodiffusée le 15 juin sur les ondes de CKAC[91]. Au bout du compte, c'est un inconnu du nom de Gérard Bessette, tout juste âgé de vingt ans, qui remportera le grand prix pour *Hasard*, une pièce en vers dont l'action se déroule dans une librairie.

Cette expérience met fin, semble-t-il, à la carrière théâtrale de Gabrielle Roy. Elle effectue encore, pendant ces années-là, quelques autres essais d'écriture dramatique, mais qui n'auront guère de suites. Ainsi, on peut lire dans ses archives personnelles le manuscrit d'une « pièce de radio-théâtre en quatre actes » intitulée *Oui, mademoiselle Line*, qui remonte vraisemblablement à cette époque mais n'a jamais été jouée[92]. En février 1941, elle donne à l'émission radiophonique *Je me souviens* une adaptation dramatique d'une de ses nouvelles précédemment parue dans la *Revue moderne*[93]. Enfin, de 1942 (1943 au plus tard) date une pièce inspirée de l'Ouest canadien et restée inédite[94]. Mais c'est tout. Pour le reste, la présence de Gabrielle Roy à la radio se limitera à de simples lectures par des comédiens professionnels de quelques-unes de ses nouvelles publiées, ce qui lui permettra d'atteindre un public plus large et d'accroître quelque peu le montant de ses droits d'auteur[95]. En somme, sa carrière de comédienne et de dramaturge ne dure guère au-delà de ses toutes premières années à Montréal, durant lesquelles elle fait flèche de tout bois pour survivre et se faire connaître.

Le théâtre n'est plus à ses yeux qu'un pis-aller ; ce qui l'intéresse, c'est la littérature, c'est-à-dire, dans les circonstances, le journalisme. Or voici qu'une occasion se présente qui va lui permettre de délaisser les petits engagements et la course aux cachets pour se concentrer vraiment sur le métier qui est maintenant le sien : écrire.

Des vacances au bord de la mer

C'est en juin 1940 que Gabrielle Roy entre au *Bulletin des agriculteurs*, où elle va trouver bientôt, et pour les cinq années à venir, un emploi stable, un revenu assuré, un public à la fois attentif et plus divers que celui — presque uniquement féminin — qu'elle a eu jusque-là, et une formidable école d'écriture ; en un mot, les conditions nécessaires pour devenir écrivain. Après deux années d'errance en Europe, après une autre année à Montréal où elle a cherché à se tailler une place dans le milieu artistique et littéraire, elle arrive enfin à un résultat : elle va pouvoir vivre de sa plume, cesser de s'inquiéter du lendemain et se consacrer entièrement à l'œuvre qui la sollicite. Son entrée au *Bulletin* est en somme le premier « succès » de Gabrielle, sa première consécration, et l'événement qui l'oriente définitivement vers l'écriture. « C'est à l'intelligente compréhension et à la générosité des directeurs du *Bulletin des agriculteurs*, confiera-t-elle quelques années plus tard à Rex Desmarchais, que je dois d'avoir eu le loisir d'écrire mon roman, *Bonheur d'occasion*[96]. »

Mais comment décroche-t-elle ce poste, elle que presque personne ne connaît et qui ne sait rien à ce moment-là du *Bulletin des agriculteurs*, publié à Montréal mais distribué uniquement dans les régions rurales du Québec ? Dans ses entrevues et ses souvenirs, Gabrielle Roy attribuera tantôt le fait au conseil d'amis bien intentionnés[97], tantôt, et le plus souvent, à sa seule initiative personnelle[98]. Mais en réalité, il semble que ce soit Henri Girard, là encore, qui ait joué le rôle décisif en persuadant René Soulard, chef de la rédaction du *Bulletin*, de retenir les services de sa protégée.

Pour comprendre l'intervention de Girard et, plus largement, le déroulement de la carrière journalistique de Gabrielle Roy, il faut s'arrêter un peu au contexte particulier des années de guerre[99]. D'abord, la presse montréalaise, tout comme l'édition, connaît alors une phase de très forte expansion, due à la fois à la reprise de l'économie locale et au tarissement des approvisionnements de périodiques et de livres en provenance de France. Il en résulte, pour les journaux et les revues ainsi que pour les nombreuses maisons d'édition qui voient le jour à Montréal, une prospérité sans précédent, grâce à laquelle ces entreprises peuvent accroître leur production et leurs tirages (malgré le rationnement du papier), diversifier et libéraliser leurs contenus en se dégageant de l'influence cléricale, et augmenter sensiblement leurs effectifs. En d'autres mots, une jeune femme désireuse de faire carrière dans le journalisme et la littérature et qui débarque à Montréal vers 1940 ne peut pas mieux tomber ; les entreprises de presse y sont plus riches que jamais, et elles ont plus que jamais besoin d'auteurs et de textes de qualité.

C'est le cas, nous l'avons vu, à la *Revue moderne*. Et c'est aussi le cas au *Bulletin des agriculteurs*[100]. Ce mensuel, qui existe depuis 1918, connaît pendant la Deuxième Guerre mondiale son véritable âge d'or. Le tirage ne cesse de grimper : de 63 000 exemplaires en 1939, il passera à 145 000 en 1948 ; son contenu éditorial se transforme : tout en demeurant un périodique spécialisé dans les questions agricoles, le *Bulletin* étend sa couverture à mesure que son public, très majoritairement rural, s'ouvre, à la faveur de la guerre, de la généralisation de la radio et de la reprise de l'urbanisation, à des préoccupations plus larges et plus variées. Ainsi, une bonne part de chaque livraison est consacrée à des « romans et nouvelles » de la même encre que ceux qui fourmillent dans les autres magazines de l'époque, c'est-à-dire remplis de grands sentiments et d'aventures excitantes. Il y a aussi la chronique du « Père Bougonneux » signée Valdombre (Claude-Henri Grignon), ainsi que divers articles consacrés à l'actualité locale et européenne. Le *Bulletin*, en un mot, est alors dans la même position que les autres hebdomadaires et mensuels : il a besoin de sang neuf et de matières nouvelles, donc de collaborateurs aussi originaux et talentueux que possible.

Outre cet essor général de la presse, il y a un autre facteur dont il faut tenir compte pour comprendre le parcours de Gabrielle Roy pendant la guerre, c'est le facteur politique. Lorsque la jeune femme débarque à Montréal en avril 1939, le Québec est encore gouverné par l'Union nationale de Maurice Duplessis. Mais les libéraux d'Adélard Godbout prennent le pouvoir aux élections du 25 octobre suivant et le conserveront jusqu'en août 1944. Pendant ces cinq années, le Parti libéral, réélu à Ottawa en mars 1940, régnera donc sans partage et exercera une influence d'autant plus directe sur la vie politique, économique et idéologique du pays que la loi des mesures de guerre, promulguée dès septembre 1939, attribue à l'État des pouvoirs d'intervention et de contrôle quasi absolus. Au Québec, cette situation explique en partie le caractère exceptionnel que revêt l'action gouvernementale pendant les années de guerre, faisant de cette période une sorte de Révolution tranquille avant la lettre : droit de vote accordé aux femmes en 1940, loi de l'instruction obligatoire en 1942, meilleure reconnaissance des syndicats en 1944 et, la même année, nationalisation partielle de l'électricité et création d'Hydro-Québec.

Dans l'univers où évolue Gabrielle Roy, le changement de régime a des effets très nets. Il donne un formidable regain d'énergie à la presse d'allégeance libérale, pour laquelle les trois années du premier gouvernement Duplessis ont été une dure traversée du désert. Du jour au lendemain, la puissance et la visibilité des journaux et des revues proches du Parti libéral décuplent grâce à l'appui politique et financier que leur accordent les politiciens au pouvoir. Or, dès son arrivée à Montréal, Gabrielle a la chance — ou l'instinct — de s'insérer justement dans ce réseau en plein essor, au *Jour* d'abord, puis à la *Revue moderne,* dont le nouveau directeur, Roland Beaudry, est un libéral notoire. Tout comme Henri Girard, d'ailleurs, que son passé au journal *Le Canada* et ses liens avec Edmond Turcotte ont fait amplement connaître comme l'un des journalistes libéraux les plus convaincus et les plus fiables de Montréal.

Aider Gabrielle, pour Henri, consistera d'abord à se servir de ses relations à l'intérieur du réseau libéral pour en faire profiter son amie. Or, des libéraux influents, il y en a un peu partout dans le milieu littéraire et journalistique : à Radio-Canada, à la *Revue populaire,* mais aussi au *Bulletin des agriculteurs,* dont le propriétaire est Arthur Fontaine, secrétaire et grand argentier du Parti libéral, et le rédacteur, René Soulard, un ancien du *Canada,* où lui et Girard se sont connus. De plus, le *Bulletin,* en sa qualité de publication agricole, jouit des faveurs particulières du premier ministre Godbout, lui-même agronome. Lorsque Gabrielle, précédée de la recommandation de son ami, se présente aux bureaux du journal, les portes s'ouvrent devant elle comme par enchantement. Non seulement M. Soulard se montre désireux de recevoir ses textes, mais il accepte, bien que la jeune femme n'ait encore publié aucun reportage, ni au *Bulletin* ni ailleurs, la proposition qu'elle lui fait d'aller passer une partie de l'été, toutes dépenses payées, dans un endroit déjà bien connu, au sujet duquel même un reporter d'expérience aurait peine à dire des choses neuves, un endroit qui est, en fait, un lieu de vacances : la Gaspésie.

Car, dira plus tard Gabrielle Roy, « je rêvais de la Gaspésie sans la connaître ; sans l'avoir jamais vue, je rêvais néanmoins d'elle comme on rêve sans les avoir connues non plus des îles de Pâques[101] ». Contente de quitter sa mansarde que la canicule transforme en étuve, elle prend donc le train jusqu'à Matapédia et, de là, le petit tortillard qui se rend à Gaspé en longeant la baie des Chaleurs. En cours de route, elle décide de descendre à Port-Daniel où, un peu à l'écart du village, elle loue une chambre dans la maison d'un couple de pêcheurs, Bertha et Irving McKenzie.

Et, comme naguère à Upshire, c'est l'éblouissement. Cette maison blanche au bord de la mer, cette chambre à la vaste fenêtre, ce paysage rempli de lumière et de cris d'oiseaux donnent à la voyageuse le sentiment de se trouver tout à coup chez elle, dans « le pays jamais vu auparavant, tel que je m'en étais languie pourtant et l'avais souhaité du fond du cœur. Ainsi existent des pays qui correspondent exactement à nos rêves les moins explicables[102]. » Les McKenzie, comme naguère la bonne Esther, se prennent pour elle d'une affection totale et ne demandent qu'à la rendre heureuse, répondant à ses moindres désirs, veillant à son confort et à sa tranquillité et lui offrant, contre une somme dérisoire, un de ces havres de paix et de sécurité dont elle éprouve un si grand besoin. Pendant les quinze années qui vont suivre, Gabrielle retournera souvent passer une partie de l'été à Port-Daniel, auprès de ces deux êtres qui ont en quelque sorte remplacé Esther et son père : un peu parents, un peu serviteurs.

Ce premier séjour de l'été 1940, elle le consacre à de longues promenades dans la nature et à la découverte du pays. Pour le reportage promis au *Bulletin des agriculteurs*, elle se rend à Gaspé et, de là, à Rivière-aux-Renards et à Grande-Vallée, afin d'enquêter sur l'économie de la pêche et le mouvement des Pêcheurs unis nouvellement fondé. À Port-Daniel, elle accompagne Irving à la pêche, quand ce n'est pas le père Élias Langlois, vieux loup de mer avec qui elle se lie d'amitié et qui l'emmène sur sa goélette baptisée *Marie-Louise*. Mais surtout, elle s'occupe à lire et à écrire, au point de devenir, aux yeux des villageois, « celle qui fait des contes[103] ».

Quand elle rentre à Montréal, elle a dans ses bagages au moins deux nouvelles inspirées du décor gaspésien. L'une, « Les petits pas de Caroline », est une romance humoristique mettant en scène une célibataire endurcie qui s'est réfugiée en Gaspésie pour écrire mais qui y rencontre l'amour ; ce sera le premier texte de Gabrielle Roy à paraître dans le *Bulletin des agriculteurs*, en octobre 1940. L'autre, « La dernière pêche », qui paraîtra dans la *Revue moderne* de novembre, est un mélodrame sur la mort d'un vieux pêcheur appelé Mathias Langlois. De cet été-là, ou de l'un des étés suivants à Port-Daniel, date peut-être également la rédaction de quatre ou cinq autres nouvelles restées inédites[104]. Quant au reportage que lui a commandé le *Bulletin*, il sera publié dans la livraison de novembre sous le titre « La belle aventure de la Gaspésie ». Accompagné de photos qui ont probablement été prises par Gabrielle Roy elle-même, c'est un texte soigneusement écrit, bien documenté et dont le contenu se démarque nettement des stéréotypes habituels : au bric-à-brac touristique qui a cours sur la Gaspésie, la journaliste oppose l'image d'une région en voie de progrès rapide et qui prend en main sa modernisation sociale et économique, grâce au mouvement coopératif et — partisanerie oblige — à l'aide éclairée de l'État.

Cet automne-là, donc, la carrière de Gabrielle Roy comme « polygraphe » est bel et bien lancée, et elle n'a plus aucune peine à se faire publier. En septembre, un article sur le Manitoba paraît dans la *Revue populaire*, tandis qu'elle reprend sa collaboration, interrompue depuis mai, à la *Revue moderne*, où ses textes continuent d'être fort appréciés. Outre « La dernière pêche », cinq de ses nouvelles y seront publiées par Henri Girard au cours de la saison 1940-1941. Les thèmes et le style en sont très variés. Ainsi, « Un Noël en route » (décembre 1940) se déroule dans un paysage d'inspiration manitobaine et relate les retrouvailles difficiles d'un vagabond avec sa mère quittée depuis des années. Ailleurs, la nouvelliste se sert du décor montréalais pour évoquer les amours compliquées d'une adolescente (« Avantage pour », octobre 1940), ou la petite existence des artistes pigistes (« À O.K.K.O. », avril 1941). Dans « La sonate à l'aurore » (mars 1941), qu'elle écrit après avoir reçu la nouvelle de la fin tragique de son ami Bohdan, Gabrielle imagine la mort d'un jeune couple de musiciens amoureux victimes des bombardements de Londres. Enfin, « Six pilules par jour » (juillet 1941) et « Embobeliné » (octobre 1941), deux nouvelles formant suite, font un peu penser au feuilleton radiophonique de Robert Choquette, *La Pension Velder*, qui fait rage à ce moment-là ; leur action se déroule dans un milieu que Gabrielle connaît bien, celui des pensions où se nouent, entre chambreurs célibataires, des intrigues à la fois cocasses et douces-amères.

Cela dit, c'est surtout son entrée au *Bulletin des agriculteurs* qui constitue pour elle l'événement le plus prometteur. Dans un premier temps, si l'on met de côté le reportage sur la Gaspésie, c'est à titre de nouvelliste que le *Bulletin* l'accueille, publiant d'elle coup sur coup, après « Les petits pas de Caroline », deux autres récits signés l'un et l'autre du pseudonyme d'« Aline Lubac ». Le premier, intitulé « Le joli miracle » (décembre 1940), est une variation montréalaise sur *La Bohème* de Puccini, où un jeune rapin, Éric, rencontre Loubka, pianiste éprise de Tchekhov :

> Ouvrant au hasard [*La Mouette*], elle tomba sur ce passage dans lequel Trigôrine dit : « Qu'y a-t-il d'extraordinaire à ma vie ? Jour et

nuit me poursuit une pensée absorbante : il faut écrire ; il faut écrire ; il le faut. À peine ai-je fini un conte, je dois en écrire un autre, je ne sais pourquoi, puis un troisième, et après le troisième un quatrième. J'écris sans interruption comme on court à la poste ; et je ne peux faire autrement ».

Les artistes dramatiques, les peintres, les musiciens, songea Loubka, sont soumis à une loi semblable. Mais ils sont dépendants. Un artiste dramatique dépend d'autres artistes, de l'ambiance d'un théâtre et d'une atmosphère particulière pour faire valoir sa création ; un peintre ne peut rien sans couleurs, sans modèles ; un musicien sans l'instrument qui lui est familier. L'écrivain seul, quant à cela, est indépendant. Tout au plus a-t-il besoin d'une plume et d'une feuille de papier pour donner forme à sa pensée.

Quant à « La fuite de Sally », l'autre nouvelle qui paraît dans le *Bulletin* de janvier 1941, c'est une histoire londonienne mettant en scène une jeune femme que son mari, un jeune peintre « au doux visage slave », refuse d'accompagner dans une promenade à Epping Forest, où ils sont allés autrefois ; Sally y part seule et retrouve « un petit cottage de pierre rose, au long toit de chaume » dans le jardin duquel une petite bossue la fait entrer et lui sert un délicieux goûter parmi les abeilles et les fleurs.

Tous ces textes seront plus ou moins répudiés plus tard par Gabrielle Roy : « [je] ne m['y] reconn[ais] plus du tout », dira-t-elle en 1973 à propos de l'un d'eux ; « l'effet qu'[il] produit sur moi est étrange. C'est exactement comme si je lisais le texte d'un autre auteur[105]. » Il est vrai que la plupart de ces nouvelles, en particulier celles de la *Revue moderne*, sont maladroites et typiquement juvéniles. Malgré cela, elles ne sont pas entièrement dénuées d'intérêt. En plus d'illustrer la ténacité et la passion de l'écriture qui animent leur auteur, elles révèlent une belle maîtrise des conventions et des procédés de la littérature populaire : connaissant bien son public, la nouvelliste non seulement sait lui donner ce qu'il désire, du sentiment, de l'humour léger, de l'évasion, mais elle le fait avec habileté, esprit et gaieté, pourrait-on dire. Or cette sensibilité aux attentes et aux goûts des lecteurs sera certainement l'un des facteurs du succès de *Bonheur d'occasion*, dont la facture, par certains côtés, n'est pas si éloignée de la littérature de grande consommation[106]. De plus, en puisant la plupart de ses sujets dans sa propre expérience, l'apprentie écrivain s'habitue peu à peu à transformer sa vie en récits, en contes, en écriture. Elle se fait la main.

Et puis, fait non négligeable, ces textes lui rapportent de l'argent, ce qui lui permet, à la fin de 1940, d'abandonner sa petite chambre sous les toits et d'emménager — sur les conseils de l'ami Pat Cossak — dans une pension beaucoup plus confortable où elle aura l'impression, « après ce que j'avais connu, [de] me trouver au paradis[107] ». La maison, aujourd'hui disparue, se trouve non loin de celle où elle habitait jusque-là, mais du côté nord de la rue Dorchester, au numéro 4059[108]. La logeuse, Miss McLean, prend aussitôt Gabrielle en amitié et la comble de petits soins. À part un couple, les French, les pensionnaires sont tous célibataires : outre Cossak, il y a Solange, Gertrude, Miss Finley et d'autres encore, avec qui Gabrielle entretient bientôt les meilleures relations. Certes, la journaliste est appelée à s'absenter souvent, mais jusqu'en 1943, la maison de Miss McLean restera son port d'attache à Montréal.

Découvrir une ville

Les nouvelles que Gabrielle Roy publie pendant les deux ou trois premières années qui suivent son retour d'Europe représentent un aspect de son apprentissage d'écrivain. Mais ces exercices de style, ces tentatives plus ou moins réussies pour trouver sa voix et pour donner forme à des récits valables d'un point de vue littéraire ne sont rien comparés à ce que va lui apporter cette autre activité qui bientôt l'occupera presque tout entière : le reportage.

« C'est vers la fin de 1940, dira Gabrielle Roy, que j'ai été attachée en permanence au *Bulletin des agriculteurs*[109] ». La publication de son article sur la Gaspésie, en effet, dont l'originalité et les qualités stylistiques ont été remarquées, convainc la direction du journal que l'amie de M. Girard a tout le talent qu'il faut pour devenir une excellente collaboratrice. On lui fait donc des conditions avantageuses : liberté entière dans le choix de ses sujets, engagement de publier régulièrement ses articles et rétribution plus substantielle assortie de la prise en charge de ses frais de déplacement et de séjour.

Ses premiers reportages, ceux qu'elle commence à préparer au cours de l'automne 1940 et dont la parution s'échelonnera au long de l'année suivante, restent assez anodins. Leurs sujets portent quasi exclusivement sur l'agriculture — la fin du régime seigneurial, la modernisation des fermes, le fonctionnement d'un collège de jeunes agriculteurs parrainé par le gouvernement provincial, l'histoire d'un fabricant de machines aratoires, l'exposition agricole de Québec[110] —, et leur traitement n'a rien de bien particulier, si ce n'est l'emploi abondant du « je » et le recours — un peu forcé — à certains procédés peu usités dans l'écriture journalistique, comme la personnification, la répétition ou le rêve d'anticipation.

Mais ces balbutiements durent peu. Son style propre, le type de recherche, l'angle d'approche et jusqu'à la manière d'écrire tout à fait originale qui vont caractériser sa production des années qui viennent, la journaliste les met au point dès l'hiver et le printemps 1941, quand elle se lance dans une grande enquête sur la ville de Montréal, dont on s'apprête à célébrer le tricentenaire. De cette enquête résultent quatre articles, qui paraissent entre juin et septembre 1941 et qui sont remarquables à plus d'un titre.

D'abord, ces articles se présentent comme une série continue et possèdent un titre commun : *Tout Montréal*. Cette idée de la « série », c'est-à-dire l'idée de consacrer une suite de plusieurs textes à un même sujet, deviendra désormais pour Gabrielle Roy la forme privilégiée de sa collaboration au *Bulletin des agriculteurs*. C'est qu'un tel format, un peu comme le « feuilleton » dans le domaine de la fiction, permet non seulement de conserver et de relancer l'intérêt des lecteurs d'un numéro à l'autre, mais laisse aussi à la journaliste tout l'espace nécessaire pour élargir son sujet, l'approfondir, le moduler à souhait. De même, sur le plan du traitement, les articles qui composent *Tout Montréal* annoncent ce qui sera la « méthode » de Gabrielle Roy dans tous ses reportages : un mélange de données factuelles — historiques, statistiques et autres, recueillies aussi bien par le biais de l'enquête « sur le terrain » que par des recherches en bibliothèque — et d'un très fort investissement subjectif, qui tantôt prend la forme d'un récit autobiographique relatant sa propre découverte de l'objet du reportage, tantôt se manifeste à travers le lyrisme ou l'ironie du ton, mais implique toujours, requiert même le recours à une écriture de type littéraire, où le plus grand soin est accordé à l'invention verbale, à l'image, à la composition, bref, à la production d'un texte dont la forme importe autant que le contenu.

Mais le plus remarquable, dans ces articles, est la vision de Montréal qu'ils nous proposent, une vision large et complète, qui embrasse la ville dans toute sa diversité topographique, socioéconomique et humaine. Le premier article, intitulé « Les deux Saint-Laurent » (juin 1941), est construit comme une double traversée : en suivant d'abord le boulevard Saint-Laurent, on découvre les quartiers avoisinant le vieux port, Ville-Marie, Chinatown, le terminus de tramways de la rue

Craig, la place Jacques-Cartier, le marché Bonsecours ; puis le déplacement se fait dans l'axe du fleuve Saint-Laurent, vers l'ouest, depuis le port jusqu'à Lachine, en passant par Verdun, la Pointe-Saint-Charles, Ville LaSalle. Dans son article suivant, « Est-Ouest » (juillet), la journaliste emprunte cette fois les grandes artères qui vont du Bout-de-l'île jusqu'à Westmount ; le long des rues Notre-Dame, Sainte-Catherine et Sherbrooke, elle parcourt le quartier Hochelaga, le Jardin botanique, les environs du carré Saint-Louis, les grands magasins de l'ouest de la ville. Sous le titre « Du port aux banques » (août), le troisième article se concentre sur les parties les plus actives de la ville, les plus nerveuses, les plus contrastées aussi ; y sont évoqués notamment les faubourgs industriels du centre-sud et la rue Saint-Jacques, quartier de la finance et des grandes maisons de commerce. Enfin, « Après trois cents ans » (septembre) rappelle l'histoire de Montréal et tente de dégager les grands traits culturels qui la singularisent ; des quatre articles de la série, c'est sans doute le moins bon, peut-être à cause de son caractère synthétique et forcément plus abstrait, qui tranche avec la richesse descriptive des reportages précédents, fourmillants de détails, où la journaliste se montre fascinée par le tourbillon de sensations multiples, inattendues et contradictoires qui forment la trame de l'existence urbaine.

Une autre qualité de ce tableau de Montréal est son étonnante modernité. Modernité du style, certes, dominé par les phrases nominales, les images fortes, un vocabulaire d'une extrême précision, mais aussi modernité de la perception et du jugement. On est ici à des lieues de l'image de vitrail généralement accolée à Montréal dans les discours et les textes canadiens-français de l'époque, où reviennent sans cesse les mêmes stéréotypes : « ville mystique », « deuxième ville française du monde », « ville aux cent cinquante clochers », etc.[111]. Le Montréal de Gabrielle Roy, au contraire, est placé sous le signe du mouvement incessant, de l'échange et de la juxtaposition des contraires. C'est un lieu impossible à résumer, et dont seule la présence physique peut être saisie, dans le désordre, le bruit, la vibration constante qui émanent d'elle et en font comme le symbole par excellence de la vie moderne.

Une telle nouveauté dans la perception de Montréal s'explique sans doute en partie par le statut d'étrangère qui est encore un peu celui de Gabrielle Roy au moment où elle réalise ses reportages. Mais ses positions idéologiques « progressistes » y sont certainement pour quelque chose aussi, qui la rendent sensible à des aspects généralement occultés par l'optique traditionaliste, notamment le côté baroque de l'architecture montréalaise, la diversité ethnique de plusieurs quartiers et l'inégalité des conditions sociales et économiques dans lesquelles vit la population.

Pour nous, cependant, l'intérêt de cette série d'articles tient surtout au fait que s'y répercute de manière directe, immédiate, un événement fondateur : la découverte de Montréal par l'auteur de *Bonheur d'occasion*, c'est-à-dire la découverte de l'univers réel sur lequel va s'appuyer, en l'amplifiant et en le modifiant, l'élaboration de l'univers fictif du roman. Quoique les quartiers populaires ne soient pas l'objet central des reportages, ils y occupent en effet une place non négligeable. Dès le premier article, la journaliste évoque les pauvres maisons du sud-ouest de la ville, « avec leurs torchons séchant dans la poussière et leur ribambelle captive s'ébrouant entre des murs crasseux » d'où s'élève « la plainte, la plainte infinie du peuple, geignant, peinant, souffrant ». Puis elle aperçoit, à la Pointe-Saint-Charles, « le grand dépotoir de la ville [et son] misérable village de zoniers qui ont bâti leurs huttes d'épaves, dans un espace restreint, entre le souffle salubre et le relent empoisonné. Tristes parias vivant de rebuts parmi des milliards de mouches et la ronde des rats, ils ont tourné le dos à la ville et ne voient plus que le fleuve qui passe là, majestueux et tranquille ». Ce lieu et ce spectacle, on les retrouvera dans *Bonheur d'occasion*[112].

Mais c'est dans le troisième article qu'apparaît le plus fortement le décor des quartiers ouvriers de l'arrière-port et des bords du canal Lachine, décor déjà lourd de certaines des caractéristiques que l'écrivain approfondira bientôt et incarnera dans des personnages et des situations proprement romanesques. Ici, une longue citation s'impose :

> Un peuple de termites vit au cœur de la grande fournaise industrielle. Dès que son regard cherche à s'évader, il rencontre les cheminées d'usine. Son horizon est souillé, borné de tous côtés [...].
>
> Ses églises ont pris une teinte charbonneuse. Ses cours d'école s'ouvrent aux miasmes. Ses terrains de jeux disputent d'infimes espaces aux chantiers d'usines.
>
> Le faubourg Saint-Henri voit passer tant de trains ! Incessamment rugit la locomotive. Incessamment tombent et se relèvent les barrières de sûreté. Incessamment dévalent les rapides : l'Ocean Limited, l'Express Maritime, le Transcontinental, le New York Central. Les petites maisons de bois tremblent sur leur base ; la pauvre vaisselle s'entrechoque, et, au-dessus du vacarme, la voix humaine s'élève pour continuer la conversation sur un ton criard. Dans les cours intérieures, la lessive est déjà noircie avant de sécher. Et la nuit,

> sans cesse agitée par la trépidation des roues, sans cesse déchirée par le sifflement de la vapeur et le crépitement du ballast, ne ménage aucun véritable repos au peuple d'ouvriers et d'ouvrières qui s'épuisent. [...]
>
> Il faut se trouver rue Saint-Antoine, devant l'Imperial Tobacco, vers midi, alors que la sirène signale l'heure du déjeuner. Des essaims d'ouvrières en blouse s'en échappent pour gagner le logis ou courir à la baladeuse de frites et de hot-dogs. Une bouteille de liqueur achetée au petit magasin du coin, un sac de frites, et les voilà qui se restaurent hâtivement, debout sur un pied ou appuyées au mur, gambillant, jacassant, déjà préoccupées de l'emploi de leur soirée. Vite ! Vite ! Vite ! Elles ne savent déjà plus ralentir. À cinq heures, elles courront se mettre les cheveux dans des bigoudis, se vernir les ongles, manger sur le pouce. Puis ce sera la course aux amusements[113].

Ce texte — où apparaissent déjà l'atmosphère, la couleur de *Bonheur d'occasion*, et même la silhouette de Florentine Lacasse — est publié au mois d'août 1941. Il n'est pas possible de dire quand il a été écrit ni surtout quand s'est produite la découverte qu'il relate. Si l'on se fie aux divers propos que Gabrielle Roy a tenus à ce sujet, c'est en 1940, ou en 1941 (donc peu de temps avant la publication de ses reportages sur Montréal), qu'elle entre pour la première fois dans le quartier Saint-Henri. Chose certaine, cette incursion a lieu vers la fin du printemps ou le début de l'été, durant les premières années qui suivent son établissement à Montréal.

À ce moment-là, elle vit à Westmount, dans un quartier dont la tranquillité et le caractère à demi villageois lui permettent de ne pas se sentir trop dépaysée. Westmount a aussi l'avantage d'être proche du centre-ville, où sont concentrés les journaux et les studios de radio. Au début, connaissant peu Montréal, Gabrielle ne quitte guère le voisinage de sa pension, si ce n'est pour aller porter ses articles au *Jour*, à la *Revue moderne* ou au *Bulletin*, dont les bureaux sont situés dans l'édifice Drummond, à l'angle des rues Sainte-Catherine et Peel. Dans ses moments libres, elle va lire et se détendre au parc Westmount, non loin de chez elle, où se trouve la bibliothèque publique qu'elle fréquente assidûment. Ses plus longues promenades la conduisent surtout vers le nord, le long des rues ombragées du flanc de la montagne, ou dans les allées du parc du Mont-Royal, ou encore du côté de « cette espèce de ferme que possédaient, à côté de leur couvent, les Sœurs de la Congrégation de Notre-Dame, occupant un quadrilatère entre quatre coins de rue et dont j'allais souvent faire le tour, le soir, saluant le fermier qui, sur la véranda d'une vraie petite maison de campagne, fumait sa pipe en se berçant au milieu du champ de navets et de maïs[114] ».

Bientôt, cependant, le territoire de ses randonnées s'élargit. Comme elle habite au sommet de la côte qui sépare Westmount des quartiers sud de la ville, « à la frontière des pauvres et des riches[115] », elle a un jour l'idée de porter ses pas de ce côté. Ce qui l'attire d'abord, c'est le canal Lachine, le long duquel elle va parfois prendre le frais les soirs de canicule. Puis elle découvre les abords du fleuve, qui devient dès lors le but habituel de ses promenades : « mon Gange à moi », dira-t-elle plus tard[116]. Empruntant l'autobus qui traverse Verdun en direction de Ville LaSalle, elle passe de longues après-midi étendue au bord de l'eau, dans une petite anse tranquille en contrebas du talus qui longe le boulevard Lasalle.

Quant au quartier Saint-Henri, c'est-à-dire la place du même nom et les rues qui l'entourent, elle dira plus tard y être allée « par pur hasard, par caprice si vous voulez », au cours de l'une de ses balades à pied.

> D'habitude, je choisissais comme but de mes promenades les jolies avenues de Westmount et le flanc de la montagne. Un jour, [...] je descendis vers le sud de la rue Atwater, je me dirigeai un peu à l'ouest dans la rue Saint-Antoine et je me trouvai, sans trop le savoir, au cœur même de Saint-Henri. Que vous dire ? Comment vous exprimer l'impression que je ressentis soudainement ? Ce fut comme le coup de foudre des amoureux ; ce fut une révélation, une illumination[117] !

Est-ce bien le hasard qui a conduit ses pas, est-ce l'« ennui » et le simple besoin de « chaleur humaine », comme elle le confiera beaucoup plus tard dans une autre de ses entrevues[118] ? C'est possible, mais il se peut aussi qu'elle ait visité Saint-Henri comme elle visite alors les autres parties de la ville : en journaliste désireuse d'amasser des informations et des images pour les articles que le *Bulletin des agriculteurs* souhaite publier en vue du tricentenaire de Montréal.

Quoi qu'il en soit, en découvrant Saint-Henri, elle ressent un choc. Les raisons en sont multiples et sans doute insondables. Rappelons simplement celles qu'elle-même évoquera par la suite, souvent avec le recul de plusieurs années. L'aspect du quartier, d'abord, sa vie intense et pittoresque, les conditions difficiles dans lesquelles se débattent ses familles d'ouvriers et de chômeurs, son ambiance étouffante qui contraste si fortement avec le passage continuel, lancinant, des trains et des navires, toute cette réalité sociologique a de quoi éveiller en elle l'intérêt de la journaliste et l'« indignation[119] » de la femme de gauche, ainsi qu'en témoignent les articles de la série *Tout Montréal*. Mais Saint-Henri, c'est aussi, pour la Franco-Manitobaine qui vit depuis bientôt trois ans dans des milieux anglophones, à Londres d'abord, puis à Westmount, les retrouvailles avec sa langue et avec le peuple dont elle est issue. Comme Saint-Boniface à côté de Winnipeg, ce village au sein de la ville rassemble une société confinée dans une sorte de ghetto, en marge du monde et de la prospérité modernes, déclassée, devenue presque étrangère dans son propre pays, une société à la parole martyrisée, à la mentalité et aux mœurs mal faites pour le contexte urbain, et qui montre de manière encore plus pathétique son visage à la fois ravagé et vivant, sa misère, certes, mais aussi sa profonde, son exemplaire humanité. Découvrir Saint-Henri, dira la narratrice de *La Détresse et l'Enchantement*, c'était réassumer « la solidarité avec mon peuple retrouvé, tel que ma mère, dans mon enfance, me l'avait donné à connaître et à aimer[120] ».

Mais il est une autre raison, peut-être la plus déterminante de toutes, qui explique la fascination que Gabrielle Roy, dès ses premières années à Montréal, éprouve pour le paysage et les gens de Saint-Henri, une raison qui l'entraînera à y revenir sans cesse : c'est qu'il y a là — elle le voit, sinon tout de suite, du moins au bout de peu de temps — une extraordinaire matière d'écriture.

Nous reviendrons plus loin sur la rédaction de *Bonheur d'occasion*. Disons seulement, pour l'instant, que les commencements de ce livre sont liés directement à cette découverte que fait une journaliste débutante, un soir de printemps, à deux pas de chez elle, d'un vaste univers dont personne encore n'a vu la réalité ni la beauté qui, à elle, lui crèvent les yeux.

Les pérégrinations d'une journaliste

Été 1941. Lorsque ses articles sur Montréal paraissent dans le *Bulletin des agriculteurs*, Gabrielle est de nouveau en Gaspésie, où elle est venue se reposer comme l'année précédente chez les McKenzie. Et comme l'année précédente, elle écrit, peaufinant peut-être ses deux derniers textes sur Montréal ou mettant la dernière main à « Embobéliné », la nouvelle que la *Revue moderne* publiera dans sa livraison d'octobre. Peut-être travaille-t-elle aussi à ce nouveau récit qui deviendra *Bonheur d'occasion*.

Vers la mi-juillet, au retour de Port-Daniel, elle prend le traversier à Rimouski pour aller passer deux ou trois semaines à Sept-Îles, sur la Côte-Nord, afin d'y préparer deux reportages qui paraîtront à l'automne dans le *Bulletin*. Le premier, intitulé « La côte de tous les vents » (octobre 1941), est un tableau de quelques villages et postes de cette région encore pionnière, au paysage grandiose mais à l'organisation sociale et économique dominée par les monopoles : là, écrit la journaliste, « le capital règne, maître absolu[121] ». Le second article, « Heureux les nomades » (novembre), évoque avec beaucoup de sensibilité la vie contradictoire des Montagnais, soumis et apathiques quand ils s'installent provisoirement dans leur réserve de Sept-Îles, indépendants et fiers dès qu'ils remontent dans leurs territoires de chasse de l'arrière-pays.

Ces deux reportages — cette « mini-série », pourrait-on dire — marquent une nouvelle étape dans l'apprentissage journalistique de Gabrielle Roy. Certes, on y retrouve cette attention au réel et ce sens de la description qu'illustrait magnifiquement la série *Tout Montréal*. Mais le milieu physique et social, ici, tout en demeurant très présent, devient en même temps un décor d'où se détachent un ou quelques individus auxquels la journaliste accorde une place privilégiée, les traitant comme de véritables « personnages », c'est-à-dire à la fois comme des héros et comme des types. Comme héros, ils sont fortement singularisés : portrait physique et moral détaillé (parfois appuyé par une photo), rappel de leur passé, évocation de leurs gestes, de leurs paroles et surtout des émotions, même silencieuses, qui les font vibrer intérieurement. Comme types, c'est leur valeur exemplaire, leur représentativité qui est soulignée, c'est-à-dire tantôt leur appartenance au groupe particulier qui est le leur, tantôt l'effet qu'ont sur eux les phénomènes plus larges que la journaliste veut faire comprendre. Gabrielle Roy recourra désormais à cette technique du portrait représentatif dans presque tous ses reportages, technique illustrée, dans les deux articles sur la Côte-Nord, par l'évocation du vieil Héliodore Vigneault, navigateur de son métier, en qui s'incarnent les vertus et l'espoir des colons du rang Letellier, ou par celle du chef nouvellement élu de la réserve, Sylvestre McKenzie, symbole de l'impassibilité ironique du peuple montagnais.

En septembre 1941, après son séjour en Gaspésie et sur la Côte-Nord, Gabrielle adopte le régime de vie qui restera le sien pendant près de quatre ans, jusqu'à la publication de *Bonheur d'occasion*. Visant à concilier les besoins alimentaires et les contraintes du métier de journaliste avec les ambitions de l'écrivain, ce régime — cette discipline, plutôt — consiste à partager son existence en deux phases bien nettes qui se répètent chaque année : d'un côté, les déplacements et les aventures; de l'autre, la retraite et l'écriture. La première phase se déroule généralement à la fin de l'été ou dans le courant de l'automne ; pendant quelques semaines ou quelques mois, la journaliste voyage, enquête, fait des entrevues et des recherches, en un mot, elle parcourt le monde et rassemble ses matériaux. Puis, l'hiver venu, elle rentre chez elle et se consacre entièrement à la rédaction d'articles pour le *Bulletin* et, dès qu'elle a du temps libre, à l'écriture de nouvelles et, bientôt, de son roman.

Bien qu'elle soit la plus brève, la saison des voyages est évidemment la plus mouvementée. On y découvre une Gabrielle débordante d'énergie, qui se lance sur toutes les routes du Québec et du Canada, au-delà des routes même, visite les coins les plus reculés, rencontre toutes sortes de gens, ne craint ni les chemins défoncés ni les intempéries, mange et dort chaque soir dans des lieux différents, auberges perdues, humbles maisons de paysans, cabanes de chantier, désireuse de voir partout du nouveau, de découvrir des êtres, d'emmagasiner des connaissances et des notes pour ses écrits à venir. Elle part toujours seule, avec aussi peu de bagages que possible, afin d'être tout à fait libre de ses mouvements et disponible pour les rencontres, les échanges, les amitiés imprévues qu'apporte le voyage. C'est, en un mot, la vie trépidante et tumultueuse du « grand reporter », un métier que bien peu de journalistes canadiens-français, à cette époque, pratiquent avec autant de compétence et de passion.

Parmi ces reporters, Gabrielle est certainement l'une des seules femmes. Le journalisme féminin reste alors confiné le plus souvent dans des questions d'ordre personnel ou domestique, cuisine, mode, psychologie, éducation, soins du corps, etc. Les sujets graves, c'est-à-dire la politique, l'économie, les questions sociales et le vaste monde, sont l'apanage des hommes. C'est ce qui se passe en tout cas au *Bulletin des agriculteurs* à l'époque où Gabrielle Roy y collabore. Deux ou trois rédactrices signent de leurs jolis pseudonymes — Madeleine, Alice Ber, Lise Printemps, Simone d'Alençon — les chroniques qui forment la section intitulée « Votre domaine, Madame » ; à l'occasion, des noms de femmes apparaissent également parmi les auteurs de « Romans et nouvelles », mais dès que l'on passe à la partie sérieuse du magazine, celle qui comprend les « Articles d'intérêt » et autres textes ayant plus de poids, on entre dans un territoire exclusivement masculin, dominé par des spécialistes et des penseurs comme Louis Francœur, Roger Duhamel, Georges Langlois, Alphonse Proulx ou le très libéral abbé Arthur Maheux, qui chaque mois adresse paternellement « À toi, mon cher habitant » le fruit de ses cogitations sur l'état de la nation. La seule femme dont le nom figure dans cette section de la revue et dont les reportages font parfois la une, la seule femme dont les articles sont considérés comme égaux à ceux des collaborateurs masculins, est Gabrielle Roy. Il est vrai que cette dernière, à la différence d'une Madeleine ou d'une Alice Ber (Jeanne Grisé-Allard), est célibataire, et qu'à ce titre elle peut se permettre de franchir la clôture de « Votre domaine, Madame ». Cela fait d'elle une des « libératrices » du journalisme féminin au Québec, avec quelques autres célibataires éduquées à l'extérieur de la province, comme Marcelle Barthe, que Gabrielle a connue naguère dans les cercles de théâtre amateur et retrouvée à Radio-Canada, ou Judith Jasmin, qu'elle côtoie déjà à cette époque et avec qui elle deviendra amie après la publication de *Bonheur d'occasion*.

Le journalisme que pratique Gabrielle Roy se distingue cependant de celui que pratiquent la plupart de ses confrères masculins, du moins dans la presse écrite périodique. Rares sont parmi eux, en effet, les véritables reporters qui s'aventurent loin de leurs salles de rédaction, vont au-devant des gens et des choses et se livrent, en quelque sorte, au désordre et aux surprises du monde. Gabrielle Roy, à cet égard, représente un cas assez unique, elle qui travaille « à l'américaine », pourrait-on dire, un peu comme le faisait jadis un Ernest Hemingway ou comme le font, à peu près à la même époque qu'elle, un Steinbeck ou un Dos Passos.

Sa première campagne, sa première « sortie », Gabrielle l'a faite à Montréal même pour écrire ses quatre articles de l'été 1941. Si l'on oublie le séjour à Sept-Îles, elle entreprend la seconde à la fin de cet été-là, lorsqu'elle décide, sur la suggestion de Girard ou de la direction du *Bulletin*, de suivre un groupe de colons madelinots en partance pour l'Abitibi.

La colonisation, on le sait, est l'une des « solutions » que l'État a favorisées pour faire face à la crise économique des années trente, notamment depuis l'adoption du plan Vautrin en 1934. Or, même si la crise, en 1941, est chose du passé, on continue de croire dans maintes officines gouvernementales que le meilleur remède à la pauvreté demeure le retour à la terre. C'est pourquoi, devant les problèmes de mévente que connaissent à ce moment-là les pêcheurs des îles de la

Madeleine, le gouvernement provincial propose à une quinzaine de familles de les relocaliser à l'autre bout du territoire, dans l'île Nepawa, sur le lac Abitibi, où elles recevront des terres gratuites et les allocations nécessaires à leur établissement. L'opération, comme il se doit, fait l'objet d'une vaste campagne publicitaire[122].

En bon reporter, Gabrielle part donc rejoindre les Madelinots afin de les accompagner dans leur nouveau pays. Se rend-elle jusqu'aux Îles, fait-elle avec eux la traversée en bateau jusqu'à Pictou puis le voyage en train jusqu'à Québec ? C'est probable, mais impossible à confirmer. Chose certaine, elle est parmi eux lors de leur arrivée et de leur bref séjour à Québec et prend en même temps qu'eux le train pour La Sarre. Après un trajet de quatre jours, elle est encore avec eux lorsqu'ils suivent en voiture la route jusqu'au lac Abitibi et prennent le bac pour l'île Nepawa, où le groupe accoste au milieu de la nuit.

Elle reste en Abitibi pendant deux ou trois semaines, couchant un soir dans un canton, le lendemain dans un autre, tantôt seule à se présenter chez les gens, tantôt guidée par un fonctionnaire à qui elle demande de tout lui montrer, « le beau, le moins beau et le plus triste[123] ». Elle s'intéresse à tout ce qui fait la vie et l'ordinaire des colons. Elle entre dans leurs habitations, mange à leur table, assiste à leurs travaux de défrichement (mécanisé), contemple avec eux le paysage morne et grandiose qui les entoure, entend leurs soupirs de nostalgie, leurs récriminations, leurs expressions de confiance et d'espoir.

De cette enquête, la journaliste va tirer une série de sept reportages intitulée *Ici l'Abitibi*, dont la parution s'échelonnera de novembre 1941 à mai 1942. Le tableau qui s'en dégage se caractérise par ce que l'on pourrait appeler un réalisme modéré. La description du pays, à la fois beau et souvent inhospitalier, tout comme le récit de la vie des colons, où les avantages du recommencement le disputent aux difficultés matérielles et morales de toutes sortes, marient la lucidité à la compassion. Mais là encore, le contraste est frappant entre le regard de la journaliste et les visions idéalistes de la colonisation que véhicule l'idéologie conservatrice de l'époque ; on s'en rend compte, par exemple, en comparant les reportages de Gabrielle Roy à un livre comme *L'Abatis* de Félix-Antoine Savard, publié en 1943 et portant sur le même sujet : dans les reportages, le point de vue prosaïque et précis d'une journaliste ; dans le livre, celui d'un prêtre, d'un esthète et d'un propagandiste.

Il est difficile, en effet, de lire les articles de Gabrielle Roy comme un plaidoyer en faveur de la colonisation et du retour à la terre. Certes, on perçoit, dans les premiers articles surtout, la fascination qu'exercent sur elle certaines idées ou certains thèmes liés à l'ouverture des nouvelles colonies : la migration, la fondation, la solidarité, ainsi que la vision d'un « socialisme chrétien » dans lequel, tout en « [empruntant] beaucoup aux Soviets, [...] on [respecte] le droit à la petite propriété et [...] l'initiative individuelle[124] ». Mais plus l'enquête progresse, plus l'optimisme devient problématique, cédant bientôt la place à des pointes de désillusion. D'ailleurs, la série s'achève par deux reportages consacrés aux petites villes de la région, La Sarre, Amos, Duparquet, comme si la journaliste avait compris que ce sont elles, les villes du bois et de l'or, et non pas les cantons péniblement défrichés, qui représentent l'Abitibi réelle.

De cette série d'articles se détache enfin une belle galerie de personnages : le Galicien Sup et ses sept fils ; les frères Pomerleau, du rang de Villemontel ; Wolfrid Hannurkeski, le Finlandais solitaire et tenace ; Azade Poirier, le vieux pêcheur reconverti en colon, et sa fille, la petite Rose, brillante comme une perle au milieu de ce décor grisâtre et dur[125]. Il y a également les portraits des principaux « cadres » de la colonie : Louis Simard, l'infatigable chef de district qui fait penser à Léon Roy au milieu de « ses » colons ; l'abbé L., en qui « j'ai reconnu, écrit Gabrielle Roy, le "Curé de campagne" de Bernanos, vivant parmi les pauvres et pauvre comme eux[126] » ; et Mlle Estelle, l'institutrice, qui ressemble comme une sœur jumelle à la petite jeune fille venue prendre son école, un matin de septembre 1929, dans un village perdu du Manitoba appelé Cardinal. Sous le titre « Pitié pour les institutrices ! », ce cinquième article de la série est en même temps une dénonciation des conditions faites aux enseignantes rurales dans le Québec de l'époque et, par le fait même, une sorte de manifeste en faveur de la réforme scolaire que le gouvernement Godbout est alors en train de réaliser, contre la volonté des éléments les plus conservateurs du clergé et de l'épiscopat.

Pendant les mois où paraissent ses reportages sur l'Abitibi, Gabrielle publie une seule nouvelle, « La grande voyageuse », dans la *Revue moderne* de mai 1942, récit qui a quelque chose de « prémonitoire » : après la mort de leur mère, des filles doivent se partager la garde de leur sœur, une vieille fille malcommode du nom de « Bédette ». C'est la dernière collaboration de Gabrielle Roy au magazine dirigé par Henri Girard, qui quitte son poste pour retourner au quotidien *Le Canada*. Rien d'étonnant, donc, à ce que ce journal retienne bientôt les services de Gabrielle.

Pendant l'été 1942, celle-ci prépare une nouvelle tournée de reportages. Cette fois, elle s'intéresse à son pays d'origine, l'Ouest canadien, où elle n'a pas remis les pieds depuis son départ pour l'Europe cinq ans plus tôt. Mais le projet entraîne des dépenses assez considérables, que le *Bulletin* ne peut assumer à lui seul et qui demandent le concours d'autres commanditaires. L'un d'eux sera justement *Le Canada*, qui décide de dépêcher Gabrielle Roy comme envoyée spéciale à Dawson Creek, en Colombie-Britannique, où les États-Unis ont entrepris la construction d'une route vers l'Alaska pour faire échec à l'avancée japonaise dans les Aléoutiennes. Outre l'appui de ces deux journaux, la journaliste obtient également un laissez-passer gratuit du Canadien National, qui voit dans la publication d'une série d'articles sur les nouvelles régions de l'Ouest une excellente publicité pour ses services de colonisation, services que dirige alors, comme on l'a vu, l'ami Émile Couture[127].

Le voyage va durer près de quatre mois. Au début de juillet, Gabrielle est à Saint-Boniface, d'où elle se dirige aussitôt vers l'ouest. Sa première halte a lieu à quelques kilomètres de Winnipeg, dans le village d'Élie, où habite sa cousine Belle, la fille de l'oncle Édouard Roy. Non loin d'Élie, elle visite la colonie huttérite d'Iberville. Elle reprend ensuite le train en direction de la Saskatchewan, qu'elle parcourt du sud au nord, s'arrêtant d'abord près de Regina, chez les Doukhobors de Kamsack. Puis elle se rend dans la région de Rosthern, au nord de Saskatoon, où se trouve une colonie mennonite qui forme « le troisième et le dernier des groupes de mystiques » auxquels elle s'intéresse[128], et enfin dans les environs de Ridgedale et Edenbridge, à l'est de Prince Albert, où vivent des colons juifs européens récemment établis au pays. De là, elle se dirige vers l'Alberta, via North Battleford, et visite la colonie de Good Soil établie non loin de la frontière, près de Saint-Walburg, où des réfugiés tchèques chassés des Sudètes par les accords de Munich sont venus refaire leur vie. Un peu à l'est d'Edmonton, elle passe ensuite quelques jours à Mundare, dans une région à majorité ukrainienne, avant de poursuivre sa route vers le nord-ouest, jusque dans la région de la Rivière-la-Paix, entre Grande Prairie et le Petit Lac des Esclaves, où un certain nombre de colons canadiens-français se sont établis autour des villages de Tangent et de Falher. Enfin, le 28 octobre elle est à Dawson Creek, d'où elle fait en camion le voyage jusqu'à Fort St. John pour assister aux travaux de construction de la nouvelle route qui doit mener à Fairbanks en Alaska. Elle rentre au Québec dans les premiers jours de novembre.

Tel est l'itinéraire que permettent de reconstituer les articles, à la fois reportages et récits de voyages, que la journaliste tirera de cette longue tournée et qui paraîtront entre l'automne 1942 et le printemps 1943. Ce sont, dans *Le Canada*, après le texte sur la route de l'Alaska, une suite de quatre articles intitulée *Regards sur l'Ouest* et, dans le *Bulletin des agriculteurs*, une nouvelle série de reportages publiés sous le titre *Peuples du Canada*.

Cette série, qui compte sept articles, représente à coup sûr le sommet de la production journalistique de Gabrielle Roy, qui se montre ici en pleine possession de son art. Elle maîtrise et combine dans une harmonie plus efficace que jamais les divers types d'écriture — narration, description, portrait, souvenirs, essai — qui entrent dans la composition d'un bon « *feature story* ». Elle s'efforce d'offrir au lecteur, sur chaque « peuple », chaque secte religieuse et chaque groupe ethnique rencontré, tous les renseignements dont il a besoin pour se faire une image à la fois précise et vivante de la réalité humaine que cette communauté représente. Rappel historique, explications sur la religion ou la culture, données statistiques (démographiques, géographiques ou économiques) se mêlent au témoignage de sa propre expérience parmi ces gens : l'accueil qu'ils lui ont réservé, leur conversation, sa rencontre avec l'un ou l'autre d'entre eux, et, toujours, le sentiment de fraternité qui, par-delà les différences de langue et de culture, lui permet de se sentir parmi eux comme parmi des membres de sa famille, de la grande famille humaine.

Sur le plan idéologique, ces textes sont importants. Ils constituent la première expression achevée et tout à fait explicite de la vision du monde à laquelle Gabrielle Roy tendra de plus en plus à s'identifier. Une telle vision n'est pas facile à résumer, car elle n'a rien d'un programme ou d'une doctrine systématique ; il s'agit plutôt d'un ensemble de sentiments, d'idées et d'opinions, d'une sensibilité, si l'on veut, et non d'une véritable idéologie au sens habituel du mot. Globalement, on pourrait la décrire comme un socialisme idéaliste ou libéral qui, sans aller jusqu'à prôner la lutte des classes ou la révolution, dénonce les méfaits et les malheurs engendrés par le capitalisme et croit en la possibilité d'instaurer une société plus juste, plus égalitaire, plus libre et, surtout, plus fraternelle, où les clivages de toutes sortes, économiques, culturels ou nationaux, le céderaient à une harmonie universelle fondée sur le partage de la richesse collective et le respect des différences. Dès lors, tout mouvement qui va dans le sens de cette harmonisation et de cette humanisation des rapports sociaux mérite d'être soutenu, qu'il s'agisse de l'action syndicale, de l'allégement du travail par la mécanisation des tâches, des coopératives, de la démocratisation de l'enseignement ou de la lutte contre l'exploitation des femmes. Mais l'essentiel réside moins dans les changements de règles et de structures que dans l'instauration d'une nouvelle morale et d'un nouveau sens social, c'est-à-dire dans la conversion de chaque individu, de chaque communauté aux valeurs d'entraide et de solidarité d'où pourra émerger la société future. Une société, en somme, qui serait le contraire du monde déchiré et fratricide dont la guerre offre l'horrible spectacle.

Chez Gabrielle, cette vision du monde s'est constituée pendant sa jeunesse manitobaine, au contact de ses amis de Winnipeg et à la faveur de sa rébellion contre l'étroitesse de son milieu d'origine, puis elle s'est affermie à Montréal, grâce à ses fréquentations dans les milieux libéraux « avancés » qu'étaient *Le Jour* et l'entourage d'Henri Girard. La série *Peuples du Canada*, plus encore que la série précédente sur l'Abitibi, est toute pénétrée de cette foi laïque, de ce pari sur l'avènement d'une fraternité et d'une solidarité universelles.

D'où le motif central de ces reportages, qui était déjà présent dans les reportages antérieurs et deviendra aussi, comme on le sait, un élément important de l'œuvre future de la romancière : le motif de la colonie, c'est-à-dire de la petite communauté de migrants qui, ayant tourné le dos aux vicissitudes du passé, se rassemble en un lieu isolé et cependant édénique du bout du monde pour tout reprendre à neuf, dans l'amitié et la joie, et recommencer sur de nouvelles bases l'aventure humaine.

Ce mythe de la colonie, où il n'est pas interdit de voir la transposition de certains fantasmes « robinsoniens » de Gabrielle Roy, inspire un autre trait idéologique marquant de ces reportages : la conception particulière du Canada qui s'en dégage, conception que Gabrielle tient peut-être en partie de son père et que l'on retrouvera dans plusieurs de ses écrits futurs. Le Canada y apparaît comme une immense, comme une unique colonie, c'est-à-dire comme le pays par excellence du recommencement et de l'entente. Dans ce pays, tel que la journaliste le donne à voir, tous les habitants sont immigrants ; tous, à quelque titre que ce soit, fuient le passé et s'efforcent de bâtir un avenir meilleur ; et tous, en ce sens, sont frères. Les inégalités, les rivalités nationales, les rapports de pouvoir y sont réduits au minimum ; non seulement il y a « place pour toutes les minorités[129] », mais ce sont les minorités, justement, et la concorde régnant entre elles, qui font du Canada l'avant-coureur de l'humanité future.

En ce sens, il est significatif que parmi les différents « peuples » de l'Ouest du Canada qu'elle étudie, Gabrielle Roy n'accorde aucune attention aux Britanniques, qui forment pourtant la majorité. C'est comme si ce groupe s'insérait mal dans l'image qu'elle se fait du pays et que la position dominante des Britanniques les empêchait d'entrer dans cette mosaïque de petites communautés isolées qu'est pour elle le Canada. Les vrais Canadiens, à ses yeux, ce sont les Mennonites, les Huttérites, les Doukhobors et tous ces malheureux venus former dans les zones rurales de petits îlots où brillent l'entraide et l'espérance d'un monde meilleur.

Tels sont aussi les Canadiens français, auxquels est consacré le tout dernier article de la série. Non pas les Canadiens français du Québec, mais ceux qui, ayant abandonné leur province, sont venus dans l'Ouest canadien fonder des colonies et se mêler aux autres groupes minoritaires. Libérés des contraintes, « laissés à leurs propres ressources », ces Canadiens français retrouvent ainsi ce qu'ils ont perdu au Québec, leur esprit d'initiative, leur courage, leur tolérance à l'égard des autres. Ici, écrit la journaliste, « plus un Canadien français est isolé [...], plus il se montre entreprenant ».

> Il s'éveille à l'audace. L'amour de l'espace, des coudées franches, remplace chez-lui la passion des « 30 arpents ». Le sens impérieux de s'emparer de tout son pays l'a poussé à l'Ouest, l'y retient. Son pays va d'un océan à l'autre. [...] Il est déjà plus mystique, je dirais, que son frère du Québec. Ses yeux sont ouverts à l'immensité du Canada. [...] Les gens de chez-nous sont gens d'amitié. Et le voyage, les horizons nouveaux, le contact de toutes les races leur en apprennent long sur cette amitié. [...] Partout où les Canadiens français vivent dans le voisinage des Ruthènes, des Galiciens, des Sudètes et des Doukhobors, ils se montrent leurs amis. [...] En définitive, [le Canadien français] aime par-dessus tout la grande variété que lui offre sa vie nouvelle. Il est peut-être déjà plus simplement canadien que canadien-français[130].

Le Canadien français de l'Ouest, en un mot, est une sorte de Canadien français amélioré, un précurseur. Comme Edmond de Nevers qui, à la fin du XIXe siècle, voyait dans les émigrés franco-américains de la Nouvelle-Angleterre les annonciateurs du grand avenir auquel le peuple canadien-français était destiné[131], ainsi Gabrielle Roy, loin de reprendre les antiennes nationalistes sur le sort de « nos frères séparés » et d'en appeler à la sacro-sainte « survivance », présente les francophones de l'Ouest, et notamment les pauvres colons de la Rivière-la-Paix, comme l'avant-garde de leur peuple engagée dans la construction de cette société régénérée, fraternelle et ouverte qui a nom le Canada.

Même si elle reste assez discrète, l'expression de telles idées donne aux articles de Gabrielle Roy, si on les replace dans leur contexte, une portée polémique qu'il ne faut pas négliger. Au moment où ces articles sont publiés dans le *Bulletin des agriculteurs* et dans *Le Canada*, le Québec sort à peine du débat orageux suscité par le plébiscite fédéral d'avril 1942 sur la conscription, et les passions politiques sont loin d'être apaisées. Gabrielle Roy ne s'est jamais prononcée explicitement sur cette question. Mais célébrer le Canada comme elle le fait dans ces articles, chanter la grandeur et la diversité ethnique du pays qui vient de voter massivement contre le sentiment majoritaire du Québec, ou s'émouvoir sur le sort des travailleurs de la route de l'Alaska, « ceux qui ont sacrifié l'amour du pays à une idée plus vaste encore », est une manière à peine détournée d'indiquer à quelle enseigne elle loge. De même, en louant le bilinguisme des Canadiens français de l'Ouest, en notant que ceux d'entre eux qui refusent de parler anglais « sont voués à la servitude » et que « le plus grand bien qu'on ait fait aux Canadiens français de l'Ouest, c'est peut-être d'avoir obligé leurs enfants à apprendre l'anglais[132] », la journaliste, qu'elle le veuille ou non, prend parti dans une controverse qui divise alors l'opinion québécoise ; elle se range implicitement aux côtés des T. D. Bouchard, Jean-Charles Harvey et autres « rouges » qui prônent l'enseignement précoce de l'anglais dans les écoles du Québec, au grand dam des nationalistes. Étant donné que ces derniers représentent la tendance nettement majoritaire au sein des élites francophones, les opinions libérales de Gabrielle Roy peuvent paraître courageusement contestataires, et, d'une certaine manière, le sont bel et bien. Mais il ne faut pas oublier que ces opinions, dans le contexte de l'« effort de guerre », sont tout à fait conformes à la ligne de pensée officielle que soutiennent et le gouvernement libéral du Québec et, surtout, celui du Canada, grâce notamment à ses puissants instruments de propagande et de censure.

Mais pour nous aujourd'hui, ce qui reste le plus précieux dans les articles que la journaliste rapporte de son voyage dans l'Ouest, c'est tout le matériel d'images, d'idées et d'impressions qu'ils contiennent à l'état brut, pour ainsi dire, et qui vont nourrir plus tard le travail de la romancière. Car Gabrielle a beau être née et avoir vécu longtemps dans l'Ouest, c'est seulement au cours de ce voyage qu'elle le découvre véritablement et que s'imprime en elle une vision de l'Ouest qui rejaillira plus tard dans son œuvre. Les lieux, les scènes, les visages et les êtres présentés comme autant de « faits » réels observés lors des reportages, se transformeront, par la vertu du langage et de la méditation esthétiques, en motifs proprement littéraires, chargés d'une signification et d'une beauté nouvelles. Dans le deuxième reportage de la série *Peuples du Canada*, par exemple, la journaliste évoque une Caucasienne du nom de Masha, qui cultive des fleurs dans un coin perdu de la Saskatchewan, et raconte la visite qu'elle lui fait pendant son séjour chez les Doukhobors ; dans l'article suivant, il est question de la mort d'une vieille Mennonite asservie à son mari et qui s'appelle Martha : comment ne pas voir là la source, ou l'une des sources, du « Jardin au bout du monde » ? Plus loin dans sa course, la journaliste assiste à une fête ukrainienne qui annonce directement un des chapitres de *La Petite Poule d'Eau*, avant d'apercevoir « sur le seuil de son café celui que l'on retrouve dans tous les hameaux, dans tous les bourgs de l'Ouest, celui qui paraît toujours s'ennuyer et jamais se décourager [...] : le restaurateur chinois » ; celui-ci porte le nom banal de Charlie, il aurait pu s'appeler Sam Lee Wong[133]. Ailleurs encore, elle s'attendrit devant « le visage fatigué d'Annie, la jeune fille de table » de Dawson Creek, en qui il est difficile de ne pas reconnaître la sœur jumelle de Nina, la « petite nomade » de *La Montagne secrète*[134].

Ces correspondances, bien sûr, n'apparaissent qu'après coup. Sur le moment, Gabrielle ignore quelle richesse représente la moisson d'images qui s'emmagasine en elle au cours de ce voyage dans l'Ouest. Tout ce qui compte dans l'immédiat, c'est son travail de journaliste, les articles à écrire, la vérité à rendre du mieux qu'elle le peut. Pourtant, et on le voit bien aujourd'hui, c'est grâce à ce travail, qui a fort peu à voir en apparence avec la « création » littéraire et qui demande moins d'imagination que d'application, moins d'audace que de patience, que la romancière apprend vraiment son métier. Évoquant les débuts de Hemingway, Milan Kundera note qu'à cette époque (et c'est encore vrai à l'époque de Gabrielle Roy) le journalisme ne consistait pas d'abord à écrire des éditoriaux et à avoir des opinions sur tout ; « être journaliste signifiait alors s'approcher plus que tout autre de la vie réelle, fouiller ses recoins cachés, y plonger les mains et se les salir[135] ». Être journaliste, et surtout reporter comme l'est Gabrielle Roy au cours de ces années, c'est avant tout regarder, écouter, comprendre, aller audelà ou en deçà des images préétablies, des idées toutes faites, des jugements déjà formés ; c'est s'intéresser aux faits, aux êtres, à l'existence, en somme, plutôt qu'aux théories, aux schémas et aux autres fictions qui en tiennent lieu.

Apprentissage du regard et d'une certaine attitude devant le monde, le reportage procure aussi à Gabrielle Roy l'occasion de pratiquer un nouveau type d'écriture, plus direct, plus sobre, moins soucieux d'effets et de joliesses, plus prosaïque, en un mot, que celui qui caractérise la plupart de ses nouvelles de la même époque. Il s'agit, par les phrases et les mots, de montrer plutôt que d'étonner, et de s'effacer devant le spectacle du monde au lieu de prétendre s'y substituer. Cela dit, le style journalistique de Gabrielle Roy n'a rien d'une prose froide et technique. Au contraire, sa grande qualité — et ce en quoi elle renouvelle le genre journalistique de son époque et de son milieu —, c'est de ne pas refuser l'émotion ni la subjectivité, mais bien, tout en en gardant le contrôle, de s'en servir comme d'un moyen supplémentaire — et indispensable — de voir et d'expliquer ce qu'elle voit. Ainsi, lire *Tout Montréal*, *Peuples du Canada* ou les autres grands reportages que Gabrielle Roy donne au *Bulletin des agriculteurs* entre 1941 et 1945, c'est non seulement découvrir une image particulièrement saisissante de ce qu'était le monde en ce temps-là, mais c'est assister à la naissance d'une parole, d'une pensée, d'un univers d'écrivain.

Autour d'une dépouille

Le grand voyage que Gabrielle effectue pendant l'été et l'automne 1942 n'obéit pas uniquement à des impératifs professionnels. C'est aussi pour elle l'occasion de retourner sur les lieux de sa jeunesse et de renouer avec les siens, ou du moins de rétablir un contact qui s'est rompu depuis son départ en 1937 et que sa décision d'abandonner définitivement son poste d'institutrice à Saint-Boniface n'a pas restauré, loin de là.

Pendant longtemps, et surtout pendant ses premières années à Montréal, Gabrielle n'a cessé d'en vouloir à sa famille, et en particulier à ses sœurs qui, dira-t-elle plus tard, « m'avaient refusé un mot d'encouragement à l'heure [...] où j'en avais eu si grand besoin » et « m'avaient longtemps d'avance prévenue que je n'aurais qu'à m'en prendre à moi-même le jour où je choierais de mes grandeurs et devrais payer le prix d'avoir quitté mon emploi[136] ». À leur endroit, comme à l'endroit de ses frères d'ailleurs, elle n'éprouvait que rancune et dépit, considérant qu'elle ne devait rien à personne et n'attendant rien de personne en retour.

Même avec sa mère, les choses étaient loin d'être simples. Certes, jamais elle ne l'aurait reniée, jamais elle n'aurait coupé les ponts avec elle. Mais les messages de Mélina insistant pour qu'elle rentre au Manitoba, répétant qu'on l'attendait, demandant la date de son retour, l'impatientaient autant, sinon plus, qu'ils la culpabilisaient. Pourquoi la harcelait-on ainsi, elle qui ne voulait qu'une chose : se libérer du passé, ne plus compter que sur elle-même, et aller de l'avant, sans attache, sans dette envers quiconque, jusqu'au triomphe qui viendrait un jour si elle parvenait à en faire son seul et unique but ? Qu'avait-elle besoin de frères, de sœurs, d'une vieille mère qui ne cherchait qu'à la rappeler à elle, là-bas, loin derrière ?

Dix-huit mois environ après son retour d'Europe, elle avait revu sa mère. C'était à Montréal, au début de l'automne 1940. À cette époque, Mélina, malgré son grand âge, s'était mise à voyager. Ainsi, au printemps 1939, alors que Gabrielle arrivait à Montréal et s'installait dans sa première pension rue Stanley, Mélina se trouvait en Californie, où elle s'était rendue au chevet de son frère Moïse. Ce dernier avait choisi d'aller vivre là parce que sa femme, Thérèse Généreux, souffrait d'asthme. Thérèse était morte quelques années plus tard. Et voilà que Moïse, à son tour, était à l'agonie. N'écoutant que son sens du devoir, Mélina était accourue dès qu'elle avait appris la nouvelle. Mais Moïse, hélas, avait succombé avant que l'autobus ne dépose la voyageuse à destination[137]. Celle-ci était restée plus de deux mois sur la côte de l'océan Pacifique, au milieu de ses neveux et nièces. L'année suivante, la vieille femme partait de nouveau, cette fois pour une longue tournée de près d'un an qui, de l'un à l'autre de ses enfants, allait la conduire à travers tout le pays : à Kingston, en Ontario, où Rodolphe suivait son entraînement militaire ; à Hoey, en Saskatchewan, pour aider la femme de Germain, Antonia, alors enceinte de sa deuxième fille ; enfin à Tangent, en Alberta, pour y passer l'été avec Adèle.

Inquiète au sujet de Gabrielle, Mélina avait alors décidé de se rendre à Montréal, où elle n'était plus allée depuis 1921. Pour l'accueillir, Gabrielle avait loué une chambre supplémentaire au rez-de-chaussée de la pension où elle habitait. Mais les deux femmes ne s'étaient guère vues pendant les deux ou trois semaines de séjour de Mélina, Gabrielle étant très prise par son travail à la radio et Mélina s'absentant souvent pour rendre visite à des membres de sa famille ou pour aller faire ses dévotions à Notre-Dame-du-Bon-Secours ou à l'oratoire Saint-Joseph. Du reste, quand elles se voyaient, c'était le plus souvent pour se quereller : la mère, en quelques jours, en avait vu, entendu et deviné assez pour que la vertu de sa fille lui cause de graves soucis et justifie ses remontrances. Un homme venait régulièrement à la chambre de Gabrielle et repartait à des heures indues ; le dimanche, celle-ci n'allait pas à la messe ; et en plus elle fumait. « Je sais maintenant, avait déclaré Mélina après son retour à Saint-Boniface, je sais d'où vient le succès de Gabrielle, et j'aime mieux mourir avant de voir son triomphe[138]. » Les deux femmes ne s'étaient pas quittées en très bons termes, et la visite de sa mère n'avait rien fait pour que Gabrielle ait le désir de se rapprocher d'elle.

Mais le temps, comme toujours, atténue les blessures. Vers la fin de l'année 1941, Anna, la sœur aînée, se met à écrire à Gabrielle pour lui donner des nouvelles, et le lien se rétablit peu à peu. Moins nerveuse au sujet de sa carrière qui prend enfin une tournure intéressante depuis son entrée au *Bulletin des agriculteurs*, Gabrielle commence à sentir le poids de sa solitude et redécouvre son attachement pour sa famille. Non pas au point de pardonner les méchancetés de naguère, ni de vouloir renoncer à son indépendance, mais au moins ses défenses tombent, sa rancune s'allège, elle est prête à revoir ceux qu'elle a quittés.

Les retrouvailles ont lieu à la fin de l'été 1942, à l'occasion du voyage de Gabrielle dans l'Ouest. L'itinéraire qu'elle suit à travers les colonies de la Saskatchewan et de l'Alberta correspond, en fait, au trajet qui mène chez sa sœur Adèle, à Tangent, en Alberta, dans la région de la Rivière-la-Paix. Adèle s'y est établie en 1935 en qualité d'institutrice ; comme d'habitude, ses rapports avec le curé et les parents d'élèves n'ont pas tardé à se détériorer, si bien qu'elle a décidé, en 1939, de se retirer de l'enseignement et de devenir fermière sur la terre qu'elle a achetée deux ans plus tôt à un colon[139]. Elle a donné à sa maison — sa cabane, à vrai dire — le nom de « Villa Antoinette » et l'a aménagée pour la rendre propice aux travaux de l'esprit et au « culte du souvenir » : table à écrire, petite bibliothèque, piano droit, photos des parents et des ancêtres, portraits de grands hommes et, au milieu, une gravure représentant la Mort. Bien que l'espace y soit mesuré, la maison est vite devenue un lieu de vacances pour les femmes de la famille. Anna, la première, y a passé cinq semaines à l'été 1940, seule avec Adèle. Puis, l'année suivante, a eu lieu une grande réunion de famille avec Mélina, venue terminer là sa tournée pan-canadienne. Elle était accompagnée de Clémence. Les deux femmes devaient séjourner à Tangent de mai à la fin de l'été ; à la mi-août, Anna les a rejointes et la mère et ses filles ont filé le parfait bonheur jusqu'au début de l'automne, un bonheur que Gabrielle, après la lecture d'une longue épître d'Anna[140], leur a envié de loin, elle à qui sa vie trépidante de journaliste et d'auteur à la pige ne laissait pratiquement aucun répit.

Un an plus tard, la voici donc à son tour à Tangent, où elle arrive le 22 août 1942. Chaussée de hauts talons, vêtue d'« un costume tailleur en tartan à larges carreaux verts et noirs », se souvient Adèle[141], elle a l'air mal en point, amaigrie, déprimée, complètement épuisée par le périple de six ou sept semaines qu'elle vient d'accomplir dans des conditions souvent harassantes. Mais le séjour à la Villa Antoinette, qui dure près de deux mois, la remet sur pied. Entre les deux sœurs, qui ne se sont pas vues depuis dix ans, c'est l'entente parfaite. Le soir, sous la lampe à huile, elles se racontent longuement leurs vies au cours des dernières années, et Gabrielle ouvre son cœur à Adèle. Elle lui parle d'elle, de son enfance, du manque d'affection dont elle a souffert, de la dureté du père à son endroit ; elle lui parle d'Henri Girard, du soutien qu'il lui apporte, de leur relation contrariée. Et le jour, tandis qu'Adèle est à son école (car elle a repris l'enseignement depuis le mois de mars), Gabrielle se plonge dans ses écritures. À l'aide de notes et de photos rassemblées au cours de son voyage, elle rédige ses reportages, entrecoupant ses séances de travail de promenades dans la campagne environnante, de conversations avec les colons ou de courses au village — une bourgade où se trouvent « deux magasins tenus par des Canadiens français [et] une population éparse comprenant un fort pourcentage d'Ukrainiens et de Polonais[142] », Tangent ayant été fondé en 1928 par des colons du nom de Purcha et de Yaramko. C'est d'ailleurs Tangent et sa région qui fournissent à Gabrielle la matière de ses quatre articles du *Canada* intitulés *Regards sur l'Ouest* ainsi que du dernier reportage de la série *Peuples du Canada*, où apparaît Adèle, que la journaliste ne nomme pas mais qu'elle présente comme le modèle de la maîtresse d'école évoluée et totalement dévouée à sa tâche.

Gabrielle, en un mot, est heureuse et profite du mieux qu'elle le peut de cet intermède de paix et d'amitié au milieu de sa vie tumultueuse[143]. Quand arrive le 14 octobre, jour de son départ pour Dawson Creek, elle a repris du poids, retrouvé confiance en elle-même et presque terminé ses articles pour le *Bulletin*. En outre, elle a probablement mis en chantier quelques textes de fiction.

Sa tournée de retrouvailles n'est pourtant pas achevée. Quelques semaines plus tard, en route vers Montréal, elle s'arrête quatre jours à Saint-Boniface, chez sa mère, dans le petit logis de la rue Langevin[144]. On ne sait pas grand-chose de cette rencontre, sauf que la fille prodigue, des heures durant, abreuve Mélina du récit de ses aventures journalistiques et de ses succès littéraires, et que le contact entre les deux femmes semble cette fois tout à fait chaleureux. En tout cas, elles vont s'écrire beaucoup durant les mois qui suivent, et dans aucune de ses lettres Mélina ne reprochera quoi que ce soit à Gabrielle.

Ainsi réconciliée avec Adèle et avec sa mère, ayant revu Anna et Clémence pour la première fois depuis cinq ans, et peut-être aussi Germain et Antonia[145], Gabrielle revient chez Miss McLean peu de temps avant la Noël de l'année 1942, le cœur, l'esprit et le corps rassérénés.

Elle passe les fêtes de fin d'année à Montréal. Puis, en février, elle part pour Rawdon, comme elle l'a fait l'année précédente et continuera de le faire régulièrement dans les années qui suivront. Ce village, qu'elle a découvert au cours de l'hiver 1942, lui offre le cadre idéal dans lequel elle aime vivre et travailler. En outre, il a l'avantage de ne pas être trop éloigné de Montréal où elle doit se rendre fréquemment pour ses affaires. Rawdon est un village agréable et tranquille ; on y trouve de petites rues bordées d'arbres, des maisons confortables et élégantes, une ambiance doucement britannique, des habitants polis et discrets, toutes les qualités, en somme, que possédait le joli coin de Westmount où Gabrielle a vécu depuis 1939. À quoi s'ajoutent deux autres avantages non négligeables : le coût de la vie y est beaucoup moins élevé qu'à Montréal et la présence de la grande nature permet de longues randonnées, en skis l'hiver, à bicyclette ou à pied l'été. Souvent, d'ailleurs, il arrive à Gabrielle de pousser ces randonnées un peu plus au nord, jusqu'aux collines de Saint-Alphonse-de-Rodriguez, le pays natal de sa mère. Avec le temps, cette proximité comptera de plus en plus dans l'attachement qu'elle éprouve pour Rawdon[146].

Mais le facteur décisif qui la retient dans ce village et l'y ramènera tant de fois par la suite, c'est l'accueil qu'elle y trouve. La maison où elle prend pension est celle d'un vieux couple d'Irlandais, Charlie Tinkler et sa femme. C'est, à l'angle de la 9e Avenue et de Lake Morgan Road, « une grande maison de bois de style gingerbread », flanquée d'un vaste jardin qui descend jusqu'à la rivière. Pour dix dollars par semaine, Gabrielle y dispose d'une chambre à l'étage, vaste, propre, claire, hélas pas très bien chauffée, mais où elle peut se faire servir ses repas à l'heure qui lui plaît et taper autant qu'elle le veut, dans son lit, sa petite machine à écrire sur les genoux. Contrairement à ce qui se passe à Montréal, où Miss McLean la chouchoute, certes, mais où elle doit partager la maison avec une dizaine d'autres personnes, elle est ici la seule pensionnaire et reçoit donc toute l'attention des maîtres de la maison. Dès qu'ils ont vu Gabrielle, Charlie et sa femme ont été séduits eux aussi par sa vivacité, ses yeux rieurs et par cette sorte de fragilité, cette manière qu'elle a de se livrer à vous, de se mettre entre vos mains, pour ainsi dire, et de vous demander protection, comme un oiseau qui serait tombé sur votre seuil. Comme auprès de sa mère autrefois, comme chez Esther naguère ou comme à Port-Daniel chez les McKenzie, Gabrielle se sent aimée. Sans y comprendre grand-chose, les vieillards respectent son travail et font tout pour qu'elle puisse s'y adonner en paix, l'entourant de mille soins, évitant de la déranger et l'adorant comme leur enfant. « Eux aussi, écrira-t-elle plus tard, mes petits vieux de Rawdon, au cours de mes années de constants déplacements où j'aurais pu n'être partout qu'une simple passante, me créèrent, à leur manière, une sorte de chez-moi[147]. »

La voici donc de nouveau, en cet hiver 1943, dans son havre d'écriture de Rawdon. Elle polit ses derniers reportages sur l'Ouest avant de les transmettre au *Bulletin des agriculteurs* et, le plus clair du temps, travaille à des nouvelles et au manuscrit de roman qu'elle a entrepris.

Bientôt, sa tranquillité d'esprit est perturbée par de mauvaises nouvelles qui lui parviennent au sujet de sa mère. Celle-ci, un matin froid de février, a été frappée d'un infarctus au beau milieu de la messe, dans la cathédrale de Saint-Boniface ; on a eu toutes les peines du monde à la ramener à la maison. Elle se remet, certes, grâce aux soins de Clémence, qui vit avec elle, et à ceux d'Anna et de la tante Rosalie, qui viennent la voir presque chaque jour. Mais vu l'âge avancé de la malade, le médecin craint le pire et lui a fait administrer l'extrême-onction.

Là où elle est, Gabrielle ne peut rien faire. Sauf écrire. La seule correspondance entre elle et sa mère que nous possédions date justement de cette époque : elle comprend treize lettres de Mélina, échelonnées du 7 mars au 19 juin 1943 ; quant aux lettres de Gabrielle, elles ont été au moins aussi nombreuses, mais une seule d'entre elles a été conservée, parce que Mélina en a utilisé le verso pour écrire une des siennes. Clouée au lit, un crayon de plomb à la main, la vieille femme raconte les menus faits de sa vie quotidienne et donne des nouvelles de ses enfants. Il est beaucoup question d'argent, des petites sommes qu'elle reçoit de l'un ou de l'autre, de ses épargnes, de son intention d'investir dans la construction d'une maisonnette à Somerset, projet qui tombe bien sûr à l'eau. Gabrielle lui envoie dix dollars au début de chaque mois, « pour vous aider à mettre de la viande dans la marmite[148] ». Elle envoie aussi des magazines, du chocolat, du « laurier de saint Antoine » et même, à la demande de sa mère, « des crossant, sorte de beigne que j'aimais tant quand j'ai été à Montréal, ça ne coûtait pas trop cher et c'était bon[149] ». Un jour où Gabrielle lui a fait parvenir du sirop d'érable, elle écrit : « Si tu peux disposer de quelques piastres ça fera bien mieux mon affaire, mais si t'est de court n'envoie rien[150]. » À plusieurs reprises, elle demande à sa fille quand elle viendra la voir : « Je serai bien contente, écrit-elle le 10 mai, le jour que tu arrivera à St-Boniface c'est-à-dire chez nous » ; et le 30 du même mois : « J'ai toujours hâte de recevoir une autre lettre de toi m'annonçant que tu dois venir bientôt. »

Gabrielle a quitté Rawdon au début du mois d'avril et est rentrée à Montréal où elle a repris sa chambre chez Miss McLean. Mais elle a beaucoup trop à faire pour se permettre un autre voyage dans l'Ouest, d'autant plus que sa situation professionnelle ne cesse de s'améliorer. Elle qui, au *Bulletin*, n'a touché d'abord qu'une quinzaine de dollars l'article, comme tout journaliste débutant, elle a vu son cachet passer progressivement à 30, puis à 50, et bientôt à 100 ou 150 dollars. Et ses reportages sur l'Ouest publiés dans *Le Canada* ont encore étendu sa réputation, ce qui incite les responsables du *Bulletin* (et peut-être les gros bonnets libéraux) à vouloir se l'attacher encore plus étroitement. On lui fait, en mai 1943, un contrat mirobolant : contre son engagement de donner au moins huit textes par année au *Bulletin* et de ne rien publier ailleurs, elle recevra un salaire de 275 dollars par mois, douze mois par année[151]. C'est le pactole. Sur le plan financier, elle n'a désormais plus aucun souci à se faire : quatre ans seulement après avoir renoncé à son poste d'institutrice, elle gagne maintenant trois fois plus d'argent qu'elle n'en gagnait alors. Enfin ses efforts portent leurs fruits ; enfin elle peut se dire qu'elle a presque atteint « le sommet de la montagne », comme le lui écrivait sa mère le jour de son trente-quatrième anniversaire.

Sa mère qui, là-bas, continue de décliner. En juin, lorsque Gabrielle envoie sa mensualité — inchangée — de dix dollars, Mélina lui écrit sa dernière lettre : merci pour l'argent, dit-elle, « c'est déjà beaucoup je n'en ai pas besoin de plus garde les pour toi et après ma mort s'il t'en reste tu t'occupera de Clémence ». Puis elle parle de la nouvelle de Gabrielle qui vient tout juste de paraître dans le *Bulletin des agriculteurs* : « Je viens de recevoir la grande Berthe et de la lire. Je trouve que c'est ta meilleure écrit, la meilleure de ta vie[152]. » Une semaine plus tard exactement, le samedi 26 juin, un télégramme arrive chez Miss McLean : « Maman décédée ce matin à dix heures. Funérailles mardi. T'attendons si possible. Germain[153]. » Le soir même, Gabrielle prend le train pour Saint-Boniface, les yeux bouffis de larmes.

À la fin de sa vie, la romancière consacrera à la relation — à la remémoration — de cet épisode son tout dernier écrit, qui devait former la suite de *La Détresse et l'Enchantement* mais qu'elle n'a pas eu le temps d'achever. On y retrouve la narratrice dans le train, la nuit, hagarde et incapable de contrôler ses sanglots, qui ressasse en pensée les événements des derniers mois, alors que, dit-elle, travaillant comme une forcenée, elle ne songeait qu'à « ramasser au plus vite l'argent qu'il me fallait pour revenir au Manitoba m'occuper de maman et la faire soigner le mieux possible », impatiente « de lui rapporter la raison d'être fière de moi que j'étais allée au bout du monde lui chercher au prix de tant d'efforts[154] ». C'est au cours de ce voyage, ajoute-t-elle, qu'elle découvre la relation privilégiée qui ne cessera désormais de l'attacher à sa mère, à sa mère morte, au loin, tandis qu'elle n'y était pas, n'y avait au fond jamais été.

> C'est en cette nuit de juin 1943, quelque part dans une forêt de l'Ontario, que commença entre ma mère et moi le singulier échange de voix où c'est pourtant moi seule qui reçois ses confidences à travers le silence, ou plutôt la longue quête inépuisable que l'on poursuit d'un être disparu, qui ne peut avoir de fin qu'avec notre propre fin, puisque ce n'est jamais qu'à travers notre seule expérience que nous connaissons la sienne, à travers notre maladie sa cruelle maladie, à travers notre ennui son insurmontable ennui, à travers notre mort ses derniers instants solitaires. Ainsi il est à jamais trop tard pour seulement faire savoir à l'être que nous aimons combien nous le comprenons et comprenons sa pauvre vie, dont quelque détail jusque-là nous a toujours manqué[155].

Alors que le train l'emporte vers le Manitoba, Gabrielle a-t-elle une conscience aussi claire de cette conversion intérieure qui s'opère en elle ? Il est impossible de le savoir, bien sûr. Mais l'« échange de voix », l'interminable réparation du silence entre la fille et sa mère défunte, la romancière, en un sens, va les poursuivre tout au long de son œuvre à venir.

Gabrielle arrive à Winnipeg le lundi matin et se rend immédiatement au salon funéraire Coutu, que Mélina a choisi elle-même « parce que c'est moins cher ». Le cercueil est orné d'une immense gerbe d'œillets envoyée par le *Bulletin des agriculteurs*. Deux jours durant, elle reçoit les condoléances d'usage et se fait raconter les derniers instants de sa mère par Clémence. Le mercredi matin, juste avant qu'on referme le cercueil, Bernadette détache des doigts de la morte son vieux chapelet usé et le remet à Gabrielle en souvenir. La messe des funérailles a lieu à la cathédrale, d'où sort bientôt le petit cortège qui n'a pas bien long à parcourir pour arriver au cimetière situé juste en face. Derrière le cercueil porté par les deux frères de Mélina, Excide et Zénon, marchent d'abord, c'est la règle, les dames des congrégations auxquelles appartenait la défunte. Puis viennent les enfants endeuillés ; c'est leur première réunion de famille depuis la mort de Léon, quatorze ans plus tôt, et ce sera la dernière de leur vie.

Germain, qui a quarante et un ans, enseigne alors à Mossbank, en Saskatchewan, où il est sergent dans la Royal Canadian Air Force ; sa deuxième fille, Yolande, a deux ans et demi. C'est lui, le plus jeune des fils, qui ouvre le cortège funèbre. Car les deux autres sont absents, eux qu'Anna, dans sa hargne, traite de « fieffés ivrognes de bums[156] ». Joseph, l'aîné âgé de cinquante-six ans et maintenant grand-père, n'a fait que passer en coup de vent, deux mois plus tôt, pour revoir sa mère malade, avant de repartir aussitôt pour Dollard où il travaille dans le commerce des grains, sans jamais donner de nouvelles à personne. Quant à Rodolphe, qui va sur ses quarante-quatre ans, la guerre l'a sauvé momentanément de sa déchéance : enrôlé dans l'armée depuis 1940, il faisait envoyer une partie de sa solde à sa mère ; lui aussi l'a revue pour la dernière fois en avril, pendant les deux semaines de permission qu'il a passées chez elle, à la faire rire et à tenter de lui soutirer de l'argent ; depuis, il a été envoyé en Angleterre pour se préparer au combat[157].

C'est donc surtout un cortège de femmes qui suit le cercueil, le cortège des filles de Mélina : Clémence et Anna, qui habitent Saint-Boniface, Gabrielle, venue de Montréal, et Bernadette, qui a obtenu une permission de dernière minute et en veut à ses supérieures du couvent de Kenora de ne pas l'avoir laissée partir plus tôt. La seule qui manque est Adèle, mais c'est que le voyage est interminable depuis son lointain Tangent. Aussi, pour l'attendre, décide-t-on de ne pas enterrer la morte ce jour-là, mais de déposer la bière dans un petit charnier. Le soir, aussitôt descendue du train, Adèle s'y rend avec Anna, fait ouvrir le cercueil par le bedeau et se recueille devant le « cher visage » de la disparue. C'est le lendemain matin, sous un ciel radieux, que le corps de Mélina est mis en terre, à côté de Léon et des deux Agnès.

Germain et sœur Léon doivent repartir dès la fin des cérémonies ; Gabrielle et Adèle restent quelque temps chez Anna, où Clémence les rejoint[158]. La maison est située dans River Road, à Saint-Vital, juste au sud de Saint-Boniface. C'est une grande maison qu'Albert Painchaud, le mari d'Anna, menuisier de son état, a construite quatre ans plus tôt avec l'aide de ses fils. Pour faire plaisir à sa femme et lui offrir enfin la belle demeure dont elle n'a cessé de rêver pendant leurs trente années de mariage, Albert a acheté un terrain au bord de la Rouge sans prévenir Anna, et celle-ci en a été si vexée qu'elle ne lui a plus adressé la parole pendant six mois, de sorte que la maison, construite sans ses conseils, a fière allure à l'extérieur, toute blanche avec des encadrements d'un bleu vif, mais est mal conçue et peu pratique à l'intérieur. Anna, pourtant, a fini par s'en accommoder et par y régner sans partage. Pendant longtemps, « La Painchaudière », comme on appelle pompeusement la maison et son grand jardin jouxtant la rivière, sera pour Gabrielle et ses sœurs ce qui se rapproche le plus d'un foyer.

En ce début de l'été 1943, les quatre orphelines s'y rassemblent pour partager leur deuil et se confier les unes aux autres. Anna est toujours insatisfaite de sa vie et se reproche de n'avoir pas suffisamment aidé sa mère pendant les derniers mois de sa maladie ; mais elle-même, qui atteindra bientôt cinquante-cinq ans, commence à avoir des problèmes de santé ; deux ou trois ans plus tard, elle devra subir sa première opération pour un cancer. Adèle a vendu sa terre de Tangent et le regrette déjà ; elle ne sait trop, à cinquante ans, vers où ni vers quoi se tourner ; finalement, elle repartira encore une fois cet été-là pour la Rivière-la-Paix et reprendra l'enseignement dans d'autres villages perdus, Volin, Codessa. Quant à Gabrielle, qui n'est que tourment et chagrin, elle cherche la consolation dans de longues promenades au bord de la rivière ou dans les bois voisins. Des quatre sœurs, Clémence seule ne se plaint pas, elle qui est pourtant la plus à plaindre. Mélina partie, la voici, à quarante-sept ans, sans rien devant elle et plus dépendante que jamais. Qui va prendre soin d'elle à présent, elle qui n'arrive pas à se débrouiller seule et n'a rien appris d'autre dans sa vie que servir, faire le ménage et attendre passivement que l'on règle pour elle les moindres détails de son existence ? Il n'est pas question pour Anna de la prendre chez elle, les manières et les jacasseries de Clémence l'énervent trop. Il n'en est pas question non plus pour Adèle, ni pour Gabrielle, ni pour Bernadette. Dans l'immédiat, Mme Jacques accepte de la laisser occuper seule le petit deux-pièces de la rue Langevin, mais cela ne pourra pas durer éternellement, les sœurs le savent bien. Comme elles savent bien, sans se l'avouer, que Clémence sera désormais leur croix à toutes ; « maman nous l'a laissée, écrit Gabrielle peu après son retour à Montréal, [...] pour que nous connaissions le bienfait du sacrifice[159] ».

De temps à autre, tante Rosalie vient passer un moment avec ses nièces et mêle son chagrin au leur. Car elle a toujours été très proche de sa grande sœur et se sent un peu orpheline, elle aussi. Quelques photos prises par Blanche, la fille de Rosalie, montrent les cinq femmes au cours de l'une de leurs rencontres. En les regardant, on est surtout frappé par la ressemblance entre Adèle, Clémence et Anna, point trop jolies avec leurs coiffures sévères et leurs vêtements frustes, et par le contraste entre leur allure et le style moderne et distingué que donnent à Gabrielle son tailleur de bonne coupe, son sac de cuir en bandoulière, son maquillage et sa chevelure légère. Tout en elle annonce qu'elle vient d'ailleurs, de la grande ville, d'un monde qui n'a plus rien à voir avec celui de sa mère et de ses sœurs.

Un amour contrarié

L'entente entre les quatre sœurs ne tarde pas à se gâter ; elles commencent à se quereller à propos de vétilles. C'est avec soulagement que Gabrielle quitte la Painchaudière au début du mois de juillet, pressée d'échapper à ce climat qui lui rappelle les tiraillements de jadis.

Mais ces quelques jours à Saint-Boniface auprès de la dépouille de leur mère l'ont rapprochée de ses sœurs. Elle qui, séparée de ses aînées par l'âge autant que par le tempérament, les avait presque rayées de sa vie lorsqu'elles avaient quitté la maison, et encore plus depuis qu'elle-même en était partie, voici qu'elle découvre tout ce qui les unit malgré les années de silence et d'ignorance mutuelle qui les ont tenues éloignées les unes des autres. C'est comme si « Cad », maintenant orpheline, éprouvait le besoin, pour compenser sa perte, de réintégrer le cercle familial et, à présent qu'il est trop tard, de devenir la fille et la sœur qu'elle a tant cherché à ne plus être.

Dans les mois qui suivent son retour au Québec, Gabrielle entreprend une correspondance avec chacune de ses sœurs, et bientôt se tisse entre elles un réseau centré sur le culte de « cette petite morte qui avait été notre mère[160] ». Elle écrit à Anna, elle écrit à Clémence, et sa première lettre à Bernadette date du 15 septembre 1943. Ses lettres les plus longues, c'est à Adèle qu'elle les destine, des lettres empreintes de remords à l'égard de Mélina. Ainsi, le 16 septembre, elle confie :

> Dieu, que j'aurais voulu entourer ses dernières années et lui donner, à elle qui demandait si peu, lui donner tout, tout ce qu'elle devait

désirer. C'est stérile, je sais, de s'adonner à de telles réflexions, mais que veux-tu, je ne cesse de vivre avec elles. Voilà donc le véritable regret : celui de n'avoir pas eu assez de bonté, assez d'affection, assez de tendresse. Voilà le pire, le plus terrible des regrets[161].

Six mois plus tard, ce même regret « stérile » continue de la hanter. Elle confie de nouveau à Adèle :

Je comprends bien, va, l'angoisse, la suprême douleur de notre pauvre mère quand elle a eu à quitter sa maison de la rue Deschambault. Elle crânait, oui, mais quelle plaie devait s'être ouverte en elle à ce moment. Si tu savais combien de fois j'ai songé à ce jour et combien de reproches amers je me suis adressés.

Pauvre petite et brave petite femme ! Tout son cœur était dans ce simple, grand devoir : la famille, le foyer. Détruit, elle n'a pas cessé de s'occuper à le refaire [...], s'agrippant à tout ce qu'elle avait pu sauver du désastre et réunir autour d'elle [...] : portraits jaunis, bénitiers, petits cadres naïfs, tout ce petit trésor qu'elle avait encore à sa mort dans le petit logis de la rue Langevin.

Je peux bien te l'avouer, c'est à la vue de ces pauvres petites reliques du passé que j'ai pleuré les larmes les plus vraies, les plus brûlantes de ma vie[162].

Ce retour dans l'orbe familial ne dure guère, cependant, et il faudra encore bien du temps, bien des querelles, bien des réconciliations et bien d'autres querelles encore avant que la vie amène Gabrielle à se sentir véritablement liée et redevable à ses sœurs. Pour le moment, elle est beaucoup trop prise par son travail et a trop besoin d'indépendance pour se laisser alourdir par les remords et la fidélité au passé. Neuf mois après la lettre que l'on vient de lire, elle priera fermement Adèle : « Écris-moi encore, cela me donne beaucoup de réconfort, mais évite, si tu veux, de me rappeler comment j'ai pu donner du chagrin à maman, car de cela je souffre déjà bien assez[163]. »

En revenant de Saint-Boniface, au milieu de l'été 1943, Gabrielle file vers la Gaspésie afin de passer le reste de l'été chez les McKenzie. Là, dit la suite inédite de *La Détresse et l'Enchantement*, elle écrit, elle écrit avec plus d'inspiration et de détermination que jamais, dans un état second qui est sa manière à elle, peut-être, d'échapper à son deuil — « Dès que je sortais du travail, c'était pour me reprendre à souffrir d'être de ce monde[164] » — ou alors de le vivre, ce deuil, jusqu'au bout.

Une nuit de grande tempête, malgré les avertissements de Mme Bertha, elle sort se promener sur le rivage. Réfugiée au fond d'une grotte, elle s'absorbe pendant des heures dans la contemplation de la mer démontée, ravie, comme le René de Chateaubriand, par le déchaînement des vagues et du vent qui « plaignaient à n'en plus finir la douleur du monde ».

> Vers le milieu de la nuit, je rentrai transie, mouillée jusqu'aux os car il s'était mis à tomber une grande pluie froide, endolorie de la tête aux pieds, cependant curieusement, mystérieusement délivrée, comme si l'amertume du moins m'avait été enlevée... Mais au fond je suis toujours en peine de m'expliquer comment je sortis, cette nuit-là, sinon apaisée, du moins consentante à vivre en ce monde[165].

En septembre, elle rentre à Montréal, mais c'est pour peu de temps, car elle n'y a plus de domicile fixe. Son nouveau contrat avec le *Bulletin des agriculteurs* lui assurant maintenant un revenu plus que confortable et une pleine liberté de mouvement, elle a décidé de réorganiser sa vie en fonction de ce qui seul lui importe : l'écriture. Pour cela, l'ermitage de Rawdon est tout ce dont elle a besoin, et c'est là désormais qu'elle a décidé d'élire domicile. Parmi les raisons qui ont pu déterminer ce choix, il y a, bien sûr, le confort et les soins dévoués qu'elle trouve chez la « petite mère Tinkler », comme elle l'appelle gentiment. Mais il y a aussi que l'ambiance de Montréal, où le coût de la vie est horriblement cher, lui paraît peu propice au travail : « La guerre, écrit-elle à sœur Léon, se fait sentir de plus en plus dans cette ville surpeuplée et qui devient quasi hystérique. Vraiment, tu sais, le monde est fou, fou de douleur, d'égarement, de cupidité et de détresse[166]. » Le grand air, la bonne nourriture et le calme de Rawdon conviennent mieux à ses nerfs fragiles et à la conservation de sa santé qui, dit-elle, lui est alors « une bataille chaque jour renouvelée[167] ».

En faisant route vers la Gaspésie au mois de juillet, Gabrielle s'est donc arrêtée brièvement à Westmount pour prévenir Miss McLean qu'elle ne garderait plus sa chambre chez elle. Dès lors, quand elle devra venir à Montréal, elle n'y demeurera que peu de temps et logera à l'hôtel. Ce sera toujours le même : le Ford Hotel, boulevard Dorchester, entre les rues Mackay et Bishop, là même où s'installeront en 1953 les studios de Radio-Canada. L'établissement offre au besoin des locations prolongées et a le mérite d'être confortable, bien situé et très calme. De l'automne 1943 jusqu'à son départ définitif de Montréal en 1947, Gabrielle Roy fera ainsi de l'hôtel Ford son pied-à-terre dans la métropole ; mais son lieu de résidence principal, pendant toute cette période, restera Rawdon.

Il faut dire qu'elle n'aime pas beaucoup — n'aimera jamais — la vie à la ville, qu'il s'agisse de Montréal, de Paris ou même de Québec. Contrairement à ceux qui ont besoin de sentir autour d'eux le mouvement des idées, des paroles, et pour qui la vibration urbaine est une stimulation nécessaire, elle est de ces écrivains « insulaires » qui ont besoin de solitude, de discipline, de concentration exclusive sur soi, et qui ne travaillent bien que coupés du monde, loin des autres afin d'être plus près d'eux-mêmes et de leur pensée.

Aussi a-t-elle tendance à fuir Montréal autant qu'elle le peut. Presque personne, il est vrai, ne l'y retient, sauf les deux seuls êtres qui lui sont chers : Paula Sumner, la compagne de sa jeunesse manitobaine, et Henri Girard. Mais Paula, après avoir vécu quelque temps à Montréal et y avoir épousé le diplomate Henri Bougearel, quitte le Canada en septembre 1943 pour aller s'établir à San José, au Costa Rica, où son mari a été nommé chargé d'affaires par le gouvernement français. Gabrielle perd ainsi « la seule amie femme que j'avais à Montréal[168] ». Quant à Henri Girard, il a une telle adoration pour Gabrielle, il veut tellement son bonheur, et il a lui-même si peu de liberté qu'il n'oserait jamais exiger qu'elle lui sacrifie quoi que ce soit, et surtout pas la solitude et la paix que lui offre Rawdon.

Car la relation privilégiée née trois ou quatre ans plus tôt entre Gabrielle et Henri n'a cessé de s'approfondir et de s'ouvrir à des sentiments de plus en plus tendres et exclusifs, qui ont fait peu à peu, du mentor et de la protégée des débuts, un couple d'amoureux. On sait relativement peu de chose de l'évolution de cet amour, vu la rareté des témoignages et des documents. Tout ce qui reste, ce sont quelques souvenirs de contemporains et quelques lettres conservées par Adèle, à qui Gabrielle s'était confiée lors de son séjour à Tangent en 1942 et qui était la seule personne de la famille à être au courant.

Pour rares qu'ils soient, ces indices n'en laissent pas moins deviner à quel point cet amour est vif et quelle place il occupe alors dans la vie de Gabrielle et d'Henri. Dans la première lettre qu'elle adresse à Adèle après la mort de leur mère et son séjour de l'été 1943 à Port-Daniel, Gabrielle écrit : « J'ai revu mon ami de retour de la Gaspésie et j'ai une fois de plus éprouvé la qualité si rare, si précieuse et délicate de son amitié[169]. » Et à Henri lui-même, au mois de mai suivant, dans un billet envoyé de Rawdon :

Cher fou de fou !

Comme cette belle journée du dimanche m'a paru longue sans toi. Je te cherchais partout entre les arbres, entre les pommiers qui commencent à fleurir et sous notre grand saule où les guêpes ont dû finir leurs constructions (plus heureuses que nous) puisque je n'entends plus leur bourdonnement.

[...] Comme je m'ennuie de toi ! C'est inimaginable, effrayant, constant, sans limites. [...]

Je t'embrasse tendrement. G.[170]

À quoi Henri, de Montréal, répond aussitôt en évoquant « ce tourment qui me torture et le jour et la nuit ». Car, ajoute-t-il, « je vis aussi des heures de détresse abominable. Il me prend si souvent envie de tout lâcher et d'aller te rejoindre, tout de suite, tout de suite, de voler vers toi pour t'atteindre et t'étreindre avec la rapidité de l'esprit. [...] Nous deux encore ensemble, mon amour... nous deux ensemble[171]. »

Ensemble, ils le sont bien peu pourtant. Ils ne se voient, comme le dit Gabrielle, « que rarement, à de très longs intervalles et pour de brèves minutes[172] ». Leurs rencontres ont lieu tantôt à Montréal, lorsque Gabrielle y vient par affaires, tantôt à Rawdon, où Henri va de temps à autre passer quelques jours. Mais le plus clair du temps, ils sont séparés. À cause des nombreux déplacements de Gabrielle, certes, et de sa volonté de vivre loin de Montréal, mais aussi à cause du statut d'Henri, qui est un homme marié et n'ose pas ou ne peut pas se libérer. Il a beau promettre : « La certitude s'impose de plus en plus en moi que je vais trouver le truc et qu'il va nous permettre de vivre ensemble dans notre joie et notre vérité, à la face du ciel et de la terre[173] », l'obstacle semble insurmontable. « Il y a raison de séparation d'après l'Église, écrit Gabrielle, mais sa femme est une folle qui, détestant son mari et lui ayant toujours rendu la vie impossible, refuse toute solution qui le libérerait[174]. » De toute manière, une séparation coûterait beaucoup d'argent, et Henri n'en a pas.

Ainsi, ajoute Gabrielle, « c'est le drame de ma vie d'avoir rencontré le seul homme qui me convienne parfaitement, qui m'aime sans l'ombre d'égoïsme alors qu'il n'est pas libre selon de stupides conventions sociales[175] ». Mais cette situation, loin de l'éloigner d'Henri, le lui rend encore plus précieux : « Car [...] si la souffrance me vient de cet amour contrarié, toute consolation et toute beauté et lumière me viennent aussi à travers ce sentiment [176]. »

Qu'Henri l'aime « sans l'ombre d'égoïsme », tel semble bien être le cas. Gabrielle est jeune, elle est belle, elle est sensible, talentueuse, promise à tous les succès, tandis que lui, vieillissant, cardiaque, le foie ravagé par l'alcool, n'a que son mariage raté, ses ambitions artistiques avortées et, devant lui, un avenir toujours pareil, confiné dans la petite existence prosaïque des salles de rédaction et des studios de radio. Comment ne serait-il pas ébloui par Gabrielle, émerveillé qu'elle daigne s'occuper de lui, et prêt par conséquent à tout lui donner ? C'est ce que semblent avoir perçu, en tout cas, les quelques personnes qui se souviennent d'eux : Henri, éperdument amoureux, béat d'admiration devant elle, comme un adolescent exalté, et Gabrielle, gentille, certes, mais plus détachée, comme absente parfois, et même un peu froide ; dans le couple, c'est elle qui domine et prend les décisions[177].

Sont-ils amants ? À Adèle, l'un et l'autre disent que non. D'abord Gabrielle, à la fin de 1944, quand elle écrit : « Tu fais erreur en supposant que mon ami et moi sommes liés dans le sens physique du mot. Notre amitié est purement morale, purement intellectuelle, et une des plus belles qui en ce monde puissent se trouver[178] » ; puis Henri, trois ans plus tard, quand il fera la même confidence dans sa dernière lettre à Adèle[179]. Selon d'autres personnes, toutefois, dont Marcel Carbotte, le mari de Gabrielle Roy, la relation entre celle-ci et Henri était bel et bien celle de deux amants, et leurs déclarations ne visaient qu'à rassurer Adèle. Mais Adèle, avec ce qu'elle avait vécu elle-même, était-elle femme à se scandaliser de si peu ? On ne connaîtra sans doute jamais cette vérité-là, qui n'est peut-être pas, d'ailleurs, une vérité de toute première importance.

Il se peut fort bien que Gabrielle et Henri ne soient liés que par une sorte de « chasteté voluptueuse », pour reprendre une expression que Gabrielle Roy utilise dans une de ses nouvelles de cette époque[180]. Chose plus que probable, en tout cas, c'est moins la sexualité qui importe pour Gabrielle que les bienfaits d'ordre intellectuel qu'elle retire de sa relation avec Henri. Ce dernier a beaucoup de goût et d'expérience en matière d'art et de littérature, et le rôle qu'il joue auprès d'elle est un peu celui de l'initiateur et du guide. Selon Adèle, c'est lui, par exemple, qui amène Gabrielle à élargir l'horizon de ses lectures et à découvrir notamment les grands romanciers français, classiques aussi bien que contemporains : Flaubert, Maupassant, mais aussi Mauriac, Gide, Proust, Giraudoux, Saint-Exupéry et surtout les auteurs de ces vastes romans-fleuves si populaires dans ces années-là, le Duhamel de *Salavin* (1920-1932) et de la *Chronique des Pasquier* (1933-1945) ou le

Martin du Gard des *Thibault* (1922-1940), ouvrage pour lequel Gabrielle éprouve une grande admiration[181].

S'il est un maître de lecture, Henri est aussi un maître d'écriture, sorte d'« *editor* » privé qui suit le travail de Gabrielle, la rassure, l'encourage, discute avec elle ses idées de textes ou ses ébauches et relit ses manuscrits avant la publication. Il suggère des changements, explique des points de grammaire ou de vocabulaire et l'aide à donner à son style élégance et rigueur. Adèle, là encore, se souvient que Gabrielle, quand elle était à Tangent et rédigeait ses articles pour le *Bulletin des agriculteurs*, se dépêchait d'en envoyer une copie à Henri, qui la lui retournait aussitôt par avion, pleine de ratures, d'ajouts et d'annotations, « améliorée », dit Adèle[182].

C'est également Henri qui, lorsque Gabrielle est à Montréal, la pilote dans le monde. D'elle-même, elle voit peu de gens en dehors de ses compatriotes franco-manitobains — Jacqueline Deniset, Émile Couture, Louis Gauthier et quelques autres —, et encore ne les voit-elle qu'assez rarement. Pour le reste, ses fréquentations montréalaises se concentrent presque toutes dans le réseau où circule Henri, qui passe pour un homme affable et a beaucoup d'amis et de connaissances.

Ce réseau est double : politico-journalistique d'un côté, et artistique de l'autre, ce qui correspond aux deux grandes sphères d'activité d'Henri. Nous avons vu déjà le rôle joué par celui-ci dans l'« ascension » journalistique de Gabrielle. Mais Girard ne se contente pas de recommander sa protégée à ses amis propriétaires de journaux et de magazines, il l'introduit dans les cercles professionnels et politiques. Avec lui, Gabrielle fréquente parfois le « Press Club », à l'hôtel Windsor, où se réunissent les pisse-copie et les patrons de la presse montréalaise ; avec lui, elle rencontre les gens de Radio-Canada et ceux de la Commission d'information en temps de guerre ; avec lui, elle est reçue chez Edmond Turcotte et assiste même à une grande fête champêtre chez le premier ministre Godbout, à Freligshsburg, seule femme parmi tous les éditorialistes, avocats et politiciens bedonnants qui forment le gratin libéral de l'époque. C'est dans ces milieux que Gabrielle fait la connaissance de son futur éditeur, Gérard Dagenais, et de son futur homme d'affaires, Jean-Marie Nadeau, qui sont tous deux des amis de Girard.

Quoique son métier de journaliste l'oblige à frayer dans le monde politique, Henri s'intéresse avant tout à la vie littéraire et artistique. Il a ses entrées auprès de bon nombre d'écrivains et surtout de peintres ou de collectionneurs parmi lesquels Gabrielle, là encore, noue des relations. C'est Girard, par exemple, qui lui fait connaître Jean Palardy et sa femme, Jori Smith[183], dont les célèbres soirées dans leur atelier de la rue Sainte-Famille rassemblent artistes et écrivains du Montréal anglophone. Il y a là Frank et Marian Scott, Stanley Cosgrove, John Lyman, Philip Surrey, Mason Wade, P. K. Page, Ronald Everson et la jeune Mavis Gallant, auxquels se mêlent les peintres Adrien Hébert et Jean-Paul Lemieux. Y viennent aussi, à l'occasion, le docteur Albert Jutras et sa femme, la très fantasque Rachel Gauvreau, qui fréquentent également le groupe de Borduas et de Maurice Gagnon. Parmi les habitués de l'atelier Palardy se trouve un autre médecin collectionneur, Paul Dumas, dont la femme, Lucienne Boucher, une amie d'Alain Grandbois et d'Alfred Pellan, dirige les pages féminines de la *Revue moderne*. En 1944, Paul Dumas publiera un *Lyman* aux Éditions de l'Arbre, dans la collection « Art vivant », où l'on annonce également un ouvrage de Girard intitulé *Manifeste sur la peinture au Canada*[184]. Cette joyeuse compagnie, dont les membres sont tous plus ou moins des « retours d'Europe », mène une vie qui a peu à voir avec la morale commune et cultive les idées les plus nouvelles du temps, que ce soit en art, en politique ou même en théologie.

Entre ces deux réseaux, le politico-journalistique et l'artistique, la frontière n'est pas étanche, loin de là. Tous deux appartiennent à ce que l'on pourrait appeler, d'un terme générique, la mouvance moderniste et libérale, à laquelle le contexte montréalais des années de guerre offre un terrain particulièrement favorable et d'où sortira d'ailleurs, au cours de ces années-là et des quelques années qui suivront, l'important renouveau littéraire et artistique que l'on sait. Or Henri Girard et, grâce à lui, Gabrielle participent à cette ébullition ; c'est dans ce milieu qu'évoluent leurs familiers et leurs amis ; et c'est autour de l'art et de la littérature modernes, en bonne partie, que se déroule leur vie de « couple ».

Ces fréquentations de Gabrielle expliquent, sans doute, pourquoi l'on a pu parler de son « communisme » de cette époque. En fait, communiste à proprement parler, c'est-à-dire membre du parti, il semble qu'elle ne l'ait jamais été ; et encore moins militante, activiste ou porteuse de pancartes. Mais qu'elle nourrisse des sympathies pour l'idéal communiste, ou du moins pour certaines des causes défendues alors par les communistes, cela ne fait aucun doute. Parmi les artistes et les intellectuels qu'elle côtoie, tout le monde se sent plus ou moins « compagnon de route » et voit dans le communisme — qui est à ce moment-là, il ne faut pas l'oublier, une idéologie officiellement

« amie » depuis l'entrée en guerre de l'URSS — un moyen de transformer la société dans le sens de la liberté et de la justice. Mais un moyen seulement, et un moyen parmi d'autres. Dans l'entourage de Jori Smith et de Jean Palardy, c'est plutôt le socialisme et la CCF qui ont le vent dans les voiles. En ce qui concerne Gabrielle Roy, on a vu plus tôt, à propos de ses articles sur les *Peuples du Canada* — et cela se vérifiera dans ses reportages de 1944-1945 sur le Québec, ou même dans *Bonheur d'occasion* —, en quoi consistent ses positions politiques de cette époque. Il est évident que de telles positions la situent d'emblée à gauche, si l'on entend par là qu'elle déplore les méfaits du capitalisme, prône une plus grande justice sociale et économique et se montre sensible à la misère et à l'humiliation des petites gens. C'est dans cet esprit, par exemple, qu'elle s'intéresse à l'action d'une Madeleine Parent ou d'un Charles Lipton. Mais tout cela est assez commun dans le milieu libéral qu'elle et Girard fréquentent et reste fort éloigné de l'appel à la révolution et à la dictature du prolétariat.

Cela dit, les luttes politiques et sociales n'occupent certainement pas le premier rang dans les préoccupations de Gabrielle. Pas plus, d'ailleurs, que ses relations avec les artistes et les écrivains amis d'Henri. S'ils constituent la société à laquelle elle se mêle lorsqu'elle vient à Montréal, si elle les rencontre avec plaisir et va même jusqu'à correspondre avec certains d'entre eux, elle ne compte parmi eux ni confident ni ami véritable. Elle n'est d'ailleurs pas très assidue à leurs réunions, préférant se tenir à l'écart et consacrer la majeure partie de son temps à son travail. Aussi n'a-t-elle pas le sentiment, en abandonnant sa pension de Westmount et en s'installant à demeure chez Mme Tinkler, de perdre beaucoup au change.

Mais elle doit tout de même quitter Rawdon de temps en temps, ne serait-ce que pour gagner sa vie. Depuis son voyage de l'automne 1942 dans l'Ouest, elle n'a pas entrepris d'autre enquête et n'a rien donné au *Bulletin des agriculteurs* pendant tout l'été 1943 ; au début de l'automne, elle remet une nouvelle, « La pension de vieillesse », qui paraît dans le numéro de novembre. Le moment est venu pour elle de refaire sa provision d'images et d'entrevues en prévision d'une nouvelle série de reportages. Il est question, pour faire suite à ses articles sur l'Ouest canadien, qu'elle se rende en Louisiane, mais le projet tombe à l'eau ; pour le remplacer, il est décidé qu'elle préparera « une série de grands reportages sur les différentes régions de notre province, surtout des points de vue économique et social[185] ».

Intitulée *Horizons du Québec*, cette série commencera à paraître en janvier 1944 et s'échelonnera jusqu'en mai 1945. C'est la dernière — et la plus longue : douze articles — des séries de reportages que Gabrielle Roy donne au *Bulletin*. C'est aussi, il faut le dire, la moins réussie. Non que les articles soient dénués d'intérêt, loin de là : comme d'habitude, ils sont richement documentés et bien écrits ; ils reposent sur les expériences personnelles de la journaliste et offrent un aperçu vivant du Québec de cette époque et de sa transition rapide vers la modernisation économique et sociale. C'est plutôt la série elle-même, son organisation ou sa composition, qui font problème ; à lire les articles les uns à la suite des autres, l'on ne retrouve en effet ni cette unité de style ni cette vision d'ensemble qui faisaient la beauté de *Tout Montréal*, d'*Ici l'Abitibi* ou de *Peuples du Canada*. Sur le plan de l'écriture, le ton strictement documentaire de certains articles — sur le développement industriel des Cantons de l'Est, par exemple — jure avec la veine beaucoup plus imagée, voire poétique, de certains autres — sur Charlevoix ou la Gaspésie, notamment. En outre, la répartition et l'enchaînement des sujets ne semblent obéir à aucun plan précis. Tout se passe comme si la journaliste-écrivain — ici plus journaliste qu'écrivain — n'était pas vraiment engagée dans sa recherche, comme si aucun projet ou aucune perspective globale ne la guidait dans la poursuite de son enquête et qu'elle se contentait d'accumuler les articles et de les « coller » les uns aux autres pour constituer sa série et remplir ainsi le contrat pour lequel on la paie.

De fait, *Horizons du Québec* ne résulte pas, comme les séries précédentes, d'une tournée d'enquête méthodique. C'est plutôt le fruit de plusieurs petits voyages et séjours que Gabrielle effectue durant ces deux années-là dans divers coins du Québec, où elle ne se rend pas nécessairement ou uniquement pour le travail, mais aussi pour son plaisir personnel ou parce que des amis le lui ont suggéré. Ces voyages, d'ailleurs, ne la tiennent jamais éloignée bien longtemps de Rawdon, où sont alors ses véritables intérêts.

Ainsi, au tout début de l'automne 1943, elle profite d'une invitation des Palardy à leur résidence d'été de Petite-Rivière-Saint-François pour visiter brièvement les régions au nord de Québec. Elle va d'abord au Lac-Saint-Jean admirer la « prodigieuse » cité d'Arvida, fait ensuite une croisière sur le Saguenay et, de là, redescend dans Charlevoix, où elle visite l'île aux Coudres et les ateliers de construction de goélettes de Petite-Rivière, auxquels Jean Palardy vient de consacrer un film pour le compte de l'ONF[186]. C'est au cours de ce séjour qu'un soir, à Baie-Saint-Paul, elle se présente chez René Richard et sa femme, Blanche, puis y retourne à plusieurs reprises, les jours suivants, pour la veillée. De ce voyage de deux ou trois semaines, elle tirera l'hiver suivant les quatre premiers articles de sa série, qu'elle aura rédigés dès novembre, à son retour à Rawdon.

Pour le cinquième reportage, qui paraît en mai 1944, elle n'a nul besoin de se déplacer, puisqu'il porte sur la Gaspésie ; elle se borne à raconter une excursion de pêche effectuée l'été précédent en compagnie du père Élias Langlois, son vieil ami de Port-Daniel. Puis, l'été venu, elle se met de nouveau « à chercher de la copie[187] ». En juin, elle passe une journée chez un fermier-maraîcher de l'île Jésus, qu'elle accompagne jusqu'au marché Bonsecours ; cette excursion donnera un reportage dont les dernières pages rappellent un peu les textes de *Tout Montréal*[188]. Elle va ensuite passer ses vacances de l'été 1944 dans la région de Sutton et du lac Memphrémagog, d'où elle rayonne vers les villes avoisinantes — Magog, Sherbrooke, Granby, en poussant, d'un côté, jusqu'à Asbestos et Lac-Mégantic, de l'autre, jusqu'à Drummondville et Victoriaville ; et là encore, joignant l'utile à l'agréable, elle prend des notes en vue de ses articles à paraître pendant l'automne et l'hiver suivants, qu'elle passe de nouveau, tranquillement, dans son « Shangri-La » de Rawdon[189]. Quant aux deux derniers articles de la série, publiés respectivement en avril et mai 1945, leur préparation ne demande pas de bien grands déplacements. Ils évoquent la vie des travailleurs forestiers, d'abord dans un chantier de bûcherons non loin de Chertsey, entre Rawdon et Saint-Donat, puis sur la rivière L'Assomption, où Gabrielle rejoint une équipe de draveurs aux environs de Saint-Côme, à une quarantaine de kilomètres au nord de Rawdon.

Entre-temps, toutefois, c'est-à-dire vers la fin de l'année 1944, le *Bulletin des agriculteurs* aura mis un terme au contrat qui le lie à Gabrielle Roy depuis le printemps 1943. Non pas que l'on soit insatisfait d'elle ; simplement, les ressources du *Bulletin* ne lui permettent plus de verser des salaires aussi élevés. Et ce, pour la bonne raison que le gouvernement, à Québec, a changé[190]. Aux élections d'août 1944, l'Union nationale de Maurice Duplessis a repris le pouvoir, ce qui veut dire, pour toute la presse libérale, que le temps des vaches grasses est terminé. Dans le cas de Gabrielle Roy, on peut même se demander si cet événement n'est pas responsable du changement de ton que l'on observe entre les premiers et les derniers reportages de la série *Horizons du Québec* : alors que ceux de l'hiver 1944 sont assez fortement chargés d'idéologie libérale et socialisante, ceux dont la publication suit la chute du gouvernement Godbout paraissent, sur ce plan, beaucoup plus anodins, comme si la journaliste (ou ses patrons) se sentait obligée à la prudence, compte tenu du nouveau contexte politique. Quoi qu'il en soit, le *Bulletin* continue de publier les textes de Gabrielle et de la considérer comme une collaboratrice régulière, mais il lui retire le traitement de faveur qu'il lui accordait depuis un an et demi ; désormais, elle est de nouveau payée à l'article, ce qui représente, sinon une baisse de revenu (car la rétribution reste généreuse), du moins le retour au statut de pigiste et à la précarité relative qui l'accompagne.

« Profession : authoress »

Au moment où elle perd sa situation confortable au *Bulletin des agriculteurs*, Gabrielle a de toute manière cessé de se considérer avant tout comme une journaliste, si tant est que le journalisme ait jamais été pour elle autre chose qu'un moyen de gagner sa vie. Ce qui l'attache surtout à ce métier, c'est l'argent qu'il lui rapporte et la liberté qu'il lui laisse de se consacrer à ce qui pour elle reste l'essentiel : son travail, son œuvre d'écrivain.

Cette détermination est particulièrement évidente à partir de l'année 1943, année où elle s'installe pour de bon à Rawdon et où elle fait inscrire dans son nouveau passeport : « *profession : authoress*[191] ». Tout se passe comme s'il se produisait à ce moment-là une sorte de virage, un nouveau départ qui va pousser Gabrielle — elle aura bientôt trente-cinq ans — à redoubler d'efforts, à mettre de côté tout ce qui a pu la distraire ou la retarder jusque-là, et à centrer sa vie sur ses projets d'ordre littéraire.

On le constate d'abord dans les nouvelles qu'elle donne ces années-là au *Bulletin des agriculteurs*, et pour lesquelles elle utilise parfois un nom de plume — « Aline Lubac » ou « Danny ». Moins nombreuses que celles qu'elle publiait naguère à la *Revue moderne*, ces nouvelles sont nettement plus ambitieuses par leur écriture, par leur longueur — le magazine les présente parfois comme des « romans complets[192] » — et surtout par une recherche d'originalité qui, sans toujours aboutir à des résultats convaincants, s'affirme néanmoins avec plus de force. Deux de ces nouvelles, « La grande Berthe » (juin 1943) et « La pension de vieillesse » (novembre 1943), sont des récits basés sur les mœurs paysannes des milieux canadiens-français de l'Ouest[193], auxquels le thème de l'argent et de la cupidité prête des accents balzaciens ou « grignoniens ». Plus neuves dans la production de Gabrielle Roy, les autres nouvelles de cette période sont des récits psychologiques, où la technique se veut plus « moderne », plus audacieuse, quoiqu'elle paraisse assez conventionnelle et maladroite aujourd'hui. Leur principal intérêt réside dans la reprise, sur des modes différents, du même thème : celui de l'amour impossible ou contrarié, thème qui n'est pas sans rapport avec la situation de Gabrielle et de son « cher ami ». Ainsi, dans « La vieille fille » (février 1943), Solange, une institutrice de quarante ans, évoque sa relation manquée avec un homme dont elle a repoussé le désir, par dégoût des choses de l'amour. « François et Odine » (juin 1944), au contraire, est une fable dans laquelle deux jeunes villageois, ayant découvert les horreurs de la vie conjugale, choisissent de sauver leur amour en renonçant au mariage et en se donnant librement l'un à l'autre, au milieu de la nature où « tout ce qui vivait aimait. Et tout ce qui aimait se retrouvait. Et tout ce qui s'était retrouvé, pris et donné, éclatait de vie[194]. »

Mais c'est dans la longue nouvelle intitulée « Qui est Claudia ? » (mai 1945) que la méditation sur l'amour va le plus loin et que l'inspiration autobiographique transparaît avec le plus d'évidence. Cette nouvelle évoque le retour sur elle-même d'une actrice de trente ans, qui « a obtenu des dieux le don de l'intelligence, de la beauté et ce don plus rare encore de se faire aimer selon qu'elle le désire ». Seule devant son miroir, Claudia se rappelle « les années difficiles à franchir avant que la gloire comble l'artiste (et quand tu disais “gloire”, déjà tu songeais à d'autres mots : fortune, cachets princiers, envie) » ; puis elle revoit en pensée les liaisons successives qu'elle a vécues : Taras, le violoniste ukrainien, Georges, le sensuel qui a fini dans l'alcool, Étienne, le seul qui l'ait quittée, et Harry, son amoureux du moment, plus âgé qu'elle et tout entier soumis à ses caprices. Pourtant, Claudia n'est pas heureuse, car elle est « cette femme la plus pauvre entre les plus pauvres : celle qui n'a jamais aimé[195] ».

Toutes ces nouvelles ont un ton laborieux, fabriqué, qui les fait apparaître plutôt comme des exercices de style ou comme des tentatives plus ou moins réussies, de la part d'un auteur qui jouit déjà d'une certaine cote, pour se faire la main dans le maniement des formes et des sujets à la mode dans la littérature « commerciale » de l'époque. Les textes sont écrits rapidement, sans beaucoup de soin, contrairement à l'ouvrage qui constitue le grand projet, la grande entreprise de ces deux ou trois années : *Bonheur d'occasion*.

Si l'on sait avec certitude quand le roman a été achevé — au début de l'été 1944 —, la date de sa mise en chantier est moins sûre. Il n'existe aucun document précis à ce sujet, ni manuscrit ni indice dans les lettres qui ont pu être retrouvées. Tout ce que nous possédons, ce sont les témoignages de Gabrielle Roy elle-même, dont la plupart sont tardifs et manquent de clarté, sinon de cohérence. Dans ses textes autobiographiques, elle laisse vaguement entendre que l'ouvrage a été commencé en 1941[196], ce qui correspond à la date que rapportent également certains intervieweurs[197]; mais d'autres disent que c'est en 1942[198], voire en 1943[199]. Chose certaine, les débuts de *Bonheur d'occasion* sont postérieurs à la découverte de Saint-Henri, événement qui peut avoir eu lieu aussi bien au printemps 1940 qu'à celui de 1941. Tout bien considéré, on peut penser que c'est au printemps 1941, dans sa chambre chez Miss McLean, ou à l'été de la même année, pendant son deuxième séjour à Port-Daniel, c'est-à-dire au moment où elle achevait ou venait tout juste d'achever ses articles de *Tout Montréal*, que Gabrielle Roy a entrepris la rédaction de son livre.

En ce qui concerne la forme sous laquelle s'est présentée à elle la première idée de *Bonheur d'occasion*, on nage dans la même imprécision. Tantôt, Gabrielle Roy parle d'une sorte d'illumination qui lui aurait fait voir soudainement, avant même qu'elle commence à l'écrire, tout l'édifice de son roman futur : « D'un coup, tout a été là — les personnages, le thème, la signification — comme une masse énorme, imprécise, mais douée déjà d'une sorte de cohérence[200]. » Tantôt, elle raconte qu'elle a d'abord entrepris l'écriture d'une nouvelle, et que c'est seulement ensuite, devant les dimensions insoupçonnées que prenait peu à peu cette nouvelle, qu'elle a dû se résigner, en quelque sorte, à bâtir un roman[201]. Entre ces deux récits de genèse, la contradiction n'est peut-être pas absolue. Il se peut en effet que *Bonheur d'occasion* ait commencé comme une nouvelle, puisque tel était après tout le genre auquel s'adonnait alors la polygraphe en quête de cachets, mais que la vision lui soit bientôt venue de l'œuvre beaucoup plus importante que permettait ou exigeait le récit qu'elle avait mis en chantier.

Comment cette transformation s'est-elle opérée, comment l'illumination initiale ou l'idée d'une nouvelle a-t-elle pu devenir un vaste projet de roman, on ne peut, là encore, que se livrer à des conjectures en se basant sur les souvenirs que Gabrielle Roy livrera plus tard. Dans un petit texte anglais de 1947 écrit lors de la sortie du roman aux États-Unis[202], ou dans « Le pays de *Bonheur d'occasion* », publié en 1974, elle évoquera en particulier la longue « enquête » qui a précédé ou accompagné la rédaction de ses premières ébauches, c'est-à-dire tout le temps qu'elle a passé à visiter le quartier Saint-Henri, à en explorer les moindres recoins, à marcher sur les places et dans les rues, à se mêler aux gens, à guetter les ouvrières à la porte des usines, à entrer dans les logements à louer, les casse-croûte, les églises, etc.

> Mais c'est du son des voix humaines répandu dans la nuit chaude comme un aimable bruissement que je me souviens le mieux. Au coin de courtes rues, les réverbères chiches révélaient des groupes, familles ou voisins, assis en rond sur le trottoir et parfois au beau milieu de la chaussée. Petites agoras où l'on discutait de la vie ! La campagne juste hier quittée parce qu'elle ne faisait plus vivre et qu'on avait espéré mieux de la ville. Ensuite, le chômage qui avait touché une famille sur trois. La misère s'installait inexorablement. Puis était survenue la guerre qui arrangerait sans doute les choses. De petite rue en petite rue, on entendait soupirer le peuple[203].

Gabrielle Roy pratique, en somme, la méthode des romanciers réalistes et naturalistes : l'observation, la documentation, la cueillette du détail croqué sur le vif. Habitant alors rue Dorchester, elle descend dans Saint-Henri dès qu'elle a un moment libre : « je m'y promenai je ne sais combien de fois, dira-t-elle, des centaines de fois sans doute, à toutes les heures du jour et même de la nuit[204] ». Elle y va l'été, elle y va l'hiver, elle y va au printemps. Très souvent, Henri l'accompagne, à la fois pour lui servir de garde du corps et pour prendre des notes. Et c'est ainsi, dira-t-elle, que « je me vis un jour avec un roman à écrire sur les bras[205] », c'est-à-dire avec une matière si riche, si dense, si pleine de possibilités narratives et porteuse de tant de significations, avec un tel univers fictif, en somme, qu'il ne pouvait plus tenir dans une nouvelle, même longue. La forme romanesque, dès lors, s'imposait d'elle-même.

Sans mettre en cause la justesse d'une telle explication, on peut ne pas la considérer comme la seule possible. Certes, si Gabrielle Roy s'est lancée dans l'écriture de *Bonheur d'occasion*, c'est pour répondre à l'appel que lui lançaient la réalité de Saint-Henri, le chômage, la guerre. Mais sans doute y a-t-il aussi chez elle, à cette époque, un très fort désir de roman, et le besoin de se mesurer à quelque chose de plus consistant que les articles et les nouvelles qu'elle disperse alors dans les journaux. Elle est poussée par la volonté de publier un livre, un beau livre qui lui apportera la gloire et qui prouvera, à elle-même comme aux autres, qu'elle n'a pas eu tort de quitter son Manitoba, de laisser là sa mère et ses sœurs, puisqu'elle est bel et bien écrivain.

Gabrielle se jette dans l'écriture de son roman avec une sorte de frénésie, y consacrant le moindre moment de liberté dont elle dispose entre la préparation et la rédaction de ses textes pour le *Bulletin des agriculteurs*. La progression de son manuscrit devient sa principale, sinon son unique préoccupation, à laquelle elle est prête à tout sacrifier, mondanités, distractions et jusqu'à sa santé s'il le faut. Même sa vie amoureuse passe au second plan ; du moins s'ordonne-t-elle autour de son travail. Henri non seulement accepte et comprend, mais il encourage Gabrielle, nouant ainsi plus solidement encore le lien qui les attache, elle et lui ; il admire « cette exquise femme de génie[206] » dont « la grande force [...] est de ne jamais disperser son énergie » et pour qui, dira-t-il, « le temps est précieux, non pas au sens monétaire, mais au sens le plus profond de la réalisation de soi-même, fille de la solitude[207] ».

Ce projet qui l'accapare, ce *Bonheur d'occasion,* devient pour Gabrielle, comme le sont presque toujours les premiers romans, le déversoir de tout ce qu'elle est, de tout ce qu'elle pense, de tout ce qui l'habite et la hante. Elle y met, certes, sa connaissance de Saint-Henri et de Westmount ; elle y met sa vision du monde ; ses idées politiques et morales ; et le savoir-faire stylistique que ses lectures aussi bien que son expérience de journaliste et d'auteur de littérature populaire lui ont apporté. Mais elle y met également, sans toujours le vouloir ni même le savoir, beaucoup de sa vie, de ses souvenirs personnels et de son intimité. Bien sûr, tout est transposé, modifié, métamorphosé et donc dissimulé au regard des autres comme, en partie, au sien propre ; mais cela n'en confère pas moins au roman, si réaliste, si tourné qu'il soit vers le monde extérieur, une charge subjective indéniable. Il est certain, par exemple, que la famille Lacasse doit beaucoup aux souvenirs que la romancière a de sa propre famille. Azarius est menuisier comme Albert Painchaud, le mari d'Anna ; Eugène fait penser à Rodolphe, le fils à la fois attentionné et dépendant ; Rose-Anna, bien sûr, est comme la sœur jumelle de Mélina. Et comment ne pas voir en Florentine, la jeune fille aux « prunelles vertes[208] », ou dans le couple que forment Jean Lévesque et Emmanuel Létourneau, autant de projections partielles et entremêlées de Gabrielle elle-même, de son désir d'élévation, de son idéalisme et de ses rapports problématiques avec son milieu d'origine[209] ? Tableau d'une époque et d'une société, *Bonheur d'occasion* serait aussi, d'une certaine manière, un autoportrait.

Gabrielle Roy a écrit au moins deux versions de son roman, peut-être plus[210]. La première, commencée à Montréal ou en Gaspésie, a été continuée par intermittence jusqu'au printemps 1943, semble-t-il, alors que Gabrielle vivait à Rawdon et que Mélina, à Saint-Boniface, souffrait du mal qui allait bientôt l'emporter. Cette version (aujourd'hui perdue) comptait peut-être huit cents ou neuf cents feuillets écrits directement à la machine[211] ; c'était un premier jet, rédigé rapidement et sans retouches.

À son retour du Manitoba au mois de juillet suivant, après la mort de sa mère, Gabrielle apporte cet « énorme manuscrit » à Port-Daniel et se remet à la tâche. Est-ce pour reprendre la version déjà rédigée et y ajouter de nouvelles pages ? Est-ce pour entamer une seconde version ? En tout cas, dès le lendemain de son arrivée, au petit matin, elle commence à écrire plus fébrilement que jamais, comme si son deuil décuplait ses énergies.

> Je [...] m'installai dans mon lit, dos aux oreillers, ma machine à écrire sur mes genoux, le plateau déposé tout près sur une table de chevet, et je me mis au travail, tapant quelques lignes, m'interrompant pour grignoter un morceau de toast, boire une grosse lampée de café noir. J'aurais pu me croire chez Esther, sauf que j'étais entourée d'eau et que le cœur n'y était plus. [...] Ainsi s'enchaînèrent les jours. Je remontais dans ma chambre tôt avec mon petit déjeuner, partais aussitôt à taper, avant même de me laver et de me peigner, continuais jusque vers midi, reprenais vers deux heures pour ne cesser qu'en fin d'après-midi. Ne sachant plus pour qui et pourquoi je travaillais, ni même vers quoi me menait un si dur effort, j'étais possédée par la volonté d'arriver au plus vite là où je ne savais pas [que] j'allais[212].

En septembre, elle doit interrompre son travail pour rentrer à Montréal et reprendre ses tâches de journaliste. Peut-être se remet-elle à son roman durant l'automne, à temps perdu. Toujours est-il que vers la fin de cette année 1943, lorsqu'elle retourne s'installer à Rawdon, elle a en main une version complète de son roman, qui est soit la première version achevée, soit la deuxième version mise en chantier à Port-Daniel l'été d'avant.

Elle entreprend alors de tout récrire. Chapitre par chapitre, elle corrige, émonde, réaménage, refait des phrases et des scènes, ayant à l'esprit cette fois l'économie générale de son récit. Henri, là encore, apporte son aide et ses conseils. « Elle a ainsi repris certains chapitres, écrit-il, jusqu'à six ou sept fois — et en entier » ; à un certain moment, elle supprime un long passage « parce qu'elle jugeait qu'il ralentissait la marche du récit ». Pourtant, ajoute Girard, « c'était un chapitre particulièrement gai. La scène se passait chez Éveline, la fiancée de Boisvert. La description du frère d'Éveline, se berçant dans la cuisine pendant que Boisvert fait la cour à la jeune fille, est une des choses les plus follement amusantes que l'on ait encore écrites au Canada[213] », d'où sans doute la coupure effectuée par la romancière, qui a dû estimer que cette satire jurait avec le ton qu'elle voulait donner à *Bonheur d'occasion*, un ton qui était tout sauf « follement amusant ».

Il semble que Gabrielle complète cette nouvelle version vers le mois de mai ou de juin 1944. Comme elle la juge définitive, elle décide d'en faire taper une copie au propre par son amie Jacqueline Deniset, secrétaire au Canadien National. Le matin où elle se présente au bureau de Jacqueline, se souvient celle-ci, Gabrielle tient son manuscrit dans ses deux bras, « comme un bébé », et déclare en le lui remettant : « Ou ça va passer inaperçu, ou ça va faire un malheur. » En échange de ses services, Gabrielle (qui gagne alors 250 dollars par mois) propose à Jacqueline une somme de 25 dollars, quitte, dit-elle, à lui donner un supplément plus tard si le roman a du succès. C'est cette copie au net — 499 feuillets reliés dans deux cahiers noirs[214] — que Gabrielle soumet finalement à celui qui sera l'éditeur de *Bonheur d'occasion* : Gérard Dagenais.

À quarante et un ans, celui-ci est alors au faîte de sa carrière. Avec les Bernard Valiquette, Robert Charbonneau, Claude Hurtubise et quelques autres, il fait partie de ce peloton d'entrepreneurs ès lettres qui ont su profiter des circonstances favorables créées au Québec par l'occupation de la France et par le ralentissement de l'industrie éditoriale parisienne pour se lancer à fond de train dans le commerce de l'imprimé ; leur fortune, certes, sera brève, et tous feront plus ou moins faillite lorsque la paix reviendra, mais leur activité et leur rayonnement auront donné à l'édition et au mouvement littéraire montréalais une impulsion décisive. Dagenais, dans ce groupe, fait un peu figure d'aventurier. Formé au journalisme durant les années trente, il entre en 1943 à la *Revue moderne*, dont il sera le directeur littéraire pendant une brève période. Il publie, sous le pseudonyme d'Albert Pascal, des traductions de l'anglais chez divers éditeurs. Au début de l'année 1944, donc peu de temps avant que Gabrielle Roy lui confie son manuscrit, il met sur pied sa propre maison d'édition, la Société des Éditions Pascal, et achète à Pierre Baillargeon, son fondateur, la revue *Amérique française*, une de ces revues littéraires dont la guerre, là encore, a favorisé l'émergence[215]. Le premier ouvrage publié par les Éditions Pascal, *Iberville le conquérant* de Guy Frégault, paraît au printemps 1944 ; il sera suivi, la même année, par une douzaine d'autres titres, qui sont soit des rééditions de livres français (Pierre Louÿs,

Francis Carco, François Mauriac, Jacques Chardonne), soit des œuvres d'auteurs du cru (Adrienne Maillet, Carl Dubuc, François Hertel).

Dagenais est un bon ami d'Henri Girard, et c'est par l'intermédiaire de celui-ci, selon toute vraisemblance, que s'établit le contact entre Gabrielle et le propriétaire des Éditions Pascal, qui reçoit le manuscrit au début de l'été 1944. « Gabrielle Roy est là devant moi, écrira-t-il plus tard, les cheveux bruns ondulants tombant sur les épaules, le regard très sérieux, vibrante, l'air tour à tour jeune, morose, animé, décidé. » Il lit le roman « tout d'une traite, un dimanche », et est « enthousiasmé » : « Enfin, se dit-il, [...] un bon roman réaliste[216] ! »

Au début du mois de juillet, l'éditeur, la romancière et le mentor, Henri Girard, révisent ensemble le texte du manuscrit, auquel ils apportent de légères corrections de dernière minute. Puis le contrat est signé à Montréal le 28 août : il ne comporte qu'une petite page précisant que l'œuvre sortira « vers la fin d'octobre 1944 », qu'elle sera « imprimée en un volume » et que l'auteur touchera des redevances de dix pour cent, moyennant un à-valoir de 100 dollars payables à la parution[217]. Aucune de ces clauses ne sera respectée.

Gabrielle, en effet, a beau harceler Dagenais et se dire « très désappointée du retard apporté à la publication de mon roman[218] », les choses traînent en longueur. Dans son numéro de février 1945, donc trois mois après la date prévue au contrat, *Amérique française* annonce enfin *Bonheur d'occasion*, « grand roman en deux tomes qui paraîtront ensemble d'ici quelques jours[219] ». Mais les quelques jours deviennent des semaines, puis des mois, et le roman ne paraît toujours pas. Quant à l'impression en deux volumes, Gabrielle en est très contrariée et ne s'y résigne pas sans rechigner, exigeant que les deux tomes soient présentés et vendus ensemble, « sous la même bande » et pour un prix unique[220]. Finalement, lorsque *Bonheur d'occasion* sort des presses de Thérien Frères en juin 1945, la pagination des deux volumes est continue, mais la numérotation des chapitres commence à I dans chaque volume.

En ouvrant le premier tome du premier roman de Gabrielle Roy, on lit à la première page cette simple dédicace : « À Mélina Roy ».

CHAPITRE VII

Le poids de la gloire

Cendrillon • Une femme en fuite • Annus mirabilis • Un mariage expéditif • Success story, suite et fin • Jours tranquilles en France • Le deuxième livre • De la Ville lumière à Ville LaSalle • Le calvaire d'Alexandre Chenevert

Bonheur d'occasion est un événement majeur dans l'histoire de la littérature québécoise et canadienne, où il représente une rupture décisive que la critique a abondamment commentée. Il en va de même, et avec plus de force encore, dans l'histoire personnelle de Gabrielle Roy, que la publication de ce roman coupe littéralement en deux.

Ce premier livre, et surtout l'immense succès qu'il remporte, marque à la fois une fin et un commencement. C'est d'abord la fin du parcours entrepris par Gabrielle Roy depuis son départ du Manitoba en 1937 et son établissement à Montréal deux ans plus tard — sinon depuis beaucoup plus longtemps encore, c'est-à-dire depuis le moment où, adolescente, elle a été habitée par le besoin de s'élever au-dessus de la petite existence que lui réservait son milieu et d'atteindre un jour, coûte que coûte, cette « vie agrandie » pour laquelle elle se sentait faite. Enfin, ses efforts et son ambition sont couronnés de succès : à trente-six ans, la voici sortie de l'obscurité, la voici romancière, la voici célèbre et riche.

Dès lors, une nouvelle période de sa vie commence, qui va contraster fortement avec celle qui s'achève. Certes, le caractère de Gabrielle, déterminé, indépendant, hanté par un désir d'accomplissement et le besoin d'être reconnue, reste le même. Mais le décor va changer. Maintenant qu'elle a fait ses preuves et vaincu les obstacles extérieurs, anonymat, pauvreté relative, dépendance à l'égard de ses origines, il lui faut mener la lutte sur un autre front, encore plus exigeant peut-être : celui de la continuité de son œuvre et de son destin d'écrivain.

Écrivain, la réussite de *Bonheur d'occasion* a démontré à tous qu'elle l'est sans conteste. Désormais, elle doit non seulement continuer à l'être, mais l'être de plus en plus et de mieux en mieux, à l'exclusion de tout le reste. Telle est, dans ses grandes lignes, la préoccupation qui va dominer toute la seconde moitié de la vie de Gabrielle Roy : rester à la hauteur du succès de son premier livre, et dépasser ce premier livre par d'autres livres encore, des livres qui, en s'accumulant, se confondront avec sa vie et la constitueront tout entière, de telle sorte que rien d'elle-même ne subsiste en dehors d'eux.

L'entrée dans ce nouveau territoire se fera peu à peu, avec les années. Avant qu'elle ne soit définitive, c'est-à-dire avant que la vie de Gabrielle Roy ne devienne cette sorte de désert entièrement livré à l'écriture, une phase de transition s'accomplit, qui correspond à peu près aux sept ou huit années suivant la publication de *Bonheur d'occasion*. Pendant cette période, dont l'événement central est le second séjour en Europe entre 1947 et 1950, le mouvement antérieur de lutte pour l'ascension sociale et professionnelle se poursuit quelque temps, surtout à la faveur du succès international que connaît son roman ; mais en même temps, les conditions de la vie future de Gabrielle se mettent progressivement en place, avec son mariage, ses difficultés d'écriture, ses ennuis de santé et sa tendance de plus en plus prononcée à la retraite et au repli sur soi-même.

Cendrillon

On n'a guère idée aujourd'hui de l'ampleur du succès commercial et médiatique de *Bonheur d'occasion*. Dans le contexte du Québec et du Canada, rien de comparable ne s'est jamais vu jusque-là. C'est une sorte de miracle, digne du conte de Cendrillon et des meilleures *success stories* de Hollywood. Du jour au lendemain, ou presque, une obscure journaliste d'un obscur magazine agricole devient une véritable princesse ; elle est admirée aux quatre coins du pays, applaudie à l'étranger, adulée du public, pourchassée par les reporters, honorée de prix et de distinctions et, ce qui ne gâte rien, couverte de dollars. Le succès de *Bonheur d'occasion* et de son auteur, en somme, est le premier succès « à l'américaine » dans l'histoire de la littérature québécoise et canadienne, et il n'est pas sûr qu'aucun autre succès l'ait surpassé depuis.

Outre le fait que le livre touche aussi bien le grand public que les milieux plus spécialisés de la littérature « savante » et de la critique, ce qui frappe, dans ce succès, c'est sa durée — près de trois ans — et son déroulement en crescendo. Crescendo en trois temps. Le premier a lieu sur la scène locale, c'est-à-dire à Montréal, au Québec et au

Canada anglais, où le roman, pendant la première année qui suit sa publication, connaît déjà une belle fortune. Puis tout se précipite en 1946, lorsque est annoncée la traduction américaine, et s'accélère ensuite de mois en mois pour culminer au printemps 1947, lorsque Gabrielle Roy devient l'écrivain le plus en vue du pays. Enfin, le prix Fémina, décerné à Paris en novembre 1947, couronne cette ascension et consacre définitivement le succès international de *Bonheur d'occasion*.

Avant de relater ces événements plus en détail, il faut souligner l'entrée en scène, à ce moment-là, d'un nouveau personnage dans la vie de Gabrielle Roy, personnage qui joue un rôle très important dans les débuts fulgurants de la romancière : Jean-Marie Nadeau.

Alors âgé d'une quarantaine d'années, celui-ci n'occupe pas encore, en 1945, les fonctions de premier plan qui seront les siennes pendant la décennie suivante au sein du Parti libéral du Québec, dont il sera l'un des principaux penseurs — et, à ce titre, l'un des grands inspirateurs de la Révolution tranquille. Mais c'est déjà un homme important : brillant juriste, professeur de politique économique et d'histoire à l'Université de Montréal, ex-conservateur de la Bibliothèque Saint-Sulpice, il passe pour un intellectuel d'avant-garde, féru de keynésianisme et professant de grandes idées sur ce que devrait être l'avenir du Canada et du Québec dans l'après-guerre. C'est Henri Girard qui le présente à Gabrielle lors d'une réception chez l'ancien premier ministre Godbout, à l'été 1945. Girard et lui sont amis ; ils se sont connus au début des années trente alors que Nadeau, après avoir étudié en Europe, fréquentait le milieu des revues « progressistes » montréalaises et collaborait à *L'Ordre* d'Olivar Asselin. Pendant la guerre, ils ont travaillé ensemble au journal *Le Canada* et au service international de Radio-Canada[1].

Avocat d'excellente réputation, Jean-Marie Nadeau, qui dirige un cabinet avec son frère André, connaît à fond les questions de droits d'auteur et d'édition et est souvent le conseiller juridique de ses amis artistes et intellectuels. En septembre 1945, il devient, contre de modestes honoraires et une commission de dix pour cent, l'« homme d'affaires » de Gabrielle Roy, c'est-à-dire son avoué et son agent littéraire. Elle s'en remet à lui pour la négociation et parfois même la signature de ses contrats, la perception de ses redevances, la vente de ses textes à l'étranger, ses rapports avec le fisc et, de manière générale, tout ce qui concerne l'administration de ses droits et de son argent. Leurs rapports professionnels, qui dureront une dizaine d'années, ne seront jamais intimes, mais resteront toujours corrects, sinon cordiaux. Cela dit, c'est surtout entre 1945 et 1950, c'est-à-dire au moment où Gabrielle a le plus besoin de ses services pour veiller sur la fortune de *Bonheur d'occasion*, que Nadeau intervient. Il le fait avec une compétence et une honnêteté remarquables, comme en témoignent les abondantes archives conservées à ce sujet[2].

Au départ, la nouvelle romancière fait appel à Me Nadeau afin qu'il l'aide à résoudre ses problèmes avec les Éditions Pascal. *Bonheur d'occasion* apparaît aux étalages des librairies à la fin du mois de juin 1945 ; il se vend trois dollars les deux volumes. Même si l'on est en pleine période estivale, la critique se met aussitôt en branle, en particulier dans les journaux montréalais de tendance libérale où Henri Girard, on le sait, a beaucoup d'amis ; c'est ainsi que Jean Béraud dans *La Presse*, Émile-Charles Hamel dans *Le Jour*, René Garneau dans *Le Canada* et Berthelot Brunet dans *La Nouvelle Relève* attirent tour à tour l'attention des lecteurs sur « l'un des livres les plus vrais, les plus hardis et les mieux faits qui aient jusqu'ici été publiés au Canada[3] ». Très vite, le reste de la critique emboîte le pas et les éloges pleuvent, *Bonheur d'occasion* apparaissant à tous comme « un roman tel que nous n'avions pas osé en espérer un semblable au Canada français ». Même le pieux *Devoir*, tout en notant que « le thème pouvait multiplier les occasions de scènes scabreuses », félicite la romancière « d'avoir su le traiter avec une grande délicatesse de touche » et d'avoir donné ainsi un ouvrage qui, sans pouvoir être mis « entre les mains de jouvencelles ou de jouvenceaux », n'est tout de même « pas fait pour offusquer, encore moins scandaliser les gens avertis[4] ». Pendant ce temps, les lettres affluent, venues de lecteurs anonymes ou de gens aussi en vue que Roger Lemelin, le récent auteur des *Plouffe*, qui dit à Gabrielle Roy « toute l'admiration que je nourris envers votre énorme travail. Je sais ce que c'est, mademoiselle » ; Marcel Dugas : « vous avez écrit un admirable livre, [...] le premier grand roman du Canada français » ; et Michelle LeNormand : « À part les Opiniâtres de mon mari [...], je ne connais pas de roman canadien que vous n'enfoncez pas[5] ». Le livre est reçu, presque unanimement, avec enthousiasme, sinon avec émerveillement, et son succès ne tarde pas à se répercuter sur les ventes : à la fin de l'été, le premier tirage de quelque 2 000 exemplaires est quasiment épuisé, et la demande bat son plein.

Or l'éditeur, Gérard Dagenais, n'a ni les ressources ni la compétence nécessaires pour gérer un tel succès. Les relations entre Gabrielle et lui ne tarderont pas à se dégrader. Le chèque de 100 dollars que les

Éditions Pascal lui remettent comme à-valoir peu après la parution du roman est refusé plusieurs fois par la banque, faute de provision suffisante. Puis, à la fin du mois de septembre, lorsque arrive la première échéance prévue au contrat pour le versement de la redevance de dix pour cent, Gabrielle ne reçoit rien, malgré ses demandes répétées. Dagenais, décidément, est mauvais payeur.

Gabrielle ne perd pas un instant. Résolue à profiter comme il se doit d'un succès qu'elle attend depuis tant d'années et qui, sur le plan monétaire, s'annonce fort prometteur, elle décide d'entamer une procédure contre Dagenais et s'adresse pour cela à Me Nadeau, qui prend aussitôt les choses en main. Comme lui et Dagenais sont de vieilles connaissances, l'avocat tente d'abord d'obtenir un règlement à l'amiable, puis menace de faire intenter des poursuites par un cabinet ami. Les choses vont traîner jusqu'en 1947. Dans l'immédiat, Nadeau obtient de Dagenais qu'il renonce à son contrat avec Gabrielle Roy et lui rétrocède tous ses droits. Une nouvelle convention est signée en ce sens le 18 octobre 1945, selon laquelle la romancière devient elle-même l'éditrice de son roman. Grâce à un prêt de 2 000 dollars que Nadeau négocie pour elle auprès de la Banque Canadienne Nationale, elle finance l'impression d'un deuxième tirage de *Bonheur d'occasion*, dont le texte est nettoyé de ses coquilles par Henri Girard et où la mention « Copyright 1945 by Société des Éditions Pascal enr. » est remplacée par « Copyright 1945 by Gabrielle Roy[6] ». En vertu de l'entente, les Éditions Pascal, dont le nom continue d'apparaître sur la couverture, ne font plus que distribuer le livre : le stock est conservé rue Fullum, au sous-sol de la maison de Georges Nadeau, le frère de Jean-Marie, et Dagenais achète les exemplaires à Gabrielle pour les revendre aux libraires.

Ce système est très profitable pour la romancière : tout en contrôlant elle-même l'exploitation de son roman, elle touche, toutes dépenses payées, environ le tiers du prix de vente au lieu des dix ou quinze pour cent habituels, ce qui lui permet de rembourser la banque moins d'un an après avoir contracté son emprunt. C'est que les ventes montent en flèche, stimulées par le bouche à oreille et par une critique journalistique et radiophonique délirante. Dès avril 1946, le deuxième tirage de 4 000 exemplaires s'épuise et l'on procède à une nouvelle réimpression de plus de 3 000 exemplaires, toujours sous l'étiquette des Éditions Pascal. Quelques mois plus tard, il faut envisager un autre tirage. Or, à l'instar de plusieurs maisons montréalaises que les circonstances exceptionnelles créées par la guerre ont favorisées et qui, une fois la paix rétablie, ne possèdent ni les liquidités ni le fonds nécessaires pour faire face au retour de la concurrence française, les Éditions Pascal cessent leurs activités au cours de l'été 1946. En septembre, le quatrième tirage de *Bonheur d'occasion* est donc confié aux Éditions Beauchemin, selon le système convenu avec Dagenais : Gabrielle Roy est l'éditrice, et Beauchemin, dont le nom figure maintenant sur la couverture du roman, est le distributeur exclusif auprès des librairies canadiennes.

Mais *Bonheur d'occasion*, à ce moment-là, a déjà entamé une nouvelle carrière, dont le développement fulgurant va accroître considérablement la renommée de Gabrielle Roy et, par conséquent, la vente de son roman au Québec même. La scène se situe cette fois à l'étranger, aux États-Unis d'abord, puis en France, mais le grand ordonnateur des événements reste Jean-Marie Nadeau, qui éprouve la plus grande admiration pour *Bonheur d'occasion* et le croit promis à une brillante carrière internationale.

Chose étonnante pour nous mais qui s'explique par le contexte d'une époque où l'édition parisienne n'est pas encore remise de son éclipse du temps de l'Occupation et où cinq années de guerre en Europe ont beaucoup fait pâlir la présence française au Québec, la première cible de Me Nadeau pour l'« exportation » de *Bonheur d'occasion* n'est pas la France, mais le marché américain. Dès l'automne 1945, il le propose à deux éditeurs new-yorkais, Roy Publishers et Reynal & Hitchcock, auprès de qui il fait valoir l'immense popularité que connaît l'édition montréalaise. Il est difficile de savoir ce qui a motivé le premier choix de Nadeau, mais le second résulte du fait que Reynal & Hitchcock était alors l'une des grandes maisons d'édition littéraire de New York. Il se trouve aussi, d'après les témoignages de Gabrielle Roy, que Miriam Chapin, sœur de Curtice Hitchcock, l'un des patrons de la maison, venait souvent à Montréal chez des amis que fréquentait également Gabrielle. Elle avait lu le roman et, bouleversée, avait convaincu son frère de le publier[7]. Le 26 novembre, comme il est toujours sans nouvelles de sa proposition, Nadeau emploie la bonne vieille astuce des agents littéraires : il envoie aux deux éditeurs un télégramme annonçant que Miss Roy a reçu une autre offre et les invitant à présenter la leur sans tarder. Roy Publishers se désiste ; Reynal & Hitchcock demande un délai d'une semaine, que Nadeau accorde. Le 4 décembre 1945, Curtice Hitchcock écrit à Nadeau : « *We are enormously enthusiastic about the book and hope it become one of the great successes of its season.* » La lettre est accompagnée d'un contrat, que Nadeau signe le jour même, contrat en vertu duquel la traduction anglaise, sur laquelle l'auteur conserve un droit de regard, sera publiée aux États-Unis avant le mois de juin 1947. Gabrielle touche une avance de 500 dollars.

Reynal & Hitchcock a quelque difficulté à trouver un traducteur. Malgré leur impatience, Me Nadeau et sa cliente doivent attendre jusqu'au mois d'avril avant d'apprendre que le travail sera confié à Hannah Josephson, une Américaine qui a déjà traduit Aragon et Philippe Soupault. Elle se mettra à la tâche pendant l'été 1946 ; pour le titre, difficilement traduisible tel quel, elle songe à *Bargain in Happiness* ou à *Bargain in Love*, mais elle sait qu'il lui faudra trouver quelque chose de moins mièvre et de plus frappant.

Du côté de la France, les choses n'avancent guère. Il faut dire que Me Nadeau n'y cherche pas vraiment un éditeur avant le printemps 1946. Un temps, il songe à Gallimard, mais ne donne pas suite au projet. Puis Pierre Tisseyre, de l'Agence littéraire atlantique, qui représente quelques éditeurs français à Montréal, transmet une offre d'une maison parisienne appelée La Jeune Parque. Avant d'accepter, Nadeau se renseigne auprès de ses relations européennes qui, sans tarder, télégraphient : « Maison nouvelle née dans la Résistance. Crédit douteux. » Il laisse donc l'offre sans réponse, ce qui ne manque pas de vexer La Jeune Parque : si Gabrielle Roy fait la fine bouche, lui laisse-t-on entendre, elle n'aura qu'à se débrouiller seule pour percer sur la place de Paris. Mais Jean-Marie Nadeau n'est pas un enfant d'école. Ne nous pressons pas, conseille-t-il à Gabrielle, attendons la parution à New York ; nous serons alors en meilleure position pour négocier avec les éditeurs français. Ainsi, à la fin du mois de novembre 1946, rien n'est encore conclu en vue d'une édition parisienne de *Bonheur d'occasion*.

Une femme en fuite

Gabrielle laisse à Me Nadeau la responsabilité de toutes les tractations liées à la carrière de son livre, mais cela ne l'empêche pas d'en suivre les différentes étapes de très près. D'aussi près, en tout cas, que le lui permettent ses autres activités. Car même si *Bonheur d'occasion* se vend bien et qu'elle est devenue une vedette dans le monde littéraire local, il faut continuer de vivre. Et d'écrire.

Lors de la sortie de son roman, en juin 1945, elle est à Rawdon, chez Mme Tinkler. Un mois plus tard, tout comme elle le fait chaque année depuis 1940, elle part en tournée de reportage pour le *Bulletin des agriculteurs.* Cet été-là, dans le prolongement de la série *Horizons du Québec* dont le dernier article a paru en mai, elle entreprend une enquête sur l'industrie québécoise, alors en pleine expansion. Elle visite des usines, descend dans des mines, se fait expliquer les procédés de fabrication et le fonctionnement des machines, interroge des travailleurs et des patrons, pour rédiger finalement trois articles qui paraîtront dans le *Bulletin* de septembre, octobre et novembre 1945. Très fouillés, plutôt techniques, ces articles sont non seulement les derniers reportages de Gabrielle Roy pour le *Bulletin des agriculteurs,* mais les derniers textes de sa carrière de « grand reporter », une carrière qui aura duré six ans et se sera signalée par une fécondité tout à fait exceptionnelle, surtout lorsqu'on la mesure selon les standards d'aujourd'hui.

Ce même été 1945, elle remet à Gérard Dagenais une nouvelle intitulée « Un vagabond frappe à notre porte », pour la revue *Amérique française,* qui a publié quelques mois plus tôt une première nouvelle d'elle, « La vallée Houdou ». Proches par l'écriture et l'inspiration, ces deux textes semblent relever d'un même projet, auquel la romancière se serait attaquée dès l'été 1944, après avoir terminé *Bonheur d'occasion* : celui d'un livre ayant pour titre *Contes de la Plaine*[8]. Outre « La vallée Houdou », qui met en scène un groupe de colons doukhobors, et « Un vagabond frappe à notre porte », dont les personnages appartiennent à une famille canadienne-française des Prairies, ce livre aurait rassemblé d'autres récits se déroulant dans l'Ouest canadien, inspirés à Gabrielle par son voyage de l'été 1942 et son séjour chez sa sœur Adèle. Tel semble être le cas, vers la même époque, de « La lune des moissons », récit de type naturaliste relatant l'histoire à la fois violente et ironique d'une famille de cultivateurs immigrants dont les membres s'entre-déchirent pour des questions de sexe et d'argent. Cette nouvelle devait-elle figurer dans *Contes de la Plaine,* il est impossible de le savoir, puisque le projet de livre a fait long feu. Mais il renaîtra une trentaine d'années plus tard, sous une forme différente, quand Gabrielle Roy préparera son recueil de nouvelles intitulé *Un jardin au bout du monde.*

Une fois ses reportages terminés, Gabrielle aimerait pouvoir regagner Rawdon, qui est devenu plus ou moins son domicile permanent. Mais il lui faut passer presque tout l'automne 1945 à Montréal — elle loge à l'hôtel Ford —, retenue par son roman dont le succès ne cesse de s'étendre et fait déjà d'elle un personnage poursuivi par les journalistes, les libraires, les bibliothécaires et autres « agents » du petit monde littéraire montréalais. Sa photo s'étale dans les pages des journaux comme aux vitrines des grands magasins — une photo qu'elle a fait faire l'automne précédent, à la demande de Dagenais, par Annette Zarov, « une des plus belles artistes en photographie du Canada[9] ». C'est une photo de « star », cette fois. On n'y trouve plus trace de l'allure et du visage encore teintés d'adolescence du portrait fait par Larose en 1939. Ses traits sont ici ceux d'une femme mûre, aux lèvres et aux sourcils parfaitement dessinés, aux longs cheveux répandus sur les épaules, comme ceux de Rita Hayworth, au regard pâle et pensif. C'est une femme d'une grande beauté, certes, mais comme marmoréenne, inaccessible, à l'instar de ces êtres éthérés dont les images ornent à cette époque les halls des théâtres et des cinémas et qu'a si bien décrites Roland Barthes[10].

Ce que l'on appelle aujourd'hui « promotion » impose des contraintes auxquelles Gabrielle doit bien se plier. En septembre 1945, par exemple, elle accorde une interview à Judith Jasmin sur les ondes de Radio-Canada ; une autre entrevue a paru quelques jours auparavant dans *The Gazette*[11]. Le 1er novembre, elle assiste au souper organisé en son honneur à l'hôtel Pennsylvanie par l'Association des anciens du Manitoba ; Émile Couture y prend la parole, suivi du grand critique Roger Duhamel[12]. « La publicité, paraît-il, est très nécessaire, écrit Gabrielle à ses correspondantes. Et puis le public exige de plus en plus de connaître l'auteur d'un livre. »

Tout cela « m'accable », ajoute-t-elle, et elle le pense sans doute sincèrement[13]. Mais cela ne l'empêche pas de s'occuper activement de ses affaires et d'être à la fois étonnée et ravie par la popularité de *Bonheur d'occasion* et par les éloges de la critique. N'aspire-t-elle pas depuis toujours à la notoriété, à l'admiration d'autrui, à la fortune ? Loin de se désintéresser du succès de son livre, elle tient à en recueillir les bénéfices, surtout financiers, et se montre jalouse de ses droits, encourageant constamment Me Nadeau à faire preuve de la plus grande rigueur dans ses négociations et son administration.

Autant d'agitation, de démarches, d'attention publique finissent pourtant par lui peser et par affecter sa santé déjà affaiblie par les cinq ou six années d'activité débordante qu'elle vient de vivre. Mais surtout, ce régime nuit à son travail d'écrivain. Elle n'arrive plus, lorsqu'elle se trouve à Montréal, à respecter la stricte discipline qu'elle s'est imposée depuis son retour d'Europe : se lever tôt, écrire toute la matinée jusque vers une heure, réserver les sorties, rencontres ou promenades pour l'après-midi, passer la soirée à lire ou à écouter de la musique, et se coucher de bonne heure. Après ces trois mois à Montréal, ces trois mois d'excitation et de tractations de toutes sortes, elle désire plus que jamais la solitude et le repos.

Elle rentre donc à Rawdon peu après Noël. Mais comme si Rawdon n'était pas assez isolé, elle décide, dès la seconde quinzaine de janvier 1946, de partir beaucoup plus loin, en Californie, bien déterminée, comme elle l'écrira à Me Nadeau, à ne « pas [accorder] une seule pensée à mon roman[14] ». Pourquoi la Californie ? Sans doute parce que c'est à l'autre bout du monde et qu'elle est sûre d'y trouver la paix qu'elle cherche et le soleil dont elle a besoin. Mais aussi parce qu'elle y a de la famille, cette famille auprès de laquelle Mélina, on s'en souvient, s'est rendue en 1939. Les enfants de l'oncle Moïse Landry sont établis sur les bords du Pacifique, les uns à Los Angeles, les autres à Vista, dans les environs de San Diego, où se trouve la propriété de leur père. Lorsqu'elle a demandé son visa au consulat américain, Gabrielle a répondu, à la question concernant le but de son voyage : « *to observe and study as a writer*[15] ». Elle arrive à Los Angeles par train dans les premiers jours de février. De là, elle va s'installer quelque temps à Laguna Beach, où elle loge à l'hôtel Del Camino ; puis, descendant encore plus au sud, elle loue une cabine tout au bord de la mer, à Encinitas, non loin de Vista. Elle reste là jusqu'à la mi-avril, fréquentant de temps à autre ses cousins avec qui elle n'a pas eu de contact depuis l'enfance, mais elle tient à être seule le plus souvent possible, afin de se ressaisir, de retrouver le calme intérieur et d'« oublier que j'ai jamais écrit *Bonheur d'occasion* », car « la joie, écrit-elle à un ami, ne vient pas de ce qui est fait mais de ce qui reste à faire[16] ».

Ce voyage a tout d'une fuite. Fuite devant le tourbillon médiatique et mondain que provoque à Montréal le succès de *Bonheur d'occasion*, en particulier depuis l'annonce du contrat avec Reynal & Hitchcock, mais fuite aussi, semble-t-il, devant la tournure de plus en plus compliquée que prend sa relation avec Henri Girard. Depuis qu'ils sont devenus amoureux (ou amants), la situation de Gabrielle et d'Henri n'a pas changé : incapables de se passer l'un de l'autre, ils doivent pourtant se résigner à vivre séparés, ce qui augmente leur passion mais les plonge dans une insatisfaction chronique. C'est le cas du moins pour Gabrielle, qui écrit à Adèle, au cours de l'automne 1945, alors que le battage autour de *Bonheur d'occasion* est à son sommet et qu'elle se sent « comblée de tout sauf de réel bonheur » :

> Mon cher Henri ne se porte pas trop mal, cependant que de difficultés dans sa vie et qu'à mon chagrin intolérable, je ne peux écarter,

> simplement adoucir un peu. C'est l'âme la plus courageuse et la plus droite qu'il m'a été donné de connaître dans ma vie. C'est te dire comme mon existence a été enrichie et en même temps éprouvée par ma rencontre avec cet homme[17].

Pour mettre fin à cette situation intenable, Gabrielle a imaginé une solution : elle et son ami quitteront le Québec, iront s'établir au pays d'Adèle, dans le fin fond de l'Alberta, et là, libérés de la femme d'Henri, ils pourront enfin vivre leur amour en toute quiétude. De cette idée pour le moins romanesque, elle s'est ouverte à Adèle dès le mois de décembre 1944 :

> J'ai fait le rêve quelquefois d'aller vivre avec toi, et que mon cher ami, Henri Girard, viendrait nous rejoindre pour nous aider aux travaux du jardin, élevage, etc., cependant qu'à certaines heures de la journée, nous travaillerions chacun de notre côté à écrire, selon notre penchant. Je vivrais avec toi et lui (avec lui en simple et pure amitié, car je pourrais renoncer à tout le reste, à condition de le voir, de lui parler quelquefois). Sa santé et la mienne deviendraient sans doute meilleures puisque tous deux nous avons les nerfs à bout[18].

Gabrielle prend-elle vraiment au sérieux son « rêve » à la Paul et Virginie ? En tout cas, elle en fait part à Henri et celui-ci entre à son tour dans le jeu, y voyant la seule issue possible à leur amour contrarié et le meilleur moyen, peut-être, de garder Gabrielle. C'est ainsi que le rêve devient projet et qu'Henri se décide à écrire lui-même à Adèle :

> Mademoiselle et chère amie,
>
> Nous avons tant et tant causé à votre sujet, Gabrielle et moi, que vous m'autorisez sans doute à vous considérer comme une amie. [...]
>
> Vous aussi, vous comprenez Gabrielle. Vous savez qu'elle a du génie et qu'elle a écrit un livre immortel.
>
> Mais cette exquise femme de génie ne sera jamais l'auteur d'un seul livre, comme la plupart des écrivains canadiens-français, y compris Claude-Henri Grignon. C'est pourquoi nous avons imaginé, elle et moi, de trouver auprès de vous un repaire, le petit coin romantique du bon travail.
>
> Comprenez bien que nous ne vous demandons aucunement la charité ni le refuge à notre misère. Parce que Gabrielle et moi, tous deux fort restreints dans nos moyens de subsistance, pouvons tout de

> même vivre sans tendre la main à qui que ce soit. Nous ne sommes point miséreux et, si Dieu nous prête vie et santé, nous ne le serons jamais.
>
> Je comprends donc que nous établirons un « modus vivendi » avec vous d'après lequel toutes les dépenses seraient également partagées, quant à l'établissement de nos demeures. Sauf qu'en votre absence Gabrielle et moi assumerions tous les frais du vivre quotidien.
>
> Vous seriez bien aimable de m'écrire un mot à ce sujet[19].

De son côté, Gabrielle demande à Adèle de faire « [ses] prières les plus éloquentes pour que nous [nous] trouvions tous ensemble prochainement[20] ». De Tangent, Adèle répond aux amoureux qu'elle est prête à les accueillir car, dira-t-elle plus tard, « la connaissance et l'expérience de l'amour, de ses joies éphémères, de ses déceptions, de ses chagrins, m'inclinaient à l'indulgence pour les faiblesses humaines[21] ».

Mais le projet n'a pas de suite. Henri et Gabrielle se sont-ils querellés ? La femme d'Henri s'est-elle interposée ? On ne le saura sans doute jamais. « Les imprévus survinrent, écrit laconiquement Adèle, et Gabrielle changea d'idée[22]. » Parmi ces imprévus, comment ne pas remarquer le fait qu'un mois à peine après la lettre du 11 novembre 1945 d'Henri à Adèle, Gabrielle apprenait que *Bonheur d'occasion* serait publié à New York, avec toutes les promesses de gloire et de fortune que cela sous-entendait ? Cette nouvelle, on peut le concevoir, rend beaucoup moins séduisante l'idée d'aller s'enterrer à Tangent, même avec l'homme qui l'aime. Certes, cet homme l'a prise sous son aile au moment où, jeune débutante fraîchement débarquée à Montréal, elle avait besoin de protection et de conseils ; certes, elle lui en est reconnaissante, mais sa situation n'est plus du tout la même ; elle est célèbre, presque riche ; elle est sur le point de conquérir le monde. Henri est-il toujours l'homme dont elle a besoin ? Est-elle prête à tout quitter pour vivre auprès de lui ? Du séjour de Gabrielle en Californie, ou de l'été qui suit, date vraisemblablement la longue nouvelle intitulée « La source au désert ». Le texte n'est pas très réussi sur le plan littéraire — l'écriture est compassée, la composition lourde, les personnages et leurs pensées peu crédibles — mais il éclaire l'état d'esprit dans lequel se trouve alors Gabrielle. C'est l'histoire d'un médecin, Vincent, qu'un mariage mal assorti accable, et d'Anne, une jeune femme de douze ans sa cadette, qui a visité Paris, Bruges, la Camargue. Vincent demande à Anne de partir avec lui, elle accepte, mais se ravise à la dernière minute, car elle sait que leur amour, faute d'être vécu au grand jour, ne pourra que s'étioler : « Et soudain, Vincent, j'entrevis toute notre vie redoutant ainsi le soleil, l'air pur. Notre vie évitant des visages aimés, estimés. Notre amour se cachant de la lumière, des belles amitiés éprouvées… »

Gabrielle a bel et bien renoncé à la fugue amoureuse vers les déserts de la Rivière-la-Paix. Plutôt, elle part subitement pour la Californie, seule, et reste absente du pays pendant plus de deux mois. S'agit-il d'une rupture avec Henri ? Il ne semble pas, car leurs relations se poursuivent après le retour de Gabrielle au Québec. Loin de lui en vouloir, Henri continue de se dévouer à la carrière de son amie. Au printemps ou à l'été 1946, c'est à lui qu'elle confiera la révision du texte de *Bonheur d'occasion* en vue du troisième tirage montréalais, et Henri servira encore de messager entre elle et Me Nadeau. En mai 1947, il fera même paraître dans la *Revue moderne* un article célébrant la nouvelle romancière[23].

Mais ce qu'Henri Girard ne soupçonne pas et ce que Gabrielle elle-même, peut-être, n'ose s'avouer, c'est que plus le succès de *Bonheur d'occasion* s'amplifie, plus leur amour approche de sa fin.

Annus mirabilis

Et le succès de *Bonheur d'occasion* ne cesse de s'amplifier. Au Québec, les ventes augmentent toujours, auxquelles s'ajoutent bientôt les premiers honneurs : en juin 1946, la romancière obtient un des prix décernés par l'Académie française pour « services rendus au dehors à la langue française » ; quelques mois plus tard, la jeune Académie canadienne-française, qui ne veut pas être en reste, lui accorde sa première médaille. De son côté, la radio, grande dévoreuse de romans, voudrait bien pouvoir diffuser une adaptation de *Bonheur d'occasion* ; le poste CKAC de Montréal fait une proposition alléchante à Me Nadeau en ce sens, mais Gabrielle refuse parce que, dit-elle, « je ne pourrais consacrer le temps nécessaire à juger et réviser les textes » et parce que « j'éprouve une extrême répugnance à prêter mon nom à une série d'émissions commanditées. D'autres le font, je sais, ce qui ne les diminue pas, mais pour moi-même je ne saurais m'y résoudre[24] ».

Bientôt, cependant, c'est de l'extérieur du Québec que viendront les louanges et les honneurs les plus prestigieux, qui propulseront *Bonheur d'occasion* au premier rang de l'actualité littéraire et médiatique et apporteront à Gabrielle Roy une gloire et une fortune auxquelles elle n'aurait jamais osé rêver.

Tout commence au printemps 1946, quand le roman entame sa percée au Canada anglais grâce à l'un des critiques les plus influents de Toronto, William Arthur Deacon, chroniqueur au *Globe & Mail* depuis 1922[25]. Son attention a été attirée à la fois par le bruit que l'on fait à Montréal autour de *Bonheur d'occasion* et par une lettre de son ami Hugh MacLennan, dont le roman *Two Solitudes* a paru à Toronto au tout début de l'année 1945. MacLennan déborde d'enthousiasme : « Sans l'ombre d'un doute, déclare-t-il, c'est le meilleur roman jamais fait par un Canadien à propos d'une grande ville. [...] Ce livre est tout aussi bon et valable que du grand Dickens, il est écrit avec une verve formidable et une maîtrise du dialecte de Saint-Henri qui est littéralement magnifique[26]. » Aussitôt, Deacon, qui a lui-même vécu longtemps au Manitoba, entre en communication avec la romancière pour lui demander une entrevue. D'Encinitas, Gabrielle donne son accord ; elle envoie à Deacon un exemplaire de *Bonheur d'occasion* et un résumé de sa vie et de sa carrière[27]. Comme elle doit faire escale à Toronto à son retour de Californie, Deacon et sa femme, Sally Townsend, l'invitent à passer chez eux le week-end de Pâques. La rencontre est des plus cordiales, agrémentée d'une petite fête à laquelle assistent des écrivains du voisinage, Jacob Markowitz, E. J. Pratt, Philip Child, Franklin McDowell. Chez les Deacon, Gabrielle revoit Margot Syme, la comédienne qu'elle a connue dix ans plus tôt au Winnipeg Little Theatre ; Margot est la fille que Sally a eue lors d'un premier mariage. De cette rencontre de quelques jours va naître entre Deacon et Gabrielle une amitié, ou du moins une relation, qui durera plus de dix ans, pendant lesquels le critique du *Globe & Mail* ne cessera de se faire le champion de Gabrielle Roy et de son œuvre dans les milieux littéraires du Canada anglais[28].

Bien que la traduction de *Bonheur d'occasion* ne soit pas encore terminée et qu'il ne lise pas le français, Deacon fait publier, au printemps 1946, des comptes rendus élogieux du roman dans son journal et dans le magazine *Saturday Night*[29]. Il s'efforce aussi de trouver un éditeur local pour la version anglaise de *Bonheur d'occasion*. Dès novembre 1945, avant la signature du contrat avec Reynal & Hitchcock, Oxford University Press de Toronto a fait des approches auprès de l'auteur, mais « Miss Roy, répond Me Nadeau, préfère que la traduction de son livre soit publiée [...] par une firme américaine[30] ». Par la suite, d'autres maisons torontoises comme J. M. Dent & Sons, Collins ou Macmillan Canada se montrent intéressées, mais les droits pour le monde entier appartiennent maintenant à Reynal & Hitchcock, ce qui n'est pas sans poser un sérieux problème, fait remarquer Deacon, car si les ventes canadiennes sont effectuées directement par l'éditeur new-yorkais, ce dernier les considérera comme des ventes « étrangères » et Gabrielle ne touchera que des « *export royalties* », soit 50 p. 100 de ses redevances normales. Deacon intervient alors auprès de la prestigieuse maison McClelland & Stewart pour que celle-ci obtienne la distribution du roman au Canada et accepte de verser à Gabrielle Roy la totalité des sommes qui lui reviendraient si un contrat distinct les liait. Puis, le même Deacon, qui ne veut que du bien à Gabrielle, essaie de l'entraîner à la Canadian Authors' Association, dont il est l'un des principaux animateurs. Elle se défile poliment.

Sans mettre en cause le désintéressement et la bonne foi de Deacon, il faut dire que *Bonheur d'occasion* apporte de l'eau à son moulin. Le chroniqueur du *Globe & Mail* est un ardent propagateur du nouveau nationalisme littéraire apparu au Canada anglais dans les années trente et auquel la récente participation du pays à la victoire alliée a donné un surcroît de vigueur[31]. Avec d'autres, il plaide pour l'émergence d'une littérature « authentiquement canadienne », qui exprimerait à la face du monde les réalités et la culture du Canada contemporain. Or *Bonheur d'occasion*, comme *Two Solitudes* de MacLennan, va tout à fait dans ce sens ; non seulement c'est un livre fortement enraciné dans l'univers local, mais ses qualités littéraires sont reconnues de tous, y compris des Américains qui vont bientôt le publier. Et puis, la romancière elle-même a de la sympathie pour ce nouveau nationalisme, elle qui se dit fière d'appartenir au Canada et a foi en l'entente existant entre les deux communautés linguistiques : « Moi aussi j'aime le Canada tendrement. [...] Je ne pense pas que je voudrais vivre dans quelque autre pays que ce soit », écrit-elle à Deacon. « Se connaître à travers la barrière de la langue, comme vous dites, a toujours été mon but et je suis vraiment ravie de voir se multiplier les signes d'une meilleure compréhension entre Canadiens d'expression française et anglaise[32]. »

Ainsi, avant même la parution du roman au Canada anglais, une attente aura été suscitée, et le succès du livre pratiquement garanti. Avec quelques autres, dont W. E. Collin, l'infatigable observateur de la scène littéraire québécoise[33], Deacon aura bien préparé le terrain.

Après son week-end chez Bill et Sally, Gabrielle file sur Montréal et s'occupe de préparer son été à Rawdon. Sans être riche encore, elle a tout de même un peu d'argent, grâce aux recettes que lui procure l'autoédition de *Bonheur d'occasion*. Elle songe à acheter une automobile et même une maisonnette, mais y renonce bientôt. Ne pouvant retourner chez Mme Tinkler qui a déjà des pensionnaires pour l'été, elle décide de louer un chalet en bordure de la Ouareau et s'y installe dès le mois de mai. Elle va passer là tout l'été et une partie de l'automne 1946, loin du tumulte et cependant assez proche de Montréal pour se tenir au courant de ses affaires dont Me Nadeau assure efficacement la gestion.

La villégiatrice distribue toujours ses activités de la même manière : elle écrit le matin et, l'après-midi, se baigne ou va jaser avec des dames du voisinage qui habitent une grande maison entourée d'une véranda où sont alignées des berceuses. L'une des dames accepte de tenir son ménage et de lui faire la cuisine, car Gabrielle, à trente-sept ans passés, n'est pas plus douée que dans sa jeunesse pour le train-train domestique. Cette femme, qui s'appelle Thérèse, a de l'inclination pour l'art et la littérature. S'occuper de l'auteur de *Bonheur d'occasion* la comble d'aise. Un de ses neveux, Gilles Constantineau, qui était adolescent à l'époque, se souvient que Gabrielle Roy, cet été-là, lui a fait cadeau de sa trousse de maquillage de comédienne : « des bâtons de maquillage de théâtre, des pots de crèmes diverses, des perruques, des pinceaux », etc.[34] Ce matériel, acquis peut-être à l'époque du Cercle Molière ou de la Guildhall School, Gabrielle l'a conservé et traîné partout avec elle, comme si, bien qu'elle eût renoncé au théâtre depuis longtemps, elle envisageait toujours la possibilité d'y revenir au cas où les choses ne tourneraient pas comme elle le souhaitait.

Fraîche et dispose, Gabrielle rentre à Montréal au milieu de l'automne et s'installe à l'hôtel Ford. À New York, la traduction du premier volume de *Bonheur d'occasion* est terminée en octobre, celle du deuxième au début du mois de décembre ; le titre envisagé est maintenant *Borrowed Bliss*. Peggy Hitchcock, la veuve de Curtice (décédé subitement en mai 1946), vient elle-même à Montréal pour remettre le manuscrit à Gabrielle. Celle-ci n'y jette qu'un coup d'œil rapide, faute de temps et parce qu'elle fait entièrement confiance à la traductrice. Elle le montre cependant à Hugh MacLennan, qui lui dit que la traduction est bonne, mais qui confiera quelque temps plus tard à Bill Deacon qu'il la trouve plutôt médiocre[35]. Il est vrai qu'on y relève des bizarreries, dues pour la plupart à la méconnaissance des particularités montréalaises, la plus célèbre étant la traduction de « La poudrerie se déchaîna » par « *The powderworks exploded*[36] ». Le son du parler local n'est pas bien rendu, mais dans l'ensemble, la traduction n'est pas mauvaise ; en tout cas, le texte anglais rejoint indéniablement un grand public de lecteurs peu au fait de la réalité dépeinte par le roman ; en ce sens, on peut dire que Hannah Josephson a parfaitement rempli son contrat.

Et l'on ne saurait mieux dire. Quelques jours à peine après l'achèvement de la traduction, coup de théâtre ! John Beecroft, le patron de la puissante Literary Guild of America, qui a lu la traduction en manuscrit et subodoré le « best-seller », décide de retenir le roman de Gabrielle Roy comme « *Book of the Month* » pour le mois de mai suivant[37]. Le 18 décembre, jour de la signature du contrat entre la Literary Guild et Reynal & Hitchcock, un télégramme annonce la nouvelle à Gabrielle, qui n'a besoin que d'un instant pour comprendre que son destin, tout à coup, bascule. Jusqu'ici, *Bonheur d'occasion* lui a beaucoup apporté : des honneurs, la renommée partout au Québec et un peu au Canada, la promesse d'une publication plus que satisfaisante à New York, et assez de revenus pour lui permettre d'abandonner le journalisme et de vivre — modestement — de ses droits d'auteur. Mais tout cela n'est rien comparé à ce qui s'annonce maintenant : son nom à travers tous les États-Unis, son livre entre les mains de millions de lecteurs, et de l'argent, de l'argent comme jamais elle n'a imaginé en avoir, même dans ses rêves les plus fous.

Qu'on y songe. La Literary Guild est le plus ancien et le plus prestigieux club du livre des États-Unis, avec son million de membres répartis dans tout le pays. Il est également le plus grand et le plus connu du monde. Chaque mois, un titre est proposé aux membres, dont le choix repose sur des critères avant tout commerciaux, sans doute, mais d'où les considérations esthétiques ne sont pas nécessairement ni totalement absentes. C'est ainsi qu'au nombre des auteurs sélectionnés depuis 1927, parmi lesquels dominent les Pearl Buck et autres Daphné Du Maurier, on trouve parfois des noms aussi importants qu'Aldous Huxley (octobre 1928), Maxime Gorki (avril 1930), Selma Lagerlöf (janvier 1931), Gertrude Stein (septembre 1933), Stefan Zweig (février 1938) et Roger Martin du Gard (avril 1939)[38]. Chose certaine, pour un auteur ou pour un éditeur, le fait d'avoir son nom sur la couverture d'un « *Book of the Month* » représente l'ultime consécration et, littéralement, la fortune. C'est précisément ce qu'apporte à Gabrielle Roy le contrat du 18 décembre 1946, dont les chiffres coupent le souffle : la Literary Guild s'engage à verser, pour un « *estimated minimum requirement* » de 600 000 exemplaires, une somme de 93 000 dollars, à diviser à parts égales entre l'éditeur et l'auteur. Par la suite, le tirage sera porté à plus de 700 000 exemplaires, et les redevances totales à quelque 110 000 dollars.

Au moment du contrat avec la Literary Guild, la version anglaise du roman s'intitule provisoirement *For Richer, For Poorer*. C'est seulement dans le courant de l'hiver 1947, alors que l'on met la main aux derniers préparatifs de la publication, que le titre définitif est choisi : *The Tin Flute*, la flûte d'étain, ou de fer-blanc, métonymie par laquelle le pauvre jouet que Daniel reçoit dans sa chambre d'hôpital devient l'emblème de tout le roman, auquel est accolé un sous-titre accrocheur : *A Bitter-Sweet Love Story*.

C'est la première fois que la Literary Guild choisit un ouvrage non encore publié. Ordinairement, le club offre à ses membres un livre qui a déjà fait ses preuves dans les circuits normaux de diffusion. Cette fois, c'est l'inverse. Devant les perspectives que fait miroiter cette sélection par la Guild, Reynal & Hitchcock décide de hausser à 50 000 exemplaires son propre tirage destiné aux librairies et d'organiser un grand battage publicitaire à New York pour le lancement du roman, fixé au 21 avril 1947, soit quelques jours avant que les abonnés de la Guild reçoivent leur exemplaire par la poste[39]. Invitée à s'y rendre, Gabrielle, qui vit retirée à Rawdon depuis Noël, se fait tirer l'oreille mais finit par accepter, à condition que Me Nadeau l'accompagne. Ils prennent l'avion et, à New York, descendent à l'hôtel Algonquin, dans la 44e Rue. Cinq jours durant, Gabrielle se livre à la frénésie des attachées de presse et des reporters, aux séances de signature, aux entrevues, aux cocktails et autres raouts publicitaires. Expérience enivrante, écrit-elle à Bill Deacon, mais qui a surtout pour effet de renforcer sa résolution de vivre loin du bouillonnement médiatique et des mondanités. Cette agitation la fatigue et lui met les nerfs à vif, elle a le sentiment que ses propos sont constamment dénaturés par les journalistes, et surtout, le fait de se trouver au centre de l'attention publique fait peser sur elle une pression insupportable, comme si tous ces regards et cette adulation lui commandaient de se dépasser sans cesse pour ne pas décevoir. « J'étais paralysée. Ce n'était plus : “Fais ce dont tu es capable.” C'était : “Fais mieux encore”.[40] »

Aussi revient-elle de New York passablement écorchée. Au lieu de retourner chez Mme Tinkler, elle décide d'aller s'installer quelque temps chez Jacqueline Deniset et son mari, Jean Benoist, où elle est sûre que l'on s'occupera bien d'elle et qu'elle pourra se remettre de ses fatigues. L'appartement se trouve au coin de la rue Prince-Arthur et de l'avenue du Parc. Là, pendant plusieurs jours, se souvient Jacqueline, Gabrielle reste comme prostrée : elle n'a plus d'appétit, n'arrive pas à dormir, se désole sur son existence et ne parle que de s'enfuir là où personne ne la retrouvera. Puis, un beau matin, elle commence à se sentir un peu mieux. « Tout ce qui me manque, dit-elle à Jacqueline, c'est un mari[41]. »

Le prince charmant manque peut-être à Cendrillon, mais pour le reste, elle est comblée au-delà de toute attente. Si *The Tin Flute* n'obtient qu'un honorable succès d'estime auprès de la critique et dans les librairies américaines[42], au Canada, en revanche, c'est le délire. L'annonce de la sélection par la Literary Guild, puis le lancement du roman à New York ont plongé la presse dans une excitation extrême. Radios, journaux, magazines, tous relatent avec émerveillement les épisodes du *success story*, et tous veulent obtenir une interview avec l'étoile de l'heure. Seules deux entrevues paraîtront, l'une en anglais, l'autre en français. Toutes deux longuement développées, elles contribueront à créer l'image d'une Gabrielle Roy secrète, sensible et modeste, entièrement dévouée à son art et au bien-être des hommes. La romancière accorde la première à Dorothy Duncan, épouse de Hugh MacLennan, pour le *Maclean's Magazine*. L'article paraît en même temps que la sortie du roman à New York. Il s'agit, dit Gabrielle, de « l'article le plus complet, le plus intelligent qu'on ait rédigé sur moi[43] ». La seconde interview est celle que recueille en mars 1947, au Rawdon Inn, le romancier Rex Desmarchais pour le compte du *Bulletin des agriculteurs*, auquel Gabrielle se sent redevable. Pour le reste, elle donne instruction à Francine Lacroix, la secrétaire de Me Nadeau, de dire non à toutes les demandes qui lui sont adressées.

Malgré cela, on parle de *Bonheur d'occasion* et de son auteur partout, et la critique exulte. À Toronto, en particulier, le succès de *The Tin Flute* crée dans les milieux littéraires et intellectuels un climat de fébrilité et d'exaltation qu'il est difficile d'imaginer aujourd'hui, se rappelle Joyce Marshall. Pendant que Bill Deacon, qui attend ce moment depuis un an, écrit deux articles dithyrambiques dans le *Globe & Mail*[44], tout le monde se réjouit de voir paraître enfin « *the great Canadian novel*[45] ». Car tel est bien le principal motif de l'adulation qu'inspirent alors la personne et l'œuvre de Gabrielle Roy : elles démontrent magnifiquement, si besoin en était, que le temps de l'humilité et de la dépendance est terminé, que la littérature canadienne existe pleinement, et que cette littérature peut avoir une portée « universelle ». Ce sentiment est également celui de plusieurs écrivains du Québec, pour qui « le succès de *Bonheur d'occasion*, comme l'écrit Roger Lemelin, dissipe tout reste de doute quant à l'existence d'un marché pour la littérature canadienne-française. [...] Poètes, romanciers, compositeurs, peintres, la route de la célébrité s'ouvre devant vous [...] maintenant que les regards du monde intellectuel se tournent vers le Canada français. Merci Gabrielle Roy[46]. » Quant à Robert Charbonneau, qui publie à ce moment-là *La France et nous*, recueil d'articles issu de la polémique qu'il mène depuis 1946 avec les Duhamel, Aragon, Mauriac et autres membres parisiens du Comité national des écrivains[47], il adresse un exemplaire de son ouvrage à Gabrielle Roy, dont le roman lui semble illustrer parfaitement l'autonomie, l'originalité et l'« américanité » de la littérature canadienne. « Je souscris entièrement à votre point de vue, lui répond la romancière, que la littérature canadienne n'existera que dans la mesure où nous serons nous-mêmes, sans complexe d'infériorité comme sans orgueil ou nostalgie inguérissable de Paris[48]. »

Comme il se doit, la vaste notoriété de Gabrielle — et de la fortune qu'on lui prête — lui attire une avalanche de courrier, auquel Francine Lacroix est chargée de répondre poliment mais fermement. Certaines de ces lettres ne laissent pas d'être touchantes, comme celles qui proviennent de Canadiens français établis aux États-Unis et à qui cette réussite éclatante apparaît à la fois comme une revanche et un réconfort[49]. D'autres sont plus farfelues ; ainsi, un lecteur du Nouveau-Brunswick suggère à l'auteur de *Bonheur d'occasion* de « composer un roman qui maîtriserait les beautés inconnues de cette province et les ferait connaître au bon monde de Québec[50] » ; un autre lui propose d'investir dans une invention de son cru, un dispositif de sécurité pour les trains ; il y a aussi une mère de treize enfants qui demande à la célèbre romancière de financer son déménagement en Alberta et l'ouverture d'une boulangerie[51].

Outre la sélection de la Literary Guild et l'euphorie provoquée en avril 1947 par la sortie du roman, un autre événement alimente la chronique médiatique ce printemps-là et donne au « triomphe de Gabrielle » les couleurs d'un véritable conte de fées. C'est l'annonce de la vente de *Bonheur d'occasion* à un grand studio de Hollywood, la Universal Pictures, pour la somme de 75 000 dollars.

L'affaire se trame depuis plus d'un an. Lors de la signature du contrat avec Reynal & Hitchcock, Me Nadeau a fait en sorte que Gabrielle, tout en cédant ses droits cinématographiques à son éditeur, en conserve pour elle-même 90 p. 100 des revenus. En avril 1946, sur les conseils de son ami Georges Simenon, il a retenu les services de Maximilian Becker, directeur de la firme new-yorkaise AFG Literary Agency, pour représenter sa cliente sur le marché américain et international. Au cours des quatre ou cinq années durant lesquelles il sera l'agent de Gabrielle Roy, Becker réussira à effectuer quelques ventes intéressantes, notamment une *short story* au très branché magazine new-yorkais *Mademoiselle* et les droits de traduction de *Bonheur d'occasion* en Allemagne, en Suède, en Espagne, au Danemark, en Slovaquie, en Norvège et en Amérique du Sud[52]. En ce qui concerne le cinéma, cependant, ses efforts tardent à porter fruit. À Montréal, pendant ce temps, le producteur Paul L'Anglais fait une offre à l'automne 1946 : 150 dollars pour une option d'un an. Mais Nadeau ne veut rien céder avant la parution du livre aux États-Unis. Finalement, c'est par l'intermédiaire d'une autre agence, Curtis Brown Ltd de New York, qui travaille pour le compte de Reynal & Hitchcock, que l'entente avec la Universal-International Pictures est conclue.

Aussitôt, le producteur affecte un scénariste à la transformation du roman en un *screenplay* de 140 pages, dont l'action est située à Montréal « *in the winter of 1939*[53] ». La rumeur court que le rôle de Florentine sera confié à la magnifique Joan Fontaine. Un an et demi plus tard, toutefois, Gabrielle Roy apprend que le film ne sera pas tourné. « Je [n'en] suis pas étonnée, écrit-elle à Me Nadeau. À moins d'en changer complètement le sens, j'imagine Hollywood peu soucieux de présenter une œuvre de cette nature au moment où règne aux États-Unis une telle psychose de guerre[54]. » La guerre de Corée n'est pas loin, en effet, non plus que les chasses aux sorcières du sénateur McCarthy, mais les raisons de l'abandon du projet par la Universal ne seront pas précisées. Si bien que Gabrielle Roy a touché quelque 67 000 dollars pour un film qui n'a jamais été réalisé.

Un mariage expéditif

Le 2 juin 1947, jour de la signature officielle du contrat avec la Universal Pictures, Gabrielle se trouve au Manitoba, où elle est arrivée un mois plus tôt, après son séjour chez Jacqueline Deniset.

Elle songe à ce voyage depuis l'automne, lorsqu'elle a appris que sa sœur Anna avait dû subir une grave opération due à un cancer à l'intestin. Mais les événements de l'hiver et du printemps, le tourbillon journalistique, le séjour à New York l'ont obligée à repousser sans cesse la date de son départ. Finalement, quand elle arrive à Winnipeg dans les premiers jours de mai, son but n'est plus seulement de secourir Anna et de retrouver ses sœurs qu'elle n'a pas vues depuis la mort de leur mère quatre ans plus tôt, mais d'échapper au tumulte des derniers mois, car, dit-elle, « il m'est devenu extrêmement désagréable d'entendre parler [...] de Bonheur d'Occasion[55] ».

Depuis deux ans, en effet, le succès du roman l'accapare presque entièrement. Elle est ravie, bien sûr, mais elle se voit forcée de vivre dans un état de fébrilité nerveuse qu'elle a peine à supporter. À mesure qu'elle se prolonge, cette situation tend à aggraver le côté cyclothymique de son tempérament, qui la porte tantôt à une exaltation qui décuple son énergie et la rend extrêmement préoccupée de son image publique et de la bonne marche de ses affaires, tantôt la plonge dans un état voisin de la dépression. Elle a le sentiment de ne plus s'appartenir, de se dissiper en des obligations aussi ennuyeuses que vaines, de tricher avec elle-même et de trahir sa vocation d'écrivain. Le succès lui pèse comme une sorte de malédiction, comme une menace à la poursuite de son œuvre, sinon à son équilibre personnel. Elle n'est pas la seule, semble-t-il, que touche ce « syndrome du best-seller » ; en 1947, peu de temps après la sortie de *The Tin Flute,* Ross Lockridge Jr., un autre auteur de premier roman, est couronné par la Literary Guild et gavé de dollars par Hollywood ; trois mois plus tard, on le retrouve dans son garage ; il s'est suicidé[56]. Gabrielle, heureusement, n'en arrive pas à cette extrémité. Elle a plutôt recours à la fuite pour contrer les crises périodiques d'effondrement moral dans lesquelles la précipitent ces deux années de surexcitation. Fuite en Californie à l'hiver 1946, fuite chez Jacqueline Deniset à son retour de New York, et enfin fuite au Manitoba, loin de l'hystérie médiatique qu'entraînent la sélection de la Literary Guild et l'annonce du contrat avec la Universal Pictures.

Mais il est difficile de rester incognito quand on est une vedette de son importance. « J'ai eu la grande déconvenue en descendant du train, écrit-elle à Me Nadeau, d'y être rencontrée par des journalistes et photographes qui avaient eu, je ne sais comment, la nouvelle de mon arrivée[57]. » À Winnipeg, on est à l'affût de la moindre information touchant la petite Manitobaine soudain promue au rang de gloire nationale, et le *Tribune,* comme le *Free Press,* ne tarissent pas d'éloges à l'endroit de l'auteur et de son roman[58]. Du côté de Saint-Boniface, cependant, la réception est plus mitigée : si *Bonheur d'occasion* a fait l'objet d'un compte rendu élogieux du Jésuite Albert LeGrand peu après sa parution, l'opinion le tient plutôt pour une œuvre à la morale douteuse ; on trouve le roman pessimiste et d'un réalisme trop cru[59]. Bientôt, un article très dur, signé « Marie-Reine », paraîtra dans *La Liberté et le Patriote,* accusant la romancière de ne pas « écrire en chrétienne » et de ne faire qu'exhiber le mal sans vergogne[60]. Tandis qu'à

L'auteur de *Bonheur d'occasion* par Zarov, en 1945 (coll. F. Ricard).

Une vitrine du magasin Eaton de Montréal, en 1947 (BNC NL-19158).

Marcel Carbotte, vers 1945 (BNC NL-19161).

Gabrielle et Marcel à Concarneau, en 1948 (BNC NL-19175).

Gabrielle Roy par Jean-Paul Lemieux, en 1953 (Bibliothèque municipale Gabrielle Roy, Québec).

L'auteur de *Rue Deschambault* par Zarov, en 1955 (BNC NL-19157).

La maison de Gabrielle Roy à Petite-Rivière-Saint-François (BNC NL-19137).

Petite-Rivière-Saint-François : le fleuve vu à travers les « anges musiciens » (BNC NL-19139).

Berthe Simard, l'été 1957
(photo prise par Gabrielle Roy ;
coll. Berthe Simard).

Sur la « track » à Petite-Rivière-Saint-François (photo Berthe Simard ; BNC NL-19140).

À Québec, en 1959 (BNC NL-19143).

Marcel et Gabrielle en Grèce, en 1961 (BNC NL-18239).

Montréal les Franco-Manitobains en « exil » célèbrent leur compatriote[61], bien du monde, dans la ville natale de Gabrielle Roy, continue à lui en vouloir d'avoir quitté le giron de la communauté et d'être parvenue à la célébrité après avoir « déserté » les siens.

Gabrielle fait peu de cas de ces rancunes. Elle n'est pas venue au Manitoba pour triompher, mais pour se reposer et écrire. Elle passe les mois de mai et juin chez Anna et Albert, à Saint-Vital. Depuis 1944, Anna souffre d'un début de cancer à l'intestin ; mais l'opération qu'elle vient de subir semble avoir réussi et elle est rentrée à la « Painchaudière », où sa convalescence se déroule bien ; elle a recommencé à lire, à écrire ses longues épîtres et à fumer comme un sapeur. Par contre, Clémence ne se porte pas bien du tout. Gabrielle la trouve « dans un si pitoyable état de santé, écrit-elle à Me Nadeau, que je l'ai immédiatement fait entrer à l'hôpital pour un examen complet [...] car elle est devenue d'une extrême débilité[62] ». Depuis que « la pauvre mère m'a laissée bien seule sur la terre[63] », comme le dit Clémence dans sa première lettre à Gabrielle, sa santé psychologique n'a cessé en effet de se détériorer. Elle vit toute seule dans la petite chambre que lui loue Mme Jacques, rue Langevin, là où Mélina a fini ses jours. De loin en loin, Anna vient la voir, mais c'est surtout tante Rosalie qui s'occupe d'elle comme elle le peut. Entièrement dépendante, quasi prostrée, vivant dans l'isolement, presque abandonnée de tous, Clémence, qui dépasse la cinquantaine, a de moins en moins le désir de vivre et se laisse sombrer dans une mélancolie qui paraît inguérissable. Gabrielle a songé un moment à la prendre avec elle, mais n'en a plus la force. Avec l'aide de Bernadette et de la tante Rosalie, elle fait donc en sorte que sa sœur puisse entrer dans une résidence ; ce sera chose faite au mois de septembre suivant, lorsque Clémence sera admise au Joan of Arc Home, dans la partie nord de Winnipeg, moyennant une pension de 50 dollars que Me Nadeau versera chaque mois au nom de Gabrielle.

Ces soucis mis à part, le séjour à la Painchaudière ne tarde pas à procurer à Gabrielle la tranquillité et la détente qu'elle est venue y chercher. Elle en profite pour se remettre à l'écriture. Depuis un an, elle n'a presque rien fait, sauf une nouvelle, « Feuilles mortes », qui paraît justement à ce moment-là dans le *Maclean's Magazine* de Toronto, en double version anglaise et française. C'est l'histoire d'un petit comptable montréalais du nom de Constantin Simoneau, obsédé par les dettes qu'il a dû contracter pour se faire soigner et qui travaille si fort pour les acquitter qu'il se ruine définitivement la santé. Dans le prolongement de ce texte, Gabrielle écrit, en ce printemps et cet été 1947, une autre nouvelle intitulée « Sécurité », dont le héros, Ernest Boismenu, ne pense qu'à prendre des assurances contre tous les risques possibles, y compris contre sa damnation dans la vie éternelle. C'est probablement aussi pendant cette période qu'elle met en chantier d'autres récits qui, comme les deux précédents, sont à la fois des « suites » de *Bonheur d'occasion*, en raison de leur cadre montréalais et d'une certaine critique sociale, et des précurseurs d'*Alexandre Chenevert*, vu le type de personnages qu'ils mettent en scène, les thèmes qu'ils abordent et le ton ironique ou satirique qui les caractérise. C'est le cas, par exemple, de « La justice en Danaca et ailleurs », fable plutôt gauche tournant en dérision les politiques fiscales d'après-guerre, et de certains textes abandonnés ou demeurés inédits, comme « Un homme de principes ou Le bon Sèbe » et « Le nihiliste », portraits de journalistes plus ou moins minables[64], ou « Les trois Mac », qui présente un autre personnage du nom de Boismenu, très proche du héros de « Sécurité[65] ».

C'est également au cours de son passage chez Anna que Gabrielle entreprend la rédaction de son discours de réception à la Société royale du Canada où, même si elle n'est l'auteur que d'un seul livre, elle a été élue au mois d'avril précédent par les membres de la Section française. Conformément à l'usage, elle a d'abord dû consentir à se porter candidate, peut-être à l'instigation de Jean-Marie Nadeau, lui-même membre de la Société depuis 1946. Pourtant, lorsqu'on lui annonce son élection, elle prévient aussitôt le secrétaire, Séraphin Marion, de son peu de disponibilité : « Depuis que j'ai accepté de poser ma candidature à votre illustre assemblée, les conditions de ma vie ont été grandement modifiées. Il m'importe maintenant de voyager et de m'isoler. Il est même très peu probable que je puisse assister aux séances de la Société d'ici quelques années[66]. » On lui répond que cela n'importe pas ; tout ce qu'on lui demande, c'est d'assister à la cérémonie de présentation et d'y prononcer un discours ; la date est fixée au 27 septembre. Gabrielle consacre une bonne partie de l'été à la mise au point de son texte, qui revêt à ses yeux une grande importance car il doit marquer son entrée dans le monde de la « grande » littérature ; après le vaste public populaire et les journalistes, elle sait qu'il lui faut maintenant conquérir cet autre public plus raffiné, plus distingué, des érudits et des académiciens patentés. Aussi éprouve-t-elle certaines difficultés à composer ces quelques pages, comme en témoigne sa correspondance de cet été-là ; elle cherche le ton, les idées, la tournure qui soient les plus dignes et les plus nobles possible. Finalement, c'est une solution de romancière qu'elle adopte : imaginer un « retour à Saint-Henri » et, à travers ce que sont devenus les personnages de *Bonheur d'occasion* depuis la fin de la guerre, exprimer ses vues sur l'état actuel de la société, de l'économie et de la politique. Il s'agit de l'un des textes les plus à gauche que Gabrielle Roy ait jamais écrits. Elle qui, à ce moment-là, est à la tête d'une véritable fortune, elle y dénonce les inégalités engendrées par un capitalisme sauvage, l'incurie du « système », le sort fait aux pauvres et aux petites gens, et appelle de ses vœux « un nouvel ordre social basé sur la dignité du travail et la juste répartition des richesses », car « dans notre évolution sociale le salut [est] dans l'élargissement constant des rapports humains[67] ».

À la Painchaudière, cependant, les rapports humains et la répartition des richesses ne vont pas facilement de soi. Au début, tout se passe bien entre Gabrielle et Anna. Heureuses de se revoir, soulagées, l'une de retrouver la santé, l'autre d'échapper à son existence folle des derniers mois, elles s'entendent à merveille et passent de longs moments ensemble, à causer de tout et de rien, à évoquer le passé, à se promettre de toujours rester proches et unies. Gabrielle est aux petits soins avec Anna, et Anna avec Gabrielle. Favorisé par la courte visite que leur rend sœur Léon, venue exprès de Kenora pour revoir sa petite sœur, le climat reste au beau fixe pendant quelques semaines. Mais les choses ne tardent pas à se gâter, tout comme elles se sont gâtées, quatre ans auparavant, lorsque les « filles de Mélina » se sont réunies dans la même maison de River Road après l'enterrement de leur mère. Deux événements contribuent à mettre le feu aux poudres.

D'abord, l'arrivée d'Adèle, qui débarque un beau matin de sa lointaine Alberta et s'installe avec ses deux sœurs. Adèle traverse une période difficile. L'année précédente, elle a été grièvement blessée et a perdu presque tout ce qu'elle possédait dans l'incendie de sa maison de Codessa. Après quelques semaines d'hospitalisation, elle est retournée vivre à Tangent, où Anna et Clémence sont venues passer avec elle une partie de l'été 1946. Par la suite, voyant le succès de Gabrielle, Adèle a décidé de quitter l'enseignement et de se consacrer entièrement, elle aussi, à « une œuvre littéraire et historique[68] » ; mais comme il faut bien vivre, elle a offert à Gabrielle de venir la rejoindre au Québec et de devenir sa secrétaire-gouvernante, proposition que Gabrielle a tout bonnement ignorée. C'est donc une femme brisée, pratiquement dépossédée de tout, qui arrive chez Anna et fait face à une Gabrielle en plein triomphe, couverte de gloire, d'honneurs, d'argent, et qui ne cache pas toute l'adulation et les faveurs dont elle est l'objet.

Très vite, les relations entre les trois sœurs tournent au vinaigre, comme si, Adèle présente, Anna trouvait enfin une confidente et une alliée contre Gabrielle, qu'elle accuse de se montrer insensible, capricieuse et hautaine à son égard. En fait, ce qu'Anna, et Adèle avec elle, reprochent surtout à Gabrielle, c'est de manquer de « générosité », c'est-à-dire de ne pas leur donner autant d'argent qu'elles l'auraient espéré et de ne pas les encourager dans leurs propres projets littéraires. Car Anna, comme Adèle, s'est mis en tête d'écrire ; pourquoi ne lui arriverait-il pas ce qui est arrivé à Gabrielle ? Elle a commencé à rédiger ses souvenirs de pionnière à Dollard et demande conseil à Gabrielle, qui reste plutôt froide et ne manifeste pas une très grande confiance dans les talents de sa sœur. Quant à l'argent, les deux femmes n'en reviennent pas de la « pingrerie » de Gabrielle ; n'a-t-elle pas déclaré naguère que si elle devait travailler si fort et s'occuper si peu des siens, c'était seulement pour pouvoir un jour, quand elle aurait réussi, leur venir en aide et veiller à leur bien-être ? Or, maintenant que la voilà riche, que fait-elle, où sont les dollars promis, où sont les dons et les cadeaux ? Il est vrai que Gabrielle n'est pas prodigue et qu'elle tient à son argent durement et fraîchement gagné ; des dollars, elle en donne bien de temps à autre à Adèle ou Anna, mais en quantité si mesurée et avec tant de précautions que celles-ci les reçoivent plutôt comme des aumônes, ce qui est loin d'atténuer une rancœur qu'elles n'osent exprimer ouvertement et qui, de ce fait, n'en devient que plus dévorante.

C'est ainsi que s'installe, entre Gabrielle et ses deux sœurs, une atmosphère empoisonnée par la cupidité, la jalousie, les frustrations et les suspicions réciproques, atmosphère dont les effets se feront cruellement sentir dans les années qui viennent. Pour le moment, Gabrielle n'en pâtit guère. L'attitude d'Anna et d'Adèle, leurs attentes à son endroit, leur dépit, leurs manœuvres pour profiter de sa fortune ne font que la conforter dans la totale indépendance qu'elle affecte à l'égard de sa famille. Elle est trop sûre d'elle, en somme, elle se sent trop différente de ses sœurs, son destin lui semble trop supérieur au leur pour que ce grenouillage la fasse vraiment souffrir et lui inspire autre chose qu'un agacement mêlé de lassitude.

L'autre événement qui, ce même été 1947, vient brouiller le climat de la Painchaudière et éloigner encore davantage Gabrielle de ses deux sœurs est l'intrusion d'un nouveau personnage, considéré aussitôt par Anna et Adèle comme un indésirable : Marcel Carbotte.

La rencontre a lieu peu de temps après l'arrivée de Gabrielle au Manitoba. Devant « la ronde d'invitations, de demandes d'autographes, etc. [qui] a repris de plus belle », la célèbre romancière a résolu, pour « [se] défendre[69] », de ne se prêter à aucune manifestation publique. Par gentillesse, cependant, ou par nostalgie, et sans doute aussi par fierté, elle se rend, « à l'improviste, saluer ses anciennes maîtresses de l'Académie Saint-Joseph », devant qui elle prononce une petite allocution louant leur dévouement à la cause du français[70]. Quelques jours plus tard, un dîner en son honneur doit avoir lieu au Cercle Molière, dont le président lui adressait dès novembre 1945 une lettre de félicitations « pour le brillant succès de votre roman[71] ». Or ce même président lui téléphone afin de l'inviter à revoir ses camarades d'autrefois. Gabrielle commence par dire non, mais le président insiste tant et se montre si aimable, promettant de venir la prendre lui-même en auto et de la raccompagner dès qu'elle lui fera signe, qu'elle n'a d'autre choix que d'accepter.

Ce président s'appelle Marcel Carbotte. Il a trente-trois ans, est célibataire et exerce la profession de médecin ; son cabinet, au 496 de la rue Aulneau, est l'un des plus achalandés de Saint-Boniface. C'est un bel homme, grand, à la voix grave et posée, et si plein de gentillesses et d'admiration pour son invitée que Gabrielle est aussitôt séduite. Tout comme l'est Marcel, subjugué de son côté par la beauté de cette femme de cinq ans son aînée ; il est fasciné par ses cheveux, son regard, sa peau si douce, mais aussi par cette aisance, par cette liberté qui se dégage de toute sa personne. Chacun des deux, en somme, a le sentiment de découvrir dans l'autre l'être rare, l'être unique qui seul peut combler ses besoins les plus intimes. C'est là, peut-être, ce que l'on appelle un coup de foudre. En rentrant du dîner, Gabrielle dédicace un exemplaire de *Bonheur d'occasion* « au docteur Marcel Carbotte, pour l'heureux souvenir de cette soirée[72] ».

Pendant les jours et les semaines qui suivent, Marcel prend l'habitude de venir à la Painchaudière. Lui et Gabrielle passent de longues après-midi seuls dans le jardin, assis dans l'herbe ou retirés dans le kiosque, à converser, à découvrir les intérêts, les idées, les ambitions qu'ils ont en commun, et, se souvient Yolande, la nièce de Gabrielle alors âgée de sept ans, à se bécoter comme des tourtereaux. Mais ce que Gabrielle préfère, ce sont leurs randonnées dans l'auto de Marcel, une vieille Man-Can qui les conduit vers les lieux de sa jeunesse qu'elle désire revoir : les rives de la Rouge, Saint-Norbert, des villages de la plaine. Un jour, ils vont jusqu'à la Montagne Pembina, pour un pèlerinage à la ferme de l'oncle Excide et à la petite école de Cardinal ; mais ce monde-là, pour Gabrielle, est maintenant révolu : « Tout ce que j'y ai gagné, écrit-elle à ses amis de Montréal, ç'a été une crise violente d'ennui[73]. »

Ainsi se tisse entre elle et Marcel une amitié qui devient bientôt de l'amour. Tant de choses les portent l'un vers l'autre. L'attirance physique, d'abord, comme en témoigne leur correspondance de cet été-là. Mais en raison de leur âge et du caractère de Gabrielle, la passion entre eux a aussi des raisons que la raison peut connaître. Pour Marcel, évidemment, la renommée de Gabrielle, sa qualité d'écrivain, et d'écrivain prestigieux, ne peuvent qu'ajouter à son charme ; sa fortune, non plus, ne nuit pas ; n'a-t-il pas déclaré à qui voulait l'entendre, répètent les mauvaises langues, qu'il épouserait une femme riche ? Pourtant, sa propre fortune n'est pas négligeable, lui qui pratique la médecine depuis six ans et a devant lui une bonne dizaine de milliers de dollars d'économies. Mais surtout, Gabrielle représente pour lui un type de femme comme il a peu de chances d'en rencontrer dans le petit milieu provincial de Saint-Boniface : une femme qui a voyagé et connaît le monde ; une femme cultivée, à l'esprit ouvert, qui attend de grandes choses de la vie, de leur vie à tous deux.

Il en va un peu de même pour Gabrielle, qui trouve en Marcel tous les avantages qu'un homme peut offrir à une femme comme elle. Outre son port altier et sa prestance, outre le prestige social et l'aisance financière qui vont avec la condition de médecin, il possède le raffinement, la sensibilité, la culture qui, pour elle, sont associés aux gens de ce milieu qui, depuis sa jeunesse, l'a toujours fascinée et qu'elle a toujours préféré au sien : celui des francophones d'ascendance européenne.

Le père de Marcel est né en Wallonie et a immigré au Canada en 1890, à l'âge de vingt ans. Rentré en Belgique pour épouser une compatriote, Aline Scholtes, il est revenu s'établir avec elle à Fry, en Saskatchewan, où le couple a eu deux filles, Léona et Marthe, et un seul fils, Marcel, venu au monde le 9 février 1914[74]. Son enfance, Marcel l'a passée d'abord dans la « petite Belgique » de Fry, où survivaient les coutumes et le langage du pays d'origine, puis en Belgique même, où ses parents sont retournés vivre entre 1923 et 1926. De cette histoire familiale, Marcel a gardé (et gardera toujours) des manières, des habitudes de vie et surtout une façon de parler, c'est-à-dire un vocabulaire et un accent, qui le distinguent de son entourage canadien-français et lui donnent cette allure « à la française » qui plaît tant à Gabrielle.

À cela s'ajoute le goût de Marcel pour l'art, la littérature, le théâtre, goût qu'il tient de son milieu d'origine et que toute son éducation a contribué à renforcer. De retour de Belgique, ses parents l'ont mis en pension au Collège de Saint-Boniface, dont il a été l'un des élèves les plus brillants, grâce à la pureté de son élocution — mise en valeur lors des joutes oratoires et des représentations théâtrales — et à ses dons pour l'écriture : de son année de Versification jusqu'à la fin de son cours classique, il a collaboré régulièrement à la « Page du collège » que le journal *La Liberté* publiait deux ou trois fois l'an[75]. Gabrielle elle-même, sans doute, a eu vent de ses qualités à l'époque où elle enseignait à l'Institut Provencher[76]. Promu bachelier en juin 1934, Marcel souhaitait se consacrer à la médecine, mais ses parents, à cause de la crise, n'avaient pas les moyens de lui payer l'université. Il est donc retourné vivre dans sa famille pendant deux ans, jusqu'à ce qu'un médecin ami de son père, qui avait vu Marcel jouer au théâtre, lui offre de financer la suite de ses études. Ainsi a-t-il pu s'inscrire à la Faculté de médecine de l'Université Laval, où il est resté cinq ans, avant de revenir s'établir à Saint-Boniface en 1941. Sa clientèle s'est agrandie et il a acquis la réputation d'être l'un des meilleurs médecins de la ville. Pendant ses loisirs, il renouait avec ses passions de jeunesse, en particulier l'histoire de la peinture et de l'architecture, dont il avait une connaissance étendue, et le théâtre. Entré au Cercle Molière, dont la direction, après la mort d'Arthur Boutal, était passée à sa veuve Pauline, il est devenu un membre très actif du groupe et l'un de ses comédiens les plus prisés du public, jusqu'à ce que la présidence du Cercle lui soit offerte en 1944[77].

Dans le monde où elle est désormais appelée à vivre, le docteur Carbotte fera donc à Gabrielle un compagnon idéal ; il représente ce à quoi elle aspire à cette époque : l'ami, l'être sur qui s'appuyer chaque jour et avec lequel partager ses angoisses autant que ses joies. Elle aura bientôt quarante ans ; la solitude, l'austérité et l'instabilité de l'existence qu'elle mène depuis dix ans commencent à lui peser. Elle a besoin de se sentir soutenue, réconfortée, protégée par quelqu'un qui s'occupera d'elle, croira en elle et l'aidera à réaliser tout ce qu'elle veut et doit réaliser dans l'avenir. « Inconsciemment, dira-t-elle plus tard à Joan Hind-Smith, je cherchais un véritable ami dans le monde. Tel m'a semblé [Marcel], et tels nous sommes devenus l'un pour l'autre[78]. »

Ce « véritable ami », pourtant, Gabrielle ne le possède-t-elle pas déjà en la personne d'Henri Girard ? Peut-être, mais choisir Marcel, c'est rompre avec Henri. Adèle, qui a été la confidente de leur amour, ne peut croire que Gabrielle abandonne Henri aussi légèrement et avec si peu de remords. Pour toute explication, celle-ci lui aurait dit un jour : « Vois-tu, je ne l'aimais pas vraiment. [...] D'abord, il a neuf ans de plus que moi, c'est un cardiaque, puis il n'apprécie pas la valeur de l'argent[79]. » Que Gabrielle les ait prononcées ou non, ces paroles ne disent pas tout. En fait, la rupture avec Henri survient au terme d'une longue période de flottement, d'hésitation, sinon de détérioration progressive de leur relation, du moins dans l'esprit de Gabrielle. Certes, Henri l'aime, il l'a amplement prouvé depuis le temps qu'il la conseille et la guide dans le monde du journalisme et de la littérature ; tout récemment, c'est encore lui qui a révisé le texte de *Bonheur d'occasion* en vue de la publication en France[80]. Certes, elle a aimé Henri, elle le lui a dit, elle l'a même écrit à Adèle ; il n'y a pas deux ans, elle était prête à partir avec lui au bout du monde. Mais que de frustrations sont attachées à cet amour, que d'insatisfactions. Depuis sept ans, c'est toujours la même impasse : Henri n'est pas libre, Henri ne peut pas se donner complètement à elle. À la longue, cette situation est devenue de plus en plus pénible et, insensiblement, Gabrielle s'est éloignée de lui, un éloignement que les événements de la dernière année, le succès de *Bonheur d'occasion,* sa richesse soudaine, sa renommée n'ont fait que creuser puis ont fini par rendre irrémédiable. Henri n'est plus l'homme qui lui convient, l'homme dont elle a besoin. Marcel, qui lui offre la même admiration et la même dévotion, détient sur Henri de grands avantages : son jeune âge, sa beauté, son statut, son état de fortune et, par-dessus tout, le fait qu'il n'a aucune attache. C'est cela, sans doute, qui emporte le cœur — et la raison — de Gabrielle : non seulement Marcel lui donne la tendresse et la protection, peut-être aussi la satisfaction sensuelle, mais il la libère définitivement d'Henri, de l'emprise qu'exerçait sur elle cet amour voué à demeurer éternellement contrarié.

Début juillet, deux mois à peine après leur première rencontre, Gabrielle et Marcel prennent la décision de se marier à la fin du mois d'août et de partir ensemble pour la France, où Marcel entreprendra des stages de spécialisation en gynécologie.

À la Painchaudière, le climat est loin de s'améliorer. Anna et Adèle, qui ont l'œil sur la fortune de Gabrielle, n'aiment pas du tout la présence du « beau Marcel », ni ses manœuvres pour « engluer » leur sœur, qu'il « [assiège] sans répit », « ne lui [laissant] aucun moyen d'échapper à [l']encerclement » de son « amour préfabriqué[81] ». Tout en lui faisant bonne figure pour la forme, c'est tout juste si elles ne le considèrent pas comme un voleur. Quant à Gabrielle, elle n'est qu'une étourdie, prête à livrer son bien à un étranger et à priver ainsi sa propre famille de la juste part qui devrait normalement lui revenir.

Pour échapper à ces mesquineries, fuir la canicule et terminer en paix son discours de réception à la Société royale, peut-être aussi pour se donner un dernier moment de réflexion avant son mariage, Gabrielle quitte Saint-Vital à la mi-juillet et va s'installer à Kenora, de l'autre côté de la frontière ontarienne. C'est Marcel qui l'y conduit en auto, et les amoureux, en cours de route, passent un week-end ensemble au bord du lac des Bois. Puis Marcel rentre à Saint-Boniface et Gabrielle s'installe à l'hôtel Kenricia. À part un saut à Saint-Boniface à la demande de Marcel pour rencontrer le père Émile Legault qui est de passage au Manitoba, elle reste là jusqu'au début du mois d'août, partageant son temps entre l'écriture, la lecture (Bergson, Constantin-Weyer, Steinbeck), la plage, les promenades à pied et les visites à sœur Léon, dont le couvent se trouve tout près. Marcel, venu pour un week-end, fait la connaissance de Bernadette qui, contrairement à Adèle et à Anna, adore son futur beau-frère, dont elle apprécie la gentillesse, le raffinement et l'entière dévotion qu'il porte à Gabrielle ; Marcel, en retour, éprouve aussitôt de l'amitié pour Dédette. Cette complicité va durer toute leur vie.

Comme toujours lorsqu'elle vit à l'écart, Gabrielle entretient une abondante correspondance. Presque chaque jour, elle écrit soit à Me Nadeau, soit à Bill Deacon, pour discuter de ses affaires, en particulier de la gestion de son argent, qui la préoccupe beaucoup. Presque chaque jour, parfois même deux fois par jour, elle écrit aussi à son « Cher grand fou » de Marcel, qui lui répond régulièrement. Ces lettres de l'été 1947 sont surtout intéressantes en ce qu'elles éclairent, dès l'origine, la nature du lien qui unit les futurs époux et le « pacte » plus ou moins explicite sur lequel va reposer leur relation. Ce qui frappe d'abord, c'est l'intensité de leur passion, le désir qu'ils ont l'un de l'autre et l'émerveillement où les plonge le simple fait de s'être rencontrés ; ces lettres, en un mot, sont des lettres d'amour.

Mais ce qui frappe aussi, c'est, du côté de Gabrielle surtout, le caractère idéaliste et « sublimé » de cet amour, qu'elle voit d'abord, pour elle autant que pour lui, comme un moyen de se dépasser, de se rehausser spirituellement, artistiquement et moralement. Évoquant « les exigences de l'esprit créateur », la « conscience supérieure de sa mission dans la vie », elle entrevoit ce que devront être « une œuvre ou une carrière comme la tienne et la mienne [...], offertes entièrement pour le plus grand bien des autres ».

> Je sais bien, cher Marcel, qu'avec toi je resterai sensible aux malheurs qui nous entourent et que je ne perdrai pas le désir de les combattre.
>
> [...] Depuis que je te connais, je suis devenue plus exigeante envers moi-même. À tel point que ce souci ou me détruira ou, au contraire, m'élèvera infiniment au-dessus de moi-même et alors, chéri, je te devrai tout[82].

Ce romantisme, Marcel le partage, certes, mais l'exprime avec moins d'exubérance. Ou du moins, avec beaucoup plus d'humilité :

> Je te considère comme quelque chose de si grand, chère petite, et je me connais si petit que je ne comprends pas toujours comment je pourrais t'être utile dans l'évolution de ton génie, et si un jour je n'arrivais à être que la lampe sur ta table j'en serais indiciblement heureux.

« C'est tout de même merveilleux quand on y songe bien, écrit-il encore, qu'une petite fille de la rue Deschambault ait pour mission de révéler les siens au monde. Les tiens sont fiers de toi, mon cher amour, quant à moi je te donnerais tout de suite le prix Nobel[83]. » Ce à quoi Gabrielle répond : « Je ne le mérite pas encore, chéri. [...] Mais avec toi pour m'aider et me soutenir, qui sait, peut-être un jour arriverai-je à recevoir d'autres honneurs ! J'en serais surtout fière et heureuse à cause de toi[84]. »

Ainsi, chacun d'eux a un rôle clairement établi. Celui de Marcel, dit Gabrielle, est de « me protéger », de « me décharger de mes soucis ». Elle, de son côté, se doit toute à son œuvre, elle est « la prêtresse de la solitude, la dame du silence et de la liberté », celle qu'aucune gêne ne doit distraire de sa « mission », même lorsque le « démon [...] du renoncement [lui peint] sous des couleurs si consolantes une vie totalement détachée de tout asservissement, de toute entrave, surtout de l'argent, une vie qui pourrait se donner, entière, à la contemplation[85] ».

Telles sont, dès le départ, les bases de leur amour, conçues et acceptées par l'un et par l'autre, et telles elles resteront désormais, pour le meilleur et pour le pire.

De Kenora, Gabrielle rentre pour un bref séjour à la Painchaudière, cette « geôle[86] », afin de veiller aux derniers préparatifs de son départ. Marcel, entre-temps, a prié son ami, l'abbé Antoine d'Eschambault, connu pour ses qualités d'artiste et d'érudit, de bénir leur mariage. Celui-ci a lieu le 30 août 1947 en la chapelle Saint-Émile. Aucun invité ni membre de la famille de Gabrielle ou de Marcel n'est présent. Aussitôt la cérémonie terminée, les nouveaux époux sautent dans l'auto de Marcel et filent tout droit vers l'est.

Vers de nouveaux triomphes pour Gabrielle.

Success story, suite et fin

Leur destination est la France. Les États-Unis auraient été plus indiqués pour les études médicales de Marcel, mais comme *Bonheur d'occasion* doit paraître prochainement à Paris, c'est là que le couple a choisi d'aller vivre quelque temps.

Flash-back. Jean-Marie Nadeau a vu juste quand il a conseillé à Gabrielle de ne pas accepter l'offre des éditions de La Jeune Parque et d'attendre, avant de choisir l'éditeur parisien, que les choses se mettent en branle du côté de New York. Le 20 décembre 1946, soit deux jours exactement après la signature de l'entente entre Reynal & Hitchcock et la Literary Guild of America, René d'Uckermann, directeur littéraire de la Librairie Ernest Flammarion, écrit à Gabrielle Roy pour lui dire qu'il a lu et beaucoup aimé *Bonheur d'occasion* et qu'il souhaite le publier en France. Flammarion, qui a édité en 1938 *Trente arpents* de Ringuet, est alors une des maisons françaises les plus réputées ; on trouve dans son « écurie » des auteurs aussi prestigieux que François Mauriac, André Maurois et Maurice Genevoix. En mars 1947, ce sera au tour des Éditions Bernard Grasset de mordre à l'hameçon, en se recommandant, bien sûr, du succès de *Maria Chapdelaine*, publié par cette maison en 1921.

Mais le contrat avec Flammarion est déjà signé. Contrairement au vœu de d'Uckermann, la romancière conserve les droits canadiens de son ouvrage, qu'elle exploitera elle-même en association avec les Éditions Beauchemin, distributeur attitré du roman depuis l'automne 1946. Mais elle accorde à la maison française un « droit de priorité » pour la publication de ses deux prochains romans, devenant ainsi, et pour longtemps, un « auteur Flammarion ».

Pour d'Uckermann, il n'est pas question de reproduire purement et simplement l'édition montréalaise. Avant tout, et pour des raisons commerciales, il estime qu'il faut renoncer à la publication en deux volumes, idée avec laquelle Gabrielle marque aussitôt son accord. En outre, le texte doit être revu, car *Bonheur d'occasion* a beau être écrit en français, sa langue présente certaines tournures, certains vocables et des allusions à certaines réalités locales qui, s'ils ne sont pas « traduits », risquent de confondre ou de rebuter les lecteurs français. On charge donc un des éditeurs de la maison de réviser le texte avant de l'envoyer à l'impression. Ce « correcteur » est André Thérive, chroniqueur littéraire au journal *Le Temps* de 1929 à 1942. Thérive a une certaine connaissance du Canada pour avoir fréquenté, dans les années trente, le salon parisien de la mère de Lucienne Boucher, la femme du docteur Dumas, où frayaient notamment Alain Grandbois et Marcel Dugas.

Deux listes préparées par Thérive sont envoyées à Gabrielle Roy pour approbation ; la première propose des « corrections », l'autre, des « coupures » qui ont pour effet de raccourcir le roman d'une vingtaine de pages. Après les avoir soumises à Henri Girard, Gabrielle retourne les listes à d'Uckermann dans le courant du mois d'avril ; elle accepte les modifications, sauf celles qui lui semblent affecter le sens de ce qu'elle a voulu dire. Au total, l'édition Flammarion ne change pas de façon significative le texte de *Bonheur d'occasion* ; il l'allège, voire l'améliore par endroits.

Flammarion aurait voulu que le livre sorte rapidement, si possible au printemps 1947, afin de profiter des retombées de l'édition américaine. Mais divers contretemps, dont le manque de papier, obligent finalement l'éditeur à repousser la parution jusqu'à la rentrée d'automne.

Avant même que Flammarion ne manifeste son intérêt pour *Bonheur d'occasion*, le Québec a reçu une visiteuse de marque en la personne de la comtesse Jean de Pange, née Pauline de Broglie. Cette femme de lettres parisienne, auteur de nombreux romans, s'intéresse depuis longtemps à l'Amérique, où elle a donné des cours sur le romantisme au collège pour jeunes filles de Wellesley, non loin de Boston. Mais le prestige de Mme de Pange tient surtout au fait qu'elle appartient au jury du prix Fémina, fondé en 1904. Avec le Goncourt, c'est l'un des prix les plus cotés et les plus rentables sur la scène journalistique et littéraire de Paris. En février 1946, donc, la comtesse est passée par Montréal et a lu le roman ; conquise, elle a demandé à rencontrer Gabrielle Roy, l'a félicitée et, sans rien lui promettre, lui a laissé entendre qu'elle pourrait s'occuper d'elle lorsque *Bonheur d'occasion* serait publié en France, lui expliquant que sa présence à Paris au moment de la ronde annuelle des prix augmenterait certainement ses chances[87]. Il n'en faut pas plus pour convaincre Gabrielle de céder au désir qu'elle nourrit depuis un certain temps : revoir la France, s'y installer pour quelques années de bonne vie et d'écriture.

Et c'est ainsi que, aussitôt leur mariage célébré, les nouveaux époux n'ont rien de plus pressé que de se retrouver à Paris pour la sortie de *Bonheur d'occasion*. Avant de s'embarquer, ils s'arrêtent quelques jours à Montréal, où Gabrielle doit prononcer son discours d'entrée à la Société royale, obtenir son nouveau passeport (au nom de Mme Carbotte), rédiger son testament (en faveur de Marcel et de Clémence) et régler avec Me Nadeau bien des affaires que son absence de quatre mois a laissées en suspens. De Saint-Boniface, l'auto de Marcel les conduit d'abord à Toronto, où Gabrielle présente son mari à Bill Deacon. Ils arrivent à Montréal le 7 ou le 8 septembre et s'installent à l'hôtel Ford. Le 15, ils sont à Rawdon, chez Mme Tinkler, pour y prendre les effets laissés là par Gabrielle. Puis, quelques jours plus tard, une soirée organisée par Jori Smith et Jean Palardy donne l'occasion aux amis de Gabrielle, que la nouvelle de son mariage a remplis d'étonnement, de faire connaissance avec l'heureux élu.

Henri Girard n'est pas là, naturellement. Mais il a envoyé un présent : *Choix de poèmes* de Francis Jammes, dans un exemplaire publié au Mercure de France en 1946 et dont la page de garde porte cette dédicace laconique : « À Gabrielle Roy, au Dr Marcel Carbotte, tous mes vœux de bonheur. Henri Girard[88] ». En fait, tout indique que le mariage de Gabrielle a plongé Henri dans une profonde dépression, qui va durer tout cet automne-là et l'obliger à quitter Montréal pendant plusieurs semaines. Quelques mois plus tard, une fois son deuil presque accompli, il avouera à Adèle, qui vient de lui écrire une lettre de consolation :

> Savez-vous, Adèle, son départ a failli me tuer. Je me suis senti vieux et presque incapable de travailler. Gabrielle partie, il n'y avait plus de raison de vivre. Songez que pendant sept ans j'ai donné à cette femme qui n'a pas été ma maîtresse le meilleur de mon cœur et de ma pensée. Tout ce qu'il y avait de beau en moi, tout ce que j'avais acquis dans ma jeunesse de sentiments esthétiques, je le lui ai donné sans calcul et sans réserve.
>
> Remarquez bien, Adèle, que je ne regrette rien. J'ai tout simplement comme le maître de Mozart collaboré à l'évolution naturelle d'un génie. Humble collaboration et de peu d'importance en somme, mais qui était nécessaire, alors, pour que l'œuvre fût ce qu'elle est[89].

Mais cet effacement ne va pas sans mal : « J'essaie sans y parvenir, dit-il dans la même lettre, d'oublier tout ce qui se rapporte à elle.

J'emploie des milliers d'artifices. Mais elle est toujours là présente à mon cerveau et elle ne cesse de me torturer. »

Combien de temps la torture a-t-elle duré, qu'est-il advenu d'Henri Girard après que Gabrielle lui a préféré Marcel ? Mystère. Tout ce que l'on peut présumer, c'est que leur amitié, sans s'éteindre tout à fait après la rupture, est devenue très lointaine et épisodique. De Paris, Gabrielle demandera une ou deux fois des nouvelles d'Henri à Me Nadeau, mais sans plus. En 1949, elle essaiera de lui faire parvenir quelques-uns de ses manuscrits récents afin d'obtenir son avis et ses conseils, mais il n'est pas sûr qu'Henri ait donné suite à sa demande[90]. Cinq ans plus tard, lors de la parution d'*Alexandre Chenevert*, arrivera ce simple télégramme : « Reçu Alexandre. Très ému. Henri[91]. » À partir de ce moment-là, plus aucune trace. Henri Girard a disparu.

Il faut dire que Gabrielle Roy n'a rien fait pour empêcher cette disparition. Non seulement elle ne parle d'Henri Girard ou de ses relations avec lui dans aucun de ses écrits — pas même dans ses textes autobiographiques inédits —, mais elle a détruit, peu après son mariage et contre l'avis de Marcel, toutes les lettres qu'elle avait reçues de lui[92].

Absent de la petite fête chez les Palardy, Henri l'est également lors de la cérémonie organisée le samedi 27 septembre par la section française de la Société royale du Canada, à la salle de l'Ermitage[93]. La soirée, qui marque le soixante-cinquième anniversaire de la fondation de la Société, revêt un faste particulier : la séance est présidée par les ambassadeurs Georges Vanier et Pierre Dupuy ; le célèbre violoniste Arthur Leblanc doit assurer l'intermède musical. De nombreux journalistes se pressent dans la salle, mêlés au tout-Montréal et aux nombreux « exilés » franco-manitobains venus entendre les allocutions des deux nouveaux membres, le linguiste Léon Lorrain et la romancière Gabrielle Roy. Mais lorsque Arthur Saint-Pierre entame son discours d'ouverture, des murmures de mécontentement s'élèvent : Gabrielle Roy, la vedette de la soirée, n'est toujours pas là. Elle n'arrivera qu'une heure plus tard, après le discours de Lorrain, pour entendre son « parrain », l'historien Gustave Lanctot, prononcer son éloge. « Madame, déclame-t-il dans le style d'usage, depuis dix ans que les candidatures féminines sont admises par la Société, vous êtes la première femme auteur à franchir la porte des sections littéraires. Et cette porte, vous l'avez franchie triomphalement, ayant recueilli la plus forte pluralité des voix. » Suit un résumé de la carrière de Gabrielle Roy et de sa « contribution à notre littérature[94] ». Puis la récipiendaire s'approche du micro. Malgré sa petite taille, elle paraît plus belle et plus digne que jamais, dans sa longue robe noire au col et aux poignets ornés de dentelle blanche, sans autre bijou qu'une petite broche retenant ses cheveux à la nuque. Sa voix est comme brisée, mais d'une justesse et d'une émotion parfaites.

> J'espérais vous présenter un sujet qui eût peut-être un instant uni dans la joie nos cœurs las de chercher la paix et la justice.
>
> Mais (pause) il y a quelque temps, je suis retournée dans Saint-Henri. [...] J'ai entendu causer les gens aux coins des rues, dans les petites boutiques, aux abords de la gare, sur la place du marché. Et c'était incroyable, mais les ouvriers, les travailleurs du faubourg, tout comme les financiers et les chefs d'industrie avaient à la bouche la même prédiction amère. [...] Saint-Henri me racontait encore une fois le gaspillage que nous avons fait de l'énergie humaine, de l'espoir humain [...]. C'est quand même curieux [...] que ce soient toujours les ouvriers qui portent le blâme de faire monter les prix, de bouleverser l'économie. Pourquoi pas aussi les invisibles personnages que l'on imagine si difficilement derrière les hauts murs des filatures, des fabriques de Saint-Henri, loin au delà de ces remparts de fumée, de vapeur, du roulement des machines? [...] Partout où je suis allée, c'était la même lassitude de vivre. Une société n'a pas méprisé, pendant des années, ses biens essentiels, le capital-travail et les ressources naturelles, sans expier durement, tôt ou tard. [...] Qu'ils nous demandent encore une fois, tout fatigués que nous sommes, de nous soulever vers la vision d'une société meilleure, de l'ordre social plus juste, plus intelligent que nous ne pouvons pas ne pas espérer au bout de toutes nos erreurs, et il y aura un sens à la tendresse simple et douce de Rose-Anna, un sens à la mort d'Emmanuel.

La salle retient son souffle. On n'a jamais rien entendu de tel lors des séances généralement empesées et ennuyeuses de la savante Société, rien d'aussi audacieux ni d'aussi émouvant. Les libéraux, les syndicalistes, tout ce que Montréal compte de socialistes, de réformistes ou de sympathisants de la gauche n'en reviennent pas d'entendre la célèbre romancière — dont le discours, enregistré sur disque, est retransmis le lendemain sur les ondes de Radio-Canada — prendre ainsi fait et cause publiquement en leur faveur, eux à qui le gouvernement Duplessis fait la vie dure depuis trois ans qu'il est revenu au pouvoir. Les communistes, en particulier, qui s'étaient réjouis de l'entrée de Gabrielle Roy à la Société royale parce qu'ils y voyaient « une occasion à ne pas manquer pour dénoncer royalement le capitalisme[95] », font sténographier le discours par un des leurs et le publient dans *Combat*, leur hebdomadaire.

Ce qu'ils ne savent pas, cependant, c'est que ce discours est une sorte de testament. S'il résume bien les grandes idées sociales qui ont inspiré Gabrielle Roy pendant ses années de journalisme et pendant la rédaction de son premier roman, il constitue aussi un adieu, sinon à ces idées elles-mêmes, du moins à leur expression publique. Jamais plus Gabrielle Roy ne se prononcera de manière aussi explicite sur les problèmes de l'heure. Quelles que soient ses sympathies idéologiques, elle se tiendra désormais à l'écart de l'action et de toute forme d'« engagement ».

Aussitôt son discours terminé, l'héroïne de la soirée s'excuse et quitte la salle en compagnie de Marcel. Celui-ci a déjà chargé la voiture de leurs bagages et des provisions qu'on leur a conseillé d'emporter pour faire face au rationnement qui sévit toujours en France. Ils se mettent en route le soir même en direction de New York. De là, ils embarquent le 3 octobre — avec leur voiture — à bord du *Fairisle*. La traversée doit durer neuf jours ; elle en dure douze, notamment à cause d'une superbe nuit de tempête dont ils garderont toute leur vie le souvenir exalté.

De Londres, où accoste le *Fairisle*, les voyageurs traversent la Manche et arrivent à Anvers. Ils passent huit jours en Belgique, près de Bruxelles, dans la famille de Marcel, avec laquelle Gabrielle se découvre peu d'affinités. Puis c'est Paris. Ils y arrivent le 23 octobre et s'installent dans un petit appartement de l'hôtel Trianon Palace, 1bis, rue de Vaugirard, à deux pas du 27 de la rue Racine, siège des Éditions Flammarion. Les premiers jours sont difficiles. Leur hôtel a beau se trouver en plein quartier littéraire, ils ont beau, rue Monsieur-le-Prince, croiser André Gide en personne, l'inconfort, le froid, la rareté et la cherté des denrées font qu'ils s'ennuient du Canada. « Les ouvriers, les petits fonctionnaires, écrit Gabrielle à Me Nadeau, comment vivent-ils dans cette ville où ce que l'on estime nécessités chez nous se vend à des prix effarants ! On ne peut, devant une si grande misère, chercher et trouver un peu de confort qu'avec un atroce sentiment de gêne et de culpabilité[96] ! »

Mais Gabrielle et son mari n'ont guère le temps de s'abandonner à ces sentiments, pris qu'ils sont dans la tourmente du lancement de *Bonheur d'occasion*. Le livre est arrivé dans les librairies et les salles de rédaction deux semaines plus tôt, le 9 octobre, accompagné d'un communiqué qui commence par ces mots : « En même temps que le public français voyait apparaître sur notre sol, parmi nos libérateurs, de nombreux soldats canadiens, on eut, dans les milieux littéraires, la révélation du plus grand succès de librairie au Canada pendant la guerre. » Le roman de Gabrielle Roy, ajoute-t-on, possède « une singulière valeur documentaire » :

> Tandis que des œuvres célèbres nous ont peint jusqu'ici le Canada des paysans, des bûcherons et des trappeurs, celui-ci nous plonge dans la vie citadine de Montréal, dans les faubourgs ouvriers où grouille une population fort semblable, à la langue près, à celle des « suburbs » américains.

La publication de *Bonheur d'occasion* est donc « une action historique [...] puisqu'il s'agit de montrer à la souche nationale qu'un coin presque ignoré de l'Amérique reste, malgré tout, une parcelle de la France[97] ».

L'amitié pour les « cousins » canadiens et la reconnaissance due au Canada pour sa participation à la libération récente de la France, telle sera, pendant les cinq ou six semaines qui précèdent l'attribution des prix littéraires de l'automne, la carte que joueront à fond René d'Uckermann et Mme de Pange dans leur campagne de presse et leurs tractations auprès des membres du jury Fémina. La comtesse se dépense sans compter, bien déterminée à faire triompher son « poulain ». « Elle était ma meilleure alliée, mon soutien principal, racontera Gabrielle Roy dans un texte de 1956. Cette intrépide, cette bouillonnante, cette fougueuse parcourait Paris et ferraillait pour mon compte au faubourg Saint-Honoré et au faubourg Saint-Germain. Elle attaquait les mous, elle enfonçait les récalcitrants, elle secouait les indifférents. “Il y a assez longtemps, disait-elle, que nous parlons de liens d'amitié, de fraternité avec nos parents du Canada français ; il est temps de passer aux actes”[98]. » Quant à d'Uckermann, que Gabrielle rencontre pour la première fois — « c'est un homme que j'imaginerais très à l'aise au grand siècle, poli comme on ne l'est plus[99] » —, il s'active surtout, en éditeur habile, farouchement déterminé à parvenir à ses fins, dans le réseau des journalistes et des critiques amis de Flammarion.

Lundi 1er décembre 1947. Enfin la cabale de d'Uckermann et de Mme de Pange donne des résultats : au troisième tour, par onze voix sur dix-huit, le prix Fémina est accordé à *Bonheur d'occasion*, que ces dames du jury ont préféré, notamment, à *La Forêt la nuit* de Jean-Louis Curtis, au *Cap de désespérance* de Jean Feuga et aux *Gens de Mogador* d'Élisabeth Barbier[100].

Gabrielle, évidemment, est au septième ciel. Tout comme Marcel, d'ailleurs. Le Fémina, la reconnaissance obtenue dans la capitale même de la littérature, n'est-ce pas la consécration suprême, l'ultime triomphe qu'un auteur peut désirer ? Le tourbillon médiatique recommence de plus belle ; Gabrielle y plonge tête la première. Elle que son passage à New York a tant secouée et qui s'était juré qu'on ne l'y reprendrait plus, elle qui déclarait à Me Nadeau, trois mois à peine avant son départ pour Paris : « Je ne me prêterai là-bas à aucune publicité[101] », la voici jetée encore une fois dans le feu roulant des déjeuners, des visites de courtoisie, des réceptions et des entrevues. À chaque journaliste, elle raconte sa naissance au Manitoba, ses années obscures de journaliste à la pige, la « patience infinie » qu'il lui a fallu pour écrire *Bonheur d'occasion*, et chaque journaliste est ému, séduit par son histoire autant que par l'allure de « cette jeune personne d'une joliesse sévère que n'adoucit aucun maquillage, tandis que de longs cheveux châtains coiffés en arrière dégagent un front intelligent au-dessus d'yeux que l'on n'oublie pas ». « D'immenses yeux verdâtres, charbonnés de mélancolie, écrit un autre chroniqueur. Une bouche retenue par ces frondes qu'une âme bien née tend du fond du diaphragme. Un nez coupé noblement. Un front de lumière. » Et un accent tout à fait charmant[102].

Chez les Canadiens vivant en Europe, l'excitation est à son comble. C'est la première fois qu'un écrivain canadien obtient un prix majeur à Paris, attirant ainsi sur son pays l'attention de toute la France (il faudra attendre vingt ans — le Médicis de Marie-Claire Blais en 1966 — avant que cela se reproduise). L'ambassadeur, Georges Vanier, celui-là même qui a assisté trois mois plus tôt au discours de Gabrielle Roy devant la Société royale du Canada, organise une grande soirée en l'honneur de la lauréate. Parmi les invités, Gabrielle fait la connaissance du père Teilhard de Chardin, dont l'œuvre n'est pas encore publiée (elle ne le sera qu'après sa mort, en 1955). Apercevant le col romain, elle est tentée de se rebiffer, mais la conversation du paléontologue-théologien a tôt fait de la subjuguer.

> Je le contemplais, fascinée, racontera-t-elle plus tard, car il s'exprimait avec une grande abondance de gestes tout aussi chaleureux que sa parole, et j'eus soudain le sentiment de vivre une heure de valeur

unique dans ma vie. Je me sentais en présence d'un de ces êtres, tel qu'il en surgit de loin en loin dans l'humanité, qui voient longtemps, longtemps d'avance, ce que peut-être nous verrons tous un jour[103].

Teilhard lui parle, ce soir-là, de l'un de ses thèmes de prédilection : le « Progrès » de la Conscience universelle, thème auquel Gabrielle Roy, dans les années qui viennent, accordera une grande importance dans ses propres réflexions et ses écrits.

Pendant ce temps, la critique parisienne a commencé à se prononcer sur *Bonheur d'occasion*. Le verdict, en fait, est mitigé, sinon négatif. Certes, on reconnaît des mérites au roman ; certes, quelques critiques proches des Éditions Flammarion, comme Paul Guth et Francis Ambrière, en disent du bien ; certes, André Rousseaux, le pontife du *Figaro littéraire*, exprime sa sympathie[104], mais nulle part on ne montre de véritable enthousiasme, ni pour ni contre l'auteur et son œuvre. D'une manière générale, la valeur proprement littéraire du roman n'est pas reconnue. « Nous aimons trouver dans un roman, écrit par exemple Thierry Maulnier, quelques inégalités surprenantes, quelques pages qui s'inscrivent fortement dans notre mémoire et permettent d'oublier tout le reste ; ces pages, je ne les ai pas trouvées dans *Bonheur d'occasion*[105]. » Les mêmes réserves s'expriment presque partout : le roman de Gabrielle Roy, dit-on, est un livre honorable, intéressant, mais sans plus : « un bon roman populiste, fait d'observation plus que de création », au « style facile, trop facile même, mais émaillé d'expressions pittoresques et savoureuses[106] ». Qu'un livre aussi ordinaire ait obtenu le Fémina, presque personne toutefois ne s'en étonne, car chacun sait qu'il s'agissait surtout de récompenser le Canada. Ainsi, Robert Kemp, dans les *Nouvelles littéraires*, admet que le roman de Curtis était « plus fort » ; mais, s'empresse-t-il d'ajouter, « les dames du prix Fémina méritent bien l'absolution », car « pouvoir, en couronnant une jeune Canadienne, témoigner à ce grand et cher rejeton de la Normandie notre maternelle tendresse, notre reconnaissance pour sa fidélité et ses sacrifices, est un tel bonheur que j'eusse peut-être, moi aussi, voté, qui sait, avec la majorité[107] ». « Nul doute, reconnaît également Louis Barjon, qu'à travers Gabrielle Roy ce ne soit au Canada héroïque et fraternel que les dames du Fémina aient [...] voulu rendre hommage. Nous ne pouvons à cet égard qu'applaudir !... Et conclure, un peu méchamment, que pareil succès fut pour l'auteur de ce livre honnête [...] un véritable *bonheur d'occasion*. » Des conclusions méchantes, d'autres en tirent aussi, comme ce chroniqueur de *Carrefour* qui laisse entendre que le Fémina a été donné à Gabrielle Roy parce que la France a besoin du blé canadien[108]...

Au total, la critique française, sans être malveillante, accueille *Bonheur d'occasion* plutôt froidement. Sans doute ne comprend-elle pas très bien le roman de Gabrielle Roy, non seulement parce qu'elle est incapable de le situer dans son contexte propre, mais aussi parce que *Bonheur d'occasion* ne cadre pas avec ce que cette critique, à ce moment-là, attend d'un roman. En somme, il y a malentendu : c'est pour de mauvaises raisons que Paris couronne *Bonheur d'occasion*, et c'est pour d'autres mauvaises raisons que la critique le juge négativement[109].

Cette ambiguïté se reflète dans le succès commercial du roman pendant les mois qui suivent sa parution. En juin 1948, Flammarion aura vendu quelque 43 000 exemplaires de *Bonheur d'occasion*. C'est un chiffre respectable, sans doute, mais nettement inférieur à ce qu'un éditeur est en droit d'attendre d'un « bon » roman primé. Par la suite, tandis que Flammarion, transgressant une des clauses du contrat, écoule chaque année des centaines d'exemplaires sur le marché canadien, les ventes cessent presque complètement en France, où *Bonheur d'occasion* et Gabrielle Roy, une fois la saison du Fémina passée, sombrent presque aussitôt dans l'oubli.

Tout éphémère qu'il soit sur place, le triomphe parisien de Gabrielle Roy a cependant de grandes retombées au Canada. À Montréal surtout, il contribue à relancer le roman et à accroître encore la renommée de son auteur. Mais les opinions sont partagées. D'un côté, on se félicite de voir la France reconnaître l'existence et la valeur de notre littérature, ce qui prouve que celle-ci, enfin, accède à l'« universel[110] », mais de l'autre, il y a ceux qui, sans toujours l'avouer, déplorent l'image « péjorative » du Canada français que le roman de Gabrielle Roy projette à la face du monde entier. Dans certains milieux, se rappellera Robert Charbonneau, on est gêné que *Bonheur d'occasion* « nous [mette] à nu devant les étrangers » et nous fasse passer pour « des êtres peu évolués[111] ». Depuis un certain temps déjà, ce « sentiment de pudeur », ce malaise, a même pris la forme, dans le quartier Saint-Henri, d'une révolte ouverte, conduite par les curés Gauthier et Boileau. Ce dernier s'en prend à Gabrielle Roy du haut de la chaire : « Saint-Henri n'est pas fait uniquement de ruelles, de trous et de bouges, et ce n'est pas vrai que ses habitants soient désorganisés, désorientés et désespérés. Cette jeune fille, qui est venue ici des salons de Westmount, nous a rendu un fort mauvais service. C'est de la propagande néfaste[112]. »

Mais cette dénonciation a peu d'effets, et *Bonheur d'occasion* poursuit sa brillante carrière dans les librairies canadiennes. En décembre 1947, la mention « 25e mille » apparaît sur le nouveau tirage distribué par Beauchemin. Au Canada anglais, McClelland & Stewart écoule près de 14 000 exemplaires entre juillet 1947 et juin 1948, tandis que Bill Deacon fait accorder à *The Tin Flute* le « *Governor General's Literary Award for the best fiction of 1947* », prix réservé aux œuvres publiées en langue anglaise[113]. *Bonheur d'occasion* commence à faire l'objet d'études critiques spécialisées ; tandis qu'une première thèse est rédigée à l'Université Laval, l'on se mettra bientôt à « relire » le roman de Gabrielle Roy et à le retirer ainsi de l'actualité pour le faire entrer tranquillement dans cet autre espace, un espace local, certes, mais qui lui assurera la pérennité : celui des « classiques » de la littérature canadienne[114].

Jours tranquilles en France

En Europe, pendant ce temps, Gabrielle se remet lentement de son automne à Paris. Automne excitant, certes, mais qui l'a laissée épuisée et les nerfs à vif. L'attente de la décision du jury, les entrevues, les mondanités, la gloire de quelques jours, puis cette critique hautaine et froide, tout cela l'a maintenue pendant trois mois dans un état de tension continuelle, qui a affecté son moral et sa santé : insomnies, grippes à répétition, pertes d'appétit, fatigue chronique. « Je n'ai pas été très bien depuis mon arrivée à Paris, écrit-elle le 9 décembre 1947 à Me Nadeau, et toutes ces émotions ne m'ont guère aidée. Je ne souhaite que l'isolement et la quiétude. Or, que de peine pour protéger ce qui seul a du prix pour moi ! »

Comme elle l'a fait à l'hiver 1946 en partant pour la Californie, puis au printemps 1947 en allant se réfugier à la Painchaudière, elle décide donc, au moment où la publicité du Fémina bat son plein, de fuir de nouveau vers un lieu plus calme où elle pourra se ressaisir et refaire ses forces. À la suggestion de Judith Jasmin, elle choisit Genève qui, outre son éloignement, offre des commodités qu'il est bien difficile de trouver dans le Paris de l'immédiat après-guerre : habitations correctement équipées et chauffées, nourriture variée, services publics fonctionnels, sans parler de la qualité de l'air et de la beauté du paysage.

Dans les premiers jours du mois de janvier 1948, Marcel la conduit en voiture à Genève. Il reste avec elle deux ou trois jours, puis rentre à Paris, où il doit entamer son stage en gynécologie et oncologie à l'hôpital Broca, auprès des docteurs Béclère et Moricard.

Gabrielle passe trois semaines seule à Genève. Elle loge à l'hôtel de l'Écu. Les premiers jours, elle n'aspire qu'à une chose : faire le vide, « éloigner ma pensée de tout ce qui me rappelle la contrainte » et « disparaître au regard des hommes. Être comme j'étais autrefois, inconnue, ne devant rien à personne[115]. » À son mari qui a entrepris de collectionner dans un *scrap-book* tous les comptes rendus et entrefilets concernant le Fémina, elle écrit :

> Surtout, surtout, mon Marcel, ne m'envoie aucun article ayant trait à moi-même. Tu n'as donc pas compris que cela m'est devenu intolérable ! J'ai à faire une cure morale dont tu n'as pas idée comme elle m'engage en des profondeurs de solitude et comme elle exige de silence[116].

Pour se distraire, elle va au cinéma, au concert, ou se promène sur les bords du lac. Elle prend contact avec un admirateur qui est secrétaire à la Croix-Rouge et obtient la permission de consulter les archives où sont consignés des milliers de drames individuels et familiaux vécus pendant la dernière guerre et qui représentent à ses yeux « ce que j'aime le mieux : l'onde amère et chaude de l'humain[117] ».

Elle profite aussi de son séjour pour voir un médecin que lui a recommandé Marcel. Mais le docteur Naville ne voit d'autre cause à ses ennuis de santé qu'un « désordre nerveux » ; il lui recommande, comme fera le docteur Hudon à Alexandre Chenevert, d'« abandonner complètement toute élaboration intellectuelle — en d'autres mots, m'arrêter de penser[118] ».

Mais, ajoute Gabrielle, « je n'en connais pas le moyen ». Car le but principal de sa fugue, comme toujours, est de se libérer l'esprit pour pouvoir se remettre à écrire, chose qui lui était devenue impossible dans le tourbillon de Paris. Péniblement, chaque matin, elle s'assied à sa table et attend. Au début, rien ne vient, « mais enfin, dit-elle, il faut reprendre l'habitude, c'est essentiel[119] ». Puis, le 23 janvier, après quelques jours où elle se sent « au plus profond du découragement », l'étincelle jaillit. Le récit de cette expérience vaut la peine d'être cité, parce qu'il éclaire bien la manière dont se déroule chez elle ce que l'on peut appeler le processus de l'inspiration, et parce que de tels récits sont très rares dans sa correspondance. Ce processus se déroule en deux temps. D'abord, elle se sent subitement habitée, « visitée » par une idée, un personnage, une voix qui lui semble venir de l'extérieur :

> Aujourd'hui, mon ange, la vie a changé d'aspect. [...] C'est que vois-tu, mon chéri, je sens revenir en moi tout à coup cette divine émotion créatrice dont j'ai été si longtemps privée. Je ne veux point encore le crier fort pour [ne pas] effaroucher cette capricieuse, infiniment plus difficile à apprivoiser que nulle autre sensation humaine. Toutefois, je reçois des visites. Comment définir autrement ce sortilège de la vision intérieure par laquelle on entrevoit, connaît des êtres jusque-là inconnus. Et non seulement les connaît-on, mais ils arrivent à l'esprit avec un nom, un visage et les actes de leur vie ramassés en un petit faisceau. C'est ce que j'appelle recevoir des visites. [...] L'esprit en ceci est comme l'apprenti-sorcier. À son caprice — et sans que la volonté y soit pour beaucoup, il trie, assemble — il me livrera à l'heure voulue le conte, le récit que je n'aurai plus qu'à écrire[120].

Ces derniers mots — « que je n'aurai plus qu'à écrire » — annoncent déjà la deuxième phase du processus : l'écriture elle-même, c'est-à-dire le travail, l'explicitation, la mise en mots de la « vision intérieure » donnée d'abord comme par miracle. Deux jours après lui avoir fait part des « minutes de ravissement » qu'elle a connues, Gabrielle écrit en effet à Marcel :

> Maintenant [...] j'ai tout de même la consolation de travailler dans la joie quelques heures par jour. Pas très longtemps, tu comprends, car j'ai l'impression que cette joie est comme l'huile dans une lampe et qu'il faut en user avec modération, sans quoi je l'aurai peut-être vite épuisée. L'instant d'illumination [...], cela ne dure guère, tu comprends. C'est très bref, très vite résorbé dans le train-train quotidien. Mais il a suffi souvent d'un tel éclair, d'un seul pour me laisser entrevoir le développement entier d'une œuvre. Après, eh bien après, c'est le boulot de chaque jour, souvent sans entrain, mais enfin on connaît plus ou moins la destination. Il s'agit de dégager alors de sa gangue la pensée qui apparaît à son état fruste, de lui donner avec peine et labeur sa forme la moins banale. Que d'efforts, que d'erreurs aussi avant d'en arriver là ! Mais jamais je ne songerai à me plaindre du travail exigé par un personnage ou une idée qui demande à être exprimé. Je suis trop heureuse, crois-moi, d'avoir saisi cette petite étincelle dans l'ennui où je me trouvais[121].

Le « conte » dont il s'agit ici est l'esquisse de ce qui deviendra plus tard le premier chapitre d'*Alexandre Chenevert*[122]. C'est en des termes semblables, on l'a vu, que Gabrielle Roy a raconté la genèse de *Bonheur d'occasion*, et c'est également de cette manière — la succession des deux temps : l'« illumination » et le « boulot » — qu'elle vivra (et racontera) celle de presque tous ses livres. Mais il y a aussi, il y aura toujours, dans l'activité créatrice de Gabrielle Roy, un troisième temps, ou plutôt un temps à la fois antérieur et postérieur aux deux autres, que l'on pourrait appeler le temps zéro : c'est celui, interminable, de la sécheresse, de l'« ennui », de la non-inspiration. Temps immobile s'il en est, et qu'elle vit, qu'elle vivra toujours comme une sorte de mort, nécessaire, elle le sait, mais combien douloureuse. « Quelle noirceur j'ai [...] traversée pour en arriver là, écrit-elle dans sa lettre du 23 janvier. J'en ai les yeux tout pleins de larmes. Car dans l'obscurité, je demandais cette lumière avec un acharnement et une idée fixe qui touchait au désespoir ». Cette alternance de la lumière et de la noirceur, de l'errance dans le désert et du bonheur du travail, est ce qui va régir désormais toute l'existence de Gabrielle, ses déplacements, ses rapports avec les autres et jusqu'à son équilibre moral et physique.

« Ma santé, écrit-elle à Me Nadeau le jour où elle envoie la deuxième lettre à Marcel citée tout à l'heure, a beaucoup profité du séjour en Suisse. Je me sens très bien[123]. » Puis, le lendemain, elle fait part à son mari de son intention de ne revenir à Paris que lorsque son travail sera « en bonne marche[124] ». Marcel, pourtant, se languit. Il a beau sortir avec des amis, potasser ses livres de médecine, la présence de sa « petite Gaby » lui manque terriblement : « je n'ai pas de mots pour décrire l'intensité de mon ennui », lui écrit-il[125]. C'est la première fois qu'ils se séparent depuis leur mariage. Mais si frustrante qu'elle soit, la distance leur permet de mieux se rendre compte du sentiment qui les unit. Il ne se passe pas de jour sans qu'une lettre de Genève en croise une autre venue de Paris, chargées l'une et l'autre d'affection et de mots doux. Leur séparation, en fait, les rapproche. « Vois comment je suis, écrit Gabrielle, moi qui te houspillais cent fois par jour pour des riens, voici maintenant que je ne me rappelle plus que tes admirables qualités. Comme je t'aime[126] ! » Puis, deux semaines plus tard : « Je t'aime, mon Marcel, mon fol amant, au point que parfois je ressens de l'effroi. Jamais aucuns liens avant toi ne m'avaient retenue, sauf ceux de la destinée, si terribles, si durs, mais contre lesquels il ne donne rien de lutter[127]. »

Quelle que soit « la chaîne délicieuse de [l'] esclavage » par lequel Gabrielle se sent liée à Marcel — « cher Marcel qui as eu raison de mon fol amour de la liberté[128] » —, ces autres liens, « ceux de la destinée », ne sont pas rompus pour autant. Autant, sinon plus qu'à l'amour, elle se sent liée à ce qui, en elle, la hante depuis sa jeunesse : cette « vie agrandie », cette « inconnue de moi-même », ce devoir d'élévation et de beauté qui se confond avec la poursuite de son œuvre. Et cette fidélité-là passe à ses yeux celle qu'elle doit à Marcel ; ou du moins, leur amour ne saurait se construire en dehors d'elle ou contre elle, mais la favoriser, au contraire, et en recevoir son sens. Ainsi le veut le « pacte » que leur mariage a scellé. Marcel peut se plaindre d'être abandonné, elle le console, certes, mais il doit, tout comme elle le fait elle-même, accepter les « sacrifices » que l'œuvre impose.

> Pauvre enfant, lui écrit-elle vers la fin de son séjour, que ta détresse me fait mal et que je voudrais empêcher que tu souffres ainsi ! Moi aussi, tu sais, je me suis ennuyée à ne plus savoir où trouver quelque allégement. Et pourtant il faudra bien, quelquefois encore, que je te quitte, que j'aille dans l'isolement fouiller mes pensées. Me soumettre encore une fois, de temps en temps, à cette épreuve de la solitude au bout de laquelle j'ai perçu mon chemin. Ah, si tu savais ce qu'un seul conte, une seule minute d'inspiration coûte souvent d'oubli de soi et de lourds sacrifices[129].

Lorsque Gabrielle rentre à Paris le 9 février 1948, la poussière soulevée par le Fémina est pratiquement retombée. Elle peut connaître enfin, comme elle le dira plus tard, « le bonheur d'exister tout simplement, tout humainement, auprès du chaleureux peuple de Paris[130] ». Avec Marcel, malgré les sautes d'humeur et les tiraillements de la vie quotidienne, c'est l'entente presque parfaite, comme si, cinq mois après leur mariage, ils se retrouvaient enfin en voyage de noces. Les petits problèmes matériels de leurs premiers jours en France sont choses du passé. Non seulement les colis de victuailles arrivent régulièrement d'Amérique, expédiés par Me Nadeau, Judith Jasmin, Jack McClelland ou Max Becker, mais leur logement est beaucoup plus agréable. Pendant que Gabrielle était en Suisse, Marcel a quitté le Trianon Palace et s'est occupé de leur aménagement, non loin de là, au Lutétia, l'un des hôtels les plus confortables — et les plus chers — de la rive gauche.

Il faut dire que les finances de Gabrielle se portent bien. En deux ans, grâce à la Literary Guild et au contrat avec Hollywood, à quoi s'ajoutent les redevances que lui ont rapportées les ventes de *Bonheur d'occasion* au Canada et en France, ses revenus ont dépassé les 100 000 dollars. Au printemps 1948, elle possède 7 000 dollars dans son compte montréalais et près de 75 000 dollars chez son éditeur de New York[131]. Cette année-là, d'ailleurs, les questions d'argent la préoccupent grandement et font l'objet d'une abondante correspondance avec Me Nadeau. Car Gabrielle a une peur bleue de l'impôt et craint de se voir « dépouiller » de son bien. Après de nombreuses consultations auprès de fonctionnaires et de comptables peu accoutumés à traiter avec les écrivains, Nadeau parvient à mettre au point un arrangement satisfaisant : l'étalement du revenu. L'éditeur Harcourt Brace & Co. (qui absorbe Reynal & Hitchcock en 1948) versera à Gabrielle Roy, à partir de l'année 1948 et pendant les six années qui suivront, une « annuité » de 15 000 dollars par année, et seule cette somme, ajoutée aux autres recettes courantes, sera taxée. Gabrielle est assurée, jusqu'en 1954 au moins, d'un revenu plus que satisfaisant, selon les barèmes de l'époque[132].

Cela dit, tout en menant un train de vie fort agréable, elle craint la prodigalité et surveille ses affaires de très près. À l'égard de sa famille, elle se montre d'une générosité aussi réelle que mesurée. Fidèle à la promesse faite à sa mère, elle verse une pension mensuelle de 50 dollars pour l'entretien de Clémence. En outre, elle fait de temps à autre des dons substantiels à la communauté de Bernadette et contribue aux études médicales de sa nièce Lucille, la fille aînée de Germain. Elle envoie aussi de petites sommes à quelques amis. Mais il ne faut surtout pas lui forcer la main ni prendre ses largesses pour un fait acquis. En cet hiver 1948, une dispute particulièrement âpre éclate à ce sujet entre Gabrielle et Anna, dispute qu'enveniment de part et d'autre des frustrations accumulées et beaucoup de choses que les deux sœurs n'ont pas osé se dire l'été précédent, pendant le séjour de Gabrielle à la Painchaudière. Une peccadille met le feu aux poudres : Anna a pris la liberté de retirer Clémence du Joan of Arc Home, « où elle se mourait dans l'ennui et l'isolement[133] », et de la réinstaller dans une maison privée, chez Mme Baune, où la pension est plus chère ; pour cela, Anna s'est adressée directement à Me Nadeau afin qu'il lui envoie plus d'argent. Outrée, Gabrielle proteste dans une lettre incendiaire :

> Il est facile d'être généreux avec l'argent des autres. Je sais mieux que quiconque quelles sont mes ressources, mes dépenses, et la part exacte de mes revenus que je peux donner à Clémence. […] Il serait vraiment par trop étrange que ma chère famille, après m'avoir empêchée de réaliser ma vie — rappelle-toi toutes les paroles découra-

geantes, tous les jugements injustes — vienne maintenant me signifier ce que j'ai à faire. Ce que j'ai à faire, je le sais très bien. [...] Votre idée est faite que je nage dans les biens de ce monde, et sans doute que je suis un monstre d'égoïsme. Cela m'a fait mal si longtemps qu'enfin je devrais être endurcie[134].

Anna répond aussitôt par une épître d'une rare méchanceté :

Écoute, Gabrielle, tu es devenue célèbre ; on t'a adulée outre mesure ; tu es sans doute une sorte de génie ; on t'en a fait tellement voir du côté miroitant ; il ne faut pas que tu te croies une déité, à laquelle on ne peut toucher. [...] Garde tes sous, ma petite, aies-en bien soin ; malgré que tu essaies de nous tirer la laine sur les yeux, on te comprend mieux que tu penses. [...] Tu es une personnalité à part ; tu te crois toi-même quand tu t'attribues certaines qualités ; tu es un être qui stupéfie, qui mystifie, qui induit bien des gens en erreur. [...] On aurait dû te faire mal depuis longtemps, quand tu étais petite, et tu aurais aujourd'hui une mentalité plus suave, plus compréhensive. En un mot, tu serais quelqu'un un peu moins mal élevé et moins gâté[135].

Alimentée par le dépit et la jalousie, la furie d'Anna n'a plus de bornes. Elle se déverse jusque dans ses lettres à Adèle : « Ne te laisse pas leurrer par [les] propos lacrymatoires [de Gabrielle], elle est assez riche pour payer ses dettes, assez riche pour payer son écot généreusement. De l'avarice, elle en a au ballot ; du cœur, elle n'en a pas la grosseur d'une noisette[136]. » On croirait entendre les sœurs de Cendrillon. « Enfin, renchérit Anna, nous verrons peut-être, avant de mourir, tout ce clinquant se réduire en cendre et poussière. [...] Grand Dieu, que nous puissions, toi et moi, écrire aussi bien, mieux qu'elle ! C'est là que serait la vengeance[137]. »

L'orage s'apaise bientôt, et les deux femmes reviennent à de meilleurs sentiments. Dans les années qui suivent, Gabrielle continuera d'envoyer de petites sommes à Anna, de correspondre épisodiquement avec elle, et la reverra même à quelques reprises. Mais l'intimité entre elles ne sera plus jamais la même, jusqu'au moment de la mort d'Anna, quinze ans plus tard, sous le ciel de l'Arizona.

Ces accrocs ne parviennent pas à entamer le bonheur tranquille qu'apporte à Gabrielle et à son mari leur vie à Paris, une fois passée la tourmente du Fémina. Loin de la famille, dégagés des obligations professionnelles, ils sont comme des étudiants ou des étrangers fortunés en vacances dans la plus belle ville du monde. Pour l'équivalent de 16 dollars par jour, ils occupent au Lutétia deux grandes chambres communicantes et peuvent y prendre tous leurs repas. Ils y habiteront cinq mois, jusqu'à l'été 1948, moment auquel ils avaient d'abord envisagé de rentrer au Canada. Mais le temps a passé si vite depuis leur arrivée et ils se plaisent tant en France qu'ils décident d'y rester une autre année. D'ailleurs, Marcel, qui n'a accompli que six ou sept mois de résidence à Broca, doit prolonger son stage s'il veut obtenir son certificat de spécialiste. Puis, cette deuxième année écoulée, et malgré ce que Gabrielle aura annoncé à Me Nadeau[138], ils prolongeront leur séjour d'une autre année encore, jusqu'à l'automne 1950.

Ils ne restent pas tout ce temps à Paris, cependant. En octobre 1948, pour des raisons d'économie, mais aussi parce que Gabrielle souhaite se rapprocher de la campagne, ils s'établissent dans la banlieue ouest de la capitale, à Saint-Germain-en-Laye, où ils ont déniché une pension qui leur convient parfaitement et qui sera leur domicile pendant les deux dernières années qu'ils passeront en Europe.

Le 31 de la rue Anne-Baratin, à deux pas du château royal et de sa forêt, est une belle grande maison bourgeoise de deux étages, entourée d'un jardin et munie de tout le confort. Version cossue de la « pension Vauquer » de Balzac, la « Villa Dauphine » comprend six ou sept petits appartements occupés par des gens d'un certain âge et d'une fortune non moins certaine, qui dînent ensemble chaque soir autour d'une grande table ovale, puis passent au salon pour deviser poliment ou faire un bridge avant d'aller se coucher. Il y a là Mme Racault, Mme Mille, M. Barbe et sa sœur, Mme Joly, ainsi que la très lettrée Mme d'Aumale, qui fait cadeau à Gabrielle d'une grande cape noir et rouge qu'a portée le duc, son aïeul. La patronne se nomme Mme Isoré, dont Gabrielle brosse le portrait à l'intention d'un ami : « une vieille dame très distinguée, pleine de petites révérences, de compliments joliment tournés et de petits commentaires flatteurs, et aussi pointue qu'un clou quand il s'agit des affaires[139] ». Pour environ mille francs par jour et par personne (des francs anciens, c'est-à-dire environ deux dollars), Marcel et Gabrielle ont droit à deux pièces contiguës, aux repas et à une sonnette pour appeler Irène, la bonne[140].

Pour Marcel, habiter hors de Paris n'est pas très commode, puisqu'il doit se rendre chaque jour en voiture jusqu'à son hôpital, dans le XIIIe arrondissement. Mais il ne s'en plaint pas, car Gabrielle adore Saint-Germain-en-Laye, où elle jouit à la fois d'une vie confortable et du voisinage de la forêt domaniale, but de promenades fréquentes et enchantées, « surtout à l'heure indécise du crépuscule » qui lui paraît si douce[141]. D'une certaine manière, Saint-Germain est pour elle un nouvel Upshire : « [j'ai] tout ce qui me plaît ici, écrit-elle à une amie, la forêt toute proche, quelques gens raffinés avec qui je [peux] m'entretenir, des livres, un beau site et l'atmosphère intéressante d'une petite ville assez provinciale, [...] quoique très près de Paris[142] ».

Paris, il lui arrive de ne pas y mettre les pieds pendant une semaine ou deux. Mais elle aime bien pouvoir s'y rendre facilement quand le cœur lui en dit, tantôt pour faire du lèche-vitrine, tantôt pour flâner dans les parcs ou le long des quais, le plus souvent pour aller au théâtre, qui continue d'intéresser vivement l'ancienne élève de Ludmila Pitoëff et les attire régulièrement au centre-ville, elle et son mari. Ils voient du Sartre, du Giraudoux, du Claudel, du Molière. Par contre, Gabrielle n'apprécie guère les musées et les expositions, dont Marcel, quant à lui, est un amateur aussi friand qu'éclairé ; il y va donc seul ou avec des amis.

Malgré l'isolement que recherche Gabrielle et son peu de goût pour la vie sociale, elle et Marcel ne tardent pas à nouer au cours de leurs années en France quelques relations durables. Peu d'entre elles, toutefois, les lient à des Français ; ils dînent bien parfois chez d'Uckermann ou rencontrent des médecins patrons ou collègues de Marcel, mais cela s'arrête là. Leur réseau est formé surtout de Canadiens, diplomates, artistes ou écrivains de passage à Paris. Certains de ces amis sont plutôt ceux de Marcel ; c'est le cas, par exemple, de Paul Beaulieu et de sa femme Simone, qui prêtent à Marcel leur appartement de Neuilly pendant l'été 1948, avant le déménagement à Saint-Germain-en-Laye ; c'est le cas également de Jean Rousseau, qui a été son condisciple à l'Université Laval, et surtout de Jean Soucy, ancien élève de Jean-Paul Lemieux venu parfaire sa formation de peintre dans les académies parisiennes. Les Carbotte, comme on commence à les appeler, voient aussi la journaliste Marcelle Barthe, l'ambassadeur Georges Vanier et Pauline, sa femme, ainsi que Fulgence Charpentier, employé de l'ambassade canadienne qui vient à la Villa Dauphine leur conter les nouvelles du tout-Paris[143]. Quant à Gabrielle, elle retrouve sa vieille amie Paula Bougearel, rentrée en France depuis peu avec son mari, ses enfants et sa mère. Elle se lie aussi d'amitié avec Jeanne Lapointe, professeur de lettres à l'Université Laval, dont elle a fait la connaissance lors de la réception organisée par l'ambassade du Canada à l'occasion du Fémina ; les deux femmes se fréquentent assez régulièrement en 1947-1948, année que Jeanne passe en France. L'année suivante, c'est au tour de Cécile Chabot, récemment élue à la Société royale du Canada, de s'installer à Paris pour un séjour de deux ans ; elle et Gabrielle, après s'être rencontrées par hasard à une exposition de Simone Beaulieu, deviennent aussitôt des amies très proches ; un week-end, c'est Gabrielle qui va à Paris chez Cécile, le week-end suivant, c'est Cécile qui vient à Saint-Germain passer l'après-midi avec Gabrielle. Poétesse, peintre et aquarelliste, Cécile est une femme toute menue, à l'air angélique et au cœur d'enfant ; sa sensibilité, son amour de la nature, son caractère effacé, l'espèce de naïveté qu'elle a devant le monde et la vie, tout en elle correspond aux qualités de ce type de femmes par qui Gabrielle se sent le plus attirée, des femmes comme Esther Perfect, Bernadette ou, plus tard, Berthe Simard et Adrienne Choquette, femmes à la fois rassurantes et fragiles, incapables de malice, d'amertume ou d'envie et qui sont l'image même de l'innocence et de la bonté. Des femmes chez qui elle retrouve, idéalisés, et le souvenir de sa mère et la projection de sa propre identité, de l'une de ses identités rêvées. Entre Cécile et elle, le lien noué pendant ces années parisiennes ne se relâchera jamais.

Si elle apprécie son existence tranquille à Saint-Germain, Gabrielle n'aime rien tant, cependant, que les balades en voiture avec Marcel. Il ne se passe pratiquement pas un week-end sans qu'ils partent, seuls ou avec un ami, explorer l'un ou l'autre coin des environs de Paris, d'Île-de-France ou des régions avoisinantes, éblouis par la douceur de la nature et « le raffinement des formes, des couleurs, des œuvres[144] ». Dès que Marcel peut prendre un congé de quelques jours, ils entreprennent un voyage vers une région plus éloignée. Ainsi, ils passent les vacances de Pâques 1948 en Normandie, où Gabrielle veut retrouver la mer et visiter « certains petits villages immortalisés par Proust : Balbec entre autres[145] ». Pour les fêtes de fin d'année, ils se rendent en Provence, où Gabrielle, prise du « besoin [...] de repasser par où j'avais été heureuse », éprouve le même ravissement que dix ans plus tôt, quand elle s'y trouvait avec Ruby. Avant de rentrer à Paris, elle tient à faire un détour par Castries pour revoir Mme Paulet-Cassan et lui présenter son mari[146].

L'année suivante est tout aussi occupée. En avril 1949, comme la mère de Marcel est de passage en Belgique, c'est de ce côté qu'ils se dirigent, emmenant avec eux Cécile Chabot ; après quelques jours dans la famille de Marcel, non loin de Bruxelles, ils visitent Bruges, Gand, Anvers et poussent jusqu'à Amsterdam. Quelques mois plus tard, Gabrielle et Marcel vont passer le mois de juillet dans les Basses-

Pyrénées : « Il est bien agréable, écrit-elle à Me Nadeau, de se trouver parmi des êtres humains qui savent encore jouir en toute innocence[147]. » Enfin, pour Noël et le jour de l'An, ils partent en Alsace, chez Paula, toujours accompagnés de Cécile ; c'est que Paula vit maintenant à Strasbourg, où son mari a été nommé au tout nouveau Conseil de l'Europe.

S'ils voyagent ensemble, Gabrielle et Marcel ne voyagent pas de la même manière. Tandis que lui, le nez dans le guide, cherche les églises, les monuments, les musées, s'arrêtant à tout moment pour acheter des piles de cartes postales, elle contemple les paysages et s'intéresse aux gens du terroir. C'est par là, dit-elle, que la France lui procure ses plus fortes émotions, non pas des émotions artistiques, « qui sont d'un ordre différent, s'adressant en partie à l'intelligence, mais [de] grandes impressions provoquées par la nature alliée à des types particuliers de l'humanité[148] ». D'où son attachement pour les lieux les plus « sauvages », la Camargue ou la côte de Bretagne, par exemple, auxquelles elle consacre quelques textes dont la facture se situe à mi-chemin du récit de voyage poétique et du reportage qu'elle a tant pratiqué naguère[149].

Le deuxième livre

Ces excursions d'un jour et ces petits voyages en compagnie de Marcel sont presque toujours pour Gabrielle des moments de détente qui lui permettent de délaisser provisoirement sa tâche d'écrivain ; mais cette détente doit rester brève, sous peine d'engendrer un sentiment de culpabilité. Car elle n'a, depuis la publication de *Bonheur d'occasion* et plus encore depuis son arrivée en France, qu'une seule préoccupation — et qu'une seule occupation : l'écriture d'un nouveau livre. C'est la question que lui posent tous les journalistes ; c'est ce que tous, éditeur, critiques, lecteurs, attendent d'elle ; et c'est ce à quoi elle-même aspire de toutes ses forces : prouver aux autres et se prouver à elle-même, conformément à la prédiction d'Henri Girard, qu'elle ne sera pas, comme tant d'autres écrivains canadiens, « l'auteur d'un seul livre ».

Directement proportionnelle à la gloire que lui a apportée son premier roman, cette pression ne la quitte jamais, lui inspirant tantôt « le remords de ne pas mériter tout ce que je possède[150] », tantôt la poussant à travailler comme une forcenée et la plongeant dans une anxiété qui la prive de ses moyens. « Jamais je n'ai pu travailler sur commande, écrit-elle à Marcel en janvier 1948. J'ai éprouvé alors un sentiment d'angoisse qui m'a paralysée. Et ce sentiment de commande, je l'éprouve au contact de presque tous les gens[151]. » À quoi Marcel répond : « Il y a quelque chose de décroché en toi, mon cher amour, qu'il faudra connaître et ressaisir. Rappelle-toi ce que Étienne Gilson te disait [...] : Rien ne presse, prenez votre temps, madame, il y a trop de mauvais livres écrits à la hâte par des gens qui ont pourtant beaucoup de talent[152]. »

Mais rien n'y fait. Plus le temps passe et plus la tenaille l'urgence de donner ce deuxième livre qu'on attend d'elle, en même temps que la crainte qu'il ne soit pas à la hauteur du premier. C'est pour cela, d'abord et avant tout, c'est-à-dire pour se donner toutes les chances de répondre dignement à la « commande » qui pèse sur elle, qu'elle a décidé de s'établir en Europe et d'y rester si longtemps, espérant que cet « exil » aux sources de l'art et de la littérature serait plus favorable à la poursuite de son œuvre et de sa carrière que le retour au pays. Toute son existence, au Lutétia comme à la Villa Dauphine, s'organise donc autour de l'écriture. Chaque matin, du lever jusque vers midi, les idées claires et le corps dispos, elle s'installe à sa table et tape quelques pages ; ces heures pour elle sont sacrées. Tout le reste, amitiés, correspondance, promenades, est reporté à l'après-midi et à la soirée. Cette routine, qu'elle a établie dès son premier séjour en Europe et suivie fidèlement depuis, ne changera pas de toute sa vie.

Si strict qu'il soit, le rituel quotidien ne suffit pourtant pas à lui procurer la liberté et la totale disponibilité d'esprit dont elle a besoin pour progresser dans son travail. Elle a beau réserver ses matinées, les bruits du monde, les menus soucis, le téléphone, les rendez-vous et autres obligations sociales l'empêchent de se concentrer aussi parfaitement qu'elle le voudrait. Et puis, il y a Marcel, dont les allées et venues, les humeurs, la simple présence entrent parfois en conflit avec les exigences « professionnelles » de sa femme et gênent son recueillement. Aussi Gabrielle conserve-t-elle, pendant ces trois années en France, l'habitude acquise du temps qu'elle était journaliste : celle de se ménager au moins une fois l'an une période qui lui appartienne totalement, qui appartienne totalement à son écriture. Pour cela, il lui faut l'isolement loin de la ville, loin des tracas quotidiens et de toute compagnie familière, en un lieu écarté où elle n'aura rien d'autre à faire que méditer, examiner ses pensées, en se laissant vivre au jour le jour, dans le repos du corps et de l'esprit, la contemplation de la nature et l'oubli de tout ce qui n'est pas l'essentiel : sa vocation d'écrivain.

Bien que le séjour de janvier 1948 à Genève en fût déjà une illustration, c'est généralement en été que Gabrielle s'offre — ou s'impose — ces périodes de « veuvage » qui tiennent à la fois de la retraite studieuse et des vacances, et dont la durée peut s'étendre sur plusieurs semaines. C'est ainsi qu'en juin 1948 elle part s'établir à Concarneau, dans le Finistère. Si elle a choisi la Bretagne, c'est qu'elle espère retrouver, dans ce paysage de mer et de côte déchiquetée qui lui rappelle la Gaspésie, l'ambiance féconde qu'elle a connue à Port-Daniel du temps qu'elle écrivait *Bonheur d'occasion*. Elle loge non loin de la plage, à l'hôtel de Cornouailles, un établissement plus que confortable fréquenté par des pensionnaires anglais, belges et suisses avec qui elle entretient des relations polies mais distantes. En peu de jours, son horaire est établi, qu'elle résume comme suit à son « cher grand Marcel » qui, lui, passe l'été à Paris :

> Petit déjeuner entre 8 et 9 heures ; travail ou semblant de travail jusqu'à midi, midi et demi ; petite promenade à la ville de Concarneau ou sur la plage ; déjeuner ; lettre à mon Marcel, puis, s'il fait soleil, longue flânerie sur le sable ; autrement, Gaby part pour une autre marche en songeant à toi ; puis, vers la fin de l'après-midi, je m'accorde de lire une heure ou deux. Enfin, je dîne vers 8 heures, reste dehors quelques minutes, puis je me retire et me couche aux environs de dix heures et demie[153].

Ses lettres quotidiennes à son mari sont remplies d'affection, de recommandations attentionnées, de mots d'amour, mais aussi du besoin de le rassurer et de lui faire accepter leur séparation. À « une sorte de rancune contre mon besoin de solitude, ou plutôt une sorte de reproche triste » qu'elle perçoit dans les lettres de Marcel, elle réplique aussitôt : « Mais, chéri, autant alors me reprocher la nécessité de manger, de respirer, de penser. Je voudrais tellement que tu fusses complètement d'esprit avec moi, c'est-à-dire d'accord même dans les exigences dures et qui nous font souffrir. » Et elle lui rappelle le pacte tacite qui doit continuer de les lier : « De temps en temps, il me faudra bien m'éloigner, te demander ce sacrifice, mais ce ne sera jamais sans peine et sans t'aimer davantage pour la générosité de ton cœur[154]. » C'est elle, toujours, qui décide de la durée de leur séparation, selon ce que lui impose son travail. Ainsi, le 3 juillet, elle écrit à Marcel qui se plaint de sa solitude :

> Chéri, je t'en prie, ne te désole pas ainsi. Après tout, je ne demeurerai peut-être pas ici tout l'été. Considérons maintenant une séparation de 2 à 3 semaines, puis après nous verrons. Je me suis tellement ennuyée ces derniers jours que j'ai bien failli t'appeler et te demander de venir me chercher. Mais j'en aurais eu honte tôt ou tard. Je vais donc essayer de rester quelque temps[155].

Deux semaines plus tard, après qu'il lui a demandé de fixer la date de son retour, elle répond :

> Dès maintenant, je ne puis t'affirmer que je serai prête à partir vers le 20 août. Tout dépendra du travail que j'aurai accompli jusque-là. Il se peut que j'y arrive, mais j'en doute. Et cette fois je tiens à ne pas interrompre mon travail tant qu'il ne sera pas assez avancé pour ne pas craindre les interruptions et l'ennui d'un déplacement[156].

Finalement, elle demeure seule à l'hôtel de Cornouailles jusqu'au 28 août, date à laquelle Marcel vient la rejoindre. Ils passent ensemble les deux premières semaines de septembre à visiter les environs et à découvrir les coutumes du pays, assistant notamment au « pardon » de Sainte-Anne-la-Palud. De son séjour de près de trois mois en Bretagne, Gabrielle, au moment de repartir pour Paris, emporte un souvenir émerveillé. « J'ai aimé Concarneau, dit-elle à Jeanne Lapointe, comme peu d'endroits au monde. [...] C'est un de ces petits coins sauvages [...] où l'on s'imagine que l'on pourrait vivre heureux, sans désirs, pauvres fous que nous sommes[157]. »

Ce contentement lui vient surtout du repos et de la détente nerveuse que lui ont procurés ses vacances. Car pour ce qui est de son travail d'écrivain, il n'a guère progressé. Certes, il ne lui a fallu que quelques jours de solitude pour retrouver, comme à Genève l'hiver d'avant, la « pure et délicieuse émotion » de pouvoir écrire « avec une facilité que j'avais perdue depuis longtemps[158] », mais cela n'a donné que deux petites nouvelles inspirées de la vie de l'hôtel, ainsi qu'une évocation lourdement symbolique de l'île de Sein, au large de la pointe du Raz[159]. Aucun de ces textes ne porte vraiment à conséquence, et le deuxième livre qui ferait suite à *Bonheur d'occasion* n'est toujours pas en chantier.

Non seulement il n'est pas en chantier, mais c'est même durant cet été en Bretagne que Gabrielle abandonne un projet de roman auquel elle a commencé à travailler, semble-t-il, dès les premiers mois de l'année 1947, à Rawdon, sinon plus tôt encore, à l'époque des *Contes de la Plaine*. Ce projet est celui d'une vaste fresque en forme de « saga » relatant l'histoire de ses propres parents et, à travers eux, des immigrants canadiens-français qui ont quitté le Québec à la fin du XIXe siècle pour aller s'établir sur les terres neuves du Manitoba. L'histoire met en scène François Hébert, cultivateur à Saint-Alphonse-de-Rodriguez, sa femme Domitilde, surnommée « Bobonne », et leurs enfants, dont la plus jeune, Évangéline (ou Line, ou Lina), est encore adolescente au moment du grand départ vers l'Ouest et devient bientôt le personnage principal de l'intrigue. Après avoir éprouvé une folle passion pour Donald McGillivray, un jeune Écossais rencontré au cours du voyage, Line se résigne à épouser Édouard Tessier, lui-même colon et militant du Parti libéral[160]. À ce projet, Gabrielle n'a cessé de travailler depuis qu'elle est en France, ne s'arrêtant que pour écrire çà et là un texte bref (par exemple lors de son séjour à Genève), mais y revenant bientôt, reprenant sa recherche de documentation[161] et rédigeant des centaines de pages. Des pages qui ne la satisfont pas, toutefois ; elle ne trouve pas le ton, la forme, le style qui conviendraient à une œuvre dont le propos, peut-être, est trop ambitieux ou trop mal défini, hésitant entre le roman sociohistorique et le récit d'éducation, entre le tableau de toute une collectivité et l'aventure intérieure d'une jeune fille à la recherche d'elle-même. Malgré ses efforts, c'est l'impasse, et elle décide finalement, peu après son arrivée à Concarneau, de « remettre à plus tard le travail en marche depuis si longtemps[162] ».

Rentrée à Paris à la fin de septembre et installée le mois suivant dans son nouveau décor de Saint-Germain-en-Laye, elle n'a donc toujours pas de deuxième livre devant elle. Des manuscrits, oui : le « conte » écrit en Suisse l'hiver précédent, quelques nouvelles apportées du Canada, plusieurs chapitres de la « saga », ses textes de Bretagne ; mais rien de tout cela ne semble pouvoir déboucher sur un livre. Il faut chercher autre chose. En cet automne 1948, elle se lance dans un projet plus ou moins bizarre, dont il reste aujourd'hui trois manuscrits de nouvelles à la fois autonomes et liées les unes aux autres : « Le déluge », « La première femme » et « Dieu[163] ». À mi-chemin de la paléontologie fantastique et de l'imitation biblique, c'est la reconstitution, dans un style ampoulé et maladroit, des origines fictives de l'humanité, fable où la violence le dispute à l'instinct de solidarité, la douleur à l'amour, la soumission à la révolte. Pour nous, ces textes n'auraient d'autre intérêt que d'illustrer le désarroi esthétique dans lequel se débat l'auteur de *Bonheur d'occasion*, si n'y transparaissait également, en filigrane, un aspect peu connu de sa pensée et de sa sensibilité de cette époque : une vision extrêmement pessimiste de la condition féminine et du rapport entre les sexes. La deuxième nouvelle, en particulier, présente, sous les traits de « Grunhilde », une Ève nouvelle prenant conscience, dès l'aube des temps, de ce que sera le sort éternel de la femme, soumise au désir brutal de l'homme et condamnée à la sexualité, donc à la procréation, donc à la souffrance.

> Son cœur sauvage n'était pas encore brouillé par la tendresse et la pitié. Son esprit apercevait peu de choses, mais ceci il avait pourtant saisi : l'amour perpétuait la douleur. Là était le venin, la contrainte, le poison. Dans l'amour[164].

Écrits rapidement, ces textes restent eux aussi au fond du tiroir, Gabrielle les jugeant sans doute trop crus, trop « à thèse » ou trop peu poétiques pour qu'il vaille la peine de les retravailler ou de pousser plus avant le projet qui leur a donné naissance. Dans les mois qui suivent, elle fait une nouvelle tentative en écrivant deux autres nouvelles, inspirées cette fois de son passage en Belgique avec Marcel[165], mais sans que cela l'oriente davantage vers une idée de deuxième livre possible. Ces impasses successives, jointes à l'angoisse du temps qui lui échappe — elle a quarante ans ce printemps-là —, minent peu à peu son moral. « J'ai souvent été découragée récemment, écrit-elle à Bill Deacon au mois d'avril 1949, de voir le peu de travail que j'ai accompli[166]. » Comme d'habitude, sa santé s'en ressent ; il suffit que l'écriture lui fasse défaut pour que reviennent les ennuis gastriques, les maux de gorge, les insomnies et toute « la nuée des petits diables qui me font la vie dure[167] ».

Tel est vraisemblablement l'état d'esprit dans lequel elle se trouve lorsque, en mai ou juin 1949, une de ses petites excursions en voiture avec Marcel et des amis (dont Paula Bougearel et Cécile Chabot) la conduit du côté de Chartres où la cathédrale vient de retrouver ses vitraux que l'on avait retirés pendant la durée de la guerre. Cette visite ravive en elle une impression qu'elle a vécue l'année d'avant ici même, sur le parvis de Chartres, en compagnie de Marcel et de Jeanne Lapointe[168]. Ce jour-là, en effet, a surgi dans sa mémoire une image pour le moins incongrue en ce lieu d'extrême civilisation : l'image de la Petite-Poule-d'Eau, de sa grande nature inviolée, de ce désert du bout du monde où, jeune institutrice, elle a passé quelques semaines une douzaine d'années auparavant. Et « ce fut en moi, dira-t-elle plus tard, comme une sorte de douce et poétique nostalgie de cette île où je m'étais si fortement ennuyée[169]. »

Dans le récit qu'elle en fera en 1956, récit où semblent se fondre les souvenirs des deux excursions effectuées à Chartres en 1948 et 1949, Gabrielle Roy attribuera à ce souvenir soudain, à cette sorte d'« illumination », le déclenchement du processus d'où devait naître son deuxième livre tant attendu, *La Petite Poule d'Eau*, à l'écriture duquel sera consacrée toute la dernière année de son séjour en Europe.

Si décisive qu'a pu être l'impulsion de Chartres, la genèse de ce livre tient aussi à d'autres circonstances qui valent d'être signalées. Entre autres, cette suggestion que faisait à la romancière le critique André Rousseaux, dans son compte rendu élogieux de *Bonheur d'occasion*, d'écrire un livre sur ses débuts d'institutrice dans la Prairie canadienne. Ou encore les conversations que Gabrielle a eues avec Marcel au sujet de la région de la Poule-d'Eau, que ce dernier connaît très bien pour avoir lui-même pratiqué, jeune médecin, à Sainte-Rose-du-Lac, avant de s'établir à Saint-Boniface. À l'été 1947, peu avant leur mariage, il semble qu'ils y soient retournés ensemble au cours d'une randonnée en automobile, et Marcel en a profité pour présenter à sa femme un vieil ami qu'il avait soigné naguère, le père Antoine-Marie de Lykochine, comte russe devenu missionnaire capucin et établi à Toutes-Aides depuis 1940 ; au village, on admirait le père pour ses dons de polyglotte et pour l'aide qu'il apportait à ses paroissiens métis dans leurs transactions avec les marchands de fourrures de Winnipeg[170].

Cela dit, l'« illumination de Chartres » reste un moment décisif de cristallisation, où Gabrielle aperçoit d'un coup, comme cela lui arrive ordinairement, les grandes lignes et la signification centrale de l'œuvre à venir. Dans son récit ultérieur de l'épisode, cette signification lui paraîtra liée au contexte historique de son séjour en France :

> Peut-être les temps étaient-ils propices à cette nostalgie. En Europe, au lendemain de la guerre, j'avais vu les traces des grandes souffrances, du mal profond que s'infligent les vieilles nations. Et, pour se détendre, pour espérer, sans doute mon imagination se plaisait-elle à retourner au pays de la Petite-Poule-d'Eau, intact, comme à peine sorti des songes du Créateur. Là, me dis-je, les chances de l'espèce humaine sont presque entières encore ; là, les hommes pourraient peut-être, s'ils le voulaient, recommencer à neuf[171].

Une telle interprétation est certainement juste. Gabrielle, au cours de cette époque marquée par la fondation de l'ONU et les interrogations sur les causes de la Deuxième Guerre mondiale, est fort préoccupée, comme beaucoup d'artistes et d'intellectuels, par l'avenir de l'humanité et le sort de la civilisation. En témoignent son discours de réception à la Société royale du Canada, son intérêt pour les propos de Teilhard de Chardin, ses nouvelles inédites de l'automne 1948 et bien des passages de sa correspondance. Mais il n'empêche que l'« illumination de Chartres » a d'autres significations que l'on ne peut pas omettre de souligner, des significations plus personnelles et plus immédiates, liées à la situation dans laquelle se trouve alors la romancière en quête d'un deuxième livre qui tarde cruellement à venir.

Cette situation « professionnelle » de plus en plus difficile, le souvenir de la Petite-Poule-d'Eau vient en effet la dénouer comme par miracle, offrant à Gabrielle l'occasion d'échapper à la pression qui la paralyse et de retrouver les voies de l'écriture. Aussi n'est-ce pas seulement à « l'espèce humaine » que l'évocation de ce « pays [...] intact, comme à peine sorti des songes du Créateur » peut apporter le salut, mais aussi — et surtout — à la romancière elle-même qui, grâce à cette image venue de son propre passé et des paysages où elle a vécu, peut enfin « se détendre », « espérer » et, « peut-être, recommencer à neuf ».

Ce recommencement s'accomplit donc par une sorte de régression. Grâce à la mémoire et à l'imagination, son esprit se détourne du présent et s'affranchit de la « commande » qui l'oblige à donner une suite à *Bonheur d'occasion*. En se repliant sur le souvenir de la Petite-Poule-d'Eau, c'est-à-dire d'une époque de sa vie où elle n'était pas encore l'auteur de *Bonheur d'occasion*, où tout n'était encore pour elle que liberté et promesse d'avenir et où « [ses] chances [étaient] presque entières encore », elle retrouve une disponibilité d'esprit qui lui permet non seulement d'écrire son deuxième livre, mais de l'écrire, ce deuxième livre, comme s'il était le tout premier. Car telle est alors la seule issue possible si elle veut continuer à écrire : se détacher radicalement de *Bonheur d'occasion*, l'oublier, et chercher un univers totalement différent. En d'autres mots, écrire non pas dans le prolongement de son premier livre, comme elle a tenté plus ou moins de le faire jusque-là, mais bien *contre* ce premier livre, en imaginant un monde, des personnages, une forme même, qui prendront le contre-pied exact de tout ce que *Bonheur d'occasion* laissait prévoir. Au réalisme social s'opposeront ainsi le rêve et l'utopie ; au présent, le passé ; au décor urbain, la grande nature sauvage ; à la souffrance, le bonheur ; aux inégalités sociales et ethniques, l'harmonie et la fraternité ; aux Lacasse, la famille de Luzina et Hippolyte Tousignant. *La Petite Poule d'Eau* sera ainsi une sorte de *Bonheur d'occasion* en creux, un anti-*Bonheur d'occasion,* une œuvre dans laquelle un auteur se libère enfin de la gloire que lui a apportée son premier roman.

Ce deuxième livre, Gabrielle commence à l'écrire, semble-t-il, à l'été 1949, avec une facilité qu'elle n'a pas éprouvée depuis longtemps. La matière ne manque pas. Il y a d'abord, bien sûr, les souvenirs de son séjour de l'été 1937 au « ranch-à-Jeannotte », chez les Côté. Mais à ces souvenirs se mêlent bientôt d'autres images qui leur ressemblent et les complètent, comme celles de l'été 1936 à Camperville, dans la famille de sa cousine Éliane, ou même celles de l'époque où, enfant et adolescente, elle passait ses vacances à la ferme de l'oncle Excide. À tout cela s'ajoutent les connaissances et les souvenirs que Marcel a retenus de son propre séjour à la Poule-d'Eau et qu'il lui communique généreusement. Pendant tout le temps qu'elle écrira *La Petite Poule d'Eau,* Gabrielle pourra d'ailleurs compter sur l'aide et les avis de son mari, qui suit de près la progression du manuscrit et se sent personnellement engagé dans cette création, ce dont témoignera la dédicace du livre : « À Marcel ».

L'aisance avec laquelle s'écrit *La Petite Poule d'Eau* tient aussi à des raisons plus proprement littéraires. Après l'effort de composition serrée que lui a demandé *Bonheur d'occasion,* voici que la romancière expérimente une forme plus souple, plus déliée que celle du roman classique : l'enchaînement d'histoires à la fois complètes par elles-mêmes, indépendantes les unes des autres, et cependant reliées par le même thème, le même espace, le retour des mêmes personnages et, surtout, l'adoption d'un ton et d'un point de vue communs. *La Petite Poule d'Eau,* c'est aussi, après le style « documentaire » de *Bonheur d'occasion,* la découverte d'un nouveau regard sur les êtres et les choses, un regard tout empreint de poésie, d'émotion, d'ironie douce, qui permet à Gabrielle de renouer avec ses amours de jeunesse, et en particulier avec le Tchekhov de *La Steppe,* dont l'influence ne sera nulle part aussi visible que dans ce livre.

Au milieu de l'été, la première histoire, intitulée « Les vacances de Luzina », est achevée. Dès lors, Gabrielle n'a qu'une idée en tête : se retirer seule pour écrire la suite de son livre. Après de courtes vacances à Ascain avec Marcel, elle choisit de retourner sur les lieux où a commencé sa carrière d'écrivain, onze ans plus tôt : à Upshire, en Angleterre, chez son amie Esther Perfect[172]. Arrivée le 14 août, elle y restera jusqu'au 13 octobre. Le village et la maison n'ont pas changé, si ce n'est que les séquelles de la guerre y ont rendu la vie un peu moins douce, à cause du rationnement, des difficultés d'approvisionnement et de la pauvreté relative à laquelle sont réduits Esther et son père ; mais l'argent que verse Gabrielle pour sa pension les soulage quelque peu et les rend encore plus attentionnés à son égard. Pour le reste, c'est le même décor charmant, amène et tranquille, où l'on « a la sensation de vivre en dehors de toute époque déterminée et dans une atmosphère que l'horreur de notre siècle aurait épargnée[173] ».

Au début de son séjour, Gabrielle ne cherche qu'à se reposer et à se refaire une santé : elle mange « comme une ogresse », se promène dans la campagne, relit Wordsworth, fait de la broderie et de la photo, herborise en compagnie d'Esther, va de temps à autre à Londres pour visiter des musées ou revoir Connie Smith, l'amie de jadis, et surtout elle se laisse bercer comme autrefois par la beauté et le calme du lieu. « Mon séjour ici, écrit-elle à Marcel une semaine après son arrivée, me procure la plus grande détente. Il serait vraiment impossible, je crois, de ne pas être apaisée par ce village doucement endormi au flanc des souvenirs et de la forêt, et surtout par la patience jamais démentie de ceux qui me donnent l'abri[174]. »

Car Upshire, en plus d'être comme une « oasis de bonheur dans la mer tourmentée de la vie[175] », offre cette qualité que ni Genève ni Concarneau ne possédaient et qui, pour Gabrielle, est plus précieuse que toute autre : la présence à ses côtés d'un être tendrement dévoué, qui non seulement lui dispense tout ce qu'une mère peut donner, affection, soins, admiration, protection, mais le fait avec une infinie délicatesse. Or telle est justement l'angélique Esther, que Gabrielle présente en ces termes à Marcel :

> Quel personnage délicieux que cette Esther. [...] Elle a quelque chose de Cécile Chabot, sans le talent peut-être, mais bien ce côté sentimental, trop doux, naïf, qui frôle la mièvrerie et cependant en est toujours loin par une ingénuité, une parfaite innocence de l'âme. [...] Esther, je crois, est une de ces rares personnes qui continuent à voir le quotidien avec un regard inhabitué à sa beauté et qui ne cesse d'en recevoir de la joie. Je m'émerveille qu'ayant vécu dans ce petit village, elle en saisisse encore la douce harmonie, qu'elle remarque chaque fleur sur son passage et qu'elle ait encore de la joie à voir flotter un nuage. [...] La pauvre enfant a refusé une fois pour toutes [...] de voir la laideur et la méchanceté du monde et elle peuple l'univers de sa propre charité et de sa propre candeur[176].

Gabrielle ne tarde pas, dans cette ambiance idyllique, à se remettre à écrire. Ne serait-ce que pour le rassurer et apaiser son ennui, elle tient Marcel au courant de ses progrès. Le 29 août, elle lui écrit : « Je n'ose pas encore te parler du travail que j'ai fait et qui me découragerait si je te le livrais dans l'état actuel, mais j'ai acquis un peu de confiance… » Une semaine plus tard, les nouvelles sont meilleures : « Je travaille maintenant tous les matins avec un peu moins de difficultés, et rien ne me rendrait si heureuse que d'avoir quelque chose à montrer au sortir d'Upshire. » Le 20 septembre, enfin, elle lui annonce qu'elle a « mis en marche une longue nouvelle qui fera pendant aux Vacances de Luzina », le prévenant du même coup qu'il ne doit pas attendre son retour pour bientôt : « J'aimerais, dit-elle, en terminer une première ébauche avant de boucler mes valises et quitter Upshire, car je voudrais conserver l'allure du récit et ne pas risquer de la compromettre par le moindre changement à mes habitudes présentes. »

Cette longue nouvelle, c'est soit « L'école de la Petite Poule d'Eau », où apparaît le personnage de Mademoiselle Côté, la petite institutrice en qui, dira Gabrielle Roy, « quelques lecteurs de mon livre ont bien voulu me reconnaître[177] », soit « Le Capucin de Toutes-Aides », la dernière des trois histoires qui formeront le livre[178]. Quoi qu'il en soit, lorsque Gabrielle rentre à Saint-Germain-en-Laye vers la mi-octobre, son travail a franchi le point de non-retour ; le deuxième livre, cette fois, est bel et bien en train.

De la Ville lumière à Ville LaSalle

Son dernier automne et son dernier hiver en Europe, la romancière les consacre à l'achèvement de *La Petite Poule d'Eau*, dont elle reprend et complète les ébauches exécutées à Saint-Germain et à Upshire entre juin et octobre 1949. La dernière page du manuscrit final — et du livre publié — porte la mention : « Mai 1950, Saint-Germain-en-Laye ». Gabrielle peut enfin soumettre sa nouvelle œuvre à René d'Uckermann, le directeur de Flammarion, qui lui répond aussitôt : « *La Petite Poule d'Eau* est un livre excellent, appelé à devenir classique[179]. » Elle enverra également le manuscrit à Jean-Marie Nadeau, en lui demandant de le transmettre aux Éditions Beauchemin et à Eugene Reynal, l'ancien patron de Reynal & Hitchcock, qui est maintenant son éditeur attitré chez Harcourt Brace.

Le livre terminé, Gabrielle et Marcel n'ont plus de raison de demeurer en Europe, d'autant plus que les études de Marcel touchent à leur fin et qu'il faut songer à son établissement. De plus, même si l'argent ne manque pas, à Gabrielle le temps semble venu, après bientôt trois ans de dépenses, de réduire quelque peu son train de vie afin que ses économies ne s'épuisent pas ; cet argent lui sera bien utile en 1954, année fatidique où vont cesser les rentrées de dollars en provenance des États-Unis. Sa santé, également, lui donne du souci ; elle se sent « fatiguée presque continuellement », on lui diagnostique bientôt « un petit goitre et tous les signes de l'hyperthyroïdie[180] », ce qui veut dire qu'une opération sera peut-être nécessaire. Enfin, il y a l'ennui du pays : comme bien des « exilés » qu'un éloignement prolongé amène à idéaliser les êtres et les paysages quittés, Gabrielle, depuis quelque temps déjà, se prend à rêver de « l'incomparable beauté, jeunesse, dynamisme de la vie canadienne » et à se découvrir « de l'affection pour bien des choses qu'[elle] n'était pas [consciente] d'aimer » avant de les avoir perdues de vue[181]. Nourrie par cette nostalgie du Canada, l'écriture de *La Petite Poule d'Eau* n'a fait que la renforcer.

Le retour est fixé à la fin de l'été 1950. En juin, pendant que Marcel, resté seul à la Villa Dauphine, s'affaire à préparer les malles et à essayer de vendre leur vieille voiture, Gabrielle quitte de nouveau Paris pour un dernier séjour de travail en solitaire, cette fois dans le petit village de Lyons-la-Forêt, en Haute-Normandie, où elle prend pension à l'hôtel de la Licorne. Qu'y écrit-elle, combien de temps y reste-t-elle, impossible de le savoir, car seules deux de ses lettres sont conservées, datées du 20 et du 21 juin. Mais il semble qu'un conflit — dont on ne connaît pas la raison — ait surgi entre Marcel et elle, entraînant son retour précipité à Paris et leur laissant à tous deux le souvenir amer de « la fâcheuse aventure de Lyons-la-Forêt[182] ».

À la mi-août, Gabrielle est à la Villa Dauphine, où elle règle les derniers préparatifs du départ. « Je vous prie, écrit-elle à Me Nadeau, de ne signaler mon arrivée d'aucune façon. Je tiens absolument à vivre une vie très retirée dont j'ai d'ailleurs le plus grand besoin[183]. » Elle et Marcel quittent définitivement Saint-Germain le 25 ou le 26 août. Ils vont d'abord à Londres, au Mayfair Hotel, pour quelques jours de tourisme et de magasinage, puis à Liverpool, où ils s'embarquent à bord du paquebot *Ascania*, qui accoste à Montréal le 15 septembre 1950.

Comme beaucoup de « retours d'Europe », Gabrielle éprouve d'abord un choc. « Beaucoup de choses blessent, écrit-elle à Cécile Chabot qui est toujours à Paris. Le parler canadien paraît atroce à qui a pris l'habitude du beau parler français. La réclame est odieuse[184]. » Les journaux canadiens la désolent. Le dépaysement va s'atténuer, bien sûr, puis disparaître, mais elle continuera à lire le *Figaro littéraire*, la *Revue de Paris* ou les *Nouvelles littéraires* et gardera longtemps, dans sa manière de parler, l'accent un peu compassé acquis pendant ses trois années françaises.

La première chose à faire, pour Marcel et pour elle, est de trouver un logement. Plusieurs fois, quand ils étaient en Europe, ils ont évoqué leur désir de vivre dans une « vieille ferme » à Rawdon, où ils seraient seuls, loin de tout, jouissant d'un bonheur tranquille et sans nuages ; il y aurait là, imaginait Gabrielle, « mes couvre-pieds, mon tapis natté, un poêle du Québec, des étagères pour nos livres, des géraniums en pots, une berceuse ancienne, et [ce serait] le plus joli refuge que tu puisses souhaiter[185] ». Mais ce n'était qu'un rêve, bien sûr, le rêve « robinsonien » de solitude et de fuite que Gabrielle, toute sa vie, ne cessera de caresser. Ce rêve qui lui vient du fond de l'enfance, elle s'y est souvent abandonnée, mais jamais elle n'est parvenue à le réaliser tout à fait ; un autre besoin, tout aussi impérieux, l'en empêche, celui de l'admiration publique et de la présence d'autrui. D'ailleurs, il y a Marcel. Il n'est pas question pour lui, après trois ans de spécialisation en France, d'aller s'enterrer à la campagne. Mais quelle ville choisir ? Un temps, il songe à Québec, où il a fait ses études et a gardé quelques relations. Mais les amis de Gabrielle sont à Montréal et la pressent d'y demeurer. Judith Jasmin se montre la plus insistante, ainsi que Jori et Jean Palardy, qui organisent une petite fête pour saluer le retour des Carbotte et manifestent leur désir de les voir rester auprès d'eux. De leur côté, Albert Jutras et Paul Dumas, eux-mêmes médecins, persuadent Marcel qu'il pourra obtenir un poste dans un grand hôpital de la région. Finalement, la décision est prise : ce sera Montréal.

Gabrielle répugne cependant à s'établir en ville, au milieu de la circulation et de la cohue. Il lui faut un endroit plus retiré, calme et proche de la nature. Comme elle l'a fait à Paris, elle entraîne Marcel vers la banlieue, plus précisément à Ville LaSalle, dont elle garde le meilleur souvenir depuis le temps où, jeune écrivain en quête de gloire, elle venait s'y détendre les jours d'été, arpentant la rive du fleuve et se reposant dans la petite anse non loin des rapides. C'est là, aux limites est de la petite ville, qu'elle et Marcel dénichent le logement qui leur convient, au nº 5 de la rue Alepin. Le quartier tout neuf est habité par des ménages de la classe moyenne que le boom économique d'après-guerre a attirés vers la banlieue ; les petites unifamiliales et les « plex » y poussent comme des champignons, mais la vie y conserve malgré tout quelque chose de presque rural, à cause des arbres, de la campagne voisine et surtout du fleuve qui coule tout près. La maison de M. Hamel, où s'installent les Carbotte, comprend, outre le rez-de-chaussée occupé par le propriétaire et sa famille, deux petits appartements de quatre pièces à l'étage, avec salle de bain, chauffage central et tout le confort moderne de l'époque. Gabrielle et Marcel louent celui de gauche, dont tout le charme vient de ce qu'il donne directement sur le fleuve, que l'on peut voir et entendre à toute heure et au bord duquel on peut se rendre en traversant le boulevard LaSalle, à deux pas.

Gabrielle apprécie le charme de l'endroit et est bien décidée à en profiter. Après leur emménagement au début d'octobre, elle reprend avec plaisir ses longues promenades à pied. Marcel et elle font des randonnées en voiture dans les environs. Mais les conditions matérielles dans lesquelles elle doit vivre sont bien « loin de la vie ouatée, protégée que je menais à la [Villa] Dauphine », comme elle l'écrit à son amie Cécile. Le train-train quotidien ne lui réussit guère. Gabrielle, qui vit pour la première fois dans un appartement à elle, ne se sent ni goût ni aptitudes pour les mille petites tâches que requiert la tenue d'une maison. Il lui faudrait une domestique. Elle a voulu, avant de repartir d'Europe, ramener avec elle Irène, la petite bonne de la Villa Dauphine, mais celle-ci a été mise enceinte par le cuisinier et il a fallu renoncer au projet. Quant à trouver quelqu'un sur place, la chose paraît impossible en ces années de baby-boom et de plein emploi. En attendant, c'est Marcel qui fait la cuisine et le ménage, ce qui n'est guère difficile vu le peu de meubles qu'ils possèdent et la frugalité de leur régime.

Il faut dire que Gabrielle, pendant tout cet automne-là, ne se porte pas très bien. Le docteur Dumas, qu'elle consulte peu après son retour d'Europe, diagnostique un tel état de faiblesse qu'il recommande le repos complet. Cela ne fait que renforcer sa tendance à la réclusion et au repli sur soi. Ses amis ont beau l'inviter, ils ont beau proposer de lui rendre visite, elle refuse chaque fois, invoquant ses ennuis de santé et la nécessité où elle se trouve, si elle veut disposer d'assez d'énergie pour accomplir son travail, de renoncer à tout le reste, c'est-à-dire, pratiquement, à toute vie sociale.

Il faut dire que le travail ne manque pas. Cet automne-là, paraît *La Petite Poule d'Eau*, avec son cortège de tâches aussi ennuyeuses que nécessaires : révision du manuscrit, correction des épreuves, vérification de la mise en pages, etc., toutes tâches que Gabrielle doit effectuer à la hâte, talonnée qu'elle est par M. Issalys, le directeur de Beauchemin, qui veut que l'ouvrage sorte des presses le plus tôt possible. Mais il le veut, en fait, parce que Gabrielle elle-même l'a voulu ; pour des raisons patriotiques, elle tient à tout prix à ce que *La Petite Poule d'Eau* soit publiée à Montréal avant de l'être en France.

À ce sujet, il convient de rappeler les dispositions contractuelles régissant alors la publication des livres de Gabrielle Roy en langue française. D'un côté, il y a Flammarion : en vertu du contrat signé en 1947 pour la publication de *Bonheur d'occasion*, cette maison détient un « droit de priorité » qui oblige l'auteur à lui soumettre ses deux prochains romans. Étant donné que *La Petite Poule d'Eau* n'est pas considéré comme un roman mais bien comme « un recueil de trois récits », on convient que Flammarion l'éditera mais que son droit de priorité continuera de s'appliquer aux deux prochains livres de Gabrielle Roy. Par ailleurs, toujours selon le contrat de 1947, les droits détenus par Flammarion ne valent qu'à l'extérieur du territoire canadien, dans les limites duquel la romancière conserve tous ses droits d'auteur. Elle peut donc confier la publication de ses livres à qui bon lui semble. C'est précisément ce qu'elle fait à l'automne 1950 en signant un contrat séparé pour l'édition canadienne de *La Petite Poule d'Eau* avec la Librairie Beauchemin de Montréal. Plusieurs raisons justifient ce choix : Beauchemin a été (et continue d'être) le distributeur exclusif de *Bonheur d'occasion* au Canada ; la maison entretient déjà des liens d'affaires avec Flammarion ; et enfin, elle est, à Montréal, une des seules maisons laïques encore en activité et aux reins solides, malgré la période creuse que traverse alors l'édition québécoise. Ces arrangements, qui permettent une double publication des œuvres de Gabrielle Roy en France et au Canada, vont s'appliquer désormais à tous ses livres jusqu'à *La Rivière sans repos* (1970).

En ce qui concerne *La Petite Poule d'Eau*, René d'Uckermann a laissé entendre à Gabrielle qu'il serait souhaitable que la sortie parisienne de l'ouvrage ait lieu le plus tôt possible à la rentrée de 1950, d'où la hâte avec laquelle Beauchemin doit travailler. Mais les retards s'accumulent et l'édition Flammarion ne sortira que le 24 mai 1951, c'est-à-dire plus de six mois après l'édition Beauchemin. En France, le livre passera presque inaperçu, ou du moins ne recevra qu'un accueil distrait ou légèrement condescendant. Les ventes ne dépasseront pas quelques milliers d'exemplaires.

Au Québec, par contre, la critique est aux aguets ; on attend beaucoup de l'auteur de *Bonheur d'occasion*. Or l'impression générale suscitée par *La Petite Poule d'Eau* est la déception. Certes, des commentateurs se montrent enthousiastes, en particulier chez les bien-pensants qui se réjouissent de lire enfin, en cette époque de turpitude intellectuelle et morale, « un ouvrage des plus sains » qui contraste avec « le pessimisme désespéré des romans à la mode » et « la complaisance à avilir l'homme[186] » ; Andrée Maillet, pour sa part, voit dans le livre de Gabrielle Roy « le chef-d'œuvre, le premier, l'incontestable chef-d'œuvre de notre littérature, [...] le premier livre sorti de nous, de notre peuple, de notre pays [...] à s'égaler à certaines des grandes œuvres de la littérature universelle[187] ». Mais dans l'ensemble, les opinions sont beaucoup plus réservées, pour ne pas dire négatives. Plusieurs des critiques qui comptent, comme Guy Sylvestre, Gilles Marcotte ou Julia Richer, sans aller jusqu'à l'éreintement comme le fait un Harry Bernard, laissent néanmoins percer leur désappointement[188]. S'il aime le personnage de Luzina, Marcotte déclare que *La Petite Poule d'Eau* « n'est en rien comparable à la révélation que fut pour nous *Bonheur d'occasion* » et espère, pour l'avenir, « une œuvre plus importante ». Même ton mitigé chez Sylvestre : « Alors que dans *Bonheur d'occasion* l'intérêt proprement romanesque était grand, la trame des récits de *La Petite Poule d'Eau* est fort mince, l'intrigue inexistante, et l'analyse des cœurs en somme assez sommaire. » La critique, en fait, est déroutée par l'architecture du livre, qu'elle ne sait trop comment qualifier, et par le style, qui lui paraît maladroit. Au total, le prestige qu'avaient apporté à Gabrielle Roy la publication et le succès de *Bonheur d'occasion* semble quelque peu compromis. « *La Petite Poule d'Eau,* conclut Guy Sylvestre, nous révèle nettement les limites et les valeurs d'un talent qui est un des plus grands que nous ayons découverts chez nous. Gabrielle Roy n'est pas un grand écrivain, mais [...] un des plus honnêtes conteurs que nous ayons et certes un de ces rares écrivains canadiens qui ne nous laissent pas indifférents. »

Malgré la politesse et les circonlocutions dont usent les critiques, Gabrielle voit bien l'incompréhension et la froideur avec lesquelles son livre est reçu dans le milieu littéraire canadien-français[189]. Et elle en est blessée dans son amour-propre comme dans son besoin d'être reconnue et d'avoir du succès. L'amertume qu'elle éprouve n'est probablement pas étrangère à l'aggravation subite de son état de santé. Vers la fin du mois de novembre, le « petit goitre » qu'un médecin de Saint-Germain a diagnostiqué au printemps précédent se met à dégénérer si rapidement qu'elle doit subir une thyroïdectomie. L'opération la contraint à un séjour de deux semaines à l'hôpital et la laisse sans forces, réduite à une passivité complète et alourdie par l'abondance de médicaments qu'elle doit absorber. « Je n'ai plus de réflexes, plus rien dans la tête », écrit-elle à Jeanne Lapointe[190]. À son traducteur qui lui rend visite, elle donne une impression de lassitude extrême, comme « quelqu'un qui revient à la vie après une longue épreuve exténuante mais qui a encore grand besoin de repos[191] ».

Dans l'espoir de hâter sa convalescence, elle va passer la première quinzaine de janvier au lac Guindon, dans les Laurentides ; l'établissement où elle loge se fait appeler la « Villa du Soleil ». Elle revient de là un peu rassérénée et prête à reprendre le travail. Mais Ville LaSalle, malgré la tranquillité et le voisinage du fleuve, n'est guère propice à l'écriture. Qu'elle le veuille ou non, il faut bien qu'elle continue de s'occuper de *La Petite Poule d'Eau*, qu'elle prenne connaissance des critiques qui paraissent, qu'elle accorde çà et là une entrevue, qu'elle reste en contact quasi permanent avec Me Nadeau. Il faut bien aussi qu'elle fréquente le monde et voie quelques amis et connaissances. Ainsi, elle reçoit un jour Ringuet, venu recueillir ses propos pour un article qu'il a promis à la revue *Flammes*, le bulletin des Éditions Flammarion ; Gabrielle, dont le visage paraît « endolori », se montre réservée, comme méfiante devant lui : « [Elle] fuit sous la question, écrira-t-il. Je ne sais personne de plus secret, de plus ennemi de soi[192]. » C'est qu'elle est fort impressionnée par son intervieweur, homme de grande culture et auteur célèbre de *Trente arpents* : « [il] m'intimide toujours un peu, confie-t-elle à Marcel. Je ne sais pas être naturelle et en repos avec lui[193]. »

C'est une Gabrielle toute différente que retrouve à cette époque Judith Jasmin. Les deux femmes, qui se connaissent depuis cinq ou six ans, ont beaucoup de choses en commun, leurs goûts et leurs idées, certes, mais aussi leur expérience du théâtre, de la radio et du journalisme montréalais. Avant le mariage de Gabrielle, elles ont pris l'habitude de se voir et de se téléphoner régulièrement, et quand Gabrielle est partie pour l'Europe, Judith est restée un des points de contact privilégiés entre la Villa Dauphine et Montréal. Elles se retrouvent toujours avec bonheur, bien que leurs rencontres soient peu fréquentes en raison du tempérament plutôt sauvage de Gabrielle et des nombreuses occupations de Judith. Il leur arrive de se voir au domicile de Jean-Marie Nadeau, qui reçoit régulièrement ses clients et amis pour des soirées de discussion entre gens aux idées avancées. Plus rarement, Judith se rend rue Alepin et passe quelques heures avec Gabrielle et Marcel. Le climat est à la confiance et à la détente. « Gabrielle prenait place dans sa berceuse, se souviendra Judith, et se mettait à conter interminablement ; elle est une conteuse née. Phrases toujours correctes, complètes, parfaitement équilibrées. Elle parle comme elle écrit, et ne fait pas de conversations anodines, décousues, que l'on appelle *small talks*. Quand Gabrielle prend la parole, c'est toujours intéressant ; il s'agit d'un petit récit complet, truffé d'un humour léger, que l'on n'ose interrompre[194]. »

Judith est l'une des rares visiteuses admises à l'appartement de Ville LaSalle. Entourée de deux chats mais toujours privée de bonne, Gabrielle ne reçoit — et ne sort — pratiquement jamais. Elle n'écrit guère non plus ; ses efforts sont contrariés par des affaires à régler et une fatigue chronique. Il faut dire aussi que le moral de Marcel n'est pas au plus haut. Contrairement aux promesses qu'on a fait miroiter devant lui, il n'a toujours pas trouvé de poste à Montréal, et la possibilité d'en obtenir un paraît de plus en plus aléatoire. Il continue donc à dépendre financièrement de Gabrielle et, tout cet hiver-là et l'été qui suit, à attendre désespérément qu'une porte s'ouvre pour lui quelque part. Son humeur s'en ressent ; tantôt nerveux, tantôt abattu, il est souvent bougon et tourne dans l'appartement comme un tigre en cage. Gabrielle souffre de le voir ainsi et essaie de le réconforter : « Mais surtout, ne te décourage pas ; tant que tu auras du courage, j'en aurai moi aussi. [...] S'il le faut, nous irons ailleurs. Le monde est vaste et, quelque part, bien sûr, il doit y avoir place pour gagner notre vie à tous deux. Je ne suis nullement découragée par tout ceci, crois-le, je suis toujours persuadée que tout simplement nous traversons une longue période de malchance — mais qu'ensuite le soleil luira pour nous[195]. » Le même jour que cette nième lettre d'encouragement à Marcel, elle en envoie une autre à Jeanne Lapointe, dont le ton est tout différent : « Aucun des projets que nous avons faits ne se réalise [...]. C'est à croire que nous ne sommes voulus nulle part. J'ai le cœur brisé par les déceptions que Marcel a dû souffrir depuis notre retour[196]. »

Ces lettres, Gabrielle les écrit de Gaspésie, où elle passe l'été 1951. N'arrivant ni à se reposer ni à travailler dans l'appartement de Ville LaSalle, elle a décidé de prendre des vacances, sans Marcel ni personne, pour tâcher de se recueillir et de recommencer sérieusement à écrire. Tout comme elle l'a fait deux ans plus tôt en se réfugiant à Upshire, elle renoue avec un autre de ses chers paradis de naguère, la maison de Bertha et Irving McKenzie à Port-Daniel.

Retrouvant avec émotion « ma petite chambre avec sa berceuse, la grande table de travail [...] et mes deux fenêtres ouvertes sur les marguerites, les arbres et, dans le lointain, le bleu de la mer[197] », elle reprend le bon vieux rituel : promenades dans la campagne avoisinante, bains de mer, tricot, lectures (de Gide, notamment) et lettres quotidiennes à Marcel qui, resté seul à Montréal, poursuit vainement ses démarches en quête d'un emploi, n'osant plus se plaindre d'être séparé de sa femme. « Je suis heureuse, lui confie-t-elle peu après son arrivée, que tu puisses maintenant comprendre que la solitude, bien qu'elle soit pour moi une amère pénitence, me soit pourtant utile, de temps en temps. Elle ne fait que raffermir, de toute façon, mon affection pour toi[198]. »

En peu de temps, la villégiatrice sent que sa « pauvre carcasse[199] » se rétablit et qu'elle peut enfin se replonger dans son travail. Moins qu'elle ne le souhaiterait, cependant, car elle doit encore s'occuper de *La Petite Poule d'Eau* dont la traduction anglaise est sur le point de paraître.

Chez Harcourt Brace, le manuscrit a été accepté avant même de paraître en français. Comme Hannah Josephson, la traductrice de *Bonheur d'occasion*, n'est pas disponible, on a recours aux services de Harry Lorin Binsse, qui a déjà à son crédit la traduction de *Sous le soleil de Satan* de Georges Bernanos. Binsse est canadien, fils d'une mère « immensément riche », et « possède à La Malbaie une magnifique demeure », qu'il convertira bientôt en restaurant pour subvenir aux dépenses consécutives à son grand besoin d'alcool. Il sera le traducteur attitré de Gabrielle Roy jusqu'au début des années soixante. Gabrielle apprécie sa grande compétence et sa personnalité gentiment excentrique. La traduction — intitulée *Where Nests the Water Hen* — est prête au printemps 1951 ; Gabrielle la revoit pendant l'été, et le livre paraît en octobre suivant. Là encore, il y a double publication : à New York, sous l'étiquette de Harcourt Brace, et à Toronto, sous celle de McClelland & Stewart, qui ne détient pas les droits mais achète les volumes à Harcourt Brace et verse les redevances directement à Gabrielle Roy, conformément à l'entente déjà négociée avec Reynal & Hitchcock pour *The Tin Flute*.

Lorsqu'il a accepté de publier *La Petite Poule d'Eau*, Eugene Reynal a tenu à prévenir Gabrielle et Me Nadeau que la « forme particulière » de l'ouvrage risquait de présenter « *a marketing hurdle* », un obstacle commercial[200], et qu'il ne fallait peut-être pas compter sur un grand succès de librairie. Cette prévision s'avère exacte. Même si le livre fait l'objet d'une presse abondante et sympathique (surtout dans les villes de l'« Amérique profonde »), même s'il recueille l'admiration des critiques conservateurs qui voient en lui « une brise rafraîchissante, vivifiante » dans une époque littéraire où « si souvent le péché, le crime, la peur et la pure bassesse sont seuls présentés comme "fidèles à la vie" et deviennent des best-sellers[201] », les ventes de *Where Nests the Water Hen* ne décollent pas. Deux mois et demi après la parution, elles stagnent à un peu plus de 4 000 exemplaires pour l'ensemble des États-Unis. Autant dire que le livre est un échec.

Il n'en va pas tout à fait de même, heureusement, au Canada anglais. Bien que là non plus les ventes ne soient pas très satisfaisantes dans l'immédiat, les critiques sont plus favorables qu'elles ne l'ont été au Québec l'année précédente. La structure éclatée du livre gêne moins, et surtout l'on y est plus sensible au caractère « canadien » de l'œuvre. Relevée par quelques critiques américains, dont Sterling North[202], cette « canadianité » de *La Petite Poule d'Eau* fournit des munitions aux défenseurs de la « culture spécifiquement canadienne » qu'essaie de définir et de promouvoir au même moment la Commission Massey, dont le rapport est déposé en 1951. À leur tête, Bill Deacon, le bon ami de Gabrielle, qui entonne de nouveau le panégyrique de « *our little genius from St. Boniface* ». Ce livre, déclare-t-il dans le *Globe & Mail*, exprime mieux que tout autre l'âme du Canada : « Aucun autre écrivain de premier ordre n'a tenté de recréer pour nous la vie de notre plus lointaine frontière. [...] Nulle part ailleurs le pionnier littéraire n'a rejoint et écouté le pionnier du sol. » La même fibre nationale vibre chez W. E. Collin, qui a lu l'ouvrage en français et y voit « un tableau du matériel d'où procédera le Canada à venir[203] ».

Le calvaire d'Alexandre Chenevert

Revenons à Port-Daniel et aux vacances qu'y passe Gabrielle à l'été 1951. Elle est là pour se reposer, certes, mais d'abord et avant tout pour écrire. Comme d'habitude, il faut un certain temps avant qu'elle s'y mette, d'autant plus que l'installation à Ville LaSalle, son opération puis les problèmes auxquels Marcel fait face l'ont tenue à l'écart de l'écriture depuis près d'un an. La « forge », comme elle dit, « a eu le temps de refroidir[204] ».

Bientôt, pourtant, elle parvient — péniblement — à reprendre le travail. Le 11 juillet, près de trois semaines après son arrivée chez les McKenzie, elle demande à Marcel de lui envoyer « 150 à 200 feuilles de papier pour machine à écrire ». Deux jours plus tard, elle peut annoncer que la forge s'est rallumée :

> Je travaille un peu, tous les jours. Rien de très remarquable encore. Cependant j'ai lieu de n'être pas trop mécontente si je considère à quel point j'étais rouillée. J'ai repris la vie de mon cher, de mon pauvre Alexandre Chenevert[205].

Ce cher, ce pauvre personnage du petit caissier montréalais lui est apparu pour la première fois lors de son séjour à Genève en janvier 1948. Il lui aurait été inspiré, racontera-t-elle plus tard, par la vue d'étrangers faisant la queue devant un bureau du gouvernement, à Paris, un jour de l'automne 1947[206]. Mais l'idée de mettre en scène un petit homme ordinaire au cerveau bombardé par le flux de l'information moderne, à la conscience torturée par la souffrance universelle et qui se ruine l'existence à force de la vouloir plus grande ou plus parfaite qu'elle ne l'est, cette idée, nous l'avons vu, remonte au moins à l'hiver 1947, sinon plus loin encore. Il y a donc au moins quatre ans que, d'une façon ou d'une autre, ce personnage la hante. « Je m'abuse peut-être sur l'intérêt que peut présenter un tel être si peu dissemblable à tant d'autres, confiait-elle à Marcel à propos du "conte" écrit à Genève. Mais je l'aime et cela me suffit[207]. » C'est Marcel, d'ailleurs, qui lui a alors conseillé d'en faire un roman. Pendant plus d'un an, à la suite de son retour de Genève, elle a continué de travailler à ce roman, y passant des semaines entières, le laissant reposer, y revenant, mais toujours sans succès. Puis est arrivée *La Petite Poule d'Eau*, qui l'a délestée pour un temps du personnage qui ne parvenait pas à naître. Mais *La Petite Poule d'Eau* ne pouvait être qu'un intermède. Un jour ou l'autre, elle le savait, Alexandre Chenevert frapperait de nouveau à la porte et il n'y aurait plus moyen de lui échapper, car elle était liée à lui non seulement par l'amour mais aussi, comme elle le dira plus tard, par le « sens du devoir[208] ».

Le devoir de mener à terme ce qu'elle avait entrepris ? Peut-être, quoiqu'elle n'ait pas hésité, vers la même époque, à abandonner bien d'autres textes mis en chantier. Pourquoi est-elle si attachée à ce projet ? Qu'a-t-il de si particulier qu'il lui faille y revenir sans cesse, sous peine de se sentir coupable de trahison ? Bien qu'il n'y ait sans doute pas de réponses à ces questions, deux ou trois choses méritent d'être soulignées. D'abord, le personnage d'Alexandre Chenevert devient pour elle, à mesure que le temps passe, une sorte de chargé de mission, dont le mandat est double. D'un côté, il a un « message » à porter, car on est alors, ne l'oublions pas, en pleine période de littérature « engagée » ; le roman d'aujourd'hui, déclarait Gabrielle Roy en 1948, doit « s'enraciner dans son époque et en épouser les tragiques problèmes[209] ». Et telle est pour elle une des significations essentielles du roman qu'elle veut écrire : exprimer une vision du monde, une interrogation — à la fois angoissée et ironique — devant la condition de l'homme contemporain, dans la ligne de ce que lui ont inspiré ses réflexions et ses lectures des dernières années (Gide, Camus, Sartre, Saint-Exupéry). Mais plus profondément encore, le personnage d'Alexandre Chenevert, à force de hanter son imagination, devient pour elle comme un alter ego, c'est-à-dire un être de moins en moins fictif, de moins en moins détaché d'elle, et dont le rôle est de recueillir et d'objectiver en quelque sorte sa propre existence et ses propres tourments. Elle déverse en lui tout ce qu'elle vit et éprouve : son ennui, ses insomnies, son expérience de la maladie, ses inquiétudes religieuses, ses rapports anxieux avec l'argent, et surtout cette oscillation, cette hésitation constante qui la déchire, entre le besoin d'aimer les autres et celui de les fuir, entre le sentiment de son importance et celui de sa petitesse, entre la confiance et le remords, entre l'enchantement d'être ce qu'elle est et la détresse de ne pas l'être vraiment. Aucun autre de ses personnages n'a été jusqu'alors — et aucun ne le sera par la suite — aussi proche d'elle, aussi intimement confondu à sa pensée et à sa vie.

À ces liens qui l'empêchent de renoncer à Alexandre Chenevert s'ajoute pour Gabrielle le fait qu'elle a toujours, aux yeux du monde comme aux siens, une « commande » à honorer : celle de donner une suite à *Bonheur d'occasion*, c'est-à-dire un autre livre qui soit à la fois digne de celui qui lui a valu la célébrité et dans son prolongement plus ou moins direct. *La Petite Poule d'Eau* était une sorte d'évasion provisoire, qui l'a libérée momentanément de la commande mais ne l'en a pas rendue quitte pour autant. Elle doit toujours à ses lecteurs, à ses critiques et à son éditeur un vrai « deuxième livre », un livre qui soit à la hauteur du premier. Il faut donc que ce livre soit un roman, dans le sens habituel du terme, c'est-à-dire une histoire d'une longueur suffisante où une action crédible se développe de façon cohérente et continue. De plus, il faut que ce roman, comme *Bonheur d'occasion*, soit d'une certaine manière le tableau d'un milieu réel, contemporain, reposant sur l'observation directe, afin que les lecteurs puissent y reconnaître leur monde familier et s'identifier aux personnages.

Ainsi, qu'elle le veuille ou non, tout conspire à faire d'elle la prisonnière de son pauvre Alexandre Chenevert. Et c'est bien comme une prisonnière, en effet, qu'elle y travaille, esclave enchaînée à une tâche qu'elle n'a pas choisie et qu'il lui est cependant interdit d'abandonner. « Il m'a fallu plus de temps, confiera-t-elle, pour écrire cet ouvrage qu'aucun autre » ; « je n'ai eu aucun plaisir à l'écrire[210] ». À part le premier chapitre, dont le « conte » de 1948 était l'ébauche, presque tout lui donne du mal, la composition, les dialogues, les descriptions, qui lui sont autant de pièges dans lesquels elle ne cesse de tomber. Elle a l'impression de s'enliser, de se perdre. Quand elle quitte Port-Daniel en août 1951, le feu s'est peut-être rallumé dans la forge, mais le roman n'a presque pas avancé.

Rentrée à Ville LaSalle, elle y passe l'automne à continuer de peiner sur son manuscrit. L'ambiance s'est beaucoup améliorée dans le petit appartement de la rue Alepin. Après avoir songé un temps à s'établir à Saint-Jérôme, Marcel décroche enfin un poste à l'hôpital de la Miséricorde. Certes, ce n'est pas ce dont il rêvait (« l'Hôtel-Dieu ou rien », avait-il dit en arrivant à Montréal), mais au moins il a de quoi occuper ses journées et subvenir à ses besoins ; pour Gabrielle, c'est un « grand soulagement de le voir au travail enfin et tellement plus heureux[211] ». Comble de fortune, il leur arrive aussi à ce moment-là une domestique : il s'agit de Connie Smith, l'amie londonienne, que Gabrielle fait venir exprès au Canada pour la prendre à son service.

Hélas, cette conjoncture favorable dure peu. En janvier, Marcel part s'installer à Québec, où l'hôpital Saint-Sacrement lui offre un poste beaucoup plus intéressant que celui qu'il occupe à la Miséricorde ; il pourra se concentrer sur sa spécialité, pratiquer la chirurgie et faire un peu d'enseignement et de recherche. Lui et Gabrielle conviennent toutefois de ne pas déménager avant le printemps, afin de s'assurer d'abord que la nouvelle situation de Marcel lui plaira et sera bien stable. En attendant, ils devront donc vivre séparés. Marcel loue une chambre chez Mme Chassé, qui tient pension au Château Saint-Louis, dans la haute-ville de Québec ; Gabrielle reste à Ville LaSalle avec Connie. Mais voilà qu'entre les deux femmes la brouille éclate ; Connie, qui s'ennuie au Canada, réclame une augmentation de ses gages, Gabrielle refuse, alors Connie décide de repartir pour l'Angleterre, ce qu'elle fait le 3 février, à bord d'un cargo. C'est sa patronne qui paie le passage. Entre elles, qui se connaissaient depuis bientôt quinze ans, tout est fini.

Ainsi, Gabrielle se retrouve seule dans le petit logis de banlieue. Pour toute compagnie, il lui reste Ki-Min, un chat gris dont elle devra bientôt se débarrasser. Cécile Chabot, maintenant rentrée d'Europe, vient çà et là faire un brin de causette, et un couple de voisins avec qui elle s'entend bien, le docteur Jasmin et sa femme, l'invitent parfois à venir écouter de la musique enregistrée (*Boris Godounov*, Ravel, Corelli, le *Requiem* de Mozart). De temps à autre, une sortie l'entraîne jusqu'à Saint-Lambert, où vit maintenant sa vieille amie Jacqueline Deniset ; elle va voir un film documentaire sur les Inuit au Collège de Saint-Laurent. Il lui arrive aussi de rencontrer Jori et Jean Palardy,

Philippe Panneton et sa femme, ou le diplomate Jean Désy et la sienne ; mais les mondanités la mettent dans une telle « surexcitation mentale » qu'elle se sent tenue de les éviter : « Ce n'est pas gai, dit-elle à Marcel, j'aime voir certaines gens, mais il semble que je doive m'adapter à mon tempérament et non le forcer à me servir comme il ne le veut pas[212]. »

Physiquement, elle est dans un état lamentable. « J'ai rarement été si affaissée et à bout qu'en ce moment. » Son foie la fait souffrir, elle a des palpitations, elle perd l'appétit, sans parler du rhume, des insomnies et de « cette impitoyable lassitude » qui ne la quitte pratiquement jamais[213], en dépit — ou à cause — des multiples piqûres qu'elle reçoit et de tous les médicaments dont elle fait l'essai. Marcel a beau lui écrire qu'il est content de son travail à l'hôpital Saint-Sacrement, que tout va bien pour lui, qu'il « [se] prépare à [lui] faire une vie plus heureuse que dans le passé[214] », sa mélancolie paraît irrémédiable. « Pendant quelques jours, il me semble que je commence à grimper la pente, puis c'est encore une dégringolade[215]. »

Est-ce d'avoir trop travaillé à son manuscrit d'*Alexandre Chenevert* qui l'a jetée dans un tel état d'affaissement physique et moral, est-ce le découragement de ne rien voir poindre encore malgré ses efforts ? En tout cas, elle n'écrit rien de tout cet hiver-là : « J'ai [...] abandonné complètement depuis près de deux mois tout travail intellectuel, confie-t-elle à Marcel le 21 février. Espérons que sous ce tas de cendres accumulées sur ma tête, je trouverai un jour une petite flamme encore vivante. »

Pour sortir de sa torpeur, elle sait qu'il n'y a qu'un moyen, celui qui lui a toujours si bien réussi jusque-là, tout comme il réussit d'ailleurs au pauvre Alexandre Chenevert : la retraite, le repli loin de la ville, à l'écart de la circulation des hommes et des idées, dans une solitude paisible qui seule peut apporter le recueillement et l'inspiration. Depuis janvier, elle souhaite « partir pour un petit séjour ailleurs qu'ici où je m'ennuie trop et me trouve constamment en face des mêmes pensées[216] ». Aussi, dès qu'avril arrive, s'empresse-t-elle de quitter Ville LaSalle. Non pas pour rejoindre Marcel à Québec, mais pour retrouver son refuge de jadis : Rawdon, la maison et les soins de « la petite mère Tink », le bonheur de se retrouver enfin dans la nature, seule avec elle-même, « éloignée de toute cette complexité de l'existence qui épuise les nerfs[217] ».

Qui épuise les nerfs et qui empêche d'écrire. Or, plus que jamais, elle éprouve un urgent désir de se remettre au travail, d'autant plus que d'Uckermann s'impatiente. Répondant à Gabrielle qui lui a parlé de son projet de roman, il l'exhorte à la célérité : « il faudrait faire paraître [ce nouveau livre] à une distance moins longue que celle que vous avez mise entre *Bonheur d'occasion* et *La Petite Poule d'Eau*. Le public a besoin de ces coups répétés pour graver dans sa mémoire le nom d'un écrivain, et c'est ainsi que l'on assied sa réputation[218]. » Il n'y a plus de temps à perdre, elle le sait. Six mois plus tard, le manuscrit d'*Alexandre Chenevert* sera pratiquement terminé.

Durant ces six mois, Marcel ne verra presque pas sa femme, hormis au mois de juin, qu'elle passe à Québec. Gabrielle mène une véritable vie d'errante, allant d'un « ermitage » à l'autre, toujours seule, traînant sa petite machine et ses manuscrits, et écrivant, écrivant, avec une constance et une détermination qui rappellent ses années de journalisme, avant le triomphe de *Bonheur d'occasion*.

C'est à Rawdon que tout se met en branle. Elle s'y trouve depuis une semaine à peine lorsqu'elle annonce à Marcel :

> Je travaille un peu ; pas trop mal peut-être ; il m'est difficile d'en juger. En tout cas, j'espère que tout cela finira par s'organiser, je veux dire toutes ces ébauches successives que j'ai mises sur papier et qui jusqu'ici ne paraissent pas se tenir tellement ensemble. Il me semble qu'il y a une légère amélioration. Mais n'en parlons pas trop ! Que de fois j'ai fait fuir de merveilleuses possibilités, en criant trop tôt à la capture[219] !

Puis, deux jours plus tard :

> Alexandre Chenevert sort des limbes. Arriverai-je vraiment à terminer un jour cet ouvrage ! Parfois, je le crois possible ; parfois, j'en doute. Au fond, c'est aussi insensé d'entreprendre pareille entreprise que de se lancer à pied à travers le monde. Je ne pourrais pourtant l'éviter[220].

Son travail, à ce moment-là, consiste à revoir les « esquisses successives » déjà rédigées, à les transformer en « chapitres » et à en rédiger de nouveaux de manière à bien camper le personnage et à construire un récit qui se tienne. Fin mai, après six semaines de ratures, d'ajouts et d'écriture intense, elle a en main les deux premières parties de son roman.

Reste la troisième, dont elle sait qu'elle sera « la plus dure[221] ». Avant de s'y attaquer, elle se donne un mois de répit, qu'elle passe aux côtés de Marcel, dans leur nouvel appartement de Québec. Puis elle repart dès la fin du mois de juin. Elle se rend d'abord à Montréal, où l'attirent quelques affaires à régler avec Me Nadeau ; elle en profite pour rendre visite à sa sœur Bernadette, qui séjourne au couvent de la Côte-Sainte-Catherine, et pour revoir Cécile Chabot. Puis elle prend le train pour Port-Daniel où elle arrive le matin du 1er juillet.

Elle y restera jusqu'à la mi-août, logeant comme toujours chez les McKenzie et s'adonnant à ses activités habituelles de vacancière, bains de soleil, promenades à pied ou à vélo, excursions de pêche. Cette fois, la période de mise en condition physique est très brève. Dès le 5 juillet, elle a repris son manuscrit interrompu au départ de Rawdon et recommencé à y travailler, dans l'espoir, dit-elle à Marcel, de « faire un été passable ».

Ce sera, en fait, « un été magnifique », béni des dieux, « le plus beau que j'ai jamais connu sur aucun littoral[222] ». Le temps est parfait, elle éprouve un bien-être physique et moral comme elle n'en a pas connu depuis plusieurs années, et sa vie errante, sans attaches ni responsabilités, lui procure un sentiment de légèreté tel qu'on la dirait revenue aux beaux jours de sa jeunesse, avant la gloire, avant le mariage, quand tout n'était pour elle que liberté, disponibilité, pleine possession de soi et du monde devant soi. Elle écrit à Jeanne Lapointe : « Je vous assure, chère Jeanne, que cette existence a quelque chose de bon. [...] Elle m'a appris le renoncement (il le faut bien) aux gros meubles et volumineuses possessions. [...] Je crois que je ne pourrai jamais me faire maintenant à vivre comme les autres, j'entends avec des casseroles, une cuisinière et des sofas. [...] Je vous le dis, j'ai trop longtemps vécu sur les routes. Les belles routes[223]. »

Conséquence — ou cause — de cet été « idyllique », l'écriture d'*Alexandre Chenevert* avance beaucoup mieux que Gabrielle ne le prévoyait. Chaque matin, dans sa chambre où Bertha lui porte son café, patiemment elle « [s']efforce de dérouler la bobine[224] ». Dans les premiers jours d'août, elle peut annoncer fièrement à Marcel que le gros œuvre est achevé :

> J'ai pas mal avancé mon travail. J'ai tellement hâte de te le faire lire. En ce moment, je mets la main aux chapitres qui me paraissent les plus faibles. Il y a encore énormément à faire, mais j'ai du moins terminé la charpente entière de l'œuvre, élevé l'édifice. Ce qui reste à accomplir, c'est désormais à l'intérieur — et je me sens comme soulagée, étonnée aussi après de si durs efforts, d'avoir atteint, malgré tout, ce stade[225].

Le plus difficile étant derrière elle, il y a encore fort à faire avant que le roman trouve sa forme définitive. À ce travail de polissage et de parachèvement, elle consacre ses dernières semaines en Gaspésie, mais sans pouvoir atteindre tout à fait le but qu'elle s'est fixé. « Dans la boutique de l'alchimiste, écrit-elle à Jeanne Lapointe le 29 août, j'ai transformé quelques substances, un peu raffiné — mais je suis loin encore de l'or pur[226]. » Puis, comme le temps tourne au frais à Port-Daniel, elle annonce à Marcel qu'au lieu d'aller le rejoindre elle retournera prendre ses quartiers à Rawdon afin, espère-t-elle, d'y terminer quelques autres chapitres.

Marcel, à ce moment-là, se trouve à Boston. L'hiver d'avant, peu après son établissement à Québec, on lui a proposé un stage en oncologie et cystologie au Vincent Memorial Hospital, établissement rattaché à l'Université Harvard, en lui laissant entendre qu'il pourrait bénéficier d'une bourse américaine. L'idée lui a plu, comme elle a plu à Gabrielle. La bourse tardant à venir, Gabrielle lui a avancé l'argent nécessaire et Marcel est arrivé à Boston le 1er août, avec l'intention d'y rester plusieurs mois. Gabrielle lui annonce alors qu'elle viendra le rejoindre à la fin de ses vacances en Gaspésie, puis décide, comme on l'a vu, d'aller passer auparavant quelques semaines à Rawdon pour travailler à *Alexandre Chenevert*.

C'est qu'elle ne veut pas, par un retour trop hâtif à sa vie ordinaire, perdre son rythme d'écriture quotidienne et risquer ainsi de compromettre le mouvement si bien amorcé à Port-Daniel. Même si Marcel se plaint de ce qu'ils sont encore une fois loin l'un de l'autre le jour de leur anniversaire de mariage, elle attendra, avant de partir pour Boston, d'avoir terminé son travail. Pour cela, elle prolonge son séjour chez Mme Tinkler jusqu'à la mi-octobre, moment où elle a finalement en main une première version complète de son roman qui la satisfait à peu près. Alors elle peut se rendre auprès de son mari, qu'elle n'a pas vu depuis bientôt quatre mois.

Ayant appris entre-temps que sa bourse ne lui serait pas accordée, Marcel a décidé d'écourter son séjour au Vincent Memorial. Gabrielle passe avec lui les deux dernières semaines d'octobre, dans un meublé coquet de Commonwealth Avenue, non loin de Copley Square. Ils rentrent à Québec au début du mois suivant, en auto, après un crochet du côté de Cape Cod et de New York.

À son arrivée au Château Saint-Louis, Gabrielle a le cœur léger. Elle a l'impression d'être au bout du long calvaire ; elle a enfin réussi, après cinq années de méditation, d'écriture laborieuse et de patience, à mettre au monde son cher, son pauvre Alexandre Chenevert. C'est du moins ce qu'elle croit lorsque, après le congé du jour de l'An 1953, elle se rend à Montréal pendant une dizaine de jours pour faire taper son manuscrit par Jacqueline Deniset, l'amie qui a dactylographié *Bonheur d'occasion*.

Mais la romancière n'est pas encore au bout de ses peines. Incapable, après tant d'efforts et de remaniements, de se faire une juste idée de la valeur de son roman, elle soumet des exemplaires du texte dactylographié à quelques-uns de ses proches. Cécile se dit conquise par le personnage, comme l'a été Jacqueline pendant qu'elle tapait le texte. Quant à Marcel, il suggère des corrections d'ordre médical. Mais Jeanne Lapointe, qui a l'expérience des manuscrits et un goût littéraire très sûr, se montre beaucoup plus circonspecte. Elle fait comprendre à Gabrielle que le roman a de grandes qualités, mais que sa composition et son style demandent à être retravaillés. Crayon en main, comme le professeur de lettres qu'elle est, elle souligne et rature tout ce qui lui semble superflu, phrases lourdes, métaphores recherchées, formulations sentimentales, et même tout un chapitre qui se passe à Noël[227]. Alexandre, décidément, n'en finit pas de résister à sa naissance.

Sur le coup, Gabrielle est atterrée. Mais comme il ne saurait être question d'abandonner son roman au point où il en est, elle n'a d'autre choix que de se remettre à l'ouvrage et de réparer au moins les faiblesses que Jeanne a décelées. Afin de travailler l'esprit en paix, elle retourne de nouveau à Rawdon à la mi-avril 1953, son manuscrit sous le bras, et s'installe chez la mère Tinkler. Au début, comme toujours, les choses traînent. « Je tire comme un chien vers un rosbif, dit-elle à Marcel. [...] Je me sens le cerveau vide après l'effort soutenu que je fais tous les matins, de huit heures à midi. J'ai eu de la misère à me dérouiller, tu ne pourrais en avoir l'idée. Une véritable misère ! Un vilain coup. Maintenant, ça commence à ronronner un peu. » Cette lettre est du 1er mai. Le lendemain, elle prie Jeanne Lapointe de venir la rejoindre pour deux jours de travail en commun. Ses suggestions, confiera-t-elle à Marcel, « m'ont été infiniment précieuses et profitables[228] ». Finalement, une nouvelle version du roman est prête dans la deuxième quinzaine de mai. Avant de rentrer à Québec, Gabrielle la fait dactylographier sur place par une copiste qui lui donne du fil à retordre mais dont le travail est assez présentable pour qu'elle puisse le soumettre, quelques semaines plus tard, à ses éditeurs de Montréal, de Paris et de New York. Cette fois, *Alexandre Chenevert* est bel et bien terminé.

« C'est aujourd'hui jour de fête, lui écrit aussitôt René d'Uckermann : je reçois le manuscrit de *Alexandre Chenevert*[229]. » Quant à Eugene Reynal, il annonce sa décision de publier mais prévient, encore une fois, que le succès n'est pas du tout assuré, car « le côté lugubre de l'histoire, culminant dans la souffrance et la mort d'Alexandre [...], peut s'avérer trop austère pour attirer le lecteur ordinaire » ; aussi Gabrielle ne doit-elle pas « situer ses espoirs de vente trop haut[230] ». *Alexandre Chenevert* sortira à Montréal, chez Beauchemin, en mars 1954, et le mois suivant à Paris, chez Flammarion, sous le titre *Alexandre Chenevert, caissier*. La traduction anglaise, due à Harry Binsse et intitulée *The Cashier*, ne paraîtra qu'un an et demi plus tard, en octobre 1955 ; comme d'habitude, Harcourt Brace de New York en sera l'éditeur et en imprimera des exemplaires au nom de McClelland & Stewart pour la diffusion canadienne.

Le livre est reçu à peu près comme *La Petite Poule d'Eau* l'a été trois ans plus tôt, si ce n'est avec plus de froideur encore. À Paris, quelques critiques proches de Flammarion peuvent bien saluer l'« humaine vérité » et l'« universalité » du personnage[231], le public ne suit pas et le roman — comme son auteur — retombe aussitôt dans le silence. Même chose aux États-Unis, où la critique est bonne mais où les ventes dépassent à peine les 2 500 exemplaires[232], tandis qu'au Canada anglais le livre n'intéresse que médiocrement les critiques et les lecteurs. Cela dit, c'est au Québec, où le roman pourtant se vend bien (Beauchemin écoule 5 000 exemplaires en trois mois), que la réaction des journalistes est la plus dure. « Il y avait là un beau sujet de nouvelle, écrit Jean Béraud, le chroniqueur de *La Presse*, une étude de caractère touchante en cent pages ; le livre en a 373. » Dans *Le Devoir*, Gilles Marcotte ne peut cacher sa déception : « De la riche polyphonie de *Bonheur d'occasion* au petit solo de clarinette sur deux notes d'*Alexandre Chenevert*, la distance est grande » ; le livre, ajoute Marcotte, « n'a pas été écrit avec la joie des créations authentiques », il donne une « impression d'artifice » et de labeur. L'opinion de Marcotte rejoint celle de la plupart des critiques[233].

Gabrielle, bien sûr, souffre des jugements négatifs de la presse montréalaise. Pour se défendre, elle les attribue à des raisons idéologiques ; les critiques, écrit-elle à son ami Deacon, « ne comprennent rien ».

> Je commence à voir que cette corde que j'essaie toujours de toucher — ce thème de l'amour humain sans égard à la nationalité, à la religion, à la langue, cette vérité essentielle ne signifie pas grand-chose

> pour mon peuple, et même si je connais la nécessité de la patience, j'ai un peu mal au cœur, parfois. Comment les gens peuvent-ils être si aveugles à la seule vérité que nous devrions apprendre au cours de notre vie, la seule vérité qui importe[234] !

Le malentendu entre Gabrielle Roy et la critique québécoise, apparu lors de la publication de *La Petite Poule d'Eau*, ne fait en somme que s'approfondir, sans égard au fait qu'*Alexandre Chenevert* est une œuvre toute différente. Certes, la romancière fait l'objet d'une attention privilégiée et d'un très grand respect de la part des journalistes et des commentateurs, qui continuent de la considérer comme un des meilleurs écrivains locaux. Mais Gabrielle Roy, pour la plupart d'entre eux, c'est d'abord l'auteur de *Bonheur d'occasion* ; et tout nouveau livre d'elle doit combler les attentes créées par ce premier roman qui l'a rendue célèbre huit ans plus tôt.

CHAPITRE VIII

« Écrire, comme sa raison même de vivre »

Incident à Tangent • Des années de répit • Une épouse voyageuse • L'ermitage de Petite-Rivière-Saint-François • La saga de l'écriture • Un monde de femmes • Gabrielle et ses sœurs • Migrations hivernales • La grande dame de la littérature ou Les ambiguïtés de la gloire • Secrets • Retour au calme • Tombeau de Bernadette

À partir du moment où Gabrielle Roy s'établit à Québec, sa vie entre dans une nouvelle phase, que l'on appellera la maturité, si l'on veut, puisque c'est une phase d'équilibre et de concentration au cours de laquelle vont se révéler certains aspects de sa personnalité et de son œuvre que les périodes précédentes avaient annoncés, certes, mais sans qu'ils s'y manifestent avec toute l'évidence qu'ils vont prendre alors. C'est que le paysage désormais n'est plus le même, comme lorsqu'un fleuve, après avoir franchi tumultueusement sa vallée, trouve enfin l'espace dont il avait besoin pour couler librement et n'être plus que lui-même, dans un monde et un temps qui lui appartiennent.

Un peu solennelle, cette métaphore veut rendre compte du fait que pour Gabrielle l'époque de l'agitation et des combats est terminée. À quarante-cinq ans, elle peut se dire que pour l'essentiel ses rêves de jeunesse se sont réalisés, du moins les rêves d'ordre matériel et professionnel : écrivain, elle l'est devenue ; la gloire, elle l'a eue à profusion ; l'argent, elle en a gagné plus que tout ce qu'elle avait pu imaginer. Quant à l'amour, même s'il ne faisait pas vraiment partie de ses rêves, elle l'a connu, ou en tout cas elle l'a inspiré à bien des êtres, femmes et hommes, amies et protecteurs, et l'un d'eux, Marcel, lui a voué sa vie.

Tout cela, elle l'a obtenu grâce à une indépendance et à une détermination à toute épreuve, qui depuis quinze ou vingt ans l'ont tenue constamment sur la brèche. Pendant tout ce temps, elle n'a eu qu'une idée en tête : agir, travailler, se dépenser sans compter pour augmenter ses chances de succès, pour prouver sa valeur et pour se tailler une place, la première si possible, dans le milieu où elle avait décidé d'évoluer. Depuis le Manitoba de ses vingt ans jusqu'au Paris de l'après-guerre, sa vie a pris l'allure d'une lutte pour la conquête, pleine de mouvement et de péripéties, qui l'a obligée à des déplacements, des ruptures, des stratégies et une activité incessante. C'est ce temps-là qui est à présent révolu. La vie de Gabrielle Roy, à partir du milieu des années cinquante, prend un rythme nouveau, beaucoup plus lent, plus stable et moins agité que celui auquel elle a obéi jusque-là. Les événements y sont plus rares, et en tout cas moins spectaculaires ; peu de changements extérieurs se produisent, et ceux qui surviennent ne sont jamais brusques ni soudains ; sa vie adopte peu à peu ce caractère tranquille, plus ou moins répétitif, qui est celui de l'âge mûr, quand cessent les combats et que vient un certain détachement, une certaine immobilité faite à la fois de résignation, de sagesse et de maîtrise de soi.

Le biographe, dès lors, a moins de faits « décisifs » à raconter, moins de « tournants », moins de « scènes ». Il ne s'agit plus tant de suivre le déroulement d'une histoire ou de relater au fur et à mesure les faits et gestes du personnage que d'évoquer le climat, la couleur de son existence, en s'efforçant de saisir des évolutions qui, pour être à peine perceptibles parfois, n'en sont pas moins réelles et profondes. Car, même si la vie de Gabrielle Roy, comme celle de la plupart d'entre nous, devient moins palpitante à mesure qu'elle avance en âge, il serait faux de dire que plus rien d'important ne s'y passe. Au contraire, cette période qui commence vers 1953 et va s'étendre jusqu'à sa mort est peut-être, malgré son calme apparent, la plus riche qu'elle ait vécue, et certainement la plus précieuse pour nous puisque c'est celle de son plein accomplissement en tant qu'écrivain.

Telle est d'ailleurs la principale raison du ralentissement qui semble caractériser cette période : plus rien pratiquement ne se distingue, dans la vie de Gabrielle, de cette unique occupation, de cette recherche à la fois épique et inracontable, l'écriture. Maintenant qu'elle a réussi à devenir écrivain, tout se passe comme si elle n'était plus dorénavant que cela, mais au sens le plus fort du terme : écrivain, c'est-à-dire un être qui ne respire, ne pense, ne souffre et ne jouit que dans et par l'écriture, un être dont les désirs, les émotions, les soucis, dont l'identité même est entièrement liée aux livres qui naissent de son imagination et qui seuls peuvent lui donner le sentiment de sa valeur et de son existence.

Certes, il y a longtemps que la vie de Gabrielle est centrée sur sa vocation d'écrivain. Mais jusqu'ici, cette vocation avait surtout quelque chose de « rastignacien » : elle la poussait à l'action, elle se traduisait par une ambition éperdue. À présent que cela est terminé, c'est une autre phase qui commence, non pas nécessairement plus heureuse, ni moins intense, mais plus concentrée, certainement, plus dépouillée et comme repliée sur l'écriture à l'exclusion de tout le reste. À sa manière, la Gabrielle Roy de cette époque fera penser de plus en plus à Flaubert, tel que le voit Marthe Robert, c'est-à-dire l'artiste entièrement voué à la poursuite de son œuvre et qui trouve dans son art une volupté et un épanouissement supérieurs à tout ce que le monde et les êtres pourraient lui offrir. Mais cette volupté, comme le précise Marthe Robert — et comme cela se vérifie dans la vie de Gabrielle Roy —, est en même temps une ascèse, qui exige discipline, rigueur et un renoncement quasi absolu à tout ce qui n'est pas elle. L'existence ordinaire, les gestes de tous les jours, les relations avec le monde et avec les intimes, tout doit non seulement s'ordonner autour de l'écriture, mais lui être subordonné et donc passer, toujours, au second plan. Même si ses œuvres s'adressent à tous les hommes, l'écrivain vit dans un univers clos, où il paraît uniquement tourné vers lui-même dans une sorte d'« extase narcissique » mais où il n'est, au bout du compte, qu'un esclave soumis à la loi implacable de son travail, auquel il fait, ajoute Marthe Robert, « le sacrifice expiatoire d'une vie entière convertie en écriture, positivement mangée par le papier[1] ».

Gabrielle Roy ne se conforme pas à ce modèle de manière aussi parfaite qu'un Flaubert ou un Proust, mais elle y tend, c'est certain. Chez elle aussi, l'écriture devient l'unique besogne, l'unique règle qui régit son existence, ses pensées, ses rapports avec autrui. Pur écrivain, elle ne l'est peut-être pas, mais elle aspire constamment à l'être, et à n'être que cela. Non pas d'abord femme, épouse, amie, sœur ou citoyenne, mais écrivain, avec tout ce que cela signifie pour elle non seulement d'exigence, de liberté et au besoin d'égoïsme, mais aussi de grandeur et de don de soi. Car la conception qu'elle se fait de l'écriture et du rôle de l'écrivain — conception née dès ses années de journalisme et qui se distingue nettement, cette fois, de la vision flaubertienne — est celle d'une sorte d'héroïsme missionnaire. L'écrivain, pour elle, n'est pas celui qui subvertit, mais celui qui consolide le monde ; il n'est pas celui qui confronte les hommes à leur néant, mais qui leur révèle au contraire la beauté et la gravité de leur existence, les amenant ainsi à se rapprocher les uns des autres, à se sentir frères.

Aux yeux de Gabrielle Roy, le narcissisme de l'écrivain, son besoin de retraite et d'indépendance, son indisponibilité à l'égard des autres et l'obsession qui le porte à s'occuper de sa propre personne et de son propre travail au mépris de toute autre sollicitation sont justifiés par un altruisme supérieur : l'offrande de soi et de l'œuvre pour le bonheur et le progrès de l'humanité. Déjà, dans une lettre de 1947, elle expliquait à Marcel cette règle de ce que l'on pourrait appeler sa morale d'artiste :

> Il faut habituer les gens [...] à accepter nos conditions quand elles ne sont dictées ni par l'égoïsme ni par [la] pédanterie mais au contraire par les exigences de l'esprit créateur ou par la conscience supérieure de sa mission dans la vie. Ainsi, on peut donner aux hommes infiniment plus que le plaisir d'une soirée, d'une réunion, d'une entrevue, plaisirs fort insignifiants quand on y pense au regard d'une œuvre ou d'une carrière [...] offertes entièrement pour le plus grand bien des autres[2].

Il faut, dit-elle encore, « être loin des hommes pour vraiment les aimer[3] ». Son devoir de compassion et de solidarité demande que l'artiste se tienne à l'écart, qu'il ne s'occupe que de lui-même et de son œuvre et qu'il ne s'en laisse pas détourner par les bruits du monde et la contrainte des appartenances et des affections concrètes. Quand on écrit, « on se coupe du monde, on est comme un forçat dans un cachot[4] ».

Telle sera, dans les décennies qu'il lui reste à vivre, l'unique ambition de Gabrielle Roy : écrire, et rester à la hauteur de sa vocation d'écrivain. De là lui viendront ses joies et ses tourments.

Incident à Tangent

Alexandre Chenevert n'est pas encore paru qu'un autre livre sollicite l'esprit de la romancière, un livre dont l'une des significations sera justement d'annoncer ce repli sur soi-même et cette interrogation sur son propre destin qui seront désormais la tendance majeure de son œuvre. Il s'agit de *Rue Deschambault*.

À Gérard Bessette, la romancière confiera plus tard que l'idée de ce livre lui est venue alors qu'elle rédigeait « à contrecœur » une conférence qu'elle devait prononcer au printemps 1954[5]. Intitulé « Souvenirs du Manitoba », ce texte, en incitant la femme mûre à revenir sur son enfance et sa jeunesse à Saint-Boniface, aurait ouvert les vannes à toute une série d'images et de figures enfouies dans sa mémoire, qui lui sont apparues, avec le recul du temps, comme autant de sujets de récits empreints à la fois de la poésie et de la vérité intérieure qu'elle recherchait.

Mais la conférence de 1954 n'est sans doute pas le seul élément déclencheur. Aux sources de *Rue Deschambault*, comme à celles de cette conférence peut-être, se trouve un autre événement, légèrement antérieur, dont Gabrielle Roy n'a jamais parlé mais sur lequel sa sœur Adèle, pour sa part, revient dans plusieurs de ses écrits.

On est à l'automne 1953. L'Office national du film, ou peut-être Radio-Canada, propose à Gabrielle Roy de préparer un scénario inspiré de sa région natale[6] ; on lui offre pour cela un voyage dans l'Ouest, en plus d'un cachet de quelques centaines de dollars. Ayant accepté, Gabrielle choisit de se rendre là où elle a été si heureuse une dizaine d'années plus tôt, lors de sa tournée de reportages sur les *Peuples du Canada* : à Tangent, au fin fond de l'Alberta, chez sa sœur Adèle, où elle espère trouver comme jadis la paix pour écrire et un paysage qui stimule son imagination.

C'est la première fois qu'elle traverse le Canada en avion ; l'expérience, évidemment, lui rappelle Saint-Exupéry[7]. Les premiers jours à Tangent se passent bien. Les deux sœurs se racontent leur vie des dernières années. Le jour, pendant qu'Adèle travaille aux champs, Gabrielle explore la région et entreprend l'écriture du scénario qu'on lui a commandé. Intitulé « Le plus beau blé du monde ou La mère Zurka[8] », c'est le portrait d'une immigrante polonaise du nom de Marissa, qui se rappelle sa jeunesse dans son pays natal, son mariage avec Stepan, alcoolique voleur et colérique, leur arrivée à la Rivière-la-Paix et leur existence de colons tantôt prospères, tantôt misérables, au milieu d'un pays à la fois magnifique et poignant de solitude. Le texte, qui annonce certains passages de la nouvelle « Un jardin au bout du monde », ne sera jamais achevé et le film, bien sûr, jamais tourné.

À Tangent survient cependant un incident qui ne semble pas avoir de conséquences sérieuses dans l'immédiat mais dont les répercussions à long terme seront terribles. Depuis qu'elle a quitté l'enseignement et qu'elle vit comme une pionnière, Adèle est obsédée par l'idée d'écrire, obsession qu'elle partage avec Anna. Un conte de cette dernière, inspiré de ses souvenirs de jeunesse, sera d'ailleurs publié en 1955 par le magazine torontois *Chatelaine*[9], mais il n'aura aucun retentissement ni aucune suite. Plus encore qu'Anna, qui reste après tout une femme mariée, Adèle est déterminée à devenir écrivain, c'est-à-dire, à force d'étude et de sacrifices, à se faire reconnaître d'un large public et à gagner beaucoup d'argent, comme Gabrielle. Ainsi, la ressemblance entre les deux sœurs ne laisse pas d'être frappante : toutes deux poursuivent la même ambition, le même idéal, et le font avec le même acharnement. Certes, Gabrielle est plus jeune, elle a pu profiter de conditions favorables et le succès lui est venu rapidement ; mais Adèle, qui va sur ses soixante ans et a une confiance inébranlable en elle-même, ne voit aucune raison pour qu'une fortune semblable ne lui soit pas accordée.

Depuis quelques années, elle travaille à un manuscrit auquel elle vient de mettre la dernière main. Il s'intitule *Le Pain de chez nous* et raconte le passé de sa propre famille, depuis l'établissement de ses parents à Saint-Boniface (en 1897) jusqu'à la mort de la mère (en 1943). Le récit, qu'Adèle refuse de présenter comme un « roman inventé », se veut au contraire strictement historique, quoique « [embelli] par la vérité poétique[10] », ce qui n'empêche pas l'auteur de régler ses comptes et de juger parfois très durement les actions ou le caractère de ses personnages, tous facilement identifiables pour qui connaît un tant soit peu la famille d'Adèle. Le père s'appelle Charles-Léonce Morin, la mère, Mélanie, et leurs enfants, au nombre de dix, se prénomment Alonzo (Joseph), Léona (Anna), Domitilde (Adèle), Agatha (Agnès), Prudence (Clémence), Bédine (Bernadette), Robert (Rodolphe), Valmor (Germain), Marie-Agatha (Marie-Agnès) et Gaétane, la cadette, que l'on surnomme la Petite Misère.

Au printemps 1953, Adèle a réussi à placer son manuscrit chez un éditeur de Montréal, les Éditions du Lévrier, propriété des pères Dominicains[11], qui ont accepté de le publier moyennant le versement d'une somme de 750 dollars et à la condition, stipulée au contrat, que « le nom de famille *Roy* apparaisse comme signature de cet ouvrage ». Car les bons pères voient bien que le livre n'a d'autre intérêt que celui découlant des « révélations » qu'il contient sur l'auteur célèbre de *Bonheur d'occasion*. Adèle n'hésite pas à jouer cette carte : « Ma sœur Gabrielle, écrit-elle à son éditeur pendant l'été 1953, vient de finir un nouveau roman que Messieurs Beauchemin publieront prochainement [il s'agit d'*Alexandre Chenevert*]. L'occasion ne serait-elle pas bonne pour lancer mon *Pain de chez nous* avant la fin de l'année ? »

Cette suggestion a-t-elle accéléré les choses ? Peut-être. Toujours est-il qu'au moment où Gabrielle se trouve à Tangent, dans les derniers jours de septembre 1953, Adèle reçoit de Montréal les premières épreuves de son livre. De ce qui se passe alors, nous n'avons que la version d'Adèle, qui ne se lassera jamais de la répéter dans ses écrits, en prêtant chaque fois à Gabrielle le même rôle odieux. Un jour, celle-ci aurait lu les épreuves contre le gré d'Adèle et aurait tout fait pour dénigrer l'œuvre et décourager sa sœur de la publier.

> Elle a parcouru les 193 pages de mon manuscrit en moins de deux heures, saccageant mon jardin littéraire, piétinant mes plus brillantes

> fleurs, sans aucun ménagement, sans aucune délicatesse, sans la moindre charité ! D'après son jugement, qu'elle appelle le « point de vue du lecteur », mon ouvrage ne vaudrait pas grand-chose. Elle a éteint mes espérances ! À quoi bon le publier ? Ne vaudrait-il pas mieux le détruire ? Et j'aurais œuvré en vain pendant tant d'années ? En vain tous mes efforts, toute ma peine, tous mes durs labeurs pour honorer la mémoire de mes chers parents[12] !

Adèle, qui misait tant sur le soutien de « Cad », en a le cœur — et l'amour-propre — dévasté.

Pourquoi Gabrielle agit-elle ainsi ? Pourquoi, au lieu de mettre sa réputation et ses relations au service d'Adèle, s'oppose-t-elle si farouchement au livre de sa sœur ? Essayer de répondre à cette question, c'est entrer dans un marécage psychologique où il est bien difficile de ne pas perdre pied.

Selon Adèle, c'est d'abord par rancœur contre leur défunt père, dont *Le Pain de chez nous* célèbre la mémoire, que Gabrielle se serait montrée aussi hargneuse. Mais cela est peu vraisemblable, compte tenu du fait que « Souvenirs du Manitoba » et *Rue Deschambault*, écrits peu de temps après, offrent au contraire une image plutôt positive du personnage paternel. De toute manière, Adèle ne dit nulle part que Gabrielle lui aurait avoué ouvertement cette supposée haine du père ; il s'agit plutôt, selon elle, du motif « subconscient » qui se cache derrière les critiques que Gabrielle adresse au *Pain de chez nous*, critiques qui, en elles-mêmes, sont avant tout littéraires. Ce que Gabrielle reproche à Adèle, en effet, ce sont ses gaucheries, la lourdeur de sa prose et, hélas, son manque de formation artistique. C'est ce qu'elle lui a déjà écrit le printemps précédent après qu'Adèle lui a envoyé le premier chapitre de son manuscrit :

> Ce n'est pas de gaieté de cœur, tu penses bien, que je [te mets] en garde contre ces espoirs [littéraires]. [...] Ton manuscrit, par endroits, indique un talent véritable. Comment te dire : j'ai l'impression que si tu avais commencé dans ta jeunesse à écrire des œuvres d'imagination, que si tu avais vécu dans un milieu plus éclairé, enfin que si tu avais eu les chances que j'ai eues, tu en aurais profité tout autant que moi et tu aurais peut-être aujourd'hui un métier sûr et du succès[13].

Adressées à une vieille dame pour qui l'écriture est un moyen de prendre enfin sa revanche contre la petitesse et la dureté de sa vie, ces paroles, on en conviendra, ne brillent ni par leur habileté ni par leur délicatesse. Mais elles n'en disent pas moins la vérité, une vérité trop cruelle cependant pour qu'Adèle puisse l'accepter ; aussi n'a-t-elle d'autre choix que de l'attribuer à des motifs inavouables de la part de Gabrielle.

Est-ce à dire que celle-ci soit parfaitement désintéressée et que son opposition au *Pain de chez nous* tienne tout entière à des raisons d'ordre esthétique ? Pour le croire, il faudrait oublier le portrait de Gabrielle que le récit d'Adèle propose à ses éventuels lecteurs, un portrait peu flatteur, c'est le moins qu'on puisse dire. Gaétane, en effet, est une enfant puis une jeune femme difficile, capricieuse, un monstre d'égoïsme et de suffisance, qui n'a aucune pitié pour ses parents et ne s'intéresse qu'à ses propres ambitions. Connue et respectée du public, Gabrielle Roy n'a certainement aucun avantage à laisser répandre de telles médisances au sujet de sa vie passée. Cela dit, on se demande ce qui a pu pousser Adèle à écrire et à vouloir publier cette charge contre sa sœur cadette. Gabrielle, à ce moment-là, ne lui a rien fait qui puisse justifier des représailles quelconques, elle ne lui a causé aucun tort ni refusé quoi que ce soit. Du moins volontairement. Mais Adèle ne peut pas souffrir la réussite de Gabrielle ; connaissant comme elle croit la connaître la vraie nature de sa jeune sœur, elle se dit que son talent, sa gloire, son argent sont usurpés, mensongers, d'autant plus qu'elle-même, qui méritait tant, n'a rien eu. En langage commun, cela s'appelle de la jalousie, et cela finit presque toujours, comme on le verra, par hanter toute l'existence de qui en est affecté.

Sur le coup, l'incident ne laisse pas trop de traces. Adèle ravale son humiliation et Gabrielle quitte Tangent contente de son séjour. D'Edmonton, avant de prendre l'avion, elle écrit à Adèle : « J'emporte un si beau souvenir de ces dix jours auprès de toi que je recommencerais volontiers le voyage, si fatigant soit-il, si c'était à refaire. [...] Je ne t'ai pas assez dit comme je t'aime et t'admire pour la longue et dure lutte que tu mènes[14]. » Ni l'une ni l'autre, visiblement, ne soupçonne le drame qui va bientôt les séparer à tout jamais.

Malgré les objurgations de Gabrielle, *Le Pain de chez nous* est publié en mars 1954. Adèle le signe de son nom de baptême : « Marie-Anna A. Roy », dont elle se servira désormais pour tous ses écrits et qui finira par remplacer le prénom que ses parents et sa famille lui ont toujours donné. L'éditeur a beau signaler dans sa publicité que Marie-Anna « est la sœur de Gabrielle Roy », le livre n'obtient aucun succès. Au lieu d'en accuser la médiocrité de son texte, Adèle attribuera cet échec tantôt à l'action malfaisante de Gabrielle, tantôt au fait que celle-ci, malgré sa puissance dans le milieu littéraire et journalistique, n'a rien tenté pour faire mousser le livre de sa pauvre sœur. Mais il y a pire. Selon Adèle, l'attitude de Gabrielle provient du noir dessein né dans son esprit à la lecture des épreuves du *Pain de chez nous* : s'emparer pour elle-même de l'œuvre de sa sœur. La « preuve » éclate peu de temps après, avec la publication de *Rue Deschambault*, qui n'est rien d'autre, déclare Adèle, qu'« un démarquage éhonté de mon œuvre[15] », c'est-à-dire une sorte de plagiat. « En lisant sa *Rue Deschambault*, je compris pourquoi Cad s'acharnait contre mon *Pain de chez nous*. Lorsqu'elle vint chez moi elle avait déjà commencé à élaborer son livre. Elle prit bien garde de m'en souffler mot ; mais elle profita de la lecture de mon roman pour étoffer ses histoires[16] ! » Ainsi, à l'humiliation subie lors du séjour de Gabrielle à Tangent s'ajoute pour Adèle, deux ans plus tard, l'injure de se voir dépouillée de son œuvre, qui non seulement ne lui rapporte rien de ce qu'elle en attendait, mais ne fait, comble d'injustice, que servir à la gloire et à la fortune de sa sœur. « La publication de *Rue Deschambault*, écrit-elle, me fit l'effet d'un coup de poignard au cœur[17] ! » Son ressentiment et sa jalousie n'auront désormais plus de frein ; se venger de Gabrielle, la poursuivre sans relâche de ses reproches et de ce qu'il faut bien appeler sa haine, s'accrocher à elle comme à une proie, telle sera la grande, peut-être l'unique passion de sa vie. Jusqu'au-delà du tombeau.

Pourtant, il suffit de lire les deux livres à la suite l'un de l'autre pour voir à quel point la théorie du plagiat relève du délire. Certes, le milieu évoqué est en bonne partie le même, forcément, puisque les deux sœurs s'inspirent l'une et l'autre du passé familial. Certes, la lecture du *Pain de chez nous* a pu jouer un rôle dans la genèse de *Rue Deschambault* ; elle peut même avoir été un événement déterminant, tout écrivain est sujet à ce genre d'influence. Mais pour le reste, on ne saurait concevoir livres plus différents par le ton, l'ambiance, la composition, l'art de caractériser les personnages, de décrire les lieux, de suggérer les pensées et les émotions, et surtout par le propos : celui d'Adèle est d'abord réaliste et documentaire ; celui de Gabrielle, en grande partie autobiographique, reste beaucoup plus libre et imaginatif. De même, sur le plan esthétique, le récit monocorde et plat du *Pain de chez nous*, son discours lourdement idéologique, n'ont rien à voir avec la finesse d'écriture et le climat tout intérieur de *Rue Deschambault*, dont l'originalité, loin d'être diminuée par la comparaison avec le livre d'Adèle, n'en paraît que plus éclatante encore.

En écrivant *Rue Deschambault,* Gabrielle renoue en fait non seulement avec son passé manitobain, mais aussi, d'une certaine manière, avec le projet de « saga » auquel elle a commencé à travailler après la publication de *Bonheur d'occasion,* donc avec un thème et des personnages qui font partie de son univers depuis plusieurs années déjà[18]. De plus, la composition de l'ouvrage lui permet de s'adonner à une forme d'écriture — celle du récit bref ou du « conte » — qu'elle pratique depuis toujours et qui lui est beaucoup plus naturelle que celle du roman classique, comme l'a montré le long calvaire d'*Alexandre Chenevert*.

Ce sont toutes ces raisons sans doute qui expliquent l'aisance et la rapidité avec lesquelles *Rue Deschambault* voit le jour. La romancière s'y met, semble-t-il, au printemps 1954, pendant un bref séjour à Port-au-Persil où elle est venue pour fuir la publicité entourant la sortie d'*Alexandre Chenevert* et pour se reposer de la fatigue et de l'accablement moral où elle végète depuis le début de l'année. Quelques semaines plus tard, elle interrompt la rédaction de l'ouvrage pour assister à la réunion annuelle de la Société royale du Canada, en vue de laquelle elle a préparé la conférence intitulée « Souvenirs du Manitoba ». C'est la première fois, depuis son élection en 1947, qu'elle participe à une activité de la Société. Il est vrai que la réunion a lieu cette année-là à Winnipeg et que ce voyage est l'occasion de retrouver les siens, qu'elle n'a pas revus depuis bientôt sept ans, et de s'imprégner encore une fois des paysages et des souvenirs dans lesquels puise l'écriture de *Rue Deschambault*.

La conférence a lieu le 31 mai, à l'université ; y assistent notamment Frank Scott et Jean-Charles Falardeau. Aussitôt après, Gabrielle se retire à la Painchaudière, où Anna, dont la santé s'est un peu améliorée, joue de nouveau son rôle de rassembleuse des filles de Mélina. Elle fait venir Clémence et Adèle, qui habitent ensemble ; deux mois plus tôt, Adèle a quitté définitivement Tangent et est venue s'installer pour quelque temps à Saint-Boniface. C'est la dernière fois de leur vie qu'elle et Gabrielle se voient. Anna fait aussi venir sœur Léon, que sa communauté a rapatriée cinq ans plus tôt à l'Académie Saint-Joseph, après deux décennies de bons et loyaux services dans les déserts du nord de l'Ontario. Comme d'habitude, les conversations vont bon train. Longuement, Gabrielle et ses sœurs ressassent les souvenirs de leur « moudra » adorée, de la vieille maison jaune et de leur jeunesse à toutes, avant que la vie les sépare. Gabrielle profite aussi de son séjour au Manitoba pour faire plus ample connaissance avec la jeune sœur de

Marcel, Léona, et avec son mari Arthur Corriveau. Quoique le courant ne passe guère entre elle et sa belle-sœur, elle fait avec Léona et Arthur de longues promenades en voiture, heureuse de revoir les lieux de son passé. Un après-midi, ils l'emmènent jusqu'à Somerset, dans la région de la Montagne Pembina, où elle retrouve avec nostalgie la vieille ferme de l'oncle Excide et le souvenir de ses vacances bénies d'autrefois. Puis on pousse jusqu'à Cardinal, où Marcel Lancelot, son ancien élève devenu instituteur, l'accueille à la porte de l'école ; elle entre, s'assoit à son vieux pupitre de maîtresse et, le menton entre les mains, reste là sans rien dire, à regarder la classe vide et à rêver.

De retour du Manitoba, Gabrielle va passer la plus grande partie de l'été 1954 à Baie-Saint-Paul, à l'auberge Belle-Plage. Dans sa petite chambre du troisième étage, elle tape chaque matin quelques pages de son manuscrit. Le premier récit qu'elle achève est « Ma tante Thérésina Veilleux », inspiré du souvenir qu'elle garde de son oncle Moïse Landry et de sa femme, la frêle Thérèse, morte vingt ans plus tôt sur les bords du Pacifique. Puis d'autres histoires succèdent à la première, sans ordre préétabli, « au hasard » des souvenirs qui fourmillent. Alors, dira-t-elle, « je me suis aperçue que j'avais une œuvre, que je pourrais avoir une œuvre[19] », c'est-à-dire un ensemble possédant assez de cohérence et d'unité pour former un livre qui se tienne. Ce livre a pour trame la jeunesse de Christine, à la fois héroïne et narratrice, qui fait peu à peu la découverte d'elle-même et du monde qui l'entoure, depuis sa petite enfance jusqu'à la fin de l'adolescence. Autour de ce fil conducteur, la romancière organise les histoires qu'elle a déjà écrites en les disposant selon l'ordre chronologique, elle en écrit de nouvelles qui lui semblent commandées par l'équilibre de la structure et du thème et elle élimine de son plan celles dont la manière ne lui semble plus convenir à l'esprit de l'ouvrage. C'est le cas de « Ma vache », un petit conte écrit à la même époque que les récits de *Rue Deschambault* mais qui sera publié séparément une dizaine d'années plus tard dans un périodique.

En novembre 1954, le manuscrit est terminé et envoyé chez Flammarion. René d'Uckermann s'en montre ravi, même s'il doute que le livre puisse obtenir un grand succès de vente, « car nous sommes dans une époque où il faut du fracas pour attirer l'attention[20] » ; malgré cela, non seulement il accepte de publier, mais il tient à ce que Gabrielle Roy, dont le contrat initial avec Flammarion se termine normalement avec cet ouvrage, s'engage de nouveau pour son prochain manuscrit, ce qu'elle accepte. À la différence de ce qui s'est passé pour *La Petite Poule d'Eau* et *Alexandre Chenevert*, cette fois c'est l'édition parisienne qui sort la première, en septembre 1955. Fabriquée à toute vitesse, l'édition Beauchemin suit un mois plus tard, sous une couverture ornée d'un dessin de l'ami Jean Soucy. Quant à la traduction anglaise, Denver Lindley, le nouvel *editor* de Gabrielle Roy chez Harcourt Brace, voudrait éviter de la confier à Harry Binsse, dont la lenteur, lors de la traduction d'*Alexandre Chenevert*, avait impatienté tout le monde. On déniche un certain Leclercq, mais il travaille si mal que l'on doit revenir à Binsse qui, comme d'habitude, prend tout son temps ; le livre, intitulé *Street of Riches*, ne paraîtra à New York et à Toronto (sous l'étiquette de McClelland & Stewart) qu'en octobre 1957.

Des années de répit

En ce qui concerne le destin critique de Gabrielle Roy et de son œuvre, l'accueil réservé à *Rue Deschambault* marque un tournant. On peut dire qu'avec ce livre la position de la romancière dans l'institution et le marché littéraires trouve enfin son équilibre. Comme cette position, dans les dix ou vingt ans qui suivront, variera peu, il vaut la peine de s'y arrêter un moment.

D'abord, la carrière de *Rue Deschambault* en France et aux États-Unis confirme ce que *La Petite Poule d'Eau* et *Alexandre Chenevert* avaient déjà indiqué : Gabrielle Roy n'est pas — ou n'est plus, si elle l'a jamais été — un auteur d'audience et de réputation internationales. Certes, les quelques critiques français et américains qui s'intéressent à elle accueillent son livre avec force compliments[21], mais ils sont peu nombreux et, pour la plupart, très marginaux. Visiblement, Gabrielle Roy n'est plus, en France et aux États-Unis, qu'un auteur très mineur, dont l'œuvre émeut les cœurs sensibles et les amis du Canada, mais paraît déphasée et sans poids dans la vie littéraire de l'heure. Les chiffres de ventes en témoignent : en dix-huit mois, Flammarion écoule péniblement quelque 3 000 exemplaires de *Rue Deschambault*, dont une bonne partie sans doute sur le territoire canadien, malgré l'interdiction prévue au contrat. Quant aux ventes américaines, un an après la parution elles n'auront même pas atteint le chiffre de 500, si l'on met de côté trois ou quatre milliers d'exemplaires distribués aux membres du Catholic Digest Book Club, pâle concurrent de la Literary Guild of America. Il est donc évident que la renommée de Gabrielle Roy en Europe et aux États-Unis n'a pas survécu au succès éphémère de *Bonheur d'occasion*. Après *Rue Deschambault*, quelques autres livres d'elle auront beau paraître encore à Paris et à New York, ainsi que quelques traductions dans des capitales étrangères[22], il n'en reste pas moins que ses jours sur la scène de la littérature mondiale sont comptés.

Cependant, plus le nom et la « cote » de Gabrielle Roy s'effacent à l'étranger, plus ils vont s'imposer au Québec et au Canada. À l'oubli international correspond, dirait-on, une sorte de rapatriement ou de « canadianisation » de l'œuvre de Gabrielle Roy, dont l'importance et la valeur, à Montréal comme à Toronto, paraissent de plus en plus précieuses et indiscutables. Cette ferveur, due en bonne partie au nationalisme culturel qui fait florès dans les milieux intellectuels et politiques canadiens, s'exprime par le concert d'éloges qui salue la parution de *Rue Deschambault* dans l'ensemble de la presse locale. De Montréal à Québec, de René Garneau à Rita Leclerc, du *Petit Journal* à *L'Action catholique*, tous célèbrent la « remarquable unité de composition et de ton », la « perfection de style, sans faille aucune », la « pudeur admirable » et surtout, comme le dit Gilles Marcotte, cette « généreuse faculté de sympathie » qui illumine chacune des histoires, le portrait de chacun des personnages de *Rue Deschambault*[23]. Dans les librairies du Québec, le livre marche très bien : les 5 000 premiers exemplaires de l'édition Beauchemin s'envolent en trois mois, et l'on procède à deux nouveaux tirages pendant l'année 1956.

Du côté anglophone, les ventes seront plus lentes : environ 3 000 exemplaires en un an. Mais la critique se montre tout aussi enthousiaste. Au *Montreal Star*, à la *Gazette*, au *Globe & Mail*, dans les revues universitaires, partout *Street of Riches* soulève l'admiration des *book reviewers*[24].

Mais ce qui frappe le plus dans l'accueil réservé par la critique canadienne à *Rue Deschambault*, ce ne sont pas tant les éloges unanimes que l'absence — ou du moins le caractère secondaire — des références à *Bonheur d'occasion*. À la parution de *La Petite Poule d'Eau* et d'*Alexandre Chenevert*, les commentateurs, on l'a vu, avaient surtout réagi en fonction des attentes que le premier roman de Gabrielle Roy leur avait fait concevoir, d'où le mélange de surprise, de déception et même d'incompréhension qu'exprimaient plusieurs de leurs jugements. Rien de tel cette fois. Certes, on n'a pas oublié *Bonheur d'occasion*, mais Gabrielle Roy cesse, comme le note un critique, de passer pour l'auteur de ce seul livre[25]. Elle a maintenant une œuvre, elle est maintenant un écrivain dans le plein sens du terme, un écrivain dont « l'art [...] est toujours en progrès » et donne « les preuves d'un talent qui s'approfondit en devenant plus divers », un écrivain qui a « atteint ce point de développement où son style n'est rien de plus ni de moins que sa propre individualité[26] ». Aussi l'auteur de *Rue Deschambault* appartient-il à une classe à part parmi les écrivains d'ici. « La moitié de [ce livre], déclare Guy Sylvestre, vaut plus que la plupart des livres parus chez nous » où, ajoute-t-il, « il n'y a peut-être personne [...] qui sache écrire aussi bien, sans effort apparent, sans enflure, sans fausseté » que Gabrielle Roy; personne, renchérit Pierre de Grandpré, « qui [ait] une aussi authentique vocation d'écrire[27] ».

Le succès de *Rue Deschambault* ne tarde pas à se traduire en distinctions plus ou moins officielles. À l'automne 1956, la Société Saint-Jean-Baptiste de Montréal accorde à Gabrielle Roy le prix Ludger-Duvernay, qui est alors au Québec l'une des récompenses littéraires les plus prestigieuses, comme en fait foi la liste des auteurs couronnés depuis la création du prix en 1944 : Lionel Groulx, Germaine Guèvremont, Robert Charbonneau, Alain Grandbois, Léo-Paul Desrosiers... Lors de la cérémonie qui a lieu le 12 décembre à l'hôtel Windsor, le président du jury, Roger Duhamel[28], fait l'éloge de la lauréate qui raconte ensuite, dans un discours mi-ironique mi-attendri, « Comment [elle a] reçu le Fémina ». D'autres hommages viennent du Canada anglais. Fin 1955, Gabrielle Roy est proclamée l'une des *Women of the Year* par la Presse Canadienne, en même temps que Maureen Forrester, Charlotte Whitton, mairesse d'Ottawa, et la nageuse Marilyn Bell. L'année suivante paraît à Toronto une édition scolaire de *La Petite Poule d'Eau* ; faire lire l'œuvre si authentiquement « canadienne » de Gabrielle Roy par tous les écoliers du pays est un projet que Bill Deacon caresse depuis longtemps ; il y a d'abord intéressé Jack McClelland, l'un des patrons de McClelland & Stewart, puis des fonctionnaires de l'éducation, et enfin la maison Clarke Irwin, qui lance en 1956 une édition comprenant le texte français des deux premières parties du roman accompagné d'une introduction et de notes en anglais. Les premières études savantes de l'ensemble de l'œuvre commencent à être publiées dans des revues spécialisées du Canada anglais[29]. Enfin, en 1957, *Street of Riches* obtient, dix ans après celui qu'a remporté *The Tin Flute*, le « *Governor-General's Award for fiction* » ; c'est la première fois qu'un écrivain reçoit cet honneur plus d'une fois.

Rue Deschambault, en somme, est le second triomphe de Gabrielle Roy. Un triomphe moins spectaculaire que celui de *Bonheur d'occasion*, moins tonitruant, mais plus décisif et plus durable peut-être, dans la mesure où la romancière réussit enfin, avec ce quatrième livre, à se déprendre de *Bonheur d'occasion*, à imposer aux critiques (et aux lecteurs), malgré leurs réserves initiales, un style, une forme, un univers qui n'ont plus rien à voir avec son premier roman et qui définiront désormais sa « voix » propre, unique, irremplaçable. Cette victoire n'est pas définitive, bien sûr, et il y aura encore, dans la fortune critique (et commerciale) de Gabrielle Roy, bien des fluctuations. Mais aucune ne remettra en péril le statut privilégié qui est maintenant le sien, celui d'un écrivain consacré et respecté ; jusqu'à la fin, Gabrielle Roy restera un des auteurs « incontournables » de la littérature québécoise et canadienne.

Dans quelle mesure cette faveur nouvelle dont elle jouit auprès des critiques et des lecteurs se répercute-t-elle dans la vie personnelle de Gabrielle ? Peut-on y attribuer l'apaisement relatif dont son existence de ces années-là offre l'image ? C'est bien difficile à dire. Chose certaine, cette époque de sa vie, entre 1953 et le début des années soixante environ, est l'une des plus tranquilles et des plus harmonieuses qu'elle ait connues jusqu'ici, même si elle coïncide avec ce qu'on appelle alors le « retour d'âge ». Point de conflit majeur, point de tension, mais une période de paix, de jouissance de soi et de recueillement. Toutes choses que reflète la belle photo prise en 1955 par Zarov pour le lancement de *Rue Deschambault* et qui restera longtemps la seule image d'elle-même que Gabrielle Roy laissera circuler ; il y a loin entre la « star » souriante que montrait le portrait de 1945 fait par la même photographe, et cette femme à la beauté calme et pensive ; le visage est anguleux — on le dirait sans âge —, les cheveux sont tirés sur la nuque, les lèvres sont droites, le regard lointain est chargé à la fois de gravité et de mansuétude.

Comme on l'a vu, c'est seulement vers la fin de l'année 1952, au retour du voyage à Boston, que Gabrielle s'installe à Québec. Elle et Marcel habitent le Château Saint-Louis, un grand immeuble cossu situé sur le côté sud de la Grande-Allée. Le quartier est ravissant ; il se trouve à proximité des Plaines d'Abraham et du Vieux-Québec, et la tranquillité presque bucolique de ses rues rappelle un peu le coin de Westmount que Gabrielle aimait tant. Le Saint-Laurent, en contrebas, offre son spectacle toujours le même, toujours changeant. De plus, le cabinet de Marcel se trouve à deux pas, rue Saint-Cyrille. Au début, Gabrielle et son mari louent deux chambres chez Mme Chassé, où Marcel a pris pension à son arrivée à Québec. Au bout de quelque temps, ils emménageront dans un petit appartement à eux, au septième étage, puis, en 1963, dans un autre plus spacieux, au troisième, où ils habiteront jusqu'à la fin de leurs jours. C'est, à l'angle sud-ouest du bâtiment, un bel appartement de six pièces, dont l'immense salon donne sur les Plaines et le fleuve. Comme Gabrielle n'a toujours rien d'une femme d'intérieur et que leur travail les occupe beaucoup l'un et l'autre, ils engagent une bonne pour faire le ménage et prennent leurs repas tantôt au restaurant, tantôt chez Mme Chassé qui tient une salle à manger au rez-de-chaussée de l'immeuble. Leur train de vie, de cette façon, ne manque ni de confort ni d'agrément.

C'est que, sans être vraiment riches, ils jouissent de revenus tout à fait convenables. Pour Marcel, les années de vaches maigres sont terminées ; il s'est fait une clientèle et ses honoraires sont ceux d'un médecin spécialiste. Quant à Gabrielle, elle touche jusqu'en 1954 les 15 000 dollars que lui verse annuellement son éditeur américain. Par la suite, le montant de ses droits d'auteur diminue considérablement : en 1955, il baisse de moitié, puis tombe à moins de 3 000 dollars les années suivantes[30]. Heureusement, l'argent qu'elle a pu placer depuis 1947 lui rapporte des intérêts et des dividendes d'environ 1 200 dollars par année. Cet appauvrissement subit n'est pas sans lui causer d'abord des inquiétudes : « J'ai l'impression, écrit-elle à Me Nadeau, qu'il faut repartir à neuf et sur une autre base, puisque je ne m'attends plus à des coups de fortune tels Bonheur d'Occasion[31]. » Mais elle s'habitue vite à son nouveau régime et, loin d'en souffrir, en éprouverait même une sorte de contentement. Car la baisse de ses revenus la contraint — et l'excuse, en quelque sorte — de mener le genre de vie qu'elle souhaite, un minimum de confort, sans doute, mais sans luxe excessif ni possessions qui attachent. Dépenser lui répugne, elle craint les dettes comme la peste et la prodigalité n'est pas son fort. Ses besoins se résument à peu de choses : elle sort peu, ne boit pas, s'habille simplement, emprunte les livres qu'elle veut lire à ses amis au lieu de les acheter, et écrit sur une toute petite table, dans sa chambre à coucher, en utilisant la vieille machine à écrire portative qu'elle s'est offerte du temps qu'elle était institutrice.

Jusqu'alors, outre ses impôts, deux de ses débours annuels les plus importants étaient l'argent qu'elle donnait à ses sœurs et les honoraires de Me Nadeau. À partir du moment où les rentrées diminuent, c'est donc là qu'il faut couper. Certes, elle continue d'assumer la pension de Clémence, mais elle n'envoie plus à Bernadette que quelques dollars de temps en temps, et parfois aussi à Adèle et à Anna. Quant à Me Nadeau, elle lui annonce bientôt une réduction de son mandat : il continuera de s'occuper de ses contrats et de ses rapports avec le fisc, mais c'est elle dorénavant qui s'acquittera des autres tâches (réponses aux demandes de droits et de permissions, lettres officielles, gestion de ses placements, etc.). Dès lors, ses relations avec Me Nadeau deviennent plus espacées, si bien que ce dernier lui écrit en novembre 1957 : « J'ai l'impression que votre délicatesse vous retient de mettre fin au mandat que vous m'aviez confié, il y a déjà un bon nombre d'années, et que je me suis efforcé de remplir au mieux, ou le moins mal possible. Je veux que vous soyez parfaitement à l'aise et je puis vous assurer que, quant à moi, l'estime que j'ai toujours eue pour vous ne changera en rien, même si vous me demandez de vous remettre les dossiers qui vous appartiennent. » À quoi elle répond aussitôt : « Je n'ai pas du tout l'intention de mettre fin au mandat que je vous ai confié, et je vous suis toujours reconnaissante pour vos conseils et pour la manière dont vous prenez soin de mes affaires[32]. » Mais en fait, elle n'a plus besoin de lui. Comme elle ne publie rien au cours des six années qui suivent la sortie de *Rue Deschambault*, il n'y a plus de contrat à négocier ; les contacts de l'écrivain et de l'avocat se limitent dès lors à l'échange de quelques lettres chaque année durant la période de la déclaration des revenus. Le 5 octobre 1960, lorsque Jean-Marie Nadeau perd la vie dans un accident de la route, quatre mois à peine après la victoire électorale des libéraux qu'il espérait depuis si longtemps, il y a plus de deux ans que Gabrielle et lui ne se sont pas vus.

Ainsi, même « modestes et ordinaires[33] », les revenus dont Gabrielle dispose à partir du milieu des années cinquante suffisent amplement à lui assurer ce qui lui tient le plus à cœur : sa liberté. Non seulement elle n'a pas à dépendre financièrement de son mari, mais elle gagne assez pour ne pas devoir courir sans cesse après l'argent. Certes, elle tient un compte minutieux de ce qui lui est dû et le réclame toujours avec fermeté, mais jamais elle n'agit dans le seul but d'accroître ses gains, considérant que sa conscience d'écrivain le lui interdit. Lorsque la télévision de Radio-Canada, qui diffuse déjà des adaptations des *Plouffe* de Roger Lemelin et du *Survenant* de Germaine Guèvremont, lui propose de faire de même avec *Bonheur d'occasion* contre un cachet hebdomadaire de 250 dollars, somme qui doublerait ses revenus, elle décline l'offre car, dit-elle, « il faudrait que je m'en occupe activement pour que ce soit bien fait — et je préfère employer mon temps à faire du neuf[34] ».

À Québec, Gabrielle s'adapte peu à peu à son nouvel environnement. Tout comme elle l'a fait à Paris, puis à Montréal après son retour, elle se tient résolument à l'écart des sollicitations des journalistes et de toute manifestation publique. Dans le milieu littéraire, elle n'a que des rapports aussi polis que rares avec certains collègues écrivains comme

Alain Grandbois, Roger Lemelin ou Anne Hébert (quand celle-ci est de passage au pays). Pour le reste, quelques amis lui suffisent. Au début, elle continue surtout de fréquenter ses amis montréalais, ce qui l'amène souvent dans la métropole pour de brefs séjours, surtout en automne et en hiver. Elle loge tantôt dans son vieux quartier familier, à l'hôtel Laurentien, devant le square Dominion, tantôt non loin de l'Université de Montréal, chez Cécile Chabot, qui occupe un appartement rue Stirling avec sa sœur Thérèse et leur mère. Gabrielle adore se retrouver chez elles, car les trois femmes sont aux petits soins pour elle ; un moment, elle songe même à louer une chambre dans leur voisinage, afin d'y séjourner de temps à autre et de profiter ainsi de l'amitié et de toutes les « gâteries » que Cécile et sa mère lui prodiguent[35]. Cécile est alors pour Gabrielle l'amie la plus chère, celle en qui elle a une confiance totale et dont le bien-être la préoccupe autant que si c'était celui de sa propre sœur.

> Ma Cécile,
>
> […] J'ai rêvé à vous la nuit dernière, et ce n'est pas étonnant car je pense à vous presque constamment et avec intensité ; tant et si bien que vous devez, il me semble, par télépathie en avoir ressenti quelque chose puisque vous avez eu la douceur, la tendresse de m'écrire. […] Chère enfant, quelle est donc la mystérieuse source de votre force, vous si frêle ? Quel est le sens de votre présence parmi nous ? Par vous, en tout cas, j'ai appris bien des choses et j'en apprends encore[36].

Pendant ses séjours à Montréal, Gabrielle revoit aussi quelques connaissances du bon vieux temps, comme Jean Palardy et Jori Smith, Albert et Rachel Jutras, Ringuet et France, sa nouvelle épouse. Il lui arrive également d'aller dîner à Chambly, où habite maintenant son amie Jacqueline Deniset. Elle ne repart jamais pour Québec sans passer un bout de soirée avec Judith Jasmin, dont elle se sent toujours très proche. Judith est d'ailleurs la seule personne qui réussisse à la tirer de sa retraite et à la persuader de paraître de temps à autre en public. Ainsi, c'est par son intermédiaire que Gabrielle accepte, à l'automne 1955, de prononcer une conférence au Ritz-Carlton devant les membres de l'Alliance française[37] (« l'impression générale, confie-t-elle ensuite à Cécile, était celle d'une foule de singes bien habillés[38] »).

En plus de revoir ses amies, Gabrielle profite de ses petites excursions à Montréal pour magasiner, pour aller au théâtre et au cinéma, pour rencontrer Guy Boulizon, le directeur des Éditions Beauchemin, ou pour consulter son médecin, le docteur Dumas. Car il lui arrive encore de traverser des périodes de grande fatigue, voire de dépression, surtout quand arrive la saison hivernale, et elle se plaint souvent dans ses lettres de mille petits malaises qui l'incommodent et lui servent d'excuses pour refuser tel ou tel engagement. Mais il n'y a là rien de grave ; à l'approche de la cinquantaine, c'est une femme encore solide, qui sait toujours trouver l'énergie nécessaire pour faire ce qu'elle a vraiment besoin ou envie de faire. Pour le reste, comme elle l'écrit à Adèle, « je ne suis pas mal du tout à condition de vivre au ralenti[39] », ce qui est bien le rythme de toute son existence de ces années-là.

Au bout de quelque temps, les déplacements entre Québec et Montréal deviennent moins fréquents. C'est que Gabrielle, avec le temps, se refait peu à peu une nouvelle vie dans sa ville d'adoption. À son arrivée, elle n'y a pratiquement pas d'amies en dehors de Jeanne Lapointe. Les deux femmes, que la préparation du manuscrit d'*Alexandre Chenevert* a rapprochées, continuent de se fréquenter pendant un an ou deux. Puis leurs relations s'espacent et cessent. Il est vrai que Gabrielle ne partage pas tout à fait les idées ni la sensibilité littéraires de Jeanne. Au début de l'année 1954, cette dernière lui fait lire un long article qui doit paraître dans la revue *Cité libre* et dans lequel elle dresse un bilan de la littérature et des écrivains d'ici ; elle y dit du bien de Gabrielle Roy et de son œuvre, bien sûr, mais elle regrette le « rythme languissant » de *Bonheur d'occasion*, déplore la « sentimentalité humanitaire » de *La Petite Poule d'Eau* et célèbre hautement les écrits de la nouvelle vedette de l'heure, Anne Hébert, qui vient de publier coup sur coup *Le Torrent* (1950) et *Le Tombeau des rois* (1953)[40]. Dans sa lettre de réponse, Gabrielle se montre polie envers Jeanne, mais ne peut cacher « cette impression de froid » que lui causent l'article et les jugements sévères qu'il contient ; et elle plaide, sans le nommer, la cause de son cher Alexandre Chenevert :

> Il me semble pourtant que tout personnage qui arrive à sortir d'un livre, à vivre de sa vie propre, à demeurer vivant dans notre esprit longtemps après la lecture, que cela, en soi, devrait nous émerveiller. Surtout si c'est un personnage banal, terne, courant, car il me paraît bien plus difficile de créer un personnage de l'ordinaire, du commun, que de décrire un être à part[41].

À l'époque où Gabrielle et Jeanne s'éloignent l'une de l'autre, une nouvelle amitié féminine est donnée à Gabrielle, une amitié double, cette fois, et qui va durer jusqu'à la fin de sa vie. Un jour, vers la fin de l'année 1953, Cécile Chabot, voulant faire parvenir un colis à Gabrielle, le confie à une de ses amies, Madeleine Chassé, qui travaille dans un bureau de Montréal mais se rend tous les week-ends à Québec. L'amie de celle-ci, Madeleine Bergeron, se charge de la course au Château Saint-Louis et invite Gabrielle à venir les voir. Les trois femmes s'entendent aussitôt à merveille. Très vite, elles prennent l'habitude de se téléphoner plusieurs fois par semaine et de se retrouver souvent pour des activités en commun, si bien que Gabrielle ne peut que remercier Cécile de lui avoir fait connaître « les Madeleine », comme elle a déjà commencé de les appeler, qui « me sont devenues en bien peu de temps des amies comme toute ma vie j'en ai désirées[42] ».

Personnages intéressants que ces deux femmes dont le mode de vie, les idées et les champs d'intérêt n'ont guère à voir avec les modèles féminins ayant cours dans le Québec de cette époque. Restées célibataires l'une et l'autre, elles ont choisi de vivre ensemble par commodité autant que par goût. De huit ans plus âgée que Gabrielle, Madeleine Chassé est fille de journalistes (son père a fondé *L'Avant-garde* et sa mère a été gérante de *L'Événement*) et pratique le métier de secrétaire. Madeleine Bergeron, de son côté, a six ans de moins que Gabrielle. Native de Québec, elle fait du service social bénévole et dirige depuis 1947 l'école Cardinal-Villeneuve pour handicapés physiques, située à Sainte-Foy.

En Madeleine Chassé, Gabrielle trouve une secrétaire compétente et dévouée. Leur collaboration commence dès l'automne 1954, avec la dactylographie du manuscrit de *Rue Deschambault* ; comme Jacqueline Deniset, la copiste habituelle de Gabrielle, est sur le point d'accoucher, c'est Madeleine Chassé qui se charge du travail ; elle continuera pendant sept ans d'exécuter diverses tâches pour Gabrielle. Quant à Madeleine Bergeron, qui adore conduire, elle ne tarde pas à découvrir combien Gabrielle raffole des randonnées en voiture et l'invite presque chaque semaine pour une après-midi à la campagne. N'ayant d'autre itinéraire que l'inspiration ou le caprice de Gabrielle, elles roulent sans but précis, empruntant telle route secondaire, bifurquant à telle croisée, s'arrêtant une heure ou deux pour suivre à pied tel ou tel sentier ; elles n'aiment rien tant que de se sentir perdues, loin de tout, jusqu'à ce que l'approche de la nuit les ramène au bercail et à la réalité. Pour Gabrielle, ces petites sorties à trois sont toujours une fête.

Il y aura parfois des nuages dans l'amitié qui la lie aux Madeleine. Mais serviables et attentives aux besoins de leur amie, soucieuses de partager ses bons jours et d'égayer les mauvais, les deux femmes le resteront jusqu'à la fin.

Une épouse voyageuse

Même s'il fréquente un peu les Madeleine et se mêle parfois aux activités de la petite « communauté » — repas, fêtes de fin d'année, excursions en raquettes l'hiver, villégiatures l'été —, Marcel, de plus en plus, mène sa propre vie de son côté. L'établissement de son cabinet, son poste à l'hôpital, ses relations professionnelles, bref, tout ce qui concerne son travail l'occupe grandement, en particulier durant les deux ou trois années qui suivent son arrivée à Québec, ville où d'emblée il s'est senti beaucoup plus à l'aise qu'à Montréal.

Assez vite, il s'y fait un groupe d'amis avec qui il partage son goût pour les arts. Parmi eux, une place à part revient à Cyrias Ouellet, ex-collaborateur de la revue *Regards*, et au peintre Jean Soucy, avec qui Marcel passe beaucoup de ses moments libres et qui l'initie à la pratique de l'aquarelle et de la peinture à l'huile, où l'élève ne réussit d'ailleurs pas trop mal. Ensemble, Marcel et ses compagnons vont en excursion, le plus souvent à l'île d'Orléans, pour se baigner, faire du vélo et peindre d'après nature.

Entre Gabrielle et Marcel, ce n'est déjà plus la flamme des premières années, mais une sorte d'entente à l'amiable qui les fait vivre ensemble sans qu'ils forment vraiment un couple marié, du moins au sens habituel du terme. Jusqu'au moment de leur installation à Québec, leur union a pu reposer en partie sur une certaine dépendance réciproque, Marcel « protégeant » Gabrielle et s'occupant en partie de son confort matériel (déménagements, transports, etc.), tandis qu'elle assumait l'essentiel de leurs dépenses. Mais la situation a changé : Marcel gagne maintenant très bien sa vie et Gabrielle, depuis que l'attention publique à son égard s'est relâchée et qu'elle a élargi le cercle de ses amitiés, n'a plus autant besoin de l'abri que lui offrait Marcel. Aussi ont-ils moins de difficulté à se passer l'un de l'autre et tendent-ils à mener chacun leur propre existence, comme s'il n'y avait plus grand-chose de commun entre eux.

Ils n'ont pas d'enfant, et il n'est pas question, il n'a jamais été question qu'ils en aient, malgré les plaintes de la mère de Marcel qui, remariée, s'appelle maintenant Mme Dordu et vit à Repentigny, en banlieue de Montréal. Elle et Gabrielle ne s'aiment pas beaucoup. Mme Dordu reproche à sa bru de ne pas bien remplir son rôle d'épouse et de priver son fils de progéniture, à quoi Gabrielle réplique : « Mais qui vous dit que c'est moi qui ne peux pas[43] ? » En fait, l'absence d'enfant fait partie du pacte initial entre Marcel et elle. « Mes enfants, a coutume de déclarer Gabrielle, ce sont mes livres. » Il faut dire que leur relation sexuelle n'est pas des plus actives. Elle ne l'a jamais été, du reste, sauf peut-être le premier été, juste avant leur mariage, lorsque Marcel est allé rejoindre Gabrielle à Kenora, puis dans les quelques mois qui ont suivi. Mais la passion s'est vite émoussée. Dès leur arrivée à l'hôtel Lutétia, puis dans toutes les pensions et dans tous les appartements qu'ils ont occupés depuis, y compris au Château Saint-Louis, Gabrielle a tenu à avoir sa chambre à elle et à y dormir seule. Ont-ils été amants au-delà des premiers temps de leur mariage, le sont-ils toujours après leur installation à Québec, le seront-ils encore pendant les trente-cinq ans de leur vie commune, il semble bien que non.

Et il semble bien que cette distance, à l'origine du moins, soit surtout le fait de Gabrielle, qui garde à l'égard de l'amour les réserves que lui inspirent et son tempérament et le souvenir de son initiation auprès de Stephen. S'abandonner, se livrer corps et âme, simplement s'oublier l'effraie, lui apparaît comme une menace, en tout cas comme le contraire de ce qu'elle n'a cessé de chercher depuis qu'elle a pris conscience d'elle-même : la liberté, la pleine maîtrise de son être et de sa vie, le refus de se soumettre à quiconque, afin de rester entièrement disponible pour cet accomplissement de soi qui est l'unique objet de ses désirs. De cette attitude à l'égard de la sexualité, de cette crainte mêlée de dégoût, on peut lire l'expression la plus directe dans certains des textes auxquels elle travaille à cette époque, c'est-à-dire entre le milieu des années cinquante et la fin des années soixante, en particulier dans deux romans ou projets de romans demeurés inédits : *La Saga d'Éveline* et *Baldur*. Tous deux inachevés et comme inachevables (en partie pour cette raison, peut-être), ces textes montrent des personnages de femmes pour qui l'amour charnel et la procréation sont vécus sinon comme un avilissement, du moins comme un assujettissement et une diminution de leur être, d'où ne peuvent découler que la souffrance et la mort. Sublimation, détournement de libido ? Sans doute. Mais cette « virginité », ou cette frigidité, qu'on le veuille ou non, est une des sources de la créativité de Gabrielle, une des forces profondes de son œuvre.

Distants l'un de l'autre dans leurs rapports intimes, Marcel et Gabrielle ne le sont pas moins dans leurs activités professionnelles. Là encore, il y a eu entre eux, pendant leur séjour en Europe et l'année qui a suivi leur retour au pays, une courte période de collaboration : Gabrielle prenait à cœur les études et le métier de son mari, elle partageait et encourageait son goût pour les arts, et Marcel, de son côté, suivait les efforts littéraires de Gabrielle, lisant et commentant les nouveaux contes qu'elle lui montrait (on se souvient qu'il lui a apporté son concours lors de l'élaboration de *La Petite Poule d'Eau*). Très tôt, cependant, cette belle entente fait place, non pas à l'indifférence, mais à une sorte de détachement ou d'éloignement de chacun par rapport au travail et aux intérêts de l'autre. La rupture survient au cours de la rédaction d'*Alexandre Chenevert*, lorsque Gabrielle fait appel à son mari pour obtenir des renseignements d'ordre médical : « J'ai fait, dira plus tard Marcel, des remarques qu'elle n'a pas aimées (remarquez qu'elle en a tenu compte). Je me suis dit à ce moment-là : moi à ma médecine et Gabrielle à son écriture, et ce fut fini. » Marcel, bien sûr, continuera de lire — et d'aimer — tout ce que sa femme publie, mais jamais plus, à compter du début des années cinquante, il ne lira un texte d'elle en cours d'écriture ni n'interviendra de quelque manière dans son travail d'écrivain, et jamais plus, de son côté, elle ne le lui demandera. Un mur s'élève ainsi entre eux, qu'aucun des deux ne cherche à franchir. Non seulement Gabrielle ne se mêle plus de la carrière de Marcel, mais elle ne s'intéresse guère non plus à sa passion pour l'art, considérant même avec un certain agacement l'habitude qu'il prend d'acheter et de collectionner meubles anciens, tableaux et autres objets de valeur ; pour elle, tout cela n'est que « gaspille » et embarras, si bien que Marcel doit bientôt se cacher d'elle pour continuer ses achats. Au lieu de garder ses trouvailles dans l'appartement, il les entasse dans son bureau, dans la cave du Château Saint-Louis ou chez des amis complices.

Leur vie sociale commune est donc assez limitée. Certes, ils ont leurs entrées dans la bonne société québécoise, qui ne demande rien de mieux que de recevoir la grande romancière et son mari ; il leur arrive d'assister ensemble à un dîner ou à une soirée chez un médecin, un universitaire ou un artiste de renom, mais ces sorties sont rares. Elles le sont moins cependant que les réceptions chez eux, car les Carbotte n'en organisent jamais ; ils n'ont ni les meubles, ni la vaisselle, ni le goût de l'hospitalité qu'il faudrait. C'est que les mondanités sont trop éprouvantes pour Gabrielle. Dès qu'elle se trouve au milieu d'un groupe, elle ressent une telle obligation de briller, de captiver l'attention de tous par ses propos et ses récits — récits auxquels elle excelle d'ailleurs, en bonne comédienne qu'elle est restée — que ces séances la laissent dans un état de fatigue et de nervosité dont elle met parfois des jours à se remettre, qui sont autant de jours perdus pour son travail. Aussi, elle qui aime bien les rencontres intimes avec quelques amis, fuit-elle au contraire les réunions mondaines que Marcel, quant à lui, fréquenterait volontiers.

Dans leur vie de tous les jours, les rapports sont souvent tendus. Étant l'un et l'autre de tempérament nerveux, ils s'accrochent pour des vétilles ; la moindre contrariété, le moindre ennui domestique les rend angoissés et irritables, et ils ont des mots qu'ensuite ils regrettent. Cela dit, leurs sautes d'humeur et leurs querelles sont rarement sérieuses, et la réconciliation ne tarde jamais longtemps. Sauf une fois, semble-t-il, au cours de l'été 1954, alors que Gabrielle est en vacances à Baie-Saint-Paul. Pour un motif quelconque, elle et Marcel ont une scène de ménage si vive qu'elle décide de partir seule pour Port-Daniel sans revoir ni prévenir son mari. « Je pense que la destinée a peut-être parlé[44] », écrit-elle à Madeleine Bergeron. Mais l'éloignement la ramène à de meilleurs sentiments. Quelques jours après son arrivée en Gaspésie, elle écrit à Marcel :

> Quant à ce qui s'est passé entre nous avant que je parte, j'espère que tu te rends compte que bien souvent nos paroles dépassent nos pensées. Je t'en ai dit d'odieuses que je regrette, que je regretterai toujours — et sans doute aussi je me souviendrai toujours de certaines paroles que tu m'as dites. Elles contenaient assez de vrai pour faire très mal, longtemps ; mais sont-elles entièrement vraies ! Voilà ce que je ne sais pas moi-même[45] !

En bonne épouse, Gabrielle rentre finalement à Québec et Marcel l'accompagne pour la fin de ses vacances à Baie-Saint-Paul. L'orage est passé, comme les autres, sans causer de dégâts irréparables. Mais leur relation, à force d'être secouée ainsi, se transforme peu à peu en cette entente distante, plus amicale qu'amoureuse, qui les fera vivre jusqu'à la fin comme des partenaires soudés l'un à l'autre par la fatalité conjugale autant que par un attachement profondément ressenti.

L'épisode de l'été 1954 illustre ce qui apparaît depuis le début comme une constante de leur mariage, c'est-à-dire le contraste entre la difficulté qu'ils ont à vivre ensemble chaque jour, dans le concret de l'existence quotidienne, et la tendresse qu'ils éprouvent l'un pour l'autre dès que la distance les sépare, qu'ils n'ont plus l'autre sous les yeux et que leurs rapports empruntent la voie des lettres et des conversations téléphoniques. C'est chaque fois le même scénario. Gabrielle n'a pas sitôt quitté le Château Saint-Louis — où les époux ont toutes les peines du monde à passer une journée sans se marcher sur les pieds et s'adresser des paroles bourrues ou excédées — qu'elle s'empresse d'écrire à Marcel pour lui dire qu'elle regrette leurs disputes, que sa santé l'inquiète, qu'il devrait faire telle ou telle chose pour occuper ses loisirs, et qu'elle pense et tient à lui. « Je n'aurai aucune paix d'esprit tant que je n'aurai pas de bonnes nouvelles de toi. Mon cher Marcel, de grâce, ne me refuse pas, comme à une étrangère, toute confiance. Oublions ce qui est passé pour cultiver un meilleur présent. [...] Ce qu'il pourrait y avoir encore de très beau entre nous, ce serait la franchise entière, et la confiance[46]. »

Séparés, ils continuent de l'être souvent, et parfois pour des périodes assez longues. Toujours, c'est Gabrielle qui décide de ces séparations, c'est elle qui part et c'est elle qui choisit le moment des retrouvailles. Il en va ainsi depuis le jour de leur rencontre. Régulièrement, elle a besoin de s'isoler, de prendre le large, et rien alors ne pourrait la retenir. Les premières années, Marcel vivait assez mal ces périodes de solitude imposée ; il s'ennuyait, et parfois même protestait timidement. Mais avec le temps il s'est habitué aux absences de sa femme ; non seulement il ne maugrée plus, mais il se débrouille très bien tout seul, profitant de ces moments de liberté pour se livrer impunément à son goût des mondanités, à ses activités artistiques en compagnie de ses amis et à son penchant pour la paresse et pour un certain laisser-aller domestique et vestimentaire.

Au cours des quelques années qui suivent leur établissement à Québec, Gabrielle effectue ainsi trois voyages d'une certaine durée. Si elle s'emploie à cette époque à réduire le plus possible les dépenses, celles occasionnées par ses vacances et son besoin de mouvement ne sont pas touchées, puisqu'il s'agit à ses yeux de dépenses « professionnelles ». Trois fois, donc, elle part au loin pour plusieurs semaines, sans Marcel, mais en restant en contact quasi permanent avec lui grâce à une abondante correspondance.

Les deux premiers voyages ont lieu la même année, en 1955. Au printemps, elle se rend en France pour un séjour qui durera un peu plus de deux mois. À son arrivée à Paris, elle s'installe au Grand Hôtel du Louvre, non loin du Palais-Royal, et passe là tout le mois de mai, en sorties et en mondanités. Elle voit Jean-Paul Lemieux et sa femme, rencontrés par hasard au théâtre, croise Anne Hébert de retour de Florence, déjeune chez René Garneau, attaché culturel à l'ambassade du Canada, va passer une après-midi à Saint-Germain-en-Laye avec les pensionnaires de la Villa Dauphine, et reçoit M. d'Uckermann qui lui apporte les épreuves de *Rue Deschambault* à corriger. Mais surtout, elle retrouve Paula Bougearel, qu'elle n'a pas revue depuis 1949 et qui habite maintenant la capitale avec ses deux enfants et son mari, celui-ci ayant été muté récemment de Strasbourg. Ravies de se revoir et grisées l'une autant que l'autre par « la fièvre de Paris », les deux amies se donnent rendez-vous aussi souvent qu'elles le peuvent, pour aller au théâtre, au cinéma (elles voient notamment *La Strada*, que Gabrielle trouve « d'une poésie incomparable »), dans les magasins et les musées[47]. C'est au cours de ce séjour que Gabrielle découvre l'Orangerie et le Louvre, qui ne l'avaient jamais attirée jusque-là, malgré les insistances de Marcel. Elle les visite, cette fois, à plusieurs reprises, dans un éblouissement qui annonce celui de Pierre Cadorai, le héros de *La Montagne secrète*.

Début juin, les deux femmes quittent Paris pour la Bretagne, où Gabrielle rêve de retourner depuis son merveilleux été de 1948 à Concarneau. Cette fois, elle et Paula s'installent à Port-Navalo, sur le golfe du Morbihan, dans une auberge — l'hôtel Boris — dont le patron s'appelle M. Le Bonniec[48]. Gabrielle est aux anges. Il y a ici, dit-elle à Bernadette, « tout ce que j'aime : un petit village de pêcheurs, très ancien, très pittoresque ; des landes couvertes de genêts dont le jaune ardent jette sa clarté au ciel un peu gris [...] et surtout ce bruit de la mer toujours présent[49] ». Paula est la compagne idéale. Ensemble, elles font de longues promenades sur la plage, causent avec les gens du pays, vont en excursion à Quiberon, à Vannes et jusqu'à Belle-Isle, contentes de se sentir si proches et si bien accordées l'une avec l'autre. Hélas, Paula doit repartir au bout d'une dizaine de jours. Restée seule, Gabrielle passe ses journées à lire et à prendre des bains de soleil, mais le cœur n'y est plus. Elle rentre donc à Paris, où elle descend cette fois dans un hôtel plus modeste, le Lutèce, dans le VIe arrondissement. Paula la prend de nouveau sous son aile, « [accourant] de l'autre bout de Paris chaque jour pour me rendre visite[50] ». Leur âge ne paraît plus, elles sont redevenues les jeunes femmes rieuses et pétillantes du temps de Saint-Boniface.

Il faut songer à repartir pour le Canada. Mais auparavant, Gabrielle projette un autre séjour, en Angleterre cette fois, chez « mes vieux amis les Perfect[51] » qu'elle n'a pas revus depuis l'automne 1949. Tout est bientôt réglé : elle partira pour Londres le 12 juillet, après avoir subi d'urgence une petite opération pour les hémorroïdes dans une clinique chic de Neuilly, où elle goûte aux bienfaits du penthotal. « J'éprouvais un sentiment de bien-être total », écrit-elle à Marcel.

> Jamais je n'ai éprouvé une telle sensation de légèreté, de confiance et aussi d'unité. Tu sais, ce sentiment de dédoublement, d'être deux personnes ensemble à la fois et qui s'opposent, eh bien il n'en existait plus rien. Il me semblait que je n'étais vraiment plus qu'un seul être, dans l'harmonie la plus parfaite[52].

Mais sa convalescence est à peine terminée qu'arrive une nouvelle qui l'oblige à renoncer à Upshire et à prendre immédiatement l'avion pour Dorval : Marcel a eu un accident cardiaque et a dû être hospitalisé.

Ce n'est pas bien grave, lui apprend-on à son arrivée à Québec. C'est si peu grave, en fait, que Marcel peut quitter l'hôpital au bout de quelques jours. Et Gabrielle repart dès la mi-août pour un autre voyage en solitaire, laissant Marcel se reposer à Baie-Saint-Paul. Elle prend cette fois le train pour la Saskatchewan, où elle passe deux ou trois semaines à Dollard, là même où Léon Roy, autrefois, a acheté des terres et a voulu établir ses enfants.

Le seul à s'y être établi à demeure est Joseph, le fils aîné, que Gabrielle a complètement perdu de vue depuis plus de trente ans mais qu'elle a voulu revoir avant qu'il soit trop tard, car on le dit très malade. Les poumons brûlés par la poussière de blé, bientôt septuagénaire, toujours porté sur l'alcool mais devenu tendre et nostalgique avec le passage des ans, Jos, qui ne parle plus que l'anglais, mène une existence retirée et pauvre avec sa femme Julia, qui gère de chez elle le central téléphonique local. Leurs enfants sont tous partis depuis belle lurette. Entre Gabrielle et sa belle-sœur, malgré la différence d'âge, une amitié s'établit dès les premiers jours, qui englobe aussi Jos, vieillard doté, dira plus tard Gabrielle, d'« une grande finesse de cœur [...] en dépit d'une certaine rudesse de manières[53] ».

Pour elle, cependant, ce voyage va représenter beaucoup plus que des retrouvailles avec un frère lointain. C'est tout le monde de son père qu'elle redécouvre et, par-delà, tout un paysage qu'elle pensait avoir oublié.

> J'ai vu l'ancienne terre de papa, écrit-elle à Marcel. Comme c'est beau ! Des blés magnifiques, une belle étendue dorée avec des petites

> buttes çà et là, au loin, les Cypress Hills. Il paraît que mon père chérissait cette terre comme la lumière de ses yeux ! Je voudrais bien qu'elle nous appartînt encore. J'avais cinq ans, je crois, lorsque je suis venue ici, je croyais ne rien me rappeler ; et cependant à mesure que j'écoute et que j'observe, des fragments du passé me reviennent à la mémoire, tels des bouts de rêve[54].

La plaine, le ciel, l'horizon, les couleurs du couchant, « la beauté primitive et le sentiment d'infini qui règnent dans ce pays », toute « cette immensité presque douloureuse[55] » s'imprime en elle et la plonge dans un ravissement que tenteront d'exprimer plus tard les grandes descriptions d'« Un jardin au bout du monde » et d'« Où iras-tu, Sam Lee Wong ? » Chaque jour, sans se lasser, elle explore les environs du village, visite les fermes et les ranches, marche dans les champs de blé, escalade les collines, parcourt les petites routes de section désertes et poussiéreuses, assiste au déchargement des élévateurs à grain. Tout la fascine, elle veut tout voir, tout apprendre, comme si elle revenait enfin à son vrai pays natal. Pendant quelques jours, elle accompagne les fonctionnaires du Department of Agriculture dans leur tournée d'inspection de la région, là encore faisant provision d'images, d'anecdotes et de renseignements sur une foule de choses, comme du temps qu'elle était journaliste.

Les gens aussi l'attirent. Avec Julia, elle rend visite à quelques voisins, comme le bonhomme Smouillat, un vieux Basque solitaire, ou les Cadorai, une famille de Bretons que le père de Gabrielle a aidés jadis à s'établir[56]. Ils lui racontent leur histoire, c'est-à-dire leurs misères et leur attachement au pays. Parfois, elle arpente l'unique rue du bled, où « c'est tout à fait la vie de frontière [...], le samedi soir surtout, quand tous les fermiers viennent au village pour leurs achats » :

> La taverne s'emplit ; les gens parcourent les trottoirs en bois ou se réunissent au magasin. On entend des accents de plusieurs pays, et bien qu'il y ait de la gaieté, il reste qu'une sorte de mélancolie imprègne tout cela, peut-être la tristesse des pays encore informes et gauches[57].

Il ne semble pas que Gabrielle écrive quoi que ce soit pendant son séjour à Dollard, si ce n'est ses lettres à Marcel et à quelques amies. Elle est trop prise par sa découverte des lieux, trop exaltée par les images qui se bousculent autour et au-dedans d'elle-même. Mais il n'empêche que ce voyage, l'un des plus heureux de sa vie, va marquer son évolution d'écrivain, lui permettant, comme sa vaste enquête sur les *Peuples du Canada* treize ans plus tôt, d'enrichir et de préciser sa vision de l'Ouest canadien et, par là, la portée que son œuvre donnera plus tard à cette représentation par excellence, pour elle, de la condition humaine.

Elle n'écrit pas non plus pendant le troisième et dernier voyage qu'elle fait à cette époque, et cependant ce voyage aura lui aussi des répercussions dans son œuvre, en particulier dans la genèse du livre auquel elle s'attaquera bientôt, *La Montagne secrète*. L'hiver 1957, soit un an et demi environ après son retour de Saskatchewan, elle se sépare de nouveau de Marcel pour plusieurs semaines et reprend la route, cette fois en direction du sud. Elle accompagne le peintre René Richard et sa femme Blanche — qu'elle connaît depuis longtemps mais dont elle est devenue plus proche au cours des deux ou trois dernières années — dans une traversée en auto de tout l'est du continent, jusqu'au golfe du Mexique.

Les voyageurs quittent Québec le 14 février. Le 16, ils sont à Westford, dans le Connecticut, où René et Blanche rendent visite à des amis. Quatre jours plus tard, grâce aux autoroutes qui leur donnent « la sensation [de naviguer] dans un des paysages fantastiques de H. G. Wells[58] », ils arrivent enfin dans les Carolines, où Gabrielle découvre pour la première fois le monde des Noirs américains :

> C'est un spectacle à fendre l'âme. Çà et là, de pauvres champs de coton ou de canne à sucre, un sol blanchâtre et les cabanes en planches des Nègres [...]. Eux, les Nègres, quand on les rencontre sur la route ou lorsqu'on les aperçoit assis sur leur perron, détournent les yeux comme s'ils ne se reconnaissaient pas le droit de nous regarder en face. [...] Même désolation, même résignation partout. [...] Nulle part autour d'ici ont-ils l'air d'être chez eux. J'aimerais bien pouvoir m'arrêter dans leur milieu, gagner leur confiance peut-être et arriver à les mieux connaître[59].

Mais René et Blanche n'ont qu'une obsession : arriver le plus vite possible au bord de la mer. Ils y sont finalement le 26 février, jour où ils s'installent dans l'île de Santa Rosa, en banlieue de Pensacola, dans une station de villégiature qui s'appelle Gulf Breeze. Gabrielle y loue une chambre de motel avec patio et les Richard, une autre chambre avec cuisinette. Car c'est Blanche qui prépare les repas et veille à leur bien-être, pendant que Gabrielle et René, en artistes consciencieux, s'imprègnent du paysage et accumulent, l'une des notes, l'autre des croquis en vue de leurs œuvres à venir. La végétation les fascine, en particulier ces grands chênes « avec leurs mousses pendantes pareilles à des chevelures » qui, « le soir, ou sous un ciel un peu assombri, prennent un air assez macabre[60] ». Cette image, Gabrielle s'en souviendra plus tard en écrivant sa nouvelle intitulée « L'arbre ». Mais ni elle ni René n'aiment les signes de la civilisation américaine. « Ce que Dieu a mis ici reste beau et grand, écrit Gabrielle ; ce que l'homme y a mis — hors peut-être les anciens Espagnols — reste vulgaire, de peu de qualité. C'est toujours la même histoire, au fond, sur notre continent : l'homme défigure la nature et marque son passage par des cabanes[61]. »

Au bout de deux semaines de farniente, les vacanciers, pour se distraire, vont en excursion à La Nouvelle-Orléans. Tandis que les Richard, un peu effrayés par le tohu-bohu urbain, repartent aussitôt s'installer dans un village de la périphérie, Gabrielle prend une chambre d'hôtel dans St. Charles Avenue, en plein centre-ville. Elle reste là trois ou quatre jours, seule, à se promener, à explorer, à observer tout ce qui l'entoure et à « [comprendre] enfin l'ampleur du problème noir dans le Sud des États-Unis[62] ». Ses lettres à Marcel fourmillent de descriptions et de notations de toutes sortes, comme si elle tenait à ne rien oublier et cherchait à emmagasiner le plus de matériaux possible, selon la méthode employée jadis quand elle arpentait le quartier Saint-Henri à l'affût de détails pour *Bonheur d'occasion*. C'est au cours d'une randonnée d'exploration qu'elle découvre le vieux cimetière Saint-Louis, relique de l'ancien monde multiethnique et policé de La Nouvelle-Orléans. « En m'y promenant, dit-elle à Marcel, j'ai fait la connaissance d'une Créole, moitié nègre, moitié française, une femme très intéressante qui m'a raconté un peu sa vie et la brillante vie d'autrefois dans le Vieux Carré[63] » ; comme la vieille Inès, rencontrée dans l'antique cimetière de Fort-Chimo, racontera ses souvenirs à Elsa, l'héroïne de *La Rivière sans repos*.

De retour à Gulf Breeze le 14 mars, les trois voyageurs y prolongent leur séjour jusqu'à la fin du mois. Souvent, Gabrielle et René ont des conversations qui se poursuivent tard dans la nuit ; elle lui parle de son art, de sa quête de l'œuvre parfaite ; il lui parle de sa façon de travailler, lui raconte les épisodes de sa vie passée, ses errances dans le Grand Nord, sa découverte de la peinture, son stage d'étude à Paris[64]. Lorsqu'elle rentrera à Québec ce printemps-là, la romancière aura devant elle une ample matière pour son prochain livre.

Outre ces trois voyages, il faut signaler enfin le bref séjour que

Gabrielle fait au Manitoba, dans sa famille, pendant l'été 1958. Ayant appris le mauvais état de santé de sa sœur Anna, elle décide, tout comme elle l'a fait onze ans plus tôt, de se rendre à la Painchaudière pour lui porter secours. Elle ne reste cette fois que deux petites semaines, car Anna n'est pas si mal qu'on l'avait cru. En plus de revoir comme d'habitude Clémence, Bernadette, ainsi que Germain et Antonia, Gabrielle profite de son séjour pour aller se promener avec Anna et Albert dans la Montagne Pembina et, avec son vieil ami Jos Vermander, pour monter jusque dans la région de la Petite-Poule-d'Eau, où elle n'a pas remis les pieds depuis l'été 1937.

L'ermitage de Petite-Rivière-Saint-François

Hormis les lettres qu'elle envoie presque quotidiennement à Marcel et à quelques autres, Gabrielle n'écrit quasiment pas en voyage, occupée qu'elle est par les rencontres, les paysages, la découverte et la jouissance du monde extérieur. Elle n'écrit guère non plus à Québec, où ses affaires, ses amies, sa vie conjugale et le train-train domestique l'empêchent de se concentrer. En fait, il n'est pas d'écriture possible pour elle sans un calme et un isolement complets. « Le travail créateur est lent parfois, souvent lunatique, écrit-elle à Cécile Chabot ; il aime la liberté, l'indépendance et le sentiment qu'il a pour soi tout le temps qu'il faut ; par ailleurs, vous le savez, il a des goûts modestes et pourrait dans une cabane mieux même que dans un palais s'épanouir, si dans cette cabane il y avait paix pour l'esprit[65]. » Et plus encore, pourrait-on ajouter, si dans cette cabane ou non loin se trouve un être à la fois dévoué et discret capable de lui dispenser le bien-être et l'affection dont elle a besoin pour se sentir à l'abri du monde, dégagée de tout souci et libre de se plonger entièrement dans ses pensées. L'écriture, en un mot, reste liée pour elle au « complexe d'Upshire », c'est-à-dire aux conditions dans lesquelles elle lui est apparue dès l'origine, à Century Cottages, loin de tout, dans l'ambiance protégée et paisible, idyllique, comme amniotique, que créaient autour de la jeune artiste un paysage accueillant et la présence d'Esther.

Cette ambiance, Gabrielle a su la recréer par la suite à Port-Daniel, puis à Rawdon, où n'ont cessé de la ramener pendant dix ou quinze ans son besoin de tranquillité et son désir d'écrire. Mais voilà que ces lieux, avec le temps, commencent à perdre de leur pouvoir et à ne plus lui apporter autant de bonheur. En juillet 1954, lorsque sa querelle avec Marcel l'incite à fuir, son instinct la pousse à se réfugier à Port-Daniel, dans la bonne maison de ses amis McKenzie où elle a été si bien naguère, quand elle écrivait *Bonheur d'occasion* et *Alexandre Chenevert*. Mais le charme n'opère plus. Le lieu est toujours beau, sans doute, mais il est de plus en plus désolé : « La mine engloutit les hommes, et les femmes d'ici restent seules; les maisons se détériorent vite; les bateaux de pêche échoués sur le flanc dans les petites anses ont l'air aussi de mourir. Voici ce que devient ce pays que j'ai tant aimé[66]. » Aussi la solitaire ne tarde-t-elle pas à s'ennuyer; trois semaines à peine après être arrivée, elle met fin à son « exil[67] ». Elle ne reviendra plus jamais à Port-Daniel.

Quant à Rawdon — où elle a passé plusieurs semaines au printemps 1953 pour terminer le manuscrit d'*Alexandre Chenevert* —, elle y retourne une fois encore, en mars 1959, poussée par l'espoir d'y « mettre en train quelque chose [...], dans le calme et le stimulant d'un air qui, moralement ou physiquement, va me remonter[68] ». Mais Mme Tinkler n'est plus de ce monde et la romancière doit s'installer au Rawdon Inn, où le traitement qu'elle reçoit, si bien intentionné qu'il soit, ne peut être comparé à celui que lui réservait la « petite mère Tink ». Ce bref séjour, là encore, est le dernier. Elle ne retournera plus jamais dans ce village où, depuis 1942, elle a été si heureuse et a écrit tant de pages.

Si elle abandonne ses refuges habituels, c'est aussi qu'elle a eu l'occasion de découvrir, depuis qu'elle vit à Québec — ou de redécouvrir, car elle y est déjà passée à l'époque de ses reportages —, une région toute proche : Charlevoix. Elle y séjourne pour la première fois en juin 1953. Peu après avoir achevé leur travail sur *Alexandre Chenevert*, elle et Jeanne Lapointe prennent des vacances ensemble. Elles vont d'abord à Laterrière, près de Chicoutimi, chez une amie de Jeanne, Marie Dubuc, fille du riche industriel J.-E.-A. Dubuc; Marie les reçoit dans le vaste domaine familial qu'elle habite avec « sa compagne et associée », une certaine Thalia[69]. De là, Jeanne et Gabrielle redescendent vers Port-au-Persil, lieu de villégiature situé entre La Malbaie et Tadoussac. Elles logent à l'hôtel Port-au-Persil, où une petite colonie d'artistes et de lettrés passe ses vacances. Il y a là la journaliste Marcelle Barthe, accompagnée de son cavalier de l'heure, un Slave nommé Vodanovitch. Il y a aussi Jean-Paul Lemieux et sa femme Madeleine, qui passent l'été à Port-au-Persil depuis quinze ans et avec qui Gabrielle fait plus ample connaissance. Une fois Jeanne repartie, elle et les Lemieux sortent ensemble presque tous les jours, pour des excursions dans les environs, des parties de pêche ou tout simplement des séances de pose le long du fleuve, car Jean-Paul a mis en train un portrait de Gabrielle qui oblige celle-ci à rester assise sur un rocher des heures durant. À la fin de l'été, Marcel achètera le tableau et l'accrochera dans l'appartement du Château Saint-Louis[70].

Le temps a beau être magnifique à Port-au-Persil, les amis charmants, et la petite auberge fort agréable grâce à la bonhomie et aux talents culinaires de Mme Bouchard, Gabrielle se sent bientôt coupable de ne pas travailler. « Des vacances comme celles-ci, entourée de gens, sont peut-être cette année bonnes et utiles pour moi, écrit-elle à Marcel, mais pas trop longtemps, je crois. Il m'est pénible d'être toujours entourée. J'éprouve tout à coup un grand besoin douloureux d'être seule avec cet être intérieur en nous qui est si accaparant et exigeant[71]. »

Ce lieu, en d'autres mots, n'est pas celui qui lui convient pour écrire. Sauf l'hiver, peut-être, quand les villégiateurs sont absents et qu'elle a tout le loisir de se reposer et de rester seule ; deux fois elle y reviendra pour de brefs séjours, en mars 1954 et en février 1956. Mais pour ses retraites d'été, Port-au-Persil est vite supplanté par Baie-Saint-Paul, que lui fait découvrir Madeleine Bergeron et où Gabrielle se sent aussitôt en pays ami. C'est en 1954 — l'été de la fugue à Port-Daniel — qu'elle vient pour la première fois y passer ses vacances d'été, en compagnie des deux Madeleine ; elle travaille tout cet été-là à *Rue Deschambault*. L'endroit lui plaît tellement qu'elle y revient encore pour un bref séjour l'année suivante, entre son retour de France et son départ pour la Saskatchewan. En fait, c'est moins Baie-Saint-Paul qui l'attire que l'hôtel où elle loge, le Belle-Plage, situé à l'écart du village, tout au bord de l'eau, devant l'embouchure de la rivière du Gouffre. Mme Gravel, l'aubergiste, y fait la cuisine à merveille. Là, Gabrielle peut écrire à l'aise, s'isoler quand elle le veut et, quand elle le veut, jouir de la présence — et de la voiture — de ses chères amies les Madeleine. À Baie-Saint-Paul vit aussi René Richard, avec qui elle ne se lasse pas de causer des soirées durant. En somme, il y a tout pour qu'elle soit aussi heureuse ici qu'elle a pu l'être naguère à Rawdon, à Concarneau ou à Port-Daniel.

Conquise par le charme et l'aménité estivale de Charlevoix, Gabrielle décide, à l'été 1956, de louer pour la saison une maisonnette que possède non loin de Baie-Saint-Paul, à Petite-Rivière-Saint-François, sa vieille amie Jori Smith. C'est, passé le village, en bordure du chemin de terre qui traverse le plateau dit de la Grande-Pointe, une vieille petite maison de ferme à étage avec un jardin planté de saules. On n'y a pas directement vue sur le fleuve, mais il suffit de quitter le perron, de franchir la route et de se pencher au sommet de la falaise pour avoir à ses pieds un paysage à couper le souffle, de mer, d'îles, de montagnes et de ciel plus vaste ici que nulle part ailleurs sur la côte de Charlevoix.

Gabrielle s'y installe début juin. Malgré le mauvais temps qui persiste, elle apprécie le calme et la beauté de l'endroit, occupant ses journées à lire, à jouer du piano, à entretenir le feu du poêle et à se promener dans les environs. Chaque fois qu'elle le peut, elle se rend chez les Richard pour un bout de veillée ; leur amitié ainsi se resserre et s'approfondit. En juillet, Marcel vient passer ses vacances avec elle, tandis que les Madeleine passent les leurs comme d'habitude à Baie-Saint-Paul et que Cécile Chabot séjourne elle aussi quelque temps à Petite-Rivière, dans une maison voisine. Et l'été s'écoule ainsi, agréable et tranquille, comme le souhaite Gabrielle.

Bientôt, cependant, débarque Jori qui s'installe avec elle dans la maison. Au début, tout va bien, et les deux vieilles amies se retrouvent avec plaisir. Mais Jori, qui traverse une période difficile, a peine à garder sa bonne humeur, ainsi que Gabrielle l'explique alors à une de leurs connaissances communes : « elle est en ce moment tracassée et même tourmentée parce qu'elle n'obtient pas d'elle-même, comme artiste, ce qu'elle désire obtenir. Et vous êtes capable d'imaginer [...] quelle douleur est celle-là. Il m'est arrivé de l'éprouver et dans ces moments de fuir tout le monde, même mes amis les plus chers[72]. » Il se peut aussi que Jori prenne ombrage de la forte présence de Gabrielle, dont la carrière si brillante lui rappelle le peu d'envergure de la sienne ; et puis, son ménage va mal, elle et Jean, son mari, s'apprêtent à se séparer, ce qu'ils feront l'année suivante. Toujours est-il qu'à la fin du mois de septembre, éprouvant « tout d'un coup, [...] comme les loups, grande faim d'errer seule », Gabrielle laisse là Jori et se réfugie à l'auberge Baie-Saint-Paul, où Mme Rémillard, la propriétaire, l'accueille « comme si j'étais une princesse de sang »[73] ; en retour, la pensionnaire fait apprendre ses leçons au fils de la maison, le petit Gil, futur ministre dans le gouvernement québécois.

Mais le grand événement de cet été 1956, pour Gabrielle, et peut-être l'une des raisons qui l'attacheront le plus fortement à Petite-Rivière, est la rencontre d'une nouvelle amie, Berthe Simard.

La Grande-Pointe est un peu le fief de la famille Simard, établie là depuis la fin du XVIIe siècle ; Liguori, le père de Berthe, appartient à la dixième génération[74]. Il a transmis son bien, c'est-à-dire la vieille maison et les constructions avoisinantes, de même qu'une terre allant du

Avec Adrienne Choquette et Medjé Vézina, vers 1965 (BNC NL-19165).

Medjé Vézina, Gabrielle Roy, Alice Lemieux-Lévesque, Simone Bussières (BNC NL-19179).

Réunion d'amis à l'île d'Orléans.
De gauche à droite : Marcel, Madeleine Bergeron, Jean-Paul Lemieux, Madeleine Lemieux, Madeleine Chassé, Gabrielle.
Dissimulée par cette dernière :
Jori Smith (coll. Madeleine Bergeron).

En raquettes dans la « toundra » de Notre-Dame-des-Laurentides (BNC NL-19176).

Gabrielle et Marcel dans leur jardin de Petite-Rivière-Saint-François (BNC NL-19138).

Sœur Léon (Bernadette) et Clémence à Petite-Rivière-Saint-François, l'été 1965 (coll. F. Ricard).

Clémence dans sa chambre d'Otterburne, vers 1970 (BNC NL-19142).

Sœur Berthe Valcourt et Gabrielle entourant Dédette, Saint-Boniface, en mars 1970 (BNC NL-19177).

Dans le chalet de Petite-Rivière-Saint-François, vers 1970 (photo Berthe Simard ; BNC NL-19163).

Dans le jardin de Petite-Rivière-Saint-François, vers 1970 (photo Berthe Simard ; BNC NL-17531).

L'auteur de *Cet été qui chantait* par Krieber, en 1972 (BNC NL-19145).

Gabrielle Roy recevant les insignes de Compagnon de l'Ordre du Canada des mains du gouverneur général Roland Michener, en 1967 (coll. F. Ricard).

Le coin de travail dans l'appartement du Château Saint-Louis ; au mur, portrait de Gabrielle Roy par Pauline Boutal (BNC NL-19154).

Gabrielle Roy par John Reeves, en 1975.

fleuve jusqu'au sommet de la montagne, à son fils Aimé, qui est maintenant le chef du clan. On n'est point riche chez les Simard, mais on n'y est point pauvre non plus; la coupe du bois l'hiver, l'érablière au printemps, les petites cultures et la pêche à l'anguille l'été, puis, l'automne venu, la cueillette des pommes suffisent à faire vivre la famille, où il n'y a que deux enfants, Jean-Noël et Louisette, Aimé étant devenu veuf prématurément. Le rôle de l'épouse et de la mère absente, c'est Berthe, la sœur cadette d'Aimé, qui en a hérité. Après s'être occupée de ses vieux parents et avoir entouré de soins et d'affection sa sœur Marie-Anne, morte de tuberculose à trente-deux ans, Berthe, restée célibataire, a pris en charge son frère et ses neveux comme s'il s'agissait de ses propres enfants. Petite femme menue, à la fois énergique et délicate, gracieuse et vive comme un oiseau, c'est elle qui tient la maison, cultive le jardin de fleurs et le potager, veille au bien-être de l'abbé Victor, son autre frère devenu prêtre, et est pour ainsi dire la vestale et la servante de toute la famille. Elle ne souffre pas de son sort, loin de là. Le don de soi, le sentiment d'être utile aux autres, l'activité infatigable qu'elle déploie et la ferveur de sa foi religieuse, à quoi s'ajoute un profond amour de la nature, lui procurent un contentement qui se reflète dans toute sa personne, illuminant son regard, ses manières, ses gestes et chacune de ses paroles.

La rencontre a lieu vers la fin du mois de juin. Berthe, jusque-là, n'a pas osé approcher la célèbre romancière, par timidité autant que par crainte de déranger. Mais un jour, sur le conseil de Jean Parlardy, elle se présente à la petite maison avec des fraises sauvages et un bouquet de fleurs des champs. Ravie, Gabrielle l'accueille avec gentillesse et les deux femmes se sentent aussitôt proches l'une de l'autre, comme si, après s'être longtemps attendues, elles se trouvaient enfin et se découvraient d'emblée unies par une amitié qui apparaît à Gabrielle comme « une sorte de miracle ». « La réelle amitié en ce monde est chose si rare et difficile à trouver, écrira-t-elle bientôt à Berthe. Moi, je me sens incroyablement heureuse de vous avoir pour amie[75]. »

La présence de Berthe, jointe au bonheur qu'elle a connu pendant son premier été à Petite-Rivière-Saint-François, incite Gabrielle, dès le printemps suivant, à franchir le pas qu'elle n'aurait jamais pensé franchir un jour : devenir propriétaire. Le 7 mai 1957, devant le notaire Jean-J. Girard de Québec, elle achète, pour 5 000 dollars versés comptant, le chalet qu'un certain André Laberge a construit sur une parcelle de terrain acquise sept ans plus tôt d'Aimé Simard. Située un peu plus près du village que celle des Palardy, la nouvelle propriété de Gabrielle se trouve presque en face de la maison Simard, du côté sud du chemin, donc juste au bord de la falaise. Le chalet, modeste, est dépourvu de solage et revêtu de bardeaux d'amiante blancs, il n'a pas d'étage et comprend, outre une salle s'étendant sur toute la longueur de la façade, deux petites chambres à coucher, une cuisine et un garage. Mais sa situation, l'immense jardin qui l'entoure et la vue qu'il offre sont magnifiques. C'est, explique Gabrielle à sa sœur Bernadette, « l'un des plus jolis paysages du monde » :

> D'une petite falaise, nous dominons en effet le fleuve très large, une chaîne de belles collines sur un côté, l'Île-aux-Coudres en bas, vers le milieu de l'eau. En arrière nous avons une haute montagne, couverte presque jusqu'à son sommet d'érables et de bouleaux. Un coup d'œil extraordinaire[76] !

La nouvelle propriétaire emménage en juin 1957, peu de temps après son voyage au golfe du Mexique avec les Richard. Dès lors, elle reviendra s'installer à Petite-Rivière-Saint-François chaque année, fidèlement, depuis la fin du printemps jusqu'au début de l'automne, pendant les quelque vingt-cinq ans qui lui restent à vivre. Ainsi, le quart, le tiers, voire la moitié de la vie de Gabrielle Roy se passera désormais là, à l'orée de ce village perdu, dans cette petite maison haut perchée, fragile et peu confortable, mais où elle a le sentiment d'être enfin « chez moi, véritablement[77] » ; c'est, dira-t-elle à sa belle-sœur Antonia, comme si cette maison était « le seul vrai refuge que j'ai jamais eu dans ma vie errante depuis la rue Deschambault[78] ».

Les deux ou trois premières années, il faut s'occuper de l'aménagement de la maisonnette et du jardin. L'une des premières choses à faire est d'installer une balançoire à deux bancs non loin de la maison. Gabrielle adore s'y asseoir pour lire, écrire ou jaser avec ses rares visiteurs. Quant au mobilier et à l'entretien du terrain, c'est surtout Marcel qui s'en occupe. Grâce à son goût très sûr et au plaisir qu'il prend à ces tâches, armoires, carpettes et meubles anciens viennent bientôt décorer l'intérieur de la maison, tandis qu'autour, sur la pelouse peu à peu dégagée et aplanie, prennent forme des massifs de fleurs, des haies et quelques jolis bouquets d'arbres : bouleaux, trembles et épinettes. Marcel soigne avec une affection particulière trois ou quatre thuyas dressés juste au bord de la falaise en un petit groupe serré dont le profil se découpe sur le ciel et que le vent fait chanter ; Gabrielle les appelle ses « anges musiciens ».

Mais Marcel n'est pas là très souvent ; il ne vient en fait que le week-end, lorsqu'une urgence ou un surcroît de travail ne le retient pas à Québec, ainsi que pendant ses deux ou trois semaines de vacances en juillet. Le reste du temps, Gabrielle est seule, c'est-à-dire entièrement occupée d'elle-même et de son travail, comme Robinson dans son île. Dès les premiers étés, elle a mis au point une routine et des habitudes de vie qui ne changeront pratiquement plus par la suite. Cette routine, comme celle qu'elle a adoptée dans tous les autres refuges fréquentés jusque-là, n'a qu'une raison d'être et qu'un but : lui permettre d'écrire. Pour cela, il lui faut non seulement la paix, mais aussi une liberté totale. Tout en jouissant d'un bien-être relatif et en ayant à sa portée, si elle le désire, un peu de compagnie agréable, elle doit pouvoir s'isoler quand elle le veut, éviter toute fatigue, ne pas avoir à subir d'obligation ni de contrainte qui risqueraient, même momentanément, de la détourner de son travail. Or Petite-Rivière lui offre tout cela.

Certes, il y a le ménage, les repas, la lessive et tout le reste. Mais quelqu'un, heureusement, s'en occupe pour elle. Les premiers temps, c'est une cousine lointaine du côté de sa mère, Rose Soumis, qui vient de Montréal passer l'été auprès d'elle comme bonne à tout faire. Puis, à partir de 1960 environ, ce rôle incombera à Berthe Simard, qui prend sur elle, littéralement, l'entretien et le bien-être de « Mme Carbotte », comme elle l'appelle poliment, et qui le fait avec autant de satisfaction que de dévouement. Dès mars ou avril, après s'être ennuyée tout l'hiver de la présence de son amie, Berthe se met à l'œuvre : elle fait le grand ménage et prépare la maison en vue du grand jour où Gabrielle arrivera. Puis, pendant tout l'été, c'est elle qui nettoie la maison, fait la lessive et, très souvent, prépare les repas légers que Gabrielle a l'habitude de prendre le midi. Comme elle conduit l'auto, Berthe se charge aussi des courses au village ou à Baie-Saint-Paul ; parfois, elle et Gabrielle partent pour une de ces randonnées que celle-ci aime tant, le long des petites routes perdues de l'arrière-pays. S'il y a un problème de plomberie ou de menuiserie, c'est Berthe qui le règle — car elle est très habile de ses mains — ou qui fait appel à Aimé ou à Jean-Noël. Enfin, quand arrive l'automne et le temps pour Gabrielle de regagner Québec et son « Cachot Saint-Louis », comme elle le nomme[79], elle remet à Berthe un chèque de 200 ou 300 dollars en lui demandant de fermer la maison et de tout préparer pour la saison morte.

Mais l'aide de Berthe ne s'arrête pas là. Constamment présente et disponible, tout en sachant garder ses distances et ne jamais se montrer importune, elle est la compagne idéale, qui sait écouter, admirer, compatir, sans rien vouloir en retour que l'amitié et le bonheur de Gabrielle. Cette dernière passe avec Berthe presque tout le temps qu'elle ne consacre pas à l'écriture et à la lecture. À toute heure de l'après-midi ou du soir, elle accourt à la vieille maison pour un brin de causette ou, tout simplement, pour se reposer et fuir la solitude. Mais leurs meilleurs moments, ce sont les longues promenades à pied qu'elles font presque chaque jour, beau temps mauvais temps, tantôt vers le sud jusqu'au bout du chemin qui traverse le plateau, tantôt — et ce sont les plus agréables, car Gabrielle y voit « l'image même de la liberté[80] » — le long de la vieille voie ferrée, la *track*, qui serpente au pied du plateau, entre la batture et la falaise. Redevenues enfants, elles sautillent d'une travée à l'autre, jouent aux funambules en se tenant la main ou marchent simplement le long du ballast, tantôt rieuses, tantôt graves, s'émerveillant de tout ce qu'elles rencontrent, fleurs sauvages, oiseaux, marmottes ou grenouilles. Presque toujours, un des chats ou des chiens de Berthe les accompagne et s'étonne de leur conduite. Pour Gabrielle, ces heures sont les plus douces ; « et pourtant, dit-elle, il ne s'y [passe] rien… rien que le silence, les bruits, la respiration de l'infini, sans quoi tout le reste de ce que nous obtenons ne vaut rien[81] ». Le temps semble suspendu, tous les tracas et les douleurs s'éloignent, il ne reste que le sentiment — l'illusion — du départ, du mouvement, d'un possible recommencement de tout. Au retour, Berthe invite Gabrielle à prendre le repas avec elle et Aimé, puis à passer la veillée en leur compagnie, assis sur la galerie ou, quand il fait froid, dans la grande cuisine où ronronne le poêle à bois. Gabrielle est heureuse.

En dehors de Berthe et de sa famille immédiate, la solitaire de Petite-Rivière-Saint-François ne voit pas grand monde. Un peu de voisinage courtois avec Jori, une visite chez les Richard, une après-midi de temps en temps avec les Madeleine, qui passent leurs vacances à Baie-Saint-Paul ou aux Éboulements, ou avec quelque autre amie de passage font toute sa vie sociale. Mais quand Marcel vient la rejoindre, les Carbotte acceptent alors les invitations à dîner ou à veiller chez l'un ou l'autre des villégiateurs distingués qui fréquentent la région. Tantôt c'est chez Jean-Paul et Madeleine Lemieux, qui s'installent à l'île aux Coudres en 1958, tantôt chez Jean Palmer, l'épouse du président de la Canadian Celanese, qui a une maison aux Éboulements, tantôt encore chez Marie Dubuc, à l'île d'Orléans, ou bien chez Jori Smith, qui n'aime rien tant qu'organiser des *partys* et donner ainsi à la Grande-Pointe « un petit air habité, de villégiature très, très sélect[82] ». D'autres fois, on se rassemble pour une longue soirée de conversation chez l'avocat Pierre Boutin et sa femme Simone, dans leur maison de Pointe-au-Pic, ou chez Yvette et Jean Sénécal, des amis des Madeleine, qui reçoivent magnifiquement à dîner; c'est là, dans le petit lac qui s'étend au milieu de leur propriété des Éboulements, que Gabrielle, un jour, touche de la main des truites dans l'eau glacée. Jamais cependant la joyeuse bande n'est invitée chez les Carbotte, car Gabrielle, pas plus ici qu'à Québec, ne sait ni ne désire recevoir. Elle ne déteste pas ces réunions, pourtant, au cours desquelles elle se montre on ne peut plus gaie et charmante ; elle ne boit presque pas, mais elle adore manger, surtout les desserts, et ne se laisse jamais prier pour prendre le plancher, comme on dit, en se lançant dans une histoire qui fait taire tout le monde tant la conteuse sait manier l'effet, le geste, la surprise et l'humour.

Mais ces sorties restent assez peu fréquentes, et Gabrielle a le plus souvent hâte que Marcel reparte pour Québec afin de retrouver, avec ses habitudes quotidiennes, la solitude et le calme de sa retraite. Habitudes et retraite toutes centrées sur la lecture et l'écriture. Car elle reste, comme autrefois, une dévoreuse de livres. Bien qu'elle revienne constamment à ses auteurs de prédilection — Teilhard de Chardin, Saint-Exupéry, Colette et Camus, notamment, ainsi que Selma Lagerlöf, Katherine Mansfield et Virginia Woolf —, elle lit aussi des nouveautés parisiennes (Roger Peyrefitte, Paul Guth, Romain Gary, Jean Giono, François Mauriac), les prix littéraires de l'automne, des œuvres d'écrivains canadiens-français de sa génération (André Langevin, Yves Thériault, Claire France, Anne Hébert, André Giroux, Léo-Paul Desrosiers, Alain Grandbois, Germaine Guèvremont) et des classiques du roman (Kafka, Dos Passos). *Les Cloches de Bâle* d'Aragon lui font une forte impression, à cause du personnage de Clara, modèle à ses yeux de la femme nouvelle. Elle aime le style du général de Gaulle, dont les *Mémoires de guerre* lui rappellent Chateaubriand et Sainte-Beuve. Mais une de ses grandes passions reste la *Recherche du temps perdu* ; elle en possède une édition imprimée à Montréal en 1945 dans laquelle, crayon en main, elle revient sans cesse chercher des leçons d'écriture et de sensibilité[83].

Ses lectures, Gabrielle les fait surtout l'après-midi et le soir. Mais le moment le plus important de la journée, à Petite-Rivière comme dans tous les endroits où elle a aimé se retirer, est le matin, qui est le moment de l'écriture. Presque chaque jour, en se levant, elle s'assied à la petite table qu'elle a fait mettre devant la fenêtre donnant sur le fleuve, et là, jusqu'à midi, elle se concentre entièrement sur son travail.

Nul ne doit la déranger au cours de ces heures sacrées, pas même Berthe, qui non seulement respecte scrupuleusement la consigne, mais veille à ce que rien ni personne ne porte atteinte à la tranquillité de sa voisine.

La saga de l'écriture

Les étés à Petite-Rivière-Saint-François deviennent ainsi pour Gabrielle — et ils le resteront jusqu'à la fin de sa vie — la saison privilégiée de l'écriture. Tous ses livres, après *La Montagne secrète*, seront écrits dans la petite maison au-dessus du fleuve, durant la période bénie qui va de mai à octobre. Le reste de l'année, quand elle est à Québec ou en voyage, elle n'arrive presque jamais à travailler ; mais qu'importe, puisqu'elle sait que l'été reviendra, et avec lui cette longue plage de temps libre et de paix où toutes ses occupations, tous ses gestes tourneront autour de ce seul bonheur : le matin, de l'aube à midi, dans le plus beau décor du monde et auprès de gens qui l'aiment, écrire.

Certains jours, la matinée va presque toute à la vaste correspondance qu'elle entretient, correspondance à laquelle elle accorde beaucoup d'importance et de soin. Contrairement à tant d'autres écrivains, Gabrielle ne rédige pas de journal intime ; elle n'a pas non plus de carnets de travail, sauf ceux où elle consigne de temps en temps des citations tirées de ses lectures[84]. En tiennent lieu, d'une certaine manière, toutes ces lettres qu'elle envoie presque quotidiennement à ses amies et aux membres de sa famille. Là se reflètent sur le vif, au fil changeant de son existence, ses petits et ses grands soucis, ses joies, ses humeurs, ses attentes et ses déceptions, de même que les pensées les plus banales et les plus hautes qui traversent son esprit. Ce fait n'est pas sans signification. Au lieu de consigner ses réflexions dans un journal ou dans des carnets réservés à son seul usage, Gabrielle les adresse toujours à autrui, comme si sa conscience et tout son être avaient besoin, pour s'exprimer, de se projeter vers quelqu'un, de se montrer au dehors, d'agir sur un autre être et d'être compris, aimés ou admirés par lui. Il n'y a donc pas chez elle, à strictement parler, d'écriture intime, ou du moins celle-ci ne se distingue-t-elle pas de l'écriture tournée vers autrui ; écrire, pour elle, c'est toujours écrire à quelqu'un.

Des lettres, Gabrielle en écrit constamment ; été comme hiver, et quel que soit l'endroit où elle se trouve. Il se passe rarement un jour sans qu'elle en mette au moins une à la poste. Quand elle séjourne à Petite-Rivière-Saint-François, cependant, c'est moins la correspondance qui occupe ses séances d'écriture matinale que la création proprement dite, c'est-à-dire le travail sur ses manuscrits, travail qu'elle considère à la fois comme une tâche et un plaisir et auquel elle se consacre avec une application qui relègue au second plan toute autre préoccupation, puisqu'il y va à ses yeux de la valeur et du sens même de sa vie.

Il y a des périodes où tout semble facile ; les images viennent, les phrases coulent, et le manuscrit progresse rapidement, comme s'il ne s'agissait que de le laisser se dérouler de lui-même, que de capter sur le papier un mouvement, une histoire, des personnages qui sortent déjà tout formés des profondeurs secrètes de l'imagination. C'est de cette manière qu'elle aura écrit presque tous ses livres, mis à part *Alexandre Chenevert* et, peut-être, *La Route d'Altamont* : en l'espace de quelques mois, au cours d'une campagne d'écriture intense, et sous l'effet d'une sorte de feu intérieur aussi vif que passager. À Judith Jasmin qui lui demande si elle écrit tous les jours, elle répond :

> Non, pas tous les jours. Je suis cyclique. Je travaille pendant quelques mois avec ardeur. Dans ces beaux cycles, qui sont des cycles d'exaltation, tout, tout m'est visible, tout m'est proche, tout m'est cher. Et je me hâte d'engranger[85].

« Ensuite, ajoute-t-elle, viennent des périodes contraires, des périodes peut-être un peu de mélancolie ; [...] ça me paraît vide ; [...] c'est pénible à traverser. » C'est que les moments de grâce, les « cycles d'exaltation », sont nécessairement rares, et surtout ils sont imprévisibles. Mais la romancière ne saurait se borner à les attendre passivement, car ce serait risquer de ne pas être prête lorsqu'ils se produisent. Aussi, précise-t-elle encore, « je tâche de m'arranger pour être toujours disponible au moment où je voudrai travailler, où je pourrai commencer à travailler ». En d'autres mots, même lorsqu'elle se sent peu inspirée et que l'écriture lui est difficile, elle ne change pas ses habitudes : fidèlement, elle réserve ses matinées, relit ce qu'elle a rédigé et se garde libre de reprendre le travail à tout moment.

Cette discipline, forcément, la rend peu sociable et la fait souvent apparaître aux yeux des autres et même de ses proches comme entièrement tournée vers elle-même, casanière, voire égoïste. Et il est vrai qu'elle invite rarement à Petite-Rivière ; lorsque des gens viennent en visite, elle s'arrange pour qu'ils ne restent pas trop longtemps et pour qu'ils logent et mangent ailleurs que chez elle, afin de ne pas avoir à s'occuper d'eux elle-même, ce qui l'obligerait à renoncer à sa routine et à son confort. Mais c'est que la poursuite de son œuvre comporte à ses yeux des exigences de rigueur, voire d'austérité, incompatibles avec les obligations ordinaires de la vie en société. C'est en se refusant aux autres et même aux siens, se plaît-elle à dire, que l'artiste peut vraiment les rejoindre et les aimer.

On pourrait croire, si l'on en juge par le fait que deux livres seulement sont publiés au cours des quinze années qui suivent la parution de *Rue Deschambault* — *La Montagne secrète* en 1961 et *La Route d'Altamont* en 1966 —, que l'écriture de Gabrielle Roy connaît alors un ralentissement. Or il s'agit au contraire d'une période très active, au cours de laquelle la romancière, même si elle ne conduit que deux ouvrages à terme, met en marche ou remet sur le métier un grand nombre de projets, auxquels elle travaille tantôt successivement, tantôt simultanément.

Quoique la plupart des manuscrits inédits qui ont été conservés ne portent pas de date, il en est plusieurs en effet dont on peut raisonnablement situer l'écriture au cours de cette période qui va de 1955 à 1970 environ. C'est le cas, par exemple, de quelques nouvelles comme « Le vieux Prince », « La maison au bord de la mer » ou « La petite faïence bleue », ébauchées probablement aux alentours de 1955[86]. C'est aussi le cas d'un projet plus important, sans doute un projet de roman, qui a pour personnage central une Ukrainienne du nom de « Mme Lund ». Par son décor (l'Ouest canadien) autant que par ses thèmes (l'immigration, la solitude de la femme mariée, le jardin), ce roman, auquel elle n'a pas donné de titre, semble appartenir à la même série que « La lune des moissons » (parue dans la *Revue moderne* de septembre 1947) et que « Le plus beau blé du monde », le scénario écrit en 1953 : celle des écrits inspirés par ses séjours à Tangent et dont l'aboutissement, après force transformations, sera « Un jardin au bout du monde », publié en 1975.

C'est peut-être à ce roman sur Mme Lund que la romancière travaille durant le premier été qu'elle passe dans sa maison de Petite-Rivière-Saint-François. « Je n'ose pas encore élever bien haut la voix pour célébrer ce que je fais en ce moment, écrit-elle le 17 juillet 1957 à ses amies les Madeleine. Cependant, mon travail est peut-être un peu meilleur depuis quelques jours. [...] Pour vous deux, [...] je tiens tellement à finir un livre dont peut-être serez-vous un peu contentes. C'est tout ce que je demande car, il est vrai, c'est bien là tout ce que je peux donner[87]. » Une fois rentrée à Québec, la valeur de son nouveau manuscrit lui paraîtra cependant moins certaine : « J'ai beaucoup travaillé cet été, confie-t-elle à Bernadette, mais jusqu'ici je ne suis guère contente de ce que j'ai fait. Peut-être, quand je reprendrai cela plus tard, arriverai-je à en faire quelque chose de pas trop mal[88]. » Elle a beaucoup travaillé, en effet, puisque le manuscrit compte une centaine de feuillets dactylographiés et annotés ; mais cette première version, où l'histoire se termine par la mort de l'héroïne et paraît donc complète, restera l'unique version du roman, que Gabrielle met alors de côté pour n'y plus jamais revenir.

Cela dit, il n'y a pas moyen de s'assurer que le livre auquel l'épistolière fait allusion durant l'été 1957 est bien le roman de Mme Lund, qui date de cette époque mais peut-être pas précisément de cet été-là. Il peut s'agir tout aussi bien de l'autre projet qui, à la même époque, revient souvent la hanter : celui de la grande « saga » manitobaine entreprise une dizaine d'années plus tôt, peu après la publication de *Bonheur d'occasion*, et abandonnée en 1948 après des pages et des pages d'essais infructueux. Reprenant ses vieux manuscrits, elle se met de nouveau à la tâche pour tenter de donner à cette œuvre longuement méditée un contenu et une forme qui la satisfassent. Sans doute y est-elle poussée en partie par la publication de *Rue Deschambault*, dont la saga, inspirée de l'histoire de sa propre mère, constituerait une sorte de prolongement ou d'élargissement, aussi bien temporel et spatial que psychologique. Chose certaine, elle consacre alors à ce projet de roman beaucoup de temps et d'efforts, si l'on en juge par la quantité et la variété des manuscrits de la saga rédigés à cette époque[89].

D'abord, elle essaie de continuer l'histoire de la vie d'Éveline — prénom qui remplace maintenant celui d'Évangéline que portait précédemment l'héroïne — à partir du moment où elle s'est interrompue naguère. Ainsi voient le jour une douzaine de chapitres d'un roman à la troisième personne relatant la vie familiale et conjugale d'Éveline et Édouard à Saint-Boniface, et dont l'un des épisodes concerne une invitation à un bal chez le lieutenant-gouverneur. Mais au cours de cette deuxième phase d'écriture de la saga, le travail porte moins sur l'histoire elle-même que sur la forme et le type de narration qui conviendraient le mieux au récit. C'est pourquoi la plupart des manuscrits ne font que reprendre des personnages et des événements qui étaient déjà présents dans la version précédente : la famille Hébert (parfois nommée Langelier), le voyage du Québec vers l'Ouest, l'établissement dans la plaine, les hésitations sentimentales de la jeune Éveline entre ses deux soupirants et son mariage avec Édouard.

Insatisfaite du mode de narration qu'elle a employé jusqu'alors, c'est-à-dire le récit linéaire conventionnel à la troisième personne, la romancière explore d'autres avenues qui pourraient traduire avec plus d'acuité la signification qu'elle veut donner à son œuvre. Par exemple, elle délaisse la perspective réaliste en faveur d'une écriture plus poétique, plus intérieure ; quelques-uns des événements les plus marquants de la vie d'Éveline sont maintenant rapportés de son point de vue à elle, comme si c'était elle-même qui les racontait et qu'elle les racontait à un « je » dont la présence reste timide mais qui rappelle celui de *Rue Deschambault*, puisqu'il semble désigner la fille d'Éveline. En outre, au lieu de s'en tenir à un roman traditionnel découpé en chapitres, Gabrielle s'essaie à une construction plus ouverte, plus éclatée, où l'histoire serait divisée en une suite d'épisodes autonomes faisant chacun l'objet d'une sorte de longue nouvelle. Ainsi apparaissent, parfois en plus d'une version, des textes nouveaux aux titres évocateurs : « Un soir dans la plaine », « La caravane en détresse », « La photographie de famille », « Les conversations sur la galerie ». Même si le contenu de ces textes renvoie à tel ou tel moment de ce qui était jusque-là une histoire continue, ils forment maintenant un ensemble composite de récits à la fois liés les uns aux autres et complets par eux-mêmes. En un mot, tout se passe comme si le projet de saga peu à peu se défaisait, se fragmentait et se transformait en un ouvrage d'un genre tout à fait différent, plus modeste sans doute que le grand roman historique rêvé au départ, mais plus conforme au style et à la manière qui feront de plus en plus, désormais, la singularité de l'écriture de Gabrielle Roy.

À ce moment, toutefois, le temps et les efforts qu'elle consacre à la poursuite et à la refonte de son projet n'aboutissent à rien de satisfaisant, et ce sont des centaines de pages, encore une fois, qui restent dans ses cartons sans qu'elle songe à les publier. Est-elle découragée ? Déçue plutôt, et comme résignée. « Je n'ai pas [...] accompli grand-chose durant les dernières années », écrit-elle à son amie Cécile au mois d'octobre 1959 :

> Évidemment, j'ai travaillé, et même beaucoup. Cependant rien de tout cela que j'ai mis en marche ou même assez avancé ne me paraît valoir la peine de l'effort. Je pense qu'en somme aucun bon travail artistique ne peut naître de notre effort seulement — fût-il héroïque. Donc, une bonne part — presque tout — d'une œuvre réalisée nous est simplement donnée[90].

Ce don, cette inspiration soudaine et mystérieuse d'où viennent les œuvres, qu'est-ce donc qui, dans les mois qui suivent cette lettre, le lui apporte et, la détournant de la saga où elle piétine, lui fait entreprendre tout à coup un nouveau livre, complètement différent des précédents et qui, cette fois, se rendra bel et bien jusqu'au stade de la publication ? Rien, hélas, ne nous permet de le découvrir. Mais ce qui est sûr, c'est que la grâce qui lui est accordée alors est suffisamment forte pour lui permettre, à peine un peu plus d'un an après la lettre à Cécile Chabot que l'on vient de lire, d'écrire à sa nouvelle amie Joyce Marshall :

> Je suis contente d'annoncer que *La Montagne* — et tel pourra être, tout simplement, le titre — en ce qui me concerne est maintenant terminée. C'est-à-dire que — si imparfaite qu'elle soit — je pense que je ne peux pas faire beaucoup plus pour elle. Comme fait un parent, je suppose, d'un enfant qui a grandi, si différent que cet enfant puisse être de l'enfant idéal, je dois la laisser aller[91]...

La Montagne secrète, puisque c'est d'elle qu'il s'agit, aura donc été écrite en très peu de temps. En fait, le gros œuvre est achevé dès la fin de l'été 1960 ; il ne reste plus qu'à corriger et à modifier certains passages, ce qui est chose faite au moment où Gabrielle annonce à Joyce que son manuscrit est maintenant prêt.

> D'ailleurs, j'ai beaucoup profité des avis pénétrants que vous m'avez donnés l'été dernier, et renforcé une partie faible de l'histoire. En faisant cela, j'ai été conduite évidemment à découvrir d'autres points faibles, où j'ai aussi posé des renforts. J'aime bien cette partie du travail. Je me sens alors un peu comme un constructeur, allant à cette poutre, y ajoutant un étai, courant vers ce coin, relâchant une vis, donnant un coup de marteau ici, un autre là. Enfin, regardant en haut, en bas, à gauche et à droite, je sens que l'endroit est sûr. Au moins il n'y a pas de grandes fissures, pas de trous béants. En quelque sorte, l'endroit, l'édifice — appelez-le comme vous voulez — tient debout par lui-même. Et la chose étrange est qu'il ne semble pas possible maintenant de le détruire, même si on est la seule personne au courant de cette construction secrète[92].

La rapidité avec laquelle Gabrielle a écrit ce roman peut s'expliquer, du moins en partie, par la matière abondante dont elle disposait. Cette matière doit beaucoup, naturellement, à ses relations avec René

Richard, qui lui « conte ses passages » depuis tant d'années et dont elle admire les tableaux et les dessins, en particulier un autoportrait que lui a fait découvrir Marcel[93] ; elle reconnaîtra d'ailleurs sa dette en dédiant son livre « à R. R., peintre, trappeur, fervent du Grand Nord, dont les beaux récits me firent connaître le Mackenzie et l'Ungava ». Mais les sources de *La Montagne secrète*, ce sont tout autant — sinon plus — les propres expériences de la romancière, notamment ses souvenirs d'Europe, qu'ils soient anciens, comme la découverte enchantée de la Provence, ou plus récents, comme celle du Louvre lors de son voyage de 1955. Revient aussi, au centre du roman, un motif qui la hante depuis plus de vingt ans, celui de la chasse au cervidé, dont on trouvait déjà l'expression dans un de ses tout premiers textes, « La légende du cerf ancien », écrit en 1938 et demeuré inédit[94]. Et surtout, *La Montagne secrète* est pour elle l'occasion d'interroger, sur le mode allégorique et à travers l'aventure existentielle d'un peintre fictif, l'aventure spirituelle de tout artiste et, par conséquent, sa propre vie et sa propre vocation d'écrivain. De cette vie et de cette vocation, elle propose une image à la fois héroïque et austère, où dominent l'amour de la nature, la solitude et le sacrifice des affections humaines face aux exigences supérieures de l'art et de la beauté. En ce sens, *La Montagne secrète* est un autoportrait à peine déguisé : dans le personnage de Pierre, c'est en fait son propre visage que Gabrielle Roy dessine, son visage tel qu'elle le voit ou tel qu'elle le veut, c'est-à-dire celui de cet être idéal qu'est à ses yeux l'artiste entièrement dévoué à son œuvre au mépris de toute autre exigence, et que cette œuvre, en le dévorant, sanctifie.

René d'Uckermann a le manuscrit en main à la fin de novembre 1960. Sept mois plus tard, il n'a toujours pas donné de nouvelles, lui qui n'a cessé pourtant, depuis la publication de *Rue Deschambault*, de faire pression sur Gabrielle pour qu'elle ne laisse pas « s'écouler de trop longs délais entre un livre et un autre », car « il est nécessaire de garder le contact avec le public[95] ». En octobre 1961, lorsque l'édition canadienne de *La Montagne secrète* paraît chez Beauchemin, Flammarion n'a encore pas réagi. Le contrat ne sera signé qu'en avril 1962 et le roman ne sortira à Paris que six mois plus tard, presque en même temps que la traduction anglaise de Harry Binsse, *The Hidden Mountain*, qui paraît chez Harcourt Brace et chez McClelland & Stewart à la fin de l'année 1962.

À ce moment-là, toutefois, Gabrielle est déjà engagée dans la rédaction d'un autre livre. Ou plutôt, elle est revenue une fois de plus à son projet de saga, qu'elle n'a donc abandonné que provisoirement, le temps d'écrire *La Montagne secrète*. Incapable de renoncer à cette idée d'un grand livre inspiré par le destin de sa mère, elle s'y replonge avec acharnement, bien décidée cette fois à ne pas abandonner le chantier avant d'en avoir tiré quelque chose de viable.

De cette troisième phase d'écriture de la saga date peut-être la longue nouvelle intitulée *De quoi t'ennuies-tu, Éveline ?*[96], dont la manière rappelle un peu celle de « La photographie de famille » et des « Conversations sur la galerie » et qui raconte une autre aventure de la vie d'Éveline, survenue cette fois dans sa vieillesse, « quand elle n'attendait plus grande surprise ni pour le cœur ni pour l'esprit[97] ». Mais après avoir achevé le premier jet, Gabrielle se désintéresse aussitôt de ce manuscrit, qui va rejoindre tous les autres au fond de ses tiroirs.

Au lieu de chercher à prolonger l'histoire de son héroïne en y ajoutant de nouveaux épisodes, elle décide alors, sans doute pour en finir une fois pour toutes, de tout reprendre à partir du début. Pour cela, elle revient à la forme conventionnelle du récit à la troisième personne, linéaire et divisé en chapitres, mais en faisant d'Éveline le personnage central de l'histoire, et de son apprentissage de femme, la trame autour de laquelle s'organisent les moments forts du récit. Ainsi commence une nième version de la saga[98], qui s'ouvre par la naissance d'Éveline à Saint-Alphonse-de-Rodriguez et relate le voyage de la famille Langelier vers l'Ouest, jusqu'à l'arrivée à Saint-Léonard-des-Plaines, où les protagonistes choisissent une terre à défricher et où Éveline annonce sa décision d'aller étudier au couvent. Là s'interrompt le manuscrit. Gabrielle a beau faire taper au propre les quelque cent vingt-cinq pages qu'elle vient d'écrire, encore une fois elle n'arrive pas à conduire ce manuscrit jusqu'au bout et l'abandonne, pour de bon cette fois. Jamais plus, passé le milieu des années soixante, elle n'essaiera d'y revenir. Son beau projet de saga familiale, ce grand roman qu'elle a tant rêvé d'élever à la mémoire de sa mère, elle échoue finalement à lui donner le jour. N'en demeure, après vingt ans de réflexion et d'ébauches successives, aucun livre terminé ; seul subsiste un vaste chantier à l'abandon, jonché de manuscrits incomplets, de personnages fantomatiques et d'histoires fragmentaires, immobilisés pour toujours dans les limbes de l'inachèvement.

Cela dit, *La Saga d'Éveline* n'aura pas été entreprise ni travaillée si longtemps en vain. Au moment où la romancière s'en détourne définitivement, elle a mis en marche un autre livre qui, si différent qu'il soit du projet initial, en constitue tout de même un prolongement, une épave, si l'on veut. Ce livre, c'est *La Route d'Altamont*, livre hanté, comme la saga, par la figure et le destin de la mère, mais dont le centre s'est déplacé, passant de la mère à la fille, du personnage d'Éveline à celui de Christine, c'est-à-dire d'un roman de type *biographique* à un récit envahi par le « je » et écrit plutôt sur le mode de l'*autobiographie*.

Rien n'illustre mieux ce changement que le sort de la nouvelle intitulée « La route d'Altamont », qui relate la séparation entre la mère et la fille. La romancière en a rédigé une première version vers la fin des années cinquante, dans le cours de ses tentatives autour de la saga, semble-t-il, puisque le personnage de la mère s'y prénommait Line et que la narration s'y faisait à la troisième personne. Or, lorsqu'elle reprend ce texte vers 1962, elle fait subir au récit diverses transformations (emploi de la première personne, enrichissement de l'intrigue, modification du point de vue) qui non seulement mettent Christine au premier plan, mais font d'un événement appartenant jusque-là à la vie de la mère un épisode qui marque désormais un tournant décisif de la vie de Christine, narratrice et maintenant héroïne du récit. À la même époque, Gabrielle remet aussi sur le métier une autre nouvelle d'abord écrite à la fin des années cinquante, dans la foulée de *Rue Deschambault*, et qui a été publiée en 1960 dans le tout premier numéro du magazine *Châtelaine*, sous le titre « Grand-mère et la poupée ». En ajoutant à cette première version deux autres parties et en en modifiant le titre, qui devient « Ma grand-mère toute-puissante », elle allonge considérablement le récit et, là encore, en élargit la signification.

D'autres nouvelles analogues, c'est-à-dire axées à peu près sur les mêmes thèmes — la jeunesse de Christine, la vieillesse de la mère —, continuent de voir le jour au début des années soixante. Telle est, par exemple, « Ma cousine économe », publiée en 1962[99]; telle est aussi une grande nouvelle inédite dont Gabrielle rédige alors quatre ou cinq versions sans parvenir à l'achever: c'est l'histoire d'une femme nommée Gilberte qui redécouvre, à travers les différentes phases de sa vie, les liens qui les ont unies, elle et ses sœurs, à leur « moudra » maintenant disparue[100]. Et tels sont, enfin, deux autres récits composés au cours de ces mêmes années : « Le déménagement » et « Le vieillard et l'enfant », ce dernier ayant été écrit vraisemblablement avant 1963, puisque Gabrielle Roy, cette année-là, en tire un scénario de film ou d'émission télévisée intitulé « Le phare dans la plaine » ou « Un jour au Grand Lac Winnipeg[101] ». Ce sont ces deux derniers récits qui, avec « Ma grand-mère toute-puissante » et la nouvelle version de « La route d'Altamont », forment la « série de longues nouvelles[102] » à laquelle elle donne pour titre d'ensemble *La Route d'Altamont*, et dont elle annonce l'achèvement à Jack McClelland, son éditeur torontois, dans les premiers jours de 1965, ajoutant qu'elle voudrait « attendre encore un peu avant de décider quoi en faire[103] ».

Fait à noter, les manuscrits originaux de *La Route d'Altamont*, comme ceux des autres nouvelles rédigées ou ébauchées à la même époque, sont écrits directement à la main, contrairement à ce qui a été jusque-là la pratique habituelle de Gabrielle Roy, adepte inconditionnelle de la machine à écrire. C'est que taper à la machine lui donne maintenant des maux de dos. Aussi doit-elle renoncer à sa vieille portative et mettre au point une nouvelle méthode de travail, à laquelle elle ne dérogera plus jusqu'à la fin. Pour le premier jet, donc, elle écrit à la main, tantôt attablée à un petit pupitre, tantôt (c'est sa position préférée) assise dans un fauteuil, dans une chaise berçante ou même dans sa balançoire, le manuscrit posé sur ses genoux. Le plus souvent, ce manuscrit est un banal cahier scolaire à deux sous, dans lequel elle griffonne au stylo à bille, aussi prestement que possible, sans plan ni notes préalables, jetant sur le papier tout ce qui lui vient à l'esprit, biffant peu mais se servant abondamment des marges et des versos et reprenant parfois certains passages jusqu'à deux ou trois fois. « Ce qui est alors important, dit-elle, c'est la saisie de la vie. Je deviens assez facilement nerveuse. Tout doit aller vite. Prendre à gauche, prendre à droite. Saisir le mouvant et tenter de lui conserver sa mobilité malgré les liens de l'écriture[104] ». Puis elle reprend cette première ébauche et en écrit une autre aussitôt, toujours à la main, sur les feuillets suivants ou dans un autre cahier ; il peut arriver qu'elle rédige ainsi deux ou trois moutures d'un même texte. Lorsque enfin elle a le sentiment que son récit a atteint une forme plus ou moins définitive, elle le lit à quelques proches, le recorrige au besoin en tenant compte de leurs réactions, puis met le cahier de côté jusqu'à son retour à Québec. Là, l'automne venu, elle fait dactylographier le manuscrit par une secrétaire, annote et amende encore une fois le texte, le fait dactylographier de nouveau au propre, le revérifie et l'envoie enfin à ses éditeurs. Une dernière correction aura lieu sur les premières et parfois même sur les deuxièmes épreuves. Ces révisions et corrections — « tout ce *bardas* de la publication, la perte de temps qu'il entraîne, la fatigue qu'il impose[105] » —, Gabrielle les vit comme un mal nécessaire ; elle s'en plaint, mais y veille toujours avec un soin minutieux.

Terminée au début de l'année 1965, *La Route d'Altamont* ne sera publiée que vers le milieu de l'année suivante. Pour l'édition canadienne, la romancière ne sait trop vers qui se tourner. Elle écrit à un ami :

> Beauchemin a été fort imprévisible dernièrement, changeant de direction presque chaque mois, ce qui me désole, bien sûr, car j'ai été longtemps attachée à cette vieille et jadis excellente maison d'édition. Je suppose qu'il me faudra chercher ailleurs, mais certainement pas du côté de Pierre Tisseyre, car, même s'il vend des livres et est un bon homme d'affaires, je suppose, ce n'est pas du tout ce que je considérerais un ami des livres et des auteurs. J'irais plutôt chez Claude Hurtubise de HMH qui, petit à petit, est en train de se gagner les meilleurs et les plus sérieux auteurs du Canada français[106].

HMH est alors la maison où publient Yves Thériault, Jacques Ferron, Alain Grandbois, Anne Hébert et plusieurs autres. C'est donc là, dans la collection « L'Arbre », que paraît *La Route d'Altamont* en mars 1966. L'édition parisienne suivra environ un an plus tard ; Étienne Lalou, le nouveau directeur littéraire de Flammarion (René d'Uckermann a pris sa retraite en 1962), aurait souhaité que Gabrielle Roy remplace « Le déménagement » par un texte « qui s'accorderait mieux en profondeur avec l'ensemble[107] », mais l'idée n'est pas retenue et l'édition parisienne de *La Route d'Altamont* reproduit exactement celle de Montréal.

En ce qui concerne la publication en langue anglaise, deux faits nouveaux méritent d'être signalés. Le premier est le rôle nouveau joué par les éditions McClelland & Stewart de Toronto, et plus particulièrement par son directeur, Jack McClelland, que Gabrielle considère comme un ami et qui, depuis la mort de Jean-Marie Nadeau, lui sert de plus en plus souvent de conseiller et d'agent littéraire. Jusqu'alors, M&S, comme on l'appelle, n'a été qu'une sorte de sous-traitant de la maison new-yorkaise Harcourt Brace, avec qui Gabrielle traitait d'abord et signait ses contrats. Cette fois, elle a non seulement des contrats séparés avec les deux maisons, mais les rôles sont inversés, et c'est par l'intermédiaire de McClelland, à qui la romancière s'adresse en premier lieu et presque exclusivement, que se font les transactions avec Harcourt Brace. L'un des premiers effets de ce changement, de cette « canadianisation » de l'œuvre anglaise de Gabrielle Roy, est le congédiement de Harry Binsse, son traducteur attitré depuis *Where Nests the Water Hen*. Gabrielle a toujours apprécié sa compétence, certes, mais elle lui reproche depuis longtemps d'être « *a terrible procrastinator*[108] », c'est-à-dire de travailler avec une lenteur désespérante. Pour le remplacer, Gabrielle suggère que l'on fasse appel à Joyce Marshall, qui a déjà traduit en 1960 le conte « Grand-mère et la poupée ».

Comme Joyce est devenue depuis six ou sept ans une de ses amies, Gabrielle lui confie le manuscrit de *La Route d'Altamont* avant même qu'il soit publié en français et collabore ensuite au travail de traduction, si bien que *The Road Past Altamont* peut sortir dans les librairies de Toronto et de New York dès l'automne 1966, six mois à peine après la version originale parue chez HMH.

Un monde de femmes

Si les étés à Petite-Rivière-Saint-François sont pour Gabrielle des périodes privilégiées de calme et de bonheur, il lui faut bien, quand arrivent les frimas d'octobre, laisser là son refuge et reprendre le chemin de la ville où l'attendent les besognes professionnelles et les obligations sociales. Où l'attend aussi Marcel, le mari dont elle se sent à la fois proche comme d'un vieux compagnon inséparable et éloignée comme d'un être qu'elle a peine à comprendre et qui ne lui donne plus, lui semble-t-il, la sollicitude et l'affection dont elle a besoin.

Mais rentrer à Québec, c'est aussi retrouver le cercle des amitiés. Il y a là, bien sûr, les deux Madeleine, fidèles au poste et qui restent d'une assiduité à toute épreuve. Une brouille éclate cependant vers 1961, lorsque Madeleine Chassé annonce à Gabrielle qu'elle ne pourra plus lui servir de secrétaire, Madeleine Bergeron lui ayant demandé de travailler pour elle à Cardinal-Villeneuve. Le froid qui en résulte est de courte durée, mais l'entente entre les trois femmes ne sera plus aussi étroite qu'elle l'a été jusque-là.

Il faut dire qu'à la même époque Gabrielle fait la connaissance de celle qui va devenir l'amie peut-être la plus chère de sa maturité : Adrienne Choquette. Écrivain d'une certaine notoriété — elle a obtenu le prix David en 1954 pour *La nuit ne dort pas* —, Adrienne, plus jeune que Gabrielle de six ans, a eu comme celle-ci une carrière de journaliste, métier qu'elle exerce à Québec depuis 1948 ; elle est rédactrice de la revue *Terre et Foyer*. En 1961, lorsqu'elle publie *Laure Clouet*, court roman dans lequel s'exprime, sous une forme sobre, une sourde révolte contre le poids et les valeurs du passé, Gabrielle lui téléphone pour lui faire part de son admiration. Ainsi naît entre les deux femmes une amitié qui ne cessera de s'approfondir à mesure qu'elles découvriront à quel point s'accordent leur vision de la vie, leur sensibilité et leurs goûts, voire leurs idées politiques et sociales. Par sa conduite plutôt effacée, sa douceur, l'aménité de son caractère, son altruisme, sa piété et l'espèce de candeur qui émane de sa personne et de ses paroles, « Drienne », comme l'appelle affectueusement Gabrielle, ressemble à toutes ces femmes qu'elle a tant aimées, femmes à la fois fragiles et protectrices, qui semblent à l'abri de tout, innocentes et pures, et qui ont pourtant avec le monde, avec la beauté du monde, un rapport plus riche et plus étroit que quiconque. Avec Adrienne, aussi dévouée, serviable et admirative que Berthe ou Esther, Gabrielle éprouve par surcroît une complicité littéraire que n'assombrit aucun sentiment de concurrence ou d'envie.

Adrienne vit en compagnie de Medjé Vézina, directrice de *Terre et Foyer* depuis trente ans et connue dans les milieux poétiques pour son unique recueil publié en 1934, *Chaque heure a son visage*. Toutes deux fréquentent Simone Bussières, qu'elles ont connue à la Société des écrivains canadiens de Québec et qui est elle aussi romancière (*L'Héritier*, 1951) mais surtout « écrivain pédagogique[109] », animatrice et bientôt éditrice. En 1964, Simone s'établit à Notre-Dame-des-Laurentides, au nord de Québec, en pleine campagne. Quatre ans plus tard, lorsque vient pour Adrienne le temps de prendre sa retraite, elle et Medjé font construire une maison juste à côté de celle de Simone. Ce lieu devient dès lors pour Gabrielle (et parfois pour Marcel) un but de randonnées fréquentes. Gabrielle aime ce paysage de collines et de forêt clairsemée — qu'elle appelle la « toundra » —, et elle aime se retrouver au milieu de cette petite communauté amicale, où on l'accueille chaque fois qu'elle en a envie, tantôt pour un dîner et une soirée de jasette au coin du feu, tantôt pour une après-midi de détente, l'été à se rafraîchir au bord de la piscine, l'hiver à parcourir la campagne en raquettes, en skis de fond ou dans la motoneige de Simone.

Entre Adrienne, Medjé et Gabrielle, l'accord semble parfait. Mais entre cette dernière et Simone, femme d'une autre trempe, énergique et sûre d'elle-même, le courant passe mal. Simone nourrit peut-être un certain dépit envers Gabrielle, qui n'a pas aimé *L'Héritier*[110] ; peut-être prend-elle un peu ombrage de ce que Gabrielle accapare maintenant l'affection d'Adrienne. Bien que Simone admire l'œuvre de Gabrielle et son talent de conteuse, ses manières et son caractère ne lui plaisent pas.

À Notre-Dame-des-Laurentides fraye aussi la poétesse Alice Lemieux-Lévesque, avec qui Gabrielle ne tarde pas à se lier. Après avoir fait sa marque dans les années vingt avec deux petits livres intitulés *Heures effeuillées* (1926) et *Poèmes* (1929), Alice a longtemps vécu en France et aux États-Unis et n'a rien publié jusqu'en 1962, année où, revenue à Québec, elle fait paraître *Silences*, suivi bientôt de cinq autres recueils d'une poésie à la fois passionnée et désuète. L'amitié entre les deux femmes est particulièrement intense entre 1967 et 1971. Alice, qui habite avec une amie du nom de Jacqueline, a un tempérament vif, pétillant, plein d'humour et de gaieté ; « votre voix, lui écrit Gabrielle, résonne parfois dans ma vie comme le chant d'un petit oiseau affectueux qui atteint un solitaire dans son ermitage. Et que cela fait du bien au solitaire[111] ! » Elle aime tellement la compagnie d'Alice qu'il lui arrive, lorsqu'elle se sent triste, de lui téléphoner pour lui demander de venir la voir en taxi, aux frais de Gabrielle, bien entendu. Et « M'Alice », comme l'appellent ses amies, de se précipiter au Château Saint-Louis pour égayer la pauvre solitaire.

Les Madeleine et le groupe de Notre-Dame-des-Laurentides forment ainsi le cercle le plus rapproché des familiers de Gabrielle ; ce sont les gens qu'elle voit le plus souvent, bien que les rencontres ne soient pas si fréquentes. Un autre cercle existe à Montréal, où Gabrielle continue de se rendre au moins une ou deux fois l'an pour ses affaires et son magasinage, mais aussi pour couler quelques jours de repos chez Cécile Chabot ou Jacqueline Deniset. Avec Judith Jasmin, par contre, les rendez-vous deviennent plus espacés, cette dernière étant trop prise par ses nombreuses activités et affichant des positions politiques qui, peut-être, paraissent un peu radicales à son amie. De temps à autre, Gabrielle profite de ses séjours à Montréal pour renouer avec de vieilles connaissances, comme Françoise Loranger, Réginald Boisvert, la journaliste Lucette Robert ou Germaine Guèvremont, qu'elle rencontre en 1960 au cours d'une soirée chez Cécile. Par la suite, les deux romancières s'écrivent quelques lettres et se rencontrent à deux ou trois reprises, soit au chenal du Moine, soit à Québec. En septembre 1967, elles passent quatre jours ensemble à l'île aux Coudres, où Germaine est avec « son bon compagnon, Louis Pelletier[112] ». L'année suivante, Gabrielle se rend à Sorel pour les funérailles de son amie, puis accepte de rédiger l'éloge de « Germaine Guèvremont, 1900-1968 » pour les publications de la Société royale du Canada. Évoquant les confidences que lui a faites la disparue, elle y souligne à quel point Germaine Guèvremont, au cours des années « où il lui fallut […] délaisser, au profit de la télévision, ce qui s'appelle à proprement parler écrire, […] souffrit du sentiment d'une culpabilité constante, harcelée par la pensée de n'avoir pas accompli tout ce qu'elle aurait dû ».

Au tournant des années soixante, une autre amie écrivain entre dans la vie de Gabrielle Roy. Il s'agit de Joyce Marshall, native de Montréal mais devenue torontoise depuis plusieurs années. Joyce s'est fait connaître par deux romans publiés aux États-Unis[113] et gagne sa vie comme pigiste dans les milieux de l'édition et de la radio canadiennes-anglaises. C'est par l'entremise de Madeleine Chassé, une amie à elle, que Joyce entre en contact avec Gabrielle et la rencontre pour la première fois, en juin 1959, au Château Saint-Louis. Même si son hôtesse refuse de lui accorder l'entrevue radiophonique qu'elle est venue solliciter, Joyce repart enchantée. Elle note dans son journal :

> Elle est frêle mais gaie, simple et chaleureuse, menue avec un visage tourmenté et sombre, une voix très profonde et de merveilleux yeux clairs. Nous nous sommes plu et je m'en sens beaucoup plus heureuse. Je connais si peu d'écrivains. Et Gabrielle ne veut pas parler de son travail, pas plus que je ne veux parler du mien. Une merveilleuse base à l'amitié — la conscience, mais non la discussion, de problèmes communs[114].

Des lettres suivent, et une entente s'établit bientôt entre elles qui va durer plus de vingt ans. Les rencontres sont pourtant rares : en 1960 et en 1967, lorsque Joyce vient passer quelque temps à Petite-Rivière-Saint-François, et en 1969, quand Gabrielle fait un bref séjour à Toronto. Mais lettres et coups de fil leur permettent de se tenir mutuellement au courant de leurs occupations et de leurs pensées. Pensées qui se rejoignent sur presque tous les sujets, qu'il s'agisse de littérature, de philosophie ou de politique. Joyce fait lire à Gabrielle la plupart des grands auteurs canadiens-anglais de l'époque, en particulier les romancières Ethel Wilson et Margaret Laurence. Mais c'est avant tout sur l'œuvre de Gabrielle que repose — et que continuera de reposer — leur amitié. Joyce aide d'abord Gabrielle dans la rédaction de *La Montagne secrète*, puis elle devient sa traductrice en 1966, avec *The Road Past Altamont*. Dès lors, leurs relations amicales ne se distinguent plus guère de leurs relations professionnelles. La correspondance des deux femmes est remplie de considérations linguistiques et de discussions sur tel ou tel point de traduction ; Gabrielle se montre, en ces matières, d'une minutie et d'un perfectionnisme quasi maniaques. En outre, comme elle ne va pour ainsi dire jamais à Toronto, où elle a pourtant des intérêts littéraires importants, elle tend à considérer Joyce comme son « antenne » et sa messagère dans la Ville-Reine, non seulement pour les traductions mais aussi pour ses relations avec McClelland & Stewart et l'ensemble du milieu éditorial et journalistique.

Ce qui frappe, quand on essaie de reconstituer l'entourage de

Gabrielle Roy pendant ses années de maturité, qu'il s'agisse de celui de Québec, de Montréal ou de Petite-Rivière, c'est que ce monde — un peu comme le gynécée dans lequel s'est déroulée son enfance — n'est pratiquement peuplé que de femmes. Qu'elles soient veuves, comme Simone, séparées, comme Alice, ou qu'elles soient restées célibataires, comme le sont la plupart d'entre elles — Berthe, Cécile, Adrienne, Joyce, les Madeleine —, ces femmes mûres vivent presque toutes seules ou à deux, sans mari ni compagnon stable. Gabrielle est mariée, certes, mais la distance qui ne cesse de se creuser entre elle et Marcel et le fait qu'ils vivent de plus en plus souvent séparés l'un de l'autre font que l'homme, que les hommes n'ont pour ainsi dire plus de place dans son univers familier. Le temps du « *trail of the broken hearts* », le temps de Stephen et d'Henri est bel et bien révolu.

Gabrielle n'en souffre pas, loin de là. Elle trouve dans ces présences féminines l'univers qui convient le mieux à son besoin de réconfort et d'affection. « Sans cesse, écrit-elle à Alice, l'une doit épauler l'autre, et c'est malgré tout beau, très beau ainsi — je veux dire ce besoin constant que nous avons les unes des autres, et cet appel au secours qui entre nous du moins n'est pas lancé en vain[115]. » Il faut dire qu'elle est peut-être celle qui profite le plus de cette solidarité, puisque toutes ces femmes qui tournent autour d'elle, ou presque toutes, l'admirent, la cajolent, sont prêtes à tout pour lui rendre service, accourent au moindre appel et n'en reviennent pas de l'avoir pour amie. Mais Gabrielle est-elle vraiment leur amie ? Ce besoin de se dévouer, ce désintéressement et surtout ce souci d'égalité parfaite qui font l'amitié véritable, les ressent-elle vraiment à l'égard de l'une ou l'autre de ces femmes ?

De toute façon, Gabrielle les voit assez peu, préférant leur téléphoner et plus encore leur écrire. Il est vrai qu'elle continue, même passé le cap de la cinquantaine, à s'absenter souvent de Québec. Tous les étés, elle est à Petite-Rivière, où le chalet n'est guère accueillant aux visiteurs ; les rares fois où Cécile, Adrienne, Simone et les autres y viennent, elles doivent apporter leur pique-nique. Puis, l'automne venu, lorsqu'elle rentre au Château Saint-Louis, Gabrielle n'a rien de plus pressé que de se remettre à bouger, comme si son appartement, pourtant joliment décoré par Marcel de meubles anciens et de tableaux, lui était une prison.

Dans les premières années qui suivent l'achat du chalet, elle continue, en début ou en fin de saison, à prendre des vacances au bord de la mer. En juin 1960, elle passe une dizaine de jours à Cape Cod avec

Thérèse Dubuc, la nièce de Marie, elle aussi célibataire. Thérèse possède une maison près de Provincetown. Deux ans plus tard, c'est à Percé qu'elle va se reposer ; Marcel l'y conduit en voiture à la mi-août, puis repart presque aussitôt ; elle reste là pendant trois semaines, seule, à prendre des bains de soleil et à chercher des agates sur la grève en compagnie de Léo-Paul Desrosiers et de sa femme[116], tout en essayant d'oublier ses querelles avec son mari ou de se réconcilier avec lui par correspondance ; « j'ai pensé à nous deux, lui écrit-elle, avec tristesse et un grand désir que nous puissions enfin arriver à vivre ensemble en amis[117] ». Elle rentre à Québec le 31 août, un jour trop tard pour célébrer leur quinzième anniversaire de mariage.

D'autres voyages plus importants marquent également cette période. Durant la seule année 1961, Gabrielle en effectue trois. Au printemps, elle s'envole vers le Manitoba pour un reportage sur sa province natale que lui a commandé le magazine *Maclean*. Mais, dit-elle, « ce n'est pas uniquement pour ce reportage que je me suis laissée persuader d'entreprendre ce voyage. Les impressions que j'en rapporterai pourront m'être utiles pour mon prochain roman[118] » ; elle est alors en train d'écrire *La Saga d'Éveline* et peut-être les récits de *La Route d'Altamont*. Une fois sur place, elle commence donc, comme elle le faisait du temps du *Bulletin des agriculteurs*, par s'acquitter consciencieusement de ses devoirs de journaliste : interview du premier ministre Duff Roblin, visite au Winnipeg Grain Exchange, récolte de statistiques sur la répartition des groupes ethniques et linguistiques — statistiques qui l'amènent à se montrer plutôt pessimiste sur l'avenir des Franco-Manitobains. À ces données se mêlent les images qu'elle a recueillies trois ans plus tôt lors de sa tournée dans les villages du sud et à la Petite-Poule-d'Eau et, bien sûr, la connaissance ancienne, originelle, qu'elle a de sa province natale. « Le Manitoba, se demande la journaliste d'occasion, saurai-je seulement le voir tel qu'il est aujourd'hui ? Ce n'est pas sûr. J'ai tant de souvenirs et, on le sait, en définitive ce sont nos souvenirs qui l'emportent[119]. » L'article — qui est le tout dernier reportage de Gabrielle Roy — paraîtra un an plus tard, en juillet 1962.

Son enquête terminée, la voyageuse — qui loge à l'hôtel Fort Garry — a à peine le temps de voir les membres de sa famille. Mais elle s'est arrangée pour que sa venue à Saint-Boniface coïncide avec la cérémonie au cours de laquelle Yolande, la fille cadette de Germain, alors âgée de vingt ans, recevra son diplôme d'infirmière. Hélas, les réjouissances tournent au drame lorsque Germain, sur la route qui l'amène à Saint-

Boniface, est victime d'un accident qui le laisse entre la vie et la mort. Gabrielle lui rend visite à l'hôpital et réussit à lui parler une dernière fois. Quand il s'éteindra, le 21 mai, elle aura déjà repris l'avion pour Québec.

C'est le deuxième de ses frères qui disparaît en moins de cinq ans. Jos, chez qui elle s'est rendue en 1955 lors de son voyage en Saskatchewan, est mort en novembre 1956, emporté par l'emphysème. C'est maintenant au tour de Germain, qui vient tout juste d'avoir cinquante-neuf ans. Depuis la crise économique, Germain avait réussi à se débrouiller plutôt bien, malgré son tempérament instable et son penchant pour l'alcool. Après avoir été instructeur dans l'aviation canadienne pendant et après la guerre, il était revenu enseigner à Saint-Boniface — où ses élèves le surnommaient « German King » — puis dans la réserve saulteux de Pine Falls, où Antonia, sa femme, avait elle aussi un poste bien rémunéré. Entre Gabrielle et lui, les rapports n'ont jamais été très intimes, même si Germain était le plus jeune de ses frères, donc plus proche d'elle par l'âge. Sa mort ne l'affecte pas vraiment, sauf à cause du chagrin d'Antonia et de Yolande, pour qui elle éprouve un grand attachement.

Moins de trois mois après son retour du Manitoba, Gabrielle reçoit une nouvelle invitation au voyage à laquelle elle ne peut résister : un géologue de sa connaissance lui propose de l'accompagner dans le Grand Nord québécois, où elle n'est jamais allée mais dont elle a imaginé les paysages grandioses en écrivant *La Montagne secrète*, terminée depuis six ou sept mois et sur le point de paraître. Le voyage dure une semaine. Partis de Roberval, les voyageurs atterrissent à Fort Chimo (aujourd'hui Kuujjuaq), village sis au bord du fleuve Koksoak, non loin de la baie d'Ungava. Des familles inuit et des Blancs venus du Sud l'habitent. Gabrielle s'y conduit en reporter ; elle visite les lieux, observe les gens, interroge les missionnaires et les agents du gouvernement, et prend des notes. Il en résulte un texte d'une trentaine de pages intitulé « Voyage en Ungava », qu'elle a d'abord l'intention de publier mais qui restera finalement dans ses tiroirs[120] ; peut-être envisage-t-elle de tirer de cette expérience beaucoup plus qu'un simple article.

« Voyage en Ungava », en effet, annonce directement *La Rivière sans repos*, le roman « esquimau » qu'elle se mettra à écrire sept ou huit ans plus tard et qu'elle publiera en 1970. On y trouve, sous forme d'observations croquées sur le vif, la plupart des éléments qui, réinvestis et transformés par l'imagination, réordonnés autour de l'aventure de personnages fictifs, formeront le décor et la trame du roman et des trois nouvelles qui l'accompagnent. La voyageuse y relate une séance de cinéma à la mission catholique, une visite au cimetière abandonné du vieux Fort Chimo, le transport des malades vers les hôpitaux du Sud, l'installation d'un téléphone dans la tente d'un vieillard... Tout le récit est marqué par son inquiétude devant les conséquences du choc culturel que subissent les autochtones au contact de la civilisation blanche et de la technologie moderne. Un jour où elle se rend dans le vieux Fort Chimo, la voyageuse assiste à une scène qui s'imprime fortement dans son imagination :

> À force d'errer [...] de cabane morte en cabane vide, nous en avons trouvé une enfin de vivante. En entrant, nous voyons une jeune mère peigner avec soin le plus bel enfant du monde. Elle-même n'est qu'à moitié esquimaude. De quel père, de quel Écossais peut-être, tient-elle ce front lisse, ces traits amincis ? Et l'enfant charmant, qui lui a donné ses cheveux bouclés dont la mère, les enroulant à ses doigts, est si manifestement fière — peut-être le seul cadeau sans douleur que lui ait fait la race blanche ? Mais elle est taciturne, ne sourit guère, pendant que nous sommes là, tourne souvent le regard de côté vers la fenêtre, ne sait quelle attitude prendre, paraît obsédée par quelque chose qui lui est à elle-même incompréhensible.

« Ce geste, dira Gabrielle Roy, m'a littéralement hantée. Il est pour ainsi dire la source de *La Rivière sans repos*[121]. » Mais ce qui est le plus intéressant, c'est de voir combien l'image, en devenant matière littéraire, va s'enrichir et se moduler dans l'esprit de la romancière. Chaque fois que celle-ci parlera de son voyage en Ungava lors d'entrevues à propos de *La Rivière sans repos*, elle évoquera cette scène de la mère et de l'enfant, mais sans jamais dire que la mère était métisse ; seul l'enfant sera présenté comme tel, et cet enfant n'aura plus seulement les cheveux bouclés : il deviendra une sorte de chérubin blond aux yeux bleus[122]. En d'autres mots, si la mémoire déclenche et nourrit l'écriture du roman, ce dernier, en retour, modifie le souvenir sur lequel il repose. Ainsi la littérature, en quelque sorte, finit-elle par changer la vie.

À peine rentrée d'Ungava, Gabrielle prépare de nouveau ses valises pour un autre voyage, le troisième en moins de quatre mois. Elle part cette fois en compagnie de Marcel, qui doit participer à un congrès médical à Vienne du 4 au 8 septembre 1961. Le congrès terminé, ils s'envolent vers Athènes pour trois semaines de tourisme en Grèce et autour de la mer Égée. Ils voyagent en car avec un groupe, font une croisière, bref, ils suivent l'itinéraire classique : Delphes, Épidaure, Olympie, les Cyclades, la Crète, Istanbul. Comme elle a relu Homère juste avant de partir, Gabrielle s'émerveille encore plus de la beauté et de l'ancienneté des lieux. À Lindos, dans l'île de Rhodes, elle trouve un paysage où il lui semble qu'elle aimerait vivre, « parmi les bougainvillées, les femmes en grand noir se détachant sur les murs les plus blancs du monde et leurs petits jardins intérieurs faits de simples galets assemblés avec tant de grâce qu'ils composent d'exquises mosaïques[123] ». Leurs cadeaux achetés, ils s'arrêtent à Paris pour y passer une petite semaine et rentrent à Québec le 2 octobre. C'était leur dernier voyage ensemble.

Désormais, chacun se déplacera seul et à son gré. Ainsi, deux ans après le voyage en Grèce, Gabrielle repart pour un nouveau périple de deux mois en Europe, pendant que Marcel, demeuré au Château Saint-Louis, s'occupe de l'emménagement dans leur nouvel appartement. Le périple est tout entier sous le signe de la nostalgie. À cinquante-quatre ans, Gabrielle refait le trajet qu'elle a accompli un quart de siècle plus tôt, lors de son tout premier séjour en Europe. Elle arrive à Londres le 5 août 1963, y reste trois semaines, logeant d'abord au Stafford Hotel, sur St. James Place, puis au Cadogan Hotel, dans Sloane Street, à côté de la maison où elle assistait jadis aux réceptions de Lady Frances Ryder. Dès le premier jour, elle fait la connaissance d'une Suédoise, « une belle jeune femme blonde comme on en voit dans ce pays[124] », qui fait le métier de journaliste et se trouve elle aussi en vacances en Angleterre.

> Je me suis fait une amie très charmante, raconte-t-elle à Adrienne, une fille suédoise blonde et fine à croquer. C'est par le plus beau des hasards que j'ai fait sa rencontre, à Trafalgar Square, sous la statue de Nelson, parmi les pigeons. Comme je lui trouvais une agréable physionomie, c'est à elle que je me suis adressée pour lui demander mon chemin. Elle ne le savait pas plus que moi ; alors nous nous sommes entraidées : d'abord pour se rendre à Piccadilly, ensuite pour trouver un restaurant passable, après cela pour faire les musées, et ainsi de suite. Cela dure depuis dix jours, et je pense que nous aurons de la peine à nous quitter l'une l'autre[125].

Siv Heiderberg — c'est le nom de la jeune femme — a une connaissance très approximative de l'anglais. Elle s'attache à Gabrielle

« comme un petit chien[126] ». Cette dernière ne se lasse pas de parcourir la ville à pied avec elle, « aiguillonnée, écrit-elle à Berthe, par la curiosité et le désir de revoir les quartiers, les monuments et les parcs [...] que j'avais connus autrefois[127] ». Elle visite aussi les musées, fascinée de nouveau par Rembrandt, Hobbema et surtout par les *Fiancés Arnolfini* de Van Eyck, tableau qu'elle ne cessera de « revoir presque à chaque jour de ma vie[128] ». Enfin, elle va passer quelques jours à Upshire, chez la bonne Esther aux « beaux yeux pers souriants et mélancoliques ». La région s'est urbanisée, Century Cottages « tombe en décrépitude[129] », Father Perfect n'est plus de ce monde, mais Esther, elle, « ne semble pas avoir vieilli depuis la dernière fois que je l'ai vue ». « Il est vrai, note la visiteuse, qu'elle a un visage sans âge, qui n'a jamais été jeune et qui ne sera peut-être jamais vieux[130]. » Après avoir remué ensemble les beaux souvenirs d'autrefois, les deux femmes se quittent pour ne plus jamais se revoir.

D'Upshire, Gabrielle file à Paris, où elle arrive le 26 septembre. Elle s'installe au Lutèce. Là encore, malgré le mauvais temps, elle passe le plus clair de ses journées à marcher, à voir des films et des expositions, à s'extasier devant le « spectacle féerique » de la place de la Concorde illuminée, bref, à retrouver « un peu du bonheur que j'ai eu jadis d'habiter Paris[131] ». À deux reprises, elle se rend à Saint-Germain-en-Laye pour revoir de vieux amis et parcourir avec eux la campagne avoisinante, où elle aimait tant se promener en auto, autrefois, avec Marcel. À Paris, elle rencontre Anne Hébert, descendue elle aussi au Lutèce, et surtout Julie Simard, une infirmière qui travaille au même hôpital que Marcel. Julie ne lâche pas Gabrielle d'une semelle ; elle mange avec elle tous les soirs et veille à son bien-être comme une mère.

Lassée du temps gris et froid, Gabrielle persuade Julie de l'accompagner dans le Midi, où elle veut aller à tout prix avant de rentrer au Canada. Les deux femmes quittent Paris le 7 septembre. Le lendemain, après une escale aux Baux-de-Provence, elles sont à Saint-Rémy, où elles descendent, jusqu'au 12, à l'hôtel Glanum ; elles se promènent dans les environs et jouissent enfin du beau temps. Elles font ensuite un bref séjour en Avignon, puis rentrent à Paris le 15. Dix jours plus tard, après avoir arpenté de nouveau la ville et rencontré les gens qu'elle n'avait pas eu le temps de voir lors de son séjour précédent, Gabrielle reprend l'avion pour Montréal.

Ce voyage, tout empreint de nostalgie, s'est déroulé moins dans l'espace que dans la mémoire, comme si Gabrielle avait voulu y récapituler son passé. Londres, Paris, la Provence : à l'approche de la vieillesse, une femme remet ses pas dans les pas de celle qu'elle a été, comme pour boucler la boucle du temps, revoir une dernière fois ce qu'elle sait à jamais perdu, sa jeunesse, son innocence, sa liberté. Il s'agit, à vrai dire, du dernier voyage de Gabrielle. Après 1963, celle-ci ne se lancera plus sur les routes du monde, comme on dit, à la recherche de paysages et de gens à connaître ou à revoir. Cette époque-là est terminée pour elle. Ce qui ne veut pas dire qu'elle cessera de se déplacer, bien au contraire. Jusqu'à la fin des années soixante-dix, c'est-à-dire jusqu'à ce qu'elle atteigne la soixantaine avancée, il ne se passera guère d'année sans qu'elle quitte le Québec pendant au moins quelques semaines, voire un mois ou deux. Mais ses déplacements ne seront plus tant des voyages à proprement parler que de simples séjours plus ou moins prolongés en tel ou tel lieu d'où elle ne bougera guère. Ces séjours seront commandés tantôt par les devoirs familiaux, tantôt par le besoin de fuir les rigueurs de l'hiver et de trouver ailleurs un climat plus propice à sa santé et à son travail.

Gabrielle et ses sœurs

C'est en janvier 1964, quatre mois à peine après son périple en Europe, que les nécessités familiales appellent Gabrielle au loin pour la première fois. Anna, sa sœur aînée, se meurt au bout du monde, à Phoenix, en Arizona.

Depuis deux ou trois ans, l'existence d'Anna, si banale jusqu'alors, a pris une tournure accélérée et pathétique. Trop âgés pour continuer d'entretenir la Painchaudière, elle et son mari l'ont vendue en février 1961, après y avoir habité pendant plus de vingt ans. Huit mois plus tard, Albert Painchaud meurt subitement et Anna se trouve veuve à soixante-treize ans. Commence alors pour elle une période d'errance fébrile qui ne s'arrêtera qu'avec la mort. Elle vit d'abord avec Fernand, son fils aîné, et sa femme Léontine, dans leur logis de Saint-Boniface. Ensemble, ils vont passer l'hiver en Californie chez les enfants et les petits-enfants de feu l'oncle Moïse Landry. À son retour, en mars 1962, Anna part pour Marmora, en Ontario, et s'installe chez son deuxième fils, Paul, et sa femme Malvina. Elle y reste quatre ou cinq mois, puis file sur Montréal, où elle habite un certain temps avec Adèle, avant de prendre le chemin de la Pennsylvanie, où se trouve Gilles, son troisième et dernier fils, marié avec Béatrix. Mais la mésentente ne tarde pas à éclater entre la belle-mère et la bru, et Anna rentre à Saint-Boniface pour Noël. Elle en repart dès janvier 1963 pour un nouveau séjour à Marmora, d'où elle pousse jusqu'aux bords de l'Outaouais, où Adèle a loué un petit chalet. De retour à Saint-Boniface en mars, elle entreprend une nouvelle équipée un mois plus tard, cette fois vers la côte ouest, avec Bernadette, pour voler au secours de leur frère Rodolphe, alcoolique et malade. Rentrée une fois de plus au Manitoba, Anna s'installe à l'hôtel Marion, le temps de souffler un peu. C'est alors que le cancer de l'intestin qui la ronge depuis vingt ans et l'a contrainte à se faire opérer deux ou trois fois — et sur lequel elle a toujours réussi à avoir le dessus — la frappe brutalement. Amaigrie, souffrante, elle n'en entreprend pas moins un autre voyage en octobre, à Phoenix. Ce sera le dernier.

À Phoenix, vivent depuis un an Fernand et Léontine qui, ayant atteint la cinquantaine, ont décidé de fuir le climat rude du Manitoba pour cette région paradisiaque. Fernand a déniché un petit emploi aux courses de chiens et acheté un des *mobile homes* du Blue Skies Trailer Park, où l'on peut vivre confortablement avec peu d'argent. Apprenant que sa mère n'en a plus pour longtemps, Fernand va la chercher en voiture et la ramène chez lui pour l'hiver, afin qu'elle puisse jouir, pendant le temps qu'il lui reste, du soleil et de la chaleur de l'Arizona.

Le 26 décembre, on doit l'hospitaliser. Avertie par Fernand, Gabrielle arrive à Phoenix le 10 janvier 1964. Dès sa descente d'avion, la splendeur du lieu la saisit, ce paysage plein de ciel, cette lumière, cette chaleur, toute cette végétation exubérante au milieu du désert. Beauté d'autant plus poignante qu'elle fait un cruel contraste avec le corps décharné de la mourante, qui décline de jour en jour et voit bien, malgré la morphine, qu'elle va partir sans avoir eu droit à sa part de bonheur. Gabrielle lui rend visite chaque jour et apprend ainsi à mieux connaître sa sœur. « Je sais maintenant, dira-t-elle un an plus tard, qu'elle était dévorée du besoin d'aimer et d'être aimée, et que quelque chose lui manquait pour se laisser aller à ce besoin en tout abandon. Pauvre âme, sa souffrance de vivre a dû être bien grande[132]. » Anna s'éteint au matin du 19 janvier ; c'est un dimanche, il fait un temps radieux.

Gabrielle reste à Phoenix pour l'enterrement, qui a lieu le mardi. Encore une fois, le ciel est magnifique et la morte descend dans la fosse au milieu d'une orgie de couleurs et de beauté, comme l'écrivain le racontera plus tard dans une des plus belles pages de *La Détresse et l'Enchantement* :

> Partout, non loin de cette oasis miraculeuse, ce devait être l'hiver. Ici c'était le printemps perpétuel. Le cimetière n'était qu'une masse de

> poinsettias géants, d'hibiscus et de jacarandas aux grappes d'un rouge vif. Les insectes bourdonnaient gaiement en voletant de massif en massif. [...] Sur la branche d'un palo verde chantait, à s'en faire éclater le cœur, le mocking-bird si cher aux gens du Sud et, pour l'avoir une fois entendu, on conçoit pourquoi, car il est vraiment le « doux oiseau de la jeunesse »[133].

Un petit drame suit le décès d'Anna, lorsque sa famille prend connaissance du testament que la malade a rédigé en août 1962, pendant sa visite chez Adèle. Le peu qu'elle possède, la disparue le lègue à des œuvres de bienfaisance, ne laissant à ses fils que de modestes rentes qu'ils ne peuvent transmettre à personne ; des trois, c'est Fernand qui touche la somme la plus modeste, lui qui, avec Léontine, s'est pourtant occupé de sa mère avec plus de dévouement que les autres et qui vit « quasiment dans la misère[134] ».

La mort d'Anna est un moment important dans la vie de Gabrielle. Non que ce deuil l'affecte terriblement ; Anna était de vingt ans son aînée et les deux femmes avaient peu en commun. Mais cet événement marque chez elle le début d'une double conversion ; il met en branle un mouvement intérieur dont le plein aboutissement se fera quelques années plus tard, à l'occasion d'une autre mort, celle de Bernadette. La première conversion est une conversion au sens propre du terme, c'est-à-dire religieuse. À Phoenix, devant Anna rongée par le cancer, Gabrielle est placée pour la première fois — depuis qu'elle a vu mourir son père trente-cinq ans auparavant — devant la réalité concrète de l'agonie et de la mort. Elle dira, sept ans plus tard (mais on ne trouve pas mention de cela dans ses lettres de 1964 ou 1965), que cette expérience a joué un rôle décisif dans son retour à la foi. Anna, dira-t-elle, « ne semblait pas entretenir d'espoir en une survie. Du moins son regard le laissait entendre et je ne pouvais le supporter. Cette vie qui s'achevait m'a bouleversée. Je ne pouvais pas accepter que pour Anna qu'on avait aimée, qui avait tenu une place parmi nous, qui avait vécu sa vie avec joies et douleurs, tout allait finir. Que demain elle ne serait plus rien[135]. »

Cela fait une trentaine d'années, à cette époque, que Gabrielle a abandonné toute pratique religieuse. Si elle y revient aux alentours de 1964, cela ne tient pas uniquement à la mort d'Anna, mais aussi à un cheminement intellectuel favorisé par la lecture des écrits de Teilhard de Chardin et par le renouveau que fait alors subir au catholicisme le concile de Vatican II (1962-1965). Durant les années qui suivent, elle recommence donc à aller à la messe et à pratiquer les sacrements, mais elle n'a rien d'une dévote ; sa religion reste toute personnelle et peu démonstrative, ses prières les plus ferventes étant moins destinées à Dieu et aux saints de l'Église officielle qu'à ses « petites saintes » à elle, Mélina, Anna, et bientôt Bernadette.

L'autre conversion qu'entraîne ou que précipite la mort d'Anna est le retour de Gabrielle dans le giron familial dont elle a tant voulu s'éloigner depuis sa jeunesse. Même si elle est restée, après son départ du Manitoba, en contact épisodique avec les siens, leur envoyant de temps à autre un peu d'argent et leur rendant visite à l'occasion, ce lien ténu lui a toujours pesé et ne fait plus vraiment partie, croit-elle, de la femme qu'elle est devenue, seule, loin de sa famille et même en dépit d'elle. En 1958, lors de son bref séjour à la Painchaudière, c'est d'abord ce sentiment d'aliénation qu'elle a éprouvé en présence d'Anna, de Clémence, de Bernadette et des autres. « Tu n'as pas idée, écrivait-elle alors à Marcel, quelle souffrance c'est pour moi de renouer avec ma famille. Sans cesse je suis envahie par le sentiment de mon étrangeté au milieu d'eux, comme si nous n'avions pour ainsi dire plus rien en commun, qu'une si lointaine, si pâle ressemblance qu'elle semble un rêve[136]. »

Or, avec la maladie et la mort d'Anna, c'est comme si, placée devant la perspective de sa propre solitude, Gabrielle redécouvrait tout à coup sa dépendance à l'égard de sa famille, la place qu'elle y occupe et le besoin qu'elle a de la présence et du soutien de ses sœurs. Anna partie, la voici plus orpheline, en somme, qu'après la mort de sa mère, alors que, jeune encore, happée par ses ambitions et ses désirs, elle ne pouvait pas vraiment mesurer le vide où cette perte risquait de la précipiter. Cette fois, elle est plus clairvoyante.

> Pauvre tragique Anna, écrit-elle à Bernadette, il a fallu qu'elle meure pour qu'on s'aperçoive pleinement qu'elle avait pris, après la mort de maman, sa place en quelque sorte, devenue à son tour le nœud, le centre et l'âme de la famille. Maintenant il n'y a plus personne pour nous tenir encore vraiment ensemble, et malgré l'affection que nous avons les unes pour les autres, ce n'est plus tout à fait la même chose. Un peu du ciment qui nous unissait est tombé[137].

Mais est-ce seulement un sentiment d'abandon que ressent Gabrielle ? N'est-ce pas aussi, n'est-ce pas plutôt de la peur ? Non tant la peur de se retrouver seule — cela, elle l'a toujours souhaité — que celle de se voir rattrapée par son passé, par sa vieille faute et sa vieille culpabilité à l'égard de sa mère, dont la protégeait jusqu'ici la présence d'Anna. Cette peur a maintenant un nom et un visage : Clémence, la sœur malade que Mélina, en mourant, a laissée seule dans le monde et dont Gabrielle a promis de s'occuper. Depuis la mort de la mère, c'est Anna qui a pris sur elle le destin de Clémence. Gabrielle versait les petites sommes nécessaires à son entretien, mais c'est Anna et Albert qui lui rendaient visite, veillaient à son bien-être, lui dispensaient les soins dont elle avait besoin et prenaient toutes les responsabilités qui s'imposaient, la pauvre femme étant incapable de régler elle-même le cours de sa vie. Ainsi, Gabrielle pouvait se sentir déchargée de son devoir de fidélité à l'égard de sa mère, puisque Clémence ne manquait de rien. Mais que va-t-il arriver maintenant qu'Anna n'est plus là ? Qui va prendre le relais et s'acquitter des promesses faites à Mélina ?

En principe, ce devrait être Adèle, qui est maintenant l'aînée de la famille. Mais Adèle n'a ni le genre de vie ni les dispositions nécessaires pour devenir la gardienne de Clémence. Depuis qu'elle a vendu sa terre de Tangent en 1955, elle va d'errance en errance, sans trouver de lieu où se fixer. Après avoir fait la classe trois ans, encore chez les Métis du Manitoba, et publié à compte d'auteur un « roman du grand Nord canadien » intitulé *Valcourt ou la Dernière Étape*, récit fortement autobiographique, Adèle a pris sa retraite de l'enseignement en 1959 et est partie pour un voyage de deux ans en Europe. Par la suite, elle s'est établie à Montréal, où elle a vécu quelques années dans des conditions voisines de la misère, consacrant tout son temps à ses recherches généalogiques et à ses manuscrits, qu'elle ne se lasse pas de copier et de recopier sur sa petite machine à écrire. Aucun de ses manuscrits ne sera publié avant 1969, année où elle fera imprimer, toujours à compte d'auteur, une étude historique intitulée *La Montagne Pembina au temps des colons*, que suivra en 1970 *Les Visages du vieux Saint-Boniface*. Comment Adèle, si instable et si dépourvue, pourrait-elle s'occuper de la pauvre Clémence ? Du reste, les deux sœurs ont des caractères trop différents pour pouvoir s'entendre. Une fois déjà, en 1954, elles ont tenté de vivre ensemble, mais sans succès. Elles s'y essaieront de nouveau en 1966, lorsque Adèle proposera à Clémence — qui ne demande pas mieux — de venir s'installer dans son appartement. Mais Clémence est si lente, si apathique, et Adèle si fébrile et pleine d'énergie, si rude aussi, que leur ménage ne tiendra pas deux mois. Clémence sortira de cette cohabitation plus mal en point qu'auparavant.

Quant à Rodolphe, nul n'ose penser à lui pour veiller sur sa sœur malade. Il vit en Colombie-Britannique, est toujours sans le sou et habite une sorte de taudis. Et comment lui faire confiance ? Après sa maladie de 1963, les propriétaires d'un motel de Powell River l'ont engagé comme gardien de nuit. « J'espère, écrivait Anna avant de mourir, qu'il n'ira pas faire quelque chose pour les tromper et les désabuser[138]. » Car Rodolphe, tout le monde le sait, a de mauvaises fréquentations, il boit et joue aux cartes comme un forcené ; il n'y a rien de bon à attendre de lui.

Reste Bernadette. Bien qu'elle ne soit plus très jeune — elle a soixante-six ans à la mort d'Anna —, sœur Léon est la mieux placée pour remplacer la disparue dans son rôle auprès de Clémence. Depuis 1950, elle est revenue enseigner la diction et l'art dramatique à l'Académie Saint-Joseph, ce qui lui a donné l'occasion de passer quelques étés à Québec pour suivre des cours de perfectionnement ; elle écrit elle-même de petites saynètes et entretient les meilleures relations avec Pauline Boutal et les gens du Cercle Molière. Depuis que Gabrielle fait carrière en littérature, une complicité s'est établie entre elles, même si elles ne se rencontrent que rarement. Bernadette, qui a quitté la maison familiale en 1919, n'a pas connu Gabrielle adolescente, ni jeune femme, comme l'ont fait Adèle et Anna, et n'a donc rien à lui reprocher. Au contraire, elle n'éprouve pour sa sœur cadette que fierté et admiration, la félicite à chacun de ses succès, s'intéresse à son bonheur et collectionne dans un *scrapbook* les articles, les entrevues, le moindre entrefilet qui la concernent. On comprend que Gabrielle ait pour « Dédette » une affection toute particulière. De ses quatre sœurs, c'est la seule dont elle se sente comprise et vraiment aimée, la seule qui, loin de lui opposer quelque résistance que ce soit, lui voue au contraire une dévotion totale et lui renvoie d'elle-même une image qui correspond au meilleur de ce qu'elle est et veut être. Entre les deux sœurs, la religieuse et l'artiste, s'est créée ainsi, malgré la différence d'âge, une véritable amitié, nourrie par une correspondance régulière et fondée sur le partage de la même sensibilité et des mêmes valeurs : l'amour de la nature, le goût de l'art, la foi en l'idéal et le culte de leur mère défunte.

Voyant venir la mort d'Anna, Gabrielle met donc tout en œuvre pour que Bernadette accepte de prendre Clémence sous son aile. Ainsi, elle lui écrit en janvier 1963, alors qu'Anna est partie dans l'Est :

> Je viens de recevoir une petite lettre plutôt laconique de Clémence. Elle s'ennuie d'Anna, je pense. Heureusement que tu lui restes. Elle m'entretient de tes visites avec une joie naïve, où l'on sent bien tout

le prix que ces visites ont pour elle. Pauvre petite Clémence, que de fois mon âme se serre en pensant à sa vie, à son sort étrange[139] !

S'occuper de Clémence, la protéger, la rendre heureuse, fait-elle comprendre à Bernadette, ce n'est pas seulement rester fidèle à Mélina et « [l'apaiser] dans ses inquiétudes — s'il est vrai qu'elle peut encore en avoir[140] » ; c'est aussi faire son bonheur à elle, Gabrielle, en la délivrant de ce souci qui la ronge — de cette responsabilité qui la menace —, et donc mériter toute sa reconnaissance. Car, lui rappelle-t-elle sans cesse, « je donnerais [...] tout pour que Clémence vive heureuse, le plus heureuse possible[141] ».

À partir de 1964, c'est donc Bernadette qui veille sur le sort et l'entretien de Clémence, tandis que Gabrielle, de loin, l'encourage par ses lettres et ses envois d'argent. Bernadette, bien sûr, ne peut pas prendre sa sœur avec elle au couvent, mais grâce à l'aide et à l'influence de sa communauté, elle lui obtient de vivre dans de bons établissements où elle lui rend de fréquentes visites. Sous le « règne » d'Anna, c'est-à-dire depuis le milieu des années cinquante environ, Clémence a passé la plus grande partie de sa vie à Saint-Boniface, comme pensionnaire du foyer tenu par les sœurs de la Présentation, avenue Taché. Au printemps 1965, alors que Clémence s'apprête à célébrer son soixante-dixième anniversaire, Bernadette réussit à la faire entrer au Foyer Youville, une résidence pour personnes âgées située dans le village de Sainte-Anne-des-Chênes, à près de cent kilomètres au sud-est de Winnipeg. L'endroit est retiré mais agréable, la maison confortable et le personnel compétent. Mais Clémence s'y ennuie très vite et commence à dépérir. Si bien que Bernadette, rendue plus libre de ses mouvements par l'assouplissement des règles de sa communauté, doit accourir auprès d'elle à tout moment pour la distraire et la réconforter.

C'est au cours de cet été 1965 que Gabrielle, désireuse à la fois de remonter le moral de Clémence et de récompenser Bernadette pour ses efforts, décide de les faire venir toutes deux à Petite-Rivière-Saint-François, pour y passer trois semaines de vacances avec elle et Marcel. Arrivées à la mi-juillet, les deux visiteuses s'installent dans la maisonnette que Gabrielle a louée pour elles à Jean-Noël Simard, le neveu de Berthe. Cette maisonnette se trouve juste à côté de la « grande » maison des Simard, de sorte que Berthe peut veiller sur Bernadette et Clémence et s'occuper d'elles lorsque Gabrielle travaille — ce qu'elle continue de faire chaque matin, conformément à son habitude. L'après-midi, on fait des promenades à pied, on descend sur la batture ou on part en excursion dans l'auto de Marcel, à l'île aux Coudres ou dans les villages des alentours. Après le repas — souvent préparé par Berthe —, on passe la soirée sur la galerie, à rire et à jaser.

Bernadette et Clémence sont aux anges. Le paysage, le temps — magnifique —, les oiseaux, leur jolie maisonnette, la gentillesse de Berthe, la présence de Marcel, tout leur est une fête et les plonge dans le ravissement. Clémence, portant chapeau et gants blancs, ne se lasse pas de caresser les animaux et de cueillir d'énormes bouquets de fleurs sauvages, tandis que sœur Léon, coiffée de la cornette, reste assise de longs moments au sommet de la falaise, à travailler les écorces de bouleau et à contempler le fleuve et les îles. Ces presque septuagénaires sont pareilles à deux fillettes exaltées, fébriles, qui jouissent pour la première fois de leur vie de la douceur et de la beauté du monde ; un matin, Jori Smith aperçoit de sa fenêtre Clémence en train d'embrasser les arbres au bord du chemin.

« Nous avons fait une sorte de petit chef-d'œuvre de cette rencontre[142] », écrira Gabrielle, pour qui ces journées de partage resteront un des moments forts de sa vie. Sur le coup, elle éprouve bien un peu de difficulté à s'adapter à la présence de ses sœurs, elle qui les connaît si peu, au fond, et qui ne vit plus avec elles depuis des décennies ; aussi lui arrive-t-il de s'énerver et de les « bourrasser » assez sérieusement. Mais leur joie rejaillit inévitablement sur elle et l'exalte à son tour ; de voir Clémence et Bernadette aussi heureuses, et surtout de les voir heureuses à cause d'elle, parce qu'elle a su les accueillir et leur consacrer un peu de temps, cela suffit à la combler, à la réconcilier avec elle-même en la rassurant, en quelque sorte, sur sa propre bonté.

Entre elle et Bernadette, le souvenir de cet été enchanté restera comme un phare, le symbole non seulement de leur communion mais aussi, à travers leur sollicitude à l'égard de Clémence, de la fidélité qui les lie à « notre petite mère Mélina[143] ». « Ah, qu'au moins cette belle chose se répète une fois encore dans nos vies », ne cessent ensuite de redire les lettres de Gabrielle à sa « chère petite sœur ». D'année en année, la petite sœur espère, et Gabrielle, d'année en année, remet l'invitation. Ainsi, elle écrit à Bernadette, au cours de l'hiver 1969 : « Pour cet été, ma pauvre enfant, je suis encore bien incapable de prendre une décision, à cause d'un climat d'incertitude et de bien d'autres raisons » ; mais, ajoute-t-elle bientôt, « si le voyage ne pouvait se faire l'été prochain, il ne faudrait pas désespérer pour cela, mais l'espérer possible pour l'été suivant[144] ». Or, l'été suivant, Bernadette sera morte, sans jamais avoir revu la « mer » à Petite-Rivière-Saint-François.

Migrations hivernales

Autant Gabrielle aime ses étés à Petite-Rivière, autant les hivers à Québec lui sont difficiles. Certes, elle raffole des tempêtes ; le spectacle de la poudrerie sur les Plaines d'Abraham l'exalte, et elle n'aime rien tant, les jours de neige et de grand vent, que d'aller prendre le traversier de Lévis et de s'abandonner à la fureur des éléments. De temps à autre, elle va passer une après-midi au mont Sainte-Anne avec les Madeleine, ou s'installe pendant quelques jours à Notre-Dame-des-Laurentides pour profiter du grand air et faire des randonnées en raquettes dans la « toundra ». Mais les grippes, bronchites, maux de gorge et autres ennuis respiratoires qui s'abattent sur elle dès l'arrivée des grands froids l'obligent tôt ou tard à rester à la maison et la plongent dans un état voisin de la dépression. Elle n'est plus alors que l'ombre d'elle-même, accablée de lassitude et d'ennui, incapable du moindre effort et soupirant chaque jour après le retour du printemps.

Plus elle prend de l'âge, plus sa santé et son moral ont peine à résister à ces périodes d'enfermement forcé. À partir du milieu des années soixante, elle essaie donc de passer le plus dur de l'hiver sous des cieux plus cléments, là où elle pourra trouver le temps doux et l'air point trop sec ni trop humide qui conviennent à ses poumons fragiles. Elle ne cherche ni le luxe ni les distractions. Ce qu'il lui faut, c'est la tranquillité, un logement confortable, des environs où elle peut marcher à son gré. Mais le lieu et le climat ne sont pas tout. Elle a également besoin, non loin d'elle mais pas trop proche, d'une présence amie, de quelqu'un qui, tout en respectant son quant-à-soi, s'occupe un peu de son bien-être, l'assiste ou la réconforte au besoin et, sans trop lui demander en retour, lui donne le sentiment d'être aimée et protégée. L'idéal, en d'autres mots, reste toujours le même : retrouver l'ambiance à la fois libre et chaleureuse qu'elle a connue à Century Cottages auprès d'Esther, à Rawdon chez la mère Tinkler, à Port-Daniel dans la maison des MacKenzie, et qu'elle connaît chaque été à Petite-Rivière-Saint-François, grâce à Berthe.

Ces conditions idéales, elle les trouve bien rarement au cours de ses migrations hivernales. La première a lieu en février et mars 1966 lorsque, rassurée sur le sort de Clémence, elle part s'installer dans sa chère Provence, à Draguignan, petite ville du Var située dans l'arrière-pays de la Côte d'Azur. Là vit maintenant sa vieille amie Paula, qui a passé plusieurs années à Durban, en Afrique du Sud, où Henri Bougearel a terminé sa carrière de diplomate. Gabrielle n'a pas revu Paula depuis leurs vacances de l'été 1955 en Bretagne, alors qu'elles étaient seules toutes les deux, comme au temps de leur jeunesse. Cette fois, toute la famille est là, c'est-à-dire, outre Henri, les trois enfants, Monique, Alain et Claude (le filleul de Marcel et de Gabrielle, que cette dernière a revu brièvement à Paris en 1963 et qui a maintenant dix-huit ans), ainsi que Mme Sumner, la mère de Paula. Au début, Gabrielle se plaît beaucoup en leur compagnie. Elle passe de longues soirées chez eux, en « parlottes » interminables[145], puis rentre à son hôtel. L'après-midi, elle se promène à pied dans la campagne avoisinante ou fait de petites excursions en voiture, dans la Renault 4L qu'elle a louée et que Paula conduit. Le pays est magnifique et inondé de soleil.

Mais au bout de quelques semaines, les choses commencent à se gâter. Plus Gabrielle fréquente les Bougearel, moins ils lui cachent leurs difficultés : le mal qu'ils éprouvent à se réadapter à la France, l'argent qui fait défaut, les enfants qui leur donnent du souci, et cette tristesse dont ils n'arrivent pas à se délivrer. « C'est un peu l'atmosphère de *La Ménagerie de verre* », écrit Gabrielle ; « j'ai l'impression qu'ils deviennent tous plus ou moins schizophrènes. Tout, chez eux, est problème, devient problème, et le pire est qu'à les regarder vivre on devient comme eux[146]. » Bientôt Paula n'en peut plus et doit être internée, victime d'une dépression qui couvait depuis des années. Venue en Provence pour se « laisser vivre au soleil et dans la paresse[147] », Gabrielle se voit ainsi appelée à porter secours à son amie et aux siens, ce qu'elle fait durant quelques jours, avant de s'échapper pour Nice où elle passe la dernière semaine qui précède son retour au Canada. Elle emporte de Paula — la grande, la belle, la rayonnante Paula de jadis — l'image d'une pauvre femme brisée, abandonnée à elle-même et à sa mélancolie au fond d'une clinique de troisième ordre.

L'hiver suivant, elle reste à Québec, où elle rédige un texte qu'on lui a commandé pour l'Exposition universelle de 1967. Mais au mois de décembre suivant (1967), elle cède à l'invitation que lui font Cécile Chabot et sa mère de les accompagner en Floride. Avec elles, qui la reçoivent si gentiment lors de ses passages à Montréal, Gabrielle est sûre d'être bien entourée, sinon cajolée, pendant toute la durée de ses vacances. Les trois femmes arrivent à Miami peu après Noël, retrouvant là Thérèse, la sœur de Cécile. Mais la ville a tout pour déplaire à Gabrielle ; « partout, écrit-elle à Berthe, [c'est] la presse, la foule, la cohue, le bruit[148] ». Arrive alors, comme par miracle, un message de Marie Dubuc, que Gabrielle a connue jadis à Laterrière et revue de temps à autre à Québec. Marie, qui passe l'hiver à New Smyrna Beach, lieu de villégiature côtière situé plus au nord, près de Daytona, annonce qu'elle lui a déniché un joli motel pas cher, juste au bord de l'océan, et l'invite à venir les rejoindre, elle et son amie Clara. Sans hésiter une minute, Gabrielle laisse là les dames Chabot et prend l'autobus pour New Smyrna où elle arrive le 5 janvier, exténuée, certes, mais bientôt revigorée par la beauté et le calme du paysage.

Elle y restera plus de deux mois, parfaitement heureuse et détendue. Tout ici la comble d'aise. Le climat, la végétation, le vent marin de « Smyrne », comme elle l'appelle, lui donnent le sentiment de se trouver dans un des coins les plus beaux et les plus retirés du monde, presque à l'égal de Petite-Rivière-Saint-François. Et que dire de la plage, « cette plage incomparable, douce au pas, pure aux yeux, tendre à l'âme », où elle descend chaque matin observer les sternes et faire une longue promenade, seule, « en sauvageonne », ayant au cœur « une paix et une joie de vivre que j'avais presque oubliées[149] » ? Finis les ennuis de santé, les quintes de toux, les insomnies à répétition ; « jamais depuis longtemps, écrit-elle à Bernadette, je ne m'étais trouvée si à l'aise en aucun endroit[150] ». Il faut dire que Marie l'emmène en auto dans les bois voisins, l'aide à faire ses courses et ses repas, lui fait rencontrer des Canadiens en vacances sur la côte, tout en veillant à ne pas la déranger et à ne jamais lui imposer quelque obligation que ce soit. À la mi-février, elle organise pour elle, avec Colette Palardy, la sœur de Jean, un petit voyage d'une semaine à travers les Everglades, jusqu'à Key West ; Gabrielle en revient enchantée.

Dans un tel paradis, comment ne pas écrire ? Cinq jours après son arrivée, elle annonce à Marcel : « J'essaie de m'entraîner à travailler au moins une heure ou deux le matin. C'est difficile comme toujours pour démarrer. » Dix jours plus tard : « C'est la vieille histoire. Un jour ça va à peu près bien ; le lendemain, ça ne démarre plus. Comme il faut d'acharnement pour continuer[151]. » Pour se faire la main, elle entreprend d'abord de retoucher un de ses vieux contes, « La vallée Houdou ». Puis elle entame autre chose, probablement la longue nouvelle poétique intitulée « L'arbre », qui se situe justement en Floride et décrit un de ces grands chênes millénaires couverts de mousse qu'elle a aperçus pendant ses promenades avec Marie et le chien Moka. Peut-être met-elle aussi en marche *La Rivière sans repos*, roman auquel elle travaillera tout l'été suivant. Elle consacre également beaucoup de temps à la lecture, approvisionnée là encore par la bonne Marie.

> J'ai lu passablement depuis que je suis à Smyrne [...]. Ainsi, j'ai passé à travers les *Antimémoires*. Contrairement à l'impression que j'avais

eue d'après les extraits publiés ici et là, c'est un livre envoûtant, superbe et majestueux. Plein d'âme et de cœur aussi. J'ai aussi lu le dernier gros livre de Kazantzakis ; un merveilleux écrivain, un peu Zorba lui-même. Maintenant je commence *Understanding Media* de Marshall McLuhan. C'est un peu difficile de lecture au démarrage. Je crois que cela va m'intéresser.

Et de fait, son rapport sur McLuhan, transmis à Marcel trois semaines plus tard, ne manque pas d'enthousiasme :

> Parfois j'ai le sentiment que c'est un homme de génie — ou alors un hoax incroyable, un magicien sans pareil. Mais non, je crois qu'il est visionnaire, comme Teilhard de Chardin, et *voit* la vérité que personne ne peut plus percevoir. En tout cas, c'est une théorie fascinante de notre monde[152].

Quand arrive la mi-mars et le moment de quitter New Smyrna, Gabrielle n'a qu'une idée en tête : y revenir coûte que coûte, avec Marcel si possible, et peut-être même, pourquoi pas, y acheter une maison.

Ce dernier projet n'aura pas de suite. Mais pour ce qui est de revenir à New Smyrna, elle le fera dès la saison suivante, se hâtant de quitter Québec sans même attendre Noël et les grands froids. Si elle part si vite, cependant, c'est qu'elle ne peut faire autrement : tout a été préparé et réservé des mois à l'avance. Car pour ce qui est de l'enthousiasme, elle n'en a plus une seule goutte ; en cette fin d'année 1968, elle traverse une crise de dépression comme elle n'en a pas connu depuis très longtemps. « J'ai le sentiment, écrit-elle à ses amies, que jamais plus je ne pourrai [écrire], qu'un ressort est cassé, cette fois, irrémédiablement… »

> La faute de qui, de quoi, je ne sais trop, peut-être la mienne. C'est-à-dire une fatigue sans remède, peut-être tout un concours de circonstances, peut-être l'esprit des temps actuels où je ne me sens plus chez moi, peut-être cette lourdeur, cette solitude sans nom que Marguerite Yourcenar appelle la « tristesse des pensées incommunicables ». […] Si je pouvais au moins trouver quelque autre intérêt, quelque autre passion à quoi m'accrocher, mais c'est dur quand on n'a eu pour but, pendant trente ans, que celui d'écrire, comme sa raison même de vivre[153].

La grande dame de la littérature ou Les ambiguïtés de la gloire

Quelle est donc la cause d'un tel découragement ? Il est difficile de répondre *entièrement* à cette question, tant les raisons peuvent être nombreuses et diverses. L'âge y est peut-être pour quelque chose, puisque Gabrielle voit alors venir son soixantième anniversaire ; mais est-il possible que le vieillissement l'effraie, elle qui n'a jamais attaché plus de prix qu'il ne faut à la jeunesse et à la beauté ?

Dans l'immédiat, il semble que ce qui déclenche cette dépression tienne plutôt à l'évolution récente de sa carrière et de son statut d'écrivain. Depuis le début des années soixante, sa situation à cet égard est devenue de plus en plus paradoxale. C'est, pour le dire d'un mot, la situation d'un auteur à la fois célèbre et oublié.

Célèbres, peu d'écrivains du Québec ou du Canada le sont autant qu'elle. Certes, très peu de gens s'intéressent encore à ses livres en France, aux États-Unis ou ailleurs dans le monde — en dehors de quelques chroniqueurs marginaux et des groupuscules de spécialistes et d'amis de la culture canadienne. Au Canada, par contre, surtout du côté français mais également du côté anglais, son nom est connu et respecté partout. Les journalistes l'appellent « la grande dame de la littérature canadienne » et se pressent à sa porte pour obtenir des entrevues.

Elle n'en accorde que très peu. Si elle agit ainsi, c'est moins par modestie ou par mépris des médias que parce qu'elle redoute le stress qui s'empare d'elle dès qu'elle est en situation de représentation ; depuis son aventure à New York lors de la sortie de *The Tin Flute*, elle sait quelle perturbation peut en résulter pour elle et combien ces épisodes lui font perdre de temps et d'énergie, et donc nuisent à son travail. De temps en temps, elle accepte pourtant, surtout lorsqu'il s'agit d'une journaliste avec qui elle se sent en confiance et que la diffusion de l'entrevue peut comporter un certain élément de prestige. C'est ce qui se passe en août 1960 lorsqu'elle reçoit son amie Judith Jasmin et l'équipe de l'émission télévisée *Premier Plan*, où ont comparu avant elle des sommités telles que Montherlant, Mauriac, Giono, Maurois, Cocteau et Pagnol. L'entrevue a lieu au Château Saint-Louis, dans les meilleures conditions possibles ; et pourtant, Gabrielle, malgré son passé de comédienne, ne peut se départir tout au long de l'entretien d'une certaine raideur d'attitude et de diction qui, à certains moments, lui donne l'air d'une bête traquée ; c'est la première et la dernière fois qu'elle paraît à la télévision[154]. Au cours des années suivantes, d'autres entrevues assez substantielles seront publiées dans la presse, par exemple dans *Terre et Foyer*, le magazine où travaille Adrienne Choquette, ou dans la revue *Châtelaine*, sous la plume d'Alice Parizeau qui coiffe son article du titre « Gabrielle Roy, grande romancière canadienne[155] ». Mais si l'attention des journalistes et l'image qu'ils transmettent d'elle au public lui importent, elle reste plutôt réservée à l'égard de la publicité personnelle et des vanités du petit monde littéraire. « J'admire Réjean Ducharme, dit-elle peu après la parution du *Nez qui voque*. J'aime ses livres et j'aime sa façon d'agir. Le devoir d'un écrivain, c'est d'écrire. Ce sont ses livres qui parlent pour lui. Il n'a nul besoin de payer de sa personne, de se produire à la télévision et de raconter par le menu sa vie privée[156]. »

Loin de nuire à la réputation de Gabrielle Roy, cette discrétion ne fait qu'y ajouter un surcroît de distinction et de sérieux qui n'empêche nullement les honneurs de continuer à pleuvoir sur elle. Honneurs civiques, comme le titre de Compagnon de l'Ordre du Canada que lui accorde en 1967, année du centenaire de la Confédération et année de création de l'Ordre, le gouvernement de Lester B. Pearson ; honneurs académiques, comme tous les doctorats qu'on lui offre de partout au Canada et qu'elle refuse systématiquement, sauf celui de l'Université Laval, qu'elle considère comme un hommage de sa ville d'adoption et consent à recevoir en 1968[157]; honneurs artistiques, enfin, comme la médaille que le Conseil des Arts du Canada lui attribue en novembre 1968 pour l'ensemble de son œuvre, et surtout le prix David de la province de Québec, qui lui est décerné en 1971 par un jury composé de Jean Simard, Jacques Blais, Joseph Bonenfant et Jean Éthier-Blais. La cérémonie a lieu le jeudi 11 mars au Salon rouge de l'Assemblée nationale ; après avoir reçu un chèque de 5 000 dollars des mains du ministre François Cloutier, la lauréate, vêtue d'une robe beige assortie d'une élégante écharpe Bianchini prêtée par Madeleine Bergeron, prononce un discours dans lequel elle rend hommage à Alain Grandbois et à Félix-Antoine Savard, qui ont reçu le prix avant elle, et rappelle combien « toute vie, et à plus forte raison une vie d'écrivain, est tragique en ce sens que plus on avance, plus on voit loin et de choses à dire, et moins on a de temps pour le dire[158] ».

Le prix David est alors la consécration suprême pour un écrivain du Québec. Quelques mois plus tard, des rumeurs circulent selon lesquelles le jury du prix Nobel envisage de couronner Gabrielle Roy, dont la candidature aurait reçu l'appui du grand poète latino-américain

Miguel Angel Asturias... La nouvelle fait la une de *La Presse*[159]. En fait, les rumeurs proviennent d'un agent littéraire parisien du nom de C. Berloty qui traite alors certaines des affaires de Gabrielle Roy et tente d'intéresser la diplomatie canadienne au dossier de sa cliente. L'affaire n'aura pas de suite, sauf de susciter la curiosité des journalistes locaux et d'accroître encore le prestige de Gabrielle Roy au Québec et au Canada[160].

Gabrielle vit tous ces événements avec beaucoup de nervosité, ainsi qu'en témoigne sa correspondance. Partagée entre l'excitation et la crainte, elle ne sait s'il faut se réjouir ou s'affliger d'être ainsi l'objet de l'attention et de la reconnaissance publiques. « J'en suis presque atterrée », confie-t-elle à Marcel lorsqu'elle apprend qu'on lui accorde le David. Son énervement ne fait qu'augmenter à mesure que la date fatidique approche : « Je t'assure que j'ai hâte que cette histoire de Prix David soit passée. Je dors mal et j'en tremble. Moi qui avais eu tellement de misère à commencer à me passer un peu de mandrax et autres produits, me voici à leur merci comme jamais[161]. » Pourtant, elle voulait ce prix, et elle s'y prépare avec un soin minutieux, peaufinant son discours et réglant longtemps d'avance les moindres détails de sa toilette.

Autre effet de la renommée croissante dont elle jouit : les commandes de textes affluent. Là encore, elle décline la plupart des offres, mais il lui arrive de dire oui lorsqu'il est impossible de faire autrement ou que la commande présente un intérêt particulier. Ainsi, en 1961, les étudiants de l'Université de Montréal demandent à l'auteur de *Bonheur d'occasion* de leur livrer, pour un numéro spécial du *Quartier latin*, « Quelques réflexions sur la littérature canadienne d'expression française », ce qu'elle accepte de bon gré. L'année suivante, c'est au tour des professeurs de l'Université d'Ottawa d'obtenir un texte d'elle en réponse à une enquête sur le roman pour un volume des *Archives des lettres canadiennes*. Vers la même époque, elle accepte de donner des articles pour célébrer quelques-uns de ses amis artistes, Jean-Paul Lemieux, René Richard et, comme on l'a vu, Germaine Guèvremont. En 1969, la revue *Mosaic* de Winnipeg, qui s'apprête à célébrer le centenaire de l'entrée du Manitoba dans la Confédération canadienne, sollicite la collaboration de la grande romancière originaire de Saint-Boniface ; ce sera « Mon héritage du Manitoba », rédigé en juillet de cette année-là. C'est le premier texte autobiographique de Gabrielle Roy depuis les « Souvenirs du Manitoba », publiés en 1954.

Mais la commande la plus importante au cours de ces années lui vient de la Compagnie canadienne de l'Exposition universelle de 1967. Dès 1963, on l'invite d'abord à faire partie d'un aréopage d'artistes et de penseurs, que l'on réunit à grands frais pendant quatre jours au Château de Montebello, pour « développer » en commun le thème choisi pour l'Exposition : « Terre des hommes ». Il y a là des gens aussi connus et respectables que Claude Robillard, Frank R. Scott, le docteur Wilder Penfield, le comédien Jean-Louis Roux, ainsi que Davidson Dunton et André Laurendeau, les coprésidents de la fameuse commission qui vient d'être mise sur pied. Trois ans plus tard, alors qu'approche l'ouverture d'Expo 67, Guy Robert, des Productions Klein-Languirand de Montréal, à qui a été confié le mandat de préparer l'album officiel de l'événement, s'entend avec Gabrielle Roy pour qu'elle en rédige le texte. Comme les autres fournisseurs de l'exposition, celle-ci touche un cachet faramineux : 4 000 dollars. Elle se met aussitôt à la tâche. Au bout de deux ou trois mois, elle remet un essai « philosophique » d'une trentaine de pages dans lequel, en s'inspirant de Saint-Exupéry, Camus, Bernanos, Teilhard de Chardin, voire Sri Aurobindo, elle propose sa vision d'une humanité fraternelle, sans classes, sans désaccords linguistiques et culturels et progressant du même pas vers la communion et l'ordre universels.

> Est-ce que nous ne cheminons pas depuis des siècles sans avoir vu beaucoup de changement, il est vrai, de chaque côté de notre longue, longue route, pèlerins épuisés et parfois même au bord du désespoir, dont soudain l'un entrevoit une lueur, un signe au loin, et il le dit aux autres qui reprennent courage ? Et est-ce que ce cheminement, en dépit des préjugés et des obstacles, au-delà des faux loyalismes et des faux ressentiments, ne nous conduit pas vers la vraie Terre des Hommes[162] ?

Ce texte n'est peut-être pas le meilleur de Gabrielle Roy — son style est parfois ampoulé et son optimisme un peu convenu —, mais il n'exprime pas moins de la manière la plus claire cet idéal, cette utopie du « cercle enfin uni des hommes[163] » qui nourrit sa pensée depuis l'époque où elle parcourait le Canada en reporter et qui sous-tend l'ensemble de son œuvre, où la vision est tantôt heureuse et source d'images idylliques (comme dans *Peuples du Canada* et *La Petite Poule d'Eau*), tantôt l'objet de critiques ou d'interrogations ironiques qui la font paraître problématique et douloureuse (comme dans *Bonheur d'occasion* ou *Alexandre Chenevert*). « Cet essai, dira plus tard Gabrielle

Roy, résume en somme, mal, mais aussi bien que je puisse, tout ce que j'ai pu penser et écrire[164]. »

Mais la publication de « Terre des hommes : le thème raconté » tourne au cauchemar. Aussitôt en possession du manuscrit, ainsi que de la traduction faite par Joyce Marshall, le commanditaire se permet de couper et de triturer le texte à sa guise, malgré les lettres et les télégrammes de Gabrielle qui, « dégoûtée de tout cela à ne plus savoir qu'en dire[165] », se résigne finalement à voir paraître un essai tronqué, défiguré par l'intervention intempestive des experts en *rewriting*[166].

Si les distinctions et les commandes de textes illustrent bien la renommée qu'a acquise Gabrielle Roy, d'autres signes sont encore plus éloquents, notamment la situation de son œuvre sur le marché de l'édition et de la critique professorale. Commençons par l'édition. Les premiers livres de Gabrielle Roy ont beau remonter aux années quarante et cinquante, ils restent plus présents que jamais dans les librairies et les catalogues d'éditeurs partout au Canada. À Montréal, Beauchemin publie de nouvelles éditions révisées de *Bonheur d'occasion* (1965), de *Rue Deschambault* (1967), de *La Petite Poule d'Eau* (1970) et bientôt d'*Alexandre Chenevert* (1973), romans qui sont tous réimprimés régulièrement. À Toronto, ces quatre mêmes titres entrent tour à tour dans la prestigieuse collection de poche « New Canadian Library », où sont reprises les œuvres considérées comme les plus significatives de la littérature canadienne[167]. Ailleurs paraissent également des éditions luxueuses de *Bonheur d'occasion* et de *La Petite Poule d'Eau*[168], ce dernier titre faisant en outre l'objet, en 1971, d'une édition d'art tirée à deux cents exemplaires et ornée de vingt estampes originales de Jean-Paul Lemieux ; quatre ans plus tard, ce sera au tour de *La Montagne secrète* de connaître le même honneur, lorsque Hugues de Jouvancourt en publiera une édition de grand luxe illustrée par René Richard[169].

Cette vitalité éditoriale se traduit par des niveaux de ventes relativement élevés. Ainsi, entre 1960 et 1975 environ, on peut estimer — avec la marge d'erreur que comportent les compilations de données souvent partielles et approximatives — que Beauchemin écoule en tout, bon an mal an, près de 15 000 exemplaires des différents titres de Gabrielle Roy, tandis que les ventes annuelles de McClelland & Stewart dépassent en moyenne les 8 000 exemplaires. Il n'y a pas beaucoup d'auteurs d'ici, à la même époque, qui connaissent un succès commercial aussi réel et constant. Sans que cela représente une fortune, les sommes que Gabrielle retire de la vente de ses livres, ajoutées à ses autres cachets d'auteur et aux intérêts générés par ses placements, lui assurent maintenant des revenus très confortables, nettement supérieurs à ce qu'elle touchait au milieu des années cinquante, lorsque les versements en provenance de New York ont pris fin. Alors qu'elles étaient de l'ordre de 3 000 ou 4 000 dollars vers 1955, ses recettes annuelles se chiffrent à quelque 20 000 dollars en 1970, pour atteindre les 30 000 dollars dans les années suivantes[170]. Si l'on considère qu'au Québec le salaire moyen tourne autour de 10 000 dollars en 1975, on peut dire non seulement que Gabrielle Roy vit de sa plume, mais qu'elle en vit fort bien.

Il va sans dire qu'une telle prospérité doit beaucoup au contexte des années soixante. La montée de la jeunesse, la démocratisation et la modernisation de l'enseignement, la fièvre de consommation et le bouillonnement culturel et idéologique qui caractérisent cette époque sont autant de facteurs qui contribuent à l'élargissement du public lecteur et donc au rayonnement des écrivains. Ils contribuent aussi à un autre phénomène : l'essor de la critique spécialisée. Au Québec comme au Canada, les universités en pleine expansion accueillent une nouvelle génération de professeurs de lettres qui, plus nombreux, plus dynamiques et beaucoup mieux payés que leurs prédécesseurs, font de l'étude de la littérature nationale leur priorité. Armés des « grilles » et des « approches » les plus redoutables de la « nouvelle critique », ces professeurs donnent des cours, fondent des revues, écrivent des livres ou dirigent des thèses qui ont tous pour objets les auteurs et les œuvres d'ici, qu'ils abordent et interprètent dans une perspective nouvelle, dégagée des vieux « complexes d'infériorité » à l'égard de l'Europe et axée sur la mise au jour de leur spécificité proprement canadienne ou québécoise.

D'une telle poussée, Gabrielle Roy et son œuvre ne peuvent que profiter directement, puisqu'elles apparaissent d'emblée comme des valeurs locales sûres et éprouvées, illustrant ce que la littérature nationale peut donner de meilleur. Aussi voit-on rapidement se multiplier à leur sujet les mémoires et les thèses et paraître un grand nombre d'études spécialisées, dues aux critiques universitaires les plus en vue de l'époque. Presque toutes les « méthodes » sont mises à contribution : sociocritique (Georges-André Vachon, Ben-Z. Shek) ; étude formelle (Réjean Robidoux et André Renaud, Jacques Blais) ; critique thématique (André Brochu, Albert LeGrand, Jacques Allard) ; mythocritique (Antoine Sirois, Jack Warwick) ; interprétation biographique (David Hayne) ; et psychanalyse (Gérard Bessette)[171].

Des professeurs et des étudiants écrivent à la romancière et lui envoient leurs articles ou leurs thèses ; à tous elle répond avec grâce et courtoisie. Certains tiennent à la voir en personne ; chaque fois qu'elle le peut, elle les reçoit poliment, tantôt à Québec, tantôt à Petite-Rivière-Saint-François, et leur accorde volontiers les entretiens — ou les « audiences » — qu'ils sollicitent, entretiens dont la transcription paraît parfois dans leurs ouvrages ou leurs articles, non sans avoir été révisée par elle au préalable[172]. L'un de ces « chercheurs » reçoit un traitement de faveur ; il s'agit de Marc Gagné, étudiant de doctorat à l'Université Laval, qui consacre sa thèse à l'œuvre et à la pensée de Gabrielle Roy. Entre 1969 et 1973, celtte dernière passe plusieurs après-midi à répondre à ses questions ; elle correspond avec lui, lui ouvre ses archives, lui communique certains de ses textes encore inédits ; bref, elle fait tout pour faciliter son travail. En retour, il lui rend de menus services, s'occupe d'elle et se charge de divers travaux, comme de corriger les épreuves des romans réédités par Beauchemin.

Ainsi, la gloire officielle de Gabrielle Roy ne cesse de s'étendre, et son œuvre d'apparaître comme une des plus importantes du « corpus » national. En 1967, la maison Fides, à qui la romancière a refusé quelques années plus tôt la permission de publier sur elle un de ses « Classiques canadiens » (« je préfère, déclarait-elle, n'être pas trop consacrée de mon vivant[173] »), fait paraître un « Dossier de documentation » sur Gabrielle Roy à l'usage du public étudiant[174]. Deux ans plus tard, le premier livre portant entièrement sur Gabrielle Roy voit le jour ; il est écrit en anglais, par Phyllis Grosskurth, professeur à l'Université de Toronto[175]. Enfin, la thèse de Marc Gagné, contenant de longs passages de ses entretiens avec la romancière, est publiée en 1973, aux Éditions Beauchemin. Le volume s'intitule *Visages de Gabrielle Roy, l'œuvre et l'écrivain*.

On ne saurait donc imaginer reconnaissance plus large, célébrité plus évidente que celle dont jouit alors l'auteur de *Bonheur d'occasion* et de *La Petite Poule d'Eau*. Et pourtant, il y a quelque chose d'ambigu dans cette gloire qui s'attache plus, en fait, à ce que Gabrielle Roy *a été* qu'à ce qu'elle est et fait dans le présent. On en verra pour preuve l'attention quasi exclusive que les critiques accordent à son tout premier roman, qu'ils ne se lassent pas de commenter, de relire et d'interpréter, comme s'ils oubliaient qu'elle en a écrit d'autres depuis et qu'elle continue d'en écrire. De même, le traitement qui est fait de son œuvre (sinon de sa personne) dans la presse, aussi bien que dans les études spécialisées, tend souvent à montrer cette œuvre comme appartenant au passé ; si on y voit surtout une œuvre de « précurseur », qui a marqué un tournant dans la « tradition » locale et ouvert la voie à la littérature actuelle, on n'en considère pas moins qu'elle appartient à une époque révolue. « Grande dame » de la littérature québécoise et canadienne, Gabrielle Roy apparaît de plus en plus, en un mot, comme un auteur *classique*, c'est-à-dire un auteur important, respectable, digne d'être relu, étudié et enseigné, mais qui a déjà dit ce qu'il avait à dire et est maintenant dépassé par la forme et le contenu beaucoup plus modernes de la littérature d'aujourd'hui.

C'est pourquoi, dans la critique de l'époque, le contraste est frappant entre l'intérêt louangeur que suscitent les premiers livres de la romancière et les réserves plus ou moins voilées avec lesquelles on accueille ses nouveaux ouvrages. Ainsi en est-il en 1961 de *La Montagne secrète*. Sans manifester nécessairement la fureur du jeune Jean Paré, qui compare le roman à « une image pour le calendrier du Canadien National », la plupart des chroniqueurs, si polis et respectueux qu'ils soient, ne peuvent dissimuler leur déception. Tout en admirant la noblesse du récit, Jean Éthier-Blais déplore la faiblesse du style qui, dit-il, « rappelle celui de Bédier remettant en français moderne la légende de Tristan et Yseult », reproche qui revient également sous la plume de Gilles Marcotte, Roger Duhamel et Rita Leclerc. On critique aussi les descriptions — « affreusement démodées, ridicules même », écrit Gérard Tougas —, le peu de vraisemblance du personnage de Pierre Cadorai et, de manière générale, le côté solennel et lourdement symbolique du roman. « Tout admirateur de Gabrielle Roy, conclut Tougas, sort de cette lecture humilié[176]. » Ces reproches, cette déception se retrouvent presque en tous points dans la presse canadienne-anglaise, pour qui ce nouveau livre de *Miss Roy* est un échec[177].

Cinq ans plus tard, l'accueil réservé à *La Route d'Altamont* est plus favorable. « Peut-être le plus beau [livre] de l'auteur », écrit Gilles Marcotte ; « une sobriété presque féerique », note André Major ; « un chef-d'œuvre, fragile comme une fleur, dur comme une pierre précieuse », conclut Phyllis Grosskurth[178]. Mais des voix discordantes se font de nouveau entendre, en particulier du côté anglais ; elles reprochent à l'auteur l'invraisemblance de son personnage et le sentimentalisme de sa narration[179]. Bref, la réaction reste mitigée, ni trop enthousiaste ni trop hostile, respectueuse, en somme, et pas très loin de l'indifférence polie. Manifestement, Gabrielle Roy n'est plus un auteur que l'on considère comme faisant pleinement partie de la littérature du temps ; on est content de la lire, de savoir qu'elle écrit, mais on n'attend plus d'elle de grandes révélations.

Et il est vrai qu'entre l'œuvre de Gabrielle Roy et les attentes de l'époque, le décalage est de plus en plus prononcé. D'abord, elle n'est plus très jeune ; or les années soixante, au Québec comme au Canada anglais, sont par excellence celles de la jeunesse triomphante, des écrivains précoces, bientôt de la culture « psychédélique » et des contestations de toutes sortes. Dans ce paysage, une romancière de l'âge de Gabrielle Roy ne peut que paraître et se sentir un peu déphasée. Ce décalage est particulièrement sensible au Québec, où presque tout l'oppose à la nouvelle génération d'écrivains qui entre bruyamment en scène à la faveur de la Révolution tranquille. Certes, ces écrivains se reconnaissent dans *Bonheur d'occasion*, en raison du décor montréalais, de la critique sociale et de l'emploi de la langue populaire, mais pour ce qui est des autres œuvres de la romancière et de ses idées sur la littérature, la morale ou la politique, elles ne sauraient être plus éloignées de l'esprit qui souffle sur la littérature québécoise « en ébullition ». Sur le plan esthétique, par exemple, si Gabrielle Roy ne défend nullement quelque doctrine ou quelque canon vieillot en vertu duquel elle condamnerait les productions de son époque, elle n'a rien non plus d'une révolutionnaire, au sens que l'on donne alors à ce mot ; la volonté de « subvertir » les codes traditionnels, de cultiver la « rupture » et l'« audace » par le recours au joual, à l'érotisme, à la dérision ou aux techniques issues du Nouveau Roman et de la « paralittérature », non seulement ne lui viendrait jamais à l'idée, mais lui paraît contraire à ce que doivent être l'art et les œuvres de l'esprit. Même chose en ce qui concerne la politisation de la littérature et le militantisme des écrivains ; ce sont pour elle des idées contradictoires.

> L'engagement est donc choix, écrit-elle en 1962, mais ce choix peut bien consister justement à ne pas s'engager en de passagères idéologies qui séparent plus qu'elles n'unissent les hommes. Au risque de paraître paradoxale, je dirais que l'engagement de l'écrivain est avant tout affaire de liberté d'esprit. [...] Être écrivain, c'est avant tout être libre. Mais que l'on se garde de confondre liberté avec langage choquant, outré, débordement, et manque de retenue. Ceux qui, sous prétexte de se faire libres, écrivent de petits livres délibérément effrontés, me paraissent les moins libres des écrivains. [...] L'indépendance authentique a un autre aspect, un autre ton, et ne décline pas ses responsabilités. L'indépendance véritable de l'écrivain, c'est sa garantie d'intégrité[180].

Il est évident que de telles opinions la situent en marge des courants les plus puissants — et les plus bruyants — qui traversent la littérature québécoise de ces années. On pourrait d'ailleurs dire la même chose de ses positions idéologiques et politiques, qui ne s'accordent guère avec les idées ayant généralement cours dans les milieux littéraires les plus « avancés » de l'époque, c'est-à-dire les plus jeunes et les plus militants. Comme beaucoup d'intellectuels canadiens-français de sa génération et de sa formation, Gabrielle Roy est profondément d'accord avec les grandes réformes de la Révolution tranquille, qui réalisent en fait le programme défendu par les libéraux depuis la Deuxième Guerre mondiale — programme qu'ils ont prêché dans le désert pendant si longtemps. L'ancienne journaliste du *Bulletin des agriculteurs* et du *Canada*, l'amie d'Henri Girard et de Jean-Marie Nadeau, celle qui admire l'action de Thérèse Casgrain et de Michel Chartrand, ne peut qu'applaudir à la liquidation du duplessisme et à la modernisation de la société et de l'État. De la même manière, elle sympathise avec le féminisme d'alors, qui veut obtenir pour les femmes mariées l'émancipation juridique et le droit de contrôler leur propre sexualité.

Cela dit, il est un aspect de la Révolution tranquille dans lequel elle ne saurait se reconnaître et contre lequel tout en elle se dresse instinctivement : le nationalisme. Elle ne voit dans le culte du « Québec français », dans la dénonciation du « colonialisme » canadien et surtout dans la vague montante de l'indépendantisme qu'une tendance rétrograde et dangereuse au repli sur soi, au rejet de l'autre, à l'intolérance et à la haine. Pour elle, c'est comme le retour à l'atmosphère étouffante de son milieu d'origine, tourné vers le passé, revanchard, tout pétri de méfiance et de ressentiment. Aussi, plus le mouvement nationaliste s'organise et fait valoir ses revendications, plus elle se sent menacée, effrayée et comme rejetée par sa province d'adoption. C'est ce qui explique sa réaction de l'été 1967 aux fameuses paroles prononcées par le général de Gaulle du balcon de l'hôtel de ville de Montréal. N'écoutant que son indignation, et en dépit de ses idées sur l'engagement politique de l'écrivain, elle prend aussitôt la plume et expédie à la Presse Canadienne un communiqué vibrant dans lequel elle exprime à la fois sa colère et son amour du Canada :

> Je proteste contre la leçon que le Général de Gaulle prétend donner à notre pays. Je ne peux y voir que mépris pour les nobles efforts entrepris au Canada en vue du véritable progrès qui ne réside nulle part

> s'il ne réside d'abord dans une volonté d'entente et de respect mutuel. [...]
>
> Comme écrivain canadien-français je n'ai jamais eu à souffrir de manque de liberté, quand j'ai voulu la prendre, ni au Québec ni ailleurs au Canada. Le fait que née au Manitoba et ayant passé là mes premières années j'y ai appris le français assez pour être plus tard reconnue comme écrivain de langue française même en France le prouve suffisamment, à ce qu'il me semble.
>
> [...] De tout mon espoir en l'avenir humain, de toutes mes forces, j'engage mes compatriotes qui se considèrent non pas comme des Français du Canada mais des Canadiens français, à manifester en faveur de la vraie liberté au Québec.
>
> Car elle risque fort de nous être ôtée si nous la laissons petit à petit, par inertie, aux mains des extrémistes ou des chimériques attardés en des rêves nostalgiques du passé plutôt que les yeux ouverts sur les réalités de notre condition humaine sur ce continent.
>
> La grandeur pour nous consiste non pas à défaire mais à parfaire nos liens.
>
> Gabrielle Roy[181].

Cité dans *Le Soleil* et dans *Le Devoir*[182], ce communiqué est le seul texte ouvertement politique, sinon partisan, que Gabrielle Roy ait jamais écrit et rendu public. Mais le sentiment de peur et d'insécurité grandissante que provoque en elle le climat politique qui règne alors au Québec s'exprime souvent dans sa correspondance privée. Ainsi, un peu plus tard dans le courant de 1967, lors de la tenue des États généraux du Canada français, elle écrit à Bernadette : « Comme nous vivons des heures difficiles en ce moment dans le Québec ! Tous les sentiments sont exaspérés, les émotions sont intenses. Bientôt sans doute nous allons devoir prendre parti les uns contre les autres[183]. » Par la suite, le ton se durcit. « Cette fête va finir par avoir un goût de meurtre », note-t-elle en 1969 à propos des célébrations de la Saint-Jean[184]. À l'automne de cette même année, lors des manifestations contre le projet de loi 63, elle écrit de nouveau à Bernadette : « Ces jours-ci nous sommes plongés à Québec dans une atmosphère de révolution et de racisme des plus inquiétantes [...]. Le climat du Québec devient dangereux. C'est à se demander s'il sera encore possible de vivre ici en liberté d'ici peu. Une fois qu'est lâché le démon du fanatisme et du racisme qui sommeille dans tout peuple, il est quasi impossible de le rattraper avant qu'il ait réussi à déchaîner violence, horreur, épouvante[185]. » Quoiqu'elle se sente « assommée » sur le coup, les événements d'octobre 1970 ne la surprennent qu'à moitié. S'ajoutent alors aux craintes que lui inspire le nationalisme les frustrations de Marcel, qui vient de s'engager activement dans la grève des médecins spécialistes protestant contre l'implantation par le gouvernement Bourassa du nouveau régime d'assurance-santé. Bref, tout va mal au Québec, semble-t-il à Gabrielle, effrayée non seulement par le terrorisme et le séparatisme, mais aussi par « le règne des théoriciens et des technocrates » qu'elle voit poindre à l'horizon[186].

Après l'affaire de Gaulle, cependant, elle prend bien garde de faire connaître publiquement ses opinions. D'ailleurs, une fois la crise d'Octobre passée, ses inquiétudes politiques s'apaisent. Elles referont surface épisodiquement quand d'autres crises se produiront, mais sans que jamais des actions concrètes en découlent. Car au fond, la politique ne l'intéresse pas ; débats, conflits et luttes la mortifient ; elle ne souhaite que la paix et l'entente. Tout ce qui l'intéresse, c'est d'écrire.

En janvier 1969, pendant la dépression qui l'accable à New Smyrna Beach, elle confie à Bernadette : « C'est une époque cruelle à tous points de vue pour ceux qui vieillissent. On y est vite mis au rancart. J'en sais quelque chose, va, en dépit des honneurs qui sont d'ailleurs comme une sorte d'enterrement et plutôt tristes quand ils coïncident avec moins de lecteurs, moins de ventes… une sorte de déclin[187]. » Pourtant, malgré les tumultes ambiants, malgré la froideur des critiques, malgré le sentiment du « déclin » et le fait qu'elle se considère souvent comme une étrangère dans ce qu'est devenue la littérature de son temps, elle poursuit son œuvre.

Secrets

Depuis *La Route d'Altamont,* Gabrielle travaille à deux nouveaux romans. Le premier s'intitule *Baldur,* d'après le nom d'une petite localité à l'ouest de Somerset, dans la région de la Montagne Pembina, qui devient dans l'œuvre le nom d'un vaste domaine habité par Prosper et Édouardina. Ces personnages ont sans doute été inspirés en partie de l'oncle Excide et de sa femme Luzina, morte à l'âge de quarante-sept ans et mère de huit enfants. Le thème central du roman est celui de la sexualité, ou mieux : de la servitude et des « maux cachés les plus affreux » que fait subir à Édouardina sa relation charnelle avec son mari. Prosper adore sa femme, mais celle-ci ne peut céder à ses désirs sans mettre sa vie en danger, car elle est de santé délicate et incapable d'assumer les grossesses répétées auxquelles l'obligent ses devoirs de femme mariée. Elle meurt bientôt, en odeur de sainteté, tandis que Prosper se morfond en remords et en concupiscence inassouvie.

Gabrielle rédige trois, peut-être quatre versions de ce récit[188], qu'elle finit par mettre de côté parce qu'elle voit bien que c'est une œuvre ratée ; les personnages y sont peu crédibles, l'action quasi inexistante, l'écriture forcée et le message un peu trop appuyé. Mais le manuscrit n'en est pas moins digne d'intérêt. Tout comme certaines pages de *La Saga d'Éveline*, *Baldur* témoigne d'une des préoccupations les plus importantes de Gabrielle Roy à cette époque : le malheur lié à la sexualité. Loin d'unir l'homme et la femme, la fatalité de l'amour physique les rend étrangers l'un à l'autre, sinon ennemis. La femme n'est jamais qu'une victime plus ou moins consentante. Pour survivre, elle doit lutter contre les pulsions et les désirs de son époux. Or Édouardina est trop bonne, trop dévouée à Prosper pour le repousser ; aussi ne peut-elle que mourir, littéralement, d'avoir fait l'amour. De là se dégage une vision extrêmement pessimiste du sort de la femme, enchaînée à l'homme et à la maternité par sa condition à la fois biologique et sociale et destinée de ce fait, à moins qu'elle ne renonce à la chair, au dépérissement et à la destruction de soi.

On retrouve un peu l'écho de ce thème dans l'autre roman que Gabrielle entreprend vers cette époque, en s'inspirant de ses souvenirs d'Ungava, et notamment de l'image de la jeune Inuk et de son bébé aux cheveux bouclés. À cette histoire, qui est celle d'un viol et d'une maternité tourmentée, la romancière donne d'abord le titre d'*Elsa*. Elle y travaille pendant l'été 1968 à Petite-Rivière-Saint-François. Mais au thème « féminin » du roman s'en ajoute bientôt un autre, venu directement du texte de 1967 sur « Terre des hommes » : celui des rapports entre les peuples. Or, autant « Terre des hommes » proposait une vision harmonieuse et idéalisée de ces rapports, autant *La Rivière sans repos* en donne une image tendue, pour ne pas dire tragique, à travers le long déchirement qu'est la vie d'Elsa, incapable de réconcilier en elle l'univers des Blancs et celui de sa communauté d'origine. Loin d'être grandie par sa double appartenance, loin de devenir une « citoyenne du monde » et une héroïne de l'entente universelle des cultures, Elsa est au contraire une victime, un être — comme jadis Alexandre Chenevert — à l'identité instable, une femme défaite, écrasée par sa participation à la « Terre des hommes ».

Ce contraste on ne peut plus net entre les idées exposées dans l'essai de 1967 et leur « mise en application » dans *La Rivière sans repos* fournit une belle illustration de ce que l'on peut appeler le sens romanesque de Gabrielle Roy. Pour elle comme pour les plus grands romanciers, en effet, le roman n'est jamais un moyen de promouvoir une thèse ou un message quelconque ; c'est plutôt le lieu où toute thèse, toute idée générale sont soumises à l'épreuve du réel et de ses complexités, ce qui les rend aussitôt incertaines et problématiques. Si Gabrielle Roy, en d'autres mots, peut proclamer sa foi dans le progrès « interculturel » de l'humanité en écrivant un essai comme « Terre des hommes », dans le roman, en revanche, cette même foi — ce beau discours — rencontre l'ironie suprême : l'existence concrète d'un personnage.

En septembre 1968, Gabrielle fait recopier le manuscrit de son nouveau roman — dont le titre est devenu *La Fleur boréale* — par sa secrétaire de l'époque, Marie-Blanche Devlin, et le soumet à Joyce Marshall à qui elle a déjà proposé d'en être la traductrice. Un mois plus tard, les corrections étant faites et le titre définitif arrêté — *La Rivière sans repos* —, elle envoie le tout à Harcourt Brace, son éditeur new-yorkais, car elle voudrait cette fois que les deux versions de son roman, l'anglaise et la française, soient publiées simultanément.

Trois semaines plus tard, le 9 décembre 1968 très précisément, Dan Wickenden, le nouvel *editor* de Gabrielle Roy, écrit à celle-ci pour lui annoncer que *La Rivière sans repos* a été jugée très sévèrement par le comité de lecture et que Harcourt Brace a décidé en conséquence de ne pas le publier. Ce refus obéit-il à des considérations purement littéraires, comme le déclare Wickenden ? Il est permis d'en douter. En fait, il y a longtemps que les livres de Gabrielle Roy ne se vendent plus aux États-Unis — *The Road Past Altamont* a à peine dépassé les 3 500 exemplaires — et l'on ne voit pas, chez Harcourt Brace, comment ce nouvel ouvrage pourrait inverser la tendance. Si encore la maison new-yorkaise pouvait vendre directement sur le marché canadien, mais Gabrielle Roy s'y oppose, par fidélité à McClelland & Stewart autant que par patriotisme littéraire. Pour Harcourt Brace, la rentabilité de l'auteur de *The Tin Flute* est chose du passé.

Gabrielle reçoit la lettre de Wickenden comme un coup de massue. Ce n'est pas seulement sa *Rivière sans repos* qui est ainsi remise en question, mais son association avec Harcourt Brace, pourtant vieille de vingt ans, et, par-delà, tout le rayonnement de son œuvre aux États-Unis. Pour elle qui, de toute sa carrière, n'a jamais essuyé un seul refus d'éditeur et qui s'est toujours considérée comme un auteur d'envergure internationale, la blessure d'amour-propre est terrible. « J'ai envie de tout abandonner, écrit-elle à Joyce Marshall. Ça m'arrache le cœur. Mais comme tant d'autres parmi nous ces temps-ci, je suppose, il me faut faire face à la réalité que je ne suis plus un écrivain accordé à notre époque. [...] Je souhaiterais être infirmière, médecin, à peu près n'importe quoi d'autre que ce que je suis[189]. »

C'est dans ces dispositions qu'elle arrive à New Smyrna Beach. La mer est aussi belle que l'année précédente, la plage aussi douce et Marie Dubuc aussi accueillante, et pourtant Gabrielle se sent « la tête vide, vide, vide » ; elle est en proie à « [une] espèce d'étrange insensibilité[190] » qui lui enlève le goût de tout et la plonge dans un état d'abattement moral et physique dont il lui semble qu'elle ne sortira jamais plus.

Cela dit, le refus de *La Rivière sans repos* par Harcourt Brace, si pénible qu'il soit, n'est sans doute pas le seul facteur qui déclenche la dépression de l'hiver 1968-1969. D'autres événements, d'autres complications de caractère plus intime interviennent alors dans la vie de Gabrielle, qui mettent ses nerfs à rude épreuve et ébranlent fortement sa confiance en elle-même et son équilibre intérieur.

Il y a tout d'abord Adèle. Alors que le manuscrit de *La Rivière sans repos* est devant le comité de lecture de Harcourt Brace, Gabrielle écrit à Bernadette :

> Je viens d'apprendre qu'Adèle, il y a deux ou trois ans, a proposé à presque tous les éditeurs de Montréal et ailleurs aussi [...] un manuscrit dans lequel elle racontait, à sa façon malveillante, mon enfance, ma vie. Étais-tu au courant d'une chose aussi abominable ? Certains de mes amis l'étaient, mais me le cachaient par délicatesse. L'autre soir, étant chez des amies, le chat est sorti du sac et j'ai enfin appris toute l'histoire navrante. Quelqu'un qui avait eu le manuscrit entre les mains n'a pas voulu en dire long, sauf, évidemment, que c'était dirigé contre moi et méchant au possible[191].

Ce manuscrit, Adèle le médite depuis très longtemps ; elle n'a jamais pardonné à Gabrielle le fameux incident de Tangent ni cessé par la suite de déblatérer contre sa sœur à la moindre occasion, l'accusant de n'être qu'une arriviste, une ingrate et, bien sûr, une vile plagiaire ; elle affirmera même que *La Route d'Altamont*, publiée en 1966, « va sur [les] brisées » de sa *Montagne Pembina*, parue pourtant en 1970[192]. Gabrielle était vaguement au courant des horreurs qu'Adèle répandait sur son compte, ne serait-ce que par les lettres que celle-ci lui écrivait, pleines de fiel et d'une « cruauté comme je n'ai vu que chez elle dans ma vie[193] ». Mais, sûre qu'Anna et Bernadette sauraient empêcher le pire, elle n'y prêtait guère attention et se montrait bonne joueuse, se préoccupant même du bien-être d'Adèle et se disant prête à se réconcilier avec elle.

Mais la rancune est si profondément enracinée dans le cœur d'Adèle que rien ne saurait détourner cette dernière de son besoin de vengeance. C'est vers 1962 ou 1963, semble-t-il, pendant son séjour au Québec, qu'elle écrit le terrible manuscrit auquel elle va donner un titre destiné à marquer le contraste entre elle et Gabrielle : *Les Deux Sources de l'inspiration : l'imagination et le cœur*, mais dont le sous-titre dévoile la véritable intention : *Première partie d'une étude psychologique sur un auteur bien connu*[194]. Signé du pseudonyme d'« Irma Deloy » (anagramme partiel de M.-Adèle Roy), le texte d'une cinquantaine de feuillets est une charge en règle contre Gabrielle, dont il s'agit de « démasquer » la véritable personnalité en racontant « sans complaisance » l'histoire de sa vie et de ses rapports avec les membres de sa famille. Tout y passe : les caprices de l'adolescente, la pingrerie de la jeune femme en mal de gloire, l'abandon de la vieille mère miséreuse, la relation louche avec Henri Girard et, bien sûr, le pillage éhonté des écrits de sa propre sœur, la narratrice, qui n'agit jamais, elle, que poussée par la vertu la plus stricte et le désintéressement le plus pur.

Selon son habitude, Adèle a tapé plusieurs copies de son manuscrit. A-t-elle essayé de le placer auprès d'un éditeur, comme le pense Gabrielle, c'est fort probable, étant donné la rage de publier qui la possède depuis si longtemps. Devant ses échecs répétés, elle opte bientôt pour une autre stratégie : déposer des exemplaires de son texte dans les archives et les bibliothèques, pour le bénéfice et l'édification des « chercheurs de l'avenir[195] ». C'est ainsi qu'à l'automne 1968 un manuscrit dactylographié des *Deux Sources* se retrouve à l'Université de Montréal, dans les archives du Centre de documentation des lettres canadiennes-françaises logé sous la tour centrale de l'université et dirigé par Réginald Hamel, à qui Adèle aurait déclaré en lui remettant le texte : « Je vais vous démontrer que ma sœur est une salope. » Quelque temps plus tard, au cours d'un colloque, Hamel en parle à Ben-Z. Shek, de l'Université de Toronto. Shek, qui rédige une thèse sur le roman canadien-français, est en relation avec Gabrielle depuis près de deux ans.

Au moment où elle part pour New Smyrna Beach, en décembre 1968, Gabrielle ignore que le manuscrit se trouve à l'Université de Montréal, et Marcel, mis au courant par Bernadette, elle-même informée par Shek, se garde bien de le lui dire. Elle n'apprend la chose qu'à son retour et n'en est que plus bouleversée. « Je suis secouée abominablement, écrit-elle à Bernadette, [...] j'ai peur d'Adèle, d'une malice si longuement préméditée, à mon égard » ; « je souffre de tout cela [...] à en avoir la nausée[196] ». Pour se défendre et pour essayer de comprendre, elle impute le comportement d'Adèle à un désordre psychologique. « Pareils agissements sont l'œuvre d'une malade, et j'ai d'ailleurs longtemps pensé qu'Adèle était peut-être encore bien plus malade que Clémence. [...] Je me rends compte maintenant que sa haine contre moi est implacable et touche à la folie[197]. »

Cette théorie de la maladie mentale, que Marcel endosse pleinement, que Bernadette ne contredit pas, est aussi une manière pour Gabrielle de se protéger contre tout ce que les « révélations » d'Adèle peuvent avoir de menaçant pour elle. Car le miroir que sa sœur lui tend montre un visage qu'une partie d'elle-même ne peut pas ne pas reconnaître, le visage de l'ambitieuse, de l'enfant choyée qui a fui sa famille, de la fille qui a abandonné sa mère et s'est faite orpheline pour arriver à ses fins. Ce visage de sa faute et de sa culpabilité, Gabrielle voudrait l'effacer, l'oublier, le racheter à tout jamais, mais il la hante, il colle à sa conscience et ne la laisse jamais vraiment en repos. Toute sa vie, toute son œuvre, en un sens, sont à la recherche de cet effacement, de cette rédemption, ou plutôt de cette réconciliation de son visage d'autrefois avec celui de la femme qu'elle veut être aujourd'hui, de toutes ses forces, une femme enfin apaisée et innocente. Or voilà que le manuscrit d'Adèle, brutalement, remet tout en question ; non seulement il relance le débat intérieur, mais il risque de porter atteinte à l'image publique que Gabrielle s'efforce de donner d'elle-même à travers ses écrits, ses entrevues et jusque dans sa correspondance avec ses amies. Le manuscrit d'Adèle risque de détruire, en somme, tout ce qu'elle a si patiemment forgé depuis tant d'années.

C'est dans cet état de désolation mêlée de panique qu'elle s'envole pour la Floride, le cœur lourd de l'humiliation que vient de lui infliger la lettre de refus de Harcourt Brace. Mais ce n'est pas tout. En cette fin d'année 1968, ses relations avec son mari sont au plus mal. En fait, cela fait des années qu'elles se détériorent ; Marcel et Gabrielle sont devenus de plus en plus étrangers l'un à l'autre ; leur vie commune est une sorte d'enfer.

Au dehors, dans les quelques interviews où elle parle de Marcel, Gabrielle laisse volontiers entendre qu'ils forment un couple parfaitement harmonieux, dont « l'incroyable réussite » pourrait servir de modèle à tous[198]. Mais les proches, eux, savent bien qu'il n'en est rien et que les époux exemplaires vivent en réalité comme chien et chat, qu'ils se font constamment des reproches. Marcel, qui aime la société, les sorties, la bonne chère, accuse Gabrielle de ne pas tenir compte de ses goûts et de les faire vivre comme des moines. De son côté, elle lui en veut de son manque de rigueur, de son apathie, de son incapacité de s'intéresser à quoi que ce soit de sérieux. Les frustrations, les regrets qui viennent avec l'âge, chacun les met sur le dos de l'autre et les lui jette à la tête à la moindre querelle. Et des querelles, ils en ont beaucoup, dont quelques-unes sont parfois vilaines, en particulier quand Marcel a bu, ce qui lui arrive de plus en plus souvent, ou lorsque Gabrielle est plus nerveuse que d'habitude ; alors les invectives pleuvent, et les lamentations, et les larmes. Ils se boudent ensuite pendant plusieurs jours. Il arrive même que leurs scènes de ménage aient lieu devant des amis, à Petite-Rivière ou à Québec. Ces derniers n'osent intervenir, mais ils n'en pensent pas moins. Tandis que certains d'entre eux plaignent Marcel et le considèrent comme une victime de l'égoïsme et de l'orgueil de Gabrielle, accusant celle-ci de l'« éteindre », de le traiter en esclave et de l'empêcher de vivre comme bon lui semble, d'autres s'apitoient au contraire sur la pauvre Gabrielle, qui doit tout faire elle-même et ne peut jamais compter sur l'appui de Marcel, un faible, un mou, un grand enfant.

Quels que soient leurs torts respectifs, le climat entre les époux, après vingt ans de mariage, devient de plus en plus tendu. Il faut dire qu'ils n'ont rien pour les rapprocher, rien en tout cas de ce qui rapproche ordinairement les couples : enfants, propriété, passion commune ou complicité charnelle. Seules deux choses, au fond, les tiennent ensemble. La première est l'œuvre de Gabrielle, qui passe avant tout, justifie tout, et dont le succès leur tient à cœur à tous les deux. La seconde est l'argent, qu'ils ne désirent pas nécessairement amasser en grande quantité mais qui les préoccupe l'un et l'autre ; ils craignent d'en manquer, soupçonnent les autres de vouloir le leur arracher et, c'est le moins qu'on puisse dire, prennent garde de ne pas le jeter par les fenêtres. Pour le reste, ils ne s'entendent sur presque rien et se sentent emprisonnés dans une vie commune qui leur pèse. Gabrielle confiera plus tard que si le divorce avait été aussi facile et acceptable à cette époque qu'il l'est devenu dans la décennie suivante, elle s'y serait certainement résolue. À défaut, elle part en voyage aussi souvent que possible ou se retire à Petite-Rivière-Saint-François, tandis que Marcel reste seul à Québec, où il mène sa propre vie.

Ainsi, chacun vit dans un univers dont l'autre est pratiquement exclu. Au monde de femmes dans lequel évolue Gabrielle correspond le monde d'hommes qui est celui de son mari. Un milieu tout aussi fermé et homogène, où se rencontrent quelques médecins et surtout des artistes avec lesquels Marcel passe le plus clair de son temps. Que ce milieu, où il se sent à la fois heureux et compris, soit largement composé d'homosexuels, Gabrielle ne peut pas l'ignorer. À quel moment au juste découvre-t-elle que Marcel est homosexuel lui-même, cela reste un mystère que ni sa correspondance ni les témoignages de ses proches ne permettent d'éclaircir.

S'est-elle rendu compte des tendances de son mari dès les premières années de leur mariage, lorsqu'ils vivaient en France et que Marcel fréquentait à l'occasion les théâtres homosexuels avec des amis, ou a-t-il fallu attendre que Marcel, une fois établi à Québec, ait un amant ? La rencontre des deux hommes a eu lieu au tout début des années soixante, alors que M. C. étudiait à l'École des Beaux-arts de Québec sous la direction de Jean-Paul Lemieux. Comme le jeune homme désirait ardemment faire la connaissance de Gabrielle Roy, Madeleine Lemieux, la femme de Jean-Paul, lui a offert de l'accompagner au lancement d'un livre d'Alice Lemieux-Lévesque, auquel elle savait que les Carbotte assisteraient. Mais Gabrielle n'était pas là, se trouvant à l'extérieur de la ville, si bien que M. C. s'est retrouvé en compagnie de Marcel qui, après la soirée, l'a emmené dîner à l'hôtel Clarendon puis l'a invité à prendre le pousse-café chez lui. C'est là, dans l'appartement du Château Saint-Louis, qu'est née, entre M. C., vingt ans, et Marcel, quarante-cinq ans, une liaison qui devait durer plus de vingt ans. Liaison tantôt euphorique, car Marcel est un initiateur expérimenté et sensuel, tantôt orageuse, car c'est aussi un amant exigeant et jaloux, ce qui ne l'empêche pas d'avoir des aventures avec d'autres hommes de leur milieu.

En raison de son statut social et des façons de penser de l'époque, Marcel est obligé de garder ses amours secrètes afin de ne pas éveiller les rumeurs, toujours promptes à se répandre dans un environnement tricoté aussi serré que la bonne société de Québec. Mais il fait souvent des fugues avec ses amis, pour des week-ends à Montréal ou ailleurs, et passe presque tous ses moments libres en leur compagnie. Un été, pendant que Gabrielle est à Petite-Rivière-Saint-François, il offre à l'un d'eux de s'installer avec lui dans l'appartement du Château Saint-Louis, où les deux hommes mènent grand train. Comment Gabrielle ne seraitelle pas au courant ou, à tout le moins, comment n'aurait-elle pas des soupçons sérieux ? Chose certaine, la conduite de Marcel ne peut que creuser davantage le fossé qui les sépare, fossé sexuel, certes, mais aussi moral et psychologique. Nul doute que Gabrielle ne trouve, dans le comportement de son mari, une raison de plus de se sentir, sinon trahie, du moins accablée par une déception et peut-être un sentiment de culpabilité de plus en plus lourds à porter, sans parler de la menace que représente pour elle, pour la sauvegarde de son image publique, une possible divulgation des tendances « anormales » de son mari.

Jamais elle ne fait mention de l'homosexualité de Marcel dans ses lettres, ni lui dans les siennes. Mais souvent, à cette époque, elle se dit inquiète de ses façons d'agir, de ses attitudes et des sautes d'humeur auxquelles il est sujet. Ainsi, en juin 1968, elle écrit à sa belle-sœur Antonia : « Marcel est atteint, cet été encore, d'une sorte de neurasthénie qui le rend morose et difficile à supporter. [...] C'est sur moi que se passe sa mauvaise humeur[199]. » Quelques mois plus tard, peu après son arrivée à New Smyrna Beach, elle confie à Adrienne ses soucis au sujet du « système nerveux [de Marcel], si ébranlé que cela me fait peur parfois[200] », soucis qu'elle éprouve toujours en septembre 1969 lorsqu'elle écrit à Bernadette, la seule de ses sœurs à avoir de l'affection pour Marcel :

> Je t'avoue qu'à certains moments je suis inquiète de lui et profondément découragée, car ses malheurs tiennent de son caractère et il n'arrive pas à changer sa manière de vivre. Là seul pourtant résiderait le salut pour lui. Tu n'as pas idée quel être complexe il est. [...] Le difficile avec des malades nerveux comme Marcel, c'est que tout en étant incapables de se guérir seuls, ils n'acceptent pas de conseils de leurs proches[201].

Gabrielle a-t-elle appris à sœur Léon la vérité concernant ses relations sexuelles avec Marcel ? Est-ce là « ce chagrin [que Dédette] me connaissait et qui l'avait tant affectée », comme le dit un passage énigmatique de *La Détresse et l'Enchantement*[202] ? Cela ne paraît pas impossible.

Retour au calme

C'est donc une femme brisée, accablée par l'inquiétude et les déceptions qui débarque à New Smyrna Beach en décembre 1968. Au début, Gabrielle loge chez Marie Dubuc et sa nouvelle amie Geneva, avec lesquelles elle refait, comme l'année précédente, le périple à travers les Everglades ; « le temps était beau, rapporte-t-elle, mais le cœur n'y était pas[203] ». Le jour de l'An, elle s'installe dans un petit appartement tout en fenêtres où elle essaie tant bien que mal de se refaire un moral et une santé. « Je vais faire un effort héroïque, écrit-elle à sa "bonne Drienne", pour faire comme vous me le conseillez, prendre du soleil, accomplir de longues marches le long de la mer, je vais tenter tout ce qui est possible mais quelque chose me dit que, cette année, ça ne marchera pas, qu'il me faut trouver un autre moyen de salut… et j'attends[204]. » Trop déprimée pour écrire, elle se rabat sur la lecture — notamment celle de *L'Œuvre au noir* de Marguerite Yourcenar, qui vient d'obtenir le Goncourt : « je me demande si j'ai jamais lu une œuvre plus généreuse, plus majestueuse, en même temps plus humaine et poignante[205] » — ; mais surtout, elle essaie de « ne rien faire d'autre que de [se] laisser vivre comme une plante[206] ».

Au bout de quelques semaines, la cure commence à porter ses fruits. Le soleil, le grand air, le bruit de l'océan, le repos complet et la présence de Marie ont peu à peu raison du délabrement moral et physique dans lequel Gabrielle se trouvait à son arrivée. Le 1er février, elle annonce à son amie Alice la nouvelle d'une résurrection :

> Écoutez bien ou plutôt lisez bien : s'éveiller, un beau matin, avec le sentiment, au fond de la conscience, que c'est février, que c'est l'hiver, que le climat et la condition humaine sont cruels, mais, sur ses lèvres, sur sa langue, goûter la douceur d'une journée d'été à la campagne, entendre les oiseaux à tous les coins, soulever le store, apercevoir un ciel radieux et partout, sur le toit, les fils du téléphone, la moindre tige, des merles arrivés du Canada, non par centaines ou milliers, mais en nombre incalculable, pour se gaver des petites baies sucrées du palmetto, et c'est leur bruyante assemblée heureuse, et c'est la magnificence de l'air et le chant éternel des vagues qui nous cueillent au réveil, toutes meurtries encore des pensées qui nous poursuivent dans le sommeil, et tout d'un coup nous nous sentons revivre comme si nous venions de mettre pied enfin dans notre vraie patrie. Voilà ce qui m'est arrivé ce matin…

« Je n'irai pas jusqu'à dire que je suis devenue gaie, ajoute-t-elle, mais je pense que je vais recommencer à aimer la création. » La pente est longue à gravir, cependant, et les progrès accomplis de jour en jour restent fragiles. « En fait, M'Alice, je remonte de bien profond, de bien creux, et il ne faut sans doute pas s'attendre à ce que je surnage encore tout à fait[207]. » Mais à la mi-mars, lorsque vient le moment de rentrer à Québec, la guérison semble enfin achevée. « Dans l'ensemble, écrit-elle à Bernadette, le séjour en Floride m'a été bienfaisant, bien que je n'ai pas réussi à travailler. Impossible. [...] Tout de même, je crois bien que ma santé s'est améliorée[208]. » Sa santé, mais aussi son équilibre intérieur et son désir de reprendre le fil de sa vie. Car, sans s'être complètement refermées, les blessures de l'automne lui paraissent maintenant moins cruelles ; elles ont moins d'importance en tout cas que les tâches qu'il lui reste à accomplir.

Pour ce qui est de l'homosexualité de Marcel, elle n'a d'autre choix, au fond, que de l'accepter. D'ailleurs, n'a-t-elle pas une certaine part de responsabilité dans cet état de choses, elle que les rapports charnels effraient ou dégoûtent depuis si longtemps ? En fait, la présence de M. C., tout en assouvissant Marcel, la libère de ses « devoirs » de femme mariée ; elle lui évite d'avoir à se sentir coupable de sa frigidité et de souffrir des frustrations de Marcel. Ainsi, la liaison de son mari sert, d'une certaine manière, l'harmonie de leur couple. Dès lors, lui écrit-elle peu avant son départ de New Smyrna Beach, « l'important c'est de conserver l'amitié et l'estime très solides encore, Dieu merci, qui existent entre nous, et pour lesquelles nous devrions rendre grâces, [car] ce n'est pas tellement fréquent[209] ».

En réalité, c'est moins d'estime et d'amitié que sera faite désormais leur relation que d'une sorte de réserve mi-douce mi-amère qui, tout en rendant le rapprochement difficile, les empêche néanmoins de se heurter trop douloureusement. Cette relation, qui interdit à chacun de s'immiscer dans l'intimité de l'autre, leur permet malgré tout de s'y intéresser encore ; elle les amène à vouloir, sinon le bonheur de l'autre, du moins sa tranquillité et sa sécurité. Vivant à distance respectueuse, à la fois soucieux et indifférents, on ne peut plus dire qu'ils s'aiment, mais on ne peut pas dire non plus qu'ils se haïssent. Ils vivent ensemble, tout simplement, comme le font tant de couples vieillissants, unis par un lien aussi étroit qu'ambigu qui, paradoxalement, ne cesse de se renforcer malgré les mésententes et les causes d'insatisfaction ou de dépit. Car c'est le lien le plus puissant qui soit, celui que crée entre deux êtres la peur éprouvée par chacun de se retrouver tout seul au monde, sans port d'attache, sans personne à qui parler, à qui se plaindre et vers qui revenir quand on est las de soi-même et de sa liberté. À ce modus vivendi conjugal qui s'établit entre Marcel et Gabrielle, ni l'un ni l'autre ne dérogera à l'avenir.

Plus urgente est la situation créée par l'horrible manuscrit d'Adèle, dont la menace plane depuis l'automne sur la réputation de Gabrielle. Celle-ci passe à l'action dès son retour de Floride, pressée de mettre sa sœur hors d'état de nuire avant qu'il ne soit trop tard. Elle recourt pour cela à ses alliés les plus sûrs, en commençant par Bernadette qui, en raison de son statut de religieuse, a maintenant acquis dans la famille l'autorité dont Anna était naguère investie. Gabrielle obtient de sœur Léon qu'elle écrive à Adèle pour essayer de la ramener à la raison[210]. La réponse de cette dernière ne tarde pas à arriver, aussi cinglante que d'habitude : Adèle n'a de leçons à recevoir de personne, surtout pas de celle qui « [s'est] sauvée à vingt ans au moment de la plus grande misère de nos parents » et qui peut donc garder ses « bondieuseries » pour elle[211]. Antonia, la veuve de Germain, vient à la rescousse, mais sans plus de succès que Bernadette. Alors Gabrielle décide d'ameuter ses amis. Ben Shek tente d'abord une intervention auprès de Réginald Hamel, le dépositaire du manuscrit à l'Université de Montréal ; mais Adèle, mise au courant, se déchaîne : « Je ne consentirai pas à ce que les Anglo-Saxons y mettent le nez, écrit-elle à Hamel. [...] Aujourd'hui que la contestation s'établit partout, que les cadres éclatent, que les prêtres renversent l'autel de leur Dieu, la Vérité peut et doit être déclarée[212] ! »

Adrienne Choquette intercède alors auprès de son ami Victor Barbeau, le vénérable président de l'Académie canadienne-française. Celui-ci s'adresse à René de Chantal, doyen de la Faculté des lettres de l'Université de Montréal, qui force Réginald Hamel à retirer le manuscrit d'Adèle de son Centre de documentation. Ainsi, l'affaire est classée et Gabrielle peut respirer à l'aise. Pour témoigner sa gratitude à Victor Barbeau, elle lui permet de publier « L'arbre », sa nouvelle inédite, dans les *Cahiers de l'Académie canadienne-française*.

Quant à Adèle, « il n'est plus question de [lui] donner un sou », déclare-t-elle à Bernadette en juin 1969, « ma patience à son égard est usée à la limite, et j'aime mieux n'en plus entendre parler[213] ». Assez vite, cependant, elle reviendra à de meilleurs sentiments et acceptera, sinon de pardonner, du moins de ne pas garder rancune à sa sœur. Tout en ne désirant plus la revoir ni correspondre avec elle, elle s'inquiète de sa santé et de son bien-être et lui fait parvenir de petites sommes. Adèle ignore que cet argent lui vient de Gabrielle ; le saurait-elle qu'elle le refuserait, comme elle l'a déjà fait par le passé. Ainsi, les deux sœurs, bien qu'elles avancent en âge, deviennent plus que jamais étrangères l'une à l'autre. En 1971, Adèle, qui a soixante-dix-huit ans, vient habiter Sainte-Foy, à deux pas de chez Gabrielle. Pas une fois les deux sœurs ne se téléphonent ni ne passent ne fût-ce qu'un petit moment ensemble. Lorsqu'elles se croisent, c'est par hasard et sans être sûres de bien se reconnaître. Ainsi, écrit Gabrielle :

> L'autre jour, j'ai vu passer près de moi une vieille femme, l'air malade, hagarde, vêtue à la diable, à moitié aveugle apparemment. C'est après coup seulement que j'ai pensé avoir plus ou moins reconnu ma sœur Adèle, et j'ai eu un choc dont je n'arrive pas à me remettre. (Il y a tout de même quinze ans environ que je ne l'avais revue.) Cette image de désolation et de détresse me poursuit[214]...

Vieille, chevrotante, pauvre comme Job, Adèle cependant n'a pas dit son dernier mot.

Des diverses affaires qui ont pu provoquer la dépression de l'hiver 1968-1969, la plus prompte à se régler est celle qui concerne *La Rivière sans repos*. Un mois à peine après le refus de Harcourt Brace, Joyce Marshall obtient de Gabrielle la permission de présenter le manuscrit à Jack McClelland, qui accepte aussitôt de le publier. Il s'agit du manuscrit original, en français, que Gabrielle n'a pas encore soumis à un éditeur montréalais car elle veut s'assurer d'abord qu'il paraîtra aussi en anglais, son public étant pour elle aussi bien, sinon plus, de langue anglaise que de langue française. Dès la fin du mois de janvier 1969, il est donc convenu que le roman sortira chez McClelland & Stewart, dans une traduction de Joyce Marshall, qui se met aussitôt au travail. À son retour de New Smyrna, Gabrielle s'attelle elle aussi à la tâche, correspondant régulièrement avec Joyce et profitant de ce que son texte n'est pas encore publié en français pour y apporter de nombreuses corrections qui paraissent tantôt heureuses à la traductrice, tantôt discutables.

La Rivière sans repos n'est alors que le manuscrit du roman ayant pour personnages Elsa et son fils Jimmy. Les trois « Nouvelles esquimaudes » qui le précéderont dans l'édition française n'existent pas encore. Ces nouvelles, Gabrielle les écrit à Petite-Rivière-Saint-François pendant l'été 1969, en commençant par « Le téléphone », suivi du « Fauteuil roulant » et enfin des « Satellites[215] ». Cet ajout ne fait que relancer l'interminable processus de correction et de réécriture, plus long pour ce livre que pour tous ceux qui l'ont précédé, à l'exception d'*Alexandre Chenevert*. Même la nuit, Gabrielle est « troublée [...] par ce mauvais rêve de mon manuscrit que je vois couvert de fautes, de ratures, à reprendre presque en entier[216] ». En octobre 1969, après que le texte final en langue française a été révisé par Victor Barbeau, elle décide de se rendre elle-même à Toronto pour des séances de travail intensif sur la version anglaise avec Joyce Marshall. Ce séjour de deux semaines la ravit ; elle loge à l'hôtel Westbury, mais passe ses journées et prend tous ses repas chez Joyce, qui est aux petits soins pour elle. Jack McClelland, qu'elle n'a pas revu depuis des lustres, la reçoit somptueusement à dîner. De retour à Québec, Gabrielle songe un moment à partir vers le Sud pour échapper à l'hiver. Mais elle doit y renoncer à cause d'un problème au pied ; elle subit d'ailleurs une opération en janvier, qui l'oblige à marcher quelque temps avec des béquilles. Cet épisode lui laisse encore plus de temps pour écheniller son manuscrit et multiplier les changements de dernière minute.

Finalement, la mise au point et la traduction de l'ensemble de l'ouvrage — roman et « Nouvelles esquimaudes » — sont terminées en février 1970. Il ne reste que le titre anglais à trouver ; on songe un temps à *River Beyond Time*, avant de se rabattre sur *Windflower*, que Gabrielle et Jack n'aiment qu'à moitié mais auquel ils finissent par se résigner faute de trouver mieux. C'est alors que Jack, brandissant son flair d'éditeur, décide qu'il vaut mieux laisser tomber les nouvelles et ne publier que le roman. Gabrielle s'incline, même si, comme elle le confie à Joyce, elle se sent « un peu triste pour les trois nouvelles, [...] car, après tout, elles font partie de l'histoire, du thème, de toute l'aventure[217] ».

Tout étant réglé pour l'édition anglaise, il n'y a plus qu'à déterminer qui, au Québec, sera chargé de l'édition originale en langue française. Pour *La Route d'Altamont*, la romancière a boudé les Éditions Beauchemin, mais celles-ci ont maintenant un nouveau directeur littéraire, Paul-Marie Paquin, avec qui ses relations sont beaucoup plus cordiales. Le contrat de *La Rivière sans repos* est signé en mars 1970, et l'auteur décide que l'édition Beauchemin contiendra les trois « Nouvelles esquimaudes » que McClelland & Stewart a choisi de ne pas publier[218].

Même si tout est prêt dès la fin de l'hiver, le volume ne sortira — en éditions anglaise et française — qu'aux mois de septembre et octobre suivants. Entre-temps, Gabrielle est tout entière occupée par un autre événement, par une autre œuvre : la mort de Bernadette.

Tombeau de Bernadette

À soixante-douze ans, sœur Léon-de-la-Croix est une femme très active. Bien qu'elle ait pris officiellement sa retraite de l'enseignement en 1966, elle continue à donner des cours de diction dans les écoles de

Saint-Boniface et se charge de toutes sortes de petites tâches pour ses sœurs de l'Académie Saint-Joseph. Une bonne partie de son temps est consacrée aux affaires de sa famille, dont elle se sent responsable depuis le départ d'Anna. Clémence l'occupe beaucoup, mais aussi Adèle et, au loin, Gabrielle, pour qui elle éprouve une dévotion et une affection sans bornes. Même Rodolphe, l'enfant prodigue, a droit à ses attentions : peu avant le jour de l'An 1970, sœur Léon — qui a maintenant le droit de ne plus porter la cornette et de se faire appeler Bernadette — entreprend un voyage en Colombie-Britannique pour aller s'occuper de lui, car il est de plus en plus souffrant. Ivre comme toujours, Rodolphe la reçoit comme un polisson et se moque de sa sollicitude. C'est le dernier voyage de Bernadette. Quelques semaines plus tard, le médecin lui trouve un cancer du rein et ordonne l'opération. Le 30 mars, sans lui dire qu'elle est condamnée, les religieuses la font transporter à l'infirmerie de l'académie, où elles vont veiller sur elle jour et nuit, jusqu'au dernier instant.

Gabrielle décide aussitôt de se rendre au chevet de sa sœur. Elle arrive à Saint-Boniface le 21 mars, et téléphone à Adèle pour lui demander de la recevoir dans son appartement. Après quelques paroles malveillantes, Adèle lui raccroche au nez. C'est Antonia, la belle-sœur, qui va accueillir Gabrielle chez elle, bientôt relayée par la cousine Léa, fille de l'oncle Excide Landry. Jusqu'au 7 avril, date de son départ, Gabrielle passe presque tout son temps au chevet de la mourante, partagée entre la douleur de voir partir sa sœur — « brisure du cœur quasi intolérable[219] » — et le bonheur de leurs retrouvailles, car elle et Bernadette ne se sont pas revues depuis l'été 1965 à Petite-Rivière-Saint-François. C'est d'ailleurs ce souvenir-là qui les rapproche le plus, Bernadette ne se lassant pas d'évoquer le fleuve, les oiseaux, les îles, les montagnes, l'amitié de Berthe et de Marcel, et Gabrielle, de son côté, entrant volontiers « dans le jeu du rêve de Petite-Rivière[220] ».

Quoiqu'il n'en soit guère question dans les lettres que Gabrielle adresse alors à ses amies du Québec, ces journées, dira-t-elle dans *La Détresse et l'Enchantement*[221], lui font découvrir quelle âme tourmentée se cache sous la candeur et la jovialité apparentes de Bernadette. Sachant sa mort prochaine, celle-ci, au lieu de chercher refuge dans la foi, s'accroche à la vie et refuse de quitter ce monde dont, religieuse, elle n'a « rien vu, rien connu », elle qui pourtant en a été si curieuse et si émerveillée. Aussi « se [sent-elle] lésée maintenant de sa part de bonheur terrestre » et presque « en révolte contre Dieu ». Pour la consoler, Gabrielle essaie de la convaincre que, des merveilles de la création, c'est elle peut-être qui a le mieux profité, grâce à la liberté dont sa condition, malgré tout, lui a permis de jouir toute sa vie.

« Ainsi, dira plus tard Gabrielle, Dédette et moi qui n'avions guère eu d'occasions de bien nous connaître, l'apprenions enfin comme si nous devions ne plus jamais nous quitter[222]. » Avant de repartir, elle conclut avec sa sœur mourante un « pacte de prière » : Bernadette offrira ses souffrances pour la paix de Gabrielle, et celle-ci, une fois rentrée à Québec, assistera quotidiennement à la messe pour le repos de Bernadette. Ce pacte, elle le respectera scrupuleusement, se rendant chaque jour à l'église Saint-Dominique, voisine du Château Saint-Louis, pour la messe du matin ou du soir.

Mais ce lien mystique ne suffit pas à Gabrielle. Dès son arrivée à Québec, elle y ajoute celui de l'écriture : tant que Bernadette vivra, elle lui adressera une lettre tous les jours, afin d'être plus sûrement à ses côtés et d'y rester jusqu'au bout. Ainsi, du 8 avril au 24 mai 1970, elle écrit quarante-trois lettres à Bernadette, fidèlement, sans presque sauter un jour, sauf quand la grève postale qui sévit alors l'y oblige[223]. À l'Académie Saint-Joseph, chaque lettre est ouverte par les sœurs et lue à Bernadette, sauf les cinq dernières, arrivées trop tard.

Des quelques milliers de lettres de Gabrielle Roy qui ont pu être retrouvées jusqu'à présent, celles-ci sont certainement parmi les plus belles. Peut-être parce que ce sont les plus « pures », les plus dépouillées de tout message ou information quelconque, de toute fonction utilitaire. Rien d'autre ne s'y exprime que le simple désir de parler à l'autre, d'être auprès d'elle et de ne pas laisser se rompre le fil de la « conversation intérieure[224] » et de l'amitié qui les unit. « Je voudrais, dit Gabrielle, que [mes lettres] s'envolent droit vers toi comme des oiseaux du printemps, porteuses de mon affection pour toi, de ma tendresse…[225] » Comme celles que l'on adresse ordinairement aux personnes qui viennent de perdre un être cher, ces lettres de consolation veulent délivrer Bernadette du deuil que lui cause sa propre mort, en lui rappelant quel bonheur l'attend et combien elle est aimée.

> Mon idée est que tu es aussi chère au cœur de Dieu que les plus belles choses qu'il a créées en ce monde, les fleurs, le couchant du soleil, l'aurore, le chant de l'oiseau, le vent et les herbes agitées[226].

Cette correspondance à sens unique, Gabrielle se l'adresse aussi à elle-même, d'une certaine manière. Tout en consolant Bernadette, elle se console elle-même de la perte de Bernadette. Et surtout, en lui écrivant chaque jour, elle se met en quelque sorte à la place de la mourante, s'imprègne de son esprit, capte pour elle-même le regard que Bernadette porte sur le monde, sur les êtres qui l'entourent — et donc sur elle-même, Gabrielle. Car ce n'est pas seulement Bernadette que le « bouclier protecteur[227] » de ces lettres veut mettre à l'abri et préserver, c'est aussi Gabrielle, telle que Bernadette la voit et la chérit et telle qu'elle-même, de tout son être, aspire à se voir. En se rapprochant de Bernadette, en cherchant par l'écriture à se fondre en elle et à partager la sainteté que lui confère l'approche de la mort, Gabrielle s'accroche à ce qu'elle sait être la part la plus précieuse et la plus vraie d'elle-même, que ni Adèle ni aucun autre de ses proches n'ont vue : sa propre mansuétude, son propre destin de sainteté. C'est par là surtout que la mort de Bernadette accomplit ce que celle d'Anna, six ans plus tôt, a mis en branle ; elle confirme et approfondit la conversion intérieure par laquelle Gabrielle s'éloigne de plus en plus de celle qu'elle a été pour se tourner vers un idéal d'elle-même dont la réalisation ou l'édification sera la grande préoccupation de ses dernières années.

Bernadette rend l'âme le lundi 25 mai 1970. Le lendemain, Gabrielle écrit à Antonia : « Je crois que nous pouvons la prier maintenant comme une sainte[228]. » Et quelques jours plus tard, à la supérieure de l'Académie Saint-Joseph :

> Je m'ennuie d'elle du matin au soir et la cherche partout, dans les nuages qui passent, dans le vent qui agite la cime des arbres, dans ses photos, dans mon propre cœur, et j'ai parfois le sentiment que, retranchée du visible pour nous, elle est néanmoins toute proche encore, et toute attentive à mon bien-être[229].

Puis la vie reprend son cours. Dès la première semaine de juin, Gabrielle part s'installer à Petite-Rivière avec son deuil. Peu à peu, sous l'effet du lieu et grâce à la présence de Berthe, le sentiment de vide qu'elle a éprouvé dans les premières semaines suivant la mort de Dédette s'émousse et fait place à d'autres soucis. Celui de Clémence, bien sûr, sur lequel nous reviendrons ; mais également les soucis habituels de l'écrivain dont un nouveau livre est sur le point de paraître.

Au début de l'automne 1970, *La Rivière sans repos* et *Windflower* sortent comme prévu. Des deux côtés de l'Outaouais, la critique et les médias se montrent plutôt distraits, tout préoccupés qu'ils sont par les œuvres beaucoup plus tonitruantes que propose alors la contre-culture en pleine effervescence. Comparé aux productions de la « nouvelle écriture », le livre de Gabrielle Roy paraît décidément d'un autre âge et il se trouve peu de journalistes pour y prêter vraiment attention. La plupart de ceux qui le font prononcent des jugements réservés, comme Roger Duhamel, qui ne prise guère les « Nouvelles esquimaudes », ou même Jean Éthier-Blais qui, tout en célébrant le roman, propose de voir dans l'histoire d'Elsa et le génocide esquimau l'annonce du destin futur des Québécois au sein du Canada[230]. On est alors, il ne faut pas l'oublier, dans une période de grande exaltation nationaliste au Québec ; les élections d'avril 1970 ont créé un climat de tension aiguë et les revendications se font particulièrement pressantes. Que Gabrielle Roy, juste à ce moment-là, ait choisi de publier son livre en anglais et en français simultanément (voire avec une légère avance de l'édition anglaise sur la française) n'a rien pour aider sa cause dans un certain milieu ; des dénonciations fusent[231].

Pendant ce temps, les choses ne vont guère mieux pour *Windflower* au Canada anglais, où l'étoile de Gabrielle Roy continue de pâlir, malgré la volonté de la romancière d'être considérée comme un auteur vraiment « canadien ». Le *Globe & Mail*, où régnait naguère Bill Deacon, publie un compte rendu dévastateur[232] ; les ventes ne décollent pas, atteignant à peine les 2 500 exemplaires pendant les quatre mois qui suivent la parution. Au Québec, en revanche, où Gabrielle Roy reste un auteur populaire malgré la critique, Beauchemin réussit à écouler deux tirages de 4 000 exemplaires en moins d'un an, aidé peut-être par le prix David que la romancière reçoit sur ces entrefaites, au printemps 1971.

Dans l'ensemble, on ne peut pas dire que *La Rivière sans repos* soit un succès. Mais Gabrielle n'est pas vraiment affectée par l'indifférence relative de la critique à son endroit ; elle commence à y être habituée. Il est vrai que l'actualité ne joue pas en sa faveur : les esprits et la presse, pendant tout l'automne 1970, sont obsédés par la crise d'Octobre et la grève des médecins, événements qui préoccupent Gabrielle autant, sinon plus, que le sort de son roman. C'est un peu pour échapper à cette ambiance de nervosité (dont l'humeur de Marcel se ressent particulièrement) qu'elle décide cet hiver-là de partir de nouveau pour le Sud. Au lieu de la Floride, où son dernier séjour n'a pas été des plus heureux, elle choisit cette fois l'Arizona, qu'elle a découvert sept ans plus tôt et où elle a toujours souhaité retourner.

Ce ne sont pas seulement les paysages et le climat qui l'attirent là-bas. Phoenix, c'est d'abord la ville où est morte Anna, lieu éminemment propice à l'approfondissement du deuil et de la conversion intérieure où vient de la plonger le décès de Bernadette. Mais Phoenix, c'est aussi la présence de Fernand Painchaud, le fils aîné d'Anna, et de sa femme Léontine, que Gabrielle a appris à connaître lors de son séjour précédent et qui s'occuperont d'elle comme il convient. Là, lui semble-t-il, elle pourra se reposer et mener à sa guise la vie ralentie, douce et méditative à laquelle elle aspire.

Elle ne sera pas déçue. Avertis de son arrivée prévue pour le 15 décembre, Fernand et Léontine lui dénichent un motel confortable à l'orée de la ville, non loin du Blue Skies Trailer Park, où ils habitent avec leurs deux fils adoptifs, Renald et Roger, maintenant mariés. De plus, comme son travail au champ de courses (où il est vendeur de tickets) permet à Fernand d'avoir beaucoup de journées libres, lui et sa femme prennent la visiteuse sous leur aile et la « comblent des attentions les plus délicates[233] ». Non seulement ils l'invitent à tous les repas et respectent son régime alimentaire, mais ils organisent une petite fête de Noël en son honneur ; toujours, ils sont disponibles pour l'accompagner dans ses promenades à pied ou pour lui faire faire des randonnées en voiture dans les routes de montagne des environs. Car Gabrielle ne se lasse pas d'admirer la végétation à la fois austère et sauvage de la région :

> Ce pays [est] bien différent de la Floride, écrit-elle à Adrienne. D'abord, en Floride, c'était surtout pour moi l'océan, le grand bruit du ressac, la belle plage de sable blanc. Ici, c'est — du moment que l'on sort de la ville — l'âpreté du désert, mais j'ai toujours aimé — presque autant que la mer — les pays brûlés de soleil, secs et pauvres de tout, sauf de lumière. Par moments, en me promenant par les petites rues à moitié loties où il y a partout des bouts de campagne, des bouts de désert, aux bruits, aux odeurs, à une certaine qualité de l'air, je me crois de retour dans ma si chère Provence, c'est sans doute que je l'ai connue jeune, et j'en suis toute rajeunie[234].

Comme d'habitude, elle lit beaucoup (notamment *Kamouraska* d'Anne Hébert, qui vient de paraître) et reste en contact avec les siens grâce à une abondante correspondance. Fin janvier, elle reçoit la visite de sa nièce Yvonne, la fille aînée de Jos, maintenant quinquagénaire. Yvonne a épousé un officier de l'armée américaine et vit au Texas. Les deux femmes ne se sont pas vues depuis près de quarante ans. Pendant son séjour à Phoenix, il ne semble pas que Gabrielle écrive. Au début, elle se sent trop fatiguée et ne cherche qu'à se détendre et à profiter du climat. Puis, au moment où elle pourrait se remettre au travail, survient la nouvelle de son prix David, qui l'énerve au point qu'elle n'arrive plus du tout à se concentrer. Lorsqu'elle rentre à Québec le 22 février, bronzée et fébrile, elle n'a aucun manuscrit nouveau dans ses bagages.

Elle ne met rien en chantier ce printemps-là, la fièvre du David la laissant dans un état pire que celui où elle se trouvait avant son départ pour l'Arizona. Le 14 mars, elle écrit à Antonia : « Me voilà fatiguée à mourir maintenant qu'est tombé le feu de ma surexcitation — et c'est toujours ainsi avec moi. Tout feu, tout flamme… et puis rien que pauvres cendres. Ainsi j'ai vécu[235]. » Marcel, pendant ce temps, accepte difficilement ses nouvelles conditions de travail ; Gabrielle et lui se sentent de plus en plus dépassés par l'actualité, qui les inquiète, les dépayse et leur donne le goût de la retraite, qu'ils pourraient peut-être prendre ailleurs, se disent-ils, si les choses devaient mal tourner au Québec. Certes, leur projet d'exil n'est qu'une velléité et ils ne font rien pour le mettre à exécution ; mais le malaise qu'il exprime n'en est pas moins réel ; c'est le signe de la vieillesse qui les gagne peu à peu. Qui gagne Gabrielle, en tout cas, hantée plus que jamais par le besoin du repli sur soi et de la paix. Elle confie à Antonia :

> Le monde ici est sens dessus dessous. […] On se sent dérailler rien qu'à y penser. Je sais maintenant qu'il n'y a pas de solution, pas d'autre chose à faire que se trouver un refuge et tâcher d'y vivre paisiblement, occupé d'humbles besognes éternelles, ses fleurs, son jardin. J'aimerais me remettre au travail. Là seul est le salut[236]…

Le besoin de se remettre au travail, de fuir les désordres du siècle, de se rapprocher des réalités « éternelles » : c'est dans cet état d'esprit qu'elle s'installe de nouveau à Petite-Rivière-Saint-François au début de l'été 1971.

Sur ces entrefaites, lui arrive la nouvelle d'un autre décès, celui de Rodolphe, le dernier de ses frères, emporté par une crise cardiaque à l'âge de soixante et onze ans. Gabrielle, qui n'a plus revu Rodolphe depuis son départ du Manitoba trente-cinq auparavant, s'est carrément brouillée avec lui depuis qu'il a tenté à quelques reprises d'extorquer de l'argent à ses amis en se recommandant d'elle. Bernadette a essayé de les réconcilier, mais en vain. Depuis un an ou deux, grâce à Bob Roy, le fils de Jos, et à sa femme Brenda qui l'ont pris en affection, Rodolphe s'est un peu amendé et a tenté de renouer avec Gabrielle ; il lui a écrit — en anglais —, a pris parti pour elle contre les écrits malfaisants d'Adèle et, sentant venir la mort, s'est efforcé de rentrer en grâce par des démonstrations de fidélité et de dévouement. « Pauvre bougre ! écrit Gabrielle à son sujet. Après avoir envoyé la famille au diable au cours des trois quarts de sa vie, maintenant il ne vit plus que pour les lettres, les visites et les rapprochements qu'il réussit à susciter[237]. » Mais elle ne se rend pas à Vancouver pour ses funérailles ; seule y assiste Adèle, qui réussit à empêcher l'incinération du corps, voulue pourtant par le défunt. En fait, la mort de Rodolphe n'inspire à Gabrielle ni peine ni sentiment particulier, si ce n'est qu'elle apaise son ressentiment à l'égard de son frère, maintenant que celui-ci ne peut plus rien contre elle ni elle pour lui. Dans les mois qui suivent, elle offrira de régler les dettes du disparu, mais Bob Roy refusera, pour l'honneur de « Rod ».

Au moment où elle apprend la mort de Rodolphe, Gabrielle est engagée depuis peu dans l'écriture d'un nouveau livre. Or, « quand je commence un livre, ainsi qu'elle le dit à Berthe, le sentiment me vient, effarant, que je vais m'enfermer pour longtemps dans une sorte de cachot... à la fois pour mon plus grand malheur et pour un bonheur sans nom[238]. » Malheur et bonheur entremêlés, détresse et enchantement, tel est le fond d'où vont surgir les textes de *Cet été qui chantait*.

L'inspiration immédiate de ces textes, Gabrielle la puise dans le décor et l'entourage familiers de Petite-Rivière, où elle passe tous ses étés depuis près de quinze ans. Déjà, au cours des années, il lui est arrivé de mettre en train quelques récits liés à ce lieu, en se servant notamment d'histoires que lui racontait Berthe, mais sans jamais parvenir à trouver la forme ni le ton souhaités[239] ; un seul de ces manuscrits abandonnés, celui qui a pour titre « L'été qui ne vint pas » et met en scène une octogénaire du nom de Mathilda, annonce un peu *Cet été qui chantait*. Mais pour le reste, il n'y a pratiquement rien dans l'œuvre de Gabrielle Roy qui laissait prévoir un livre comme celui-là, dont l'essentiel réside moins dans la matière évoquée — les choses et les gens de Grande-Pointe — que dans l'esprit qui l'anime, un esprit profondément religieux, voire mystique, complètement détaché de tout ce dont l'époque est préoccupée. Or cet esprit « franciscain », ce regard enchanté sur les merveilles de la création, c'est à Bernadette, à la présence en elle de la sainteté de Bernadette, que Gabrielle les doit avant tout. Écrire *Cet été qui chantait*, c'est se replacer dans l'orbe ou dans le sillage de Bernadette, revivre par la mémoire — et combien plus intensément qu'elle l'a vécu alors — leur doux été de 1965, et revoir ainsi par les yeux émerveillés de Bernadette le monde que celle-ci a tant aimé et maintenant perdu ; c'est, en un mot, oublier ce qu'elle est, ce qu'elle a été et, par la voie de l'écriture, devenir elle-même sa sœur disparue.

En ce sens, on peut dire que ce livre entrepris au cours du printemps ou de l'été 1971 se préparait depuis plus d'un an. « J'ai le sentiment, écrivait Gabrielle dans une de ses lettres quotidiennes à la mourante, que ton souvenir va chanter à jamais avec le doux vent de l'été, que tu vas être constamment présente sur le vaste horizon du fleuve, que j'entendrai toujours ta chère voix mêlée au bruissement des feuilles de bouleaux et de la marée montante. »

> Si j'écris jamais un autre livre, ma Bernadette, crois-moi, il sera dû en grande partie à ton œuvre sur moi. Il sortira d'une âme épurée par ton exemple. C'est aussi que tu me souffleras ce qu'il faut dire aux hommes à propos de la souffrance, à propos de la séparation, à propos de notre réunion et de notre retour dans l'amour triomphant[240].

Livre rempli de lumière et d'innocence, où les grenouilles parlent, où les arbres chantent, où animaux et humains fraternisent, où rien de triste ni de mauvais n'a droit de cité, *Cet été qui chantait* est aussi un livre de deuil, tout entier hanté par la mort et l'absence. C'est ce que dit en particulier le récit de « L'enfant morte », inséré là de façon curieuse mais qui est comme le résumé ou l'emblème de tout l'ouvrage : une dépouille couverte de fleurs. Une pastorale qui est un tombeau.

Une première version des « contes » de *Cet été qui chantait*, comme les appelle Gabrielle, est terminée en novembre 1971. Le travail de révision et de mise en ordre — au cours duquel quelques textes jugés marginaux sont écartés[241] — se poursuit jusqu'au printemps 1972 ; un contrat est alors signé avec les Éditions françaises de Québec, firme affiliée à Larousse. C'est Simone Bussières qui sert d'intermédiaire auprès de la maison d'édition et se charge des principales corvées qu'entraîne la publication. Aux Éditions françaises, où l'on est ravi de pouvoir publier un auteur de l'importance de Gabrielle Roy, rien n'est négligé pour lui plaire : Guy Lemieux, un neveu d'Alice Lemieux-Lévesque, reçoit une commande pour six illustrations pleine page en couleurs ; un nouveau portrait de Gabrielle est tiré par le photographe Krieber ; Adrienne Choquette signe un mot de préface ; et le volume, dont l'édition courante comporte une jaquette couleurs, fait l'objet d'un tirage de tête numéroté de cent exemplaires sur vélin de luxe. Enfin, même si l'auteur n'est pas d'accord et se dispense d'y assister, un grand lancement a lieu le 13 octobre 1972 à la librairie des Éditions françaises, côte de la Fabrique, en présence de Claire Kirkland-Casgrain, ministre des Affaires culturelles.

« Je me demande bien, écrit Gabrielle en recevant son premier exemplaire, quelle impression créera ce livre. Je n'en ai vraiment aucune idée[242]. » C'est qu'il y a bien peu de rapport entre *Cet été qui chantait* et les livres d'elle auxquels le public et la critique sont habitués. Gabrielle a beau y insérer une dédicace qui destine le livre à la jeunesse, elle sait bien que la romancière réaliste et engagée qui a écrit *Bonheur d'occasion* ne peut pas proposer ce genre d'écriture quasi naïve, enfantine, absolument décrochée de la littérature moderne, de l'actualité et des préoccupations contemporaines, sans que cela surprenne, déconcerte, peut-être même déçoive ses lecteurs.

Ces appréhensions ne seront qu'en partie confirmées par les faits. Dès sa parution, *Cet été qui chantait* connaît un très bon succès de librairie, aussi bon, sinon meilleur que *La Route d'Altamont* et *La Rivière sans repos*, les deux livres précédents. Au bout de quatre mois, l'éditeur doit procéder à un nouveau tirage, qui va porter à 8 000 environ le nombre d'exemplaires vendus pendant la première année. Tout indique que la romancière a un public fidèle et que ce public est prêt à la suivre dans ce nouveau territoire qui est pourtant aux antipodes de ceux que fréquente alors l'aile avancée de la littérature québécoise.

Du côté de la critique, par contre, c'est le désastre. Certes, il se trouve un bon nombre de chroniqueurs pour chanter « l'innocence retrouvée » et « le bonheur de la campagne » qu'évoque à leurs yeux ce livre de « sérénité » ; il s'en trouve même quelques-uns pour saisir la gravité qui se cache sous l'ingénuité apparente des récits[243], mais ce sont pour la plupart des marginaux. Là où les opinions importent, c'est-à-dire dans les grands quotidiens, les comptes rendus sont très négatifs. Ainsi, Réginald Martel, le critique de *La Presse*, n'en revient pas de la « mièvrerie » et des « enfantillages » où s'est enlisée Gabrielle Roy ; même Jean Éthier-Blais, qui se laisse attendrir par « la simplicité totale du grand artiste », considère le livre comme un intermède, en attendant que la romancière donne enfin « une œuvre plus importante, aux nombreuses ramifications ». Mais la critique la plus dure émane de Québec, où Gilles Constantineau, le chroniqueur du *Soleil*, se lance dans une charge cinglante contre le « bucolisme vétérinaire » et la « préciosité affectée » qui font de *Cet été qui chantait*, dit-il, « une œuvre inutile », réservée aux « amateurs d'insipidités[244] ». L'article de

Constantineau a beau susciter des protestations publiques — « Une ignominie, une écœuranterie, une bestialité », s'indigne le romancier Jean-Jules Richard[245] —, Gabrielle en est profondément choquée. Les critiques au Québec, écrit-elle à Joyce Marshall en janvier 1973, « deviennent chaque jour plus faibles, plus enragées, plus folles, et si pleines de haine et de racisme que c'en est incroyable ».

« Très bientôt, ajoute-t-elle, nous examinerons les comptes rendus en anglais des publications françaises pour savoir de quoi elles retournent[246]. » Mais lorsque le livre, traduit par Joyce Marshall, sera publié en 1976 chez McClelland & Stewart sous le titre d'*Enchanted Summer*, les critiques de langue anglaise ne montreront pas un bien grand enthousiasme. Pour l'un d'entre eux qui se félicitera comme d'habitude de la « canadianité » de l'ouvrage et qui y verra « l'œuvre d'un écrivain en pleine possession de son talent », un autre n'y trouvera qu'ennui et complaisance facile : « *saccharin sentiment and schmaltz* », écrira Adele Freedman dans le *Maclean's* de Toronto. En somme, le livre, là aussi, déconcertera. Comme le dira un chroniqueur, « si cela avait été écrit par quelqu'un d'inconnu [...], qui le lirait[247] ? »

Elle est donc bien finie, l'époque pourtant pas très lointaine où Gabrielle Roy était l'enfant chérie de la critique. En fait, on peut dire que la publication de *Cet été qui chantait* marque le moment où la distance entre elle et cette partie du milieu littéraire que représentent les critiques les plus influents ou les plus cotés atteint son maximum. Certes, journaux, revues et magazines se sentent tenus de parler de ses écrits ; mais d'elle à eux, de son monde au leur, le courant ne passe plus.

CHAPITRE IX

Le temps de la mémoire

Charge d'âme • Où le biographe fait la rencontre de son personnage • « La mémoire est poète » • De nouveau la gloire • Laisser la maison en ordre • La vie derrière soi • La fin, l'inachèvement

« Je ne peux pas regarder le ciel, ou le fleuve, ou la cime des arbres qui se balancent dans le vent sans essayer de décrire pour moi-même ce qui se passe, de capturer ce mouvement ou ce son dans une image qui soit parfaite[1]. »

Ce propos de 1972 résume bien l'unique loi, l'unique quête qui, dans les dernières années de la vie de Gabrielle Roy, gouverne ses gestes, ses désirs et ses pensées. À mesure que le grand âge approche, que sa santé décline, que ses amis disparaissent et que s'estompent les soucis professionnels, à mesure que sa vie et son être se dépouillent, en somme, l'écriture ne cesse d'étendre sa souveraineté. Littéralement, la vieille femme ne compte plus que sur cela, ne s'identifie plus qu'à cela : les mots, les phrases, les histoires qui naissent sous sa plume et qui la justifient de vivre et d'avoir vécu. Écrire, déclare-t-elle à son amie Joyce Marshall, « est notre seul salut possible, le seul moyen d'échapper aux confins de nous-mêmes… et ainsi peut-être, en nous libérant jusqu'à un certain point, [d']aider les autres à se libérer eux-mêmes[2] ».

Se libérer, s'acquitter de soi-même et du monde, telle est la hantise de ces dernières années, d'où viennent à la fois les souffrances et la paix qui les traversent. Tandis que ses forces physiques aussi bien que morales l'abandonnent, la romancière vit de plus en plus dans la perspective de sa fin et s'y prépare consciemment. Elle n'en éprouve — ou du moins n'en exprime — aucune crainte ni aucun regret, mais plutôt un détachement, une consolation, en même temps que l'urgence de laisser la maison en ordre, de régler ses comptes et d'achever son œuvre.

En 1975, Gabrielle Roy laisse paraître dans un magazine torontois une nouvelle photo d'elle qui surprend, voire consterne bon nombre de ses lecteurs[3]. Prise par John Reeves, cette photo montre pour la première fois une femme que tous les signes de la jeunesse ont quittée :

mains tavelées, mèches grises négligemment rejetées sur l'oreille, bouche sévère, visage hâlé et tout sillonné de rides. Le menton dans la paume, le buste penché expriment une lassitude infinie que seul allège le regard de l'œil droit, toujours net, direct, tandis que l'ombre s'étend sur l'autre moitié du visage et l'éteint. Malgré sa crudité, ou à cause d'elle, Gabrielle affectionne cette photo : « Elle est légèrement poignante, me semble-t-il ; elle montre les cicatrices et la douleur de la vie, mais j'ai appris maintenant à aimer de telles images de la vérité[4]. » Images qui sont aussi, comme le montre cette photo de vieille femme pleine de rides, de lassitude et d'ombre, des images de beauté.

Quoiqu'elle se déroule tout entière sous le signe de la récapitulation et de la mort, cette dernière période de la vie de Gabrielle Roy n'a rien d'un déclin. Au contraire, et si paradoxal que cela puisse paraître, c'est la période peut-être la plus riche et la plus féconde de sa carrière. En moins de dix ans, malgré son âge et la détérioration croissante de sa santé, non seulement elle publie de façon régulière, mais elle donne quelques-uns de ses plus beaux écrits : *Un jardin au bout du monde* (1975), *Ces enfants de ma vie* (1977) et bientôt *La Détresse et l'Enchantement*, des livres qui, loin de n'être qu'un prolongement ou une vague reprise de ceux qui les ont précédés, sont, au sens fort du terme, des livres de création, de quête et de découverte, marquant ainsi une nouvelle phase de son œuvre, à la fois ultime et magnifique. Non seulement l'écriture est ici plus sûre, plus efficace et plus dépouillée que jamais, mais elle atteint une luminosité, une pureté de ton et de propos à laquelle n'ont accès, sans doute, que les artistes qui n'ont cessé de la poursuivre leur vie durant et y ont tout sacrifié.

Charge d'âme

En mourant, Bernadette a fait cadeau à Gabrielle d'un modèle de sainteté et d'un regard sur le monde d'où devait sortir *Cet été qui chantait*. Mais elle lui a également transmis un autre legs, qui va occuper sa vie et sa pensée jusqu'à ses derniers instants : Clémence.

Parmi les filles de Mélina, Clémence occupe une position particulière : malade depuis son plus jeune âge, incapable de pourvoir à ses besoins, elle est pour ses quatre sœurs l'image et la relique de leur passé, et le lien — le seul lien peut-être — qui les tient ensemble au-delà de la mort de leur mère, de qui elles l'ont reçue en héritage. « Notre Clémence, lit-on dans *La Détresse et l'Enchantement*, avait été cette peine inépuisable que dans une famille on se lègue d'une sœur à l'autre, celle qui va mourir en faisant le don à une sœur plus jeune, le don étrange et sans prix[5] ».

Pour Anna, puis pour Bernadette, pour Adèle aussi, qui s'y essaie maladroitement, s'occuper de Clémence, c'est garder vivant le souvenir de la « moudra » et rester fidèle à la famille. À ce devoir — ou à ce joug —, quoi que dise Adèle, Gabrielle ne s'est jamais soustraite. Dès le lendemain des funérailles de sa mère, à l'été 1943, au moment même où elle se jetait frénétiquement dans l'écriture de *Bonheur d'occasion*, elle prenait l'engagement de ne jamais abandonner Clémence, ainsi qu'elle le lui écrira en 1981 :

> C'est une promesse solennelle que je me suis faite à moi-même il y a longtemps, un jour que j'étais en Gaspésie face à l'océan. Là, j'ai pris la résolution de veiller sur toi tant que je vivrais et de faire mon possible toujours pour que tu ne manques de rien[6].

Contracté sous l'effet du deuil et pour réparer l'abandon de sa mère dont elle se faisait le reproche, cet engagement n'a jamais quitté la mémoire de Gabrielle. Certes, le souci de Clémence lui a été plutôt léger tant que vivaient Anna et Bernadette, sur le dévouement de qui elle pouvait se reposer. Mais à présent que ses deux sœurs ne sont plus là, tout change ; Adèle étant trop âgée, trop pauvre et de caractère trop instable pour prendre la charge de Clémence, c'est à Gabrielle seule qu'incombe désormais le devoir de fidélité familiale, comme une dette longtemps remise et qu'il faut maintenant payer.

Gabrielle, sommée par les circonstances de tenir sa promesse, ne s'y dérobera pas. Dès la mort de Bernadette, au printemps 1970, le sort de Clémence devient son souci majeur, l'objet constant de ses pensées, et certainement l'une de ses plus puissantes raisons de vivre. Il ne se passe pas de semaine, presque pas de jour, pendant les dix ou douze dernières années de sa vie, sans qu'elle s'inquiète de Clémence, sans qu'elle lui adresse un message ou entreprenne une démarche pour lui venir en aide. Le confort et le bonheur de Clémence lui sont une véritable obsession, comme si, en se consacrant à sa sœur, elle obéissait à un commandement plus obscur, plus impérieux, qui serait venu d'elle-même ou de quelqu'un en elle à l'autorité de qui elle ne veut ni ne peut échapper.

Début mai 1970, voyant que Bernadette n'en a plus pour longtemps et craignant que Clémence ne réagisse mal à cette perte, Gabrielle invite cette dernière à venir passer l'été à Petite-Rivière-Saint-

François avec leur belle-sœur Antonia, la veuve de Germain. Mais Antonia doit subir une opération et le voyage est remis. D'autres tentatives échoueront les années suivantes, si bien que Clémence ne remettra jamais les pieds au Québec ; jamais les deux sœurs ne pourront revivre, comme le voudrait tant Gabrielle, un autre « été de merveilles » semblable à celui de 1965[7]. De toute façon, Clémence n'y tient pas vraiment ; elle redoute les fatigues du voyage et préfère de beaucoup les excursions au village de Somerset, dans la Montagne Pembina, lieu de sa naissance et des meilleurs moments de sa jeunesse. Là, vit encore la vieille tante Anna Landry, la veuve de Zénon, qui l'accueille pour des jasettes sans fin, « ce qui est toujours pour elle un régal, écrit Gabrielle, car Somerset lui restitue tous ses souvenirs d'enfance et lui rend pour un instant son âme d'alors, émerveillée et candide[8] ».

Clémence répugnant à se déplacer, c'est donc Gabrielle qui doit se rendre au Manitoba pour s'occuper de sa sœur. Son premier voyage a lieu quatre mois après la mort de Bernadette, au début de l'automne 1970. Marcel, resté au Québec, participe aux manifestations des médecins contre l'assurance-santé ; *La Rivière sans repos* sort en librairie. Arrivée à Winnipeg le 24 septembre, Gabrielle s'installe au Westminster Hotel et entre aussitôt en contact avec sœur Berthe Valcourt, la supérieure de l'Académie Saint-Joseph, qui l'emmène en auto jusqu'au village d'Otterburne, à une cinquantaine de kilomètres au sud de la capitale. C'est là que, deux ans plus tôt, pour la soustraire à l'influence d'Adèle, Bernadette a réussi à « caser » Clémence comme pensionnaire de la Résidence Sainte-Thérèse, une maison de retraite pour dames tenue par les sœurs de la Providence.

Gabrielle Roy racontera dans *La Détresse et l'Enchantement* cette première visite à Clémence : la tristesse du village tout cerné de plaine, le crépuscule, la désolation de ce foyer rempli de vieilles personnes abandonnées, et surtout l'affaissement moral et physique dans lequel elle trouve sa sœur, « maigre à faire peur, le visage infiniment petit et tout le corps tassé sur lui-même, comme voulant prendre le moins de place possible en ce monde, en disparaître peut-être », tant elle a « le sentiment que nous l'avions abandonnée[9] ». Jusque-là, lors de ses visites au Manitoba, Gabrielle n'a vu Clémence qu'entourée, protégée par ses sœurs ; c'est la première fois qu'elle la découvre dans son environnement naturel, en quelque sorte, c'est-à-dire seule, coupée de tout, enfermée dans le silence et la tristesse qui forment le décor ordinaire de son existence. Elle en a un coup au cœur. Prise de remords, elle décide que son devoir, désormais, est de tout faire pour tirer Clémence de sa torpeur et pour lui redonner goût à la vie. Pendant les semaines qui suivent, elle revient régulièrement à Otterburne, soit de Winnipeg, soit du village de Saint-Jean-Baptiste, où sœur Berthe l'a invitée à se reposer quelques jours au couvent des sœurs des Saints Noms de Jésus et Marie. Gabrielle et Clémence font de longues promenades dans le village désert ; elles parlent du passé. Parfois, quand elle peut se libérer, sœur Berthe les emmène en auto le long des routes de section et même jusqu'à Somerset, où Gabrielle revoit la maison de la grand-mère Landry, « celle qui me fabriqua un jour une poupée ». « La maison est toute délabrée, écrit-elle à Berthe Simard, mais le terrain est bien beau ; si ce n'était pas si loin, je pourrais être tentée de l'acheter[10]. » Après la fête organisée le 16 octobre pour le soixante-quinzième anniversaire de Clémence, Gabrielle entraîne cette dernière dans les magasins, pour lui refaire une garde-robe décente. Au moment de repartir pour le Québec, où le cadavre du ministre Laporte vient d'être découvert, elle sait qu'elle a maintenant charge d'âme et que sa tâche auprès de Clémence ne fait que commencer.

À quatre reprises, pendant les quatre années suivantes, vers la fin de l'été, elle refera le même voyage jusqu'à Otterburne, pour veiller aux besoins de Clémence et lui apporter un peu de réconfort. En 1971, elle y passe la seconde quinzaine d'août, interrompant pour cela l'écriture de *Cet été qui chantait*. Avec Antonia, qui conduit l'automobile louée, elle s'installe dans le village de Saint-Pierre-Jolys, à quelques minutes de la Résidence Sainte-Thérèse. Les deux femmes s'y rendent chaque jour, contentes de voir s'améliorer l'état de Clémence. Sœur Berthe vient aussi en renfort. Un jour, au retour d'une promenade du côté de Tolstoi, Gabrielle et sœur Berthe s'arrêtent à Marchand et vont revoir la vieille école où Gabrielle, quarante-cinq ans auparavant, a obtenu son premier poste d'institutrice et recouvert de fleurs le cadavre d'une enfant morte.

Mais l'attention apportée à Clémence ne se limite pas à ces voyages annuels au Manitoba. De retour chez elle, et tout au long de l'année, Gabrielle reste sur la brèche, inquiète des moindres changements d'humeur de Clémence et veillant de loin sur tous les aspects de sa santé et de son confort : alimentation, médicaments, vêtements, hygiène, budget. Chaque semaine, quand ce n'est pas deux ou trois fois la semaine, elle lui écrit des lettres pleines d'affection et de gaieté, « pour venir te distraire un peu et essayer de t'encourager[11] ». Bibiane Patry, sa voisine à Québec, ou Berthe Simard se chargent d'envoyer les livres, les magazines, les fleurs, les petites friandises que Gabrielle destine à sa sœur, comme à une enfant fragile qu'elle aurait peur de perdre de nouveau. Tout aussi régulièrement, elle communique avec les religieuses et les médecins de la Résidence Sainte-Thérèse afin de s'assurer que Clémence se porte bien. Mais surtout, elle garde un contact épistolaire et téléphonique permanent avec celles qui sont devenues ses représentantes privilégiées auprès de Clémence : Antonia et sœur Berthe Valcourt.

Depuis qu'elle la connaît, Gabrielle a toujours éprouvé beaucoup d'affection pour la femme de Germain. Antonia a à peu près son âge, elle aussi a été institutrice ; elle possède un caractère calme et doux, bien différent du sien et de celui de ses sœurs, constamment porté aux excès et aux crises. Leur relation est demeurée plutôt épisodique jusqu'à l'agonie de Bernadette, mais, au chevet de cette dernière, Antonia a fait preuve d'une disponibilité et d'une délicatesse exemplaires. Dès lors, Gabrielle s'est beaucoup attachée à sa belle-sœur ; elle se préoccupe de sa santé, s'intéresse à ses enfants, l'invite chez elle, lui écrit de nombreuses lettres d'amitié et cherche en elle, comme en toutes ses amies, à la fois une sœur et une mère, quelqu'un qui l'aime de manière désintéressée et lui apporte l'aide et l'affection qui lui font cruellement défaut.

> J'ai tellement besoin d'une épaule sur laquelle m'appuyer, je ne songe qu'à cela, écrit-elle à Antonia en mai 1970. J'ai beau essayer de me faire une raison ; avec notre Dédette, c'est ce qui restait dans notre famille de beau, de bon, de merveilleux qui disparaît ; il ne restera plus que des malades et des fous[12].

Ses deux filles, Lucille et Yolande, étant maintenant mariées et établies dans l'Est, Antonia reste la seule parente directe de Gabrielle, hormis Adèle, à vivre encore à Winnipeg. Aussi Gabrielle compte-t-elle sur elle pour s'occuper de Clémence, soit en allant lui rendre visite à Otterburne, soit en la recevant chez elle, en ville, pour de petits séjours qui rompent la monotonie de son existence. Dans sa grande bonté et malgré ses ennuis de santé, Antonia s'acquitte parfaitement de son rôle, devenant ainsi — tandis que Gabrielle la bombarde de lettres suppliantes — l'une des deux gardiennes rapprochées de Clémence.

L'autre âme charitable est sœur Berthe. Sachant à quel point la responsabilité de Clémence serait lourde pour Gabrielle et risquerait d'entraver la liberté nécessaire à son travail, voyant bien aussi que Clémence n'accepterait jamais d'aller vivre au Québec ni Gabrielle de revenir s'installer pour de bon au Manitoba, Bernadette, avant de mourir, a pris des dispositions pour que la charge de Clémence ne pèse pas entièrement sur les épaules de Gabrielle. Déjà, au cours des années précédentes, sœur Léon avait pu compter sur l'aide des religieuses de sa communauté pour prendre soin de Clémence, si bien que la malade était un peu devenue leur enfant à toutes, et en particulier de celle qui était alors leur supérieure, sœur Berthe Valcourt. Or, quelques jours avant de s'éteindre, Bernadette, « en toute lucidité, avait [...] confié Clémence à sœur Berthe » ; et « sœur Berthe avait accepté comme allant de soi la responsabilité de Clémence[13] ».

Âgée d'une quarantaine d'années, débordante d'énergie et de tendresse, cette petite femme aux yeux rieurs, à la parole abondante et au caractère enjoué prend donc sur elle, à partir de 1970, l'entretien et le bien-être de Clémence. Trop heureuse de trouver quelqu'un qui remplira sur place les devoirs qui lui incombent et conquise dès leur première rencontre par la bienveillance et la finesse de sœur Berthe, Gabrielle lui accorde son entière confiance. Et avec raison : sœur Berthe, dès la mort de Bernadette et pendant toutes les années qui suivront, se montrera à l'égard de Clémence d'une fidélité irréprochable. Avec une diligence et une efficacité qui ne se démentent jamais, elle veille aux moindres besoins de la malade, lui rend visite dès que l'occasion s'y prête, l'habille, l'emmène en promenade, la distrait, lui fait consulter un médecin lorsque cela est nécessaire, s'occupe d'elle, en somme, comme si Clémence était sa propre sœur.

Mais ce n'est pas seulement pour Clémence que sœur Berthe se dépense sans compter, elle le fait autant, sinon plus, pour Gabrielle, pour la tranquillité d'esprit et le bonheur de Gabrielle. Malgré leur différence d'âge, l'amitié qui lie Berthe à Gabrielle ne cesse de s'approfondir au fil des ans, des lettres échangées et des rencontres, tantôt au Manitoba, tantôt à Petite-Rivière-Saint-François ou au Château Saint-Louis, lorsque le service de sa communauté amène sœur Valcourt au Québec. Et Gabrielle aussi, de son côté, s'attache profondément à celle qu'elle nomme « chère sœur, chère amie » et qui devient bientôt l'une de ses confidentes les plus intimes. Entre elles s'établit une relation qui rappelle celles que Gabrielle a pu entretenir naguère avec Esther Perfect, Henri Girard et Adrienne Choquette, et qu'elle entretient toujours avec l'autre Berthe, l'amie de Petite-Rivière-Saint-François : relation à la fois maternelle et amoureuse où elle, Gabrielle, fait l'objet d'une affection, d'une admiration et d'un dévouement sans bornes, sentiments auxquels elle répond et qu'elle alimente par le témoignage répété de son propre attachement et surtout de sa dépendance totale à l'égard de l'autre, à qui elle s'en remet entièrement pour le maintien de sa paix et de son bonheur.

> Je n'ai eu personne au monde, à part peut-être ma mère, qui m'ait donné autant que vous, qui m'ait aidée avec autant de générosité et d'amour[14].

Gabrielle à Québec ou à Petite-Rivière-Saint-François, Antonia et sœur Berthe à Winnipeg, Clémence à Otterburne : ainsi se tisse un réseau de pensée et d'action communes soutenu par un échange nourri de lettres, de coups de téléphone, de chèques et d'objets de toutes sortes destinés à Clémence. Bien que cette dernière soit au centre de ce réseau, celui-ci repose en fait sur Gabrielle, qui en est — à distance — et le cerveau et l'âme. C'est d'elle que partent, vers elle que convergent et par elle que transitent toutes les communications. Entre sœur Berthe et Antonia, comme entre chacune d'elles et Clémence, il n'y a que peu de contacts directs ; ces contacts sont toujours suscités, pilotés par Gabrielle, qui écrit et reçoit toutes les lettres, prend toutes les initiatives et s'acquitte de tous les frais, plutôt libéralement d'ailleurs : « L'argent n'est pas un problème, Dieu merci, écrit-elle à sœur Berthe. Envisagez un budget généreux[15]. » Elle est la grande ordonnatrice, la grande stratège du bien-être de Clémence, qui n'a qu'à lui confier, même à mots couverts, ses états d'âme et ses besoins pour qu'aussitôt le réseau se mette en branle et lui procure ce qu'elle désire. Le processus est presque toujours le même : parmi les menues nouvelles et le bavardage gentil qui font presque toute la matière des lettres de Clémence à Gabrielle, une phrase rappelle soudain, en passant, combien elle se sent démunie et combien sa vie est monotone : « C'est si campagne et champs, Otterburne » ; « on est pas aux chutes Niagara » ; « c'est difficile quand l'ennui nous mange[16] ». Alors Gabrielle essaie de lui remonter le moral et lui répond qu'il ne faut pas se laisser aller, que quelque chose de bon va peut-être lui arriver. Puis, sans le dire à Clémence, elle écrit ou téléphone le même jour ou le jour suivant à sœur Berthe ou à Antonia pour leur dire « l'angoisse que me communique Clémence » et quelle consolation ce serait pour elle d'apprendre que celle-ci va mieux : « notre pauvre petite Clémence dont le sort me poigne le cœur. Si seule dans ce petit village d'ennui, rien qu'à y penser, je pourrais me mettre à pleurer[17]. » Alors sœur Berthe ou Antonia va chercher Clémence à Otterburne et l'emmène passer une journée ou deux à Winnipeg ou à Somerset. Au retour, Clémence écrit de nouveau à Gabrielle pour lui raconter sa sortie, et Gabrielle s'empresse d'adresser à sœur Berthe ou à Antonia une de ses touchantes « lettres du cœur » pour louer leur geste de pure bonté à l'égard de Clémence.

> Avec vous, avec votre aide, j'aurai accompli quelques-unes des plus belles actions de ma vie — peut-être les seules à avoir de la valeur[18].

Jamais Clémence, depuis la mort de sa mère, n'a été aussi bien entourée. Jamais on ne lui a écrit autant de lettres, rendu autant de visites, témoigné autant de bienveillance et d'attention. Jamais non plus elle n'a reçu autant de cadeaux, d'argent de poche, de robes neuves, de chapeaux, de boîtes de chocolat. Au point parfois d'en être lassée. Et pourtant, malgré tout cela, Clémence n'est pas heureuse. Rien ne semble pouvoir combler l'immense ennui qui la ronge. La Résidence Sainte-Thérèse a beau être propre et bien tenue, c'est un mouroir rempli de vieilles femmes impotentes oubliées là par leurs familles, aussi tristes et silencieuses qu'elle, aussi atterrées, et qui ne désirent plus qu'une chose, assises des heures durant dans la même chaise, devant la même fenêtre, regardant le même paysage d'horizon nu : qu'on vienne les chercher et que le temps, enfin, s'arrête de passer. « Plusieurs vieilles âgées sont mortes ici depuis quelque temps, annonce Clémence dans une de ses lettres à Gabrielle. Mais cela ne change pas grand-chose à la maison ici[19]. »

Clémence possédant comme Gabrielle un tempérament cyclique — « Tout feu, tout flamme… et puis rien que pauvres cendres[20] » —, il lui arrive de connaître des périodes un peu moins sombres, grâce aux bienfaits d'un nouveau médicament ou à quelque petit événement qui lui réjouit momentanément le cœur : une visite, une sortie, une lecture plus agréable que les autres. Mais ces phases de rémission ne durent jamais bien longtemps et ne font que rendre encore plus pénibles les crises de mélancolie qui suivent immanquablement. Alors, tout en elle paraît sans vie. Elle ne mange plus, s'habille et se lave à peine, refuse de quitter sa chambre et de parler à qui que ce soit, comme si son être s'éteignait et qu'elle se retirait dans un monde parallèle, inatteignable et dévasté.

La seule façon de mettre fin à ces phases de dépression aiguë serait de la délivrer de sa prison d'Otterburne. Mais Gabrielle a beau tenter par tous les moyens d'obtenir une place dans un foyer de Saint-

Boniface, elle n'en trouve aucune et doit continuer d'inciter Clémence à la patience. Elle s'arrange toutefois, lors de son troisième voyage, en septembre 1972, pour que Clémence vienne passer une semaine à Winnipeg, où Antonia la reçoit dans son petit logis tandis qu'elle-même loge au Westminster Hotel. Ensemble, elles font du magasinage, vont au cimetière se recueillir sur les tombes des leurs et se rendent en excursion jusqu'au lac Manitoba. Clémence est ravie. « Tout a bien marché, écrit Gabrielle à Berthe Simard, jusqu'au moment où nous l'avons ramenée à sa pension d'Otterburne. Alors, je l'ai vue se crisper, un peu comme un enfant que l'on renvoie à l'école contre son gré, ou peut-être même comme un prisonnier que l'on reconduit à sa cellule[21]. »

Gabrielle a décidé, cette année-là, de prendre le train de Winnipeg à la côte ouest, où l'a invitée son neveu Bob, le fils de Jos, quand il est venu la voir l'année d'avant. C'est aussi une façon commode pour elle de ne pas se trouver à Québec lors du lancement de *Cet été qui chantait* et d'échapper ainsi au branle-bas médiatique. Avant de partir, elle demande à sœur Berthe d'acheter un téléviseur à Clémence, mais celle-ci le refuse car, dit-elle, « je n'aime pas ces choses-là[22] ». Puis, ayant persuadé Antonia de l'accompagner, Gabrielle part pour Coquitlam, dans la banlieue est de Vancouver, où Bob et Brenda, sa femme, leur font un accueil chaleureux. De là, elles vont se reposer quelques jours au bord de la mer, à White Rock, dans un petit cottage que leur a déniché une amie d'Antonia. Gabrielle en profite pour pousser une pointe jusqu'à Victoria dans l'espoir d'y trouver un coin où ils pourraient se retirer, Marcel et elle, ainsi qu'ils en parlent depuis quelque temps; mais le climat ne lui convient pas, et elle renonce aussitôt à cette idée. Elle rentre directement à Québec le 14 octobre 1972, sans passer par le Manitoba.

Où le biographe fait la rencontre de son personnage

Même si les trois semaines au bord du Pacifique lui ont fait le plus grand bien, Gabrielle ne tarde pas, dès son retour chez elle, à tomber dans l'une de ces périodes de lassitude qui la guettent toujours à l'approche de l'hiver. « Je n'ai de goût qu'à rester à rien faire, tellement je me sens fatiguée », écrit-elle à Antonia le 23 novembre[23]. Comme les années précédentes, elle décide de fuir vers un climat plus favorable où elle pourra peut-être recommencer à écrire. Mais où aller?

Une de ses lectrices belges, Suzanne Boland, artiste peintre qui lui écrit de longues lettres d'admiration depuis deux ou trois ans, passe chaque hiver avec les siens dans les Alpes-Maritimes ; elle possède une maison à Tourrettes-sur-Loup, à quelques kilomètres de Vence. Suzanne n'a cessé de vanter la beauté du paysage à Gabrielle, lui proposant de venir s'y reposer. Restée attachée à sa « chère Provence » malgré l'expérience malheureuse vécue sept ans plus tôt à Draguignan, ne sachant trop vers quelle destination porter son besoin de solitude et de farniente, Gabrielle décide de se rendre à l'invitation de Suzanne. Elle s'envole pour le sud de la France le 9 décembre 1972, sans Marcel.

Encore une fois, le séjour ne tarde pas à la décevoir. Certes, le village, les montagnes, la végétation sont magnifiques ; certes, elle respire mieux sous ce climat tempéré que dans son appartement surchauffé du Château Saint-Louis, mais les conditions sont loin d'être idéales, et elle s'en plaint dans chacune de ses lettres. Le confort de la petite maison dans laquelle elle a loué un appartement est rudimentaire ; la population, composée de paysans taciturnes et de cette faune de rapins et de jeunes hippies chevelus qui déferlent alors sur toutes les rivieras du monde, n'est pas très rassurante. Mais le plus dur, c'est que Suzanne, contrairement à ce que Gabrielle a cru et espéré, ne s'occupe pas vraiment d'elle et la laisse se débrouiller toute seule. Or Gabrielle n'a pas du tout l'habitude des courses, de la cuisine, de la lessive et de toutes ces corvées auxquelles quelqu'un d'autre veille ordinairement pour elle. Ici, il lui faut tout faire elle-même, et perdre ainsi un temps fou « à courir chercher [...] son pain, sa viande, son chauffage, son blanchissage, etc.[24] », ce qui la fatigue et l'empêche d'aménager ses journées comme elle le voudrait. Il lui manque, en un mot, cette présence essentielle à ses retraites heureuses, celle d'une bonne âme comme Berthe Simard, comme Antonia ou même comme Marie Dubuc, l'amie de New Smyrna Beach. Suzanne, que Gabrielle ne connaissait que par correspondance, est d'un tempérament distant et compliqué, « raide comme un balai et à peu près aussi cordiale que du linge mis à sécher dehors l'hiver[25] ». Bientôt, les deux femmes ne se voient qu'à de rares occasions, et la villégiatrice termine son séjour seule, à se promener au soleil, à lire, à s'ennuyer parfois, à écrire à ses proches et, chaque matin, à se tenir prête pour l'écriture.

Mais rien ne vient, semble-t-il. Depuis qu'elle a terminé *Cet été qui chantait*, Gabrielle n'a mis en train aucun livre ; elle n'en entreprendra aucun, à proprement parler, avant 1974 ou 1975. Si brève qu'elle soit, cette période de sécheresse lui fait craindre d'être parvenue au bout de son œuvre. C'est une hantise qui ne la quitte jamais : la peur de ne plus trouver en elle ce qu'il faut pour écrire, de manquer de forces, ou de temps, ou d'inspiration, et de se retrouver au milieu du désert, abandonnée. Quelques années plus tard, après la mort d'Hubert Aquin, elle écrira :

> Peut-être a-t-il aussi perçu — ou cru percevoir — qu'il ne pourrait plus écrire. Cette souffrance pour celui qui a enchanté, qui a guidé, qui a consolé est inimaginable. Pourtant la menace en est toujours suspendue au-dessus de tout écrivain, et peut-être est-ce la raison de l'attirance [...] du suicide sur tant d'écrivains. Car le talent n'est jamais donné. On dit : le don, mais c'est faux, ce n'est jamais qu'un prêt, et il peut être retiré. Ou du moins on peut avoir le sentiment qu'il est retiré, et la vie devient une torture[26].

Quant à elle, depuis le temps que toute sa vie va à l'écriture, elle a appris à ne pas se désespérer de ces phases d'aridité et à les traverser plutôt comme des périodes de lenteur, d'attente. Pour se garder prête malgré tout, elle s'occupe à revoir des textes déjà écrits et provisoirement abandonnés. C'est le cas, entre autres, d'une longue nouvelle dont le thème la hante depuis près de trente ans sans qu'elle ait jamais réussi à le fixer dans une forme satisfaisante. Ce thème, celui de la consolation qu'apporte à une femme mal aimée l'embellissement du monde autour d'elle, a déjà donné lieu à deux ou trois textes isolés ou partiels, comme « La lune des moissons », publié en 1947, le scénario « Le plus beau blé du monde » et le roman inédit et inachevé centré sur « Mme Lund », écrits l'un et l'autre durant les années cinquante. Mais dans aucun de ces essais elle n'a le sentiment d'avoir donné à son personnage la profondeur, la complexité et la poésie dont elle le croit porteur, ni d'avoir trouvé les mots capables de restituer dans toute sa force la vision initiale qu'elle en a eue il y a longtemps de cela, lors de son premier séjour à Tangent. Elle se remet donc à la tâche, se concentrant cette fois sur l'image la plus puissante liée à ce thème, celle du jardin de fleurs perdu au milieu d'un vaste pays hostile et désert. L'histoire s'intitule « Le printemps revint à Volhyn », titre remplacé bientôt par celui qui coiffera définitivement le texte : « Un jardin au bout du monde ». A-t-elle terminé cette nouvelle pendant son séjour à Tourrettes-sur-Loup, cela n'est pas impossible. Chose certaine, un état relativement final du récit est prêt vers ce moment-là.

Gabrielle rentre à Québec le 2 février 1973. C'est la dernière fois de sa vie qu'elle traverse l'Atlantique. C'est aussi la dernière fois qu'elle s'est laissé guider par ce vieux rêve du refuge qui l'habite depuis si longtemps et qui n'a cessé de lui faire croire en l'existence, quelque part, d'une maison, d'un coin de pays, d'une île déserte où elle serait heureuse et tranquille à jamais, comme elle l'a été autrefois dans son grenier de la rue Deschambault ou dans ses « Shangri-La » d'Upshire, de Port-Daniel ou de Rawdon. Après la nouvelle déconvenue éprouvée à Tourrettes, deux lieux suffiront maintenant à son besoin d'évasion : Petite-Rivière-Saint-François, où veille la bonté de Berthe, et le monde inépuisable de ses souvenirs.

Ce printemps-là, elle quitte Québec et s'installe à Petite-Rivière dès la mi-mai, beaucoup plus tôt qu'elle ne l'a jamais fait jusqu'alors. Il faut dire que Berthe a tout préparé et que le chalet est confortable malgré le froid qui persiste. Reprennent alors les promenades le long de la *track*, les veillées autour du poêle dans la vieille maison des Simard et l'entretien du réseau d'amies qui protège Clémence. Gabrielle a apporté un manuscrit auquel elle travaille depuis quelques années, « Où iras-tu, Sam Lee Wong? », nouvelle inspirée d'une image qui remonte au temps de ses reportages dans l'Ouest, sinon plus loin encore, et qui s'est enrichie d'autres images rapportées de son séjour à Dollard peu avant la mort de son frère Joseph. Ayant achevé l'histoire du personnage et l'évocation du village d'Horizon, elle hésite entre deux fins possibles : ou Sam se suicide, ou il s'en va dans le village voisin pour y recommencer la même existence…

Ici se situe ma toute première rencontre avec Gabrielle Roy, au milieu de l'été 1973. J'avais vingt-six ans. Professeur de lettres à l'Université McGill depuis deux ans, je n'étais qu'un figurant de plus dans le cortège de critiques et d'admirateurs qui défilait ces années-là à Petite-Rivière-Saint-François. La Torontoise Joan Hind-Smith, qui préparait alors des essais biographiques sur trois grandes « voix » de la littérature canadienne, Margaret Laurence, Frederick Philip Grove et Gabrielle Roy, était venue en visite une semaine ou deux avant moi ; l'année suivante se présenteraient Jeannette Urbas et Paul Socken, professeurs à Toronto et à Waterloo. Marc Gagné, dont la thèse venait d'être publiée, passait aussi de temps à autre. Si bien que Gabrielle commençait à se sentir envahie.

> J'ai à mes trousses, écrivait-elle à Antonia, je ne sais combien de professeurs […] qui ont un livre sur le métier à mon sujet et qui m'écrivent de tous les bouts du pays pour obtenir un rendez-vous. J'ai

> accordé beaucoup de mon temps depuis quelques années à un professeur de [l'Université] Laval dont le livre : *Visages de Gabrielle Roy* (très savant) vient de sortir. Je pensais, ayant été jusqu'au bout de l'effort cette fois-là, qu'ensuite d'autres me laisseraient tranquille, puisant les renseignements qu'il leur faut dans ce livre. Mais non ! Ils sont plus que jamais acharnés à faire le leur. Ma retraite de Petite-Rivière est éventée depuis longtemps[27].

Ces rendez-vous, elle ne les refusait pourtant pas, contente de l'intérêt qu'on lui portait ; « c'est mieux, avouait-elle à Joyce Marshall, que l'indifférence complète d'il y a quelques années[28] ». Pour ma part, je travaillais à un petit livre sur son œuvre et lui avais écrit pour lui demander des photos et la permission de reproduire des extraits de quelques-uns de ses textes épars. Elle m'avait aussitôt téléphoné et invité à Petite-Rivière pour une après-midi de juillet. Le temps était splendide. À mon arrivée, elle m'a présenté Marcel, qui est monté dans sa voiture et s'est éclipsé pour la journée. Nous avons d'abord fait une promenade à pied dans les environs ; elle m'a fait entrer chez Berthe et nous avons causé un peu. Puis nous sommes revenus chez elle et nous nous sommes installés dans la balançoire. Nous avons dû passer là une heure, peut-être deux, à parler d'elle, de ses œuvres, de mon livre en chantier. Elle poussait la balançoire avec tant d'énergie et à une vitesse si folle que j'en ai eu tout de suite le cœur au bord des lèvres ; mais je n'en montrais rien et m'efforçais tant bien que mal de raidir les jambes afin de freiner le mouvement. S'en est-elle aperçue ? En tout cas, la balançoire n'a pas ralenti.

Comme les moustiques arrivaient, nous nous sommes réfugiés dans la maison. Elle s'est assise dans une chaise berçante à côté de sa petite table de travail, devant la fenêtre, et m'a fait asseoir en face d'elle, sur un divan. Puis elle a sorti le manuscrit de « Sam Lee Wong » et me l'a lu en entier ; elle lisait très bien, d'une voix égale, quoique un peu brisée, en mimant les dialogues et en variant le rythme selon la couleur émotive des mots ou des phrases. Elle m'a lu les deux conclusions qu'elle avait écrites, ajoutant qu'elle n'arrivait pas à décider laquelle était la meilleure. Je lui ai dit que je préférais la deuxième, celle où le personnage va vers l'autre village et retrouve ses collines. Alors elle m'a dit qu'elle garderait celle-là, ce qu'elle a fait ; mais son choix était sûrement déjà arrêté. Peu après, je me suis levé pour partir et nous nous sommes embrassés.

Je suis revenu à Petite-Rivière deux autres fois cet été-là. Jamais, si je me souviens bien, elle ne m'a parlé de sa sœur Clémence, qui pourtant la préoccupait, ainsi que le montrent ses lettres à Berthe Valcourt et à Antonia que j'ai lues depuis. Par contre, elle m'a longuement entretenu de son amitié pour Adrienne Choquette, qui souffrait depuis quelque temps d'un cancer dont l'évolution ne faisait plus de mystère pour personne. La perspective de perdre Adrienne l'affligeait au plus haut point, hantant ses rêves, disait-elle, et l'empêchant de travailler.

Depuis qu'elle sait Adrienne condamnée, Gabrielle ne cesse de penser à son amie. Elle lui écrit des lettres d'encouragement et de tendresse, s'enquiert de son état auprès de Simone Bussières, va la voir à Notre-Dame-des-Laurentides, prie en sa faveur la petite statue de « Notre-Dame-des-Bouleaux » que Berthe a érigée pour elle dans le jardin au-dessus du fleuve ; en somme, elle refait les gestes accomplis trois ans plus tôt lors de l'agonie de Bernadette. Ainsi, de retour d'une après-midi à Notre-Dame-des-Laurentides, elle écrit à Adrienne :

> Malgré votre maladie qui nous fait tant de peine à tous, cette heure passée dans votre petit jardin un peu échevelé, si tendre, pareil à celui d'Esther — la seule autre amitié féminine précieuse de ma vie avec la vôtre, n'est-ce pas curieux, et deux jardins-frères ? — cette heure-là reste tout imprégnée de souvenirs que je sais prêts à vivre dans mon esprit pour toujours. [...] Surtout il y a la couleur, l'expression toujours à la fois tendre et un peu mélancolique — que je crois bien déchiffrer maintenant — de vos yeux[29]...

Gabrielle s'inquiète beaucoup pour son amie, mais c'est à sa sœur qu'elle se doit d'abord, sa sœur Clémence qui dépérit là-bas et attend impatiemment sa venue. Fin août, elle quitte Petite-Rivière-Saint-François, s'arrête quelques jours à Québec afin de rendre visite à Adrienne maintenant hospitalisée, puis s'envole pour la quatrième fois vers Otterburne.

Elle y reste trois semaines. Contentes de recevoir une visiteuse aussi distinguée, les religieuses ont mis à sa disposition une petite maison juste en face de la Résidence Sainte-Thérèse. Installée là en compagnie d'Antonia, qui s'occupe du ménage et de la cuisine, Gabrielle se rend chaque jour auprès de Clémence et tente de la réconforter. Mais ce n'est pas facile : Clémence est dans un état terrible ; triste, amaigrie, complètement affaissée sur elle-même et indifférente à ce qui l'entoure, elle a l'air d'« un petit spectre [...] sorti des camps de concentration[30] ». À force de promenades, de conversations, de câlineries et d'antidépresseurs, Gabrielle et Antonia réussissent pourtant à lui redonner un peu de vitalité et de bonne humeur. Mais pour combien de temps, se demande Gabrielle. « Le malheur — ou le bonheur — c'est que Clémence s'habitue à notre présence, y prend goût, la pauvre enfant. Donc, après notre départ, elle sentira plus que jamais son isolement. C'est bien difficile, parfois, de savoir que faire dans la vie[31]. »

« Adrienne mourante et qui refuse de mourir, Clémence vivante et qui refuse de vivre[32] », l'angoisse de Gabrielle est à son comble lorsqu'elle revient à Québec à la fin de septembre 1973. Adrienne meurt trois semaines plus tard, entourée de Simone et de Medjé. Puis Gabrielle reçoit la nouvelle d'un autre décès, celui de sa vieille amie du temps de Saint-Boniface, Paula Sumner. L'hiver précédent, pendant ses vacances à Tourrettes-sur-Loup, elle a revu brièvement Paula, qui allait d'une clinique à l'autre depuis cinq ou six ans, en quête d'un équilibre mental qu'elle n'a jamais retrouvé. Pour Gabrielle, cette mort est un choc ; c'est sa jeunesse qui s'en va, et la solitude, autour d'elle, qui continue de s'étendre.

Au cours de l'automne et de l'hiver qui ont suivi notre première rencontre, elle m'a invité à quelques reprises au Château Saint-Louis. Ainsi notre amitié a commencé de se sceller, une amitié qui a duré, je pense, jusqu'à la fin. En tout cas, nous n'avons jamais cessé d'être en contact épistolaire, de nous téléphoner et de nous voir fréquemment. Chaque année, j'allais une ou deux fois par hiver à Québec et une ou deux fois par été dans Charlevoix. Je m'installais pendant quelques jours à Baie-Saint-Paul, d'où je me rendais à Petite-Rivière pour le déjeuner et pour l'après-midi, que nous passions comme toujours à causer (malgré le supplice de la balançoire) et à nous promener dans les environs. De temps à autre, je proposais une petite randonnée en auto jusqu'à Saint-Joseph-de-la-Rive ou La Malbaie, ce qui mettait Gabrielle en joie.

Nos conversations n'avaient rien de compliqué. Je l'interrogeais sur des épisodes de sa vie, qu'elle évoquait volontiers, notamment son premier séjour en Europe et ses années montréalaises. De son côté, elle me demandait des nouvelles du milieu littéraire montréalais, parlait de ses lectures, de ses voyages, des inquiétudes que lui inspirait le climat politique. Mais l'essentiel de nos échanges concernait son travail. Très vite, je suis devenu pour elle une sorte de secrétaire, remplaçant dans ce rôle Marc Gagné que ses autres occupations avaient éloigné d'elle. Les premières années, elle me demandait surtout de l'aider aux corrections d'épreuves et à d'autres tâches semblables ; mon premier « mandat » a été de préparer l'édition révisée d'*Alexandre Chenevert*, parue chez Beauchemin à l'automne 1973. Par la suite, je me suis occupé de la correction de presque tous ses livres, les nouveaux en vue de leur première publication, les anciens au fur et à mesure qu'ils faisaient l'objet de rééditions. J'exécutais, en somme, pour son œuvre en français, le travail dont Joyce Marshall s'acquittait au même moment pour l'anglais. Ce travail était passionnant. Gabrielle me remettait le manuscrit ou le volume, que je relisais chez moi et annotais minutieusement, puis nous nous voyions pour examiner mes corrections et en discuter, consultant grammaires et dictionnaires, cherchant quel mot, quelle tournure, quelle ponctuation convenait le mieux ; nous l'essayions, puis en essayions une autre, et une autre encore, jusqu'à ce que nous ayons le sentiment qu'il ne fallait plus rien changer. Alors nous nous réjouissions ensemble du résultat. J'ai beaucoup appris à ce jeu (car c'était presque un jeu), sur sa manière d'écrire, sur la langue et sur bien d'autres choses encore.

Dès l'hiver 1974, nous avons commencé à travailler sur le volume qui devait devenir *Fragiles Lumières de la terre*. Depuis un certain temps déjà, Gabrielle jonglait avec l'idée de rassembler quelques-uns des textes qu'elle avait publiés çà et là au cours de sa carrière et qui dormaient dans des périodiques que plus personne ne lisait. Redoutant le jour où des « chercheurs » intempestifs iraient déterrer cette matière, elle avait décidé qu'il était préférable qu'elle choisisse elle-même lesquels de ces textes méritaient d'être sauvés. À l'été 1969, époque où Marc Gagné fouillait dans cette production ancienne pour étoffer sa thèse, elle en avait discuté avec Victor Barbeau, qui souhaitait publier une telle « rétrospective » dans un de ses *Cahiers de l'Académie canadienne-française*. Deux ans plus tard, c'était au tour de Gilles Marcotte d'inviter Gabrielle à donner un recueil de ses écrits épars dans la collection « Reconnaissances » qu'il dirigeait aux Éditions HMH. Mais elle finissait toujours par renoncer, n'ayant ni le goût ni le courage de remuer toutes ces cendres. « C'est rien que de faire encore un peu de neuf qui me soutient[33] », disait-elle.

Pourtant, lorsque je l'ai rencontrée, elle avait déjà donné un premier manuscrit à dactylographier. Il comprenait une vingtaine de textes dont un seul, le bref récit de sa « Rencontre avec Teilhard de Chardin », était inédit. Les autres avaient tous paru dans des revues ou dans des ouvrages plus ou moins introuvables. De l'abondante production de ses débuts, elle n'avait retenu que la série de reportages du *Bulletin des agriculteurs* intitulée *Peuples du Canada*, dont le ton et l'inspiration lui semblaient encore d'actualité ; mais comme le dernier article de cette série (sur les Canadiens français de l'Alberta) contenait des prises de position qui pouvaient être mal interprétées, elle l'avait remplacé par un autre article, tiré de la série *Horizons du Québec* et portant sur les pêcheurs de Gaspésie. Outre ceux-là, tous les autres textes du manuscrit étaient postérieurs à *Bonheur d'occasion* ; ils avaient été légèrement retouchés et placés dans l'ordre chronologique de leur première parution.

Mes discussions avec elle ont surtout porté sur le titre du volume et sur son organisation. Ainsi, nous sommes convenus que pour donner à l'ensemble une certaine unité il valait mieux éliminer les textes de fiction. Les nouvelles « Ma cousine économe » et « L'arbre », qui figuraient dans le manuscrit, en ont donc été retirées, de même que le conte intitulé « Ma vache », que je me suis alors employé à faire publier à part, sous forme d'un album pour enfants, aux éditions Leméac où je dirigeais une collection avec André Major. L'album a paru en 1976 sous le titre *Ma vache Bossie*, avec de belles illustrations de Louise Pomminville ; c'était la première incursion de Gabrielle Roy dans le domaine de la « littérature de jeunesse ». Ce ménage étant fait, il s'est agi ensuite de composer le plan du volume, que nous avons divisé en trois parties : d'abord les reportages, puis les souvenirs, et enfin, dans une section à part, le texte sur « Terre des hommes », que Gabrielle tenait beaucoup à publier dans sa version intégrale. Ne restait plus que le titre, sur lequel elle a hésité longtemps avant de se rendre à ma suggestion de reprendre cinq mots tirés de « Terre des hommes » : *Fragiles Lumières de la terre*.

Tout ce travail s'est déroulé sur plusieurs années, au fil de nos rencontres, et sans que Gabrielle éprouve jamais l'urgence de publier, comme si ce livre était plus pour elle un prétexte à échanges et à discussions qu'un véritable projet. C'est pourquoi l'ouvrage, commencé vers 1974, ne paraîtra finalement qu'en 1978.

Entre-temps, nos rapports devenaient plus fréquents, faisant de moi l'équivalent d'un agent littéraire ou d'un fondé de pouvoir. En plus de m'intéresser à son travail, Gabrielle me confiait diverses tâches, comme une partie de son courrier, des négociations, certaines missions auprès d'éditeurs et de journalistes, des réponses aux demandes de droits qui lui parvenaient en grand nombre. Tout cela, qu'elle savait inévitable, la fatiguait de plus en plus et elle ne demandait qu'à en être déchargée. « Plus je vais, m'écrivait-elle, plus grandit et pèse lourd sur moi le poids des affaires rattachées au métier. Si bien que certains jours je me demande si je ne vais pas renoncer à toute publication afin de recouvrer ma liberté si nécessaire[34]. » Il m'arrivait parfois, je peux le dire aujourd'hui, de trouver cela assez pénible et de me plaindre en moi-même du rôle qu'elle me faisait jouer. Mais pas un instant je n'ai songé à lui refuser mon aide ni n'ai cessé de la servir de mon mieux. Comme les deux Berthe, comme Joyce, comme Adrienne et comme tant d'autres, j'étais pris moi aussi par cette séduction mystérieuse qui nous faisait aspirer à la voir heureuse à tout prix et nous rendait incapables de lui opposer la moindre résistance.

Il faut dire que notre dévotion était largement payée de retour. Pas en argent, bien sûr, mais par des témoignages d'affection, de gratitude et de confiance dont la générosité valait plus que tout et que, pour ma part, je n'oublierai jamais.

« La mémoire est poète »

Mai 1974. Tout comme l'année précédente, Gabrielle s'empresse de transporter ses pénates à Petite-Rivière-Saint-François dès qu'arrivent les premiers beaux jours. L'hiver lui a été encore plus difficile que d'habitude ; outre le deuil d'Adrienne et de Paula, outre le souci de Clémence noyée dans ses « abîmes de dépression[35] », outre l'ennui et la lassitude que lui apporte toujours la saison morte, il y a eu les maladies, plus éprouvantes encore que les années précédentes, surtout les crises d'asthme répétées et les quintes de toux qui ressemblent à celles qu'ont connues avant elle ses frères Joseph et Rodolphe. C'est pour y échapper et respirer plus librement qu'elle cherche si tôt l'air de Petite-Rivière. Mal lui en prend, car le froid et l'humidité la font bientôt rechuter et la contraignent à séjourner quelque temps à l'hôpital de Baie-Saint-Paul. Heureusement, le soleil, le retour de la chaleur et les soins de Berthe ont vite raison du mal et l'été, le vrai, peut enfin commencer.

Gabrielle le passe notamment à terminer *Un jardin au bout du monde*. Elle a l'idée, pour ce livre, de joindre aux deux longues nouvelles inédites qu'elle vient d'achever, « Où iras-tu, Sam Lee Wong ? » et « Un jardin au bout du monde », deux textes publiés dans des revues un quart de siècle plus tôt : « Un vagabond frappe à notre porte » et « La vallée Houdou », qu'elle a polis depuis. En fait, c'est le premier vrai recueil de nouvelles qu'elle compose. Déjà, quelques-uns de ses livres précédents, comme *La Petite Poule d'Eau, Rue Deschambault* et *La Route d'Altamont*, étaient des assemblages de récits, mais leur unité d'action et de personnages était trop forte et le mouvement de leur écriture avait été trop continu pour qu'elle les considère comme des « recueils » ; à ses yeux, c'étaient plutôt des romans, de forme lâche et ouverte, certes, mais des romans tout de même. Dans *Un jardin au bout du monde*, c'est différent : ce sont « de vraies nouvelles cette fois, je veux dire sans lien entre elles, sauf peut-être une sorte de climat[36] ». En rassemblant ces quatre récits sous une même couverture, la romancière réalise le vieux projet qu'elle a conçu et abandonné autrefois, à l'époque de *Bonheur d'occasion*, celui d'un ouvrage inspiré par sa connaissance de l'Ouest et consacré à des *Contes de la Plaine*. Aux quatre nouvelles ainsi réunies, elle ajoute enfin une petite préface de deux pages, et le manuscrit est prêt à la fin du mois d'août.

C'est également au cours de cet été 1974, semble-t-il, qu'elle rédige un texte de souvenirs que le Cercle Molière lui a demandé pour un album destiné à marquer le cinquantième anniversaire de sa fondation. Quelques mois auparavant, Gabrielle a donné au *Devoir* de Montréal un petit article intitulé « Le pays de *Bonheur d'occasion* », dans lequel elle rappelle avec nostalgie ses années de journalisme à Montréal, sa découverte du quartier Saint-Henri et la genèse de son premier roman. Un peu dans la même veine, « Le Cercle Molière... porte ouverte » est un récit autobiographique où elle évoque les figures d'Arthur et de Pauline Boutal, l'atmosphère fervente des répétitions et les succès de la troupe dont elle a fait partie à l'époque de sa jeunesse manitobaine. En avril 1975, le texte est envoyé à Lionel Dorge, qui s'occupe à la fois de la Société historique de Saint-Boniface et des Éditions du Blé, mais l'ouvrage dans lequel il doit figurer ne pouvant paraître à temps, il ne sera publié que six ans plus tard, au printemps 1981, dans un recueil consacré à l'histoire de la vie musicale et littéraire du Manitoba français.

Puis, en août 1974, c'est le voyage annuel au Manitoba, dans ce « petit trou de village où m'attend ma pauvre sœur à moitié séquestrée ». « J'ai peine à quitter mon travail, m'écrit-elle, [...] mais si on ne le sacrifiait pas de temps à autre aux devoirs de la solidarité et du cœur, il serait bientôt stérile[37]. » Gabrielle s'installe avec Antonia dans la même petite maison que l'année précédente et, pendant trois semaines, s'efforce de désennuyer Clémence, toujours maigre à faire peur mais dont le moral, cette année, paraît meilleur. Sœur Berthe les ayant rejointes, elles vont faire un tour du côté de Somerset, afin de bavarder avec la vieille tante Anna et de revoir les lieux de leur enfance. Elles se rendent jusqu'au grand lac Winnipeg pour une journée de paresse sur la plage du Camp Morton, lieu où Bernadette venait en vacances avec sa communauté et d'où elle écrivait à Gabrielle ses fameuses « lettres d'été ». Enfin, avant de repartir, Gabrielle emmène Clémence à Winnipeg pour la rhabiller de la tête aux pieds. Rassérénée et confiante, elle reprend l'avion le 18 septembre et me demande de venir la rejoindre à Dorval, où elle doit faire escale. Je l'ai trouvée tout heureuse de la manière dont son voyage s'était déroulé.

Mais nous avons surtout parlé d'*Un jardin au bout du monde*. Le manuscrit, à ce moment-là, n'attend plus que d'être transmis à l'éditeur. Redoutant le travail qui entoure la publication, Gabrielle hésite. « L'élan, chez moi, de publier est comme brisé, m'écrit-elle quelques jours plus tard, pas la nécessité ou le devoir d'écrire, cependant[38]. » Six mois passeront avant qu'elle ne se décide à « laisser partir » son livre, qu'elle confie de nouveau aux Éditions Beauchemin. Le contrat est signé le 11 mars 1975. Mais à mesure qu'approche le moment de la parution, prévue pour la fin du mois de mai, la crainte s'empare d'elle : « Voilà [...] que j'ai le trac autant que la première fois, plus fort même que jamais. Je suppose qu'il en sera toujours ainsi avec moi. Mais de quel jugement à la fin a-t-on donc si peur ? Ou de quelle mystérieuse adhésion garde-t-on un tel besoin[39] ? »

Il est vrai que l'accueil fait trois ans plus tôt à *Cet été qui chantait* a de quoi l'effrayer. Cette fois, pourtant, les choses se passent relativement bien. Le quotidien péquiste *Le Jour* a beau déplorer que la romancière n'ait pas choisi de « contrer l'érosion de notre culture, [se contentant] d'en être témoin sans comprendre le processus historique jusqu'à agir dynamiquement », la plupart des critiques s'empressent de saluer « l'émouvant et beau retour de Gabrielle Roy[40] ». Au *Devoir*, en particulier, on lui fait une véritable fête. L'année précédente, le directeur des pages littéraires, Robert-Guy Scully, a publié une grande entrevue de la romancière, tandis que le tonitruant Victor-Lévy Beaulieu, qui avait dénigré *La Rivière sans repos* et *Cet été qui chantait*, annonçait sa conversion soudaine à l'œuvre de Gabrielle Roy sur laquelle Jacques Ferron venait de lui ouvrir les yeux[41]. À la parution d'*Un jardin au bout du monde*, Scully reproduit intégralement « La vallée Houdou » et se lance dans un long dithyrambe célébrant la « nord-américanité » du livre[42]. Mais les éloges seront encore plus nourris lorsque paraîtra, deux ans et demi plus tard, la traduction anglaise intitulée *Garden in the Wind*. Là aussi, après avoir fait la fine bouche devant ses derniers livres, les chroniqueurs canadiens-anglais déclareront avoir l'impression que l'auteur a atteint le sommet de son art[43]. Il faut dire que le contexte politique, en cette fin d'année 1977, les y incitera d'une manière toute particulière, la première victoire électorale du Parti québécois et l'adoption de la loi 101 contribuant à leur faire apprécier un ouvrage qui représente, selon eux, de la « *Canadian literature* par excellence », puisqu'il chante les immigrants et les paysages de l'Ouest et rompt avec le côté ordinairement narcissique et revendicateur de la culture québécoise moderne ; voici, diront-ils, un livre où la langue ne divise pas et où les hommes s'entendent ; Gabrielle Roy, écrira George Woodcock, est bel et bien « une des nôtres[44] ».

Mais les ventes ne suivent guère, au Québec du moins. Malgré les éloges de la critique, les Éditions Beauchemin, qui ont imprimé *Un jardin au bout du monde* à plus de 5 000 exemplaires, n'en auront pas écoulé 1 500 après un an. Il est vrai que le livre n'est pas sorti à un moment très opportun et que Beauchemin occupe à cette époque une position assez marginale sur le marché de l'édition littéraire. McClelland & Stewart, en revanche, vendra environ 4 000 exemplaires de *Garden in the Wind* durant la première année (1977-1978), ce qui confirmera le « retour » au moins provisoire de Gabrielle Roy sur la scène littéraire canadienne-anglaise.

Sans se désintéresser tout à fait de la fortune de son livre, Gabrielle a bien d'autres soucis en tête au cours du printemps et de l'été 1975. Sa santé, d'abord. L'hiver qui s'achève a été encore plus dur que le précédent ; elle aurait bien voulu y échapper en fuyant vers le sud mais, ne trouvant personne pour l'accompagner, elle a dû se résigner à rester au Château Saint-Louis, où les quintes de toux et les crises d'asthme n'ont pas tardé à s'abattre sur elle, avec des semaines entières d'insomnie. Elle a reçu piqûres sur piqûres, à dû se soumettre à des séances d'inhalothérapie, mener une vie ralentie, quasi végétative, tant elle se sentait faible et incapable du moindre effort. Sans compter l'apparition de douleurs lancinantes dans les doigts, signes avant-coureurs de l'arthrite qui la frappera bientôt. En mai, des ennuis aux sinus et à l'œil droit ont nécessité une intervention chirurgicale dont elle commence à peine à se remettre, grâce au bon air de Petite-Rivière.

Il en sera ainsi jusqu'à la fin. Année après année, le même rythme qui se répète, le même contraste entre des hivers de plus en plus misérables et des étés attendus avec une impatience de plus en plus grande, presque pathétique. De novembre à mars, la sexagénaire vit comme une demi-morte, recluse dans son « trou » du Château Saint-Louis, en proie à la toux, aux insomnies, aux crises d'arthrite et aux allergies de toutes sortes, constamment fatiguée, sans aucune énergie. La force qui lui reste, elle la consacre à écrire quelques lettres, notamment à Clémence qu'elle n'oublie jamais. Puis, lorsque surgissent les premiers effluves du printemps, l'instinct de vie reprend le dessus, elle s'anime de nouveau, elle n'a plus qu'une idée en tête : « regagner Petite-Rivière, l'air pur et frais, et, si Dieu le permet, le soleil enfin[45]». L'air, le soleil, l'amitié bienveillante de Berthe, le soulagement au moins temporaire de ses maux, c'est-à-dire le goût et la possibilité de se replonger encore une fois dans le seul monde véritable, celui de son écriture, tel est pour Gabrielle, et tel restera jusqu'à la fin le paradis de Petite-Rivière-Saint-François.

Un paradis qui semble moins sûr, cependant, si l'on en croit les rumeurs persistantes qui courent dans le village depuis le début des années soixante-dix. Des promoteurs, appuyés par les autorités locales et provinciales, veulent profiter de la topographie de Petite-Rivière pour mettre sur pied un grand centre de ski qui, disent-ils, attirera des flots de touristes et sortira le village de sa torpeur économique. À cette fin, il est question que les pouvoirs publics exproprient tous les terrains de la Grande-Pointe, et donc tout le domaine des Simard et la maisonnette de Gabrielle Roy. Berthe en est toute chavirée, prise entre son attachement pour la vieille propriété familiale et la solidarité qui la lie malgré tout (ou malgré elle) aux villageois, presque tous favorables au projet. Mais Gabrielle n'a pas ces scrupules. Aussi fait-elle tout ce qui est en son pouvoir pour empêcher ce qu'elle considère non seulement comme une violation de ses droits de propriétaire, mais comme une catastrophe écologique. Elle alerte ses voisins villégiateurs, proteste devant le maire et n'hésite pas à mettre son prestige d'écrivain dans la balance. En dépit de son action, le projet de centre de ski « ira de l'avant », comme on dit dans les administrations. Sauf que Gabrielle aura réussi à limiter les dégâts : l'expropriation, effectuée en 1980, ne touchera que les terrains situés au nord de la route, si bien que sa maison lui restera. Mais Berthe devra céder la sienne et déménager de l'autre côté de la route, dans une maison neuve qu'elle et son frère Aimé feront construire en face de l'ancienne.

Pendant l'été 1975, ces préoccupations, ajoutées à celles que lui cause la situation de Clémence, empêchent Gabrielle de se remettre sérieusement au travail. Elle a pourtant en chantier, depuis un an, un nouveau manuscrit qui a pour titre provisoire : *Mes enfants des autres*. Elle tient à le terminer coûte que coûte.

> Mais celui-là terminé, me confiait-elle, je suppose que je demanderai au ciel le temps d'en faire un autre. Toujours un autre pour effacer

> les défaillances du précédent, pour faire un peu mieux, pour creuser davantage la parcelle de vérité que l'on explore [...]. Mais en fin de compte on sait bien — en tout cas je sais, moi, depuis longtemps — que le meilleur, le plus beau livre ce sera celui qu'on n'aura pas le temps de faire. Et en un sens, c'est mieux ainsi. On meurt sur sa faim, ce qui est la meilleure mort[46].

L'écriture de *Ces enfants de ma vie* — puisque c'est ce titre qu'elle choisira bientôt avec l'aide de sœur Berthe —, Gabrielle s'y consacrera surtout l'été suivant, celui de 1976. Installée à Petite-Rivière dès la mi-mai, elle se jette dans le travail avec une énergie débordante ; non contente d'y passer ses matinées, comme elle a coutume de le faire, elle se remet à la tâche l'après-midi et souvent jusque tard dans la soirée. Comme s'il y avait urgence, ou comme si les mots lui venaient avec une facilité inhabituelle et qu'elle n'en voulait rien perdre de peur que le flot ne tarisse. À la fin de cet été-là, le manuscrit est terminé ; une copie dactylographiée sera prête au début du mois de novembre.

D'après les manuscrits conservés, il semble que les six histoires de *Ces enfants de ma vie* aient été écrites dans le même ordre que celui de leur disposition finale dans le volume, la première étant « Vincento », la dernière « De la truite dans l'eau glacée ». Chose certaine, elles ont été écrites d'un même souffle, rapidement, à la suite les unes des autres et comme les différentes parties d'une seule œuvre, « ensemble s'éclairant l'une l'autre, se complétant, s'enchevêtrant et concourant à un but commun », bref, comme des chapitres d'un même « roman » — même si, convient Gabrielle Roy, « ce n'est pas la forme traditionnelle du roman[47] ». Bien qu'il comprenne six récits, le livre se divise en deux grandes parties qui correspondent aux deux lieux où Gabrielle a été institutrice, mais leur succession temporelle est ici inversée. Plutôt brèves, les quatre premières histoires (« Vincento », « L'enfant de Noël », « L'alouette » et « Demetrioff ») se déroulent dans une école de la ville, inspirée de l'Institut Provencher, tandis que les deux dernières (« La maison gardée » et « De la truite dans l'eau glacée »), plus longues, plus approfondies, ont pour décor une école rurale et évoquent le monde premier, celui de l'année à Cardinal. Ainsi *Ces enfants de ma vie*, dans la mesure où sa matière est autobiographique, peut-il se lire comme une descente dans la mémoire, vers des niveaux de plus en plus anciens et fondamentaux[48].

D'où peut-être cette rapidité, cette allégresse avec lesquelles le livre a été écrit et qui rappellent l'état d'esprit ayant accompagné autrefois l'écriture de *La Petite Poule d'Eau* et de *Rue Deschambault*. C'est que, comme ces deux livres, *Ces enfants de ma vie* est une œuvre dont l'inspiration jaillit de ce qui est pour Gabrielle la source la plus vive, la plus généreusement disponible : sa propre vie, la matière inépuisable de son propre passé. Cela dit, le propos du livre n'est pas, avant toute chose, autobiographique, pas plus que celui de *La Petite Poule d'Eau* ou de *Rue Deschambault*. Il ne s'agit pas pour la romancière de relater fidèlement son passé, mais plutôt d'en nourrir et d'y appuyer en quelque sorte le travail libre de son imagination afin de composer un univers où on ne peut plus discerner le souvenir de l'invention, les êtres réels des personnages fictifs, les faits des fantasmes, les lieux connus autrefois des paysages issus de la pure création poétique. Comme pour figurer cette ambiguïté, au centre de *Ces enfants de ma vie* se trouve une narratrice qui, comme la Christine de *Rue Deschambault* et de *La Route d'Altamont*, tout ensemble est et n'est pas la jeune femme que Gabrielle a été, sauf qu'ici cette narratrice n'a plus de nom, plus d'autre identité que le simple « je » par lequel elle se désigne.

Au début de ce chapitre, j'ai souligné le fait que Gabrielle Roy, à la différence de tant d'autres écrivains dont les dernières années sont marquées par une sorte d'essoufflement ou de déclin, fait preuve pendant sa vieillesse d'une puissance créatrice remarquable, aussi grande, sinon plus, que dans sa jeunesse et sa maturité. Cela tient peut-être au fait que cette dernière période de sa carrière — une période que l'on pourrait qualifier de « proustienne » — se déroule tout entière sous le signe de la remémoration et de l'imagination autobiographique. Déjà, *Un jardin au bout du monde* était en grande partie tiré de son passé. Le sont plus encore « Le pays de *Bonheur d'occasion* » et « Le Cercle Molière... porte ouverte », qu'elle rédige aux alentours de 1975. Et que dire de *Fragiles Lumières de la terre*, le recueil de textes anciens qu'elle rassemble ces années-là et s'apprête à publier ? Tout se passe comme si la romancière, de plus en plus désintéressée du monde tel qu'il va et pressentant sa fin, se détachait du présent et découvrait par là même, ou redécouvrait sous une lumière nouvelle, le vaste espace qui s'étend au dedans d'elle-même et qui, maintenant perdu, demande à être raconté, exploré, habité de nouveau.

« Le temps fait son œuvre, déclare-t-elle à Marc Gagné. Il décante les souvenirs, laissant tomber ce qui ne doit pas durer. La mémoire est poète[49]. » Et à Jacques Godbout, quelques années plus tard : « Il n'y a pas d'imagination, il n'y a que le collage des souvenirs[50]. »

De nouveau la gloire

Terminé à la fin de l'été 1976, le manuscrit de *Ces enfants de ma vie* est dactylographié et corrigé pendant l'automne et l'hiver. L'été suivant, tout est prêt pour la publication, qui a lieu en septembre aux Éditions Stanké. Le livre connaît aussitôt un succès foudroyant. Dans la presse comme sur les ondes de la radio et les écrans de la télévision, les chroniqueurs débordent d'enthousiasme. « Gabrielle Roy n'a jamais rien écrit d'aussi passionné, d'aussi troublant, déclare Gilles Marcotte dans *Le Devoir* ; [...] de *Bonheur d'occasion* à *Ces enfants de ma vie*, que de chemin parcouru, vers le plus secret du cœur. » « Prose lumineuse », « justesse d'observation », renchérissent *La Presse* et *Le Droit*. Gabrielle Poulin (« un des plus beaux dons qu'ait faits [Gabrielle Roy] à la vie et à la littérature »), François Hébert (« expérience inoubliable »), Jacques Godbout (« un grand moment d'émotion »), tous ceux qui font profession de se prononcer sur les nouveaux livres y vont de leur hommage que n'entache aucune réserve, aucune fausse note[51]. Parmi tous ces témoignages d'admiration, l'un des plus émouvants est celui du romancier Yves Thériault, qui a commencé sa carrière en même temps que Gabrielle Roy et dont l'œuvre a souvent été comparée à la sienne :

> J'ai beaucoup écrit dans ma vie, de tous les genres, dans toutes les géographies, concernant toutes les sortes d'êtres, grands ou faibles, puissants ou abjects, et à travers toutes ces années, dans toute cette écriture, et aujourd'hui plus que jamais, j'aurais voulu, je voudrais encore, et toujours j'aurai voulu, savoir écrire comme Gabrielle Roy, et savoir aimer mes personnages comme elle aime les siens, et comme elle les comprend[52].

Ce succès critique tient d'abord, bien sûr, à la qualité même du livre, à sa puissance d'évocation, à la beauté de son écriture, à sa capacité, comme le note André Brochu, de plaire « à la fois au public des *connaisseurs* et au grand public[53] ». Mais il tient aussi en partie au contexte littéraire de la fin des années soixante-dix, alors que les esthétiques avant-gardistes qui s'étaient imposées depuis une décennie tendent à s'épuiser et que se fait sentir dans maints quartiers une volonté de « retour » à une littérature plus « humaine » et plus « lisible ». *Ces enfants de ma vie* fait donc un malheur dans les librairies. En un an, il s'en vend au Québec plus de 25 000 exemplaires, chiffre qu'aucun des livres précédents de Gabrielle Roy n'a jamais atteint en si peu de temps.

« Je ne comprends pas ce qui m'arrive, écrit-elle à Berthe Valcourt. Depuis qu'est sorti mon dernier livre, *Ces enfants de ma vie,* ce n'est que louanges, louanges, louanges ! J'en suis ébarouillée. Même mes anciens ennemis m'adressent des éloges. En tout cas je monte en beauté les échelons derniers de ma vie. » « C'est vrai, ajoute-t-elle, que j'ai encore le temps de redescendre[54]... » Mais loin de la faire redescendre, la publication, quelques mois plus tard, au printemps 1978, de *Fragiles Lumières de la terre* donne plus d'ampleur encore à la célébration. Même si ce livre, étant donné sa nature particulière, ne touche pas autant de lecteurs (environ 2 000 exemplaires vendus la première année), il n'attire pas moins à son auteur un flot renouvelé de louanges de la part des critiques. « Honneur à Gabrielle Roy », s'exclame Réginald Martel, tandis que Jean Éthier-Blais se déclare « fier d'être le contemporain d'une telle femme » et qu'Yves Thériault, de nouveau, exprime l'« envie » qu'il a toujours éprouvée pour « cette dentellière de la littérature[55] ».

L'on ne peut qu'être frappé, si l'on se souvient qu'au moment même où *Ces enfants de ma vie* et *Fragiles Lumières de la terre* connaissent un tel succès au Québec, *Garden in the Wind* reçoit un accueil enthousiaste au Canada anglais, par la ressemblance entre cette année 1977-1978 et l'époque où, trente ans plus tôt, *Bonheur d'occasion* propulsait Gabrielle Roy au tout premier plan de la scène littéraire québécoise et canadienne. Certes, le contexte n'est plus le même, la production éditoriale est plus abondante, la distribution des livres mieux organisée et les lecteurs plus nombreux ; mais, toutes proportions gardées, et en faisant abstraction de la dimension internationale, tout à fait absente cette fois-ci, c'est en gros le même triomphe, la même gloire soudain retrouvée. Le phénomène est d'autant plus frappant qu'il contraste avec la relative marginalisation qu'a subie l'œuvre de Gabrielle Roy depuis le début des années soixante et surtout depuis le début des années soixante-dix, alors que beaucoup de lecteurs et de critiques, tout en la respectant, l'estimaient plus ou moins dépassée, voire finie. « On a même cru, écrit André Brochu, que les derniers ouvrages [de la romancière], surtout *Cet été qui chantait,* manifestaient une usure progressive de l'inspiration. » « Or il n'en est rien, précise-t-il aussitôt ; dans *Ces enfants de ma vie,* la voix de Gabrielle Roy s'élève avec la maîtrise et la pureté inimitable de ses plus beaux récits. »

Ce qu'apporte à Gabrielle la publication de *Ces enfants de ma vie* et de *Fragiles Lumières de la terre,* qui sont, à strictement parler, les deux derniers livres de sa vie, c'est le bonheur d'être redécouverte, de reconquérir un vaste public et d'occuper de nouveau l'avant-scène. Tous les feux convergent sur elle, et la longue distribution de prix qu'ont été jusqu'ici sa vie et sa carrière connaît une nouvelle phase d'accélération. Coup sur coup, elle se voit décerner au moins quatre distinctions majeures. En mai 1978, elle reçoit le prix du Gouverneur général pour *Ces enfants de ma vie* ; c'est la troisième fois qu'elle obtient ce prix, ce qui constitue un record dans l'histoire canadienne. Un mois plus tard, le Conseil des Arts du Canada lui attribue, en même temps qu'au peintre Jack Shadbolt et au lexicographe George Story, le prix Molson doté d'une bourse de 20 000 dollars. En mai 1980, le même Conseil des Arts lui remet son Prix de littérature de jeunesse pour *Courte-Queue*, conte pour enfants publié à l'automne 1979. Enfin, quelques jours plus tard, c'est au tour de la Conférence canadienne des arts de lui offrir, ainsi qu'à la cantatrice Maureen Forrester et au père Émile Legault, un de ses prestigieux « Diplômes d'honneur ». Rien d'étonnant à ce que renaissent régulièrement, au cours de ces années fertiles, les rumeurs de prix Nobel, toujours aussi énervantes pour elle, et toujours aussi vaines.

Depuis l'époque de l'Académie Saint-Joseph et des médailles de l'Association d'éducation, Gabrielle n'a jamais perdu le goût des récompenses officielles. Elle est donc ravie de tous ces honneurs. Des prix, écrit-elle à Clémence, « je ne pense pas qu'il y en ait beaucoup que je n'ai pas eus. Qui aurait pu dire, hein, au temps de la rue Deschambault, qu'il m'arriverait tant de choses si extraordinaires qu'à moi-même elles paraissent un rêve plutôt que le réel[56]. »

Mais, si émue qu'elle soit par tous ces témoignages d'admiration, Gabrielle s'en trouve en même temps perturbée, sinon accablée, comme elle l'a été autrefois par le succès de *Bonheur d'occasion*. Car les honneurs ne viennent jamais sans leur cortège d'obligations et de contraintes, qui la fatiguent et l'empêchent de travailler. Se laisse-t-elle happer par une invitation qu'elle le regrette aussitôt. Ainsi, en février 1978, elle accepte de se rendre à Calgary pour un colloque sur le roman canadien organisé par Jack McClelland à l'occasion du vingtième anniversaire de la « New Canadian Library » ; c'est son dernier voyage dans l'Ouest. Les hommages fusent de toutes parts ; elle est fêtée, entourée, mais elle ne tient que quatre jours et rentre épuisée. Heureusement, elle a pu passer de longs moments en compagnie de la romancière Margaret Laurence, qu'elle rencontrait pour la première (et unique) fois de sa vie, mais avec qui les échanges de lettres, commencés quelque temps plus tôt, se poursuivront jusqu'à la fin. Un peu plus tard ce printemps-là, j'ai réussi à la persuader de m'accompagner à un cocktail donné lors du Salon du livre de Québec ; de retour chez elle, j'ai amèrement regretté mon insistance, en voyant combien cela l'avait tendue, surexcitée ; elle avait peine à reprendre son souffle. Le lendemain, j'ai su qu'elle n'avait pas fermé l'œil de la nuit. Aussi fuit-elle tous les rassemblements publics, même s'ils sont organisés expressément pour elle ; lorsqu'un prix doit lui être remis, au lieu de se rendre elle-même à la cérémonie, elle demande à un proche de l'y représenter[57]. Les mondanités, décidément, ne sont pas faites pour elle.

Elle préfère de beaucoup les relations épistolaires, bien que le nombre de lettres à écrire la désespère parfois. C'est qu'elle se fait un devoir de répondre à toutes. S'il s'agit d'un lecteur ou d'un collègue écrivain, elle écrit elle-même ; mais pour le reste de son courrier, requêtes plus ou moins officielles, demandes de renseignements ou de permissions, enquêtes, invitations, elle me charge le plus souvent de répondre à sa place. Les plus assidus, évidemment, sont les journalistes en quête d'entrevues. À la plupart, elle continue d'opposer un non catégorique, refusant comme toujours de se prêter au jeu de la promotion médiatique. Mais lorsqu'elle a le sentiment d'avoir affaire à quelqu'un de sensible, qui saura la mettre en confiance, il lui arrive d'accepter, à la condition que le visiteur ou la visiteuse n'aura ni magnétophone, ni appareil photo, ni caméra. En fait, ainsi qu'elle le confie à Joyce Marshall, cet exercice lui cause moins de stress qu'autrefois :

> J'ai toujours un peu peur des interviews [...], mais elles ne m'effraient plus à mort comme elles le faisaient jadis. Peut-être la peur est-elle atténuée à présent par le sentiment que, à quelque profondeur qu'ils creusent et moi avec eux, il reste un noyau caché à leurs yeux et aux miens, et c'est tant mieux, car là réside le secret à jamais enraciné qui seul nous permet de continuer à vivre. Imaginez seulement le désespoir si tout à coup nous savions tout de nous-mêmes et voyions clairement jusqu'au fond de l'énigme[58].

Parmi les rares entrevues de ces années, les plus belles et les plus cordiales sont celles qu'elle accorde en 1976 au journaliste David Cobb et, deux ans plus tard, à Jacques Godbout, venu la rencontrer à Petite-Rivière-Saint-François pour le compte du magazine *L'Actualité*[59]. Elle continue aussi à recevoir de temps à autre des professeurs, dont quelques-uns publieront après sa mort des comptes rendus de leurs conversations privées avec elle.

Personnage public, romancière adulée et célébrée, Gabrielle Roy occupe donc de nouveau, à la fin des années soixante-dix, une position de premier plan. Le contexte politique et idéologique étant ce qu'il est au Québec et au Canada, il est normal que l'on tente de l'amener à prendre position dans les grands débats de l'heure. Mais elle se méfie de ces sollicitations et se tient le plus loin possible des controverses. Certes, elle a ses idées et n'hésite pas à les exprimer en privé. Mais l'engagement public lui paraît dangereux et contraire à son rôle d'écrivain. Ainsi en est-il, par exemple, du féminisme dont l'évolution récente vers des thèses et des actions de plus en plus radicales la rebute, comme il rebute d'ailleurs beaucoup de femmes de sa génération qui, tout en ayant sympathisé dans le passé avec la lutte des femmes, ne se reconnaissent plus dans les positions, à leurs yeux extrêmes, des « néo-féministes ». Gabrielle s'ouvre de ses réticences à ses proches et même à quelques admiratrices, dans des conversations à caractère intime ; mais jamais elle ne les fait connaître au dehors ni ne s'engage sur ces questions.

La même discrétion caractérise son attitude à l'égard du nationalisme québécois, qui est certainement, en ces années préréférendaires, le principal sujet de discussion et de discorde dans les milieux politiques et intellectuels québécois et canadiens. Là encore, l'élection du Parti québécois, la montée de l'indépendantisme, la promulgation de la loi 101 heurtent de front ses convictions fédéralistes et son attachement au Canada, ou du moins à la vision idéale qu'elle s'est toujours faite d'un Canada multiethnique et fraternel. La situation au Québec l'inquiète, elle craint l'intolérance qui, dit-elle en privé, « va souvent avec une certaine forme d'incorruptibilité ». « J'ai été élevée dans le même genre d'atmosphère. Je la redoute comme le pire des maux[60]. » Lors de nos rencontres, nous avions souvent des discussions à ce sujet ; elle connaissait mes opinions, qui n'étaient pas les siennes, et les respectait, mais elle ne cachait pas l'hostilité, voire l'angoisse que lui inspiraient le Parti québécois et les intellectuels nationalistes.

Cela dit, pas un instant elle ne songe à s'engager dans le débat, consciente que dans l'état où se trouve la province, dont presque tous les écrivains appuient l'option péquiste, sa voix risque de ne pas être entendue ou, pire, de l'être de la mauvaise manière, ce qui attirerait sur elle un déchaînement semblable à celui que subit à ce moment-là Félix-Antoine Savard à la suite de sa prise de position publique en faveur du Canada[61]. Comment, au milieu de cette polarisation extrême des idées et des sentiments, pourrait-elle faire comprendre sa propre vision des choses, elle qui se veut « solidaire [...] du Québec » mais sans pouvoir, sans vouloir exclure de ses affections le reste du « pays canadien où nous avons, comme peuple, souffert, erré, mais aussi un peu partout laissé notre marque[62] » ? Elle s'efforce donc de rester à l'écart. « C'est vraiment un temps pour le silence, la méditation, écrit-elle à Margaret Laurence, ou, s'il doit y avoir des paroles, qu'elles soient d'amitié et de compréhension[63]. »

Ce ne sont pourtant pas les occasions qui manquent. Du Canada anglais, où ses idées sont connues, lui arrivent sans cesse des invitations à prendre position publiquement. Elle les décline toutes, ou du moins refuse de s'associer à quelque parti que ce soit, se contentant de prôner discrètement la tolérance et l'entente mutuelle[64]. Au Québec, à mesure qu'approche la date du référendum, l'opposition la presse avec de plus en plus d'insistance de s'afficher en sa faveur. Malgré ses convictions, elle demeure intraitable. Ainsi, à la ministre Solange Chaput-Rolland — que le « Comité du non » a chargée de recruter la romancière —, elle répond en avril 1980 :

> L'utilisation de leur nom pour des fins politiques à laquelle se sont prêtés chez nous tant de vedettes, de chansonniers, de poètes, d'écrivains, m'inspire une telle tristesse, je vois là si peu de respect de l'intégrité morale et intellectuelle et un conformisme si contraire à l'esprit créateur, que je ne saurais me résoudre à les imiter, serait-ce au profit de la cause que j'estime bonne et juste. Je pense qu'il faut nous garder de prendre, pour réussir, des moyens que nous désapprouvons[65].

En fait, sa seule intervention est la publication, en juin 1979, dans la revue *Liberté*, de sa nouvelle intitulée « Ély ! Ély ! Ély ! », écrite quelque temps auparavant et où elle se souvient de sa grande tournée de reportage de 1942 à travers les plaines de l'Ouest, image à ses yeux de la poésie et de la grandeur du Canada[66]. Ce texte, où se mêlent de nouveau la fiction et l'autobiographie, n'a rien pour elle d'un exposé politique. Elle le donne essentiellement pour une parole d'écrivain, porteuse, à ses yeux, du message d'harmonie et de fraternité qu'exprime toute son œuvre.

Laisser la maison en ordre

Son œuvre. Quoiqu'elle vive de façon intense le tumulte politique qui agite l'époque, l'un des grands soucis de Gabrielle Roy, au cours des années soixante-dix, est de veiller à la fortune et à la pérennité des livres qu'elle va bientôt, elle le sait, devoir laisser derrière elle. Une grande part de son énergie déclinante est donc consacrée à la mise en ordre de ses affaires professionnelles et familiales, comme s'il lui fallait régler tout cela afin de pouvoir partir en paix.

Concrètement, cela veut dire une foule de tractations et de négociations, des échanges de lettres à n'en plus finir, des coups de fil, la constitution de dossiers, bref, tout un travail de gestion ingrat et harassant dont elle ne cesse de se plaindre. « J'ai le sentiment, écrit-elle à Margaret Laurence, que vous et moi avons été usées beaucoup plus par les lettres d'affaires et toutes les requêtes qu'on nous fait que par notre propre travail. Il me semble qu'il a dû y avoir un temps où les écrivains écrivaient leurs livres et qu'ensuite on les laissait en paix. [...] Comment trouver le temps de rêver nos rêves d'où sortent nos livres[67] ? »

Ces tâches, cependant, elle se sent tenue de les accomplir et les accomplit avec beaucoup de soin et de compétence. Ceux qui l'entourent, amis, éditeurs, essaient de l'aider de leur mieux, et elle recourt abondamment à leurs services ou à leurs conseils, tout en ayant constamment l'œil sur tout et en suivant minutieusement l'évolution des dossiers. Pour les décisions essentielles, elle ne s'en remet qu'à elle-même, forte de ses quelque trente-cinq ans d'expérience dans le métier et désireuse de garder la main haute sur le destin littéraire et commercial de son œuvre.

Le premier « front » auquel elle s'attaque est celui de l'édition. Avec le temps, la propriété de ses droits d'auteur s'est passablement dispersée ; il s'agit donc de récupérer tout ce qu'il est possible de récupérer afin d'être en mesure d'exercer désormais un contrôle direct sur la publication et la diffusion de ses œuvres. La première chose à faire, à cet égard, est de rapatrier les droits cédés jadis à ses éditeurs de New York et de Paris.

Elle s'adresse donc à Harcourt Brace (devenu entre-temps Harcourt Brace & World), qui détient toujours les droits universels en langue anglaise (à l'exception du Canada) de tous ses romans jusqu'à *La Route d'Altamont*, mais à qui elle a le sentiment de ne plus rien devoir depuis que cette maison a refusé de publier *La Rivière sans repos*. Sans se faire prier, le directeur de la maison accède à son désir. Par contre, la démarche entreprise auprès de Flammarion s'avère beaucoup plus difficile. Jusqu'ici, sept livres d'elle ont paru chez cet éditeur, le dernier étant *La Rivière sans repos*, publié en 1972, soit deux ans après l'édition montréalaise ; le livre, malgré quelques critiques sympathiques[68], a été de nouveau un échec commercial. Par la suite, aucun autre titre de la romancière n'a paru de son vivant à Paris, ni chez Flammarion ni ailleurs[69]. Toutefois, en vertu des contrats signés avec Jean-Marie Nadeau et, plus récemment, avec Gabrielle elle-même, Flammarion conserve non seulement le droit de vendre ses premiers livres sur le marché français — et pourra le faire pendant cinquante ans après sa mort —, mais aussi les droits exclusifs de traduction dans toutes les langues du monde, hormis l'anglais. Or le nom de Gabrielle Roy a beau être totalement oublié en France, Flammarion ne fait rien pour changer cette situation, et la maison, qui a d'autres chats à fouetter, ne s'occupe aucunement de vendre les droits de ses œuvres à l'étranger, se bornant à répondre bureaucratiquement aux rares demandes spontanées que lui adressent des traducteurs ou des éditeurs d'Europe et d'Asie. Désireuse de recouvrer sa liberté, Gabrielle écrit pour demander, là aussi, la rétrocession de ses droits. Pas de réponse. Elle écrit de nouveau. Toujours pas de réponse. Après une troisième lettre, Henri Flammarion, l'administrateur de la maison, daigne finalement lui adresser un mot dans lequel on peut lire, sous les formules complimenteuses, un message des plus clairs : il n'est pas question que la maison lui rende ses droits, Flammarion tient à ses auteurs et s'occupe d'eux avec tout le soin requis ; la preuve en est que l'on conserve toujours en stock le nombre minimal d'exemplaires prévu aux contrats. Gabrielle a beau revenir à la charge, ameuter ses amis et ses relations, songer à saisir de l'affaire l'Union des écrivains québécois nouvellement fondée, rien n'y fait : les « serres Flammarion[70] » ne se relâchent pas ; jusqu'à la fin, elle restera un auteur de la maison, autant dire une prisonnière.

C'est beaucoup plus par principe que par intérêt que Flammarion refuse de « laisser aller » Gabrielle Roy. Car il y a belle lurette que la carrière de celle-ci en France est terminée, tout comme aux États-Unis. À l'exception des milieux spécialisés en études canadiennes ou québécoises, il n'y a plus grand monde, sur « la scène internationale », qui parle d'elle ou lise ses écrits, si ce n'est le récit « De la truite dans l'eau glacée » dont une adaptation est publiée vers 1979 dans plusieurs éditions du *Reader's Digest*[71]. Même si la romancière se définit elle-même comme un écrivain à vocation « universelle » et veut écrire « pour tous les hommes », c'est avant tout, sinon uniquement, au Canada que se trouve son public réel. Cela dit, à l'intérieur du contexte canadien, l'« universalité » de son œuvre ne fait pas de doute, puisqu'elle est lue, admirée, étudiée autant dans le milieu anglophone que francophone, autant à Toronto et à Winnipeg qu'à Montréal, ce qui est alors le cas d'un très petit nombre d'auteurs du Québec et du Canada anglais. En ce sens, on peut dire que Gabrielle Roy est probablement, jusqu'à ce jour, le seul écrivain véritablement « canadien », au sens fédéral de ce terme, c'est-à-dire le seul dont l'œuvre transcende vraiment la barrière linguistique et qui est considéré également par les deux communautés — ou par les deux institutions littéraires — comme un de leurs membres à part entière.

C'est la raison pour laquelle Gabrielle apporte un soin tout particulier à la traduction anglaise de ses œuvres et à leur publication sur le marché canadien-anglais. En fait, elle place la version anglaise de ses livres pratiquement sur le même pied que le texte français, la considérant plus ou moins comme un second original destiné à un public qui a autant d'importance à ses yeux que son public de langue française. Pour ce qui est des traductions, elle a pris l'habitude — depuis Joyce Marshall — d'en suivre l'élaboration de très près et même d'intervenir, ce qui n'est pas toujours du goût de Joyce, qui a parfois l'impression que Gabrielle surestime sa propre connaissance de l'anglais littéraire. Mais la collaboration entre les deux femmes n'en est nullement affectée ; elle reste toujours aussi étroite et amicale ; leur abondante correspondance constitue d'ailleurs un très bel exemple de cette écriture à quatre mains que peut devenir, lorsque les conditions s'y prêtent, le travail de la traduction.

Vers 1973, cependant, c'est-à-dire après qu'elle a fini de traduire *Cet été qui chantait*, qui lui vaut le Prix de traduction du Conseil des Arts du Canada, Joyce décide de mettre fin à son travail de traductrice afin de se consacrer davantage à sa propre œuvre[72]. C'est une grande perte pour Gabrielle. « Je hais tellement l'idée de travailler avec quelqu'un d'autre que vous, écrit-elle à Joyce, surtout maintenant que nous avions acquis une sorte d'aisance et d'harmonie qui ne peuvent venir que de l'habitude de travailler ensemble[73]. » Il faudra quelques années avant qu'elle accepte un nouveau traducteur, à qui Jack McClelland confie *Un jardin au bout du monde* en 1976 ; il s'agit d'Alan Brown, de Montréal, qui a derrière lui une belle carrière, commencée en France avec la traduction de Cendrars et de Giono et poursuivie au Canada avec celle des poèmes d'Anne Hébert. Très vite, Gabrielle apprécie sa compétence et son dévouement et se montre enchantée de la qualité et de la diligence de son travail ; certes, elle n'aura jamais avec lui la relation amicale qu'elle a eue avec Joyce, mais leur entente professionnelle sera toujours parfaite. Brown devient ainsi le traducteur attitré de Gabrielle Roy. Après *Un jardin au bout du monde* (*Garden in the*

Wind, 1977), il traduit *Ces enfants de ma vie* (*Children of My Heart*, 1979), *Fragiles Lumières de la terre* (*The Fragile Lights of Earth*, 1982) et *Courte-Queue* (*Cliptail*, 1980)[74]. C'est également à lui qu'est confiée la préparation d'une nouvelle traduction de *Bonheur d'occasion*, destinée à remplacer celle de l'Américaine Hannah Josephson, considérée comme indigne de ce classique de la littérature canadienne qu'est *The Tin Flute*. Le livre paraîtra en octobre 1980.

Toutes ces traductions sont publiées chez le même éditeur, McClelland & Stewart, à qui Gabrielle est toujours restée fidèle depuis leurs premiers contacts à la fin des années quarante. Le directeur de la maison, Jack McClelland, est devenu un ami. Un nuage obscurcit momentanément cette relation à la fin de 1973, lorsque sort *The Hidden Mountain* dans la collection « New Canadian Library » ; Gabrielle est ulcérée par la préface, signée Mary Jane Edwards, qui reprend pour l'essentiel l'interprétation psychanalytique proposée quelques années plus tôt par Gérard Bessette, interprétation faisant de la chasse au caribou une figure du « meurtre de la mère ». Sachant que ses paroles iront jusqu'à Jack, elle écrit à Joyce Marshall : « Je ne pense plus publier jamais un autre livre chez McClelland & Stewart. [...] Je considère [cette préface] non seulement comme un manque flagrant d'intelligence, de goût et de jugement, mais comme une sorte de bassesse. [...] Il fut un temps où [Jack] n'aurait jamais toléré une telle médiocrité, mais à présent[75] ! » Dès qu'il apprend la chose, Jack se confond en excuses et fait supprimer des tirages subséquents la préface incriminée, que remplace un texte beaucoup plus cordial de Malcolm Ross, le directeur de la collection. Aussitôt, Gabrielle revient à de meilleurs sentiments : « Vous êtes, déclare-t-elle bientôt à Jack, l'un des rares qui restent encore de la race des éditeurs bienveillants, qui aiment vraiment leurs auteurs[76]. » C'est qu'il n'y a personne parmi les éditeurs canadiens-anglais — et elle le sait très bien — qui pourrait veiller aussi bien à ses intérêts que McClelland & Stewart. Ses nouveaux livres y sont traduits et publiés sans tarder, Jack se montre avec elle d'une correction et d'une gentillesse sans failles, ses redevances lui sont payées régulièrement, et l'ensemble de son œuvre jouit d'une sorte de permanence dans les librairies et les écoles du Canada anglais, grâce à la collection de poche « New Canadian Library ». S'ajoutant à ses quatre premiers romans et faisant suite à *The Hidden Mountain*, y paraissent *Windflower* (1975), *The Road Past Altamont* (1976) et *Garden in the Wind* (1981)[77].

La situation est loin d'être aussi favorable au Québec, où Gabrielle connaît depuis quelque temps des difficultés d'édition assez sérieuses. Beauchemin, qui la publie depuis 1947, est en plein déclin comme maison littéraire, ses dirigeants ayant décidé de privilégier le marché beaucoup plus lucratif du manuel scolaire. Depuis une dizaine d'années, Gabrielle a d'ailleurs commencé à prendre ses distances envers Beauchemin, obtenant l'annulation de ses premiers contrats et leur remplacement par des licences à portée limitée ; elle a même donné trois de ses livres à des éditeurs concurrents. Mais ses flirts avec HMH (*La Route d'Altamont*), les Éditions françaises (*Cet été qui chantait*) et Leméac (*Ma vache Bossie*) n'ont pas de suite, si bien qu'elle se retrouve vers 1976 dans la position d'un auteur orphelin, sans éditeur stable sur la scène québécoise. C'est alors que surgit Alain Stanké. Ayant fondé deux ans plus tôt une maison dénommée les Éditions internationales Alain Stanké, il est à la recherche de valeurs sûres. Il entre en contact avec Gabrielle Roy au printemps 1977 et la persuade de lui confier son nouveau manuscrit. Elle accepte, et *Ces enfants de ma vie* paraît à la rentrée suivante avec le succès que l'on sait. Cette année-là, Stanké lance une collection de littérature québécoise en format de poche, « Québec 10/10 », et propose à la romancière d'y réimprimer *Bonheur d'occasion*, dont la seule édition en langue française qu'on trouve à ce moment-là est l'édition régulière de Beauchemin, trop chère pour être achetée massivement par les écoles. Le livre sort chez Stanké à la fin de l'année 1977. Comme cette première expérience est positive, la romancière autorise ensuite, en 1978, la reprise de *La Montagne secrète*, puis celle de ses autres livres. Il ne s'agit pas à proprement parler de nouvelles éditions, mais de simples reproductions photographiques des éditions régulières, après quelques corrections. Pour veiller sur ce travail qui la fatigue, Gabrielle demande à Stanké de me nommer directeur de la collection. C'est ainsi que, de 1979 jusqu'à mon départ en 1982, paraîtront encore six autres de ses livres dans « Québec 10/10[78] ».

C'est également chez Stanké que la romancière publie en 1979 le conte intitulé *Courte-Queue*, qui souligne l'Année internationale de l'enfant et dont les redevances issues du premier tirage de 3 000 exemplaires sont versées à l'UNICEF. Mais le lien de Gabrielle Roy avec les Éditions Stanké, si étroit soit-il, n'est pas du même ordre que celui qui l'attache à McClelland & Stewart. En premier lieu, ce lien ne l'empêche pas de publier ailleurs ; ainsi, *Fragiles Lumières de la terre* paraît aux Quinze, dans la collection « Prose entière » que j'y dirige alors avec François Hébert. Ensuite, Gabrielle tient à garder sa pleine liberté à l'égard de Stanké, bien décidée à ne plus jamais se retrouver dans la position où l'ont placée jadis ses relations avec Flammarion. Elle se montre donc d'une extrême prudence dans toutes ses ententes avec Stanké, comme avec ses autres éditeurs de cette époque, ne concédant jamais le copyright ni aucun des droits annexes et ne signant que des contrats rédigés par elle, brefs, directs et qui ne permettent qu'une exploitation limitée et révocable de ses livres. Ainsi elle peut, à tout moment, se retirer à son gré et sans difficulté.

Comme « femme d'affaires », Gabrielle a donc beaucoup de pain sur la planche. Ses occupations remplissent ses longues journées d'hiver au Château Saint-Louis. Outre l'édition, une autre question la tracasse : l'adaptation cinématographique de ses romans. Jusque-là, la chance ne lui a guère souri. Il faut dire qu'elle n'a pas fait beaucoup d'efforts pour inciter les producteurs de cinéma ou de télévision à porter ses livres à l'écran ; elle s'est plutôt montrée indifférente, sinon hostile à leurs avances. Ses dispositions changent dans les années soixante-dix, lorsque le cinéma devient une industrie beaucoup plus prestigieuse et payante. Un temps, elle se croit favorisée quand Paul Blouin, réalisateur à la télévision de Radio-Canada, se lance dans une adaptation du récit « De la truite dans l'eau glacée » et qu'une jeune scénariste de Hollywood, Paula Mason, s'intéresse à quelques-uns de ses livres et acquiert même une option sur *La Rivière sans repos*. Mais les deux projets font long feu, comme cela arrive la plupart du temps. Par contre, les choses semblent bouger autour de *Bonheur d'occasion*. Il y a une dizaine d'années que divers groupes se disent désireux de produire un film à partir du roman, étant donné la faveur dont jouit ce dernier auprès d'un large public. Or les droits dorment toujours à Hollywood, chez Universal Studios qui, en 1969, a déclaré qu'il ne s'en déferait pas à moins de 150 000 dollars. Par la suite, d'autres approches sont tentées, mais rien n'aboutit. Gabrielle est sur le point de se résigner lorsqu'elle apprend, en 1976, que le producteur montréalais Claude Fournier envisage de racheter les droits à Universal. Cette nouvelle lui cause « la peur de ma vie », dit-elle à Jack McClelland, car Fournier est un cinéaste « qui fait du travail inférieur, genre porno[79] ». Elle alerte aussitôt Gratien Gélinas, président de la Société de développement de l'industrie cinématographique canadienne, dans l'espoir qu'il va intervenir afin qu'elle reprenne le contrôle des droits cinématographiques de *Bonheur d'occasion*. Gélinas lui promet de faire de son mieux, mais sans succès. Rose Films, la compagnie de Fournier, acquiert les droits et entreprend la production du long métrage, dont la première aura lieu à Moscou le 12 juillet 1983, la veille de la mort de Gabrielle Roy — qui ne l'a donc pas vu et qui n'a pas participé à son élaboration[80]. En fin de compte, aucun de ses livres n'aura été porté à l'écran de son vivant. C'était là, me confiait-elle, un de ses grands regrets.

Les affaires de Gabrielle Roy pendant les dernières années de sa vie comprennent aussi la préparation de sa succession littéraire, en commençant par les papiers personnels. Pendant longtemps, elle n'a presque rien conservé de ses manuscrits, lettres et autres documents relatifs à sa vie et à sa carrière ; n'étant pas « ramasseuse » de nature, elle tenait à avoir aussi peu de bagages que possible au cas où elle aurait l'envie soudaine de partir. C'est Marcel, après leur mariage, qui a veillé au grain ; en bon collectionneur, il a fait en sorte de sauver au moins l'essentiel, les manuscrits, qu'il est allé parfois repêcher jusque dans la poubelle. Puis, à la mort de Jean-Marie Nadeau, en 1960, Gabrielle a reçu de pleines caisses de dossiers, qu'elle ne s'est pas donné la peine de mettre en ordre mais qu'elle a conservés, malgré son peu d'intérêt pour ses propres archives. Tout ce qui comptait pour elle, c'était l'œuvre en train de s'élaborer, non les reliques du passé.

Or voilà que, sa réputation s'étendant, les institutions officielles commencent à se montrer intéressées. En 1969, la romancière est approchée par la Bibliothèque nationale du Canada. La démarche n'aboutit pas, mais c'est l'occasion, pour Gabrielle, de prendre conscience de la valeur que représentent ses papiers. À temps perdu, elle se met en devoir de les ranger, avec l'aide de Berthe Simard. Berthe, qui est un peu menuisier, fabrique des boîtes de bois et entreprend un premier classement des documents alors remisés chez elle à Petite-Rivière-Saint-François. Cela se passe à l'hiver 1975. Moins d'un an plus tard, Gabrielle reçoit une offre ferme de Kenneth M. Glazier, bibliothécaire en chef de l'Université de Calgary, pour l'achat de ses archives. Grâce aux pétrodollars qui déferlent alors sur l'Alberta, Glazier écume le Canada d'un océan à l'autre à la recherche de manuscrits d'écrivains célèbres. Il a déjà réussi à acquérir quelques fonds prestigieux : Hugh MacLennan, Brian Moore, Mordecai Richler ; et les discussions vont bon train avec André Langevin, Roger Lemelin et Claude Péloquin. Glazier propose à Gabrielle la somme — alors assez rondelette sur le « marché » archivistique canadien — de 60 000 dollars pour l'ensemble de ses papiers.

Jack McClelland, qui sert d'intermédiaire entre Glazier et elle, la presse de dire oui, Mordecai Richler vient la voir à Québec pour tenter de la convaincre ; elle ne se montre pas trop catégorique, mais son idée est faite — elle l'a d'ailleurs été dès le départ : il n'est pas question, puisque son œuvre appartient à « l'ensemble du pays[81] » et que cette œuvre est écrite en français, de céder ses manuscrits à une université albertaine. En ce qui concerne les dollars qu'on lui offre, elle écrit à Jack :

> J'ai découvert ce qui a été vrai pendant la majeure partie de ma vie et est devenu de plus en plus évident pour moi dernièrement, le fait que je m'inquiète très peu de l'argent. Au point de vue professionnel, je ne me soucie de presque rien, sauf, je pense, d'écrire selon les commandements intérieurs et ainsi de récolter peut-être l'amitié par mes efforts. Tout le reste me paraît maintenant tout à fait insignifiant. Et ainsi ai-je atteint une liberté extraordinaire, tout simplement en ne me souciant plus de la richesse et même, je suppose, de la gloire. Avez-vous déjà pesé la force bizarre qui résulte d'une telle libération dans notre société actuelle ? C'est presque incroyable[82].

Il n'y a pas de raison de douter de la sincérité de cette déclaration. Cependant, le détachement à l'égard des choses matérielles auquel Gabrielle se dit parvenue ne l'empêche pas, à cette époque comme depuis le début de sa carrière, de surveiller de très près l'administration de ses finances, de réclamer le paiement de ses redevances à chaque échéance, et de ne jamais dépenser plus que nécessaire, comme si l'argent lui était compté. Or ses revenus de ces années-là non seulement se situent à un niveau plus que respectable, mais ne cessent d'augmenter. Ainsi, ses droits d'auteur passent de quelque 14 000 dollars en 1976 à plus de 33 000 en 1979 (après la publication de *Ces enfants de ma vie*), pour se stabiliser ensuite à environ 25 000 dollars par année. À cela s'ajoutent bientôt ses prestations de retraite des gouvernements et surtout les intérêts de plus en plus élevés que lui rapportent ses placements. Au total, ses revenus annuels grimpent de 32 000 dollars en 1976 à plus de 86 000 en 1982[83].

Jack McClelland et le bibliothécaire-collectionneur Glazier reviennent à la charge dans les mois qui suivent le premier refus de Gabrielle, puis l'année d'après. En vain. Les précieux papiers de la romancière resteront dans l'Est. Des propositions lui parviennent d'ailleurs de la Bibliothèque nationale du Québec et des Archives nationales, dont aucune ne lui convient mais qui l'incitent à accorder plus de soin au rassemblement de ses archives. Elle demande à sœur Berthe de lui renvoyer ses nombreuses lettres à Clémence et conserve précieusement les papiers personnels de Bernadette, que la communauté de cette dernière lui a remis. Tous ces documents, elle le sait maintenant, valent beaucoup d'argent et suscitent les convoitises.

Finalement, dans les derniers mois de l'année 1980, Guy Sylvestre, directeur général de la Bibliothèque nationale du Canada à Ottawa, lui présente une nouvelle offre qu'elle décide d'accepter, en spécifiant bien que la nouvelle ne pourra être rendue publique qu'après sa mort. Les papiers contenus dans deux grosses caisses de bois sont remisés à Montréal, dans mon bureau de l'Université McGill, où je les ai transportés quelques mois plus tôt à la demande de Gabrielle. Ils y resteront jusqu'à l'hiver 1983, après qu'un expert consulté par la Bibliothèque aura estimé leur valeur marchande à 165 000 dollars. Mais Gabrielle ne veut pas toucher cette somme, par peur de l'impôt et parce qu'elle la destine à la fondation qu'elle est en train de mettre sur pied en vue de recueillir sa succession littéraire.

Soucieuse du destin posthume de son œuvre, elle songe en effet depuis un certain temps à former une petite société à but non lucratif à laquelle elle pourra léguer ses droits d'auteur et qui administrera son œuvre lorsqu'elle ne sera plus là. À partir de 1978 ou 1979, une bonne partie de nos conversations ont porté sur ce sujet, qui la préoccupait grandement. Mais je n'ai pas été le seul à l'aider ; elle discute également de ce projet avec le poète Pierre Morency, qui habite Québec et est en contact régulier avec elle. Ils se connaissent depuis que Morency, en 1976, lui a envoyé le premier numéro de la revue *Estuaire*, qu'il venait de fonder. Par la suite, ils ont pris l'habitude de se téléphoner et de se voir. Quand le temps le permet, Pierre l'emmène parfois en voiture jusqu'à l'île d'Orléans, où il a une petite maison au bord du fleuve. Ainsi deviennent-ils amis, réunis non seulement par leur métier d'écrivain, mais aussi, et plus encore, par leur passion commune pour la nature[84]. Renée Dupuis, la femme de Pierre Morency, est avocate ; elle prend en main la constitution légale de la petite société, qui reçoit ses lettres patentes en novembre 1981 sous le nom de « Fonds Gabrielle Roy ». Les premiers administrateurs en sont les Morency, Marcel et moi-même. Gabrielle propose à André Major et à Gilles Marcotte de se joindre à nous. Ils acceptent aussitôt.

C'est donc le Fonds Gabrielle Roy qui héritera finalement des archives de la romancière et qui recevra en 1984, après la mort de celle-ci, les 165 000 dollars de la Bibliothèque nationale[85].

La vie derrière soi

Le règlement de ses affaires professionnelles importe beaucoup à Gabrielle Roy au cours des dernières années de sa vie, tandis que la pensée de la mort l'habite chaque jour davantage. Loin de chercher à l'oublier, loin de la refuser ou de se révolter contre elle, la vieille femme accueille cette pensée sans angoisse et règle sur elle l'essentiel de sa conduite. Elle veut tout laisser en ordre, et prévoir dans les moindres détails les suites de sa disparition.

Parmi ces suites qu'il faut régler d'avance, il y a le sort de Clémence. Au printemps 1975, huit mois environ après son dernier voyage à Otterburne, Gabrielle apprend que les sœurs de la Providence vont fermer la Résidence Sainte-Thérèse. Il faut donc trouver un nouvel endroit où « caser » Clémence, qui accueille avec bonne humeur la perspective de quitter ce village où elle se languit de peine et d'ennui. « Laissons faire la sainte Providence », écrit-elle à Gabrielle que le souci consume ; et elle ajoute, narquoise : « s'il [y] en a une[86] ». Divine Providence ou pas, Gabrielle et sœur Berthe font des pieds et des mains pour que Clémence puisse être logée à Saint-Boniface comme elle le désire. Elles obtiennent gain de cause à l'automne, lorsque les responsables de la Nursing Home nouvellement construite dans la rue Archibald se disent prêts à recevoir Clémence à partir du mois de mars suivant. Afin de voir aux derniers détails en vue du déménagement, Gabrielle va passer la Noël 1975 à Saint-Boniface avec Marcel. Mais elle n'a pas sitôt réglé les formalités et les achats nécessaires à l'installation de Clémence qu'elle abandonne Marcel à sa famille et court se réfugier pendant une semaine au couvent de Saint-Jean-Baptiste, auprès de sœur Berthe.

Plus que jamais, en effet, c'est à elle — « ma Berthe, ma voltigeuse, ma trotteuse, mon éclaireuse, ma silencieuse aussi parfois, ma grande sœur ou ma petite sœur, je ne sais plus trop[87] » — que Gabrielle s'en remet du soin et de l'avenir de Clémence. Ne se sentant plus la force de veiller elle-même sur sa sœur âgée et malade, elle en transmet la responsabilité à sœur Berthe. Le rôle de cette dernière à l'égard de Clémence, surtout moral et psychologique jusqu'alors, prend ainsi un caractère plus officiel, se transformant en une véritable tutelle légale. Mais le transfert ne se fait pas sans difficultés.

Depuis 1973, c'est Gabrielle qui assume la responsabilité juridique de Clémence, celle-ci ayant signé une procuration faisant de sa sœur cadette la gardienne et l'administratrice de ses biens, c'est-à-dire des sommes placées à la banque en son nom pour couvrir ses dépenses et les frais de son enterrement. Ces sommes proviennent toutes de Gabrielle, qui continue d'ailleurs, à raison de 500 ou de 1 000 dollars par année, d'ajouter au « capital » de Clémence afin de la mettre autant que possible à l'abri du besoin. Mais dans les faits, c'est sœur Berthe qui, étant sur place, veille aux intérêts de Clémence et gère son argent. Aussi, pour simplifier les choses, pour protéger Clémence et, il faut le dire, pour se libérer elle-même d'un fardeau qui lui pèse, Gabrielle souhaite qu'une nouvelle procuration permette à Berthe de la remplacer comme gérante des biens de Clémence. Or voilà qu'à l'été 1977, un psychiatre mandaté par les services sociaux pour examiner les pensionnaires de l'établissement déclare Clémence « *mentally disordered and incompetent to manage her own personal affairs* », diagnostic qui la rend inapte à signer quoi que ce soit et fait d'elle une pupille de l'État. Gabrielle est outrée et proteste aussitôt avec la dernière énergie, citant pour preuve les lettres de Clémence, « qui témoignent de sensibilité, de finesse et d'intelligence ». Elle menace de se servir de son prestige personnel pour en appeler directement au gouvernement manitobain. Sa protestation a l'effet escompté. Moins d'un mois après avoir jugé Clémence atteinte de « démence sénile », le psychiatre avoue qu'il s'est trompé de patiente et ordonne que l'on détruise son diagnostic ; un de ses confrères examine alors Clémence et déclare : « Je [ne] trouve aucun élément chez elle suggérant débilité mentale ou sénilité[88]. » Clémence reste donc libre de confier l'administration de son argent à qui elle le veut. Avec bien des précautions, car Clémence est méfiante, Gabrielle la persuade de signer un mandat en faveur de sœur Berthe. C'est chose faite au mois de novembre 1977. Ainsi, c'est finalement sœur Berthe Valcourt qui recueille l'héritage de Mélina que ses filles se sont transmis depuis trente-cinq ans. Dès lors, elle devient pour Gabrielle beaucoup plus qu'une amie ou même qu'une sœur : la remplaçante, la réincarnation de sa propre mère, devant laquelle Gabrielle retrouve la position qu'elle n'aurait jamais voulu perdre, qu'au fond elle n'a jamais accepté tout à fait d'avoir perdue : celle de l'enfant chérie, entourée, protégée, de la fille d'autant plus libre, d'autant plus sûre d'elle-même, d'autant plus capable d'affronter le monde que quelqu'un, là-bas, s'occupe de tout, garde le foyer et l'attend.

Après son bref passage à Saint-Boniface et à Saint-Jean-Baptiste dans les derniers jours de 1975, Gabrielle ne retournera plus une seule fois au Manitoba. Pas une seule fois non plus elle ne reverra Clémence. Les deux sœurs continuent cependant de correspondre et, parfois, de se téléphoner. Car il faut encore et toujours remonter le moral de la pauvre Clémence, qui ne tarde pas à s'ennuyer presque autant à Saint-Boniface qu'à Otterburne : « ce n'est pas la place la plus idéale du monde », annonce-t-elle six mois à peine après son installation[89]. Gabrielle a beau s'efforcer de l'égayer, Clémence trouve constamment matière à se plaindre de sa solitude, de la monotonie du quartier, de la tristesse générale de l'existence. « Tu sais, dit-elle un jour à Gabrielle, je suis vieille de naissance[90]. » Au fond, la mélancolie est sa façon de vivre et le seul moyen qu'elle a d'être un peu aimée. Gabrielle lui fait parvenir régulièrement des petits cadeaux, vêtements, livres, friandises ; elle continue les envois d'argent. Mais pour le reste, c'est sœur Berthe qui s'occupe de tout, et Gabrielle, de ce côté, a maintenant l'esprit et le cœur en paix.

C'est aussi une forme de paix qui s'est installée peu à peu entre elle et Marcel. Certes, il leur arrive encore de se quereller et le ton, entre eux, est souvent excédé ou bourru ; ils ne tiennent plus guère à être en compagnie l'un de l'autre et passent de longues périodes sans se voir, ou presque ; l'été, Gabrielle se réfugie à Petite-Rivière-Saint-François, où Marcel va de plus en plus rarement ; l'hiver, il part souvent au Manitoba, seul, pour y passer la Noël avec sa mère et ses sœurs, et le reste de l'année il fait régulièrement d'autres petits voyages avec ses amis ; quand ils sont ensemble, ils se parlent peu, préoccupés qu'ils sont par leurs propres soucis et plus ou moins indifférents à ceux de l'autre. Pourtant, ils ne songent pas à se quitter ; comme le dit parfois Gabrielle à ses amies, une pointe d'attendrissement dans la voix : « on ne sépare pas deux vieux chevaux ». Trop âgés pour le ressentiment, ils ont appris à accepter leurs défauts et leurs frustrations, ou du moins à ne plus s'en tenir grief, et à vivre comme des étrangers qui ont besoin l'un de l'autre pour ne pas se sentir tout à fait démunis et abandonnés.

Cela dit, ils continuent d'évoluer dans des mondes parallèles, et l'appartement du Château Saint-Louis, qui n'a pas été repeint depuis des lustres, n'est plus pour eux qu'un terrain de rencontre neutre, où chacun s'enferme dans une pièce et n'adresse à l'autre que les paroles strictement nécessaires. Pour le reste, elle a sa vie et lui la sienne. Après 1973, Gabrielle est de plus en plus seule ; elle garde bien quelques contacts espacés avec Simone Bussières, Jacqueline Deniset ou Cécile Chabot, et voit encore les Madeleine, mais elle n'a plus d'amie dont elle se sente aussi proche qu'elle l'a été jusque-là d'Adrienne ; ses relations vraiment régulières se restreignent à Berthe Simard, qui lui est de plus en plus dévouée, et à Bibiane Patry, sa voisine de Québec, à la fois amie et quasi-servante, qui accourt au moindre appel et se charge des nombreuses tâches que Gabrielle lui confie : aller acheter pour elle des vêtements chez Holt Renfrew's, expédier les colis à Clémence, faire les petites courses dans les environs. Quant à Marcel, sa liaison avec M. C. se poursuit en dépit de fréquentes tempêtes. Est-ce à cause de l'âge qui vient, il s'est mis à hanter les bars gais et à arpenter les Plaines, le soir, en quête de nouveaux compagnons. Les temps ont beau avoir changé, cette conduite n'est pas sans inquiéter Gabrielle, qui craint toujours le scandale. Aussi presse-t-elle M. C. de veiller sur « le lama », comme ils surnomment Marcel, afin qu'il ne commette pas de bêtises.

Au fond, qu'il s'agisse de Clémence ou de Marcel, le vœu le plus cher de Gabrielle est de ne plus avoir à se soucier d'eux comme elle l'a fait jusqu'alors, de ne plus se sentir responsable de leur bonheur. D'abord parce qu'elle ne s'en sent plus capable, physiquement aussi bien que psychologiquement, mais surtout parce qu'elle est absorbée par autre chose, tenue par une autre obligation dont elle veut à tout prix s'acquitter avant de partir. Cette autre obligation est toujours la même, c'est la seule qui ne l'ait jamais quittée : écrire.

Depuis 1977, avant même d'avoir mis la dernière main à *Ces enfants de ma vie*, elle s'est lancée dans un nouveau projet qui, malgré sa santé précaire, l'accapare entièrement. De ce projet, on trouve l'annonce dans une lettre à Jack McClelland datée du 30 décembre 1976 :

> Il m'est venu à l'idée dernièrement que ma propre vie, si je pouvais la relater simplement comme elle s'est déroulée et a suivi son bizarre chemin, serait mon meilleur roman[91].

En fait, il y a longtemps qu'elle cultive les souvenirs de sa propre vie. Elle avait à peine franchi le cap de la cinquantaine que déjà commençait pour elle « l'âge où nous ne cesserons jamais de déterrer au fond de notre mémoire les choses du passé » ; « et il est bon qu'il en soit ainsi, ajoutait-elle ; c'est ce qui compense la tristesse de vieillir[92] ». Puis sont venus la mort de Bernadette, les voyages à Otterburne, les échanges de lettres avec Clémence, autant de circonstances qui ont fait « [s'éveiller] en moi les souvenirs de ma jeunesse et de mon enfance au Manitoba par milliers, les uns doux, d'autres suffocants[93] », et ont peu à peu créé dans son existence et son imagination un autre monde presque plus vrai et plus proche que le présent, plus riche d'émotions et d'images, et venu tout droit du passé. C'est dans ce monde, nous l'avons vu, que puise de plus en plus son écriture à partir d'*Un jardin au bout du monde*, et plus particulièrement lorsqu'elle rédige *Ces enfants de ma vie*.

Jusque-là, toutefois, la romancière a toujours séparé, dans son œuvre, l'autobiographie de la fiction. Le récit « véridique » de son passé, elle l'a soigneusement limité à des textes courts, qui à ses yeux avaient moins un intérêt littéraire qu'historique ou documentaire, comme « Souvenirs du Manitoba », « Mon héritage du Manitoba », « Le pays de *Bonheur d'occasion* » ou « Le Cercle Molière… porte ouverte », textes qui ne visent pas tant à raconter sa vie qu'à rappeler des époques et des milieux qu'elle a connus. Ce n'est pas elle-même, en d'autres mots, ce ne sont pas son propre visage et sa propre vérité qui constituent le sujet ou l'enjeu de ces écrits, mais les êtres qu'elle a côtoyés et les événements ou les circonstances dont elle a été le témoin. Quant à ses souvenirs vraiment personnels, ceux qui ont trait à son passé le plus intime et le plus inoubliable, à la conscience la plus profonde de l'être qu'elle a été et qu'elle est devenue, ces souvenirs-là ont amplement trouvé place dans son écriture, mais toujours sur le mode de la fiction, c'est-à-dire en passant par des personnages qui, si semblables à leur auteur qu'ils puissent paraître, n'en sont pas moins des figures inventées. C'est le cas des narrations à la première personne, comme *Rue Deschambault, La Route d'Altamont* ou *Ces enfants de ma vie* ; mais c'est aussi le cas de romans aussi « objectifs » que *La Petite Poule d'Eau, Alexandre Chenevert, La Montagne secrète* ou même *Bonheur d'occasion* et *La Rivière sans repos*. D'un bout à l'autre, l'œuvre de Gabrielle Roy, comme celle de bien d'autres écrivains, est imprégnée de mémoire, nourrie d'expériences et d'images récoltées au fil de l'existence passée et que l'écriture, en les ressaisissant, à la fois transforme et révèle.

Ce processus, dans la création romanesque, vise à la constitution d'une histoire et d'un univers qui ne sont plus ceux de la romancière mais ceux des personnages, et seulement les leurs. Il en va autrement dans l'autobiographie, lorsque le passé de l'auteur n'est pas tant un réservoir d'impressions et d'images que l'objet même de l'écriture et que le propos premier n'est pas l'invention mais l'aveu, c'est-à-dire la recherche de soi et l'expression de ce qui doit être donné et reçu comme la vérité de l'être qui écrit. C'est pour cette raison sans doute que le désir de l'autobiographie se manifeste si souvent chez les écrivains vieillissants, lorsqu'il leur semble qu'ils ont achevé leur œuvre de fiction et qu'ils n'ont plus à verser dans l'écriture que leur propre vie, entière et dépouillée de tout secret, afin qu'elle aussi, enfin, puisse sortir d'eux et s'achever.

Lorsqu'elle entreprend le récit de sa vie, Gabrielle sait qu'il ne lui reste plus d'autre livre à écrire que celui-là. L'élément déclencheur a peut-être été la rédaction d'un petit texte que lui a commandé le *Globe & Mail* de Toronto à l'automne 1976 pour sa chronique intitulée « Mermaid Inn Column ». Profitant de ce qu'on la laisse entièrement libre de son sujet, Gabrielle choisit de relater — sous le titre « Mes études à Saint-Boniface » — ses années passées à l'Académie Saint-Joseph ; elle évoque l'ambiance dans laquelle les religieuses enseignaient clandestinement le français, sa découverte de Shakespeare et de la littérature anglaise et surtout l'épisode — qui reparaîtra presque tel quel dans le cinquième chapitre de *La Détresse et l'Enchantement* — au cours duquel elle « sauve » l'honneur de sa classe devant l'inspecteur ébahi[94]. Jamais publié en français, le texte paraît le 18 décembre 1976, dans une traduction anglaise d'Alan Brown.

On trouve également, parmi les archives de Gabrielle Roy conservées à la Bibliothèque nationale du Canada, un autre inédit du même genre dont la composition, vraisemblablement de 1977, a dû précéder de très peu le début de *La Détresse et l'Enchantement*. Intitulée « Ma petite rue qui m'a menée autour du monde », il s'agit d'une longue remémoration du milieu natal de la romancière, qui resterait assez maladroite et banale si l'on n'y remarquait deux traits préfigurant directement l'autobiographie. D'abord, une scène très forte où la jeune fille, âgée de seize ans, découvre pour la première fois le visage et la souffrance de sa mère ; cette scène est importante parce qu'elle fait apparaître la mère comme le personnage-clé dans le cheminement personnel de la narratrice ; ensuite, l'évocation de la « petite rue », entièrement construite sur une opposition entre ses deux extrémités, l'une donnant sur la nature et la solitude paisible, l'autre sur la ville, faite à la fois de désordre et de fraternité ; s'annonce ainsi ce qui sera l'une des données fondamentales de l'autobiographie, la polarisation thématique entre l'euphorie et la souffrance, l'élan et la chute, la confiance et le regret, c'est-à-dire la saisie de soi comme conscience divisée, déchirée, n'arrivant nulle part à se reposer et ne trouvant sa vérité que dans cette oscillation même.

Cette forme de cyclothymie à la fois psychologique et métaphysique définit depuis toujours le tempérament de Gabrielle, y compris à ses propres yeux. À vingt ans déjà, jeune institutrice à Cardinal, elle se disait elle-même « lumière et ténèbre, gaieté et mélancolie, sourire et larmes[95] ». Et cette manière de se voir revient sans cesse par la suite dans ses lettres et dans ses écrits. En 1972, elle déclarait dans une entrevue : « Je suis constamment partagée entre deux forces qui me tirent dans des sens opposés, l'espoir et la détresse[96] », partage qui n'est pas seulement chez elle un trait de caractère, quoique ce soit cela aussi — et, pour cette raison, l'une des sources de son instabilité morale chronique —, mais qui est devenu, à mesure qu'elle avance en âge, une caractéristique fondamentale de son écriture et, plus largement, une vision du monde. Ainsi, évoquant la « complicité de la peine et de la joie, de [la] détresse et de [l'] espoir, du chagrin et du merveilleux », elle m'écrivait peu après notre première rencontre :

> Peut-être s'agit-il plus que d'une complicité, mais d'une indispensable union. N'est-ce pas leur cohabitation dans une âme qui rend celle-ci apte enfin à saisir comme à aucun moment dans la vie la réalité suprême[97]…

Mélange du sombre et du clair, de la souffrance et de l'émerveillement, du remords et du contentement, la prise de conscience et l'acceptation de cette impossible résolution des tendances contraires de son esprit et de sa sensibilité constituent l'un des moteurs les plus puissants de l'entreprise autobiographique à laquelle elle s'attaque alors. Après avoir jonglé avec des formules banales comme « Des heures de ma vie », elle connaît bientôt le titre de son ouvrage, titre qui est aussi l'« hypothèse » centrale au moyen de laquelle elle va raconter et tenter de justifier sa vie : *La Détresse et l'Enchantement*.

Elle commence à y travailler à Petite-Rivière-Saint-François, où elle s'est installée dès la fin du mois de mai 1977. Lorsqu'elle quitte le chalet à la mi-septembre, le manuscrit compte déjà quelques chapitres ; le mouvement de l'écriture et le dévidage des souvenirs sont bien engagés. Une fois apaisée l'excitation causée par la parution de *Ces enfants de ma vie*, elle reprend son ouvrage et, contrairement à son habitude, continue d'écrire pendant l'hiver 1978, jusqu'à ce que le prix du Gouverneur général et le Molson qui lui sont attribués ce printemps-là viennent perturber de nouveau sa tranquillité et l'obligent à s'arrêter momentanément. Réfugiée à Petite-Rivière dès le 26 mai, elle se remet aussitôt à la tâche. En juin 1978, lorsque je lui rends visite, elle me lit pour la première fois quelques pages du « Bal chez le gouverneur », titre qu'elle a choisi pour la première partie de son autobiographie. Car elle voit bien l'ampleur que son projet va prendre et sait déjà que l'ouvrage sera divisé en quatre parties : à la première, qui porte sur sa jeunesse manitobaine, et à la deuxième, qui relatera son premier séjour en Europe, elle prévoit ajouter une troisième partie consacrée à ses années montréalaises et à *Bonheur d'occasion*, puis une quatrième qui évoquera les trois dernières décennies de sa vie.

Le programme est de taille, et le temps est mesuré. « Je ne souhaite que le silence, le calme, le repos pour me mettre à mon dernier livre[98] », écrit-elle à sœur Berthe. Mais elle a beau s'isoler et se concentrer, elle est constamment interrompue, tantôt par les visites, tantôt — et de plus en plus souvent — par les défaillances de son corps, allergies, essoufflements, crises d'arthrite aux poignets et aux doigts, sans parler de ces brusques accès de fatigue et de dépression qui continuent de s'abattre régulièrement sur elle et l'immobilisent pendant plusieurs jours.

Sur les conseils de son médecin, elle décide, « pour refaire mes forces et retrouver le courage de finir mon dernier livre[99] », d'aller passer le pire de l'hiver en Floride. Elle a choisi Hollywood, au nord de Miami, dans l'espoir que la tranquillité du lieu et l'air doux y seront propices à la poursuite de son travail. Arrivée le 2 décembre 1978, elle s'installe dans un petit appartement de Johnson Street et adopte aussitôt la routine de ses vacances d'autrefois au bord de la mer : promenades sur la plage au soleil couchant, lettres à Marcel et aux amies, séances de repos au bord de la piscine, lectures quotidiennes (je lui ai prêté *Djann* de Platonov et *Le Communiste* de Guido Morselli). Mais c'est d'abord et avant tout pour écrire qu'elle est là : « Je voudrais me remettre au travail, confie-t-elle à Antonia. C'est encore le meilleur moyen — le seul pour moi — de supporter la vie[100]. »

Mais les jours passent et le livre attend. « Je me repose autant que je le peux, écrit-elle à Marcel peu avant Noël. Je ne pense pas jamais arriver à travailler ici. Je me sens trop dépaysée. Le climat ne porte pas non plus au travail[101]. » Si elles lui font un peu de bien au début, la chaleur et l'humidité ne tardent pas à l'accabler. Recommence alors la ronde infernale des allergies et des bronchites, combattues par des médicaments qui la rendent incapable de la moindre concentration. À ces malaises s'ajoutent bientôt l'esseulement et l'ennui, ainsi que l'angoisse de perdre un temps précieux qui ne reviendra plus. Elle repart donc pour Québec le 22 février 1979, elle qui avait prévu de rester au moins quatre mois en Floride. Lorsque l'ami Pierre Boutin l'accueille à Dorval, le manuscrit de son autobiographie ne pèse pas plus lourd dans ses bagages qu'à l'aller.

Les ennuis de santé persistent pendant toute la durée du printemps, qui est celui de ses soixante-dix ans. Dès les premiers jours de juin, cependant, c'est-à-dire dès l'instant où elle arrive à Petite-Rivière-Saint-François et retrouve la protection de la bonne Berthe, le goût et le courage d'écrire lui reviennent. À la mi-juillet, lorsque je viens la voir, elle a achevé une première version du « Bal chez le gouverneur », qu'elle corrigera et donnera à taper dans les mois qui suivent. Mais sa tâche, elle le sait, n'est pas terminée ; « ce que j'aperçois devant moi, m'écrit-elle, est si long, si long que j'en ai peur[102] ».

Plus forte que la peur, toutefois, est la volonté de mener son projet à terme. Une volonté si tenace qu'aucun obstacle, sauf la mort, ne saurait l'en détourner. Car il y va beaucoup plus que du simple récit de sa vie ; c'est le sens, c'est la valeur même de cette vie, et donc de tout ce qu'elle est et a été, que met en jeu l'écriture de *La Détresse et l'Enchantement*, œuvre à la fois monumentale et testamentaire. Au moment où ses forces la quittent et où il n'y aura bientôt plus rien à ajouter à ce qui a été dit, l'autobiographie est la dernière chance qui s'offre à la vieille femme de construire enfin dans un livre cette image agrandie d'elle-même, cet être idéal qu'elle n'a pas cessé, depuis l'adolescence et sa vie durant, de chercher à construire dans ses actes et dans ses pensées. Ce faisant, elle laissera en ordre sa vie derrière soi, c'est-à-dire se rachètera, s'innocentera une fois pour toutes et à jamais. Or nul autre moyen ne peut lui procurer ce salut que d'adopter à l'égard de sa propre existence le même regard, la même compassion attentionnée qu'elle a éprouvée pour Alexandre Chenevert, Christine, Pierre Cadorai, Elsa et les autres personnages sortis de son imagination ; devenir elle-même le narrateur et le personnage de son propre roman ; transformer totalement, définitivement, sa vie en littérature. D'où la détermination et le sentiment d'urgence avec lesquels elle écrit son ouvrage, fébrilement, passionnément, sans jamais le remettre en question ni s'en laisser détourner par les risques que tant de travail fait courir à sa santé.

> Une seule chose compte pour moi à présent, écrit-elle à Margaret Laurence : finir le livre que je m'acharne à terminer avec de pauvres mains, un pauvre souffle, un pauvre cœur. Mais le miracle peut se produire et il se peut que j'y donne mes derniers efforts, ce qui est une bonne manière, il me semble, d'arriver à la conclusion. L'œuvre vaut-elle tout cela, je ne le sais pas, peut-être pas, probablement pas, mais cela m'est égal[103].

Un obstacle de taille survient toutefois à l'été 1979. Au moment où elle met le point final au « Bal chez le gouverneur », Gabrielle apprend que sa sœur Adèle, âgée de quatre-vingt-six ans, a finalement trouvé preneur pour l'horrible réquisitoire qu'elle a écrit contre elle. Depuis 1969, on aurait pu croire que l'affaire était classée ; malgré une nouvelle alerte en 1971, aussi vite résorbée que la première, tout semblait indiquer qu'Adèle avait renoncé à faire connaître publiquement le « vrai visage » de sa sœur et les griefs qu'elle nourrissait à son endroit. Sans qu'elle et Gabrielle se revoient jamais, une certaine amitié avait même paru renaître entre les deux femmes, qui avaient recommencé à s'écrire et à se tenir au courant de leurs travaux. Ceux d'Adèle étaient pieux et anodins ; pauvre, presque aveugle, confinée dans des logis exigus et délabrés, elle tapait pour la nième fois sur sa petite machine les souvenirs de sa famille et du Manitoba de sa jeunesse. Pour l'encourager, Gabrielle lui envoyait quelques centaines de dollars deux ou trois fois par année, qu'Adèle acceptait avec reconnaissance. En 1977, elle publiait à compte d'auteur un petit livre intitulé *Les Capucins de Toutes-Aides*, qui se voulait une contribution à l'histoire religieuse de l'Ouest canadien. L'ouvrage contenait une critique assez vive de *La Petite Poule d'Eau*, dont la valeur documentaire était jugée pratiquement nulle en raison de l'« imagination débridée » de l'auteur[104]. Bonne joueuse, Gabrielle écrit à Clémence :

> Bien sûr que je ne m'offenserai pas du livre d'Adèle. Que veux-tu, je n'y peux rien et puis, en fin de compte, cela ne peut me faire de mal qu'elle écrive à sa façon à propos de ce que j'ai écrit, moi, selon mon talent et comme cela me venait. Je ne lui veux que du bien[105].

Gabrielle sait pertinemment que son « talent » l'emporte de loin sur celui de sa sœur. Du reste, ce nouveau livre d'Adèle, comme tous ceux qui l'ont précédé, n'a aucun écho. Mais c'est justement ce qui fait enrager Adèle, en qui la jalousie et la rancune, loin de se laisser apaiser par les sentiments et les largesses que Gabrielle lui témoigne, ne font que s'exacerber. C'est qu'Adèle se croit vraiment écrivain, même si « mes œuvres, dit-elle, ne sont pas à la mode du jour [et] ne plaisent pas aux jeunes avides de sensations érotiques[106] ». La gloire de Gabrielle lui semble une injustice d'autant plus révoltante que celle-ci ne tente rien, elle pourtant si puissante dans le milieu littéraire, pour faire connaître et publier les « humbles travaux » de sa sœur. Que peut Adèle contre une telle situation, sinon rentrer sa hargne et se tenir prête pour l'heure de la vengeance ?

Cette heure sonne enfin en septembre 1978, lorsque le romancier

Gérard Bessette, qui exerce aussi le métier de critique psychanalytique et s'intéresse depuis longtemps à l'œuvre de Gabrielle Roy, se présente rue Tupper, à Montréal, et demande à Adèle si elle a « de l'inédit » sur Gabrielle[107]. Trop heureuse de se voir approchée par quelqu'un d'aussi important — un « écrivain de première classe » —, Adèle lui refile un gros manuscrit intitulé *Journal intime d'une âme solitaire : Reflet des âmes dans le miroir du passé*. Il s'agit essentiellement du même texte que celui de 1968, c'est-à-dire de la même dénonciation de l'« égoïsme » et de l'« arrivisme » de Gabrielle, mais augmenté cette fois de plusieurs chapitres consacrés aux autres membres de la famille, en particulier Anna, Bernadette et Rodolphe, dont Adèle trace un portrait peu flatteur. Bessette est ravi, le récit d'Adèle va tout à fait dans le sens de ses thèses à propos de Gabrielle Roy. Mais en lui remettant le manuscrit, Adèle a un mouvement d'hésitation car, dit-elle, « je pensais à la *Petite Misère* d'autrefois et je ne voulais pas faire de la peine à la grande Gabrielle d'aujourd'hui, bien qu'elle n'eût pas voulu encourager mes efforts en vue d'écrire ». Quelques jours plus tard, lorsque Gabrielle lui fait parvenir un nouveau chèque de 500 dollars, elle le lui retourne et, sans rien lui dire de la visite de Bessette, déclare tout simplement : « Je ne veux plus voir aucun visage ! ni entendre aucune voix[108] ! » Mais que valent les remords de dernière minute à côté de l'immense bonheur d'être enfin publiée ?

À cette époque, Bessette est lié aux Éditions Québec/Amérique fondées quelques années plus tôt par Jacques Fortin, et plus particulièrement à leur directeur littéraire, le romancier Gilbert La Rocque. Malgré les réticences que lui inspire la piètre qualité littéraire du manuscrit, ce dernier cède aux pressions de Bessette et accepte de le publier ; après tout, un livre sur Gabrielle Roy, même méchant — et surtout si ce livre est écrit par sa propre sœur —, ne peut pas ne pas obtenir un certain succès, au moins de scandale.

Dès qu'elle a vent de ce qui se trame, Gabrielle est bouleversée. Cette charge haineuse ne risque pas seulement de porter atteinte à sa réputation ; plus gravement, plus douloureusement encore, c'est la négation de l'entreprise dans laquelle elle est totalement engagée à cette époque, c'est-à-dire la construction autobiographique d'une image d'elle-même et de ses rapports avec sa famille que le récit d'Adèle menace de ruiner comme un château de cartes. Car entre la Gabrielle d'Adèle et la Gabrielle qui se met en scène au même moment dans *La Détresse et l'Enchantement*, le contraste ne saurait être plus brutal. Littéralement prise de panique, Gabrielle tente par tous les moyens d'empêcher la parution du livre fratricide. Elle prie Alain Stanké d'intervenir auprès de Jacques Fortin ; elle me demande d'entrer en contact avec les pères franciscains pour qu'ils usent de leur influence auprès d'Adèle. Du mois d'août au mois d'octobre, elle m'a téléphoné deux ou trois fois par semaine, en larmes, oscillant chaque fois entre le désespoir et la colère, une colère féroce qui s'adressait moins à Adèle elle-même — « un pauvre être très malade au fond[109] » — qu'à son éditeur : « un de ces charognards qui entendent exploiter des thèmes à sensation[110] ». Mais rien n'y fait. *Le Miroir du passé*, de « Marie-Anna A. Roy », paraît en novembre 1979, dans la collection « Littérature d'Amérique » dirigée par Gilbert La Rocque ; la couverture est ornée d'une photo d'Adèle, mais le prière d'insérer parle surtout de Gabrielle ; nulle part n'apparaît le nom de Gérard Bessette.

Trois semaines avant la sortie du livre d'Adèle, Gabrielle est foudroyée par un infarctus. Transportée d'urgence à l'Hôtel-Dieu de Québec, elle passe onze jours à l'unité coronarienne. Puis on l'installe dans une chambre privée pour un repos complet et des examens. Elle ne rentre chez elle que vers le 15 novembre, après plus d'un mois d'hospitalisation. Le 2 décembre, elle écrit à sœur Berthe :

> Depuis quelques mois, avec l'affaire d'Adèle et ma maladie, c'est comme si une grande ombre menaçante s'étendait sur ma vie. À certains moments, je me sens presque étouffée[111].

La fin, l'inachèvement

Pour Adèle, l'infarctus de Gabrielle n'a rien à voir avec la publication du *Miroir du passé* ; il est dû plutôt, dira-t-elle, « à la passion dévorante et inexorable d'écrire qui la consumait[112] ». Cette interprétation, bien sûr, est difficilement conciliable avec les faits. Mais il serait tout aussi exagéré d'attribuer l'infarctus aux seuls agissements d'Adèle, comme le font alors quelques-unes des amies de Gabrielle. En fait, il y a déjà plusieurs années que celle-ci a des ennuis respiratoires et cardiaques chroniques ; le livre d'Adèle, par l'énervement extrême et prolongé qu'il provoque chez elle, précipite plutôt qu'il ne cause la crise de l'automne 1979.

Grâce aux médicaments dont on la gave, la malade retrouve bientôt assez d'énergie pour se remettre au travail. Malgré l'inquiétude que lui cause l'approche du référendum de mai 1980, elle entame la deuxième partie de *La Détresse et l'Enchantement*, intitulée « Un oiseau tombé sur le seuil », et réussit à en avancer passablement la rédaction. De composition plus linéaire que « Le bal chez le gouverneur », le récit de ses deux années d'aventure en Europe s'écrit comme de lui-même, avec une aisance qui lui fait presque oublier les difficultés qu'elle vient de traverser, d'autant plus que le livre d'Adèle n'obtient pas du tout le succès redouté. À partir de la mi-juin 1980, Gabrielle est de nouveau à Petite-Rivière où, comme autrefois, elle s'offre chaque matin une bonne séance d'écriture ; comme son arthrite aux mains l'empêche de travailler plus d'une heure à la fois, elle se lève, marche un peu autour de la maison, puis rentre et reprend son cahier pendant une autre heure, avant de s'interrompre de nouveau pour une promenade suivie d'une autre heure d'écriture, et ainsi de suite jusqu'au début de l'après-midi. « Ma santé, écrit-elle à Jack McClelland, s'est beaucoup améliorée, et j'ai pu accomplir une assez bonne quantité de travail cet été. Pas autant qu'avant et pas autant que j'aimerais, certes, mais je ne suis pas complètement mécontente de ce que j'ai fait[113]. »

Les choses vont si bien que lorsqu'elle rentre à Québec à la mi-septembre le manuscrit d'« Un oiseau tombé sur le seuil » est terminé et prêt à être dactylographié. Un mois plus tard, le 22 octobre 1980 exactement, elle me faisait transmettre par Pierre Morency deux gros cahiers contenant la copie au net du texte ; joints aux deux cahiers du « Bal chez le gouverneur » déjà en ma possession, ils formaient le manuscrit complet de ce qui sera finalement *La Détresse et l'Enchantement*.

Depuis le début, il était entendu entre nous que les quatre volumes de l'autobiographie ne seraient publiés qu'après la mort de Gabrielle. C'est pourquoi elle m'avait confié l'une des deux copies dactylographiées du manuscrit, gardant l'autre pour elle[114]. De cette manière, nous avons pu, cet automne-là, en travaillant chacun de notre côté, apporter au texte un certain nombre de retouches et de corrections que nous examinions lors de nos rencontres à Québec. En décembre 1980, le texte final était prêt.

Mais l'hiver, encore une fois, ne tarde pas à replonger Gabrielle dans les affres de la toux, des insomnies et de la lassitude chronique, à quoi s'ajoutent des problèmes digestifs qui l'obligent à un nouveau séjour à l'Hôtel-Dieu en février, tandis que Marcel est hospitalisé à Saint-Sacrement pour une grippe maligne. Elle ne fait donc rien jusqu'au printemps 1981, si ce n'est attendre patiemment la fin de ses misères et s'évertuer à soutenir le moral de Clémence en même temps que le sien.

> Le printemps n'est pas loin, lui écrit-elle le 19 février. Tu pourras revoir la petite Seine que j'aimais tant, enfant, et vers laquelle nous allions alors nous promener, toi et moi, la main dans la main. Comme dans ce temps-là, je t'aime et aspire à te secourir[115].

Juin est à peine commencé qu'elle court se réfugier à Petite-Rivière-Saint-François. N'ayant plus la force de faire des promenades, elle passe le plus clair de son temps dans sa balançoire ou en visite chez Berthe Simard, qui veille sur elle comme sur une enfant malade ; elle lui fait à manger, la soigne, l'habille, s'occupe de tout dans la maison, toujours inquiète, toujours attentive aux humeurs et aux désirs de sa vieille amie et prête à accourir à la moindre alerte. Ainsi dorlotée, Gabrielle réussit à reprendre la plume et, de peine et de misère, à entamer la troisième partie de *La Détresse et l'Enchantement* :

> Longtemps il m'avait semblé que les rails jamais ne me chanteraient autre chose que le bonheur[116]...

D'une écriture tremblée, presque illisible, elle rédige ainsi, en trois versions successives, une soixantaine de pages qui doivent inaugurer la suite de son autobiographie. Consacrées à l'évocation de ses années de journalisme à Montréal, ces pages se présentent comme le récit du voyage en train que la jeune femme a fait au printemps 1943 pour aller assister à l'enterrement de sa mère. Hantées par le deuil et le remords, elles se terminent en Gaspésie, où l'orpheline essaie de se consoler de sa perte en écrivant *Bonheur d'occasion*.

Telles sont les dernières pages écrites par Gabrielle Roy. Elles sont inachevées, certes, tout comme l'est le grand projet autobiographique qu'elle avait conçu. Mais cet inachèvement, en un sens, était la seule fin possible, non seulement pour l'autobiographie, qui se clôt ainsi sur l'écriture du premier roman, c'est-à-dire sur le commencement de toute l'œuvre qu'elle termine et couronne, mais aussi, et plus encore, pour Gabrielle elle-même, dont les ultimes efforts auront été de ressaisir, de revivre par l'écriture et l'imagination l'événement fondateur de tout son être : l'abandon et la mort de la mère. Ainsi, elle assume enfin cet événement, elle le rachète pour toujours.

La boucle est bouclée. Comme si elle pressentait obscurément que l'essentiel de ce qu'elle avait à écrire est maintenant écrit, Gabrielle, à partir de l'automne 1981, tombe dans un état de faiblesse physique et de délabrement intérieur plus terrible que tout ce qu'elle a traversé jusque-là. Tout en elle paraît brisé, anéanti, dévasté par la dépression et les problèmes de santé qui s'abattent sur elle et la laissent sans vie, sans ressort, semblable à une défunte en sursis. L'hiver qui suit, celui de 1982, lui est encore plus pénible que d'habitude, peut-être parce qu'aux maladies coutumières s'ajoute maintenant une résignation, un refus de combattre qui la rend encore plus vulnérable et comme incapable de vouloir sa guérison. C'est l'effondrement complet. « Elle n'écrivait pas, se rappellera Marcel, et ne lisait plus, elle qui pouvait lire un livre par jour. Elle désirait la mort. J'étais inquiet, pendant des mois je me levais la nuit pour aller voir près de sa porte de chambre si elle respirait encore. »

Le retour des beaux jours ne lui apporte aucun soulagement. Pour la première fois depuis vingt-cinq ans, elle renonce à se rendre à Petite-Rivière et passe tout l'été 1982 à Québec, prostrée, éteinte, incapable du moindre effort physique ou intellectuel un peu soutenu. Elle réussit cependant à relire le récit intitulé *De quoi t'ennuies-tu, Éveline ?*, que je lui avais demandé pour les Éditions du Sentier, dont je m'occupais alors avec Jacques Brault, Gilles Archambault et Martin Dufour. Comme notre petite équipe désirait ardemment publier un texte d'elle, elle m'avait donné en mai 1981 une liasse de manuscrits inédits en me disant de choisir le meilleur ; il y avait là des fragments de sa vieille saga abandonnée, un état de « La route d'Altamont » et ce récit au titre énigmatique : *De quoi t'ennuies-tu, Éveline ?* Tous les textes n'étaient cependant que des premiers jets, tapés autrefois par Gabrielle elle-même, avec quelques corrections faites à la main. Il s'agissait donc de brouillons qui ne pouvaient être publiés tels quels. Ayant choisi *De quoi t'ennuies-tu, Éveline ?* à cause de la beauté du récit et du personnage et parce que sa longueur convenait mieux au genre de livre que mes amis et moi désirions publier, j'ai entrepris de tout récrire moi-même, afin de faire du brouillon un texte achevé dont le style et le ton soient aussi fidèles que possible à la manière de Gabrielle Roy. Lorsque je lui ai soumis ce travail en juillet 1982, elle s'est dite enchantée du résultat ; l'idée de publier sous son nom un texte récrit par moi, et donc de confondre les critiques, lui paraissait amusante. Mais elle a tenu à ce que mon nom figure au moins dans la dédicace du livre. Celui-ci est sorti de presse trois mois plus tard, en novembre 1982 ; il n'a pas été mis en vente dans les librairies, car les Éditions du Sentier publiaient à tout petit tirage (deux cents exemplaires dans ce cas-ci) et ne vendaient que par correspondance.

Cette ultime publication l'a-t-elle réjouie, j'ose croire que oui. Mais cette joie ne suffit pas à alléger son mal, qui ne fait au contraire que s'aggraver pendant tout cet automne-là et l'hiver qui suit. Un mal à la fois physique, qui la tourmente des semaines entières et l'oblige à de constantes visites à l'hôpital, et psychologique, comme si tout en elle s'écroulait et faisait place à un immense désert, à une tristesse sans rémission possible.

Les deux ou trois fois où je lui ai rendu visite à Québec, je la trouvais en robe de chambre, le visage tantôt gonflé par la cortisone, tantôt livide et amaigri. Je restais une demi-heure auprès d'elle, une heure tout au plus. Nous parlions du Fonds Gabrielle Roy, des petites affaires courantes, du manuscrit de *La Détresse et l'Enchantement*. Comme elle s'épuisait très vite, je m'empressais de repartir.

Des proches s'efforcent de lui venir en aide, car Marcel est lui-même trop faible et trop déprimé pour suffire à la tâche. La plus assidue est Julie Simard, infirmière et amie, qui vient presque chaque jour à l'appartement pour cuisiner, faire les courses, et pour donner à Gabrielle les traitements que son état requiert. En février, Berthe elle-même, à peine remise du deuil de son frère Aimé, quitte Petite-Rivière-Saint-François et passe une semaine au chevet de la malade, pour lui rendre « mille petits services » et pour essayer de la consoler[117]. D'Ottawa, Yolande Cyr, la fille d'Antonia, appelle souvent pour prendre des nouvelles. Yolande est psychologue, elle voudrait que Gabrielle consulte un thérapeute ; elle lui en trouve d'ailleurs un à Québec, mais Gabrielle refuse de le voir. Quant aux Madeleine, elles font de leur mieux, mais elles savent très bien que leur amie n'en a plus pour longtemps.

Gabrielle aussi le sait. Au début du mois d'avril 1983, elle écrit ce qui sera sa dernière lettre à sœur Berthe Valcourt :

> Je ne me sens pas mieux, pas du tout bien, chère Berthe. Pas assez pour vous écrire sur le ton chantant que j'aimerais retrouver pour vous au moins. Sachez néanmoins que je vous aime de tout cœur et me repose sur le vôtre[118].

Cette année encore, le printemps ne lui apporte ni le soulagement de ses maux ni le surcroît de vigueur morale dont elle aurait besoin pour se tirer de l'abîme où elle s'enfonce depuis un an et demi. Emprisonnée au Château Saint-Louis, elle vit l'enfer. Marcel, de son côté, ne se porte guère mieux ; en mai, il doit être hospitalisé de nouveau pour une embolie. Apprenant cela, Léona, sa sœur de Saint-Boniface, annonce son arrivée pour la mi-juin. Ne pouvant supporter l'idée de vivre avec Léona ne fût-ce que quelques jours, Gabrielle décide, contre toute raison, de fuir à Petite-Rivière-Saint-François, son unique refuge, le seul endroit au monde où elle n'a pas peur de mourir, a-t-elle dit à Berthe, pourvu que celle-ci soit près d'elle et lui tienne la main.

Marcel ne peut rien contre la volonté de Gabrielle, qui arrive à Petite-Rivière le dimanche 12 juin, dans l'auto de Victorine Simard, la petite-nièce de Berthe, qui travaille à Québec. Trois semaines durant, malgré son extrême faiblesse, Gabrielle va vivre seule dans sa petite maison, à regarder le fleuve et les arbres par sa fenêtre, à faire quelques pas dans le jardin, à relire les poésies de Francis Jammes que lui a offertes autrefois Henri Girard, à griffonner dans un cahier d'écolier les pensées, les citations, les bouts de poèmes qui lui reviennent en mémoire. Tranquillement, sans angoisse, elle attend la mort.

Comme elle n'a plus la force de marcher jusqu'à la maison de Berthe, c'est Berthe qui vient chaque jour chez elle dès le matin, aussitôt que Gabrielle a levé le store de sa chambre, ainsi qu'il est convenu entre elles. Si elle devait s'apercevoir un matin que le store n'est pas encore levé à neuf heures, Berthe a pour instruction de venir en toute hâte, car ce serait le signe que quelque chose de grave est arrivé. Du lever jusqu'au coucher, Berthe veille ainsi à tout, les repas, le ménage, la toilette et les soins de Gabrielle, dont l'état l'inquiète de plus en plus.

L'après-midi du 7 juillet, Madeleine Bergeron, qui se trouve de passage à Baie-Saint-Paul avec Madeleine Chassé, téléphone chez Gabrielle et la trouve au plus mal. Elle appelle aussitôt au Château Saint-Louis, mais Marcel ne sait que faire. Sans perdre un instant, Madeleine décide d'alerter le docteur Yvon Ouellet, pneumologue et médecin personnel de Gabrielle depuis une douzaine d'années. Celui-ci ordonne le retour de la malade à Québec. Le lendemain, une ambulance arrive à Petite-Rivière. Berthe propose d'accompagner son amie, mais Gabrielle décline son offre ; alors Berthe l'embrasse et lui dit : « Bon voyage. » L'ambulance démarre. Les deux femmes ne se reverront plus.

Comme c'est un week-end d'été et qu'il n'y a pas de chambre libre à l'Hôtel-Dieu, Gabrielle doit rester au Château Saint-Louis, où Julie Simard prend soin d'elle jusqu'au dimanche 10. Le lundi et le mardi, le docteur Ouellet fait subir à la malade une batterie d'examens ; extrêmement déprimée et souffrante, Gabrielle ne demande que la « délivrance ». Hospitalisé lui aussi à l'Hôtel-Dieu, le cardinal-archevêque de Québec, Maurice Roy, lui administre les derniers sacrements. Le mercredi 13, elle a une première attaque au début de l'après-midi et est transportée à l'unité coronarienne, où l'on parvient à la ranimer. Une infirmière téléphone à Marcel pour lui demander de venir. Julie Simard est déjà sur place. Affaiblie, Gabrielle a néanmoins toute sa connaissance, et réussit à exprimer ses inquiétudes au sujet de Marcel.

Peu après l'heure du souper, une forte fibrillation s'empare d'elle, annonçant une nouvelle crise. Pendant que médecins et infirmières s'activent, Marcel se met à pleurer et à geindre « comme une petite bête », se rappellera Julie. L'infarctus est massif. À 21 h 45, tout est fini.

Épilogue

Le corps n'est pas exposé. Les funérailles ont lieu le samedi 16 juillet 1983 en l'église Saint-Dominique, par une matinée radieuse. À l'entrée, Marcel et Léona reçoivent les condoléances. Berthe Simard enregistre toute la cérémonie sur son petit magnétophone ; à la fin, quand le cortège passe à côté de son banc, elle allonge la main pour toucher le cercueil. Les proches se rassemblent ensuite au salon Lépine, chemin Sainte-Foy, tandis que la dépouille est incinérée, selon le vœu de la morte. Les cendres sont déposées au Jardin du Repos.

Dans les mois qui suivent, le bureau du Trust général de Québec, que Gabrielle a désigné comme son exécuteur testamentaire, procède au règlement de sa succession[1]. La propriété de tous les papiers et des droits d'auteur est transférée au Fonds Gabrielle Roy. La maison de Petite-Rivière-Saint-François va à Marcel, tandis que Berthe Simard hérite des vêtements et des effets personnels de la défunte. Quant à la fortune laissée par Gabrielle Roy, elle s'élève à quelque 565 000 dollars, dont le dixième environ est distribué sous forme de legs particuliers : 10 000 dollars à sœur Berthe Valcourt pour l'entretien de Clémence ; 10 000 à Brenda, la femme de Bob ; 2 000 à Antonia ; 1 000 à Léontine, la femme de Fernand, qui vit toujours à Phoenix ; 5 000 à Yolande et à Lucille, filles de Germain, ainsi qu'à Blanche, fille de Jos ; enfin, 8 000 dollars vont à diverses œuvres locales. Le solde est confié au Trust en fiducie ; tant qu'il vivra, Marcel touchera les intérêts sur ce capital d'environ un demi-million de dollars ; à sa mort, la somme devra être partagée entre trois œuvres de bienfaisance internationale, UNICEF, Oxfam et Fame Pereo.

De retour au Château Saint-Louis, Marcel est pris en charge par M. C. et ses amis, qui redécorent l'appartement et veillent à son bien-être. Mais sa santé décline rapidement. Il mourra à Québec le 8 juillet 1989, léguant la maison de Petite-Rivière au Fonds Gabrielle Roy et sa collection d'œuvres d'art au Musée du Québec. Quatre ans plus tard, le 28 octobre 1993, c'est au tour de Clémence de s'éteindre à Saint-Boniface, à l'âge de quatre-vingt-dix-huit ans. Quant à Adèle, loin de l'inciter au pardon, la mort de Gabrielle lui a laissé le champ libre pour continuer d'assouvir sa vengeance ; du centre d'accueil de Saint-Boniface où elle a pris sa retraite, elle se consacre sans relâche au ressassement de ses souvenirs et saisit la moindre occasion de régler son vieux contentieux avec sa sœur cadette, qu'elle accuse d'avoir baigné toute sa vie « dans les eaux troublées du mensonge et de l'onirisme[2] ». Au moment où j'écris ces lignes (avril 1996), Adèle a dépassé les cent trois ans.

Pour ma part, je me suis occupé en 1984 de la publication de *La Détresse et l'Enchantement*, qui a obtenu au Québec un immense succès de critique et de librairie. Puis j'ai entrepris cette biographie. Presque à mon corps défendant, je dois dire. Lecteur de Valéry et de Kundera, j'ai toujours entretenu les plus grandes réserves à l'endroit de l'entreprise biographique qui, prétendant substituer à la connaissance des œuvres celle, toute circonstancielle, tout incertaine, de l'individu qui les a signées, fait écran, la plupart du temps, plus qu'elle ne donne accès à cet « autre *moi* » insaisissable qui, selon Proust, est le seul auteur véritable des œuvres et ne se rencontre pleinement que par leur lecture et leur « recréation » en nous. Ces réserves, je les entretiens toujours, même au terme des années de recherche et de rédaction que m'a prises ce livre, me disant encore aujourd'hui que même si j'ai tâché de ne rien négliger pour tout savoir de Gabrielle Roy, en réalité je ne sais rien d'elle, de la femme, de l'écrivain qu'elle a été. On a beau dépouiller toutes les archives, interroger tous les témoins, lire tout ce qui a été écrit sur un être, il manque toujours quelque chose, et ce quelque chose, en particulier s'il s'agit d'un artiste, ne peut être que l'essentiel.

Sachant cela, comment ai-je pu me lancer dans une telle aventure et écrire cet énorme volume ? Deux raisons m'y ont conduit, ou contraint. La première tient à la volonté d'obéir, comme critique, à ce que commande l'œuvre de Gabrielle Roy qui, depuis que je la fréquente, m'a toujours semblé appeler une biographie. Contrairement à d'autres, cette œuvre toute parcourue d'autobiographie, toute nourrie de l'existence de son auteur et surtout toute tournée vers le dévoilement et l'esthétisation de cette existence même, demande d'être prolongée, d'être répercutée par le travail biographique qui, en dépit des principes généraux, m'apparaît comme l'une des manières les plus justes et les plus fraternelles de lui *répondre*. Ma deuxième raison va dans le même sens, bien qu'elle concerne non plus l'œuvre mais la personne de Gabrielle Roy. Entre elle et moi, en effet, et malgré les réserves que je pouvais avoir quant au bien-fondé de la biographie, il y a toujours eu ce pacte : un jour, je raconterais sa vie. Pour elle, cela allait de soi. Elle souhaitait même que je ne publie *La Détresse et l'Enchantement* qu'après m'en être servi comme d'une source privilégiée pour ma biographie. Je ne me souviens pas de lui avoir jamais dit clairement que je l'écrirais, cette biographie, mais je ne lui ai jamais dit non plus que je ne l'écrirais pas. Si bien qu'elle est partie avec cette idée et que le pacte entre nous, qui ne pouvait plus être renégocié, me liait désormais comme une promesse.

M'en voici enfin quitte, s'il est possible de s'acquitter jamais d'une pareille promesse.

Notes

Avertissement

Le nombre et le contenu des notes ont été réduits à l'essentiel. Afin de ne pas faire double emploi avec la section « Sources », les renseignements y sont donnés sous une forme aussi simple que possible.

Textes publiés de Gabrielle Roy. *Les références aux livres de Gabrielle Roy indiquent le titre du livre ainsi que le numéro du chapitre ou le titre de la partie d'où est tirée la citation ; la page renvoie à l'édition courante du livre, mentionnée dans la section I des « Sources ». Pour les articles et les textes épars, la note n'indique que leur date de publication, les autres détails se trouvant eux aussi dans la section I des « Sources ».*

Lettres et textes inédits. *Lorsque la note n'indique pas qui est l'auteur ou le destinataire d'une lettre, c'est qu'il s'agit de Gabrielle Roy. Le dépôt d'archives où la lettre est conservée est identifié à l'aide d'un sigle renvoyant à la section II des « Sources ». Le sigle « BNC », s'il n'est suivi d'aucune autre mention, renvoie au « fonds Gabrielle Roy » et au « fonds Gabrielle Roy et Marcel Carbotte » de la Bibliothèque nationale du Canada.*

Autres références. *Pour renvoyer à un article ou à un ouvrage dont l'adresse bibliographique apparaît dans la section III des « Sources », la note ne donne que le nom de l'auteur suivi de la date. Plusieurs notes renvoient au journal* La Liberté *(qui s'est appelé pendant quelque temps* La Liberté et le Patriote*) : il s'agit de l'hebdomadaire publié à Saint-Boniface (Manitoba).*

Traductions. *Sauf indication contraire, les traductions de l'anglais sont de moi.*

CHAPITRE I

Fille d'immigrants

1. Nom qui apparaît dans le *Registre des baptêmes de la paroisse-cathédrale de Saint-Boniface* (23 mars 1909) ; le parrain de l'enfant est son frère Rodolphe et la marraine, sa sœur Adèle.
2. Selon Marie-Anna A. [Adèle] Roy (1989-1990, épisodes 5 et 8), Léon fera un court voyage au Québec durant l'année 1906 pour revoir sa famille.
3. Cette date est celle qui figure sur le certificat de baptême de Léon Roy reproduit dans Marie-Anna A. [Adèle] Roy, *Généalogie des Roy-Landry*, manuscrit inédit (APM, ANC, BNQ) ; par contre, dans le *Registre des mariages de Saint-Léon*, Manitoba, la date de naissance indiquée est le 4 juin 1855 ; par la suite, dans la déclaration du 14 mai 1897 accompagnant son engagement par le ministère de l'Intérieur, Léon inscrit comme date de naissance : le 4 mars 1850 (ANC, ministère de l'Intérieur, Immigration Branch, RG 76, vol. 688, file 34686) ; enfin, sur sa tombe à Saint-Boniface, c'est « 1851 » qui sera gravé comme année de naissance.
4. Marie-Anna A. [Adèle] Roy, 1954, p. 105.
5. La plupart de ces renseignements proviennent des écrits de Marie-Anna A. [Adèle] Roy ; Gabrielle Roy, dans *La Détresse et l'Enchantement* (« Le bal chez le gouverneur », VII, p. 97-98), présente les faits dans un ordre légèrement différent.
6. Voir M.-A. A. Roy, 1954, p. 105.
7. Voir Yvette Brandt, 1980, p. 161.
8. Pour une description topographique et une histoire de la région et de ses

paroisses, accompagnées de cartes et de photos, voir Marie-Anna A. [Adèle] Roy, 1969.

9. Ce renseignement et certains de ceux qui suivent proviennent de la déclaration faite par Léon Roy dans son *Application for Homestead Patent,* document daté du 2 octobre 1887 et accompagné de deux témoignages (*statements*) de voisins, Félix-Raoul Lussier et Olivier Gendron ; la « patente » officielle sera accordée le 19 mars 1888. Majorique Roy, le frère de Léon, occupe le quart sud-ouest de la même section (APM, Dominion Lands Office).
10. La division des terres dans l'Ouest canadien est faite selon la méthode du quadrillage. L'unité de base est la « section », qui a une superficie d'un mille carré (environ 260 hectares ou 2,5 km^2) ; pour la vente ou l'attribution des lots, la section se divise toutefois en quatre « quarts de section », identifiés d'après leur position (nord-est, sud-est, sud-ouest, nord-ouest). Une surface carrée de trente-six sections (donc de six milles sur six milles) forme un tout que l'on identifie par deux numéros : un numéro de « canton » (*township*), c'est-à-dire de latitude, selon sa hauteur au nord de la frontière avec les États-Unis, et un numéro d'« alignement » (*range*) ou de longitude, selon sa position à l'est ou à l'ouest du méridien de Winnipeg. À l'intérieur du « canton/alignement » ainsi constitué, les trente-six sections sont numérotées de façon uniforme ; ainsi, la section 4 où se trouve le *homestead* de Léon Roy est la quatrième section à l'ouest de la limite orientale de l'alignement et la première au-dessus de la limite méridionale du canton.
11. Léon Roy restera conseiller municipal presque sans interruption jusqu'à son départ de la région en 1896 (voir Y. Brandt, 1980, p. 27, 49).
12. La *Gazette du Manitoba* annonce la nomination de Léon Roy en 1888 (vol. XVII, n° 28), 1889 (vol. XVIII, n° 5) et 1893 (vol. XXII, n° 17) ; mais il signait déjà en qualité de juge de paix dès 1886.
13. Les enfants de Léon Roy ne connaîtront directement, parmi leurs oncles paternels, que Majorique et Édouard, les deux frères de Léon venus eux aussi s'établir au Manitoba.
14. *La Détresse et l'Enchantement,* « Le bal chez le gouverneur », VII, p. 98 ; cette assimilation repose aussi sur une certaine ressemblance physique entre le visage de Charles Roy, tel qu'il apparaît sur une vieille photo conservée par Léon, et les portraits du réformateur florentin.
15. *Ibid.*, p. 96 ; cette vision des grands-parents Roy sera vivement contestée, plusieurs années après la mort de Gabrielle Roy, par sa sœur Adèle (M.-A. A. Roy, 1989-1990, épisodes 7 et 8).
16. « Le bal chez le gouverneur », II, p. 23-31.
17. Il s'agit d'un long roman inédit, *La Saga d'Éveline,* dont il sera question plus loin, aux chapitres VII et VIII.

18. « Mon héritage du Manitoba » (1970), *Fragiles Lumières de la terre*, p. 154.
19. T.-Alfred Bernier, 1887, p. 16.
20. Baptisée le 10 février 1867, Émélie Landry, la mère de Gabrielle Roy, était née la veille (*Registre des baptêmes de la paroisse de Saint-Alphonse*, comté de Joliette) ; son parrain et sa marraine étaient David Jansonne et Adélaïde Pellerin.
21. T.-A. Bernier, 1887, p. 143.
22. « Mon héritage du Manitoba » (1970), *Fragiles Lumières de la terre*, p. 154.
23. Voir le formulaire *Application for Homestead Patent* signé par Élie Landry le 4 juillet 1884 (APM, Dominion Lands Office). La « patente » sera accordée le 26 octobre suivant, mais il semble, d'après les documents, qu'une affaire un peu embrouillée entoure cette acquisition : Élie, en juillet 1884, aurait cédé ses droits de propriété à une institution financière, qui lui réclame la terre deux ans plus tard, en novembre 1886. Mais Élie, assermenté par le juge de paix Léon Roy, signe alors un affidavit contredisant les prétentions de ses « créanciers ».
24. « Nous appelons *casser*, donner le premier labour à la prairie. [...] C'est une opération qui ne se fait qu'une fois pour le même morceau de terre ; on défriche le terrain boisé ; on casse la prairie » (T.-A. Bernier, 1887, p. 114).
25. *La Détresse et l'Enchantement*, « Le bal chez le gouverneur », IV, p. 48.
26. Calixte s'installe dès le mois de juillet 1881 sur la moitié sud de la section 10, canton 6, alignement 9, non loin de chez son père ; Moïse occupera bientôt, à compter du mois de juillet 1887, le quart nord-est de la section 2, canton 5, alignement 12, qui se trouve à Saint-Alphonse, près de la terre de Léon Roy (APM, Dominion Lands Office, *Applications for Homestead Patent* datées du 20 juillet 1885 et du 19 avril 1892 respectivement).
27. Marie-Anna A. [Adèle] Roy, 1979, p. 12.
28. Sur la jeunesse de Mélina, voir Marie-Anna A. [Adèle] Roy, 1954 (p. 232) et 1988.
29. Titre que Gabrielle Roy, dans une version de *La Saga d'Éveline*, comptait donner aux chapitres ayant trait à la période où Éveline et Édouard se fréquentent (BNC).
30. *Registre des baptêmes, mariages et sépultures de la paroisse de Saint-Léon*, 23 novembre 1886 ; le mariage a lieu devant l'abbé Théobald Bitsche ; Élie Landry, Moïse Landry, Délima Desrochers et Romuald Fournier signent comme témoins.
31. « Mon héritage du Manitoba » (1970), *Fragiles Lumières de la terre*, p. 154.
32. *La Détresse et l'Enchantement*, « Le bal chez le gouverneur », II, p. 27.
33. « Mon héritage du Manitoba » (1970), *Fragiles Lumières de la terre*, p. 155.
34. Le nom de l'enfant est Joseph Armand ; le parrain est Élie Landry, la marraine Adélina Campeau (*Registre des baptêmes de la paroisse de Saint-Alphonse*, Manitoba, 29 août 1887).

35. Le nom de l'enfant est Marie Anna Antoinette Léona ; le parrain est Zénon Landry, la marraine Thérèse Généreux (*Registre des baptêmes de la paroisse de Saint-Léon*, Manitoba, 27 septembre 1888).
36. *Canada Gazette* [journal officiel], vol. 25, nº 26, 26 décembre 1891.
37. Sur les activités postières de Léon, voir le *Report of the Postmaster-General*, Ottawa, Imprimeur de la Reine, éditions 1892, 1893 et 1894 ; voir aussi le *Canada Official Postal Guide*, Ottawa, Imprimeur de la Reine, éditions de janvier 1892, janvier 1893 et janvier 1894.
38. En mai 1893, la municipalité de Lorne annonce que le quart de section de Léon Roy sera mis en vente au mois de juillet en raison de taxes non payées (*Public Accounts of the Province of Manitoba for the Year 1893*, Winnipeg, Queen's Printer, 1894, p. 294) ; il n'a pas été possible de savoir si les arrérages ont été réglés et si la vente a effectivement eu lieu.
39. Voir Y. Brandt, 1980, p. 153 ; dans les *Public Accounts of the Province of Manitoba for the Year 1896* (Winnipeg, Queen's Printer, 1897, p. 18), le nom de Léon Roy apparaît comme détenteur d'un permis d'alcool pour un hôtel situé à Somerset.
40. Né le 29 septembre 1890 chez ses grands-parents maternels et baptisé deux jours plus tard, cet enfant s'appelait Joseph Léon Alcide ; Excide et Rosalie, le frère et la sœur de Mélina, étaient son parrain et sa marraine (*Registre des baptêmes de la paroisse de Saint-Léon*, 1er octobre 1890) ; sur la mort de l'enfant, voir M.-A. A. Roy, 1954, p. 105.
41. Le nom de l'enfant est Marie Agnès Joséphine ; le parrain est Joseph Landry, représenté par son frère Moïse, et la marraine Catherine Callaghan [?], représentée par Thérèse Généreux (*Registre des baptêmes de la paroisse de Saint-Alphonse*, Manitoba, 24 novembre 1891) ; sur la tombe d'Agnès, au cimetière de la cathédrale de Saint-Boniface, c'est l'année « 1892 » qui sera inscrite comme date de naissance.
42. Le nom de l'enfant est Marie Anna Adèle ; le parrain est Herménégilde Bessette, la marraine Florence Weller (*Registre des baptêmes de la paroisse de Saint-Léon*, Manitoba, 12 février 1893).
43. Le nom de l'enfant est Marie Clémence Ernestine ; le parrain et la marraine sont Moïse et Rosalie Landry (*Registre des baptêmes de la paroisse de Saint-Léon*, Manitoba, 20 octobre 1895).
44. Sur ces événements, voir Jacqueline Blay, 1987, p. 15-31 ; Lionel Groulx, 1933, p. 71-129 ; et L. Dorge, 1976, p. 111-119.
45. Archives de l'Archevêché de Saint-Boniface, fonds Langevin, L3789 ; un double de cette lettre se trouvait parmi les archives personnelles de Gabrielle Roy (BNC). Joseph-Anthime Decosse était l'organisateur conservateur et « l'un des hommes les plus influents de Somerset » (M.-A. A. Roy, 1969, p. 210-211).

46. Voir les lettres de l'abbé Noël Perquis à Mgr Langevin, Saint-Alphonse, 26 mai et 8 juin 1896 (Archives de l'Archevêché de Saint-Boniface, fonds Langevin, L5175 et L5295).
47. Lettre de Léon Roy à W. Laurier, Somerset, 30 juin 1896 (ANC, fonds Laurier, bobine C741, folio 5037-5040).
48. Lettre de Léon Roy à C. Sifton, Somerset, 7 décembre 1896 (ANC, fonds Sifton, bobine C453, folio 4879-4880; la seconde lettre de Léon Roy à Laurier, datée elle aussi du 7 décembre 1896, se trouve à la suite, folio 4882-4884). Traduction libre: « J'ai été le seul de langue française à m'engager activement pour notre cause dans Lisgar et tous sont d'accord pour dire que sans mon aide nous aurions perdu le comté. Je voudrais être dans une situation où je pourrais dire donnez ce poste à un autre de nos amis et ne pas vous importuner avec cette demande mais mon engagement en faveur de la cause libérale a attiré sur moi le mécontentement d'un grand nombre de personnes de ce district et mes affaires sont presque ruinées. »
49. Voir les correspondances de l'hiver 1896-1897 entre Sifton, John A. Macdonell, R.L. Richardson et Léon Roy: ANC, fonds Sifton, bobines C402 (*passim*), C446 (folio 549), C452 (folios 3485, 3487), C453 (folio 4971), C462 (folio 15695) et C466 (folios 20423-20424, 20433, 20436).
50. ANC, ministère de l'Intérieur, Immigration Branch, RG 76, vol. 688, file 34686.
51. La population de Saint-Boniface, qui était de 1 553 habitants en 1891, sera passée à 2 019 en 1901 et à 7 483 en 1911. Pendant la même période, celle de Winnipeg passe de 25 639 à 42 340, puis à 136 035 (*Recensement du Canada, 1921*, vol. I, tableau 12). Au moment de l'arrivée de Léon Roy, Saint-Boniface est une « ville » (*town*); elle deviendra « cité » (*city*) en 1908.
52. D'après le *Recensement du Canada, 1921* (vol. I, tableaux 23 et 28), en additionnant les populations d'origine « française » et « belge », on obtient, pour l'ensemble du Manitoba, des proportions se situant autour de 7 % en 1901, 1911 et 1921. Quant à Saint-Boniface, les seules données accessibles concernent 1921: la part des francophones dans la population de la ville y est de 47 %, alors qu'elle ne dépasse pas 2,4 % pour Winnipeg; on peut supposer que cette proportion, à Saint-Boniface, était au moins aussi élevée, sinon plus, en 1901 et 1911.
53. Sur ce quartier et cette maison, voir Marie-Anna A. [Adèle] Roy, 1970, p. 7-16; et 1954, p. 17-45.
54. Le nom de l'enfant est Marie Louise Marguerite Bernadette; le parrain et la marraine sont Napoléon Houde et sa femme (*Registre des baptêmes de la paroisse-cathédrale de Saint-Boniface*, 19 septembre 1897).
55. Le nom de l'enfant est Joseph Rodolphe Léon; le parrain est Adolphe Blais, la marraine Mary Bell Roy (*Registre des baptêmes de la paroisse-cathédrale de Saint-Boniface*, 16 juillet 1899).

56. Le nom de l'enfant est Grégoire Valmor Germain ; le parrain et la marraine sont Excide Landry et sa femme, Luzina Major (*Registre des baptêmes de la paroisse de Saint-Léon*, Manitoba, 11 mai 1902).
57. Sur les activités de Léon Roy comme employé du Bureau de l'immigration, voir les *Rapports annuels du ministère de l'Intérieur* (Ottawa, Imprimeur de la Reine ou du Roi) ; des textes signés par Léon Roy sont notamment publiés dans les *Rapports* couvrant les années 1897 (p. 197-199), 1898 (p. 230), 1899 (p. 136) et 1900 (p. 120-121), tandis que son nom et un résumé de ses activités apparaissent dans ceux de 1900-1901 (p. 116), 1901-1902 (p. 108) et 1902-1903 (p. 93).
58. *Rapport annuel du ministère de l'Intérieur pour l'exercice compris entre le 1er juillet 1906 et le 31 mars 1907*, Ottawa, Imprimeur du Roi, 1908, p. 87.
59. Voir Vladimir J. Kaye, *Early Ukrainian Settlements in Canada, 1895-1900*, Toronto, University of Toronto Press, 1964, p. 171-172, 239-241, 309-310.
60. Voir une lettre (en anglais) de G. W. Speirs à J. Bruce Walker, datée du 26 février 1912 et publiée dans *La Liberté*, 28 décembre 1915, p. 6. Sur les immigrants doukhobors, voir Craig Brown, 1988, p. 464-466 ; George Woodcock et Ivan Avakumovic, *The Doukhobors*, Toronto, Oxford University Press, 1968.
61. Voir ANC, ministère de l'Intérieur, Immigration Branch, RG 76, vol. 688, file 34686.
62. Voir Ramsay Cook, « Le peuplement du nouveau Canada », dans Craig Brown, 1988, p. 458-470.
63. Lettre (en anglais) d'Ed. K. Leep à J. Bruce Walker, Chicago, 12 mai 1910 (ANC, ministère de l'Intérieur, Immigration Branch, RG 76, vol. 688, file 815251).
64. Lettre (en anglais) de Martin Jérôme à C. Sifton, Winnipeg, 4 mars 1902 (ANC, fonds Sifton, bobine C420).
65. *Rue Deschambault*, « Le puits de Dunrea », p. 144.
66. *Le Manitoba*, Saint-Boniface, 8 octobre 1902.
67. Voir Marie-Anna A. Roy, 1989-1990, épisodes 4 et 5. C'est du récit de ce voyage qui a eu lieu avant sa naissance que Gabrielle Roy s'inspirera plus tard pour écrire « Les déserteuses » (*Rue Deschambault*).
68. La première partie de *La Détresse et l'Enchantement* s'intitule précisément « Le bal chez le gouverneur » ; l'événement y est raconté au chapitre VII (p. 95-102), et Gabrielle Roy le situe moins d'un an avant la naissance de Marie-Agnès (p. 101), soit au printemps 1905 ; cet épisode fait aussi l'objet d'une transposition fictive dans les manuscrits inédits de *La Saga d'Éveline* (BNC).
69. Selon les documents conservés aux APM (Bureau des terres du Manitoba, lots 1 à 5 du plan 947, autrefois lot 79 de la paroisse de Saint-Boniface, certificats nos 27260, 51048, 62785, 112348, 124099, 199581, 207530), l'achat d'un

premier lopin a lieu en avril 1904 ; l'année suivante, en juillet 1905, Léon Roy est propriétaire de cinq terrains contigus, « trois lopins donnant sur la rue des Meurons et deux sur la rue Deschambault » (M.-A. A. Roy, 1970, p. 40).

70. Voir *Le Manitoba*, 25 mai 1904, p. 3 ; 6 juillet 1904, p. 3 ; 13 juillet 1904, p. 1 ; 31 janvier 1906, p. 3 ; 28 février 1906, p. 2.
71. Voir *Le Manitoba*, 5 décembre 1906, p. 3 ; le fonctionnaire en question est Théo. Bertrand, secrétaire-trésorier de la municipalité.
72. En 1925, le numéro de la maison deviendra le 375 (voir les livraisons annuelles du *Henderson's Winnipeg Directory*).
73. M.-A. A. Roy, 1979, p. 20.
74. Pour des descriptions de la maison, voir Marie-Anna A. [Adèle] Roy, 1954 (p. 84-96), 1970 (p. 40-42), 1979 (p. 20-21) ; et Anna Roy-Painchaud, *Christmas on Deschambault Street*, manuscrit inédit (BNC).
75. Marie-Anna A. [Adèle] Roy, 1954, p. 132.
76. *Rue Deschambault*, « Le puits de Dunrea », p. 141 ; voir aussi une lettre de Clémence, Saint-Boniface, 18 novembre 1976 (BNC).
77. Méningite selon Adèle (M.-A. A. Roy, 1979, p. 22), cette maladie aurait été plutôt la typhoïde, selon ce que raconte Gabrielle Roy à Joan Hind-Smith (1975, p. 66).
78. Le nom de l'enfant, née le 2 mars, est Marie Agnès Émérancienne (*Registre des baptêmes de la paroisse-cathédrale de Saint-Boniface*, 4 mars 1906).
79. Sur la fondation de Villeroy-Dollard, voir une relation d'A. Roger, prêtre, datée du 11 septembre 1920 (BNC).
80. Lettre de Pierre Lardon à Léon Roy, 30 juin 1908 (APM, Dominion Lands Office ; c'est l'auteur de la lettre qui souligne) ; à propos de Pierre Lardon (1854-1941), voir J.-R. Léveillé, *Anthologie de la poésie franco-manitobaine*, Saint-Boniface, Éditions du Blé, 1990, p. 189-205.
81. Voir *Les Cloches de Saint-Boniface*, Saint-Boniface, 1er septembre 1906, p. 233.
82. Voir *Ibid.*, 15 novembre 1907, p. 279.

CHAPITRE II

Une enfance à part

1. « Souvenirs du Manitoba » (1954), p. 6.
2. Voir notamment « Mes études à Saint-Boniface » et « Ma petite rue qui m'a menée autour du monde », manuscrits conservés à la BNC ; le second a fait l'objet d'une édition posthume dans la revue *Littératures*, 1996 (les mentions de pages qui suivent renvoient à cette édition).

3. « Mon héritage du Manitoba » (1970), *Fragiles Lumières de la terre*, p. 160.
4. Lettre (en anglais) à Joan Hind-Smith, 4 juin 1973 (reproduite dans J. Hind-Smith, 1975, p. 67) ; la mort de Marie-Agnès est racontée en détail par Marie-Anna A. [Adèle] Roy, 1954, p. 117-119.
5. *Ibid.*
6. Entretien du 19 avril 1973, rapporté (en anglais) dans J. Hind-Smith, 1975, p. 67.
7. M.-A. A. Roy, 1954, p. 25.
8. Lettre de Clémence Roy, Saint-Boniface, 13 mars 1978 (BNC).
9. Marie-Anna A. [Adèle] Roy, 1979, p. 25.
10. *Rue Deschambault*, « Petite Misère », p. 33.
11. G.V.R. [Germain Roy], 1954, p. 4.
12. Voir Anna Roy-Painchaud, *Christmas on Deschambault Street*, manuscrit inédit (BNC) ; Marie-Anna A. [Adèle] Roy, 1979, p. 75-77.
13. « Mon héritage du Manitoba » (1970), *Fragiles Lumières de la terre*, p. 158.
14. Lettre de Clémence Roy, Saint-Boniface, 23 février 1981 (BNC).
15. Marie-Anna A. [Adèle] Roy, 1979, p. 55 ; voir aussi M.-A. A. Roy, 1954, p. 90.
16. Lettre à Clémence, [Québec, 28 février 1981] (BNQ, fonds Marie-Anna A. Roy).
17. *Rue Deschambault*, « Les déserteuses », I, p. 91, et II, p. 97.
18. Irma Deloy [Adèle Roy], *Les Deux Sources de l'inspiration : l'imagination et le cœur*, manuscrit inédit (APM, BNQ).
19. L'histoire de Rosalie, dénommée « Rosalinde », est racontée par Marie-Anna A. [Adèle] Roy, 1954, p. 60-64, 145-150 ; cette histoire sera également racontée par Gabrielle Roy dans *La Saga d'Éveline*, son roman inachevé (BNC), où des aventures de Rosalie seront attribuées à l'héroïne principale, Éveline.
20. Lettre de Clémence, Saint-Boniface, 10 mars 1977 (BNC).
21. Propos de Gabrielle Roy rapportés par Rex Desmarchais, 1947, p. 9.
22. *Rue Deschambault*, « La voix des étangs », p. 219.
23. Sur l'œuvre et les idées littéraires d'Adèle, voir Paul Genuist, 1992.
24. Cette expression est tirée de « Ma petite rue qui m'a menée autour du monde », p. 142.
25. *Ibid.*, p. 149.
26. Irma Deloy [Adèle Roy], *Les Deux Sources de l'inspiration : l'imagination et le cœur*, manuscrit inédit (APM, BNQ).
27. « Ma petite rue qui m'a menée autour du monde », p. 144.
28. *Ibid.*, p. 142.
29. « Mon héritage du Manitoba » (1970), *Fragiles Lumières de la terre*, p. 165.
30. Marie-Anna A. [Adèle] Roy, 1954, p. 142-143 ; ce passage s'applique au personnage de Gaétane, surnommée « Misère », mais il est repris à propos de Ga-

brielle elle-même dans *Les Deux Sources de l'inspiration : l'imagination et le cœur* (APM, BNQ).

31. « Le Cercle Molière, porte ouverte » (1980), p. 118.
32. « Ma petite rue qui m'a menée autour du monde », p. 140-141.
33. Voir par exemple, dans *Rue Deschambault,* « Petite Misère » (p. 35) et « Alicia » (I, p. 147-148), ou, dans *La Route d'Altamont,* « Le vieillard et l'enfant » (I, p. 42-43).
34. « Gérard le pirate » (mai 1940).
35. Lettre à Clémence, Québec, 19 février 1981 (SSNJM, fonds B. Valcourt).
36. Le nom de cette dame est Blanche Borghesi (*Henderson's Winnipeg Directory,* 1920, p. 305) ; Gabrielle Roy se souviendra de cet épisode en écrivant « L'Italienne » (*Rue Deschambault*).
37. Voir les listes de souscripteurs de l'Association d'éducation des Canadiens français du Manitoba publiées chaque année dans le journal *La Liberté* (*v.g.* 25 octobre 1921, 19 septembre 1922, 11 décembre 1923).
38. Gabrielle Roy, « Souvenirs du Manitoba » (1954), p. 1.
39. *Ibid.*, p. 1-3.
40. « Ma petite rue qui m'a menée autour du monde », p. 144.

CHAPITRE III

La dernière photo de famille

1. Marie-Anna A. [Adèle] Roy, 1954, p. 170-171, 193.
2. Marie-Anna A. [Adèle] Roy, 1979, p. 253.
3. *Ibid.*, p. 255.
4. *Registre des mariages de la paroisse-cathédrale de Saint-Boniface* ; aucun membre de la famille d'Anna ne figure parmi les trois témoins officiels du mariage.
5. M.-A. A. Roy, 1979, p. 35.
6. M.-A. A. Roy, 1954, p. 134.
7. *La Détresse et l'Enchantement,* « Le bal chez le gouverneur », XI, p. 135-136.
8. Sur la vie d'Adèle, voir ses récits autobiographiques publiés sous le nom de Marie-Anna A. Roy (1954, 1979, 1988, 1989-1990), ainsi que le manuscrit inédit intitulé *À vol d'oiseau à travers le temps et l'espace* (ANC, APM).
9. M.-A. A. Roy, 1988, p. 3.
10. M.-A. A. Roy, 1954, p. 138-139.
11. M.-A. A. Roy, *À vol d'oiseau à travers le temps et l'espace,* manuscrit inédit (ANC, APM).

12. M.-A. A. Roy, 1970, p. 69.
13. M.-A. A. Roy, *À vol d'oiseau à travers le temps et l'espace*, manuscrit inédit (ANC, APM).
14. *Ibid.*
15. Voir *La Liberté*, 12 janvier 1915, p. 8 ; le mariage aurait eu lieu le 7 janvier et c'est Joseph, le frère aîné, qui aurait remplacé le père auprès d'Adèle.
16. Gabrielle Roy évoque ce voyage ancien dans une lettre à son mari, Marcel Carbotte, Dollard, 25 août 1955 (BNC) ; elle s'en inspire aussi pour écrire « Pour empêcher un mariage » (*Rue Deschambault*, p. 49-57).
17. Adèle a-t-elle divorcé ? Aucun document qui permette de le confirmer n'a pu être retrouvé. En 1937, dans sa demande de pension de vieillesse, Mélina Roy déclarera que sa fille est toujours « *married* » et porte le nom de « Morin » ; mais il est possible que la mère ne soit pas parfaitement au courant de la situation d'Adèle.
18. *La Détresse et l'Enchantement*, « Le bal chez le gouverneur », XI, p. 135.
19. M.-A. A. Roy, *À vol d'oiseau à travers le temps et l'espace*, manuscrit inédit (ANC, APM).
20. Propos d'Adèle rapportés par Sylviane Lanthier (« Les 100 ans de Marie-Anna Roy », *La Liberté*, semaine du 5 au 11 février 1993) et par Jean-Pierre Dubé (« L'auteur franco-manitobaine Marie-Anna Roy à 99 ans », *Ibid.*, semaine du 20 au 26 mars 1992).
21. *La Détresse et l'Enchantement*, « Le bal chez le gouverneur », X, p. 127-128.
22. *Ibid.*, XI, p. 135.
23. Dans *Rue Deschambault*, Gabrielle Roy évoque la jeunesse de Clémence à travers le personnage d'« Alicia ».
24. Typhoïde, selon Adèle (M.-A. A. Roy, 1979, p. 61), cette fièvre aurait plutôt été une méningite d'après Marcel Carbotte, le mari de Gabrielle Roy qui était médecin ; dans *Rue Deschambault*, l'état de la jeune Alicia est attribué également à « une fièvre qui l'avait pour ainsi dire consumée » (« Alicia », II, p. 149).
25. Cette explication provient d'Antonia Houde-Roy, la femme de Germain, qui se souvient que Clémence n'allait jamais à confesse ; voir aussi un passage de *La Détresse et l'Enchantement* (« Le bal chez le gouverneur », XIX, p. 234-235).
26. Lettre de Clémence, Saint-Boniface, 12 février 1981 (BNC).
27. Lettre de Mélina Roy à Éliane Landry, Saint-Boniface, 23 octobre 1922 (coll. R. Jubinville).
28. Lettre de Clémence, Saint-Boniface, 16 septembre 1982 (BNC).
29. *Rue Deschambault*, « Un bout de ruban jaune », p. 61 ; le mot s'applique à « Odette », personnage inspiré par Bernadette.
30. *Rue Deschambault*, « Les deux nègres », IV, p. 24 (à propos du personnage d'« Odette »).

31. La profession temporaire de Bernadette a lieu le 21 août 1921, et sa profession perpétuelle le 21 août 1924. Sur la carrière religieuse de Bernadette, voir le « Dossier personnel 2044 » (SSNJM).
32. *Bonheur d'occasion*, XV, p. 197.
33. « Noëls canadiens français » (décembre 1938).
34. *La Détresse et l'Enchantement*, « Le bal chez le gouverneur », IV, p. 62.
35. *La Route d'Altamont*, « La route d'Altamont », IV, p. 138.
36. « Mon héritage du Manitoba » (1970), *Fragiles Lumières de la terre*, p. 156.
37. Voir *Bonheur d'occasion*, XV, p. 197-206 ; il est intéressant de noter que la ferme des parents Landry, à Saint-Léon, comprenait une érablière.
38. « Mon héritage du Manitoba » (1970), *Fragiles Lumières de la terre*, p. 156.
39. *La Route d'Altamont*, « Ma grand-mère toute-puissante », I, p. 19.
40. « Mon héritage du Manitoba » (1970), *Fragiles Lumières de la terre*, p. 156.
41. Voir M.-A. A. [Adèle] Roy, 1954, p. 237-238 ; les derniers mois de la vie d'Émilie ont aussi inspiré le chapitre III de « Ma grand-mère toute-puissante » (*La Route d'Altamont*, p. 27-35).
42. Lettre (en anglais) de J. Bruce Walker à W. D. Scott, Winnipeg, 14 février 1912 (ANC, ministère de l'Intérieur, Immigration Branch, RG 76, vol. 688, file 34686) ; une copie de cette lettre se trouvait parmi les papiers personnels de Gabrielle Roy (BNC).
43. Lettre de W. D. Scott à J. Bruce Walker, Ottawa, 14 avril 1912 (*Ibid.*).
44. *Ibid.* ; voir aussi la lettre de W. D. Scott à J. Bruce Walker, Ottawa, 12 octobre 1915, et la réponse de celui-ci datée du 15.
45. Lettre (en anglais) de Léon Roy à J. Bruce Walker, Saint-Boniface, 19 octobre 1915, transmise par celui-ci à W. D. Scott le 23 octobre, puis par W. D. Scott à M. Cory le 29 octobre (*Ibid.*).
46. « Tribune libre », *La Liberté*, 28 décembre 1915, p. 6 ; Léon fait suivre sa lettre (datée du 12 décembre) de deux éloges de son travail qui remontent respectivement à 1910 et 1912 ; une première lettre de Léon Roy sur la colonisation avait paru dans *La Liberté* du 9 novembre 1915, p. 1.
47. Voir à ce sujet des documents de janvier et février 1916 et du 15 mai 1917, ANC, ministère de l'Intérieur, Immigration Branch, RG 76, vol. 688, file 34686.
48. D'après les renseignements obtenus auprès du ministère fédéral des Approvisionnements et services (Administration des pensions de retraite 1.2, p. 1 : *Historique des lois sur la pension*), c'est seulement à partir de 1924 que les employés fédéraux commenceront à bénéficier d'un régime de pension légalement institué.
49. Voir les lettres adressées à Léon Roy par Mgr Langevin entre 1902 et 1914 : Archives de l'Archevêché de Saint-Boniface, fonds Langevin, « *Letterbook* »,

vol. IV (p. 222-223), V (p. 641), IX (p. 279), X (p. 1, 5), XI (p. 211), XVIII (p. 404-405). Au cours de ces mêmes années, il est assez souvent question des activités de Léon Roy dans *Les Cloches de Saint-Boniface*, « organe de l'archevêché et de toute la province ecclésiastique de Saint-Boniface ».

50. *La Détresse et l'Enchantement*, « Le bal chez le gouverneur », III, p. 43, 42.
51. *Ibid.*
52. *Rue Deschambault*, « Le jour et la nuit », p. 235.

CHAPITRE IV

« Cette inconnue de moi-même... »

1. APM, Department of Education (GR 1628) : *Half-yearly returns of attendance*, 1915-1928, district 1188. Les institutrices de Gabrielle Roy pendant les années suivantes seront sœur Marie de Sion (Héléna Perrault) en grade II, sœur Marie Auxiliatrice (Anastasie Bertrand) en grade III, sœur Marie de la Foi (Albertine Bertrand) en grade IV, sœur Gilles de Saint-Joseph (Marie-Louise Laporte) en grade V et sœur Marie Dominique (Éva Daigneault) en grade VI. Au niveau secondaire, ses titulaires seront sœur Agathe de Sicile (Adéla Gauthier) en grades VII et X, sœur Joseph de Bethléem (Élisa Marion) en grades VIII et XI, sœur Jeanne de Chantal (Marie-Antoinette Lépine) en grade IX et sœur Marie Maxima (M.-A. Bellemare) en grade XII.
2. Lionel Groulx, 1933, p. 123.
3. Voir à ce sujet les « Chroniques » de l'Académie Saint-Joseph (SSNJM).
4. M.-A. A. Roy, 1979, p. 27.
5. *Ibid.*, p. 28.
6. *Rue Deschambault*, « Ma coqueluche », p. 75.
7. M.-A. A. Roy, 1979, p. 27-28.
8. M.-A. A. Roy, *À vol d'oiseau à travers le temps et l'espace*, manuscrit inédit (APM, ANC).
9. M.-A. A. Roy, 1954, p. 177.
10. Récit recueilli le 19 avril 1973, rapporté par J. Hind-Smith, 1975, p. 71.
11. Lettre de Clémence, Saint-Boniface, 2 mars 1981 (BNC).
12. Dans une des premières nouvelles de Gabrielle Roy intitulée « La grande Berthe » (juin 1943), le surnom de « petit misère » est attribué dédaigneusement à « un petit enfant chétif et pâlot ».
13. *Rue Deschambault*, « Petite Misère », p. 34.
14. Lettre à Adèle, citée par celle-ci dans *L'arbre grandit*, manuscrit inédit (APM, BNQ) ; la date [vers 1970] de la lettre n'est pas précisée.

15. M.-A. A. Roy, 1954, p. 177.
16. M.-A. A. Roy, 1979, p. 30.
17. M.-A. A. Roy, 1954, p. 177.
18. Lettre à Bernadette, Québec, 23 juin 1960 (BNC; *Ma chère petite sœur*, p. 49-50).
19. M.-A. A. Roy, 1979, p. 143.
20. M.-A. A. Roy, 1954, p. 177.
21. *Ibid.*
22. Ces événements sont évoqués dans *La Détresse et l'Enchantement* (« Le bal chez le gouverneur », II et III, p. 19-44).
23. APM, Department of Education (GR 1628) : *Half-yearly returns of attendance*, 1920-1921, district 1188.
24. « Chroniques » de l'Académie Saint-Joseph (SSNJM).
25. *La Détresse et l'Enchantement*, « Le bal chez le gouverneur », IV, p. 64.
26. « La caravane en détresse », manuscrit inédit (coll. F. Ricard).
27. *La Saga d'Éveline* (BNC, boîte 74, chemise 2, f. 54).
28. *La Détresse et l'Enchantement*, « Le bal chez le gouverneur », XIX, p. 239.
29. *Ibid.*, II, p. 36.
30. *La Détresse et l'Enchantement*, « Le bal chez le gouverneur », V, p. 67.
31. APM, Department of Education (données communiquées par Denise Lécuyer).
32. Voir *La Liberté*, 12 août 1925, p. 4; les autres élèves promues le sont « avec satisfaction ».
33. *La Liberté*, 13 juillet 1927, p. 9; ce journal annonce également que Gabrielle finit première aux examens semi-annuels du grade X (20 janvier 1926, p. 8) et du grade XI (12 janvier 1927, p. 8), avec des notes de 96 p. 100 dans un cas et de 94 p. 100 dans l'autre.
34. APM, Department of Education, RG 19-B1 (boîte 10).
35. Voir *La Liberté*, 30 mars 1920, p. 1 ; 29 juin 1920, p. 1 ; 25 octobre 1921, p. 1 ; 27 juin 1922, p. 1 ; 19 septembre 1922, p. 1 ; 11 décembre 1923, p. 8; 9 décembre 1925, p. 4; 16 novembre 1927, p. 4; 16 janvier 1929, p. 8. Après la mort de Léon, on trouvera parmi les listes de souscripteurs publiées annuellement par *La Liberté* le nom de Mélina (3 février 1932, p. 5; 8 février 1933, p. 2; 23 janvier 1934, p. 2), ceux d'Anna, de son mari Albert et de leur fils Fernand (15 janvier 1930, p. 4; 3 février 1932, p. 5) et, une fois, celui de « Mlle Gabrielle Roy » pour la somme de un dollar (11 mars 1931, p. 11).
36. « Chroniques » de l'Académie Saint-Joseph (SSNJM).
37. « Souvenirs du Manitoba » (1954), p. 5.
38. *La Liberté*, 17 juillet 1923, p. 7.
39. Sur l'organisation du concours, voir le fonds de l'AECFM (SHSB).

40. Voir *La Liberté*, 17 juin 1924, p. 1 ; 26 août 1924, p. 5 ; 12 août 1925, p. 7.
41. Voir *Ibid.*, 23 juin 1926, p. 9.
42. Voir *Ibid.*, 22 juin 1927, p. 1, 11 ; 13 juin 1928, p. 1 ; 27 juin 1928, p. 11.
43. *Ibid.*, 6 avril 1927, p. 2 ; gagnante pour l'Académie Saint-Joseph, Gabrielle est éliminée à l'étape suivante du concours provincial (*Ibid.*, 27 avril 1927, p. 1). Elle a peut-être participé aussi, mais sans succès notable, au concours de 1928 qui avait pour thème « L'avenir du Canada ».
44. Elle est « dame d'honneur » en grade IX (*Ibid.*, 10 mai 1925, p. 8), en grade X (*Ibid.*, 16 juin 1926, p. 8) et en grade XI (*Ibid.*, 13 juillet 1927, p. 8).
45. « Chroniques » de l'Académie Saint-Joseph (SSNJM) ; voir aussi *La Liberté*, 10 juin 1925, p. 8 ; 16 juin 1926, p. 8 ; 4 juillet 1928, p. 8.
46. *La Détresse et l'Enchantement*, « Le bal chez le gouverneur », V, p. 67-68.
47. *Ibid.*, p. 68.
48. *Ibid.*, V, p. 77, et II, p. 33.
49. *Ibid.*, V, p. 68.
50. « Chroniques » de l'Académie Saint-Joseph (SSNJM).
51. *La Liberté*, 3 juillet 1923, p. 5.
52. *Ibid.*, 23 décembre 1925, p. 8.
53. *Ibid.*, 14 décembre 1927, p. 7.
54. *La Détresse et l'Enchantement*, « Le bal chez le gouverneur », V, p. 68.
55. *Ibid.*, p. 71.
56. *Ibid.*, p. 71-72.
57. « Mes études à Saint-Boniface », manuscrit inédit (BNC).
58. Lettre à Bernadette, Rawdon, 4 janvier 1946 (BNC ; *Ma chère petite sœur*, p. 17) ; voir aussi une lettre de Gabrielle Roy à sœur Anna-Josèphe, [Québec], 28 février 1958 (SSNJM). À propos de sœur Marie-Diomède, voir aussi C. Bahuaud et F. Lemay, 1985, p. 66-68.
59. Lettre à Bernadette, Saint-Germain-en-Laye, 24 octobre 1949 (BNC ; *Ma chère petite sœur*, p. 33).
60. *La Détresse et l'Enchantement*, « Le bal chez le gouverneur », V, p. 72.
61. Voir le placard publicitaire dans le *Winnipeg Tribune*, 13 octobre 1928, p. 26 : en visite à Winnipeg pour la première fois, la troupe y passe cinq jours et, outre *Le Marchand de Venise*, y joue *La Mégère apprivoisée*, *Les Joyeuses Commères de Windsor*, *Richard III*, la première partie de *Henry IV*, *Jules César* et *Hamlet*. Pour des comptes rendus de la représentation du *Marchand de Venise*, voir le *Manitoba Free Press* (p. 8) et le *Winnipeg Tribune* (p. 19) du 25 octobre 1928.
62. *La Détresse et l'Enchantement*, « Le bal chez le gouverneur », V, p. 72.
63. *La Montagne secrète*, XVII, p. 115-116.
64. *La Détresse et l'Enchantement*, « Le bal chez le gouverneur », V, p. 73.
65. M.-A. A. Roy, 1954, p. 201-203.

66. *Rue Deschambault*, « Les bijoux », p. 211 ; « Gagner ma vie », I, p. 247 ; « La voix des étangs », p. 217.
67. *La Détresse et l'Enchantement*, « Le bal chez le gouverneur », II, p. 33.
68. *Ibid.*, IV, p. 54.
69. Lettre à Éliane Landry, Saint-Boniface, 19 avril 1925 (coll. R. Jubinville) ; dans la même collection se trouve une autre lettre à la même, écrite à la fin de décembre 1924. C'est la plus ancienne lettre de Gabrielle Roy qui a pu être retrouvée jusqu'ici.
70. Éliane est née en 1903, Philippe en 1905, Léa en 1908 et Cléophas en 1910 ; leur père, Excide Landry, est né en 1875 ; les autres enfants d'Excide et de Luzina se nomment Ovide (1906, mort en bas âge), Wilfrid (1914, mort peu après sa naissance), Alberta (1916) et Germain (1917).
71. *La Détresse et l'Enchantement*, « Le bal chez le gouverneur », IV, p. 55.
72. *Ibid.*, XIV, p. 175, et IV, p. 61.
73. *Ces enfants de ma vie*, « De la truite dans l'eau glacée », III, p. 137-138.
74. *La Détresse et l'Enchantement*, « Le bal chez le gouverneur », XIX, p. 231.
75. *Rue Deschambault*, « La voix des étangs », p. 217.
76. *La Détresse et l'Enchantement*, « Le bal chez le gouverneur », I, p. 11.
77. *Ibid.*, p. 15.
78. « Ma petite rue qui m'a menée autour du monde », p. 149-152 ; dans *La Détresse et l'Enchantement* (« Le bal chez le gouverneur », XV, p. 191), Gabrielle Roy évoquera brièvement une scène analogue, qu'elle situera à l'automne 1936.
79. *La Détresse et l'Enchantement*, « Le bal chez le gouverneur », II, p. 30-31.
80. Germain Roy, « Notre histoire », *La Liberté*, 14 novembre 1922, p. 5.
81. Voir *Ibid.*, 8 décembre 1926, p. 11.
82. *La Détresse et l'Enchantement*, « Le bal chez le gouverneur », XIX, p. 242-243.
83. *Ibid.*, p. 243.
84. *Bonheur d'occasion*, IX, p. 121-122.
85. *Ibid.*, p. 122.
86. « Ma petite rue qui m'a menée autour du monde », p. 148.
87. À Saint-Boniface même, la proportion des francophones (Canadiens d'origine française et belge) était de 46,7 p. 100 en 1921 (*Recensement du Canada*, 1921, vol. I, tableaux 23 et 28) ; une vingtaine d'années plus tard, elle ne sera plus que de 31,6 p. 100, selon ce qu'écrit Gabrielle Roy dans un article de 1940 (« Où en est Saint-Boniface ? »).
88. Lettre à Bernadette, Québec, 4 mai 1970 (BNC ; *Ma chère petite sœur*, p. 221).
89. Lettre à Clémence, Québec, 23 février 1972 (BNC) ; elle ajoute : « Personne ne savait faire rire comme lui quand il voulait s'en donner la peine et quand il était *dans ses bonnes*, comme aurait dit maman. »

90. Dans le conte intitulé *Ma vache Bossie,* Gabrielle Roy s'inspire à la fois de cet épisode et d'un autre qui a eu lieu avant sa naissance, quand ses parents habitaient rue La Vérendrye et que l'oncle Édouard, le frère de Léon, leur avait fait cadeau d'une vache nommée Bossée, qu'ils avaient gardée pendant quelques mois (voir M.-A. A. Roy, 1954, p. 37-38).
91. Des cinq lopins qu'il a achetés à l'angle des rues Desmeurons et Deschambault en 1904-1905, Léon en revend quatre entre 1908 et 1913 (APM, Bureau des terres du Manitoba, lots 1 à 5 du plan 947, autrefois lot 79 de la paroisse de Saint-Boniface, certificats n°s 27260, 51048, 62785, 112348, 124099, 199581, 207530). De plus, selon le *Henderson's Directory* (1904, p. 723; 1905, p. 109, 985), Léon Roy aurait peut-être eu une propriété rue Aubert, mais ce renseignement n'a pu être confirmé.
92. Voir *La Liberté,* 29 novembre 1916, p. 8.
93. Voir *Ibid.,* 13 mars 1923, p. 1.
94. Propos d'avril 1973 rapportés par J. Hind-Smith, 1975, p. 68.
95. À Joan Hind-Smith (1975, p. 69), Gabrielle Roy déclare en 1973 : grâce à ma mère, « *I acquired a taste for the exquisite in the midst of poverty* » (« j'ai acquis le goût des choses exquises au milieu de la pauvreté »).
96. Marie-Anna A. [Adèle] Roy, *Indulgence et Pardon,* manuscrit inédit (APM, BNQ).
97. Propos de Gabrielle Roy rapportés par Myrna Delson-Karan, 1986, p. 197.
98. Voir *La Liberté,* 8 janvier 1924, p. 8; 14 janvier 1925, p. 9. En 1924, un des premiers prix va à une cousine de Gabrielle, Blanche McEachran, fille de Rosalie.
99. *La Détresse et l'Enchantement,* « Le bal chez le gouverneur », V, p. 79-80.
100. *Rue Deschambault,* « La voix des étangs », p. 218.
101. *Ibid.*

CHAPITRE V

La vraie vie est ailleurs

1. « Le bal chez le gouverneur », V, p. 68.
2. *Manitoba Free Press,* Winnipeg, 22 février 1929, p. 2 (avec une photo de Léon Roy).
3. « Le bal chez le gouverneur », VII, p. 93-94.
4. Irma Deloy [Adèle Roy], *Les Deux Sources de l'inspiration : l'imagination et le cœur,* manuscrit inédit (APM, BNQ).
5. Lettres à Bernadette, Québec, 3 décembre 1961 et 25 juin 1963 (BNC; *Ma chère petite sœur,* p. 62, 72).

6. Lettre (en anglais) à W. A. Deacon, Encinitas, 11 mars 1946 (UOT; dans J. Lennox et M. Lacombe, 1988, p. 208).
7. SHSB, fonds AECFM.
8. Dans *La Détresse et l'Enchantement* (« Le bal chez le gouverneur », VI, p. 81), Gabrielle Roy écrit que l'École normale était « située, si je me rappelle bien, rue Logan » ; en fait, l'immeuble, construit en 1906 et aujourd'hui classé monument historique, se trouve toujours au 442 de l'avenue William, qui est parallèle à l'avenue Logan, au sud (voir Treena Khan, « City Heritage Site Celebrates History », *Winnipeg Free Press*, 15 mai 1994, p. A10).
9. Ces renseignements ont été fournis par Maria Pronovost et Léonie Guyot, qui ont fréquenté la Provincial Normal School vers la même époque que Gabrielle Roy.
10. APM, Provincial Normal School (GR 1231), registres E16-3-3, E16-3-13 et E16-3-16. En 1928-1929, l'école reçoit environ 400 jeunes filles, réparties en cinq classes : deux classes (A et B) dites de « *Second class* » pour celles qui ne possèdent qu'une onzième année d'études secondaires, deux classes (C et D) de niveau « *First class* » pour celles qui ont fait la douzième année, et une classe (E) appelée « *Graduate* » pour celles qui détiennent déjà un brevet et veulent pouvoir enseigner au niveau secondaire. Gabrielle est dans la classe D, qui rassemble 78 élèves.
11. Voir « Le bal chez le gouverneur », VI, p. 82-86. À ce sujet, Léonie Guyot écrivait le 1er février 1994 (coll. F. Ricard) : « Je n'ai jamais eu l'impression que le Dr. McIntyre avait "un esprit ouvert" remarquable en ce qui avait trait au français. [...] Il se pourrait que Gabrielle ait pu avoir des sentiments sympathiques envers Dr. W. A. McIntyre. J'ai du mal à comprendre comment il paraissait si aimable et si intéressé à la conservation de la langue française. »
12. Extrait du *Year-book* de la Provincial Normal School pour l'année 1928-1929, cité dans une lettre de Clayton Bricker à Gabrielle Roy, 23 février 1976 (BNC) : « une petite nerveuse aux cheveux bouclés – une rêveuse – et la poète parmi nous, avec un faible pour l'Inaccessible ».
13. *La Détresse et l'Enchantement*, « Le bal chez le gouverneur », VI, p. 86.
14. *Ibid.* p. 82.
15. *Ibid.*, p. 86.
16. Ce premier brevet est provisoire; il sera renouvelé le 22 novembre 1930 et deviendra permanent le 31 juillet 1931 (BNC).
17. « Ma petite rue qui m'a menée autour du monde », p. 152.
18. Voir, dans *Cet été qui chantait*, le récit intitulé « L'enfant morte ».
19. *La Détresse et l'Enchantement*, « Le bal chez le gouverneur », VIII, p. 108-109.
20. « Le bal chez le gouverneur », IX, p. 112.
21. Message à l'occasion de l'inauguration de l'école Gabrielle-Roy de Toronto, manuscrit inédit, juin 1976 (BNC).

22. Voir *Rue Deschambault*, « Gagner ma vie », I, p. 284. Gabrielle Roy écrira vers la fin de sa vie : « Ce village, je pense en avoir dit assez exactement l'atmosphère dans le dernier chapitre de *Rue Deschambault*. J'y touche encore quelque peu, en passant, dans le livre auquel je mets la dernière main ces jours-ci : *Ces enfants de ma vie* » (*La Détresse et l'Enchantement*, « Le bal chez le gouverneur », IX, p. 111).
23. *Ces enfants de ma vie*, « La maison gardée », I, p. 81-82.
24. Voir ses lettres à Léa Landry, Cardinal, 22 janvier et 27 février 1930 (coll. R. Jubinville).
25. Cette évocation de Cardinal et de l'année qu'y a passée Gabrielle Roy doit presque tout aux souvenirs de Victorine Vigier, Aimé Badiou et Marcel Lancelot, qui fréquentaient tous trois l'école de Cardinal en 1929-1930.
26. *Rue Deschambault*, « Gagner ma vie… », p. 250.
27. APM, Department of Education (GR 1628) : *Half-yearly returns of attendance*, 1929-1930, District 964 (M 444, 445) ; dans *Ces enfants de ma vie* (« La maison gardée », I, p. 83), c'est « Cellini » plutôt que « Cenerini » qui est cité.
28. À propos de ce récit, Gabrielle Roy déclarera à un correspondant qu'elle s'est inspirée de deux souvenirs de son séjour à Cardinal : un élève adolescent dont elle avait su gagner la confiance, « peut-être même plus que la confiance », et un bouquet de fleurs sauvages que quelqu'un (le même élève ? un de ses cousins ? son ami Jean Coulpier ?) lui a lancé par la fenêtre d'un train (lettre à Antoine Gaboriau, 15 février 1980, reproduite dans *Cahiers franco-canadiens de l'Ouest*, Saint-Boniface, printemps 1991, p. 141). Quant à l'épisode de la randonnée au milieu de la tempête de neige, il peut avoir été inspiré d'un événement semblable que Gabrielle Roy, d'après ce qu'elle dit dans *La Détresse et l'Enchantement* (« Le bal chez le gouverneur », IX, p. 114-115), aurait vécu cette année-là en compagnie d'un de ses cousins, souvenir dont elle se serait aussi servie dans le récit de *Rue Deschambault* intitulé « La tempête ». Enfin, pour ce qui est de l'étang où les truites se laissent toucher, diverses théories s'affrontent, certaines liant cette image à la région de Cardinal au Manitoba, d'autres aux environs de Petite-Rivière-Saint-François au Québec.
29. *Ces enfants de ma vie*, « De la truite dans l'eau glacée », IX, p. 181.
30. Propos de Gabrielle Roy rapportés par Pauline Beaudry, 1968-1969, p. 6.
31. *Rue Deschambault*, « Gagner ma vie… », p. 257.
32. SHSB, fonds AECFM, chemise 195, document daté du 29 septembre 1929.
33. Voir Marie-Anna A. [Adèle] Roy, 1969, p. 103-145. Sur l'immigration française dans l'Ouest canadien à la fin du XIXe et au début du XXe siècle, voir Donatien Frémont, 1980 (en particulier les chapitres X et XI pour la région de la Montagne Pembina) ; on lira aussi le bel ouvrage de Jacques Bertin, *Du vent, Gatine ! Un rêve américain*, Paris, Arléa, 1989.

34. « Le Manitoba » (1962), *Fragiles Lumières de la terre,* p. 108.
35. « Cent pour cent d'amour », octobre 1936.
36. *La Détresse et l'Enchantement,* « Le bal chez le gouverneur », VIII, p. 110.
37. Lettre à Léa Landry, Cardinal, 27 février 1930 (coll. R. Jubinville).
38. *Ces enfants de ma vie,* « De la truite dans l'eau glacée », VI, p. 160.
39. Lettres à la Commission scolaire de Saint-Boniface, Marchand, 12 juin 1929, Cardinal, 29 décembre 1929 et 14 mai 1930 (DSSB).
40. Lettre de Louis Bétournay, Saint-Boniface, 20 juin 1930 (*Ibid.*).
41. Ces renseignements et plusieurs de ceux qui suivent proviennent de Léonie Guyot, Marcel Lancelot et Thérèse Gauthier.
42. Au Québec, le salaire annuel moyen des institutrices catholiques passe de 402 $ en 1931-1932 à 337 $ en 1936-1937 ; chez les institutrices rurales, il ne dépasse pas 300 $ (voir P.-A. Linteau, R. Durocher, J.-C. Robert et F. Ricard, 1989, p. 103-104).
43. APM, Department of Education (GR 1628) : *Half-yearly returns of attendance,* 1930-1937, district 1188 (M 447-463).
44. *Ces enfants de ma vie,* « Demetrioff », I, p. 58.
45. Sur Léonie Guyot, voir C. Bahuaud et F. Lemay, 1985, p. 54-56 ; et Bernard Bocquel, « En éducation, il n'y a jamais rien de définitif », *La Liberté,* 21 septembre 1984.
46. Conservé par Léonie Guyot, cet inédit de 16 feuillets écrits à la main est le plus ancien manuscrit connu de Gabrielle Roy.
47. *La Liberté,* 10 mai 1933, p. 4 ; voir aussi *Ibid.,* 31 mai 1933, p. 4.
48. Voir *Ibid.,* 10 mai 1933, p. 4 ; et le Programme du congrès de la South Eastern Teachers' Association of Manitoba, 9 novembre 1934 (coll. L. Guyot).
49. Lettre à Léonie Guyot, Saint-Boniface, 26 avril 1937 (coll. L. Guyot).
50. Voir « Le bal chez le gouverneur », X, p. 123-124 (où Gabrielle Roy, par erreur, le nomme « Hinks ») ; voir aussi *Ces enfants de ma vie,* « L'alouette », p. 38.
51. Voir APM, Department of Education (GR 129A) : *Correspondence with School Districts,* district 1188.
52. *La Détresse et l'Enchantement,* « Le bal chez le gouverneur », X, p. 125.
53. APM, Department of Education (GR 1628) : *Half-yearly returns of attendance,* 1930-1937, district 1188 (M 447-463). Aucun élève portant le prénom de Nil ou le nom de Galaïda n'apparaît sur les listes. Vincento Rinella (prénommé Vincent) a cinq ans lorsqu'il entre dans la classe de Gabrielle Roy au second semestre de l'année 1931-1932, et il y reste jusqu'en juin 1933 ; William Demetrioff y est en 1930-1931 et 1931-1932 ; Walter Demetrioff en 1932-1933 et 1933-1934, de même que Tony Tascona ; quant à Clare Atkins, il fait partie de la classe de Gabrielle en 1934-1935 et 1935-1936, tout comme Nikolaï Susick (prénommé Nick). Le nom de ce dernier annonce non seulement celui

du facteur (Nick Sluzick) dans *La Petite Poule d'Eau* (« Les vacances de Luzina »), mais aussi le titre d'une des premières nouvelles de Gabrielle Roy (« Nikolaï Suliz », février 1940), qui évoque la misère d'une famille immigrante vivant dans un milieu populaire.

54. À l'exception de la dernière année (1936-1937), alors qu'environ la moitié de ses élèves sont en grade II.
55. Témoignage de 1990 recueilli et rapporté par C. J. Harvey, 1993, p. 223 ; Tony Tascona est nommé dans *Ces enfants de ma vie* (« L'enfant de Noël », p. 29-30) ; voir aussi une lettre de Gabrielle Roy à Tony Tascona, Québec, 20 avril 1963 (reproduite dans *Cahiers franco-canadiens de l'Ouest*, Saint-Boniface, printemps 1991, p. 41).
56. Ces photographies m'ont été aimablement transmises par le frère Joseph G. André, Marianiste, de Saint-Boniface.
57. *La Détresse et l'Enchantement*, « Le bal chez le gouverneur », XV, p. 190.
58. T. Goulet Courchaine, « Mlle Gabrielle Roy », *La Liberté et le Patriote*, 9 mai 1947, p. 10. Thérèse Goulet publiera de nombreux textes sous le pseudonyme de Manie Tobie (voir René Juéry, *Manie Tobie, femme du Manitoba*, Saint-Boniface, Éditions des Plaines, 1979).
59. Voir André Belleau, *Le Romancier fictif*, Sillery, Presses de l'Université du Québec, 1980, chapitres II et III.
60. Voir le *Catalogue de la Bibliothèque paroissiale de St-Boniface*, s.l.n.d., s. édit., 23 p. (SHSB) ; la publication de ce catalogue date vraisemblablement des années trente.
61. De passage à Winnipeg en 1936, un observateur n'y trouve qu'une librairie française, à propos de laquelle il écrit : « Son fonds est pauvre. Les acheteurs n'ont pour ainsi dire aucun choix. Le livre français arrive difficilement » (cité par Philippe Prévost, *La France et le Canada d'un après-guerre à l'autre, 1918-1944*, Saint-Boniface, Éditions du Blé, 1994, p. 81).
62. Voir, de Gabrielle Roy, son « [Témoignage sur le roman] » (1963), ses propos de 1970 rapportés par Marc Gagné (1973, p. 164), ainsi que *La Détresse et l'Enchantement*, « Un oiseau tombé sur le seuil », III, p. 278.
63. « Le bal chez le gouverneur », XI, p. 137.
64. Voir Blanche Ellinthorpe, « From Teaching to Writing », *The Country Guide*, Winnipeg, février 1953, p. 68, 76, ainsi qu'une brochure intitulée *Lillian Beynon Thomas (1874-1961)*, Winnipeg, Manitoba Culture, Heritage and Recreation, 1986 ; on y rappelle notamment le rôle joué par Mme Thomas dans les campagnes en faveur du suffrage féminin, que le Manitoba a été la première province à reconnaître, en 1916, avant le gouvernement fédéral (1917-1918) et, bien sûr, avant le Québec (1940).
65. Léon Dartis [Henri Girard], 1947, p. 26.

66. Voir Tony Dickason, 1947, p. 9.
67. Et non pas vingt ans, comme elle le dira en avril 1973 à Joan Hind-Smith (1975, p. 76) en évoquant l'épisode du *Free Press* ; elle ajoute qu'un autre de ses récits policiers, en français cette fois, a paru au même moment dans *Le Samedi* de Montréal, alors que le premier texte de Gabrielle Roy ne paraît dans cette revue qu'en 1936, et qu'il ne s'agit pas d'un récit policier.
68. « Souvenirs du Manitoba » (1954), p. 6.
69. Gabrielle Roy, « Les gens de chez nous » (mai 1943).
70. *La Liberté*, 29 novembre 1933, p. 1 ; voir *Ibid.*, 15 novembre 1933, p. 1 ; voir aussi le programme de la soirée (coll. L. Guyot).
71. *Ibid.*, 9 avril 1930, p. 6.
72. Le programme de la soirée est reproduit dans L. Dorge, 1980, p. 119 ; voir aussi *La Liberté*, 21 janvier 1931, p. 8.
73. Voir *La Liberté*, 25 mars 1931, p. 8 ; 10 mai 1933, p. 8 ; 23 novembre 1932, p. 8 ; 16 mars 1932, p. 10 ; 14 décembre 1932, p. 6 ; 8 novembre 1933, p. 8 ; 23 décembre 1931, p. 4 ; 6 avril 1932, p. 4 ; 26 octobre 1932, p. 4.
74. Voir « Le bal chez le gouverneur », XII, p. 145-158. Pour les noms de ses compagnons, voir deux lettres à Clémence, Québec, 15 novembre 1968, et Petite-Rivière-Saint-François, 8 juillet 1969 (BNC). D'après une affiche conservée par Léonie Guyot, d'autres membres probables du groupe auraient été Yvonne Thorimbert, Paul Dugal et Fernando Champagne.
75. Sur l'histoire du Cercle Molière et sur les époux Boutal, voir notamment : Pauline Boutal, 1985 ; En collaboration, *Le Cercle Molière : 50e anniversaire*, Saint-Boniface, Éditions du Blé, 1975 ; et deux pages de *La Liberté* (8-14 mai 1992) consacrées à Pauline Boutal lors de son décès.
76. A. LaFlèche, « Souvenirs d'un comédien amateur », dans L. Dorge, 1980, p. 146.
77. « Le Cercle Molière, porte ouverte » (1980), p. 117.
78. Voir *La Liberté*, 4 février 1931, p. 8.
79. SHSB, fonds Cercle Molière ; voir notamment les procès-verbaux des assemblées du 16 mai et du 22 octobre 1932 et, pour 1933, des 27 janvier, 18 février, 18 mars, 15 avril et 19 mai ; voir aussi *La Liberté*, 23 novembre 1932, p. 8 ; 22 février 1933, p. 8 ; 24 octobre 1934, p. 10.
80. *La Liberté*, 6 décembre 1933, p. 3. Les autres comédiens sont Victor Masson, Jean de la Vignette, Henri Pinvidic, Georgeline Bélanger, Joseph Plante, Antoine LeGoff, Bernard Goulet et Albert Prendergast (voir *Ibid.*, 22 novembre 1933, p. 8).
81. Voir *Ibid.*, 28 mars 1934, p. 3.
82. Voir *Ibid.*, 4 avril 1934, p. 4 ; 18 avril 1934, p. 8.
83. Voir sa lettre à L. Bétournay, Saint-Boniface, 19 avril 1934 (DSSB).

84. *La Liberté*, 2 mai 1934, p. 1, 3 ; voir *Ibid.*, 16 mai 1934, p. 8 ; *Winnipeg Tribune*, 14 mai 1934 ; SHSB, fonds Cercle Molière, chemise 664.
85. *La Liberté*, 6 février 1935, p. 3. Outre Gabrielle Roy, la distribution comprend Marc Meunier, Jean Trudel, Denys Goulet, Armand Schwartz et Jean Boily (voir *Winnipeg Tribune*, 4 février 1935).
86. *La Liberté*, 19 février 1936, p. 1.
87. La distribution comprend également Pauline et Arthur Boutal, Joseph Plante, ainsi que trois garçonnets, J.-M. Deniset, Georges et Gabriel Sourisseau.
88. *La Liberté*, 26 février 1936, p. 1.
89. Voir *Ibid.*, 18 mars 1936, p. 4 ; 1er avril 1936, p. 4 ; 15 avril 1936, p. 3 ; 22 avril 1936, p. 8 ; 29 avril 1936, p. 1. Voir aussi une lettre de Gabrielle Roy à la Commission scolaire de Saint-Boniface, 29 mars 1936 (DSSB).
90. Voir un article du journal *Le Canada*, Montréal, 30 avril 1936 (reproduit dans *Le Cercle Molière : 50e anniversaire*, Saint-Boniface, Éditions du Blé, 1975).
91. Paul Guth, 1947, p. 1.
92. Voir le programme de cette soirée (coll. L. Guyot).
93. *La Liberté*, 14 décembre 1932, p. 6 (l'autre déclamation était « *Le Retour* de Lucienne Boyer », en français).
94. Ces renseignements et ceux qui suivent proviennent des archives du Winnipeg Little Theatre (APM). Sur l'histoire de cette troupe, dont les activités ont pris fin en 1937, voir Eugene Benson et L. W. Conolly (dir.), *The Oxford Companion to Canadian Theatre*, Toronto, Oxford University Press, 1989, p. 324.
95. SHSB, fonds Cercle Molière, chemise 5. La pièce est présentée au Dominion Theatre de Winnipeg les 26, 27, 29 et 30 avril 1935 ; les autres rôles sont joués par Florence Zachary, Harry Harrod, Norman West, Kenneth Gosling, Edith Myers, Alan Jenkins, Wootton Goodman et Phyllis Roberts ; la mise en scène est de John Craig (voir *Winnipeg Free Press*, 20 avril 1935, p. 26).
96. Dans « Le Cercle Molière, porte ouverte » (1980, p. 118) et dans *La Détresse et l'Enchantement* (« Le bal chez le gouverneur », XV, p. 182), Gabrielle Roy écrit qu'elle a joué aussi dans *Le Chant du berceau* ; la présentation de cette pièce de G. et M. Martinez-Sierra vaudra au Cercle Molière deux prix lors du Festival national, mais au printemps 1938 seulement, soit plus de six mois après le départ de Gabrielle Roy pour l'Europe ; il n'est pas impossible qu'elle ait pris part aux toutes premières répétitions, mais son nom n'apparaît pas dans la distribution lors des représentations de la pièce les 5 février et 18 mai 1938 (voir *La Liberté*, 26 janvier 1938, p. 1 ; 9 février 1938, p. 1, 3 ; 25 mai 1938, p. 1) ; la confusion vient peut-être de ce que Gabrielle Roy, quand elle suivra ses cours d'art dramatique à Londres au début de l'année 1938, jouera dans cette même pièce, montée par les élèves de la Guildhall School (voir ses lettres au frère

J. Bruns, 26 février 1938, archives des frères Marianistes, Saint-Boniface ; et à Renée Deniset, s.d. [hiver 1938], FGR, dossier J. Helliwell).

97. Elle interprète la servante d'une dame, dont le rôle est tenu par Margot Syme, qui a triomphé le mois précédent dans un *Roméo et Juliette* auquel assistait le gouverneur général en personne (voir *Winnipeg Tribune*, 4 décembre 1936, p. 12) ; les autres acteurs sont Ethel Watson, Graeme Norman, Thomas McEwen et Herbert Marsden ; la mise en scène est de John Craig (voir *Winnipeg Free Press*, 23 janvier 1937, p. 12, où se trouve une photo de Gabrielle Roy).
98. Voir *Winnipeg Free Press*, 27 avril 1935, p. 11 ; 1er février 1937, p. 20 ; et *Winnipeg Tribune*, 27 avril 1935, p. 5 ; 30 janvier 1937, p. 4.
99. Lettre (en anglais) à W. A. Deacon, Encinitas, 11 mars 1946 (UOT ; dans J. Lennox et M. Lacombe, 1988, p. 208). À Rex Desmarchais (1947, p. 36) Gabrielle Roy déclarera, à propos de ces années : « Je me disais que si je quittais l'enseignement, je pourrais me faire une belle carrière au théâtre. »
100. « Le Cercle Molière, porte ouverte » (1980), p. 117-118.
101. *Ibid.*, p. 118.
102. *La Détresse et l'Enchantement*, « Le bal chez le gouverneur », I, p. 15, 11.
103. À ce sujet, voir D. Frémont, 1980, chapitres XIII et XIV.
104. Au sujet d'Élisa Houde, née Charlet (1887-1978), à qui Gabrielle Roy rend hommage dans « Le Cercle Molière, porte ouverte » (1980, p. 119-121), voir C. Bahuaud et F. Lemay, 1985, p. 57-58 ; et P. Boutal, 1985, p. 210-211.
105. Voir *La Liberté*, 10 avril 1935, p. 3 ; voir aussi l'affiche reproduite dans L. Dorge, 1980, p. 119.
106. Ces renseignements et plusieurs de ceux qui suivent proviennent de Jacqueline Deniset-Benoist, Léonie Guyot, Louis-Philippe Gauthier, Antonia Houde-Roy et Guy Chauvière.
107. *La Liberté*, 24 juillet 1935, p. 4.
108. Voir *Ibid.*, 31 décembre 1935, p. 4.
109. *Ibid.*, 19 décembre 1934, p. 4 ; voir aussi 21 août 1935, p. 4.
110. Lettre à Marcel Carbotte, Paris, 8 juillet 1955 (BNC).
111. Voir *La Liberté*, 21 juillet 1937, p. 1.
112. *La Détresse et l'Enchantement*, « Le bal chez le gouverneur », XI, p. 137.
113. « Les petits pas de Caroline » (octobre 1940), p. 11.
114. Lettre de Léonie Guyot à F. Ricard, Winnipeg, 23 mai 1991 (coll. F. Ricard).
115. *Ibid.* ; Léonie Guyot croit se rappeler que le prénom du jeune homme était Richard, mais elle n'en est pas sûre.
116. Propos de Guy Chauvière (recueillis par Lucien Chaput, Winnipeg, février 1991). Né à Winnipeg en 1908, Guy Chauvière y est mort le 27 mai 1992.
117. Irma Deloy [Adèle Roy], *Les Deux Sources de l'inspiration : l'imagination et le cœur*, manuscrit inédit (APM, BNQ).

118. *La Détresse et l'Enchantement*, « Le bal chez le gouverneur », XI, p. 136.
119. M.-A. A. Roy, *L'arbre grandit*, manuscrit inédit (APM, BNQ).
120. L. Groulx, 1933, p. 135.
121. Lettre (en anglais) à W. A. Deacon, Encinitas, 11 mars 1946 (UOT ; dans J. Lennox et M. Lacombe, 1988, p. 208).
122. « Le bal chez le gouverneur », XI, p. 139.
123. Lettre de Léonie Guyot à F. Ricard, Winnipeg, 15 juin 1991 (coll. F. Ricard).
124. Lettre à Adèle, [Montréal], 14 mars 1944 (ANC, fonds Marie-Anna A. Roy).
125. « Le bal chez le gouverneur », XIX, p. 238 ; voir aussi les propos de Gabrielle Roy à Marc Gagné, 2 avril 1971 (Gagné, 1975, p. 226).
126. Voir Fulgence Charpentier, 1983 ; voir aussi Ben-Z. Shek, 1989, p. 451.
127. C'est en mars 1926 que Léon Roy a fait don de sa maison à Mélina (APM, Bureau des terres du Manitoba, lot 5 du plan 947, autrefois lot 79 de la paroisse catholique de Saint-Boniface, certificat n° 387113).
128. *La Liberté*, 13 décembre 1933, p. 4.
129. Voir *Ibid.*, 13 juillet 1932, p. 4.
130. Voir « Le bal chez le gouverneur », XI, p. 139-141.
131. *La Liberté*, 7 septembre 1932, p. 4.
132. *Ibid.*, 2 mai 1934, p. 4.
133. Marie-Anna A. [Adèle] Roy, 1954, p. 218.
134. « Le bal chez le gouverneur », XI, p. 144.
135. *Ibid.*, p. 142.
136. *Ibid.*, XV, p. 185.
137. Propos (en anglais) rapportés par Dorothy Duncan, 1947.
138. *La Détresse et l'Enchantement*, « Le bal chez le gouverneur », XIX, p. 243.
139. *Ibid.*, XVI, p. 198.
140. Propos de Gabrielle Roy à Rex Desmarchais, 1947, p. 36-37.
141. *La Détresse et l'Enchantement*, « Le bal chez le gouverneur », XV, p. 181.
142. *Ibid.*, XVI, p. 195.
143. *La Route d'Altamont*, « La route d'Altamont », I, p. 119 ; II, p. 123.
144. *Ces enfants de ma vie*, « L'alouette », p. 43.
145. *Ibid.*, p. 40-41.
146. *La Détresse et l'Enchantement*, « Le bal chez le gouverneur », XV, p. 183.
147. *La Route d'Altamont*, « La route d'Altamont », V, p. 143-145.
148. « Le bal chez le gouverneur », X, p. 127.
149. Voir la correspondance entre Mélina Roy et la municipalité de Saint-Boniface (SHSB, fonds 123, boîte 6, chemise 19). Le transfert officiel des titres de propriété à F. Saint-Germain est daté du mois de septembre 1937 (APM, Bureau des terres du Manitoba, lot 5 du plan 947, autrefois lot 79 de la paroisse de Saint-Boniface, certificat n° 508956).

150. Le manuscrit est à la BNC ; une édition posthume du texte a été publiée en 1991.
151. « Le bal chez le gouverneur », XV, p. 188 ; voir une lettre à Helen Sisson, Petite-Rivière-Saint-François, 18 août 1976 (BNC).
152. Voir la présentation de l'article de Gabrielle Roy, « Winnipeg Girl Visits Bruges » (décembre 1938).
153. Voir une lettre d'Anna Roy-Painchaud, Saint-Vital, 1er septembre 1941, ainsi qu'une lettre du docteur A. P. Mackinnon à Mélina Roy, Winnipeg, 24 avril 1942 (BNC).
154. Voir *La Liberté,* 18 novembre 1936, p. 4.
155. Fragment d'une lettre de Mélina à Adèle, Saint-Boniface, 3 janvier 1937 (BNC ; photocopie).
156. APM, GR 267, Health and Public Welfare, Old Age Pension, file 20015. Le document est contresigné, à titre de témoin assermenté, par Marie-Agnès Bernier, voisine de Mélina depuis 1905.
157. Cette pension sera portée à 20 dollars en décembre 1939.
158. Lettre à la Commission scolaire de Saint-Boniface, 19 avril 1937 (DSSB).
159. Lettre de Louis Bétournay, secrétaire de la Commission scolaire de Saint-Boniface, 28 avril 1937 (DSSB).
160. *La Détresse et l'Enchantement,* « Le bal chez le gouverneur », XVII, p. 210.
161. Ces détails sont donnés par Marie-Anna A. [Adèle] Roy, 1977, chapitre 6.
162. *La Détresse et l'Enchantement,* « Le bal chez le gouverneur », XVIII, p. 226.
163. « Mémoire et création, préface de *La Petite Poule d'Eau* » (1957), *Fragiles Lumières de la terre,* p. 208.
164. Dans le passeport que Gabrielle Roy obtiendra en 1943, on peut lire cette note : « *Bearer previously travelled on passport nº 47309 issued on August 31, 1937* » (BNC).
165. Voir « Le bal chez le gouverneur », XVII, p. 209-215.
166. M.-A. A. Roy, 1979, p. 123.
167. Lettre à Bernadette, Montréal, 15 septembre 1943 (BNC ; *Ma chère petite sœur,* p. 15).
168. *La Détresse et l'Enchantement,* « Le bal chez le gouverneur », XV, p. 183.
169. Voir « Le bal chez le gouverneur », XIX, p. 231-240. « La mère, écrit Adèle, n'aurait jamais toléré de se faire peloter, cajoler, dorloter, dode-lécher, par pudeur et fierté naturelle. Cette scène est ridicule, farfelue, soulève le cœur, et est triste à faire pleurer » (M.-A. A. Roy, 1989-1990, épisode 14).
170. Voir une carte postale à Renée Deniset, [North Bay], 30 août 1937 (FGR, dossier J. Helliwell).
171. *La Liberté,* 8 septembre 1937, p. 4.

CHAPITRE VI

L'aventure

1. *La Détresse et l'Enchantement,* « Un oiseau tombé sur le seuil », V, p. 291.
2. Son passage est signalé dans *Le Canada,* Montréal, 9 septembre 1937, p. 4.
3. Propos rapportés par R. Desmarchais, 1947, p. 37.
4. Et non Mme « Pierre-Jean » Jouve, comme l'indique *La Détresse et l'Enchantement* (« Un oiseau tombé sur le seuil », I, p. 254).
5. *Ibid.*, II, p. 263.
6. Archives de la Police, Paris : registre de main courante du 52e quartier, entrée n° 1027, mercredi 20 octobre 1937.
7. Créée en 1928, la pièce est reprise au Théâtre de l'Atelier (dans le XVIIIe arrondissement) du 17 septembre 1937 au 26 janvier 1938. Ce renseignement et ceux qui suivent sur la vie théâtrale parisienne de l'époque proviennent des dossiers de la Bibliothèque de l'Arsenal, Paris, ainsi que du quotidien *Le Figaro* (Bibliothèque nationale, Paris, microfilm D-13).
8. *La Sauvage* sera présentée du 11 janvier au 3 avril 1938, avec Ludmila Pitoëff dans le rôle-titre ; quant à *La Mouette,* créée en 1922, elle sera reprise du 17 janvier au 13 mai 1939.
9. *La Rive gauche : du Front populaire à la guerre froide,* traduction M. Véron, Paris, Seuil, 1981.
10. Lettre à Marcel Carbotte, Paris, 9 mai 1955 (BNC).
11. Cette fiche, datée de novembre 1937, a été retrouvée par Pierre Castonguay et Mireille Attas, de Radio-Canada, pendant leur enquête en vue d'un film sur la période londonienne de Gabrielle Roy.
12. Voir sa lettre au frère Joseph Bruns, Londres, 26 février 1938 (Archives des frères Marianistes, Saint-Boniface).
13. Lettre à Léonie Guyot, Londres, 25 février 1938 (coll. L. Guyot).
14. Propos de Gabrielle Roy à R. Desmarchais, 1947, p. 37 ; voir aussi « Mlle Gabrielle Roy », *Revue populaire,* Montréal, octobre 1939, p. 67 ; R.-G. Scully, 1974, p. 15 ; ainsi que *La Détresse et l'Enchantement,* « Un oiseau tombé sur le seuil », VII, p. 324-325.
15. Voir sa lettre à MM. de la Commission scolaire, Londres, 28 février 1938, et la réponse de Louis Bétournay, secrétaire, Saint-Boniface, 24 mars 1938 (DSSB).
16. Et non « Wickendon », comme Gabrielle Roy l'écrira dans *La Détresse et l'Enchantement* (« Un oiseau tombé sur le seuil », VI, p. 301), où elle dit aussi que son adresse était le « 72 » (p. 307). Les adresses que j'indique ici sont celles qui apparaissent sur la fiche d'inscription de Gabrielle à la Guildhall School et dans ses lettres de cette époque.

17. Et non « Lily » (*La Détresse et l'Enchantement,* « Un oiseau tombé sur le seuil », VI, p. 314).
18. Lettre à Renée Deniset, Londres, [novembre 1937] (FGR, dossier J. Helliwell).
19. Voir Gabrielle Roy, « Lettre de Londres : Les jolis coins de Londres » (décembre 1938).
20. Voir Gabrielle Roy, « La Maison du Canada » (août 1939).
21. « Lettre de Londres : Si près de Londres… si loin… » (octobre 1938).
22. Lettre à Léonie Guyot, Londres, 25 février 1938 (coll. L. Guyot).
23. Et non « Bridgeport » (*La Détresse et l'Enchantement,* « Un oiseau tombé sur le seuil », XV, p. 440).
24. Voir Gabrielle Roy, « Lettre de Londres : Choses vues en passant » (juillet 1938) ; « Lettre de Londres : Si près de Londres… si loin… » (octobre 1938) ; voir aussi sa lettre à Léonie Guyot (Londres, 25 février 1938 ; coll. L. Guyot), ainsi qu'une carte postale à Renée Deniset ([Londres], 26 mai 1938 ; FGR, dossier J. Helliwell), écrite au retour de Monmouth.
25. Il semble, ce printemps-là, qu'elle ait même poussé une pointe jusqu'en Belgique, si l'on en croit les articles qu'elle fait paraître sur Bruges en juillet (« Lettre de Londres : Choses vues en passant ») et décembre 1938 (« Winnipeg Girl Visits Bruges »).
26. Sur ce voyage, voir un article de Gabrielle Roy, « Lettre de Londres : Londres à Land's End » (octobre 1938).
27. *La Détresse et l'Enchantement,* « Un oiseau tombé sur le seuil », XVIII, p. 479.
28. *Ibid.*, VIII, p. 349.
29. Selon *La Détresse et l'Enchantement* (*Ibid.*, p. 344-346), leur première sortie les conduit à une représentation de *Boris Godounov* à Sadlers' Wells ; P. Castonguay et M. Attas ont vérifié que cet opéra se donnait bien là en avril 1938, mais en anglais et non « en russe ».
30. *La Détresse et l'Enchantement,* « Un oiseau tombé sur le seuil », IX, p. 358.
31. *Ibid.*, p. 361.
32. Voir M.-A. A. Roy, 1979, p. 142 ; la scène rapportée par Adèle a lieu en 1942.
33. *La Détresse et l'Enchantement,* « Un oiseau tombé sur le seuil », VIII, p. 348.
34. *Ibid.*, IX, p. 362.
35. *Ibid.*, VIII, p. 348.
36. Voir ce qu'en dit Gabrielle Roy dans « Lettre de Londres : Si près de Londres… si loin… » (octobre 1938).
37. *La Détresse et l'Enchantement,* « Un oiseau tombé sur le seuil », XI, p. 382.
38. Les renseignements qui suivent proviennent des travaux de Pierre-Marie Dioudonnat, 1973 et 1993.
39. *La Détresse et l'Enchantement,* « Un oiseau tombé sur le seuil », XII, p. 403.
40. *Ibid.*, p. 392.

41. Propos de Gabrielle Roy (en anglais) rapportés par Donald Cameron, 1973, p. 130.
42. Propos de Gabrielle Roy rapportés (en anglais) par Myrna Delson-Karan, 1986, p. 199.
43. Il s'agit d'une pièce de théâtre intitulée *The Devil's Trump*, manuscrit inédit (BNC). Dactylographié, le manuscrit ne porte aucune indication de date. Si l'on se fie à une entrevue que Gabrielle Roy a donnée plus tard à John J. Murphy (1963, p. 454 : « *Traveling to London to study dramatics, she began to write sketches in English* »), il pourrait avoir été écrit en Angleterre ; mais son thème (un drame conjugal dans l'Ouest canadien) le rapproche plutôt des reportages sur les « Peuples du Canada » que Gabrielle Roy publiera en 1942-1943.
44. Voir sa lettre à MM. de la Commission scolaire, Londres, 23 juillet 1938, et les réponses de J.-A. Marion, président, et de Louis Bétournay, secrétaire, datées respectivement du 29 juillet et du 29 septembre [1938] (DSSB).
45. Quoiqu'il soit impossible de l'affirmer avec certitude puisque les manuscrits ont disparu, on peut, d'après leur contenu, faire remonter à cette époque des nouvelles publiées ultérieurement, comme « La conversion des O'Connor » (septembre 1939), « Une histoire d'amour » (mars 1940) ou « La fuite de Sally » (janvier 1941), où sont évoqués la forêt d'Epping et la maisonnette de Felicity, la petite aubergiste bossue qui a suggéré à Gabrielle de se présenter chez Esther Perfect (voir *La Détresse et l'Enchantement*, « Un oiseau tombé sur le seuil », X, p. 372-375).
46. Lettre à Léonie Guyot, Londres, 24 novembre 1938 (coll. L. Guyot).
47. Voir *La Détresse et l'Enchantement*, « Un oiseau tombé sur le seuil », XVI, p. 453-456 ; Marie-Anna A. [Adèle] Roy, 1979, p. 142 ; ainsi que les propos de Gabrielle Roy à Joan Hind-Smith, 1975, p. 79.
48. *La Liberté*, 21 décembre 1938, p. 4 ; l'information est reprise quelques jours plus tard dans *The Northwest Review*, Winnipeg, 29 décembre 1938, p. 5.
49. Propos de Gabrielle Roy rapportés par Pauline Beaudry, 1968-1969, p. 6.
50. *La Détresse et l'Enchantement*, « Un oiseau tombé sur le seuil », XVII, p. 462.
51. « Ma petite rue qui m'a menée autour du monde », p. 155.
52. Sur l'un de ces épisodes, voir deux articles de Gabrielle Roy publiés : « En vagabondant dans le midi de la France : Ramatuelle à Hyères » (décembre 1939) et « Une messe en Provence » (janvier 1940).
53. Gabrielle Roy évoque ce séjour dans un article intitulé « Chez les paysans du Languedoc » (août 1939).
54. Voir les propos de Gabrielle à R. Desmarchais, 1947, p. 38 ; et à Marie Bourbonnais, 1947, p. 13.
55. Voir *La Détresse et l'Enchantement*, « Un oiseau tombé sur le seuil », XIX, p. 490 ; le manuscrit de cet article semble avoir disparu.

56. *Ibid.*, XX, p. 496.
57. Voir *Ibid.*, p. 503 ; voir aussi les propos de Gabrielle Roy à Judith Jasmin, 1961.
58. « Ma petite rue qui m'a menée autour du monde », p. 155.
59. M. Robert, *Roman des origines et Origines du roman*, Paris, Gallimard, 1976, collection « Tel », p. 134-135.
60. « Ma petite rue qui m'a menée autour du monde », p. 155.
61. Lettre (en anglais) à W. A. Deacon, Encinitas, 11 mars 1946 (UOT; dans J. Lennox et M. Lacombe, 1988, p. 208) ; Joyce Marshall (1983, p. 37), la traductrice de Gabrielle Roy, se souvient que celle-ci lui parlait de ses années montréalaises comme de ses « *glorious years* ».
62. Le bateau en provenance de Liverpool a dû accoster à Saint-Jean, Nouveau-Brunswick, à cause des glaces ; de là, les voyageurs ont été transportés à Montréal par chemin de fer (voir *La Détresse et l'Enchantement*, « Un oiseau tombé sur le seuil », XX, p. 497-498).
63. *Ibid.*, p. 500.
64. « Quelques jolis coins de Montréal » (juillet 1939).
65. Gabrielle Roy, « Longtemps il m'avait semblé que les rails », manuscrit inédit faisant suite à *La Détresse et l'Enchantement* (BNC).
66. À ce sujet, voir Ben-Z. Shek, 1989.
67. Elle utilisera son nom dans « Ély ! Ély ! Ély ! » (1979), récit fondé sur un souvenir remontant à 1942 (*De quoi t'ennuies-tu, Éveline ?*, p. 112-113).
68. « Quelques jolis coins de Montréal » (juillet 1939).
69. Dans ses souvenirs (*Sacré métier : mémoires d'un journaliste*, Montréal, Louise Courteau, 1990, p. 73, 187), Ernest Pallascio-Morin raconte que Gabrielle Roy, peu après son retour d'Europe, lui aurait offert des articles pour *Photo-Journal*, dont il était le rédacteur en chef; toutefois, la signature de Gabrielle Roy n'apparaît nulle part dans les pages de ce journal entre 1939 et 1943.
70. Sauf celui du 15 juillet; mais le numéro du 8 juillet contient deux articles d'elle.
71. Trente textes ont paru ; on a aussi retrouvé, dans les papiers d'Émile-Charles Hamel, les manuscrits dactylographiés de deux autres textes que Gabrielle Roy destinait sans doute au *Jour* et qui n'ont pas été publiés : il s'agit de deux récits brefs intitulés « La photographie d'il y a cinquante ans » et « Nowhere Tour » (BNC, fonds François Côté).
72. Voir Victor Teboul, 1984.
73. C'est le cas de deux des derniers articles de Gabrielle Roy au *Jour*: « Nikolaï Suliz » et « De la triste Loulou à son amie Mimi » (février 1940).
74. *La Détresse et l'Enchantement*, « Un oiseau tombé sur le seuil », XX, p. 504.
75. Sur ce périodique, voir André Beaulieu et Jean Hamelin, 1982, p. 294-295 ; et F. Ricard, 1991.

76. H. Girard, « La vie artistique. *Regards et Jeux dans l'espace* », *Le Canada*, Montréal, 30 mars 1937, p. 2.
77. Voir P.-É. Borduas, *Projections libérantes* (1949), dans *Écrits I*, édition d'A.-G. Bourassa, J. Fisette et G. Lapointe, Montréal, Presses de l'Université de Montréal, 1987, « Bibliothèque du Nouveau Monde », p. 421-422 ; H. Girard, « Aspects de la peinture surréaliste », *La Nouvelle Relève*, Montréal, septembre 1948.
78. Sur les écrits et les idées d'H. Girard en matière de critique d'art, voir Esther Trépanier : « L'émergence d'un discours de la modernité dans la critique d'art (Montréal, 1918-1938) », dans Y. Lamonde et E. Trépanier (dir.), *L'Avènement de la modernité culturelle au Québec*, Québec, Institut québécois de recherche sur la culture, 1986, p. 69-112.
79. « Concours de littérature », *Revue moderne*, Montréal, mai 1939, p. 39.
80. Roger Duhamel, « Ce qu'on lit. Canadiens et Français », *Ibid.*, mars 1944, p. 30.
81. H. Girard, « Entre nous », *Ibid.*, mai 1940, p. 4.
82. Léon Dartis [H. Girard], 1947, p. 9.
83. Même si la version anglaise de ce texte a été publiée avant la française, il est impossible, les manuscrits n'étant pas accessibles, de savoir laquelle des deux versions a été écrite en premier lieu. Nous ignorons donc quelle version est la traduction ou l'adaptation de l'autre.
84. Les renseignements qui suivent proviennent du journal *Radiomonde*, Montréal, 9 décembre 1939, 24 février, 13 avril et 25 mai 1940 ; voir aussi P. Pagé, R. Legris et L. Blouin, 1975, p. 239. Il semble également que Gabrielle Roy ait eu un rôle à la radio anglaise, dans l'émission *Miss Trent's Children*, du moins pendant l'automne 1939 (voir *Revue populaire*, Montréal, octobre 1939, p. 67).
85. Sur cette troupe, voir Philip Booth, 1989 ; et Jean Béraud, *350 ans de théâtre au Canada français*, Montréal, Cercle du Livre de France, 1958, chapitres VIII et IX.
86. Voir « Le MRTF à Saint-Sulpice », *Le Jour*, Montréal, 2 septembre 1939, p. 4, et Jacques Gadbois, « Le théâtre à Montréal », *Ibid.*, 28 octobre 1939, p. 3.
87. *La Femme de Patrick*, manuscrit inédit (BNC) ; le texte est accompagné de documents concernant sa représentation et il porte des annotations en vue de sa lecture à la radio.
88. J. Desprez, « Lettre à Suzy », *Radiomonde*, Montréal, 15 juin 1940, p. 7.
89. P. Guèvremont joue le rôle de Pat (le père), P. Dagenais, celui de Don (le fils) ; les autres comédiens sont Phil Lauzon (Mike), Thérèse Rochon (Kathleen), Alda Micheli (Lizzie, la mère) et la petite Arlette Desforges (Dodie).
90. M. Boullianne, « Le deuxième gala de pièces canadiennes », *Le Jour*, Mont-

réal, 8 juin 1940, p. 3.; J.-J. L., « Talents canadiens qui s'affichent », *Le Canada*, Montréal, 4 juin 1940, p. 6.; J. Desprez, « Lettre à Suzy ».

91. Voir *La Presse*, Montréal, 4 juin 1940, p. 10; *Radiomonde*, Montréal, 22 juin 1940, p. 10.
92. *Oui, mademoiselle Line*, manuscrit inédit (BNC); le texte n'est pas daté, mais une allusion à la guerre d'Espagne et sa parenté thématique avec des nouvelles comme « Le roi de cœur » (avril 1940) et « Les petits pas de Caroline » (octobre 1940) laissent croire qu'il est de 1940.
93. *Pêcheurs de Gaspésie*, manuscrit inédit (BNC); la diffusion a eu lieu à CBF le 27 février 1941, dans une réalisation de Paul Leduc (voir P. Pagé, R. Legris et L. Blouin, 1975, p. 515); il s'agit de l'adaptation radiophonique de « La dernière pêche », nouvelle publiée dans la *Revue moderne* de novembre 1940.
94. Il s'agit de la pièce anglaise intitulée *The Devil's Trump*, dont il a été question dans une note précédente.
95. On sait peu de choses de ces lectures radiophoniques. Dans une note qu'elle a elle-même rédigée en juillet 1945 pour la publicité de *Bonheur d'occasion* (BNC, fonds Éditions Pascal), Gabrielle Roy mentionne deux « contes » de cette époque lus à la radio par Albert Duquesne : « La pension de vieillesse » (publiée en novembre 1943) et « La vallée Houdou » (publiée en février 1945); des documents concernant la radiodiffusion du deuxième texte – mais non celle du premier – se trouvent à la BNC. Dans *L'Explication des textes littéraires* (Québec, Presses de l'Université Laval, 1957, p. 289), Maurice Lebel, qui dit tenir ses renseignements de la romancière, mentionne, outre « La vallée Houdou » et « La pension de vieillesse », la liste suivante de nouvelles radiodiffusées (qui toutes ont été publiées à cette époque) : « Cendrillon ['40] », « Une histoire d'amour », « Gérard le pirate », « [À] O.K.K.O. », « Embobeliné », « La grande voyageuse » et « La source au désert ».
96. Propos de Gabrielle Roy à R. Desmarchais, 1947, p. 38.
97. Voir, par exemple, ses propos à R. Desmarchais, 1947, p. 38. À Jacques Godbout (1979, p. 32), elle dira que c'est Jean Desprez, auteur de plusieurs nouvelles parues à cette époque dans le *Bulletin*, qui l'a recommandée.
98. Voir, par exemple, la version présentée par Marc Gagné (1973, p. 23) et par Joan Hind-Smith (1975, p. 80-81).
99. À ce sujet, voir notamment Richard Giguère et Jacques Michon, 1985 et 1991.
100. Sur ce périodique, voir A. Beaulieu et J. Hamelin, 1982, p. 171-174.
101. « Longtemps il m'avait semblé que les rails » (BNC).
102. *Ibid.*
103. Gabrielle Roy, « Une voile dans la nuit » (mai 1944), p. 9.
104. Il s'agit des manuscrits intitulés « Excusez-moi… », « Blandine », « Les trois Mac », « La maison au bord de la mer » et « Le vieux Prince » (BNC).

105. Lettre à François Ricard, Québec, 3 octobre 1973 (coll. F. Ricard) ; ce propos concerne « Un Noël en route » (décembre 1940).
106. À ce sujet, voir Guy Laflèche, « Les bonheurs d'occasion du roman québécois », *Voix et Images*, Montréal, septembre 1977, p. 96-115.
107. *La Détresse et l'Enchantement*, « Un oiseau tombé sur le seuil », XX, p. 500.
108. C'est l'adresse qui apparaîtra dans un entrefilet de *La Liberté et le Patriote*, 26 mai 1943, p. 4 ; quant à la date à laquelle Gabrielle Roy s'y installe, il est difficile de l'établir avec précision ; mais selon Guy Savoie (1972, p. 21), qui tient ses renseignements de Gabrielle Roy, ce serait à la fin de 1940.
109. Propos rapportés par R. Desmarchais, 1947, p. 38.
110. Voir les reportages intitulés « Mort d'extrême vieillesse » (février 1941), « La ferme, grande industrie » (mars 1941), « Nos agriculteurs céramistes » (avril 1941), « Un homme et sa volonté » (août 1941) et « Vive l'Expo » (octobre 1941).
111. À ce sujet, voir Ginette Michaud, « De la "Primitive ville" à la Place Ville-Marie », dans Pierre Nepveu et Gilles Marcotte (dir.), *Montréal imaginaire : ville et littérature*, Montréal, Fides, 1992, p. 13-95.
112. « Les deux Saint-Laurent » (juin 1941), p. 40 ; voir *Bonheur d'occasion*, XXVII, p. 323-325.
113. « Du port aux banques » (août 1941), p. 11.
114. « Longtemps il m'avait semblé que les rails » (BNC).
115. Propos de Gabrielle Roy (en anglais) rapportés par D. Cameron, 1973, p. 135.
116. « Le pays de *Bonheur d'occasion* » (1974), p. 115.
117. Propos rapportés par R. Desmarchais, 1947, p. 39.
118. Propos (en anglais) rapportés par D. Cameron, 1973, p. 135.
119. Propos de Gabrielle Roy : voir Judith Jasmin, 1961.
120. *La Détresse et l'Enchantement*, « Un oiseau tombé sur le seuil », XX, p. 505.
121. « La côte de tous les vents » (octobre 1941), p. 44.
122. Voir notamment *Le Canada*, Montréal, 4 septembre 1941, p. 1 ; par erreur, Robert Rumilly, dans son *Histoire de la province de Québec* (tome XXXVIII : *La Guerre de 1939-1945. Ernest Lapointe*, Montréal, Fides, 1968, p. 213-214), situe cet événement en 1940.
123. « Le chef de district » (janvier 1942), p. 7.
124. *Ibid.*, p. 29.
125. Ces personnages apparaissent respectivement dans « Plus que le pain » (février 1942), dans « La terre secourable » (novembre 1941) et dans « Le pain et le feu » (décembre 1941).
126. « Pitié pour les institutrices ! » (mars 1942), p. 7.
127. Voir « Le plus étonnant : les Huttérites » (novembre 1942), p. 8 ; « De Prague à

Good Soil » (mars 1943), p. 46. Selon Jacqueline Deniset-Benoist, c'est grâce à l'intervention d'Émile Couture que Gabrielle serait entrée au *Bulletin des agriculteurs* ; mais René Soulard, qui a embauché Gabrielle, ne se souvient pas de cette intervention, non plus que du nom d'Émile Couture. On peut en conclure (hypothétiquement) que le rôle de ce dernier dans la carrière de Gabrielle Roy au *Bulletin* a été de lui obtenir la commandite du Canadien National pour son voyage dans l'Ouest à l'été 1942, et peut-être aussi pour sa tournée de l'été précédent en Abitibi, comme le laisse croire l'éloge du CNR que l'on peut lire dans « Bourgs d'Amérique I » (avril 1942, p. 9).

128. « Femmes de dur labeur » (janvier 1943), p. 10.
129. « Le plus étonnant : les Huttérites » (novembre 1942), p. 32.
130. « Les gens de chez nous » (mai 1943), p. 33, 37-39.
131. Voir Edmond de Nevers, *L'Avenir du peuple canadien-français*, Paris, Jouve, 1896 (réédition : Montréal, Fides, 1964, « Collection du Nénuphar »).
132. « Les gens de chez nous » (mai 1943), p. 38.
133. Voir « Ukraine » (avril 1943), p. 43-44.
134. « Vers l'Alaska. Laissez passer les jeeps » (novembre 1942) ; voir *La Montagne secrète*, III, p. 27-32.
135. M. Kundera, *L'Immortalité*, traduit du tchèque par Eva Bloch, Paris, Gallimard, 1990, p. 134.
136. « Longtemps il m'avait semblé que les rails » (BNC).
137. Voir Marie-Anna A. [Adèle] Roy, 1988, p. 4-5 ; et 1979, p. 129-130. Plus tard, Gabrielle Roy se souviendra de cet épisode en écrivant *De quoi t'ennuies-tu, Éveline ?*.
138. Marie-Anna A. [Adèle] Roy, 1989-1990, épisode 16.
139. Sur la maison d'Adèle à Tangent et les visites que lui rendent sa mère et ses sœurs, voir M.-A. A. Roy, 1979 (p. 131-140) et 1958 (*passim*).
140. Voir la lettre d'Anna datée des 1er, 3 et 4 septembre 1941 (BNC).
141. M.-A. A. Roy, 1979, p. 140.
142. Gabrielle Roy, « Les gens de chez nous » (mai 1943), p. 36.
143. Voir ses lettres à Adèle, [Montréal], 8 février 1943 et [Rawdon], 14 mars 1944 (ANC, fonds Marie-Anna A. Roy, manuscrits mutilés et annotés par la destinataire).
144. Voir « Longtemps il m'avait semblé que les rails » (BNC).
145. Germain Roy et sa femme séjournent à Saint-Boniface à l'époque où Gabrielle s'y trouve (voir *La Liberté et le Patriote*, 28 octobre 1942, p. 4 ; 4 novembre 1942, p. 4).
146. Sur la vie de Gabrielle Roy à Rawdon, voir « Longtemps il m'avait semblé que les rails » (BNC) ; voir aussi sa lettre à Adèle, Rawdon, 13 février 1944 (ANC, fonds Marie-Anna A. Roy).

147. « Longtemps il m'avait semblé que les rails » (BNC).
148. Lettre à Mélina, Montréal, 2 mai 1943 (BNC).
149. Lettre de Mélina, Saint-Boniface, 5 avril 1943 (BNC).
150. Lettre de Mélina, Saint-Boniface, 22 mars 1943 (BNC).
151. Voir « Longtemps il m'avait semblé que les rails » (BNC) ; le contrat est annoncé à Saint-Boniface dans un entrefilet de *La Liberté et le Patriote*, 26 mai 1943, p. 4.
152. Lettre de Mélina, Saint-Boniface, 19 juin 1943 (BNC) ; la nouvelle de Gabrielle Roy intitulée « La grande Berthe » a paru dans le *Bulletin des agriculteurs* de juin 1943.
153. C'est le texte que cite Gabrielle Roy dans « Longtemps il m'avait semblé que les rails » (BNC).
154. *Ibid.*
155. *Ibid.*; le manuscrit porte, par erreur : « juin 1944 ».
156. Copie carbone d'une lettre d'Anna à Adèle, Saint-Vital, 7 mai 1943 (BNC).
157. Voir *La Liberté et le Patriote*, 7 avril 1943, p. 7 ; 25 août 1943, p. 4.
158. Voir *Ibid.*, 7 juillet 1943, p. 4 ; pour le récit de ces journées, voir « Longtemps il m'avait semblé que les rails » (BNC).
159. Lettre à Bernadette, Montréal, 15 septembre 1943 (BNC ; *Ma chère petite sœur*, p. 16).
160. Lettre à Bernadette, Montréal, 15 septembre 1943 (BNC ; *Ma chère petite sœur*, p. 15-16).
161. Lettre à Adèle, Montréal, 16 septembre 1943 (ANC, fonds Marie-Anna A. Roy).
162. Lettre à Adèle, [Rawdon], 14 mars 1944 (*Ibid.*).
163. Lettre à Adèle, [sans date] (*Ibid.*) ; le manuscrit, mutilé, ne porte pas de date, mais le contenu de la lettre indique qu'elle remonte à décembre 1944 ou janvier 1945.
164. « Longtemps il m'avait semblé que les rails » (BNC).
165. *Ibid.* ; ces mots sont les derniers du manuscrit.
166. Lettre à Bernadette, Montréal, 15 septembre 1943 (BNC ; *Ma chère petite sœur*, p. 15).
167. Lettre à Adèle, [Rawdon], 13 février 1944 (ANC, fonds Marie-Anna A. Roy).
168. Lettre à Adèle, Montréal, 16 septembre 1943 (*Ibid.*).
169. *Ibid.*
170. Lettre à Henri Girard, [Rawdon], 21 mai [1944] (BNC, fonds Éditions Pascal).
171. Lettre d'Henri Girard, Montréal, 23 mai 1944 (*Ibid.*).
172. Lettre à Adèle, [Rawdon, décembre 1944 ou janvier 1945].
173. Lettre d'Henri Girard, Montréal, 23 mai 1944 (BNC, fonds Éditions Pascal).
174. Lettre à Adèle, Montréal, 1er décembre 1944 (ANC, fonds Marie-Anna A. Roy).
175. Lettre à Adèle, [Rawdon, décembre 1944 ou janvier 1945].

176. Lettre à Adèle, Montréal, 1er décembre 1944 (ANC, fonds Marie-Anna A. Roy).
177. Ce portrait repose sur les souvenirs de Jori Smith, Françoise Dagenais, Paul Dumas et Marcel Carbotte.
178. Lettre à Adèle, [Rawdon, décembre 1944 ou janvier 1945].
179. Voir la lettre d'Henri Girard à Adèle Roy, Montréal, 8 janvier 1948 ; une transcription de cette lettre figure dans le manuscrit inédit d'Adèle, *Les Deux Sources de l'inspiration : l'imagination et le cœur* (APM, BNQ).
180. « Qui est Claudia ? » (mai 1945), p. 49.
181. Voir les propos de Gabrielle Roy à Paul Guth (1947), à Marguerite Audemar (1948) et à Paul G. Socken (1987, p. 92) ; ainsi qu'une lettre à Marcel Carbotte, Rawdon, 24 avril 1952 (BNC).
182. M.-A. A. Roy, 1979, p. 141 et 174-175.
183. Jori Smith a peint, vers cette époque, un portrait de Gabrielle Roy ; le tableau semble aujourd'hui perdu.
184. Cet ouvrage n'a jamais vu le jour ; sa publication est annoncée dès le premier volume de la collection (Maurice Gagnon, *Pellan*, Montréal, Éditions de l'Arbre, 1943, p. [2]), puis dans le *Borduas* de R. Élie (1943), dans le *Roberts* de J.-G. de Tonnancour (1944) et dans le *Lyman* de Paul Dumas (1944), mais non dans le *Morrice* de John Lyman (1945).
185. *Bulletin des agriculteurs*, Montréal, janvier 1944, p. 6 ; voir aussi une lettre à Adèle, 16 septembre 1943 (ANC, fonds Marie-Anna A. Roy).
186. J. Palardy publie également un article sur ce sujet dans la *Revue moderne* (« Au pays des goélettes », avril 1942).
187. Lettre à Adèle, Rawdon, 19 janvier 1944 (ANC, fonds Marie-Anna A. Roy).
188. « Allons, gai, au marché » (octobre 1944).
189. Lettre à Adèle, Rawdon, 13 février 1944 (ANC, fonds Marie-Anna A. Roy).
190. Voir la lettre à Adèle, [Rawdon, décembre 1944 ou janvier 1945].
191. Deuxième passeport de Gabrielle Roy, émis en janvier 1943 (BNC).
192. C'est le cas pour « La vieille fille » (février 1943), pour « La grande Berthe » (juin 1943) et pour « Qui est Claudia ? » (mai 1945).
193. Dans « La grande Berthe » (juin 1943), les personnages sont inspirés par la famille de l'oncle Zénon Landry, frère de Mélina (voir à ce sujet la lettre de Mélina, 19 juin 1943 ; BNC) ; dans « La pension de vieillesse » (novembre 1943), le personnage d'Hermine, la septuagénaire qui se tue à la tâche en attendant d'avoir droit à sa pension du gouvernement, présente bien des traits qui rappellent Mélina.
194. « François et Odine » (juin 1944), p. 53.
195. « Qui est Claudia ? » (mai 1945), p. 6-7, 49.
196. Dans « How I Found the People of Saint-Henri » (1947, p. 3), elle dit que la rédaction du roman a duré « *three years* » ; dans « Longtemps il m'avait semblé

que les rails » (manuscrit inédit, BNC), qu'il y avait « deux ans », à l'été 1943, qu'elle y travaillait.

197. Ainsi, elle déclare à D. Duncan (1947) qu'elle aurait entrepris *Bonheur d'occasion* « quatre ans et demi avant sa parution en juin 1945 » ; 1941 est aussi la date que citent Harry L. Binsse, le traducteur de Gabrielle Roy, dans un texte de 1958 (« Gabrielle Roy », manuscrit, BNC), et Marc Gagné (1973, p. 39).
198. C'est l'année que mentionnait Gabrielle Roy dans son entrevue à R.-G. Scully (1974) et dans les conversations que j'ai eues avec elle avant la publication de mon premier livre sur elle (Ricard, 1975).
199. Voir T. Dickason, 1947 : le roman aurait été commencé « *two years before publication in Canada* » ; ce témoignage, toutefois, est celui d'Anna, la sœur aînée de Gabrielle.
200. Lettre (en anglais) à Joan Hind-Smith, 4 juin 1973 (rapportée dans J. Hind-Smith, 1975, p. 83) ; voir aussi l'entrevue de Maryse Elot (1947) : « Subitement, dans un élan d'inspiration, j'en connus le thème, les personnages, l'intrigue et le dénouement. »
201. Voir P. Beaudry, 1968-1969, p. 7 ; J. Godbout, 1979, p. 32 ; c'est aussi le récit qu'elle me fit en 1973.
202. « How I Found the People of Saint-Henri » (mai 1947), p. 3-7.
203. « Le pays de *Bonheur d'occasion* » (1974), p. 117.
204. Propos de Gabrielle Roy à R. Desmarchais, 1947, p. 39.
205. « Le pays de *Bonheur d'occasion* » (1974), p. 120.
206. Lettre d'Henri Girard à Adèle Roy, Montréal, 11 novembre 1945 (reproduite dans Irma Deloy [Adèle Roy], *Les Deux Sources de l'inspiration : l'imagination et le cœur,* manuscrit inédit, APM, BNQ).
207. Léon Dartis [Henri Girard], 1947, p. 26.
208. *Bonheur d'occasion,* I, p. 20.
209. André Brochu, dans une de ses excellentes études sur les œuvres de Gabrielle Roy, a noté cet aspect de *Bonheur d'occasion* (voir *La Visée critique,* Montréal, Boréal, 1988, p. 214-230).
210. À Rex Desmarchais (1947, p. 43), elle a dit : deux versions ; à Pauline Beaudry (1968-1969, p. 6) et Alice Parizeau (1966, p. 121) : trois versions ; à Jeannette Urbas (23 mars 1979, notes communiquées par J. Urbas) : cinq ou six versions ; quant à Henri Girard, alias Léon Dartis (1947, p. 26), ses propos laissent penser qu'il n'y a eu que deux versions.
211. Voir « Longtemps il m'avait semblé que les rails » (BNC) ; 800 est aussi le nombre de pages que Gabrielle Roy mentionne à Pauline Beaudry (1968-1969, p. 7) et à R.-G. Scully (1974, p. 15).
212. « Longtemps il m'avait semblé que les rails » (BNC).
213. Léon Dartis [Henri Girard], 1947, p. 26.

214. Seul le second de ces cahiers (comprenant les feuillets 281 à 499 et dont le texte correspond au second volume de la première édition de *Bonheur d'occasion,* Éditions Pascal, 1945) a été retrouvé (BNC, fonds Éditions Pascal) ; le premier cahier et tous les autres manuscrits du roman semblent avoir disparu.
215. Voir Richard Giguère, 1983, p. 53-63.
216. Gérard Dagenais, *Nos écrivains et le français,* Montréal, Éditions du Jour, 1967, p. 51-52.
217. Un exemplaire du contrat est conservé à la BNC.
218. Lettre à Gérard Dagenais, Rawdon, 15 janvier 1945 (BNC, fonds Éditions Pascal).
219. *Amérique française*, Montréal, février 1945, p. 4.
220. Voir sa lettre à Gérard Dagenais, 26 décembre 1944 (BNC, fonds Éditions Pascal).

CHAPITRE VII

Le poids de la gloire

1. Sur la carrière de Jean-Marie Nadeau (1906-1960), voir Jean-Jacques Lefebvre, « Jean-Marie Nadeau », *Revue du Barreau de la Province de Québec,* Montréal, février 1961. En 1944, Nadeau a fait paraître deux livres, *Horizons d'après-guerre* et *Entreprise privée et Socialisme* ; après sa mort seront publiés ses *Carnets politiques* (préface de René Lévesque, Montréal, Éditions Parti pris, 1966).
2. À la mort de J.-M. Nadeau, les dossiers que celui-ci avait constitués au sujet de sa cliente ont été remis à Gabrielle Roy ; ils font aujourd'hui partie du fonds Gabrielle Roy de la BNC ; la plupart des renseignements donnés ici concernant le succès de *Bonheur d'occasion* et les affaires de Gabrielle Roy entre 1945 et 1950 en proviennent.
3. É.-Ch. Hamel, *Le Jour,* Montréal, 4 août 1945, p. 5. Voir aussi J. Béraud, *La Presse,* Montréal, 21 juillet 1945, p. 30 ; R. Garneau, *Le Canada,* Montréal, 11 août 1945, p. 4 ; B. Brunet, *La Nouvelle Relève,* Montréal, septembre 1945, p. 352-354.
4. Roger Duhamel, « *Bonheur d'occasion* », *L'Action nationale,* Montréal, octobre 1945, p. 137 (article reproduit dans Gilles Marcotte, dir., *Présence de la critique,* Montréal, HMH, 1966, p. 43-46) ; Albert Alain, *Le Devoir,* Montréal, 15 septembre 1945, p. 8.
5. Lettres de R. Lemelin, Québec, 5 août 1945 ; de M. Dugas, sans date [1945] ; et de M. LeNormand, sans date [1945] (BNC) ; Michelle LeNormand est l'épouse de Léo-Paul Desrosiers, l'auteur du roman *Les Opiniâtres* (1941).

6. L'exemplaire annoté de la première édition de *Bonheur d'occasion* qui a servi à ces corrections se trouve à la BNC, fonds Éditions Pascal.
7. Voir les propos de Gabrielle Roy rapportés par R. Desmarchais (1947, p. 43), par D. Duncan (1947) et par un journaliste du *New York Times* (17 mars 1947).
8. Le 8 août 1944, à l'émission *Histoires de chez nous*, « La vallée Houdou » est lue par Albert Duquesne sur les ondes de Radio-Canada ; le texte est présenté comme « extrait d'un livre en préparation, Les Contes de la Plaine » (BNC).
9. Lettre à Bernadette, Rawdon, 4 janvier [1946] (BNC ; *Ma chère petite sœur*, p. 18).
10. Voir R. Barthes, « L'acteur d'Harcourt », dans *Mythologies*, Paris, Seuil, 1970, collection « Points », p. 24-27.
11. Voir Colette Beauchamp, 1992, p. 152 ; et Beth Paterson, « Gabrielle Roy's Novel of St. Henri Realizes Fragile Five-Year Hope », *The Gazette*, Montréal, 29 août 1945.
12. Voir *La Liberté et le Patriote*, 9 novembre 1945, p. 4.
13. Lettres à Bernadette, Rawdon, 4 janvier [1946] (BNC ; *Ma chère petite sœur*, p. 18) et à Léonie Guyot, Rawdon, 1er novembre 1945 (coll. L. Guyot).
14. Lettre à J.-M. Nadeau, Encinitas, 27 février 1946 (BNC).
15. Voir le deuxième passeport de Gabrielle Roy (BNC).
16. Lettre (en anglais) à W. A. Deacon, Encinitas, 11 mars 1946 (UOT ; dans J. Lennox et M. Lacombe, 1988, p. 208).
17. Lettre à Adèle, sans date (ANC, fonds Marie-Anna A. Roy) ; seule la page 2 de l'original est conservée, au haut de laquelle Adèle a inscrit « 1944 », mais le contenu de la lettre incite à la dater de l'automne 1945.
18. Lettre à Adèle, Montréal, 1er décembre 1944 (ANC, fonds Marie-Anna A. Roy).
19. Lettre d'Henri Girard à Adèle Roy, Montréal, 11 novembre 1945 ; une transcription de cette lettre figure dans Irma Deloy [Adèle Roy], *Les Deux Sources de l'inspiration : l'imagination et le cœur*, manuscrit inédit (APM, BNQ).
20. Lettre à Adèle, Montréal, 1er décembre 1944 (ANC, fonds Marie-Anna A. Roy).
21. M.-A. A. Roy, *Indulgence et Pardon*, manuscrit inédit (APM, BNQ).
22. *Ibid.*
23. Léon Dartis [H. Girard], 1947, p. 9.
24. Lettres à J.-M. Nadeau, Montréal, 28 avril 1946 et Rawdon, 22 mai 1946 (BNC). En octobre 1947 (de CKAC), en septembre 1948 (de Radio-Canada, Montréal), en octobre 1949 (de Jean Laforêt, Montréal), en août 1952 (de la CBC de Toronto), en octobre 1952 (d'une compagnie privée de Toronto), en juin 1953 (de CKVL, Montréal), en décembre 1955 (d'une compagnie montréalaise), Gabrielle Roy recevra d'autres offres d'adaptation radiophonique ou théâtrale de *Bonheur d'occasion*. Elle les refusera toutes : « Je regrette de décourager les intentions aimables de tant de gens qui s'intéressent à continuer le

souvenir de Bonheur d'occasion à la radio ou au théâtre, mais j'ai toujours la même raison de m'y opposer : je n'ai pas le temps de m'occuper moi-même de surveiller une adaptation et je ne pourrais consentir à ne pas la surveiller si elle devait être entreprise » (lettre à J.-M. Nadeau, Saint-Germain-en-Laye, 24 octobre 1949, BNC).

25. Sur W. A. Deacon (1890-1977), voir Clara Thomas et John Lennox, 1982 ; et Jessie L. Beattie, *William Arthur Deacon : Memoirs of a Literary Friendship*, Hamilton, Fleming Press, 1978.
26. Lettre (en anglais) de H. MacLennan à W. A. Deacon, Montréal, 7 mars 1946 (dans J. Lennox et M. Lacombe, 1988, p. 207).
27. Voir sa lettre (en anglais) à W. A. Deacon, Encinitas, 11 mars 1946 (UOT ; dans J. Lennox et M. Lacombe, 1988, p. 208).
28. Sur les relations entre Deacon et Gabrielle Roy, voir Mariel O'Neill-Karch, 1992 ; la plupart des renseignements donnés ici en proviennent.
29. Voir Edith Ardagh, « Magnificent Canadian Novel from Pitiful Montreal Slum », *Globe & Mail*, Toronto, 27 avril 1946, p. 10 (le compte rendu est accompagné d'une photo de Gabrielle Roy et d'une présentation de la romancière par Deacon lui-même) ; Stewart C. Easton, « French-Canadian Tale Has Social Import », *Saturday Night*, Toronto, 2 mars 1946, p. 17.
30. Lettre (en anglais) de J.-M. Nadeau à Oxford University Press, Montréal, 6 décembre 1945 (BNC).
31. Voir notamment, de W. A. Deacon, *My Vision of Canada*, Toronto, Ontario Publishing Co., 1933 ; et *A Literary Map of Canada*, Toronto, Macmillan, 1936.
32. Lettres (en anglais) à W. A. Deacon, Encinitas, 11 mars et 27 février 1946 (UOT ; dans J. Lennox et M. Lacombe, 1988, p. 208, 203).
33. Voir W. E. Collin, « Letters in Canada », *University of Toronto Quarterly*, juillet 1946, p. 412-413.
34. G. Constantineau, « Requiems pour Gabrielle Roy », *Le Nouveau Journal*, Montréal, 4 novembre 1961, supplément, p. 7.
35. Lettre de H. MacLennan à W. A. Deacon, 29 mai 1947 (dans J. Lennox et M. Lacombe, 1988, p. 251).
36. C'est-à-dire : « La poudrière explosa ». La phrase se trouve au début du chapitre XII (*Bonheur d'occasion*, Montréal, Pascal, 1945, p. 197 ; *The Tin Flute*, New York, Reynal & Hitchcock, 1947, p. 117).
37. Pour les abonnés canadiens du Literary Guild, la traduction de *Bonheur d'occasion* sera le « Book of the Month » de juin 1947.
38. Ces renseignements proviennent d'un dossier aimablement communiqué par Arlene Friedman, de la maison Doubleday (qui administre aujourd'hui la Literary Guild of America). Parmi les auteurs canadiens, seule Mazo de la Roche

(novembre 1944) avait été couronnée avant Gabrielle Roy; depuis, Brian Moore (juillet 1968), Robertson Davies (avril 1971) et Mordecai Richler (août 1971) l'ont été.

39. Le livre est accompagné du numéro de mai 1947 de *Wings, the Literary Guild Review*, imprimé publicitaire où l'on trouve une présentation de l'auteur et de son roman, ainsi que le texte de Gabrielle Roy intitulé « How I Found the People of St. Henri ».
40. Propos de Gabrielle Roy (en anglais) à David Cobb, 1976, p. 14.
41. Témoignage de Jacqueline Deniset-Benoist, Montréal, 10 janvier 1990.
42. Pour la critique, voir par exemple les comptes rendus de James Hilton (*New York Herald Tribune Weekly Book Review*, 20 avril 1947), de Mary McGrory (*New York Times Book Review*, 20 avril 1947) ou d'Orville Prescott (*New York Times*, 22 avril 1947) ; quant aux ventes de Reynal & Hitchcock, elles totaliseront, pour la première année, 16 458 exemplaires (relevés conservés à la BNC).
43. Lettre à Francine Lacroix (secrétaire de J.-M. Nadeau), Kenora, 15 juillet 1947 (BNC).
44. Voir W. A. Deacon, 1947 ; W. A. Deacon, « Superb French Canadian Novel Is About Montreal's Poor Folk », *The Globe & Mail*, Toronto, 26 avril 1947.
45. Voir, par exemple, A. V. Thomas, 1947. Sur l'accueil de *Bonheur d'occasion* par la critique canadienne-anglaise, voir Antoine Sirois, « Gabrielle Roy et le Canada anglais », *Études littéraires*, Québec, hiver 1984.
46. R. Lemelin, « A Tribute to Gabrielle Roy », *Canadian Review of Music and Art*, Toronto, vol. 6, 1947 ; R. Desmarchais (1947, p. 8) écrit la même chose : *Bonheur d'occasion* « prouve de façon irréfutable que nos écrivains ne sont pas inférieurs à ceux des autres pays et que nous, Canadiens français, nous sommes, nous aussi, à la mesure d'un rôle international. »
47. R. Charbonneau, *La France et nous. Journal d'une querelle*, Montréal, Éditions de l'Arbre, 1947. Sur cette polémique, voir Robert Dion, « *La France et nous* après la Seconde Guerre mondiale : analyse d'une crise », *Voix et Images*, Montréal, n° 38, hiver 1988 ; et Gilles Marcotte, « Robert Charbonneau, la France, René Garneau et nous », *Écrits du Canada français* 57, Montréal, 1986.
48. Lettre à Robert Charbonneau, Saint-Vital, 26 juin 1947 (copie communiquée par Madeleine Ducrocq-Poirier).
49. Voir par exemple les lettres de J.-Claude Gagnon (Los Angeles, 25 mai 1947), R. J. Chandonnet (San Francisco, 7 juin 1947) ou Paul J. Gélinas (Long Island, 10 juillet 1947), toutes conservées à la BNC.
50. Lettre de Fred. J. Poirier, Collette, 10 juin 1947 (BNC).
51. Voir la lettre de James D. Phinney, Moncton, 2 juillet 1947 (BNC) et les propos de Gabrielle Roy à G.V.R. [Germain Roy], 1954.

52. La nouvelle, « The Vagabond » (traduction d'« Un Vagabond frappe à notre porte »), paraîtra dans *Mademoiselle* de mai 1948 ; il s'agit d'un numéro presque entièrement consacré au Canada ; aucun nom de traducteur n'apparaît pour la nouvelle de Gabrielle Roy. Quant aux ventes de droits à l'étranger, elles ont lieu entre mai 1947 et l'été 1948 ; en juillet 1947, *The Tin Flute* est vendu à la maison Heinemann's pour une édition britannique.
53. Le document se trouve à la BNC.
54. Lettre à J.-M. Nadeau, Saint-Germain-en-Laye, 10 janvier 1949 (BNC) ; vers 1950, la Universal propose de revendre le scénario à Gabrielle Roy pour 16 000 dollars, mais J.-M. Nadeau refuse.
55. Lettre à F. Lacroix, Kenora, 15 juillet 1947 (BNC).
56. Le roman de Lockridge (1914-1948) s'intitule *Raintree County* ; voir Larry Lockridge, *Shade of the Raintree*, New York, Viking, 1994 ; voir aussi, à ce sujet et au sujet d'un autre cas semblable survenu à la même époque, celui du romancier à succès Thomas Heggen (1919-1949), l'ouvrage de John Leggett, *Ross and Tom, Two American Tragedies*, New York, Simon & Schuster, 1974.
57. Lettre à J.-M. Nadeau, Saint-Vital, 5 mai 1947 (BNC).
58. Voir *The Winnipeg Tribune*, 1er mars, 26 avril et 1er mai 1947 ; *The Winnipeg Free Press*, 3 mai 1947.
59. Voir A. LeGrand, « *Bonheur d'occasion* », *La Liberté et le Patriote*, 7 septembre 1945 ; Alice Raymond, « Gabrielle Roy et son *Bonheur d'occasion* », *Ibid.*, 2 novembre 1945, p. 9 ; anonyme, « *Bonheur d'occasion* », *Le Bonifacien*, Saint-Boniface, décembre 1945, p. 6-7.
60. L'article est publié dans *La Liberté et le Patriote* du 3 octobre 1947 (p. 3) ; « Marie-Reine » reviendra à la charge le 16 avril 1948 (p. 3), s'attirant alors une réplique d'Alfred Rivest, de Montréal (14 mai 1948, p. 13).
61. Voir par exemple l'article de Donatien Frémont, 1947.
62. Lettre à J.-M. Nadeau, Saint-Vital, 5 mai 1947 (BNC).
63. Lettre de Clémence, Saint-Boniface, 20 décembre 1945 (BNC).
64. D'après l'entrevue accordée à A. Vernon Thomas (1947), Gabrielle Roy aurait eu l'idée, à cette époque, d'écrire un roman sur le milieu journalistique.
65. Tous ces manuscrits sont conservés à la BNC ; aucun ne porte d'indication précise quant à la date à laquelle il aurait été rédigé.
66. Lettre à Séraphin Marion, Montréal, 28 avril 1947 (BNC).
67. « Retour à Saint-Henri » (1947), *Fragiles Lumières de la terre*, p. 185-186.
68. M.-A. A. Roy, *À vol d'oiseau à travers le temps et l'espace*, manuscrit inédit (ANC, APM).
69. Lettre à J.-M. Nadeau, Saint-Vital, 5 mai 1947 (BNC).
70. *La Liberté et le Patriote*, 9 mai 1947, p. 4.

71. Lettre de Marcel Carbotte, Winnipeg, 7 novembre 1945 (BNC) ; voir aussi SHSB, fonds Cercle Molière, chemise 6.
72. Exemplaire conservé par Pierre Morency, Québec ; la dédicace est datée du 10 mai 1947.
73. Lettre à Judith Jasmin, Saint-Vital, 27 mai 1947 (ANQ-Montréal, fonds Judith Jasmin).
74. Voir la notice nécrologique de Joseph Carbotte, *La Liberté et le Patriote,* 12 décembre 1947, p. 4. Les renseignements qui suivent sur la vie de Marcel Carbotte proviennent de mes conversations avec lui et avec sa sœur, Léona Carbotte-Corriveau.
75. Des textes signés Marcel Carbotte paraissent notamment dans *La Liberté,* 21 mai 1930, p. 4 ; 15 octobre 1930, p. 4 ; 12 novembre 1930, p. 4 ; 11 novembre 1931, p. 2 ; 27 avril 1932, p. 2 ; 28 septembre 1932, p. 3 ; 26 octobre 1932, p. 2 ; 17 mai 1933, p. 2 ; 7 mars 1934, p. 2.
76. Dans une entrevue publiée par *Le Devoir* (Montréal, 6 octobre 1984), Marcel Carbotte raconte qu'il a connu Gabrielle au début des années trente, et qu'il l'a trouvée « extrêmement prétentieuse ».
77. Marcel a joué dans au moins trois pièces : *Prenez garde à la peinture* (1941-1942), *Le Quatrième* (1942-1943) et *Gai, marions-nous* (1944-1945) ; voir les critiques de ses prestations dans *La Liberté et le Patriote* (6 mai 1942, p. 3 ; 16 décembre 1942, p. 4 ; 18 mai 1945, p. 12). Il préside le Cercle Molière au cours des saisons 1944-1945, 1945-1946 et 1946-1947 (SHSB, fonds Cercle Molière).
78. Lettre (en anglais) à Joan Hind-Smith, 4 juin 1973 (citée dans J. Hind-Smith, 1975, p. 89).
79. M.-A. A. Roy, 1979, p. 175.
80. Voir une lettre de J.-M. Nadeau à H. Girard, Montréal, 1er avril 1947 (BNC).
81. Marie-Anna A. [Adèle] Roy, 1979, p. 172, 175.
82. Lettres à Marcel, Kenora, 16 juillet, 20 juillet et 14 juillet 1947 (BNC).
83. Lettres de Marcel Carbotte, Saint-Boniface, 22 juillet et 19 juillet 1947 (BNC).
84. Lettre à Marcel, Kenora, 20 juillet 1947 (BNC).
85. Lettres à Marcel, Kenora, 22 juillet, 23 juillet et 6 août 1947 (BNC).
86. Lettre à Marcel, Kenora, 18 juillet 1947 (BNC).
87. Voir les propos de Mme de Pange cités par Bertrand Lombard, « Le prix Fémina à *Bonheur d'occasion* », *Revue de l'Université Laval,* Québec, janvier 1948, p. 443.
88. FGR ; le livre se trouvait dans la maison de Gabrielle Roy au moment de sa mort.
89. Lettre d'Henri Girard à Adèle Roy, Montréal, 8 janvier 1948 (une transcription de cette lettre figure dans Irma Deloy [Adèle Roy], *Les Deux Sources de l'inspiration : l'imagination et le cœur,* APM, BNQ).

90. Voir les lettres de Gabrielle à J.-M. Nadeau, Paris, 9 décembre 1947 ; Saint-Germain-en-Laye, 13 juin 1949 ; de Marcel à Gabrielle, Paris, 16 janvier 1948 ; et de J.-M. Nadeau à Gabrielle, Montréal, 2 et 4 août 1949 (BNC).
91. Lettre de Marcel, Québec, 4 mars 1954 (BNC).
92. Quant aux lettres de Gabrielle à Henri, seules deux ou trois d'entre elles sont accessibles (BNC, fonds Éditions Pascal) ; impossible de savoir si le reste de cette correspondance – qui a dû être fort abondante – existe toujours.
93. Voir les comptes rendus de cet événement dans *Le Canada*, (Montréal, 29 septembre 1947, p. 3), *Le Devoir* (Montréal, 4 octobre 1947, p. 8), *Combat* (Montréal, 4 octobre 1947, p. 2), *Le Droit* (Ottawa, 18 octobre 1947, p. 4) et *Pour vous Madame* (Montréal, novembre-décembre 1947, p. 5-20).
94. Voir G. Lanctot, 1947.
95. Jacques Ferron, « Des sables, un manuscrit », dans *Du fond de mon arrière-cuisine*, Montréal, Éditions du Jour, 1973, p. 109.
96. Lettre à J.-M. Nadeau, Paris, 26 octobre 1947 (BNC).
97. Communiqué préparé par les Éditions Flammarion pour la publication de *Bonheur d'occasion* (reproduit dans Mireille Trudeau, 1976).
98. Gabrielle Roy, « Comment j'ai reçu le Fémina » (1956), *Fragiles Lumières de la terre*, p. 194-195.
99. *Ibid.*, p. 189.
100. Voir « Le Fémina », *Nouvelles littéraires*, 4 décembre 1947, p. 4 ; et B. Lombard, « Le prix Fémina à *Bonheur d'occasion* », *Revue de l'Université Laval*, Québec, janvier 1948, p. 443.
101. Lettre à J.-M. Nadeau, Saint-Vital, 6 juillet 1947 (BNC).
102. Maryse Elot, 1947 ; Paul Guth, 1947 ; voir aussi Marguerite Audemar, 1948 ; Francis Ambrière, 1947.
103. « Rencontre avec Teilhard de Chardin », manuscrit inédit (BNC ; ce manuscrit dactylographié date du milieu des années soixante-dix, mais le texte lui-même est probablement antérieur) ; au sujet de cette rencontre, voir aussi M. Gagné (1973, p. 226-228) et J. Hind-Smith (1975, p. 91-92).
104. Voir A. Rousseaux, « Un roman canadien », *Figaro littéraire*, Paris, 8 novembre 1947, p. 2.
105. Th. Maulnier, «*Bonheur d'occasion* », *Hommes et Mondes*, Paris, janvier 1948, p. 137.
106. M. Audemar, 1948, p. 27-28.
107. R. Kemp, « La vie des livres », *Nouvelles littéraires*, Paris, 11 décembre 1947, p. 3.
108. L. Barjon, « Chronique des lettres », *Études*, Paris, janvier 1948, p. 104 ; Magot solitaire, « J'ai rêvé du prix Fémina », *Carrefour*, Paris, 16 décembre 1947 (reproduit dans *Notre temps*, Montréal, 21 février 1948, p. 4).

109. Sur la réception critique de *Bonheur d'occasion* en France, voir Mireille Trudeau, 1976; Jacqueline Gerols, *Le Roman québécois en France*, Montréal, HMH, 1984; et Antoine Sirois, « Prix littéraires pour les écrivains québécois », dans M. Shaddy (dir.), *International Perspectives in Comparative Literature*, Lewiston, Edwin Mellen Press, 1991, p. 147-159.
110. Voir notamment, dans *Le Devoir*, les articles de Pierre Descaves (« Un grand prix littéraire français à une romancière canadienne », 20 décembre 1947, p. 10-11); de Pierre de Grandpré (« Courrier de France », 3 janvier 1948, p. 1-2); et de Germaine Bernier (« Hommages et critiques autour de *Bonheur d'occasion* », 24 janvier 1948, p. 6).
111. R. Charbonneau, *Romanciers canadiens*, Québec, Presses de l'Université Laval, 1972, p. 109-110 (texte d'une causerie radiophonique donnée en 1952-1953).
112. « Une controverse sur *Bonheur d'occasion* : Saint-Henri présenté sous un mauvais jour », *La Voix populaire*, Montréal, 25 juin 1947, p. 1; voir aussi « Critique de *Bonheur d'occasion* », *La Liberté et le Patriote*, 31 octobre 1947, p. 1.
113. La cérémonie a lieu le 12 juin 1948, en l'absence de Gabrielle Roy, représentée par Francisque Gay, ambassadeur de France; le jury est présidé par Deacon (voir *Lectures*, Montréal, février 1949, p. 345; M. O'Neill-Karch, 1992, p. 78).
114. La première thèse est celle de James E. LaFollette, *Le Parler franco-canadien dans « Bonheur d'occasion »*, mémoire de M.A., Université Laval, octobre 1949. Pour la critique, voir Gilles Marcotte, « En relisant *Bonheur d'occasion* », *L'Action nationale*, Montréal, mars 1950, p. 197-206; Gérard Bessette, « *Bonheur d'occasion* », *L'Action universitaire*, Montréal, juillet 1952, p. 53-74.
115. Lettres à Marcel, Genève, 15 janvier [1948; première lettre de ce jour, datée par erreur de « 1947 »] et 21 janvier 1948 (BNC).
116. Lettre à Marcel, Genève, 20 janvier 1948 (BNC).
117. Lettre à Marcel, Genève, 15 janvier [1948], 9 heures p.m. [deuxième lettre de ce jour] (BNC).
118. Lettre à Marcel, Genève, 21 janvier 1948 (BNC); voir *Alexandre Chenevert*, VIII, p. 133.
119. Lettre à Marcel, Genève, 18 janvier 1948 (BNC).
120. Lettre à Marcel, Genève, 23 [janvier 1948; deuxième lettre de ce jour, datée par erreur de « février »] (BNC).
121. Lettre à Marcel, Genève, 25 janvier 1948 (BNC).
122. « Le personnage de ce conte que j'écris est un malheureux [...], un de ces innombrables petits fonctionnaires comme il en pullule dans chaque ville – et tu verras pourquoi il ne pouvait dormir » (Lettre à Marcel, Genève, 26 janvier 1948; BNC).
123. Lettre à J.-M. Nadeau, Genève, 25 janvier 1948 (BNC).

124. Lettre à Marcel, Genève, 26 janvier 1948 (BNC).
125. Lettres de Marcel, Paris, 16 et 29 janvier 1948 (BNC).
126. Lettre à Marcel, Genève, 12 janvier 1948 (BNC).
127. Lettre à Marcel, Genève, 29 janvier 1948 [deuxième lettre de ce jour] (BNC).
128. Lettres à Marcel, Genève, 12 janvier et 15 janvier 1948 [deuxième lettre de ce jour] (BNC).
129. Lettre à Marcel, Genève, 31 janvier 1948 (BNC).
130. « Comment j'ai reçu le Fémina » (1956), *Fragiles Lumières de la terre*, p. 201.
131. Voir la lettre de J.-M. Nadeau, Montréal, 25 juin 1948 (BNC).
132. Sur cet arrangement, voir les « dossiers Jean-Marie Nadeau » pour 1948, ainsi que les lettres de Gabrielle Roy à J.-M. Nadeau, Québec, 24 novembre 1954, 10 décembre 1995, 14 janvier 1956 (BNC). D'après ses déclarations fiscales (FGR et BNC), les revenus bruts « étalés » de Gabrielle Roy s'établissent comme suit : 4 592 $ en 1945 ; 9 007 $ en 1946 ; 20 299 $ en 1947 ; 26 843 $ en 1948 ; 15 200 $ en 1949 ; 16 797 $ en 1950 ; 17 013 $ en 1951 ; 15 718 $ en 1952 ; 15 408 $ en 1953 ; je n'ai pu retrouver le chiffre pour 1954, mais d'après le montant de l'impôt payé cette année-là (2 428,35 $), il a dû se rapprocher de ceux des cinq années précédentes.
133. Lettre d'Anna Roy-Painchaud à J.-M. Nadeau, Saint-Vital, 18 février 1948 (BNC).
134. Lettre à Anna, Paris, 28 février 1948 (ANC, fonds Marie-Anna A. Roy) ; reproduite dans Marie-Anna A. [Adèle] Roy, 1979, p. 181-183.
135. Lettre d'Anna, Saint-Vital, 3 mars 1948 (ANC, fonds Marie-Anna A. Roy) ; reproduite dans *Ibid.*, p. 183-186.
136. Lettre d'Anna à Adèle, Saint-Vital, 22 mars 1948 (ANC, fonds Marie-Anna A. Roy).
137. Lettre d'Anna à Adèle, Saint-Vital, 27 mars 1948 (ANC, fonds Marie-Anna A. Roy).
138. Voir la lettre de J.-M. Nadeau à Heward Stikeman, Montréal, 13 février 1950 (BNC).
139. Lettre (en anglais) à W. A. Deacon, Saint-Germain-en-Laye, 9 avril 1949 (UOT).
140. Pour cette période, le récit de la vie de Gabrielle et de Marcel se fonde sur les témoignages de Jeanne Lapointe, Cécile Chabot, Jean Soucy, Marcel Carbotte, Paul Dumas, Jori Smith et Jacqueline Deniset-Benoist.
141. Lettre à Bernadette, Saint-Germain-en-Laye, 13 juin 1949 (BNC ; *Ma chère petite sœur*, p. 31).
142. Lettre à Jeanne Lapointe, Saint-Germain-en-Laye, 13 juin 1949 (BNC, fonds Jeanne Lapointe).
143. Voir F. Charpentier, 1983.

144. Lettre à Bernadette, Saint-Germain-en-Laye, 16 juin 1949 (BNC ; *Ma chère petite sœur*, p. 32).
145. Lettre à Pauline Boutal, Paris, 23 mars 1948 (SHSB, fonds Pauline Boutal).
146. *La Détresse et l'Enchantement*, « Un oiseau tombé sur le seuil », XIX, p. 486.
147. Lettre à J.-M. Nadeau, Ascain, 5 juillet 1949 (BNC).
148. Lettre à Marcel, Upshire, 8 septembre 1949 [datée par erreur du 8 « août »] (BNC).
149. Deux de ces textes seront publiés en revue : « Sainte-Anne-la-Palud » (1951) et « La Camargue » (1952) ; ils seront repris en 1978 dans *Fragiles Lumières de la terre*, sous la rubrique « Paysages de France ».
150. Lettre à Marcel, Concarneau, 6 août 1948 (BNC).
151. Lettre à Marcel, Genève, 22 janvier 1948 (BNC).
152. Lettre de Marcel, Paris, 22 janvier 1948 (BNC).
153. Lettre à Marcel, Concarneau, 6 juillet 1948 (BNC).
154. Lettres à Marcel, Concarneau, 12 juillet 1948 [première lettre de ce jour] et 6 août 1948 (BNC).
155. Lettre à Marcel, Concarneau, 3 juillet 1948 (BNC).
156. Lettre à Marcel, Concarneau, 16 juillet 1948 (BNC).
157. Lettre à Jeanne Lapointe, Concarneau, 14 septembre 1948 (BNC, fonds Jeanne Lapointe).
158. Lettre à Marcel, Concarneau, 10 juillet 1948 (BNC).
159. Les nouvelles, datées l'une et l'autre de « Concarneau, septembre 1948 », s'intitulent « Pitié » et « Le petit liftier » ; l'autre texte est « L'île de Sein » ; ces inédits sont conservés à la BNC.
160. Voir l'abondant ensemble de manuscrits non datés conservés à la BNC. Comme cet ensemble ne comporte pas de titre, j'ai proposé d'intituler l'œuvre projetée *La Saga d'Éveline* (F. Ricard, 1992a, p. 251). Pour une description des manuscrits, voir Christine Robinson, 1995 : d'après ses recherches, les manuscrits de la BNC datant de la fin des années quarante sont ceux de la boîte 72, chemises 8-12, et de la boîte 73, chemises 1-6.
161. Voir ses lettres à J.-M. Nadeau, Paris, 11 avril et 31 mai 1948 ; et à Ronald [Everson], Paris, 21 avril 1948 ; ainsi qu'une lettre de J.-M. Nadeau, Montréal, 17 juin 1948 (BNC).
162. Lettre à Marcel, Concarneau, 6 juillet 1948 (BNC).
163. Ces manuscrits inédits sont à la BNC ; celui de « Dieu » porte la mention « Paris, octobre 1948 ».
164. « La première femme », manuscrit inédit (BNC).
165. Il s'agit de « Julia de Grandvoir » et de « Rose *en* Maria » (BNC) ; quoique ces manuscrits ne portent pas de date, on peut raisonnablement supposer qu'ils remontent à l'hiver ou au printemps 1949.

166. Lettre (en anglais) à W. A. Deacon, Saint-Germain-en-Laye, 9 avril 1949 (UOT).
167. Lettre à Marcel, Concarneau, 25 juillet 1948 (BNC).
168. Voir sa lettre à Jeanne Lapointe, sans date [mais que l'on peut dater de décembre 1950] (BNC, fonds Jeanne Lapointe).
169. « Mémoire et création » (1957), *Fragiles Lumières de la terre*, p. 209.
170. Sur le père Antoine-Marie, voir Marie-Anna A. [Adèle] Roy, 1977, p. 79-99 (avec une photo, p. 84).
171. « Mémoire et création » (1957), *Fragiles Lumières de la terre*, p. 209.
172. Gabrielle Roy évoque ce retour à Upshire dans *La Détresse et l'Enchantement* (« Un oiseau tombé sur le seuil », XIX, p. 493-494), en commettant cependant une légère erreur quant au nombre d'années écoulées depuis son précédent séjour.
173. Lettre à Marcel, Upshire, 26 août 1949 (BNC).
174. Lettres à Marcel, Upshire, 19 août et 21 août 1949 (BNC).
175. Lettre à Marcel, Upshire, 13 septembre 1949 (BNC).
176. Lettres à Marcel, Upshire, 19 août, 3 et 13 septembre 1949 (BNC).
177. « Mémoire et création » (1957), *Fragiles Lumières de la terre*, p. 206.
178. Dans « Mémoire et création » (1957 ; *Fragiles Lumières de la terre*, p. 209), Gabrielle Roy raconte que c'est au cours de son séjour à Upshire qu'elle a inventé les enfants Tousignant, « épris du désir d'apprendre », qui sont les personnages de « L'école de la Petite Poule d'Eau ». Mais d'après ses propos à Ringuet (1951), le texte qu'elle a écrit à Upshire est « toute la seconde partie de mon livre, celle dont le Capucin missionnaire est le personnage central ».
179. Lettre de R. d'Uckermann, Paris, 23 juin 1950 (BNC).
180. Lettre à Bernadette, Saint-Germain-en-Laye, 11 mai 1950 (BNC ; *Ma chère petite sœur*, p. 35).
181. Lettre à Bernadette, Saint-Germain-en-Laye, 13 juin 1949 (BNC ; *Ibid.*, p. 32).
182. Lettre à Marcel, Port-Daniel, 25 juin 1951 (BNC).
183. Lettre à J.-M. Nadeau, Saint-Germain-en-Laye, 10 août 1950 (BNC).
184. Lettre à C. Chabot, Ville LaSalle, 9 octobre 1950 (BNQ).
185. Lettre à Marcel, Upshire, 30 août 1949 ; voir aussi sa lettre au même, Upshire, 15 septembre 1949 (BNC).
186. Théophile Bertrand, « Quatre romans canadiens », *Lectures*, Montréal, février 1951, p. 306 ; Paul Gay, « *La Petite Poule d'Eau* », *Le Droit*, Ottawa, 16 décembre 1950, p. 2.
187. A. Maillet, « Lettre à Gabrielle Roy », *Amérique française*, Montréal, mars-avril 1951, p. 60-61.
188. G. Sylvestre, « *La Petite Poule d'Eau* », *Nouvelle Revue canadienne*, Ottawa,

avril-mai 1951, p. 69 ; G. Marcotte, « Gabrielle Roy retourne à ses origines », *Le Devoir*, Montréal, 25 novembre 1950, p. 18 (voir aussi, du même auteur, « Rose-Anna retrouvée », *L'Action nationale*, Montréal, janvier 1951, p. 50-52). Voir J. Richer, « *La Petite Poule d'Eau* de Gabrielle Roy », *Notre temps*, Montréal, 25 novembre 1950, p. 3 ; L'Illettré [H. Bernard], « Le nouvel ouvrage de Gabrielle Roy », *Le Travailleur*, Worcester, 28 décembre 1950, p. 1, 4 (article repris dans *Le Droit*, Ottawa, 5 janvier 1951, p. 3).

189. Voir une lettre (en anglais) à W. A. Deacon, Ville LaSalle, 14 décembre 1950 (UOT) ; et une lettre à Marcel, Port-Daniel, 11 juillet 1951 (BNC).
190. Lettre à Jeanne Lapointe, sans date [décembre 1950] (BNC, fonds Jeanne Lapointe).
191. Harry L. Binsse, « Gabrielle Roy », manuscrit, 1958 (BNC).
192. Ringuet, 1951.
193. Lettre à Marcel, Ville LaSalle, 16 février 1952 (BNC).
194. J. Jasmin, « Quelques brèves rencontres », conférence prononcée en octobre 1971 (ANQ-Montréal, fonds Judith Jasmin ; cité par Colette Beauchamp, 1992, p. 153).
195. Lettre à Marcel, Port-Daniel, 24 juillet 1951 (BNC).
196. Lettre à J. Lapointe, Port-Daniel, 24 juillet 1951 (BNC, fonds Jeanne Lapointe).
197. Lettre à Marcel, Port-Daniel, 13 juillet 1951 (BNC).
198. Lettre à Marcel, Port-Daniel, 2 juillet 1951 (BNC).
199. Lettre à Marcel, Port-Daniel, 18 juillet 1951 (BNC).
200. Lettres (en anglais) de E. Reynal à Gabrielle Roy, New York, 6 octobre 1950 ; et à J.-M. Nadeau, New York, 17 octobre 1950 (BNC).
201. Ruth M. Gerbig, « Books for Lenten Reading and Contemplation », *The Catholic Woman Review*, Détroit, mars 1952.
202. Voir S. North, « A Classic of French Canada », *New York World, Telegram & Sun*, New York, 23 octobre 1951 (article reproduit dans plusieurs journaux et notamment dans le *Vancouver Sun* du 10 novembre 1951, sous le titre « A Canadian Classic »).
203. W. A. Deacon, « One Isolated Family in Northern Manitoba », *The Globe & Mail*, Toronto, 3 novembre 1951 ; W. E. Collin, « Letters in Canada », *University of Toronto Quarterly*, juillet 1951, p. 396.
204. Lettre à Marcel, Port-Daniel, 8 juillet 1951 (BNC).
205. Lettre à Marcel, Port-Daniel, 13 juillet 1951 (BNC).
206. Voir les propos de Gabrielle Roy à Paul G. Socken, 1987, p. 90.
207. Lettre à Marcel, Genève, 26 janvier 1948 (BNC).
208. Propos de Gabrielle Roy (en anglais) à John J. Murphy, 1963, p. 449.
209. Propos rapportés par M. Audemar, 1948, p. 28.

210. Propos rapportés par P. G. Socken (1987, p. 90) et par J. J. Murphy (1963, p. 449).
211. Lettre (en anglais) à W. A. Deacon, Ville LaSalle, 7 décembre 1951 (UOT; dans J. Lennox et M. Lacombe, 1988, p. 276).
212. Lettre à Marcel, Ville LaSalle, 16 février 1952 (BNC).
213. Lettres à Marcel, Ville LaSalle, 1er et 11 février 1952 (BNC).
214. Lettre de Marcel, Québec, 31 janvier 1952 (BNC).
215. Lettre à Marcel, Ville LaSalle, 10 février 1952 (BNC).
216. Lettre à Marcel, Ville LaSalle, 28 janvier 1952 (BNC).
217. Lettres à Marcel, Rawdon, 15 et 26 avril 1952 (BNC).
218. Lettre de R. d'Uckermann, Paris, 4 mars 1952 (BNC).
219. Lettre à Marcel, Rawdon, 22 avril 1952 (BNC).
220. Lettre à Marcel, Rawdon, 24 avril 1962 (BNC).
221. Lettre à Marcel, Rawdon, 2 mai 1952 (BNC).
222. Lettres à Cécile Chabot, Port-Daniel, 18 août 1952 (BNQ); et à Jeanne Lapointe, Rawdon, 28 août 1952 (BNC, fonds Jeanne Lapointe).
223. Lettre à J. Lapointe, Rawdon, 29 août 1952 (BNC, fonds Jeanne Lapointe).
224. Lettres à Marcel, Port-Daniel, 15 août et 21 juillet 1952 (BNC).
225. Lettre à Marcel, Port-Daniel, 6 août 1952 (BNC) [Gabrielle Roy a écrit « stage » au lieu de « stade »].
226. Lettre à J. Lapointe, Rawdon, 29 août 1952 (BNC, fonds Jeanne Lapointe).
227. Le manuscrit annoté par J. Lapointe se trouve aujourd'hui à la BNC, fonds Jeanne Lapointe; marqué « 4e copie », il comprend toutes les corrections de J. Lapointe effectuées au crayon de plomb, dont certaines ont été refaites à l'encre par Gabrielle Roy pour signifier son approbation.
228. Lettre à Marcel, Rawdon, 2 juin 1953 (BNC).
229. Lettre de R. d'Uckermann, Paris, 2 juillet 1953 (BNC).
230. Lettre (en anglais) de E. Reynal, New York, 23 juillet 1953 (BNC).
231. Firmin Roz, « Témoignage d'un roman canadien », *Revue française de l'élite européenne,* Paris, août 1954, p. 33-34; voir aussi Robert Kemp, « Pensées d'Ève », *Nouvelles littéraires,* Paris, 13 mai 1954, p. 2; André Thérive, « Le Canada et la littérature », *La Table ronde,* Paris, septembre 1954, p. 113-116.
232. Voir notamment Elizabeth Janeway, « The Man in Everyman », *The New York Times Book Review,* New York, 16 octobre 1955, p. 5; Marjorie Holligan, « Why Suffering », *America,* New York, 5 novembre 1955, p. 160.
233. J. Béraud, « *Alexandre Chenevert* de Gabrielle Roy », *La Presse,* Montréal, 13 mars 1954, p. 74; G. Marcotte, « Vie et mort de quelqu'un », *Le Devoir,* Montréal, 13 mars 1954, p. 6; voir aussi Julia Richer, « *Alexandre Chenevert* de Gabrielle Roy », *Notre temps,* Montréal, 6 mars 1954, p. 5; Roger Duhamel,

« Livres de notre temps », *La Patrie*, Montréal, 21 mars 1954, p. 75. Sur la réception critique d'*Alexandre Chenevert*, voir Lise Gauvin, 1986.

234. Lettre (en anglais) à W. A. Deacon, Québec, 16 mars 1954 (UOT; dans J. Lennox et M. Lacombe, 1988, p. 305).

CHAPITRE VIII

« Écrire, comme sa raison même de vivre »

1. M. Robert, *Roman des origines et Origines du roman*, Paris, Gallimard, 1976, collection « Tel », p. 352-353.
2. Lettre à Marcel, Kenora, 16 juillet 1947 (BNC).
3. Propos rapportés par Ringuet, 1951.
4. Propos rapportés par Pauline Beaudry, 1968-1969, p. 8.
5. Propos rapportés par G. Bessette, 1968, p. 304.
6. D'après Adèle (M.-A. A. Roy, 1979, p. 197), c'est Radio-Canada qui est le commanditaire; mais d'après une lettre de Marcel à Gabrielle (Québec, 29 juillet 1953; BNC), ce pourrait être l'ONF.
7. Voir sa lettre à Marcel, Edmonton, 18 septembre 1953 (BNC).
8. Manuscrit dactylographié avec des annotations de la main de Gabrielle Roy, sans indication de date (coll. F. Ricard).
9. Anna [Roy-]Painchaud, 1955; la BNC possède également un manuscrit inédit d'Anna intitulé « Christmas on Deschambault Street », qui doit dater de la même époque.
10. Lettre de Marie-Anna A. [Adèle] Roy aux Éditions du Lévrier, Tangent, 6 octobre 1953; cette lettre, ainsi que nombre de renseignements qui suivent concernant la publication du *Pain de chez nous*, proviennent des archives des Éditions du Lévrier (Université de Sherbrooke).
11. Sur cette maison d'édition, voir Yvan Cloutier, « L'activité éditoriale des dominicains: les Éditions du Lévrier (1937-1975) », dans Jacques Michon (dir.), *L'Édition littéraire en quête d'autonomie : Albert Lévesque et son temps*, Québec, Presses de l'Université Laval, 1994.
12. M.-A. A. Roy, 1979, p. 204.
13. Lettre à Adèle, [Rawdon, 30 avril 1953] (ANC, fonds Marie-Anna A. Roy; l'original est incomplet et chargé d'annotations de la main d'Adèle, qui y a elle-même inscrit la date; la lettre est reproduite en partie dans M.-A. A. Roy, 1979, p. 196).
14. Lettre à Adèle, Edmonton, [septembre 1953] (ANC, fonds Marie-Anna A. Roy; la date est de la main d'Adèle).
15. M.-A. A. Roy, 1989-1990, épisode 27.

16. *Les Deux Sources de l'inspiration : l'imagination et le cœur*, manuscrit inédit (APM, BNQ).
17. M.-A. A. Roy, 1979, p. 207.
18. Par exemple, le nom d'Édouard par lequel est désigné, dans *Rue Deschambault*, le père de Christine figurait déjà dans les manuscrits de la saga datant de la seconde moitié des années quarante, et la mère s'appelait Évangéline, Line ou Lina.
19. Propos rapportés par Gérard Bessette, 1968, p. 304.
20. Lettre de R. d'Uckermann, Paris, 30 décembre 1954 (BNC).
21. Parmi les meilleurs comptes rendus, on consultera ceux de Pierre Lagarde pour la France (« *Rue Deschambault* par Gabrielle Roy », *Nouvelles littéraires*, Paris, 29 septembre 1955, p. 3) et de Richard Sullivan pour les États-Unis (« Amid Sadness, Green Hope », *New York Times Book Review*, New York, 6 octobre 1957, p. 4).
22. Des traductions allemandes de *La Petite Poule d'Eau* et d'*Alexandre Chenevert* paraissent à Munich en 1953 et 1956, et une traduction italienne de *Rue Deschambault* en 1957, à Milan ; sauf celle de *La Route d'Altamont*, publiée à Zurich en 1970 et quelques traductions de *Bonheur d'occasion*, notamment en roumain (Bucarest, 1968) et en russe (Moscou, 1972), aucune autre traduction étrangère de ses œuvres ne paraîtra du vivant de Gabrielle Roy.
23. R. Garneau, « *Rue Deschambault* », *Livres de France*, Paris, décembre 1955, p. 17 (texte repris dans *Le Droit*, Ottawa, 11 avril 1956, et reproduit dans *Écrits du Canada français* 49, Montréal, 1983) ; R. Leclerc, « *Rue Deschambault* de Gabrielle Roy », *Lectures*, Montréal, octobre 1955, p. 33 ; Jean-Paul Robillard, « Lisez *Rue Deschambault* », *Le Petit Journal*, Montréal, 30 octobre 1955, p. 56 ; Jean-Louis Madiran, « *Rue Deschambault* », *L'Action catholique*, Québec, 31 mars 1956, p. 4 ; G. Marcotte, « Comme lieu de rencontres fraternelles », *Vie étudiante*, Montréal, 15 novembre 1955, p. 13.
24. Voir W. O'H., « Gabrielle Roy's Charming Recollections of Youth », *Montreal Star*, Montréal, 12 octobre 1957, p. 23 ; Harriet Hill, « Excursion into Childhood », *The Gazette*, Montréal, 12 octobre 1957, p. 33 ; Marielle Fuller, « New Tales by Gabrielle Roy Recall Her Manitoba Youth », *Globe & Mail*, Toronto, 23 juin 1956, p. 17 ; W. E. Collin, « Letters in Canada », *University of Toronto Quarterly*, Toronto, avril 1956, p. 394-395 ; Miriam Waddington, « New Books », *Queen's Quarterly*, Kingston, hiver 1957-1958, p. 628-629.
25. Voir R. Duhamel, « Livres de notre temps », *La Patrie du dimanche*, Montréal, 6 novembre 1955, p. 78.
26. Marcel Valois [Jean Dufresne], « Le dernier-né de Gabrielle Roy », *La Presse*, Montréal, 8 octobre 1955, p. 73 ; René Garneau, article déjà cité ; Miriam Waddington, article déjà cité.

27. G. Sylvestre, « Au jour le jour dans le monde littéraire », *Le Droit*, Ottawa, 19 novembre 1955 ; P. de Grandpré, « La vie des lettres », *Le Devoir*, Montréal, 8 octobre 1955, p. 32.
28. Outre R. Duhamel, le jury comprend Guy Sylvestre, Marcel Raymond, le chanoine Arthur Sideleau et Eugène Therrien, président de la SSJB (ANQ-Montréal, fonds de la Société Saint-Jean-Baptiste de Montréal).
29. Voir Alan Brown, « Gabrielle Roy and the Temporary Provincial », *Tamarack Review*, Toronto, automne 1956 ; Hugo McPherson, « The Garden and the Cage : The Achievement of Gabrielle Roy », *Canadian Literature*, Vancouver, été 1959.
30. Pour 1955, le montant peut être estimé d'après la somme des impôts payés (1 246,34 $) ; pour 1956 (2 989,33 $) et 1957 (2 325,21 $), voir les lettres à J.-M. Nadeau, Québec, 24 décembre 1956 et 13 janvier 1958 (BNC) ; aucun chiffre pour la période allant de 1958 à 1969 n'a pu être retrouvé.
31. Lettre à J.-M. Nadeau, Québec, 31 décembre 1955 (BNC).
32. Lettre de J.-M. Nadeau, Montréal, 22 novembre 1957 ; lettre à J.-M. Nadeau, Québec, 26 novembre 1957 (BNC).
33. Lettre à J.-M. Nadeau, Québec, 10 décembre 1955 (BNC).
34. Lettre à J.-M. Nadeau, Québec, 31 décembre 1955 (BNC).
35. Lettres à Cécile Chabot, Rawdon, 24 mai 1953, Québec, 16 décembre 1953 et 14 février 1954 (BNQ).
36. Lettre à C. Chabot, Québec, 16 janvier 1954 (BNQ).
37. Cette conférence, dont le manuscrit est perdu, s'intitule « Jeux du romancier et des lecteurs ».
38. Lettre à C. Chabot, Québec, 12 décembre 1955 (BNQ).
39. Lettre à Adèle, [Rawdon, 30 avril 1953] (ANC, fonds Marie-Anna A. Roy).
40. J. Lapointe, « Quelques apports positifs de notre littérature d'imagination », *Cité libre*, Montréal, octobre 1954 ; reproduit dans Gilles Marcotte (dir.), *Présence de la critique*, Montréal, HMH, 1966.
41. Lettre à J. Lapointe, Québec, 1er février 1954 (BNC, fonds Jeanne Lapointe).
42. Lettre à C. Chabot, Québec, 25 octobre 1954 (BNQ).
43. Conversation avec Antonia Houde-Roy, Ottawa, 23 mars 1993.
44. Lettre à M. Bergeron, Port-Daniel, 6 juillet 1954 (FGR).
45. Lettre à Marcel, Port-Daniel, 13 juillet 1954 (BNC).
46. Lettre à Marcel, Petite-Rivière-Saint-François, 1er août 1956 (BNC).
47. Lettres à Madeleine Bergeron, Paris, [13 mai 1955] et 26 mai 1955 (FGR).
48. Voir sa lettre à Marcel, Port-Navalo, 25 juin 1955 (BNC) ; le nom de Le Bonniec sera, dans *La Montagne secrète*, celui du père missionnaire qui vient en aide au héros, Pierre Cadorai.
49. Lettre à Bernadette, Port-Navalo, 4 juin 1955 (BNC ; *Ma chère petite sœur*, p. 39).

50. Lettre à Madeleine Bergeron, Paris, 5 juillet 1955 (FGR).
51. *Ibid.*
52. Lettre à Marcel, Paris, 10 juillet 1955 (BNC).
53. Lettre à Bernadette, Québec, 19 novembre 1964 (BNC ; *Ma chère petite sœur*, p. 94).
54. Lettre à Marcel, Dollard, 25 août 1955 (BNC).
55. Lettres à Marcel, Dollard, 29 août et 4 septembre 1955 (BNC).
56. Voir ses lettres à Marcel, Dollard, 25 et 27 [deuxième du jour] août 1955 (BNC) ; Gabrielle Roy utilisera plus tard ces patronymes dans *La Montagne secrète* (dont le héros s'appelle Pierre Cadorai) et dans *Un jardin au bout du monde* (un des personnages de la nouvelle « Où iras-tu, Sam Lee Wong ? » se nomme Smouillya et est d'origine basque).
57. Lettre à Marcel, Dollard, 29 août 1955 (BNC).
58. Lettre à Marcel, près de Washington, 18 février 1957 (BNC).
59. Lettre à Marcel, près d'Augusta, 20 février 1957 (BNC).
60. Lettre à Marcel, Panama City, 23 février 1957 (BNC).
61. Lettre à Marcel, Gulf Breeze, 1er mars 1957 (BNC).
62. Lettre à Marcel, La Nouvelle-Orléans, 10 mars 1957 (BNC).
63. *Ibid.*
64. Pour avoir une idée de ces propos, voir René Richard, *Ma vie passée*, Montréal, Art Global, 1990.
65. Lettre à C. Chabot, Québec, 24 février 1958 (BNQ).
66. Lettre à Madeleine Bergeron, Port-Daniel, 6 juillet 1954 (FGR).
67. Lettre à C. Chabot, Port-Daniel, 9 juillet 1954 (BNQ).
68. Lettre à Marcel, Rawdon, 26 mars 1959 (BNC).
69. Lettre à Marcel, Laterrière, 13 juillet 1953 (BNC).
70. Le tableau se trouve aujourd'hui à la Bibliothèque Gabrielle-Roy de Québec.
71. Lettre à Marcel, Port-au-Persil, sans date [16 ou 17 juillet 1953] (BNC).
72. Lettre à Berthe Simard, Québec, 15 octobre 1956 (BNC, fonds Berthe Simard).
73. Lettre à Madeleine Bergeron et Madeleine Chassé, Baie-Saint-Paul, 2 octobre [1956] (FGR).
74. Ce passage est fondé sur les souvenirs de Berthe Simard.
75. Lettre à Berthe Simard, Québec, 11 mai 1959 (BNC, fonds Berthe Simard).
76. Lettre à Bernadette, Québec, 2 octobre 1957 (BNC ; *Ma chère petite sœur*, p. 40).
77. *Ibid.* (*Ma chère petite sœur*, p. 41).
78. Lettre à Antonia Houde-Roy, [Québec], 12 mars 1974 (coll. Yolande Roy-Cyr).
79. Lettre à Madeleine Bergeron et Madeleine Chassé, Petite-Rivière-Saint-François, 8 juin 1956 (FGR).

80. Lettre à Berthe Simard, Québec, 2 février 1970 (BNC, fonds Berthe Simard).
81. Lettre à Berthe Simard, Québec, 2 décembre 1969 (*Ibid.*).
82. Lettre à Madeleine Bergeron et Madeleine Chassé, Petite-Rivière-Saint-François, 1er juillet [1957] (FGR).
83. Cette édition (incomplète : 14 volumes sur 16) appartient aujourd'hui à André Fauchon du Collège universitaire de Saint-Boniface.
84. Un seul de ces carnets a été retrouvé (FGR).
85. Entrevue avec Judith Jasmin, 1961.
86. Ces manuscrits sont conservés à la BNC ; on trouve des allusions aux deux derniers titres dans des lettres à Madeleine Bergeron, Port-Daniel, [12 ou 13 juillet 1954] et Port-Navalo, 12 juin 1955 (FGR) ; « La petite faïence bleue » fait partie de la liste des inédits de Gabrielle Roy que cite Marc Gagné, 1973, p. 287.
87. Lettre à Madeleine Bergeron et Madeleine Chassé, Petite-Rivière-Saint-François, 17 juillet 1957 (FGR).
88. Lettre à Bernadette, Québec, 2 octobre 1957 (BNC ; *Ma chère petite sœur*, p. 41).
89. D'après C. Robinson (1995), parmi les manuscrits de la saga conservés à la BNC, ceux qui datent des années cinquante seraient ceux de la boîte 73, chemises 7-15 et de la boîte 74, chemises 5-7, à quoi s'ajoutent certains manuscrits de la collection F. Ricard.
90. Lettre à Cécile Chabot, Québec, 1er octobre 1959 (BNQ).
91. Lettre (en anglais) à Joyce Marshall, Québec, 23 novembre 1960 (BBU).
92. *Ibid.*
93. « [René Richard] m'a montré hier soir un portrait de lui qu'il avait peint à Paris. C'est je crois le plus beau portrait que j'ai vu au Canada. Il était alors malade. Il a réussi à rendre en quelques coups de pinceau une tête vraiment pathétique » (lettre de Marcel, Baie-Saint-Paul, 24 août 1955 ; BNC).
94. Le héros de ce récit se nomme Gédéon, comme le premier personnage qui apparaît dans *La Montagne secrète*.
95. Lettre de R. d'Uckermann, Paris, 5 avril 1956 (BNC).
96. En fait, la date de composition de ce manuscrit (coll. F. Ricard) est incertaine. Gabrielle Roy, en me le donnant en mai 1981, m'a dit qu'elle l'avait écrit une vingtaine d'années plus tôt (voir aussi une lettre à Clémence, Québec, 2 juin 1983 ; BNC). Mais C. Robinson (1995), à la suite de son analyse des manuscrits de *La Saga d'Éveline*, tend à le faire remonter plutôt à la fin des années cinquante, donc avant *La Montagne secrète*.
97. *De quoi t'ennuies-tu, Éveline ?*, p. 11.
98. D'après C. Robinson (1995), parmi les manuscrits de la saga conservés à la BNC, ceux qui datent des années soixante seraient ceux de la boîte 74, chemises 1-4.

99. Selon ce que Gabrielle Roy écrivait alors à Bernadette (Québec, 20 janvier 1963 ; BNC, *Ma chère petite sœur*, p. 70-71), cette nouvelle lui aurait été inspirée par sœur Marie Girard ; « par ailleurs, ajoute-t-elle, cette histoire que je raconte est presque entièrement inventée. Mais cela est inventé pour exprimer le vrai mieux encore que ne le fait la réalité. »
100. La nouvelle (conservée à la BNC) s'intitule d'abord « Un air de famille », puis « La maison rose près du bac ».
101. Ce scénario, écrit pour Radio-Canada, n'a jamais été réalisé ; il se trouve aujourd'hui à la BNC. Après la mort de Gabrielle Roy, le cinéaste Claude Grenier produira sa propre adaptation cinématographique du « Vieillard et l'enfant » pour le compte de l'Office national du film du Canada.
102. Lettre à Bernadette, Québec, 26 novembre 1962 (BNC ; *Ma chère petite sœur*, p. 69).
103. Lettre (en anglais) à J. McClelland, Québec, 20 janvier 1965 (MMU).
104. Propos du 8 juillet 1969 rapportés par M. Gagné, 1973, p. 179.
105. Lettre à Bernadette, Québec, 26 novembre 1962 (BNC ; *Ma chère petite sœur*, p. 69).
106. Lettre (en anglais) à Jack McClelland, Québec, 11 novembre 1965 (MMU).
107. Lettre d'É. Lalou, Paris, 13 mai 1966 ; voir aussi la réponse de Gabrielle Roy, Québec, 15 juin 1966 (BNC).
108. Lettre (en anglais) à W. A. Deacon, Québec, 16 mars 1954 (UOT ; dans J. Lennox et M. Lacombe, dir., *Dear Bill*, 1988, p. 305).
109. L'expression est d'Émilia-B. Allaire (1963), qui fait le portrait de S. Bussières (p. 65-74) et A. Choquette (p. 105-114).
110. Voir la lettre à Simone Bussières, Québec [en fait : Port-au-Persil], 5 mars 1954 (coll. S. Bussières).
111. Lettre à Alice Lemieux-Lévesque, New Smyrna Beach, 21 février 1969 (ANQ-Québec).
112. Lettre à Cécile Chabot, Québec, 2 octobre 1967 (BNQ).
113. *Presently Tomorrow* (1946) et *Lovers and Strangers* (1957).
114. Extrait du journal (anglais) de Joyce Marshall, reproduit dans une lettre de celle-ci à F. Ricard, Toronto, 25 mai 1989, et cité en partie dans J. Marshall, 1990.
115. Lettre à Alice Lemieux-Lévesque, [New Smyrna Beach], 1er février 1969 (ANQ-Québec).
116. Elle reverra Léo-Paul Desrosiers et Michelle LeNormand l'hiver suivant à Saint-Sauveur, lors d'un autre séjour de repos ; quant à Percé, Gabrielle y reviendra une dernière fois à l'été de 1964.
117. Lettre à Marcel, Percé, 12 août 1962 (BNC).
118. Lettre à Marcel, Montréal, 7 mai 1961 (BNC).

119. « Le Manitoba » (1962), *Fragiles Lumières de la terre*, p. 105.
120. Deux versions manuscrites de ce texte inédit sont conservées à la BNC ; des extraits en ont été publiés par Marc Gagné, 1976.
121. Propos du 6 août 1969 rapporté par M. Gagné, 1976, p. 383.
122. Voir les propos qu'elle a tenus en 1969 à M. Gagné (1973, p. 180-181), en 1972 à D. Cameron (1973 : transcription conservée à la BNC) et en 1982 à M. Delson-Karan (1986, p. 202-203 ; il y a ici une certaine confusion entre le voyage en Ungava et celui que Gabrielle Roy a fait, dix-neuf ans plus tôt, en Alaska) ; en 1973, elle a aussi raconté son voyage à Joan Hind-Smith (1975, p. 116-117).
123. « Mon héritage du Manitoba » (1970), *Fragiles Lumières de la terre*, p. 165.
124. Lettre à Marcel, Londres, 6 août 1963 (BNC).
125. Lettre à A. Choquette, Londres, 21 août 1963 (UQTR).
126. Lettre à Marcel, Londres, 9 août 1963 (BNC).
127. Lettre à Berthe Simard, Londres, [7 août 1963] (BNC, fonds Berthe Simard).
128. *La Détresse et l'Enchantement*, « Un oiseau tombé sur le seuil », VIII, p. 347.
129. Lettre à Marcel, Upshire, 23 août 1963 (BNC).
130. Lettres à Marcel, Londres, 8 et 21 août 1963 (BNC).
131. Lettres à Marcel, Paris, 29 août 1963 [deuxième lettre de ce jour] et 17 août 1963 (BNC).
132. Lettre à Bernadette, Québec, 4 février 1965 (BNC ; *Ma chère petite sœur*, p. 96).
133. *La Détresse et l'Enchantement*, « Le bal chez le gouverneur », XIII, p. 164.
134. Lettre à Bernadette, Québec, 22 mai 1965 (BNC ; *Ma chère petite sœur*, p. 98).
135. Propos du 2 avril et du 6 juillet 1971 rapportés par M. Gagné, 1973, p. 227.
136. Lettre à Marcel, Saint-Vital, 22 juillet 1958 (BNC).
137. Lettre à Bernadette, Québec, 5 janvier 1965 (BNC ; *Ma chère petite sœur*, p. 95).
138. Lettre d'Anna à Bernadette, [Montréal], 1er janvier 1963 (BNC).
139. Lettre à Bernadette, Québec, 20 janvier 1963 (BNC ; *Ma chère petite sœur*, p. 71).
140. Lettre à Bernadette, Québec, 10 janvier 1958 (BNC ; *Ibid.*, p. 42).
141. Lettre à Bernadette, Québec, 25 mai 1966 (BNC ; *Ibid.*, p. 118).
142. Lettre à Bernadette, Petite-Rivière-Saint-François, 16 août 1965 (BNC ; *Ibid.*, p. 106).
143. Lettre à Bernadette, Québec, 22 mai 1965 (BNC ; *Ibid.*, p. 97).
144. Lettres à Bernadette, New Smyrna Beach, 25 février et 8 mars 1969 (BNC ; *Ibid.*, p. 147-148).
145. Lettre à Simone Bussières, Draguignan, s.d. [février ou mars 1966] (coll. S. Bussières).

146. Lettres à Marcel, Draguignan, 22 février et 2 mars 1966 (BNC).
147. Lettre à Cécile Chabot, Québec, 20 décembre 1965 (BNQ).
148. Lettre à Berthe Simard, New Smyrna Beach, 6 janvier 1968 (BNC, fonds Berthe Simard).
149. Lettres de New Smyrna Beach à Adrienne Choquette, 12 janvier 1968 (UQTR) ; à Bernadette, 19 février 1968 (BNC ; *Ma chère petite sœur*, p. 129) ; et à Cécile Chabot, 4 mars 1968 (BNQ).
150. Carte postale à Bernadette, sans date [New Smyrna Beach, janvier ou février 1968] (BNC ; *Ma chère petite sœur*, p. 71, datée par erreur de 1963).
151. Lettres à Marcel, New Smyrna Beach, 10 et 20 janvier 1968 (BNC).
152. Lettres à Marcel, New Smyrna Beach, 1er et 22 février 1968 (BNC).
153. Lettre à Alice Lemieux-Lévesque, New Smyrna Beach, 25 janvier 1969 (ANQ-Québec).
154. L'émission est réalisée par Claude Sylvestre ; enregistrée le 1er août 1960, elle sera diffusée sur les ondes de CBFT le lundi 30 janvier 1961.
155. P. Beaudry, 1968-1969 ; A. Parizeau, 1966.
156. Propos rapportés par Alice Parizeau, 1967.
157. Le seul autre titre universitaire que Gabrielle Roy acceptera, parce qu'on n'exige pas qu'elle aille elle-même le recevoir, est un doctorat honorifique décerné par l'Université de Lethbridge, en Alberta, en mai 1976, à l'instigation du professeur M. G. Hesse.
158. Ce discours, resté inédit, est conservé à la BNC.
159. Voir *La Presse*, Montréal, 29 mai 1971, p. 1.
160. Voir les copies de lettres de C. Berloty à J.-Z.-L. Patenaude (Conseil supérieur du livre) et à M. A. Asturias (ambassadeur du Guatemala à Paris), Neuilly-sur-Seine, 27 avril 1971 (FGR).
161. Lettres à Marcel, Phoenix, 25 janvier et 9 février 1971 (BNC).
162. « Terre des hommes : le thème raconté » (1967), *Fragiles lumières de la terre*, p. 247.
163. « Mon héritage du Manitoba » (1970), *Fragiles Lumières de la terre*, p. 167.
164. Lettre à F. Ricard, Québec, 27 septembre 1974 (coll. F. Ricard).
165. Lettre à Cécile Chabot, Québec, 25 août 1967 (BNQ).
166. Un dossier de toute cette affaire, comprenant de la correspondance et d'autres documents, fait partie de la collection Yolande Roy-Cyr.
167. La collection est créée en 1958 ; *The Tin Flute* y paraît en 1958, *Where Nests the Water Hen* en 1961, *The Cashier* en 1963 et *Street of Riches* en 1967 ; dans chaque volume, le texte est précédé d'une introduction critique.
168. *Bonheur d'occasion*, Genève, Le Cercle du bibliophile, 1968 ; *La Petite Poule d'Eau*, Paris, Éditions du Burin et Martinsart, 1967.
169. *La Petite Poule d'Eau*, Montréal, Gilles Corbeil éditeur, 1971 ; *La Montagne*

secrète, Montréal, Éditions de La Frégate, 1975 (tirage limité à 230 exemplaires).

170. D'après ses déclarations fiscales (FGR), les revenus de Gabrielle Roy s'établissent comme suit : en 1970, elle gagne 20 834 $ (13 494 $ de redevances nettes, c'est-à-dire après déduction des dépenses professionnelles + 7 340 $ d'intérêts et dividendes) ; en 1971, 20 446 $ (12 913 $ + 7 533 $) ; en 1972, 21 432 $ (13 354 $ + 8 078 $) ; en 1973, 30 529 $ (14 383 $ + 16 146 $) ; en 1974, 25 001 $ (9 080 $ + 15 921 $) ; et en 1975, 27 440 $ (10 926 $ + 16 514 $).
171. Voir G.-A. Vachon, « Chrétien ou Montréalais » (*Maintenant*, Montréal, février 1965), « L'espace politique et social dans le roman québécois » (*Recherches sociographiques*, Québec, septembre-décembre 1966) ; B.-Z. Shek, « L'espace et la description symbolique dans les deux romans montréalais de Gabrielle Roy » (*Liberté*, Montréal, nº 73, mai 1971) ; R. Robidoux et A. Renaud, « *Bonheur d'occasion* » (dans *Le Roman canadien-français du* XXe *siècle*, Ottawa, Éditions de l'Université d'Ottawa, 1966) ; J. Blais, « L'unité organique de *Bonheur d'occasion* » (*Études françaises*, Montréal, février 1970) ; A. Brochu, « Un aperçu sur l'œuvre de Gabrielle Roy » (*Le Quartier latin*, Montréal, 20, 22 et 27 février 1962), « Thèmes et structures de *Bonheur d'occasion* » (*Écrits du Canada français*, Montréal, nº 22, 1966) ; A. LeGrand, « Gabrielle Roy ou l'être partagé » (*Études françaises*, Montréal, juin 1965) ; J. Allard, « Le chemin qui mène à la Petite Poule d'Eau » (*Cahiers de Sainte-Marie*, Montréal, mai 1966) ; A. Sirois, « Le mythe du Nord » (*Revue de l'Université de Sherbrooke*, Sherbrooke, octobre 1963) ; J. Warwick, *The Long Journey : Literary Themes of French Canada* (Toronto, University of Toronto Press, 1968, p. 86-100, 140-144) ; D. Hayne, « Gabrielle Roy » (*Canadian Modern Language Review*, Toronto, octobre 1964) ; G. Bessette, « *La Route d'Altamont* clef de *La Montagne secrète* » (*Livres et Auteurs canadiens 1966*, Montréal, 1967), « Gabrielle Roy » (dans *Une littérature en ébullition*, Montréal, Éditions du Jour, 1968), « *Alexandre Chenevert* de Gabrielle Roy » (*Études littéraires*, Québec, août 1969). Pour des relevés de la critique savante consacrée à l'œuvre de Gabrielle Roy du vivant de celle-ci, voir P. Socken (1979) et R. Chadbourne (1984).
172. Voir notamment les entretiens rapportés par John J. Murphy (1963), Gérard Bessette (1968), Robert Morissette (1970), Don Cameron (1973) et Joan Hind-Smith (1975). Ont aussi été reçues par Gabrielle Roy, vers 1970, les universitaires Lise Gauvin (1986, p. 230) et Jeannette Urbas (1988).
173. Lettre à Antoine Sirois, Québec, 12 mars 1964 (FGR) ; en 1960, Gabrielle Roy a également refusé à Fides la permission de publier une édition de poche de *Bonheur d'occasion* dans la collection « Alouette bleue ».
174. R.-M. Charland et J.-N. Samson, 1967.
175. Ph. Grosskurth, 1969.

176. J. Paré, « *La Montagne secrète* », *Le Nouveau Journal*, Montréal, 28 octobre 1961, supplément, p. 27 ; J. Éthier-Blais, « *La Montagne secrète* de Gabrielle Roy », *Le Devoir*, Montréal, 28 octobre 1961, p. 11 ; G. Marcotte, « À chacun sa montagne secrète », *La Presse*, Montréal, 21 octobre 1961, supplément, p. 5 ; R. Duhamel, « *La Montagne secrète* », *La Patrie du dimanche*, Montréal, 12 novembre 1961, p. 8 ; R. Leclerc, « *La Montagne secrète* de Gabrielle Roy », *Lectures*, Montréal, janvier 1962, p. 135-138 ; G. Tougas, « *La Montagne secrète* de Gabrielle Roy », *Livres et Auteurs canadiens 1961*, Montréal, p. 11-12.
177. Voir notamment les comptes rendus de Constance Beresford-Howe (« Gabrielle Roy's New Novel », *Montreal Star*, Montréal, 3 novembre 1962, supplément, p. 6), Harriett Hill (« The World of Spirit », *The Gazette*, Montréal, 3 novembre 1962, p. 31), Hugo McPherson (« Prodigies of God and Man », *Canadian Literature*, Vancouver, hiver 1963, p. 74-76) et Michael Hornyansky (« Countries of the Mind », *Tamarack Review*, Toronto, printemps 1963, p. 85-86).
178. G. Marcotte, « Toutes les routes vont par Altamont », *La Presse*, Montréal, 16 avril 1966, supplément, p. 4 ; A. Major, « *La Route d'Altamont* de Gabrielle Roy », *Le Petit Journal*, Montréal, 17 avril 1966, p. 42 ; Ph. Grosskurth, « Quebecker With a Flaubert Accent », *The Globe Magazine*, Toronto, 8 octobre 1966, p. 27.
179. Voir John Clute, « New Fiction », *Toronto Daily Star*, Toronto, 1er octobre 1966, p. 34 ; Arrol Toplitsky, « Gabrielle Roy's *The Road Past Altamont* », *The Vanity*, Toronto, 7 octobre 1966 ; Michael Gordon, compte rendu du roman à la radio de CBC, 10 octobre 1966 (transcription conservée à la BNC).
180. « Quelques réflexions sur la littérature canadienne d'expression française » (1962), p. 7.
181. « Prière de communiquer », copie du manuscrit inédit (coll. Yolande Roy-Cyr).
182. Voir *Le Soleil*, Québec, 29 juillet 1967, p. 3 ; *Le Devoir*, Montréal, 31 juillet 1967, p. 3.
183. Lettre à Bernadette, Québec, 29 novembre 1967 (BNC ; *Ma chère petite sœur*, p. 127).
184. Lettre à Alice Lemieux-Lévesque, Petite-Rivière-Saint-François, 19 juin 1969 (ANQ-Québec).
185. Lettre à Bernadette, Québec, 30 octobre 1969 (BNC ; *Ma chère petite sœur*, p. 166).
186. Lettre à Marcel, Phoenix, 14 janvier 1971 (BNC).
187. Lettre à Bernadette, New Smyrna Beach, 22 janvier 1969 (BNC ; *Ma chère petite sœur*, p. 145).
188. Les manuscrits de *Baldur* sont conservés à la BNC ; Pierre Morency en possède également un exemplaire. Voir Monique Roy-Sole, *En ce pays d'ombre* :

analyse génétique de « Baldur », un roman inédit de Gabrielle Roy, mémoire de M. A., Université Carleton, Ottawa, 1993.

189. Lettre (en anglais) à J. Marshall, Québec, 12 décembre 1968 (BBU).
190. Lettre à Adrienne Choquette, New Smyrna Beach, 14 décembre 1968 (UQTR).
191. Lettre à Bernadette, Québec, 18 décembre 1968 (BNC ; *Ma chère petite sœur*, p. 136).
192. M.-A. A. Roy, 1989-1990, épisode 27.
193. Lettre à Anna, Québec, 26 décembre 1962 (BNC).
194. Ce sous-titre figure dans l'exemplaire conservé aux APM, fonds Marie-Anna A. Roy.
195. Lettre à Bernadette, Québec, 24 mai 1969 (BNC ; *Ma chère petite sœur*, p. 156).
196. Lettres à Bernadette, Québec, 7 et 17 mai 1969 (BNC ; *Ma chère petite sœur*, p. 154-155).
197. Lettre à Bernadette, Québec, 18 octobre 1968 (BNC ; *Ma chère petite sœur*, p. 136).
198. A. Parizeau, 1966, p. 140.
199. Lettre à Antonia Houde-Roy, Québec, 9 juin 1968 (coll. Yolande Roy-Cyr).
200. Lettre à A. Choquette, [New Smyrna Beach], 2 janvier 1969 (UQTR).
201. Lettre à Bernadette, Québec, 3 septembre 1969 (BNC ; *Ma chère petite sœur*, p. 164).
202. *La Détresse et l'Enchantement*, « Le bal chez le gouverneur », VII, p. 103.
203. Lettre à Adrienne Choquette, [New Smyrna Beach], 2 janvier 1969 (UQTR).
204. *Ibid.*
205. Lettre à Marcel, New Smyrna Beach, 26 janvier 1969 (BNC).
206. Lettre à Adrienne Choquette, New Smyrna Beach, 17 janvier 1969 (UQTR).
207. Lettres à Alice Lemieux-Lévesque, [New Smyrna Beach], 1er février et 21 février 1969 (ANQ-Québec).
208. Lettre à Bernadette, New Smyrna Beach, 15 mars 1969 (BNC ; *Ma chère petite sœur*, p. 151).
209. Lettre à Marcel, New Smyrna Beach, 22 mars 1969 (BNC).
210. Voir la copie de cette lettre dans la lettre de Bernadette à Gabrielle, Saint-Boniface, 12 mai 1969 (BNC).
211. Lettre d'Adèle à Bernadette, recopiée par celle-ci dans sa lettre à Gabrielle, Saint-Boniface, 20 mai 1969 (BNC).
212. Copie d'une lettre d'Adèle à R. Hamel, Saint-Boniface, 16 mai 1969 (coll. Ben Z. Shek).
213. Lettre à Bernadette, Petite-Rivière-Saint-François, 30 juin 1969 (BNC ; *Ma chère petite sœur*, p. 160).

214. Lettre à Berthe Valcourt, Québec, 4 décembre 1971 (SSNJM).
215. Propos du 29 juillet 1969 rapportés par M. Gagné, 1973, p. 180.
216. Lettre à Berthe Simard, Québec, 15 septembre 1969 (BNC, fonds Berthe Simard).
217. Lettre (en anglais) à J. Marshall, Québec, 29 janvier 1970 (BBU).
218. Joyce Marshall a cependant traduit les « Three Inuit Short Stories » (BNC) ; il sera même question, vers 1977, d'en faire un livre, mais le projet n'aura pas de suite ; finalement, « The Satellites » sera publié dans *Tamarack Review*, Toronto, n° 74, 1978 ; une traduction différente du « Fauteuil roulant », par Sherri Walsh, paraîtra aussi dans *Arts Manitoba*, Winnipeg, automne 1984.
219. Lettre à Adrienne Choquette, Saint-Boniface, 3 avril 1970 (UQTR).
220. Lettre à Marcel, [Saint-Boniface], 21 mars 1970 (BNC).
221. Voir *La Détresse et l'Enchantement*, « Le bal chez le gouverneur », XIII, p. 158-171, et XVII, p. 215-217.
222. *Ibid.*, XIII, p. 159.
223. Ces lettres, qui ont été renvoyées à Gabrielle Roy après la mort de Bernadette, sont conservées à la BNC et publiées dans *Ma chère petite sœur*, p. 180-240 ; il n'y a pas eu de lettre les 8, 9, 16, 17 et 23 mai ; il y en a deux le 11 mai.
224. Lettre à Bernadette, Québec, 18 avril 1970 (BNC ; *Ma chère petite sœur*, p. 197).
225. Lettre à Bernadette, Québec, 9 avril 1970 (BNC ; *Ibid.*, p. 182).
226. Lettre à Bernadette, Québec, 15 avril 1970 (BNC ; *Ibid.*, p. 192).
227. Lettre à Bernadette, Québec, 17 avril 1970 (BNC ; *Ibid.*, p. 194).
228. Lettre à Antonia Houde-Roy, Québec, 26 mai 1970 (coll. Yolande Roy-Cyr).
229. Lettre à Berthe Valcourt, Québec, 4 juin 1970 (SSNJM).
230. Voir R. Duhamel, « L'amour de chair et l'amour de cœur », *Le Droit*, Ottawa, 5 décembre 1970, p. 9 ; J. Éthier-Blais, « Une lecture émouvante et mélancolique », *Le Devoir*, Montréal, 28 novembre 1970, p. 12.
231. Voir par exemple Robert Dickson, « Un échec pour Gabrielle Roy », *Le Soleil*, Québec, 31 octobre 1970, p. 37 ; il y a aussi eu une charge virulente à l'émission télévisée *Format 30* (voir une lettre de Victor Barbeau, Montréal, 29 octobre 1970 ; BNC).
232. Phyllis Grosskurth, « Maternity's Fond but Tedious Tune », *The Globe Magazine*, Toronto, 19 septembre 1970, p. 20.
233. Lettre à Berthe Valcourt, [Phoenix], 3 janvier [1971, datée par erreur de « 1970 »] (SSNJM).
234. Lettre à A. Choquette, Phoenix, 29 décembre 1970 (UQTR).
235. Lettre à Antonia Houde-Roy, Québec, 14 mars 1971 (coll. Yolande Roy-Cyr).
236. Lettre à Antonia Houde-Roy, Québec, 25 mars 1971 (coll. Yolande Roy-Cyr).
237. Lettre à Antonia Houde-Roy, Québec, 29 avril 1971 (coll. Yolande Roy-Cyr).

238. Lettre à Berthe Simard, Québec, 20 septembre 1971 (BNC, fonds Berthe Simard).
239. Il s'agit de quatre inédits conservés à la BNC : « Anna-Marie », « L'été qui ne vint pas », « Le merveilleux » et « Le petit garçon trop tendre » ; aucun manuscrit n'est daté, mais leur facture laisse penser qu'ils ont été écrits vers la fin des années cinquante ou le début des années soixante.
240. Lettre à Bernadette, Québec, 28 avril 1970 (BNC ; *Ma chère petite sœur*, p. 209, 212).
241. On connaît trois de ces récits d'abord écrits dans le mouvement de *Cet été qui chantait* et qui n'ont pas trouvé leur place dans la composition finale du volume, Gabrielle Roy les réservant pour des publications séparées sous forme d'albums pour enfants ; un seul a pu paraître de son vivant : *Courte-Queue* (1979) ; les deux autres ont été publiés à titre posthume : « L'empereur des bois » (1984) et *L'Espagnole et la Pékinoise* (1986).
242. Lettre à Marcel, White Rock, 27 septembre 1972 (BNC).
243. Voir Paul Gay, « *Cet été qui chantait* », *Le Droit*, Ottawa, 30 décembre 1972, p. 13 ; Paule Saint-Onge, « De la sérénité à la dignité », *Châtelaine*, Montréal, janvier 1973, p. 4 ; François Hébert, « De quelques avatars de Dieu », *Études françaises*, Montréal, novembre 1973, p. 346-348.
244. R. Martel, « Bonheurs mièvres et enfantillages », *La Presse*, Montréal, 9 décembre 1972, p. E-3 ; J. Éthier-Blais, « Comme si la terre elle-même écrivait son histoire », *Le Devoir*, Montréal, 11 novembre 1972, p. 16 ; G. Constantineau, « Un bestiaire, car finalement c'en est un, mais anodin », *Le Soleil*, Québec, 18 novembre 1972, p. 16.
245. J.-J. Richard, « Cet été qui chantait », *Le Soleil*, Québec, 16 décembre 1972, p. 49.
246. Lettre (en anglais) à Joyce Marshall, Tourrettes-sur-Loup, 19 janvier 1973 (BBU).
247. Sylvia Fraser, « Two Quebec Authors Plumb Mystery of Life, Poignancy of Death », *Toronto Star*, 2 octobre 1976, p. F-7 ; Pierrette Ferth, « *Enchanted Summer* », *Prince Albert Daily Herald*, 8 octobre 1976 ; A. Freedman, « Summer Doldrums », *Maclean's*, Toronto, 20 septembre 1976, p. 66 ; James Ross, « Gabrielle Roy's *Enchanted Summer* », *Hamilton Spectator*, 23 septembre 1976.

CHAPITRE IX

Le temps de la mémoire

1. Propos rapportés (en anglais) par Don Cameron (1973, p. 141).
2. Lettre (en anglais) à J. Marshall, Québec, 31 mars 1974 (BBU).

3. Voir John Reeves, 1975.
4. Lettre (en anglais) à Jack McClelland, [Québec], 9 janvier 1975 (MMU).
5. *La Détresse et l'Enchantement,* « Le bal chez le gouverneur », XIII, p. 162.
6. Lettre à Clémence, [Québec, 28 février 1981] (BNQ, fonds Marie-Anna A. Roy ; CEFCO).
7. Lettre à Antonia Houde-Roy, Québec, 17 mars 1971 (coll. Yolande Roy-Cyr).
8. Lettre à Antonia Houde-Roy, Petite-Rivière-Saint-François, 12 août 1970 (coll. Yolande Roy-Cyr).
9. *La Détresse et l'Enchantement,* « Le bal chez le gouverneur », XIV, p. 176.
10. Lettre à Berthe Simard, Winnipeg, 5 octobre 1970 (BNC, fonds Berthe Simard).
11. Lettre à Clémence, Québec, 29 mars 1971 (BNC).
12. Lettre à Antonia Houde-Roy, Québec, 8 mai 1970 (coll. Yolande Roy-Cyr).
13. *La Détresse et l'Enchantement,* « Le bal chez le gouverneur », XIII, p. 172.
14. Lettre à Berthe Valcourt, Québec, 27 novembre 1977 (SSNJM).
15. Lettre à Berthe Valcourt, Petite-Rivière-Saint-François, 14 juillet 1972 (SSNJM).
16. Lettres de Clémence, Otterburne, 4 novembre 1972, 16 octobre 1971, 15 juillet 1974 (BNC).
17. Lettres à Berthe Valcourt, Québec, 29 novembre 1973 (SSNJM) ; et à Antonia Houde-Roy, Québec, 14 mars 1971 (coll. Yolande Roy-Cyr).
18. Lettres à Berthe Valcourt, Québec, 1er septembre 1971 et 14 décembre 1974 (SSNJM).
19. Lettre de Clémence, Otterburne, 4 février 1974 (BNC).
20. Lettre à Antonia Houde-Roy, Québec, 14 mars 1971 (coll. Yolande Roy-Cyr).
21. Lettre à Berthe Simard, [Winnipeg], 7 septembre 1972 (BNC, fonds Berthe Simard).
22. Lettre de Clémence, Otterburne, 4 novembre 1972 (BNC).
23. Lettre à Antonia Houde-Roy, Québec, 23 novembre 1972 (coll. Yolande Roy-Cyr).
24. Lettre à Simone Bussières, [Tourrettes-sur-Loup], 13 décembre 1972 (coll. S. Bussières).
25. Lettre à Adrienne Choquette, Tourrettes-sur-Loup, 14 janvier [1973] (UQTR).
26. Lettre à François Ricard, Québec, 24 mars 1977 (coll. F. Ricard).
27. Lettre à Antonia Houde-Roy, Petite-Rivière-Saint-François, 15 juin 1973 (coll. Yolande Roy-Cyr).
28. Lettre (en anglais) à J. Marshall, Petite-Rivière-Saint-François, 11 juin 1973 (BBU).
29. Lettre à A. Choquette, Petite-Rivière-Saint-François, 24 juillet 1973 (UQTR).
30. Lettre à Simone Bussières, Otterburne, 7 septembre 1973 (coll. S. Bussières).

31. Lettre à Berthe Simard, Otterburne, 10 septembre 1973 (BNC, fonds Berthe Simard).
32. Lettre (en anglais) à Joyce Marshall, Otterburne, 15 septembre 1973 (BBU).
33. Lettre à Victor Barbeau, Petite-Rivière-Saint-François, 7 [et 10] juillet 1969 (BNQ).
34. Lettre à François Ricard, Québec, 24 octobre 1977 (coll. F. Ricard).
35. Lettre à Berthe Valcourt, Québec, 23 février 1974 (SSNJM).
36. Lettre (en anglais) à J. Marshall, Québec, 15 mars 1975 (BBU).
37. Lettre à François Ricard, Petite-Rivière-Saint-François, 17 août 1974 (coll. F. Ricard).
38. Lettre à François Ricard, Québec, 27 septembre 1974 (coll. F. Ricard).
39. Lettre à François Ricard, Québec, 28 mars 1975 (coll. F. Ricard).
40. Gaétan Dostie, « Gabrielle Roy au bout de son monde », *Le Jour*, Montréal, 12 juillet 1975, p. 14; Robert Tremblay, « L'émouvant et beau retour de Gabrielle Roy », *Le Soleil*, Québec, 28 juin 1975, p. D-8.
41. R.G. Scully, 1974; V.-L. Beaulieu, « Rien d'autre qu'un désert et qu'un manuscrit », *Le Devoir*, Montréal, 30 mars 1974.
42. R.G. Scully, « La vieillesse, et l'Ouest triste », *Le Devoir*, Montréal, 21 juin 1975, p. 11-12; « La vallée Houdou » est reproduite aux mêmes pages.
43. Voir Ronald Hatch, « Gabrielle Roy: Growing in the Wind », *Vancouver Sun*, Vancouver, 14 octobre 1977, p. 38L.
44. Rebecca Wigod, « *Garden in the Wind* », *The Province*, Vancouver, 23 septembre 1977; Mike Byfield, « *Garden in the Wind* », *Edmonton Report*, Edmonton, 17 octobre 1977; Kathleen O'Donnell, « No Divisions by Language in Roy », *Ottawa Citizen*, Ottawa, 10 septembre 1977; G. Woodcock, « Gabrielle Roy as Cultural Mediator », *Saturday Night*, Toronto, novembre 1977, p. 69-72.
45. Lettre (en anglais) à Joyce Marshall, Québec, 24 mars 1977 (BBU).
46. Lettre à François Ricard, Québec, 28 mars 1975 (coll. F. Ricard).
47. Lettre à Gabrielle Poulin, Québec, 18 mai 1978 (reproduite dans la *Revue d'histoire littéraire du Québec et du Canada français*, Ottawa, nº 12, 1986).
48. Dans la traduction anglaise réalisée par Alan Brown et approuvée par Gabrielle Roy (*Children of My Heart*, Toronto, McClelland & Stewart, 1979), les titres des six récits sont omis et le livre est divisé simplement en trois « *Parts* » : la première regroupe les quatre premiers récits de l'édition française, la deuxième correspond à « La maison gardée » et la dernière à « De la truite dans l'eau glacée ».
49. Propos du 15 mars 1971 rapporté par M. Gagné, 1976, p. 364.
50. Propos rapportés par J. Godbout, 1979, p. 32.
51. G. Marcotte, « Gabrielle Roy et l'institutrice passionnée », *Le Devoir*, Montréal, 24 septembre 1977, p. 16; Réginald Martel, « De vieux bonheurs encore

tout neufs », *La Presse*, Montréal, 10 septembre 1977, p. D-3 ; Paul Gay, « Un monde merveilleux de chaleur humaine », *Le Droit*, Ottawa, 15 octobre 1977, p. 20 ; G. Poulin, « Une merveilleuse histoire d'amour », *Lettres québécoises*, Ottawa, novembre 1977, p. 5-9 ; F. Hébert, « *Ces enfants de ma vie* », *Liberté*, Montréal, janvier-février 1978, p. 102-105 ; J. Godbout, « Les visages sous les mots », *L'Actualité*, Montréal, décembre 1977, p. 88.

52. Y. Thériault, « Les enfants de la vie de Gabrielle Roy », *Le Livre d'ici*, Montréal, 15 février 1978.
53. A. Brochu, « *Ces enfants de ma vie* », *Livres et Auteurs québécois 1977*, Québec, 1978, p. 39-43.
54. Lettre à B. Valcourt, Québec, 21 octobre 1977 (SSNJM).
55. R. Martel, « Honneur à Gabrielle Roy », *La Presse*, Montréal, 13 mai 1978, p. D-19 ; J. Éthier-Blais, « *Fragiles lumières de la terre* », *Québec français*, Québec, octobre 1978, p. 48-49 ; Y. Thériault, « La finesse de Gabrielle Roy », *Le Livre d'ici*, Montréal, 28 juin 1978.
56. Lettre à Clémence, Petite-Rivière-Saint-François, 19 juillet 1978 (BNC).
57. Elle est représentée par son mari lors de la remise du prix Molson (Ottawa, juin 1978) et du « Diplôme d'honneur » de la Conférence canadienne des arts (Ottawa, mai 1980) ; par l'éditeur Alain Stanké pour le prix du Gouverneur général (Ottawa, mai 1978) ; par moi pour le Prix de littérature de jeunesse du Conseil des Arts (Toronto, mai 1980).
58. Lettre (en anglais) à J. Marshall, Québec, 26 mars 1976 (BBU).
59. Voir D. Cobb, 1976 ; J. Godbout, 1979.
60. Lettres (en anglais) à Margaret Laurence, Petite-Rivière-Saint-François, 4 juin 1977 (YUT) ; et à Joyce Marshall, Petite-Rivière-Saint-François, 9 septembre 1977 (BBU).
61. Voir une lettre de F.-A. Savard à Gabrielle Roy, 30 janvier 1978 (BNC).
62. *La Détresse et l'Enchantement*, « Le bal chez le gouverneur », XI, p. 141.
63. Lettre (en anglais) à Margaret Laurence, Petite-Rivière-Saint-François, 4 juillet 1977 (YUT).
64. Voir deux textes de cette époque : « A Note to the Editor » (1977) et « Lettre de Gabrielle Roy à ses amis de l'ALCQ » (1979).
65. Copie d'une lettre à S. Chaput-Rolland, Québec, 4 avril 1980 (BNC).
66. Dans une lettre du 12 novembre 1979 à Paul G. Socken (lettre conservée par le destinataire), Gabrielle Roy précise que la nouvelle a été écrite « il y a deux ou trois ans, je pense » ; mais le 14 avril 1977, elle déclarait dans une lettre à Peter Newman, l'éditeur du *Maclean's*, que le texte avait été écrit « il y a quelques années, sans intention précise, simplement pour mettre en mots une curieuse aventure que j'avais eue lorsque, jeune journaliste, je parcourais le Canada en quête de matière pour une série sur ses groupes ethniques » (BNC).

67. Lettre (en anglais) à Margaret Laurence, Québec, 17 novembre 1979 (YUT).
68. Notamment celui de Pierre-Henri Simon, « *La Rivière sans repos* de Gabrielle Roy », *Le Monde*, Paris, 25 février 1972.
69. La maison Stanké tente, vers 1978, de diffuser sa propre édition de *Ces enfants de ma vie* en France, mais avec peu de succès. Après la mort de Gabrielle Roy, d'autres tentatives (*La Détresse et l'Enchantement* aux Éditions Arléa en 1986 ; *Ces enfants de ma vie* aux Éditions de Fallois en 1994) seront aussi des échecs.
70. Lettre à François Ricard, Québec, 21 mars 1980 (coll. F. Ricard).
71. L'adaptation paraît sous différents titres dans les éditions canadienne-française (juin 1979), canadienne-anglaise (août 1979), américaine (septembre 1979), suédoise (novembre 1979), chinoise (novembre 1979), japonaise (novembre 1979), britannique (décembre 1979), portugaise (décembre 1979), allemande (décembre 1979), suisse alémanique (décembre 1979), australienne (janvier 1980), brésilienne (janvier 1980), norvégienne (janvier 1980), française (février 1980), suisse romande (février 1980), indienne (mars 1980), néerlandaise (mars 1980), néo-zélandaise (avril 1980), arabe (avril 1980), danoise (mai 1980) et coréenne (mai 1980) du *Reader's Digest*. Entre 1976 et 1980, d'autres adaptations de récits de Gabrielle Roy (extraits de *La Rivière sans repos, Cet été qui chantait* et *Ces enfants de ma vie*) sont également publiées dans l'édition canadienne-française du magazine.
72. Elle publie *A Private Place* en 1975.
73. Lettre (en anglais) à J. Marshall, Québec, 10 avril 1973 (BBU).
74. Alan Brown sera aussi l'auteur de la traduction anglaise de *Ma vache Bossie*, qui sera publiée chez McClelland & Stewart en 1988, sous le titre *My Cow Bossie*.
75. Lettres (en anglais) à J. Marshall, Québec, 23 décembre 1973 et 3 janvier [1974] (BBU).
76. Lettre (en anglais) à Jack McClelland, Québec, 31 décembre 1975 (MMU).
77. En 1981, paraît également dans la « New Canadian Library » la nouvelle traduction de *The Tin Flute*, par Alan Brown. Quant à *Children of My Heart*, une édition grand public en est publiée à l'automne 1980 dans la collection « Seal Books », propriété de McClelland & Stewart et de Bantam Books de New York.
78. Il s'agit, par ordre chronologique, de *Cet été qui chantait* (1979), *Alexandre Chenevert* (1979), *La Rivière sans repos* (1979), *Rue Deschambault* (1980), *La Petite Poule d'Eau* (1980) et *Fragiles Lumières de la terre* (1982). Après la mort de Gabrielle Roy, paraîtront *Ces enfants de ma vie* (1983), *La Route d'Altamont* (1985) et *Un jardin au bout du monde* (1987).
79. Lettre (en anglais) à Jack McClelland, Québec, 30 décembre 1976 (MMU).
80. À ce sujet, voir Véronique Robert, « Bonheur d'occasion », *L'Actualité*, Montréal, août 1982, p. 27-32.

81. Copie d'une lettre (en anglais) à K. M. Glazier, Québec, 30 décembre 1975 (BNC).
82. Lettre (en anglais) à J. McClelland, Québec, 12 mars 1976 (MMU).
83. D'après ses déclarations fiscales (FGR), les revenus de Gabrielle Roy s'établissent comme suit : en 1976, elle gagne 31 837 $ (9 980 $ de redevances nettes, c'est-à-dire après déduction des dépenses professionnelles + 20 223 $ d'intérêts + 1 634 $ de prestations de retraite) ; en 1977, 38 382 $ (10 617 $ + 24 352 $ + 3 413 $) ; en 1978, 47 206 $ (20 443 $ + 22 203 $ + 4 560 $) ; en 1979, 63 737 $ (28 439 $ + 30 783 $ + 4 515 $) ; en 1980, 67 909 $ (18 573 $ + 44 403 $ + 4 933 $) ; en 1981, 80 366 $ (21 069 $ + 53 832 $ + 5 465 $) ; et en 1982, 86 104 $ (21 382 $ + 58 596 $ + 6 126 $).
84. Voir P. Morency, 1992.
85. Un second lot de manuscrits et de documents que Gabrielle Roy avait conservés pour son propre usage et qui n'étaient pas compris dans l'ensemble acquis par la BNC en 1982-1983 sera cédé à cette dernière par le Fonds Gabrielle Roy en 1986, pour une somme additionnelle de 35 000 dollars.
86. Lettre de Clémence, Otterburne, 18 janvier 1976 (BNC).
87. Lettre à Berthe Valcourt, Québec, 29 décembre 1975 (SSNJM).
88. Lettre du docteur André de Roquigny, Winnipeg, 21 septembre 1977 (BNC).
89. Lettre de Clémence, Saint-Boniface, 18 septembre 1976 (BNC).
90. Lettre de Clémence, Saint-Boniface, 9 janvier 1982 (BNC).
91. Lettre (en anglais) à Jack McClelland, Québec, 30 décembre 1976 (MMU) ; le lendemain paraît une entrevue où Gabrielle Roy déclare : « Je n'ai aucun projet de mémoires pour l'instant » (Alain Houle, 1976).
92. Lettre à Léa Landry, Québec, 1er mars 1961 (coll. R. Jubinville).
93. Lettre à Adrienne Choquette, Saint-Boniface, 23 mars 1970 (UQTR).
94. On notera une variante intéressante : dans « Mes études à Saint-Boniface » (manuscrit inédit, BNC), la religieuse s'exclame, après la performance de la jeune Gabrielle : « Orgueilleuse, va ! » ; dans *La Détresse et l'Enchantement* (« Le bal chez le gouverneur », V, p. 76), cette réplique devient : « Romancière, va ! »
95. Lettre à Léa Landry, Cardinal, 27 février 1930 (coll. R. Jubinville).
96. Propos rapportés par Céline Légaré, 1972.
97. Lettre à François Ricard, Québec, 5 décembre 1973 (coll. F. Ricard).
98. Lettre à Berthe Valcourt, Petite-Rivière-Saint-François, 19 juillet 1978 (SSNJM).
99. Lettre à Berthe Valcourt, Hollywood, 3 décembre 1978 (SSNJM).
100. Lettre à Antonia Houde-Roy, Hollywood, 7 décembre 1978 (coll. Yolande Roy-Cyr).
101. Lettre à Marcel, Hollywood, 20 décembre 1978 (BNC).

102. Lettre à François Ricard, Petite-Rivière-Saint-François, 20 juillet 1979 (coll. F. Ricard).
103. Lettre (en anglais) à Margaret Laurence, Québec, 11 mars 1980 (YUT).
104. Le fonds Marie-Anna A. Roy des ANC contient un exemplaire de *La Petite Poule d'Eau* chargé d'annotations et de commentaires « critiques » de la main d'Adèle.
105. Lettre à Clémence, Québec, 16 mars 1978 (BNC).
106. Texte inédit et sans titre que Gabrielle Roy a reçu d'Adèle en 1978 (BNC).
107. Les citations de ce paragraphe proviennent d'un manuscrit inédit d'Adèle, *Grains de sable, Pépites d'or* (BNQ).
108. Lettre d'Adèle, Montréal, 22 septembre 1978 (BNC).
109. Lettre à François Ricard, Petite-Rivière-Saint-François, 7 août 1979 (coll. F. Ricard).
110. Lettre à Berthe Valcourt, Québec, 4 novembre 1979 (SSNJM).
111. Lettre à Berthe Valcourt, [Québec], 2 décembre 1979 (SSNJM).
112. M.-A. A. Roy, *Indulgence et Pardon*, manuscrit inédit (APM, BNQ).
113. Lettre (en anglais) à Jack McClelland, Petite-Rivière-Saint-François, 19 juillet 1980 (MMU).
114. Cette seconde copie dactylographiée se trouve aujourd'hui à la BNC, avec les cahiers manuscrits.
115. Lettre à Clémence, Québec, 19 février 1981 (BNC).
116. Premiers mots de la suite inédite de *La Détresse et l'Enchantement* (BNC).
117. Lettre à Clémence, Québec, 22 février 1983 (BNC).
118. Lettre à Berthe Valcourt, Québec, 6 avril 1983 (SSNJM).

Épilogue

1. Le dernier testament de Gabrielle Roy a été rédigé en 1981 et confirmé le 17 février 1982 (FGR et BNC).
2. Marie-Anna A. Roy, 1989-1990, épisode 35 ; cet article fait partie d'une série de trente-huit, publiés entre juillet 1989 et avril 1990, où sont repris en substance les mêmes souvenirs et les mêmes récriminations que dans *Le Miroir du passé.*

Sources

I. Publications de Gabrielle Roy

Sous chaque rubrique (1. Livres ; 2. Journaux, revues, ouvrages collectifs), les textes sont classés par ordre chronologique.

1. Livres

Sont mentionnées, pour chaque titre : (a) la première édition en langue française parue au Canada ; (b) la première édition parue en France ; (c) la première édition en langue anglaise parue au Canada, avec son titre et le nom du traducteur ; (d) la première édition parue aux États-Unis ; et (e) l'édition courante en langue française qu'on trouve actuellement sur le marché (édition d'où sont tirées les citations de ce volume).

Bonheur d'occasion, roman : (a) Montréal, Société des Éditions Pascal, 1945 [2 vol.] ; (b) Paris, Flammarion, 1947 ; (c) *The Tin Flute*, trad. Hannah Josephson, Toronto, McClelland & Stewart, 1947 ; (d) New York, Reynal & Hitchcock, 1947 ; (e) Montréal, Boréal, 1993, collection « Boréal Compact » nº 50.

La Petite Poule d'Eau, roman : (a) Montréal, Beauchemin, 1950 ; (b) Paris, Flammarion, 1951 ; (c) *Where Nests the Water Hen*, trad. Harry L. Binsse, Toronto, McClelland & Stewart, 1951 ; (d) New York, Harcourt Brace & Co., 1951 ; (e) Montréal, Boréal, 1993, collection « Boréal Compact » nº 48.

Alexandre Chenevert, roman : (a) Montréal, Beauchemin, 1954 ; (b) Paris, Flammarion, 1955 [sous le titre *Alexandre Chenevert, caissier*] ; (c) *The Cashier*, trad. Harry L. Binsse, Toronto, McClelland

& Stewart, 1955 ; (d) New York, Harcourt Brace & Co., 1955 ; (e) Montréal, Boréal, 1995, collection « Boréal Compact » nº 62.

Rue Deschambault, roman : (a) Montréal, Beauchemin, 1955 ; (b) Paris, Flammarion, 1955 ; (c) *Street of Riches*, trad. Harry L. Binsse, Toronto, McClelland & Stewart, 1957 ; (d) New York, Harcourt Brace & Co., 1957 ; (e) Montréal, Boréal, 1993, collection « Boréal Compact » nº 46.

La Montagne secrète, roman : (a) Montréal, Beauchemin, 1961 ; (b) Paris, Flammarion, 1962 ; (c) *The Hidden Mountain*, trad. Harry L. Binsse, Toronto, McClelland & Stewart, 1962 ; (d) New York, Harcourt Brace & World, 1962 ; (e) Montréal, Boréal, 1994, collection « Boréal Compact » nº 53.

La Route d'Altamont, roman : (a) Montréal, Éditions HMH, 1966, collection « L'Arbre » nº 10 ; (b) Paris, Flammarion, 1967 ; (c) *The Road Past Altamont*, trad. Joyce Marshall, Toronto, McClelland & Stewart, 1966 ; (d) New York, Harcourt Brace & World, 1966 ; (e) Montréal, Boréal, 1993, collection « Boréal Compact » nº 47.

La Rivière sans repos, roman précédé de « Trois nouvelles esquimaudes » : (a) Montréal, Beauchemin, 1970 ; (b) Paris, Flammarion, 1972 ; (c) *Windflower*, trad. Joyce Marshall, Toronto, McClelland & Stewart, 1970 [sans les « Nouvelles esquimaudes »] ; (e) Montréal, Boréal, 1995, collection « Boréal Compact » nº 63.

Cet été qui chantait : (a) Québec, Éditions françaises, 1972 [illustrations de Guy Lemieux] ; (c) *Enchanted Summer*, trad. Joyce Marshall, Toronto, McClelland & Stewart, 1976 ; (e) Montréal, Boréal, 1993, collection « Boréal Compact » nº 45.

Un jardin au bout du monde, nouvelles : (a) Montréal, Beauchemin, 1975 ; (c) *Garden in the Wind*, trad. Alan Brown, Toronto, McClelland & Stewart, 1977 ; (e) Montréal, Boréal, 1994, collection « Boréal Compact » nº 54.

Ma vache Bossie, conte pour enfants : (a) et (e) Montréal, Leméac, 1976 [illustrations de Louise Pomminville] ; (c) *My Cow Bossie*, trad. Alan Brown, Toronto, McClelland & Stewart, 1988 [mêmes illustrations que dans l'édition Leméac].

Ces enfants de ma vie, roman : (a) Montréal, Stanké, 1977 ; (b) Paris, Éditions de Fallois, 1994 [préface d'Yves Beauchemin] ; (c) *Children of My Heart*, trad. Alan Brown, Toronto, McClelland & Stewart, 1979 ; (e) Montréal, Boréal, 1993, collection « Boréal Compact » nº 49.

Fragiles Lumières de la terre, écrits divers 1942-1970 : (a) Montréal,

Quinze, 1978, collection « Prose entière » ; (c) *The Fragile Lights of Earth*, trad. Alan Brown, Toronto, McClelland & Stewart, 1982 ; (e) Montréal, Boréal, 1996, collection « Boréal Compact » nº 77.

Courte-Queue, conte pour enfants : (a) et (e) Montréal, Stanké, 1979 [illustrations de François Olivier] ; (c) *Cliptail*, trad. Alan Brown, Toronto, McClelland & Stewart, 1980 [mêmes illustrations que dans l'édition Stanké].

De quoi t'ennuies-tu, Éveline ?, récit : (a) Montréal, Éditions du Sentier, 1982 [bois gravé et calligraphies de Martin Dufour] ; (e) Montréal, Boréal, 1988, collection « Boréal Compact » nº 8 [suivi de *Ély ! Ély ! Ély !*].

La Détresse et l'Enchantement, autobiographie : (a) Montréal, Boréal, 1984 ; (b) Paris, Arléa, 1986 [préface de Jean-Claude Guillebaud] ; (c) *Enchantment and Sorrow*, trad. Patricia Claxton, Toronto, Lester & Orpen Dennys, 1987 ; (e) Montréal, Boréal, 1988, collection « Boréal Compact » nº 7.

L'Espagnole et la Pékinoise, conte pour enfants : (a) et (e) Montréal, Boréal, 1986 [illustrations de Jean-Yves Ahern] ; (c) *The Tortoiseshell and the Pekinese*, trad. Patricia Claxton, Toronto, Doubleday Canada, 1989 [mêmes illustrations que dans l'édition Boréal].

Ma chère petite sœur, lettres à Bernadette 1943-1970 [édition préparée par François Ricard] : (a) et (e) Montréal, Boréal, 1988 ; (c) *Letters to Bernadette*, trad. Patricia Claxton, Toronto, Lester & Orpen Dennys, 1990.

2. Journaux, revues, ouvrages collectifs

Pour économiser l'espace, les trois sigles suivants sont employés : LJ : Le Jour, *Montréal* ; RM : Revue moderne, *Montréal* ; BdA : Bulletin des agriculteurs, *Montréal.*

1934

« The Jarvis Murder Case. By Gabrielle Roy, St. Boniface, Man. A Prize-Winning Short, Short Story », *The Free Press*, Winnipeg, 12 janvier 1934 [nouvelle].

1936

« La grotte de la mort », *Le Samedi*, Montréal, 23 mai 1936 [nouvelle].

« Cent pour cent d'amour », *Le Samedi*, Montréal, 31 octobre 1936 [nouvelle].

« Jean-Baptiste Takes a Wife », *The Toronto Star Weekly*, Toronto, 19 décembre 1936 [nouvelle en anglais ; voir « Bonne à marier », juin 1940].

1938

« Lettre de Londres. Choses vues en passant », *La Liberté et le Patriote*, Saint-Boniface, 27 juillet 1938 [billet].

« Lettre de Londres. Si près de Londres… si loin… », *La Liberté et le Patriote*, Saint-Boniface, 5 octobre 1938 [billet ; voir « Une grande personnalité anglaise », décembre 1938 ; et « La Maison du Canada », août 1939].

« Lettre de Londres. Londres à Land's End », *La Liberté et le Patriote*, Saint-Boniface, 12 octobre 1938 [billet].

« Les derniers nomades », *Je suis partout*, Paris, 21 octobre 1938 [article].

« Lettre de Londres. Les jolis coins de Londres », *La Liberté et le Patriote*, Saint-Boniface, 21 décembre 1938 [billet].

« Une grande personnalité anglaise. Lady Francis Ryner [*sic*] », *Le Devoir*, Montréal, 29 décembre 1938 [billet ; reprend une partie de « Lettre de Londres. Si près de Londres… si loin… », 5 octobre 1938].

« Winnipeg Girl Visits Bruges », *The Northwest Review*, Winnipeg, 29 décembre 1938 [billet en anglais ; reprend une partie de « Lettre de Londres. Choses vues en passant », 27 juillet 1938].

« Noëls canadiens-français », *Je suis partout*, Paris, 30 décembre 1938 [article].

1939

« Amusante hospitalité », *LJ*, 6 mai 1939 [billet].

« Les logeuses de Montréal », *LJ*, 20 mai 1939 [billet].

« Aperçus. Chacun sa vérité », *LJ*, 27 mai 1939 [billet].

« Le week-end en Angleterre », *LJ*, 3 juin 1939 [billet].

« Les chats de Londres », *LJ*, 10 juin 1939 [billet].

« L'heure du thé en Angleterre », *LJ*, 17 juin 1939 [billet].

« Nous et les ruines », *LJ*, 24 juin 1939 [billet].

« Strictement pour les monsieurs… Un petit conseil », *LJ*, 1er juillet 1939 [billet].

« Ces chapeaux », *LJ*, 8 juillet 1939 [billet].

« L'instinct nomade même chez les Anglais », *LJ*, 8 juillet 1939 [billet].

« Quelques jolis coins de Montréal », *LJ*, 22 juillet 1939 [billet].

« Parmi ceux qui font la traversée », *LJ*, 29 juillet 1939 [billet].
« Histoire de France. Chez les paysans du Languedoc », *Paysana*, Montréal, août 1939 [article].
« La “Maison du Canada” », *Revue populaire*, Montréal, août 1939 [article ; reprend une partie de « Lettre de Londres. Si près de Londres… si loin… », 5 octobre 1938].
« Les pigeons de Londres », *LJ*, 5 août 1939 [billet].
« Douce Angleterre », *LJ*, 12 août 1939 [billet].
« Comment nous sommes restés français au Manitoba », *Je suis partout*, Paris, 18 août 1939 [article].
« Encore sur le sujet de l'hospitalité anglaise », *LJ*, 19 août 1939 [billet].
« La cuisine de madame Smith », *LJ*, 9 septembre 1939 [billet].
« La conversion des O'Connor », *RM*, septembre 1939 [nouvelle].
« Le petit déjeuner parisien », *LJ*, 30 septembre 1939 [billet].
« Le monde à l'envers », *RM*, octobre 1939 [nouvelle].
« Ceux dont on se passerait volontiers au cinéma », *LJ*, 7 octobre 1939 [billet].
« “The meet” », *LJ*, 14 octobre 1939 [billet].
« Une trouvaille parisienne », *LJ*, 21 octobre 1939 [billet].
« Londres à Land's End », *RM*, novembre 1939 [article ; reprise de « Lettre de Londres. Londres à Land's End », 12 octobre 1938].
« L'Anglaise amoureuse », *LJ*, 4 novembre 1939 [billet].
« Si on faisait la même chose au parc Lafontaine », *LJ*, 11 novembre 1939 [billet].
« En vagabondant dans le Midi de la France. Ramatuelle à Hyères », *LJ*, 2 décembre 1939 [billet].
« Le théâtre sans femmes », *LJ*, 16 décembre 1939 [billet].
« Noël chez les colons ukrainiens », *LJ*, 30 décembre 1939 [billet].

1940
« Une messe en Provence », *LJ*, 27 janvier 1940 [billet].
« Cendrillon '40 », *RM*, février 1940 [nouvelle].
« Nikolaï Suliz », *LJ*, 3 février 1940 [nouvelle].
« De la triste Loulou à son amie Mimi », *LJ*, 17 février 1940 [billet].
« Une histoire d'amour », *RM*, mars 1940 [nouvelle].
« Ce que j'ai surtout aimé à Londres : les passants », *LJ*, 2 mars 1940 [billet].
« L'hospitalité parisienne », *LJ*, 16 mars 1940 [billet].
« Le roi de cœur », *RM*, avril 1940 [nouvelle].

« Gérard le pirate », *RM*, mai 1940 [nouvelle].
« Bonne à marier », *RM*, juin 1940 [nouvelle ; version française de « Jean-Baptiste Takes a Wife », décembre 1936].
« Où en est Saint-Boniface ? », *Revue populaire*, Montréal, septembre 1940 [article].
« Avantage pour », *RM*, octobre 1940 [nouvelle].
« Les petits pas de Caroline », *BdA*, octobre 1940 [nouvelle].
« La dernière pêche », *RM*, novembre 1940 [nouvelle].
« La belle aventure de la Gaspésie », *BdA*, novembre 1940 [reportage].
« Un Noël en route », *RM*, décembre 1940 [nouvelle].
« Le joli miracle », *BdA*, décembre 1940 [nouvelle ; signée « Aline Lubac »].

1941
« La fuite de Sally », *BdA*, janvier 1941 [nouvelle ; signée « Aline Lubac »].
« Mort d'extrême vieillesse », *BdA*, février 1941 [reportage sur le régime seigneurial].
« La ferme, grande industrie », *BdA*, mars 1941 [reportage].
« La sonate à l'aurore », *RM*, mars 1941 [nouvelle].
« Nos agriculteurs céramistes », *BdA*, avril 1941 [reportage].
« Le régime seigneurial au Canada français », *Aujourd'hui*, Montréal, avril 1941 [reprise de « Mort d'extrême vieillesse », février 1941].
« À O.K.K.O. », *RM*, avril 1941 [nouvelle].
« Une ménagerie scientifique », *RM*, mai 1941 [reportage sur un laboratoire de l'Université de Montréal].
« Tout Montréal [1]. Les deux Saint-Laurent », *BdA*, juin 1941 [reportage].
« Tout Montréal [2]. Est-Ouest », *BdA*, juillet 1941 [reportage].
« Six pilules par jour », *RM*, juillet 1941 [nouvelle].
« Tout Montréal [3]. Du port aux banques », *BdA*, août 1941 [reportage ; reproduit dans Nathalie Fredette, *Montréal en prose 1892-1992 : anthologie*, Montréal, l'Hexagone, 1992].
« Un homme et sa volonté », *BdA*, août 1941 [reportage sur J.-A. Forand].
« Tout Montréal [4]. Après trois cents ans », *BdA*, septembre 1941 [reportage].
« La côte de tous les vents », *BdA*, octobre 1941 [reportage sur la Côte-Nord].
« Vive l'Expo ! », *BdA*, octobre 1941 [reportage sur l'exposition agricole de Québec].

« Embobeliné », *RM*, octobre 1941 [nouvelle ; fait suite à « Six pilules par jour », juillet 1941].
« Heureux les nomades », *BdA*, novembre 1941 [reportage sur les Montagnais de Sept-Îles].
« Ici l'Abitibi [1]. La terre secourable », *BdA*, novembre 1941 [reportage].
« Ici l'Abitibi [2]. Le pain et le feu », *BdA*, décembre 1941 [reportage].

1942

« Ici l'Abitibi [3]. Le chef de district », *BdA*, janvier 1942 [reportage].
« Ici l'Abitibi [4]. Plus que le pain », *BdA*, février 1942 [reportage].
« Ici l'Abitibi [5]. Pitié pour les institutrices ! », *BdA*, mars 1942 [reportage].
« Ici l'Abitibi [6]. Bourgs d'Amérique I », *BdA*, avril 1942 [reportage].
« Ici l'Abitibi [7]. Bourgs d'Amérique II », *BdA*, mai 1942 [reportage].
« La grande voyageuse », *RM*, mai 1942 [nouvelle].
« Peuples du Canada [1]. Le plus étonnant : les Huttérites », *BdA*, novembre 1942 [reportage ; repris dans *Fragiles Lumières de la terre*, 1978].
« Vers l'Alaska. Laissez passer les jeeps », *Le Canada*, Montréal, 24 novembre 1942 [reportage].
« Peuples du Canada [2]. Turbulents chercheurs de paix », *BdA*, décembre 1942 [reportage sur les colons doukhobors ; repris dans *Fragiles Lumières de la terre*, 1978].
« Regards sur l'Ouest [1]. Si l'on croit aux voyages… », *Le Canada*, Montréal, 7 décembre 1942 [reportage].
« Regards sur l'Ouest [2]. Notre blé », *Le Canada*, Montréal, 21 décembre 1942 [reportage].

1943

« Peuples du Canada [3]. Femmes de dur labeur », *BdA*, janvier 1943 [reportage sur les Mennonites ; repris dans *Fragiles Lumières de la terre*, 1978, sous le titre « Les Mennonites »].
« Regards sur l'Ouest [3]. Les battages », *Le Canada*, Montréal, 5 janvier 1943 [reportage].
« Regards sur l'Ouest [4]. Après les battages », *Le Canada*, Montréal, 16 janvier 1943 [reportage].
« Peuples du Canada [4]. L'avenue Palestine », *BdA*, janvier 1943 [reportage sur une colonie juive de Saskatchewan ; repris dans *Fragiles Lumières de la terre*, 1978].

« La vieille fille », *BdA*, février 1943 [nouvelle ; signée « Aline Lubac » et présentée comme un « roman complet »].

« Peuples du Canada [5]. De Prague à Good Soil », *BdA*, mars 1943 [reportage sur les colons sudètes ; repris dans *Fragiles Lumières de la terre*, 1978, sous le titre « Les Sudètes de Good Soil »].

« Peuples du Canada [6]. Ukraine », *BdA*, avril 1943 [reportage ; repris dans *Fragiles Lumières de la terre*, 1978, sous le titre « Petite Ukraine »].

« Peuples du Canada [7]. Les gens de chez nous », *BdA*, mai 1943 [reportage sur les colons canadiens-français d'Alberta].

« La grande Berthe », *BdA*, juin 1943 [nouvelle ; présentée comme un « roman complet »].

« La pension de vieillesse », *BdA*, novembre 1943 [nouvelle].

1944

« Horizons du Québec [1]. La prodigieuse aventure de la compagnie d'aluminium », *BdA*, janvier 1944 [reportage sur Arvida et la compagnie Alcan].

« Horizons du Québec [2]. Le pays du Saguenay : son âme et son visage », *BdA*, février 1944 [reportage].

« Horizons du Québec [3]. L'Île-aux-Coudres », *BdA*, mars 1944 [reportage].

« Horizons du Québec [4]. Un jour je naviguerai… », *BdA*, avril 1944 [reportage sur Petite-Rivière-Saint-François].

« Horizons du Québec [5]. Une voile dans la nuit », *BdA*, mai 1944 [reportage sur les pêcheurs de Gaspésie ; repris dans *Fragiles Lumières de la terre*, 1978].

« François et Odine », *BdA*, juin 1944 [nouvelle ; signée « Danny »].

« Horizons du Québec [6]. Allons, gai, au marché », *BdA*, octobre 1944 [reportage sur la culture maraîchère de la région de Montréal].

« Horizons du Québec [7]. Physionomie des Cantons de l'Est », *BdA*, novembre 1944 [reportage].

« Horizons du Québec [8]. L'accent durable », *BdA*, décembre 1944 [reportage sur la francisation des Cantons de l'Est].

1945

« Horizons du Québec [9]. Le carrousel industriel des Cantons de l'Est », *BdA*, février 1945 [reportage].

« La vallée Houdou », *Amérique française*, Montréal, février 1945 [nouvelle ; reprise dans *Un jardin au bout du monde*, 1975].

« Horizons du Québec [10]. Le carrousel industriel des Cantons de l'Est (deuxième partie) », *BdA*, mars 1945 [reportage].

« Horizons du Québec [11]. L'appel de la forêt », *BdA*, avril 1945 [reportage sur un chantier de bûcherons].

« Horizons du Québec [12]. Le long, long voyage », *BdA*, mai 1945 [reportage sur la drave].

« Qui est Claudia ? », *BdA*, mai 1945 [nouvelle ; signée « Danny » et présentée comme un « roman complet »].

« La magie du coton », *BdA*, septembre 1945 [reportage sur l'industrie du coton].

« La forêt canadienne s'en va-t'aux presses », *BdA*, octobre 1945 [reportage sur l'industrie papetière].

« Dans la vallée de l'or », *BdA*, novembre 1945 [reportage sur l'industrie minière du Nord-Ouest québécois].

1946

« Un vagabond frappe à notre porte », *Amérique française*, Montréal, janvier 1946 [nouvelle ; publiée en traduction anglaise sous le titre « The Vagabond » dans *Mademoiselle*, New York, mai 1948 ; reprise dans *Un jardin au bout du monde*, 1975].

« La source au désert », *BdA*, octobre 1946 et novembre 1946 [nouvelle].

1947

« How I Found the People of St. Henri », *Wings, the Literary Guild Review*, New York, mai 1947.

« Feuilles mortes / Dead Leaves », *Maclean's Magazine*, Toronto, 1er juin 1947 [nouvelle ; publication simultanée en français et en anglais ; la version française sera reprise dans la *Revue de Paris*, Paris, janvier 1948].

« La lune des moissons », *RM*, septembre 1947 [nouvelle].

« Security », *Maclean's Magazine*, Toronto, 15 septembre 1947 [nouvelle ; traduction de « Sécurité », mars 1948].

1948

« Réponse de Mlle Gabrielle Roy », dans Société royale du Canada (Section française), *Présentation de M. Léon Lorrain, Mlle Gabrielle Roy, M. Clément Marchand, M. Maurice Lebel*, Ottawa, année académique 1947-1948 [discours de réception ; le texte a aussi paru sous deux autres titres : « *Bonheur d'occasion* aujourd'hui », *BdA*,

janvier 1948 ; et « Retour à Saint-Henri », dans *Fragiles Lumières de la terre*, 1978; une sténographie du discours a également été publiée en cinq tranches dans les livraisons du journal *Combat*, Montréal, 1er, 8, 15, 29 novembre et 6 décembre 1947].
« La justice en Danaca et ailleurs », *Les Œuvres libres*, Paris, nº 23, 1948 [nouvelle].
« Sécurité », *RM*, mars 1948 [nouvelle; version originale en langue française de « Security », septembre 1947].

1951

« Sainte-Anne-la-Palud », *Nouvelle Revue canadienne*, Ottawa, avril-mai 1951 [reportage; repris dans *Fragiles Lumières de la terre*, 1978].

1952

« La Camargue », *Amérique française*, Montréal, mai-juin 1952 [reportage ; repris dans *Fragiles Lumières de la terre*, 1978].

1954

« Souvenirs du Manitoba », *Mémoires de la Société royale du Canada*, tome XLVIII, 3e série, juin 1954 [essai; des versions légèrement différentes seront publiées dans la *Revue de Paris*, Paris, février 1955 ; dans *Les Cloches de Saint-Boniface*, Saint-Boniface, 1er août 1955 ; et dans *Le Devoir*, Montréal, 15 novembre 1955].

1956

« Comment j'ai reçu le Fémina », *Le Devoir*, Montréal, 15 décembre 1956 [discours lors de la remise du prix Duvernay ; repris dans *Fragiles Lumières de la terre*, 1978].
« Préface » à une édition scolaire de *La Petite Poule d'Eau*, Toronto, Clarke Irwin & Co., 1956, édition préparée et présentée par R. W. Torrens.

1957

« Préface » à une édition scolaire de *La Petite Poule d'Eau*, Londres, George G. Harrap & Co., 1957, avec une introduction et des notes de J. Marks [texte repris dans une édition luxueuse de *La Petite Poule d'Eau*, Paris, Éditions du Burin et Martinsart, collection « Les portes de la vie », volume *Canada*, 1967 ; puis dans *Fragiles Lumières de la terre*, 1978, sous le titre « Mémoire et création »].

1960

« Grand-mère et la poupée », *Châtelaine*, Montréal, octobre 1960 [nouvelle ; la traduction anglaise de Joyce Marshall paraît au même moment dans l'édition torontoise de *Chatelaine*, sous le titre « Grandmother and the Doll » ; cette traduction sera reprise dans Robert Weaver, dir., *Ten for Wednesday Night*, Toronto, McClelland & Stewart, 1961].

1962

« Quelques réflexions sur la littérature canadienne d'expression française », *Quartier latin*, Montréal, 27 février 1962 [essai ; repris dans André Brochu, dir., *La Littérature par elle-même*, Montréal, Cahiers de l'AGEUM, nº 2, 1962].

« Les "terres nouvelles" de Jean-Paul Lemieux », *Vie des arts*, Montréal, nº 29, hiver 1962 [essai].

« Le Manitoba », *Magazine Maclean*, Montréal, juillet 1962 [reportage ; repris dans *Fragiles Lumières de la terre*, 1978].

« Sister Finance », *Maclean's Magazine*, Toronto, décembre 1962 [nouvelle ; traduction de « Ma cousine économe », août 1963].

1963

« Ma vache », *Terre et Foyer*, Québec, juillet-août 1963 [conte ; repris comme album sous le titre *Ma vache Bossie*, 1976].

« Ma cousine économe », *Magazine Maclean*, Montréal, août 1963 [nouvelle ; version originale en langue française de « Sister Finance », décembre 1962].

« [Témoignage sur le roman] », dans Paul Wyczynski, Bernard Julien, Jean Ménard et Réjean Robidoux (dir.), *Archives des lettres canadiennes*, tome III : *Le Roman canadien-français*, Montréal, Fides, 1963 [essai].

1967

« Le thème raconté par Gabrielle Roy / The Theme Unfolded by Gabrielle Roy », dans *Terre des hommes / Man and His World*, Montréal et Toronto, Compagnie canadienne de l'Exposition universelle, 1967 [essai ; repris en version intégrale dans *Fragiles Lumières de la terre*, 1978].

« Préface », dans *René Richard, œuvres inédites*, catalogue d'exposition, Québec, Musée du Québec, 1967 [essai].

1969

« Germaine Guèvremont, 1900-1968 », *Délibérations de la Société royale du Canada*, Ottawa, série IV, tome VII, 1969 [essai].

1970

« Mon héritage du Manitoba », *Mosaic*, Winnipeg, printemps 1970 [repris dans *Fragiles Lumières de la terre*, 1978].

« L'arbre », *Cahiers de l'Académie canadienne-française*, n° 13 : *Versions*, Montréal, 1970 [nouvelle].

1973

« Jeux du romancier et des lecteurs » [extraits], dans Marc Gagné, 1973 [essai ; discours prononcé devant les membres de l'Alliance française de Montréal en décembre 1955].

« [Lettre à Judith Jasmin, 1972] », *Châtelaine*, Montréal, mai 1973.

1974

« Le pays de *Bonheur d'occasion* », *Le Devoir*, Montréal, 18 mai 1974 [repris dans Robert-Guy Scully, dir., *Morceaux du grand Montréal*, Montréal, Noroît, 1978].

1976

« Voyage en Ungava » [extraits], dans Marc Gagné, 1976 [essai].

« My Schooldays in St. Boniface », *Globe & Mail*, Toronto, 18 décembre 1976 [traduction par Alan Brown d'un texte resté inédit en français et intitulé « Mes études à Saint-Boniface »].

1977

« A Note to the Editor », dans Gary Geddes (dir.), *Divided We Stand*, Toronto, Peter Martin Associates, 1977 [lettre].

1979

« Ély ! Ély ! Ély ! », *Liberté*, Montréal, n° 123, mai-juin 1979 [nouvelle].

« Lettre [...] à ses amis de l'ALCQ [Association des littératures canadienne et québécoise] », *Studies in Canadian Literature*, Fredericton, été 1979.

1980

« Le Cercle Molière... porte ouverte », dans Lionel Dorge, 1980 [essai].

1984
« L'empereur des bois », *Études littéraires*, Québec, hiver 1984 [conte].

1986
« [Lettres à Gabrielle Poulin (1977-1978) et à Annette Saint-Pierre (1970-1977)] », *Revue d'histoire littéraire du Québec et du Canada français*, Ottawa, nº 12, 1986.

1987
« Letters from Gabrielle Roy to Margaret Laurence », éditées par John Lennox, Canadian Woman Studies / Cahiers de la femme, Toronto, automne.

1988
« [Lettres à W. A. Deacon (1946-1961)] », dans John Lennox et Michèle Lacombe, 1988.

1991
« La légende du cerf ancien », texte établi et présenté par François Ricard, *Cahiers franco-canadiens de l'Ouest*, Saint-Boniface, printemps 1991 [nouvelle écrite vers 1938].
« [Lettres à Tony Tascona (1963) et à Antoine Gaborieau (1980)] », *Ibid.*
« Rose *en* Maria », *Elle-Québec*, Montréal, mars 1991 [nouvelle écrite vers 1948].

1996
« [Lettre à Julien Hébert, 1976] », *Liberté*, Montréal, nº 223, février 1996.
« Ma petite rue qui m'a menée autour du monde », texte établi et présenté par François Ricard, *Littératures*, Montréal (Université McGill), nº 14, 1996 [récit autobiographique écrit vers 1977].

II. Archives, inédits, correspondances

1. « Fonds Gabrielle Roy » (MSS 1982-11/1986-11) et « Fonds Gabrielle Roy et Marcel Carbotte » (MSS 1990-17), Collection des manuscrits littéraires, Bibliothèque nationale du Canada, Ottawa (BNC).

Ces deux fonds contiennent toutes les archives conservées par Gabrielle Roy et par son mari ; ils ont constitué l'une des sources principales de cette biographie. Outre les « avant-textes » de la plupart des livres publiés par Gabrielle Roy (manuscrits, copies dactylographiées, épreuves corrigées, ainsi que des manuscrits de traductions) et des exemplaires de ses textes épars, outre des lettres officielles, des dossiers de presse, des photos, des documents financiers et divers autres papiers personnels, on y trouve trois types de documents particulièrement précieux :

(a) la correspondance, les contrats et les relevés de droits concernant les relations entre Gabrielle Roy (ou Jean-Marie Nadeau) et les éditeurs ;

(b) la presque totalité des manuscrits inédits laissés par la romancière, nouvelles, romans (dont *La Saga d'Éveline*), textes dramatiques, écrits autobiographiques (dont la suite de *La Détresse et l'Enchantement*), récits de voyages, discours ; pour une description, voir F. Ricard (1992a) ;

(c) enfin et surtout, une abondante correspondance privée, qui se répartit en deux grands ensembles :

– quelques correspondances « complètes », c'est-à-dire comprenant à la fois les lettres écrites par Gabrielle Roy et un certain nombre de celles qu'elle a reçues de son correspondant ; c'est le cas des lettres qu'elle a échangées avec son mari Marcel Carbotte (1947-1979), avec son homme d'affaires Jean-Marie Nadeau (1945-1958), ainsi qu'avec ses sœurs Clémence (1947-1983) et Bernadette (1943-1970) ;

– les correspondances « partielles », c'est-à-dire ne comprenant que les lettres reçues par Gabrielle Roy ; mentionnons, parmi le très grand nombre de ces correspondants, ceux dont les lettres sont les plus abondantes ou les plus intéressantes : Victor Barbeau (1968-1978), Adrienne Choquette (1968-1973), William Arthur Deacon (1954-1955), Germaine Guèvremont (1961-1967), Margaret Laurence (1976-1983), Joyce Marshall (1967-1980), Pierre Morency (1977-1980), Mélina Roy (1943), Berthe Valcourt (1970-1983).

Pour une description de ces deux fonds et pour le repérage des pièces qu'ils contiennent, voir Irma Larouche (1989), Johanne Beaumont (1991) et F. Ricard (1992b).

2. Fonds Marie-Anna A. Roy

Sous ce nom existent au moins trois fonds d'archives déposés par Adèle, la sœur de Gabrielle Roy, dans les institutions suivantes : Archives nationales du Canada à Ottawa (ANC, MG30 D99 et 1991-245), Archives provinciales du Manitoba à Winnipeg (APM, MG9 A56) et Archives nationales du Québec à Montréal (ANQ-Montréal,

P83), ce dernier fonds ayant été transféré à la Bibliothèque nationale du Québec (BNQ, MSS 014).

Celui des ANC est le plus complet et le plus intéressant, car il contient des lettres originales de Gabrielle Roy à Adèle (1943-1954, lettres parfois annotées ou mutilées par celle-ci) ainsi que des photographies. Pour le reste, les trois fonds se ressemblent, constitués principalement de copies dactylographiées des écrits inédits d'Adèle, et notamment d'écrits relatant son histoire personnelle et celle de sa famille. Les titres les plus courants sont : *À la lumière du souvenir* ; *Journal intime d'une âme solitaire (Reflet des âmes dans le miroir du passé)* ; *En remuant la cendre des foyers éteints et des cœurs* ; *Généalogie des Roy-Landry* ; *Les Deux Sources de l'inspiration : l'imagination et le cœur* (signé du pseudonyme Irma Deloy) ; *À vol d'oiseau à travers le temps et l'espace* ; *Otium cum dignitate* ; *Grains de sable, pépites d'or* ; *Indulgence et Pardon* ; *L'arbre grandit* ; *Les Entraves* ; *Surgeons*. Sauf en de rares cas, le contenu de ces écrits « inédits » ne diffère pas sensiblement de celui des ouvrages publiés par Adèle sous le nom de Marie-Anna A. Roy ; ces ouvrages sont énumérés dans la section III ci-dessous.

Publiés ou inédits, les textes d'Adèle contiennent des renseignements précieux, même si les faits rapportés y sont souvent biaisés par des intentions polémiques dont il faut tenir compte.

3. Autres fonds d'archives publics

Archives nationales du Canada, Ottawa (ANC)

Fonds Jori Smith (MG30 D249) : lettres de Gabrielle Roy à Jori Smith et Jean Palardy, 1946-1973.

Fonds Robert Weaver (MG31 D162) : lettres de Gabrielle Roy à Robert Weaver, 1959, 1978.

Archives nationales du Québec, Québec (ANQ-Québec)

Fonds Alice Lemieux-Lévesque (P227) : lettres de Gabrielle Roy à Alice Lemieux-Lévesque, 1968-1971.

Archives nationales du Québec, Montréal (ANQ-Montréal)

Fonds Judith Jasmin (P143) : lettres de Gabrielle Roy à Judith Jasmin, 1947-1966 ; conférence de J. Jasmin sur « Quelques brèves rencontres », 1971.

Archives provinciales du Manitoba, Winnipeg (APM)

Fonds du Department of Education (GR 1628 ; GR 129A ; GR 1231) :

Half-yearly Returns of Attendance, districts 1188 (Saint-Boniface) et 964 (Saint-Louis) ; School Districts Half-yearly Reports ; Normal School Marks.
Fonds du Winnipeg Little Theatre (MG 10G16 et P390).
Fonds du Department of Health and Public Welfare (GR 267) : Old Age Pension.

Archives des sœurs des Saints Noms de Jésus et de Marie, Académie Saint-Joseph, Saint-Boniface, Manitoba (SSNJM)
Fonds sœur Berthe Valcourt (FP4) : lettres de Gabrielle Roy à Berthe Valcourt (1970-1983), à Clémence (1975-1984), à Bernadette (1970) ; lettres de Clémence à Gabrielle (1973).
Fonds Gabrielle Roy (FP3) : lettres de Gabrielle Roy à des membres de la communauté, 1958-1982 ; coupures de journaux ; documents divers.
Chroniques de l'Académie Saint-Joseph (L7).

Archives des Ursulines, Québec
Fonds Gabrielle Roy : lettres de Gabrielle Roy à Marguerite et Joseph Hargitay (1963-1972) et à Thérèse Sasseville (1977) ; documents divers.

Bibliothèque nationale du Canada, Ottawa (BNC)
Fonds Berthe Simard (MSS 1989-8) : lettres de Gabrielle Roy à Berthe Simard, 1956-1982.
Fonds Jeanne Lapointe (MSS 1990-16) : lettres de Gabrielle Roy à Jeanne Lapointe, 1948-1955 ; copie d'un manuscrit dactylographié d'*Alexandre Chenevert*.
Fonds Éditions Pascal (MSS 1995-11) : lettres de Gabrielle Roy à Gérard Dagenais (1944-1945) et à Henri Girard (1944) ; manuscrit dactylographié incomplet de *Bonheur d'occasion* et exemplaire corrigé de la première édition.
Fonds François Côté (MSS 1994-17) : deux textes inédits de Gabrielle Roy (1940) trouvés dans les archives d'Émile-Charles Hamel.

Bibliothèque nationale du Québec, Montréal (BNQ)
Fonds Victor Barbeau (MSS 411) : lettres de Gabrielle Roy à Victor Barbeau, 1968-1977.
Fonds Paul Blouin (MSS 432) : lettres de Gabrielle Roy à Paul Blouin, 1975-1981.

Fonds Cécile Chabot (MSS 447) : lettres de Gabrielle Roy à Cécile Chabot, 1949-1973.

Bishop's University Archives, Lennoxville, Québec (BBU)
Joyce Marshall Papers : lettres de Gabrielle Roy à Joyce Marshall, 1959-1980.

Division scolaire de Saint-Boniface, Winnipeg (DSSB)
Dossier Gabrielle Roy : correspondance entre Gabrielle Roy et la Commission scolaire de Saint-Boniface, 1929-1938.

Frères marianistes de Saint-Boniface, Winnipeg
Dossier Gabrielle Roy : lettre de Gabrielle Roy au frère Joseph Bruns, 1938.

McMaster University, William Ready Division of Archives and Research Collections, Hamilton, Ontario (MMU)
McClelland & Stewart Limited Papers : lettres de Gabrielle Roy à Jack McClelland et à d'autres membres du personnel de la maison, 1957-1980 ; documents relatifs à la publication des œuvres de Gabrielle Roy en traduction anglaise.

Société historique de Saint-Boniface, Winnipeg (SHSB)
Fonds Pauline Boutal (23) : lettres de Gabrielle Roy à Pauline Boutal, 1948-1951.
Fonds Cercle Molière (25) : registres et comptes rendus de réunions, programmes, dossiers de presse, documents divers.
Fonds Marie-Thérèse Goulet-Courchaine (37) : lettre de Gabrielle Roy à Thérèse Goulet, 1947.
Fonds de l'Association d'éducation des Canadiens français du Manitoba (42) : documents divers.

Université Laval, Division des archives, Québec
Fonds Gérard Dion (P117/10/1) : lettres de Gabrielle Roy à Gérard Dion, 1968-1969.

Université de Sherbrooke, Groupe de recherche sur l'édition littéraire au Québec, Sherbrooke
Fonds Éditions du Lévrier, dossier Marie-Anna A. Roy : correspondance et documents relatifs à la publication du *Pain de chez nous*, 1953-1954 (copies communiquées par Yvan Cloutier).

Université du Québec à Trois-Rivières, Trois-Rivières (UQTR)
Fonds Adrienne Choquette : lettres de Gabrielle Roy à Adrienne Choquette, 1963-1973.

University of Toronto, Thomas Fischer Rare Books Library, Toronto (UOT)
William Arthur Deacon Collection (MS 160) : lettres de Gabrielle Roy à W. A. Deacon, 1946-1961 ; divers documents.

York University Archives and Special Collections, Toronto (YUT)
Margaret Laurence Papers : lettres de Gabrielle Roy à Margaret Laurence, 1976-1980.

4. Collections privées
Fonds Gabrielle Roy, Montréal (FGR)
Dossiers Gabrielle Roy : déclarations de revenus de Gabrielle Roy et autres documents financiers ; contrats d'édition et correspondance d'affaire ; testament ; documents divers.
Dossier Madeleine Bergeron et Madeleine Chassé : lettres de Gabrielle Roy aux Madeleine, 1954-1979.
Dossier John Helliwell : lettres de Gabrielle Roy à Renée Deniset, 1934-1942.
Dossier Antoine Sirois : lettres de Gabrielle Roy à A. Sirois, 1963-1969.

Lettres de Gabrielle Roy et autres documents conservés par des particuliers
Ellen R. Babby (Washington) : lettre, 1982.
Simone et Pierre Boutin (Québec) : lettres, 1973-1979.
André Brochu (Montréal) : lettres, 1961-1980 ; manuscrit.
Simone Bussières (Québec) : lettres, 1954-1978.
Richard M. Chadbourne (Calgary) : lettre, 1978.
Léonie Guyot (Winnipeg) : lettres, 1937-1945 ; un texte inédit (1934) ; divers documents.
Réal Jubinville (Hull) : lettres à Éliane Landry (1924-1943), à Léa Landry (1926-1981) et à Céline Jubinville (1979) ; lettres de Mélina Roy à Éliane Landry (1922).
André Major (Montréal) : lettres, 1975-1981.
Eugénie Miko (Québec) : lettres, 1968-1969.
Pierre Morency (Québec) : lettres, 1974-1979 ; manuscrit ; documents divers.

François Ricard (Montréal) : lettres, 1973-1983 ; manuscrits ; photos ; documents divers.
Yolande Roy-Cyr (Aylmer) : lettres à Antonia Houde (1968-1981) ; dossier relatif à la publication du texte sur « Terre des hommes » en 1967.
Jean Royer (Montréal) : lettre, 1983.
Ben-Z. Shek (Toronto) : lettres (1970-1978) ; dossier relatif à l'affaire du manuscrit d'Adèle (1968-1969).
Paul G. Socken (Waterloo) : lettres, 1976-1980.
Jeannette Urbas (Toronto) : lettres, 1969-1982.
Pierre Vadeboncœur (Montréal) : lettres, 1979.
Mel Yoken (New Bedford) : lettres, 1969-1981.

III. Livres, articles, entrevues

Les titres contenant des propos ou une entrevue de Gabrielle Roy sont précédés d'un astérisque. Pour des bibliographies systématiques sur Gabrielle Roy et son œuvre, on se reportera à Gagné (1973), Ricard (1975), Socken (1979), Chadbourne (1984) et Saint-Martin (à paraître), ainsi qu'aux articles sur les œuvres de Gabrielle Roy contenus dans les tomes III, IV, V et VI du Dictionnaire des œuvres littéraires du Québec *(Montréal, Fides, 1982-1994).*

* Allaire, Émilia B. (1960). « Notre grande romancière : Gabrielle Roy », *L'Action catholique*, Québec, 5 juin.
Allaire, Émilia B. (1963). « Gabrielle Roy, première femme à la Société royale du Canada », dans *Têtes de femmes : essais biographiques*, Québec, Éditions de l'Équinoxe.
* Ambrière, Francis (1947). « Gabrielle Roy, écrivain canadien », *Revue de Paris*, Paris, décembre.
* Anonyme (1947), « People Who Read and Write », *New York Times Book Review*, New York, 1er juin.
* A. S. P. [Annette Saint-Pierre] (1970). « Gabrielle Roy au Manitoba », *Populo*, Saint-Boniface, novembre.
* Audemar, Marguerite (1948). « Gabrielle Roy, romancière canadienne », *Eaux vives*, Paris, février.
* Avard, Lucille (1961). « Gabrielle Roy a lu Homère et part pour la Grèce », *La Presse*, Montréal, 2 septembre.
Bahuaud, Cécile et Lemay, France (1985). *Femmes de chez nous*, Saint-Boniface, Éditions du Blé.

Beauchamp, Colette (1992). *Judith Jasmin de feu et de flamme*, Montréal, Boréal.

* Beaudry, Pauline (1968-1969). « Répondre à l'appel intérieur », *Terre et Foyer*, Québec, décembre-janvier.

Beaulieu, André et Hamelin, Jean (1982). *La Presse québécoise des origines à nos jours*, tome V : *1911-1919*, Québec, Presses de l'Université Laval.

Beaumont, Johanne (1991). *Fonds Gabrielle Roy et Marcel Carbotte 1990-17 : Instrument de recherche*, Ottawa, Bibliothèque nationale du Canada.

Benazon, Michael (à paraître). « Gabrielle Roy's Montreal Years », dans *Charting Their Territories : Montreal Writers and Their City* (manuscrit communiqué par l'auteur).

Bernier, T[homas]-Alfred (1887). *Le Manitoba, champ d'immigration*, Ottawa, s. édit.

* Bessette, Gérard (1968). « Interview avec Gabrielle Roy », dans *Une littérature en ébullition*, Montréal, Éditions du Jour [entrevue réalisée en 1965].

Blay, Jacqueline (1987). *L'Article 23, les péripéties législatives et juridiques du fait français au Manitoba 1870-1986*, Saint-Boniface, Éditions du Blé.

Booth, Philip (1989). *The Montreal Repertory Theatre, 1930-1961 : A History and Handlist of Production*, mémoire de maîtrise, Université McGill, Montréal.

* Bourbonnais, Marie (1947). « La femme du mois : Mme Gabrielle Roy », *Pour vous Madame*, Montréal, novembre-décembre.

Boutal, Pauline (1985). « Le théâtre laïque à Saint-Boniface et à Winnipeg, 1909-1929 : le Cercle Molière, 1925-1974 », dans L. Dorge (1985).

Brandt, Yvette (1980). *Memories of Lorne 1880-1980*, Somerset (Manitoba), The Municipality of Lorne.

Brown, Craig (dir.) (1988). *Histoire générale du Canada* (trad. Michel Buttiens et coll.), Montréal, Boréal.

* Cameron, Don (1973). « Gabrielle Roy : A Bird in the Prison Window », dans *Conversations With Canadian Novelists*, tome 2, Toronto, Macmillan (texte d'abord paru dans *Quill & Quire*, Toronto, octobre 1972) [une transcription littérale de cette entrevue se trouve à la BNC].

Cercle Molière (1975). *Le Cercle Molière : 50e anniversaire*, Saint-Boniface, Éditions du Blé.

Chadbourne, Richard (1984). « Essai bibliographique : cinq ans d'étude sur Gabrielle Roy, 1979-1984 », *Études littéraires*, Québec, hiver 1984.

Charbonneau, Robert (1972). « Gabrielle Roy », dans *Romanciers canadiens*, Québec, Presses de l'Université Laval [texte d'abord lu à l'émission *Radio-Collège* pendant la saison 1952-1953].

Charland, R.-M. et Samson, J.-N. (1967). *Gabrielle Roy*, Montréal, Fides, coll. « Dossiers de documentation sur la littérature canadienne-française ».

Charpentier, Fulgence (1983). « Gabrielle Roy ou la condition humaine », *Le Droit*, Ottawa, 23 juillet.

* Cobb, David (1976). « Seasons in the Life of a Novelist : Gabrielle Roy », *The Canadian*, Toronto, 1er mai.

Dagenais, Gérard (1967). « Gabrielle Roy », dans *Nos écrivains et le français I*, Montréal, Éditions du Jour.

* Dartis, Léon [Henri Girard] (1947). « La genèse de *Bonheur d'occasion* », *Revue moderne*, Montréal, mai.

* Deacon, William Arthur (1947). « Celebrity Hopes Fame Won't Interrupt Work », *The Globe & Mail*, Toronto, 2 février.

* Delson-Karan, Myrna (1986). « The Last Interview : Gabrielle Roy », *Québec Studies*, Hanover, nº 4 [entrevue réalisée en 1982 ; manuscrit original en français communiqué par l'auteur].

* Desmarchais, Rex (1947). « Gabrielle Roy vous parle d'elle et de son roman », *Bulletin des agriculteurs*, Montréal, mai.

Dickason, Tony (1947). « Gabrielle Roy's Own Story Recalled by Sister Here », *Winnipeg Tribune*, 1er mars [article fondé sur une entrevue avec Anna, la sœur de Gabrielle Roy].

Dioudonnat, Pierre-Marie (1973). *« Je suis partout » 1930-1944 : les maurrassiens devant la tentation fasciste*, Paris, La Table ronde.

Dioudonnat, Pierre-Marie (1993). *Les 700 rédacteurs de « Je suis partout » 1930-1944 : Dictionnaire des écrivains et journalistes qui ont collaboré au « Grand hebdomadaire de la vie mondiale » devenu le principal organe du fascisme français*, Paris, Sedopols.

Dorge, Lionel (1976). *Le Manitoba : reflets d'un passé*, Saint-Boniface, Éditions du Blé.

Dorge, Lionel, dir. (1980). *Chapeau bas, réminiscences de la vie théâtrale et musicale du Manitoba français*, première partie, Saint-Boniface, Éditions du Blé.

Dorge, Lionel, dir. (1985). *Chapeau bas, réminiscences de la vie théâtrale et musicale du Manitoba français*, deuxième partie, Saint-Boniface, Éditions du Blé.

* Dorion, Gilles et Émond, Maurice (1979). « Gabrielle Roy », *Québec français*, Québec, nº 36, décembre.

* Duncan, Dorothy (1947). « Le Triomphe de Gabrielle », *Maclean's Magazine*, Toronto, 15 avril.

* Duval, Monique (1956). « Notre entrevue du jeudi : Gabrielle Roy », *L'Événement-Journal*, Québec, 17 mai.

* Elot, Maryse (1947). « Le Prix Fémina à Gabrielle Roy », *Les Nouvelles littéraires*, Paris, 4 décembre.

Ferron, Jacques (1973). « Des sables, un manuscrit », *L'Information médicale et paramédicale*, Montréal, 3 juillet [article repris dans *Du fond de mon arrière-cuisine*, Montréal, Éditions du Jour, 1973].

Frémont, Donatien (1947). « Gabrielle Roy du Manitoba », *Le Canada*, Montréal, 26 septembre.

Frémont, Donatien (1980). *Les Français dans l'Ouest canadien*, Saint-Boniface, Éditions du Blé.

* Gagné, Marc (1973). *Visages de Gabrielle Roy, l'œuvre et l'écrivain*, Montréal, Beauchemin [contient des propos de Gabrielle Roy].

* Gagné, Marc (1976). «*La Rivière sans repos* de Gabrielle Roy : étude mythocritique » [3e partie], *Revue de l'Université d'Ottawa*, Ottawa, juillet-septembre [contient des propos de Gabrielle Roy].

Gauvin, Lise (1986). « Réception et roman : *Bonheur d'occasion* et *Alexandre Chenevert* de Gabrielle Roy », *Actes du 6e Congrès international des études canadiennes*, Acireale (Italie), Schena Editore.

Genuist, Paul (1992). *Marie-Anna Roy, une voix solitaire*, Saint-Boniface, Éditions des Plaines.

Giguère, Richard (1983). « *Amérique française* », *Revue d'histoire littéraire du Québec et du Canada français*, Ottawa, nº 6, été-automne.

Giguère, Richard et Michon, Jacques (dir.) (1985). *L'Édition littéraire au Québec de 1940 à 1960*, Sherbrooke, Université de Sherbrooke.

Giguère, Richard et Michon, Jacques (dir.) (1991). *Éditeurs transatlantiques*, Sherbrooke et Montréal, Ex Libris et Triptyque.

* Gilbert Lewis, Paula (1984). « La dernière des grandes conteuses : une conversation avec Gabrielle Roy », *Études littéraires*, Québec, hiver 1984 [entrevue réalisée en 1981].

* Godbout, Jacques (1979). « Gabrielle Roy : Notre Dame des bouleaux », *L'Actualité*, Montréal, janvier.

Grosskurth, Phyllis (1969). *Gabrielle Roy*, Toronto, Forum House, coll. « Canadian Writers & Their Works ».

Groulx, Lionel (1933). *L'Enseignement français au Canada*, tome II : *Les Écoles des minorités*, Montréal, Granger.

Grover, Sheila C. (1981). 375 *Deschambault Street : Gabrielle Roy House*, Winnipeg, Historical Buildings Committee of Manitoba [brochure].

* Guth, Paul (1947). « Un quart d'heure avec Gabrielle Roy, prix Fémina 1947, auteur de *Bonheur d'occasion* », *Flammes*, Paris, n° 9, décembre (repris sous le titre « L'interview de Paul Guth : Gabrielle Roy, prix Fémina 1947 » dans *La Gazette des lettres*, Paris, 13 décembre 1947).

G. V. R. [Germain Roy] (1954). « Gabrielle Roy : La Petite Misère Comes Into Her Own », *St. Paul's Library Guild Bulletin*, Winnipeg, mars.

Harvey, Carol J. (1993). *Le Cycle manitobain de Gabrielle Roy*, Saint-Boniface, Éditions des Plaines.

* Hind-Smith, Joan (1975). « Gabrielle Roy », dans *Three Voices. The Lives of Margaret Laurence, Gabrielle Roy and Frederick Philip Grove*, Toronto, Clarke Irwin [contient des propos et des extraits de lettres de Gabrielle Roy].

* Houle, Alain (1976). « René Richard et Gabrielle Roy : le Nord fascinant », *La Presse*, Montréal, 31 décembre.

* Jasmin, Judith (1961). « [Entrevue avec Gabrielle Roy] », émission *Premier Plan*, Radio-Canada (CBFT), 30 janvier (réalisation : Claude Sylvestre) [une transcription de cette entrevue m'a été communiquée par Jacques Blais].

* [Lafond, Andréanne] (1955). « Rencontre avec Gabrielle Roy », *Points de vue*, Saint-Jérôme, novembre.

Lanctot, Gustave (1947). « Allocution », dans Société royale du Canada (Section française), *Présentation de M. Léon Lorrain, Mlle Gabrielle Roy, M. Clément Marchand, M. Maurice Lebel*, Ottawa, année académique 1947-1948.

Larouche, Irma (1989). *Gabrielle Roy 1909-1983. Papiers, 1936-1983, MSS 1982-11/1986-11 : Instrument de recherche*, Ottawa, Bibliothèque nationale du Canada.

* Légaré, Céline (1972). « Gabrielle Roy, romancière de l'espoir et de la détresse », *Perspectives*, Montréal, 7 octobre.

Lennox, John et Lacombe, Michèle (dir.) (1988). *Dear Bill : The Correspondence of William Arthur Deacon*, Toronto, University of Toronto Press.

Linteau, Paul-André, Durocher, René et Robert, Jean-Claude (1989). *Histoire du Québec contemporain*, tome I : *De la Confédération à la crise*, nouvelle édition, Montréal, Boréal.

Linteau, Paul-André, Durocher, René, Robert, Jean-Claude et Ricard, François (1989). *Histoire du Québec contemporain*, tome II : *Le Québec depuis 1930*, nouvelle édition, Montréal, Boréal.

Marshall, Joyce (1983). « Gabrielle Roy 1909-1983 », *The Antigonish Review*, nº 55, automne.

Marshall, Joyce (1984). « Gabrielle Roy 1909-1983 : Some Reminiscences », *Canadian Literature*, Vancouver, nº 101, été.

Marshall, Joyce (1990). « Remembering Gabrielle Roy », *Brick*, London, nº 39, été.

Morency, Pierre (1992). « Un petit bois », dans *Lumière des oiseaux*, Montréal, Boréal.

* Morissette, Robert (1970). « [Entrevue avec Gabrielle Roy] », dans *La Vie ouvrière dans le roman canadien-français contemporain*, mémoire de maîtrise, Université de Montréal [entrevue réalisée en 1969].

* Murphy, John J. (1963). « Visit With Gabrielle Roy », *Thought*, New York, automne.

O'Neill-Karch, Mariel (1992). « Gabrielle Roy et William Arthur Deacon : une amitié littéraire », *Cultures du Canada français*, Ottawa, nº 9.

Pagé, Pierre, Legris, Renée et Blouin, L. (1975). *Répertoire des œuvres de la littérature radiophonique québécoise 1930-1970*, Montréal, Fides.

* Parizeau, Alice (1966). « Gabrielle Roy, la grande romancière canadienne », *Châtelaine*, Montréal, avril.

* Parizeau, Alice (1967). « La grande dame de la littérature québécoise », *La Presse*, Montréal, 23 juin.

* Paterson, Beth (1945). « Gabrielle Roy's Novel of St. Henri Realizes Fragile Five-year Hope », *The Gazette*, Montréal, 29 août.

Reeves, John (1975). « Gabrielle Roy », *Saturday Night*, Toronto, septembre.

Ricard, François (1975). *Gabrielle Roy*, Montréal, Fides, coll. « Écrivains canadiens d'aujourd'hui ».

Ricard, François (1984). « La métamorphose d'un écrivain », *Études littéraires*, Québec, hiver.

Ricard, François (1991). « La *Revue moderne* : deux revues en une », *Littératures*, Montréal (Université McGill), nº 7.

Ricard, François (1992a). « Les inédits de Gabrielle Roy : une première lecture », dans Yolande Grisé et Robert Major (dir.), *Mélanges de littérature canadienne-française et québécoise offerts à Réjean Robidoux*, Ottawa, Presses de l'Université d'Ottawa.

Ricard, François (1992b). *Inventaire des archives personnelles de Gabrielle Roy conservées à la Bibliothèque nationale du Canada*, Montréal, Boréal.

* Ringuet [Philippe Panneton] (1951). « Gabrielle Roy publie *La Petite Poule d'Eau* », *Flammes*, Paris, mai (repris sous le titre « Conversation avec Gabrielle Roy » dans la *Revue populaire*, Montréal, octobre 1951).

* Robert, Lucette (1951). « Gabrielle Roy, revenue au pays, retrouve un climat d'amitié », *Photo-Journal*, Montréal, 19 juillet.

Robidoux, Réjean (1974). « Gabrielle Roy à la recherche d'elle-même », *Canadian Modern Language Review*, Toronto, mars.

* Robillard, J.-P. (1956). « Entrevue-éclair avec Gabrielle Roy », *Le Petit Journal*, Montréal, 8 janvier.

Robinson, Christine (1995). « *La Saga d'Éveline* : un grand projet romanesque de Gabrielle Roy », *Cahiers franco-canadiens de l'Ouest*, Saint-Boniface, automne.

Roy, Marie-Anna A. [Adèle] (1954). *Le Pain de chez nous, histoire d'une famille manitobaine*, Montréal, Éditions du Lévrier.

Roy, Marie-Anna A. [Adèle] (1958). *Valcourt ou La Dernière Étape, roman du Grand Nord canadien*, [Beauceville], s. édit.

Roy, Marie-Anna A. [Adèle] (1969). *La Montagne Pembina au temps des colons. Historique des paroisses de la région de la Montagne Pembina et biographies des principaux pionniers*, Winnipeg, s. édit.

Roy, Marie-Anna A. [Adèle] (1970). *Les Visages du vieux Saint-Boniface*, Saint-Boniface, s. édit.

Roy, Marie-Anna A. [Adèle] (1977). *Les Capucins de Toutes-Aides et leurs dignes confrères*, Montréal, Éditions franciscaines.

* Roy, Marie-Anna A. [Adèle] (1979). *Le Miroir du passé*, Montréal, Québec/Amérique.

Roy, Marie-Anna A. [Adèle] (1988). « Cher visage », *Bulletin du Centre d'études franco-canadiennes de l'Ouest*, Saint-Boniface, n° 28, juin.

Roy, Marie-Anna A. [Adèle] (1989-1990). « À l'ombre des chemins de l'enfance », *L'Eau vive*, Regina, 38 épisodes publiés du 6 juillet 1989 au 26 avril 1990.

Roy, Marie-Anna A. [Adèle] (1993). « Vieux souvenirs de lumière », *L'Eau vive*, Regina, 8 juillet.

Roy-Painchaud, Anna (1955). « A Drawerful of Porridge », *Chatelaine*, Toronto, novembre [conte inspiré de l'enfance].

Saint-Martin, Lori (à paraître). *Bibliographie de Gabrielle Roy 1984-1995*, Montréal, Boréal.

Savoie, Guy (1972). *Le Réalisme du cadre spatio-temporel de « Bonheur d'occasion »*, mémoire de maîtrise, Université Laval, Québec.

* Scully, Robert-Guy (1974). « Le monde de Gabrielle Roy », *Le Devoir*, Montréal, 30 mars.

Shek, Ben-Z. (1989). « De quelques influences possibles sur la vision du monde de Gabrielle Roy : George Wilkinson et Henri Girard », *Voix et Images*, Montréal, n° 42, printemps.

Socken, Paul G. (1974). « Gabrielle Roy as Journalist », *Canadian Modern Language Review*, Toronto, janvier.

Socken, Paul G. (1979). « Gabrielle Roy : An Annotated Bibliography », dans R. Lecker et J. David (dir.), *The Annotated Bibliography of Canada's Major Authors*, vol. I, Downsview, ECW Press.

* Socken, Paul G. (1987). « Interview with Gabrielle Roy », dans *Myth and Morality in « Alexandre Chenevert » by Gabrielle Roy*, Francfort, Peter Lang [entrevue réalisée en 1979].

Stanké, Alain (1985). « Notes liminaires en guise de préface », dans M. G. Hesse, *Gabrielle Roy par elle-même*, traduit de l'anglais par Michelle Tisseyre, Montréal, Éditions Stanké.

* Tasso, L. (1965). «*Bonheur d'occasion* est le témoignage d'une époque, d'un endroit et de moi-même », *La Presse*, Montréal, 17 avril (repris dans *La Liberté et le Patriote*, Saint-Boniface, 22 avril 1965).

Teboul, Victor (1984), *« Le Jour » : émergence du libéralisme moderne au Québec*, Montréal, Hurtubise HMH.

* Thomas, A. Vernon (1947). «*The Tin Flute* Turns Out to Be a Pot of Gold for Its Author », *Saturday Night*, Toronto, 12 avril.

Thomas, Clara et Lennox, John (1982). *William Arthur Deacon : A Canadian Literary Life*, Toronto, University of Toronto Press.

Trudeau, Mireille (1976). *« Bonheur d'occasion » et la presse française*, mémoire de maîtrise, Université de Montréal.

Urbas, Jeannette (1988). « Not Enough Time », *Atlantis*, Halifax, automne.

IV. Témoignages

Aimé Badiou (Notre-Dame-de-Lourdes, Manitoba) ; Madeleine Bergeron (Québec) ; Simone Bussières (Notre-Dame-des-Laurentides) ; M. C. (Québec) ; Marcel Carbotte (Québec) ; Léona Carbotte-Corriveau (Winnipeg) ; Cécile Chabot (Montréal) ; Madeleine Chassé (Québec) ; Guy Chauvière (Winnipeg) ; Bernard Dagenais (Québec) ; Françoise

Dagenais (Montréal) ; Jacqueline Deniset-Benoist (Montréal) ; Lionel Dorge (Winnipeg) ; Paul Dumas (Montréal) ; André Fauchon (Winnipeg) ; Jacques Fortin (Montréal) ; Louis-Philippe Gauthier (Montréal) ; Thérèse Gauthier (Winnipeg) ; Léonie Guyot (Winnipeg) ; Réginald Hamel (Montréal) ; John Helliwell (New York) ; Gilles Hénault (Montréal) ; Antonia Houde-Roy (Ottawa) ; Réal Jubinville (Hull) ; Marcel Lancelot (Winnipeg) ; Jeanne Lapointe (Québec) ; Joyce Marshall (Toronto) ; Eugénie Miko (Québec) ; Jean Miko (Québec) ; Pierre Morency (Québec) ; Yvon Ouellet (Québec) ; Lucien Parizeau (Ottawa) ; Marie Pronovost (Winnipeg) ; Clelio Ritagliati (Winnipeg) ; Denise Rocan (Winnipeg) ; Adèle Roy (Montréal) ; Yolande Roy-Cyr (Aylmer) ; Ben-Z. Shek (Toronto) ; Berthe Simard (Petite-Rivière-Saint-François) ; Antoine Sirois (Sherbrooke) ; Jori Smith (Montréal) ; Jean Soucy (Québec) ; René Soulard (Montréal) ; Jeannette Urbas (Toronto) ; Berthe Valcourt (Winnipeg) ; Victorine Vigier (Notre-Dame-de-Lourdes, Manitoba).

Remerciements

La préparation et la publication de cet ouvrage n'auraient pas été possibles sans le concours d'un grand nombre de personnes et d'institutions.

Je remercie d'abord, de la confiance qu'elles m'ont accordée, toutes les personnes qui ont bien voulu répondre à mes questions et m'ouvrir leurs archives ; leurs noms apparaissent aux sections II et IV de la bibliographie. Trois d'entre elles m'ont offert une collaboration de chaque instant et ont été pour moi de véritables guides tout au long de ma recherche : il s'agit de Lionel Dorge, Léonie Guyot et feu Marcel Carbotte, sans qui cette biographie serait restée bien livresque et superficielle. Il va sans dire que les erreurs qui ont pu se glisser dans mon récit ne dépendent pas de ces personnes, mais de moi uniquement.

Je remercie également le personnel des bibliothèques et des dépôts d'archives que j'ai consultés, et où j'ai toujours été reçu avec la plus grande gentillesse ; en particulier, celui de la Collection des manuscrits littéraires de la Bibliothèque nationale du Canada, dont l'ancien conservateur, Claude Le Moine, a soutenu mes recherches avec une patience et une compétence que je n'oublierai pas.

Ma reconnaissance va aussi à mes étudiants – Anne-Marie Fortier, Marcel Fortin, Julie Potvin, Sophie Marcotte, Christine Robinson – qui m'ont dégagé de certaines recherches ponctuelles et se sont intéressés à mon travail, ainsi qu'aux amis et aux collègues – Gilles Marcotte, Paul-André Linteau, Yvon Rivard, Jean Bernier – qui ont bien voulu lire mon texte avant sa publication et me faire profiter de leurs lumières. Paule Noyart a également droit à ma gratitude pour la finesse et la rigueur avec lesquelles elle a corrigé et poli mon manuscrit.

Enfin, je remercie de leur aide financière le Conseil de recherches en sciences humaines du Canada, le Programme Killam du Conseil des arts du Canada et la Faculté des études supérieures de l'Université McGill.

F. R.

Index

Noms de personnes et d'organismes et titres des livres de Gabrielle Roy cités dans le texte (à l'exclusion des notes et de la bibliographie).

Table des matières

CHAPITRE IV

« Cette inconnue de moi-même... »

CHAPITRE V

La vraie vie est ailleurs

CHAPITRE VI

L'aventure

CHAPITRE VII

Le poids de la gloire

CHAPITRE VIII

« Écrire, comme sa raison même de vivre »

CHAPITRE IX

Le temps de la mémoire